FB. Biochemie
S. AHmann

Allgemeine Botanik

Wilhelm Nultsch

10., neu bearbeitete und erweiterte Auflage

234 Abbildungen in 525 Einzeldarstellungen
19 Boxen
Glossar mit 752 Stichworten

1996
Georg Thieme Verlag
Stuttgart · New York

Prof. Dr. rer. nat. Wilhelm Nultsch
Biologische Anstalt Helgoland
Zentrale Hamburg
Notkestraße 31
22607 Hamburg

Die Deutsche Bibliothek –
CIP-Einheitsaufnahme

Nultsch, Wilhelm:
Allgemeine Botanik / Wilhelm Nultsch. –
10., neu bearb. und erw. Aufl. – Stuttgart ;
New York : Thieme, 1996

Zeichnungen von G. Bosch, Stuttgart

1. Auflage 1964
2. Auflage 1965
3. Auflage 1968
4. Auflage 1971
5. Auflage 1974
6. Auflage 1977
7. Auflage 1982
8. Auflage 1986
9. Auflage 1991

1. holländische Auflage 1968
2. holländische Auflage 1973
3. holländische Auflage 1976

1. polnische Auflage 1968
2. polnische Auflage 1973

1. spanische Auflage 1968
2. spanische Auflage 1975

1. französische Auflage 1969

1. englische Auflage 1971

© 1964, 1996 Georg Thieme Verlag,
Rüdigerstraße 14, D-70469 Stuttgart
Printed in Germany

Satz: Dr. Ulrich Mihr GmbH,
    72070 Tübingen (System: VP 4.1.1)
Druck und Buchbinder: Clausen & Bosse,
    25917 Leck

ISBN 3-13-383310-3   1 2 3 4 5 6

V

Vorwort zur 10. Auflage

Die erste Auflage dieses Buches, die im Jahre 1964 erschien, war in erster Linie für Mediziner geschrieben, für die die Grundvorlesung „Allgemeine Botanik" obligatorisch war, darüber hinaus aber auch als Einführung für Naturwissenschaftler. Von Auflage zu Auflage hat sich der Schwerpunkt immer mehr zugunsten der Biologie verschoben, so daß das Buch heute vor allem auf die Bedürfnisse der Studenten der Biologie, Biochemie, Mikrobiologie und Pharmazie zugeschnitten ist. Aus diesem Grunde wurde jetzt erstmals auf den bisherigen Untertitel „Kurzes Lehrbuch für Mediziner und Naturwissenschaftler" verzichtet.

War schon die letzte Auflage so weitgehend überarbeitet, daß sie mit Recht als *neubearbeitete* Auflage bezeichnet werden konnte, so trifft dies für die vorliegende zehnte Auflage in noch stärkerem Maße zu. Obwohl der bewährte grundsätzliche Aufbau beibehalten wurde, wird mit der *didaktischen Neugestaltung* dem Studenten die Vorbereitung auf die Prüfung angesichts der Fülle neuer Erkenntnisse erleichtert. Die Kapiteleinleitungen bilden gewissermaßen den roten Faden, der sich durch das ganze Buch zieht und zu dem jeweils zu behandelnden Stoff hinführt. Sie sind zweispaltig gesetzt. Jedes Unterkapitel beginnt mit einem kurzen Überblick über die behandelte Thematik und ist durch eine rote Unterrasterung kenntlich gemacht. Bestimmte Sätze oder Abschnitte, die grundlegende Aussagen enthalten, sind durch ein Merksatzlogo am linken Rande markiert. Schließlich wurden auch sogenannte Boxen aufgenommen, in denen bestimmte Themen abgehandelt werden, die zwar nicht unbedingt zum Lehrstoff einer Grundvorlesung gehören, aber als ergänzende Informationen dem einen oder anderen Leser sicherlich willkommen sind.

Auch inhaltlich wurde die neue Auflage, wie es für dieses Buch eigentlich selbstverständlich ist, gründlich überarbeitet und erweitert, so daß viele Absätze, Unterkapitel und z.B. ein großer Teil des Kapitels über Heterotrophie neu geschrieben werden mußten. Das Glossarium wurde entsprechend ergänzt. Auch einige neue Abbildungen wurden aufgenommen, für deren Überlassung ich den Herren K. Hausmann, H. Machemer, R. Matyssek, J. J. Sauter, A. Sievers, H. C. Weber, E. W. Weiler und dem Institut für den Wissenschaftlichen Film sehr verbunden bin. Wie stets gebührt auch diesmal zahlreichen Kolleginnen und Kollegen sowie Studentinnen und Studenten mein Dank für förderliche Hinweise und Anregungen, denen ich im Rahmen des Möglichen Rechnung getragen habe. Dem Georg Thieme Verlag, insbesondere meinem Freund und Verleger Dr. med. h.c. Günther Hauff gebührt mein Dank für die nun schon über dreißig Jahre während Betreuung und Pflege dieses Buches, Frau Margrit Hauff-Tischendorf für die konstruktive und vertrauensvolle Zusammenarbeit. Herrn G. Bosch danke ich für die bewährte graphische Gestaltung der neuen Abbildungen und meiner Frau für die Unterstützung beim Lesen der Korrekturen.

Hamburg, im August 1995

Wilhelm Nultsch

Vorwort zur 1. Auflage

An ausführlichen Lehrbüchern der Botanik bzw. der Allgemeinen Botanik mangelt es z. Z. nicht. In zunehmendem Maße macht sich jedoch im Unterricht das Fehlen einer kurzen Einführung in die Allgemeine Botanik bemerkbar, die dem Studenten eine erste Orientierung über die Grundlagen und Probleme dieses Teils der Biologie ermöglicht. Bekannte und bewährte Bücher dieser Art haben ihr Erscheinen eingestellt bzw. liegen nicht in neuerer Auflage vor. So ist der Student, der Allgemeine Botanik als Nebenfach zu belegen hat und dem das Studium umfangreicher Werke nicht zugemutet werden kann, fast ausschließlich auf die Vorlesung angewiesen, um sich das für die Prüfung notwendige Rüstzeug zu erwerben.

Diesem Mangel soll das vorliegende kurze Lehrbuch abhelfen. Es ist in erster Linie für den Studenten der Medizin geschrieben und beruht auf den Erfahrungen und Unterlagen einer Vorlesung über Allgemeine Botanik, die seit einer Reihe von Jahren an der Tübinger Universität speziell für Mediziner gelesen wird. Bei der Niederschrift wurden jedoch auch solche Teilgebiete, deren genaueres Studium man von einem Studenten der Medizin weniger erwarten wird, wie Morphologie, Anatomie und Histologie, etwas stärker als im Unterricht berücksichtigt, so daß das Buch auch Studenten der Naturwissenschaften, die eine Prüfung in Allgemeiner Botanik zu absolvieren haben, wie Mikrobiologen, Biochemikern und Pharmazeuten, die nötigen Kenntnisse zu vermitteln vermag. Schließlich sollte es auch für den Biologen als einleitende oder doch zum mindesten ergänzende Lektüre geeignet sein, werden hier doch manche Probleme angeschnitten, die in den Lehrbüchern der Botanik üblicherweise nicht oder doch nur am Rande behandelt werden.

Dieser Aufgabe entsprechend wurden ganz bewußt die Ergebnisse und Probleme der Allgemeinen Biologie, wie sie uns vor allem in der Cytologie, der Physiologie und der Genetik entgegentreten, in den Vordergrund der Betrachtung gerückt, während andere interessante Fragen der Ökologie, der Entwicklungsgeschichte u. a. Gebiete nur hier und da kurz angeschnitten werden konnten. Aus dem gleichen Grunde wurden bei der Besprechung physiologischer und genetischer Probleme häufig Mikroorganismen als Beispiele gewählt, was nicht bedeutet, daß in vielen Fällen andere Objekte dafür nicht genauso geeignet wären. Der Kritiker mag jedoch bedenken, daß sowohl die Stoffauswahl als auch die Stoffanordnung naturgemäß subjektiv sein müssen.

Einige Worte zum Aufbau des Buches: Ausgehend von der Erfahrung, daß die Hörer des Kollegs über Allgemeine Botanik nur in seltenen Fällen die für das Verständnis der Lebensvorgänge nötigen Kenntnisse in der Chemie und der Physik besitzen, wurde an den Anfang des Buches ein kurzes Kapitel über den molekularen Aufbau des pflanzlichen Organismus gestellt. In diesem werden alle wichtigen

Verbindungen und Verbindungsklassen, deren Kenntnisse in den folgenden Kapiteln vorausgesetzt werden muß, kurz erklärt und abgeleitet. Dieser Abschnitt muß natürlich nicht notwendigerweise zu Beginn gelesen werden. Vielmehr finden sich im folgenden Text zahlreiche Seitenhinweise, mit deren Hilfe es möglich ist, sich auch zu einem späteren Zeitpunkt, wenn die betreffende Verbindung im Text erscheint, über ihre wichtigsten Eigenschaften zu informieren. Um Mißverständnissen vorzubeugen, sei betont, daß dieses Kapitel das sorgfältige Studium der einschlägigen chemischen und biochemischen Lehrbücher weder ersetzen soll noch ersetzen kann. Es soll dem Studenten im Gegenteil die Wichtigkeit ausreichender chemischer und biochemischer Kenntnisse für das Studium der Biologie deutlich vor Augen führen und ihn zu eingehenderen Studien in diesen Fächern anregen.

Auch sollte endlich mit der leider immer noch weitverbreiteten Ansicht gebrochen werden, daß die Verwendung chemischer Formeln und Reaktionsgleichungen für den Anfänger zu schwierig sei und der Chemie bzw. Biochemie, letzten Endes also späteren Semestern, vorbehalten bleiben müßte. Je weiter wir bei der Analyse der Lebensvorgänge in die molekulare Dimension vorstoßen, um so weniger ist es möglich, auf die Behandlung der den Lebenserscheinungen zugrundeliegenden chemischen Vorgänge zu verzichten. Jedenfalls werden die komplizierten chemischen Umsetzungen, die sich im lebenden Organismus abspielen, gewiß nicht dadurch besser verständlich, daß man auf eine formelmäßige Wiedergabe verzichtet. Auch muß der Anfänger begreifen, daß die chemische Formelsprache in Wirklichkeit eine großartige Vereinfachung ist, die ein tieferes Eindringen in die Problematik des Haushaltes der Zelle überhaupt erst ermöglicht. Aus diesem Grunde ist ein erheblicher Teil der im vorliegenden Buch besprochenen chemischen Verbindungen und Umsetzungen durch entsprechende Strukturformeln bzw. Reaktionsgleichungen belegt. Das bedeutet natürlich nicht, daß jede dieser Formeln und Reaktionsgleichungen auswendig gelernt werden müßte. Wieweit ihre Kenntnis verlangt wird, liegt letztlich im Ermessen des betreffenden Dozenten.

Von dem strukturellen Aufbau des Protoplasten und seiner zellulären Gliederung führt ein gerader Weg von der Einzelzelle über die verschiedenen Organisationsformen zum Kormus und seinem Aufbau. Hier wurden die Kapitel über den Stoff- und Energiehaushalt angeschlossen. Als ungewöhnlich mag mancher empfinden, daß die Fortpflanzung erst nach dem Stoffwechsel behandelt wird, doch hat diese Anordnung den Vorteil, daß Fortpflanzung, Vererbung und Entwicklung so eine Einheit bilden. Im übrigen kann das Fortpflanzungskapitel durchaus auch vor dem Stoffwechsel gelesen werden. Den Abschluß bildet eine Übersicht über die pflanzlichen Bewegungserscheinungen.

In einer Zeit, in der der einzelne kaum noch sein engeres Fachgebiet zu überschauen vermag, fällt der Entschluß, einen Überblick über das Gesamtgebiet der Allgemeinen Botanik zu geben, nicht leicht. Oft wechseln die Auffassungen in dieser oder jener Frage von Tag zu Tag. Es ist nicht immer möglich, dieser Entwicklung sogleich zu folgen, da es schwierig ist, zu entscheiden, was bereits als erwiesen gelten kann und was lediglich die Auffassung eines einzelnen Forschers bzw.

einer Forschergruppe ist. Um so mehr ist jeder Verfasser eines Lehrbuches auf die Anteilnahme und die Kritik seiner Fachkollegen angewiesen. Hier gilt vor allem Herrn Prof. Bünning mein Dank für die Durchsicht des Manuskriptes sowie für eine große Zahl von Anregungen und Kritiken. Des weiteren danke ich den Herren Prof. Haupt, Prof. Haustein, Prof. Mägdefrau und Prof. Mohr für zahlreiche kritische Hinweise und Diskussionen.

Den Herren Prof. Drews, Dr. Giesbrecht und Dr. Könitz habe ich für die Originalvorlagen der elektronenmikroskopischen Abbildungen zu danken, Herrn Prof. Mägdefrau für die Überlassung seiner Blockdiagramme, Herrn Prof. Oehlkers für die Erlaubnis zum Abdruck einiger Abbildungen aus dem Buch „Das Leben der Gewächse".

Alle Abbildungen sind, auch sofern ältere Vorlagen benutzt wurden, neu gezeichnet und dabei meist auch etwas verändert. Hier wurde, wo immer es angebracht erschien, der räumlichen Darstellung der Vorzug gegeben. Außerdem wurden aus didaktischen Gründen häufig mehrere Abbildungen zu Tafeln zusammengefaßt, so daß die Anzahl der Einzelabbildungen weit höher ist als der Numerierung entspricht. Für die große Sorgfalt bei der Anfertigung der Zeichnungen gebührt mein Dank Herrn K.-H. Seeber. Herrn J. Paland danke ich für die sorgfältige Ausführung der Formelzeichnungen. Dem Georg Thieme Verlag habe ich für die Förderung, die er dem Buch angedeihen ließ, zu danken, insbesondere jedoch dafür, daß dieses Buch trotz seiner guten Ausstattung zu einem so geringen Preis erscheinen kann.

Tübingen, im März 1964   Wilhelm Nultsch

Inhaltsverzeichnis

Verzeichnis der Boxen

Einleitung

Überschauen wir die Entwicklung der Biologie in den letzten Jahrzehnten, besonders aber in den letzten Jahren, so stellen wir fest, daß sie ihren ursprünglichen Charakter einer vorwiegend deskriptiven Wissenschaft weitgehend eingebüßt hat. Während es die Biologen früherer Jahre als ihre vordringlichste Aufgabe ansahen, die kaum zu übersehende Vielfalt der Organismen zu erfassen, zu beschreiben und zu klassifizieren, setzten doch schon im vorigen Jahrhundert mit Beginn der cytologischen und physiologischen Forschung Bestrebungen ein, hinter der Vielfalt der äußeren Erscheinungen nach dem zu suchen, was das Leben überhaupt ausmacht.

Bereits die Untersuchungen der klassischen Cytologie haben gezeigt, daß die äußerlich so sehr ins Auge fallenden Unterschiede zwischen den einzelnen Organismen geringer werden, wenn man in die Dimension der Zelle vordringt. Nur eine begrenzte Anzahl von Zelltypen baut die Organismen auf, und die Vielzahl der Unterschiede zwischen Pflanze und Tier reduziert sich auf einige wenige Charakteristika des Bauplans.

In noch weit stärkerem Maße trifft dies für den submikroskopischen Bereich zu, der uns durch das Elektronenmikroskop erschlossen wurde. Hier zeigt sich, daß pflanzliches und tierisches Plasma im wesentlichen die gleiche Grundstruktur besitzen und daß es nur wenige Strukturelemente gibt, die die pflanzliche Zelle von der tierischen unterscheiden.

In vielen Fällen ist es bereits gelungen, die molekulare Dimension biologischer Strukturen zu erschließen, in der sich die Unterschiede zwischen den verschiedenen Organismen noch mehr verwischen. Diese Untersuchungen führten zu der Erkenntnis, daß es an bestimmte Strukturen gebundene Grundphänomene des Lebens gibt, die im Prinzip bei allen Organismen gleich sind, z. B. die Vererbungsvorgänge, die Prozesse der Energieumwandlung und Energieübertragung u. a.

Diese Fortschritte wurden durch die Entwicklung und Anwendung immer exakterer, subtilerer und komplizierterer Methoden möglich sowie durch eine enge Zusammenarbeit der Biologie mit gewissen Zweigen der Chemie und Physik. Inzwischen haben sich die Biochemie und Biophysik zu selbständigen Disziplinen entwickelt, die genauso zum Gesamtgebiet der Biologie gehören wie die sogenannten „klassischen" biologischen Disziplinen.

Diese Entwicklung ist auch heute noch keineswegs abgeschlossen. Fast täglich wird über neue Befunde berichtet, die es nötig erscheinen lassen, unsere bisherigen Vorstellungen zu revidieren oder zu ergänzen. Jeder Bericht und jedes Buch kann deshalb nur ein Bild vom augenblicklichen Stand unseres Wissens vermitteln.

1 Molekularer Aufbau des pflanzlichen Organismus

Alle Lebewesen sind aus Molekülen aufgebaut, die ihrerseits aus Atomen bestehen. Diese lassen sich zwar in noch kleinere Bausteine wie Protonen, Neutronen und Elektronen zerlegen, doch ändert sich mit einem Eingriff am Atom selbst auch dessen stofflicher Charakter. Im Hinblick darauf ist es selbstverständlich, daß sich jede Veränderung im molekularen oder atomaren Gefüge der Körpersubstanzen auf die Lebensvorgänge eines Organismus auswirken muß, wie sich andererseits alle physiologischen Vorgänge letztlich auf irgendwelche biochemischen und biophysikalischen Vorgänge zurückführen lassen. Wollen wir deshalb einen Organismus und seine Lebensäußerungen wirklich begreifen, so müssen wir versuchen, diese bis in die molekulare oder gar atomare Dimension zu verfolgen.

1.1   Elementare Zusammensetzung des Pflanzenkörpers

Chemische Elementaranalysen verschiedener höherer Pflanzen haben gezeigt, daß die nach Entfernung des Wassers zurückbleibende Trockensubstanz hauptsächlich aus den Nichtmetallen Kohlenstoff C, Sauerstoff O, Wasserstoff H, Stickstoff N, Schwefel S und Phosphor P besteht. Diese liegen überwiegend in Form organischer Verbindungen, zum Teil aber auch als Ionen vor. Darüber hinaus finden sich noch zahlreiche weitere Elemente, und zwar ebenfalls entweder als Bestandteile organischer Verbindungen oder in Form von Ionen.

Das Vorkommen eines Elementes in einer Pflanze ist natürlich noch kein Beweis dafür, daß es für diese wirklich lebensnotwendig ist. Einerseits gibt es Elemente, die nur für bestimmte, an besondere Standorte angepaßte Arten charakteristisch sind, wie z.B. das Natrium im Falle der Salzpflanzen (Halophyten). Andererseits stellen manche Elemente möglicherweise nur Ballaststoffe dar, ohne eine spezifische Funktion im Stoffwechsel zu erfüllen.

🔴 Die Notwendigkeit eines Elementes für die Pflanze läßt sich nur in streng kontrollierten Kulturversuchen ermitteln. Diese haben ergeben, daß die höheren Pflanzen in größeren Mengen stets die bereits genannten Elemente C, O, H, N, S und P und außerdem die Metalle Kalium K, Calcium Ca, Magnesium Mg und Eisen Fe benötigen. Diese werden, sprachlich nicht ganz glücklich, als **Makroelemente** bezeichnet. Darüber hinaus brauchen die höheren Pflanzen, wenn auch meist in sehr geringer Menge (Spuren), weitere Elemente, die Spuren- oder **Mikroelemente,** zu denen Bor B, Mangan Mn, Zink Zn, Kupfer Cu, Chlor Cl, Molybdän Mo sowie in einzelnen Fällen auch Natrium Na, Selen Se, Cobalt Co und Silicium Si gehören. Ihr Fehlen ruft schwere physiologische Schäden hervor (S. 273).

Die Ansprüche der niederen Pflanzen weichen von denen der höheren in manchen Fällen stark ab. So ist Calcium für viele Algen eher ein Mikro- als ein Makroelement, und für manche Pilze scheint es sogar ganz entbehrlich zu sein. Diatomeen (Kieselalgen) brauchen Silicium nicht nur für den Aufbau ihres Kieselpanzers, sondern auch für das Funktionieren ihres Stoffwechsels. Braunalgen (Tange) können große Mengen Jod speichern, dessen Bedeutung jedoch nicht bekannt ist.

1.2 Kohlenstoff

Von allen genannten Elementen überwiegt sowohl an Menge als auch an Bedeutung der Kohlenstoff. Diese Sonderstellung hat ihre Ursache vor allem in der Eigenschaft der Kohlenstoffatome, sich gegenseitig bindend Ketten oder Ringe zu bilden, eine Eigenschaft, die keines der anderen bekannten Elemente in diesem Maße besitzt. Sie gibt die Möglichkeit zur Bildung großer Moleküle, die eine unerläßliche Voraussetzung für die Entstehung einer potentiell unbegrenzten Anzahl verschiedener Stoffe während der Evolution und damit für die Spezifität der die Organismen aufbauenden Substanzen sind.

In allen seinen Verbindungen tritt der Kohlenstoff vierwertig auf, d.h. ein Kohlenstoffatom vermag vier einwertige Atome zu binden, z.B. vier Wasserstoffatome im Methan CH_4. Die Vierwertigkeit erklärt sich daraus, daß der Kohlenstoff nur vier Valenzelektronen besitzt, also noch vier weitere Elektronen aufzunehmen vermag, um eine Schale von acht Außenelektronen, die Edelgaskonfiguration (Oktett), zu erhalten, die sich durch eine besondere Stabilität auszeichnet. Geht der Kohlenstoff nun eine Verbindung mit einem anderen Element, im Falle des Methans mit Wasserstoff, ein, so wird seine äußere Schale durch die Elektronen des anderen Elementes aufgefüllt. Da jedes Wasserstoffatom nur ein Valenzelektron besitzt, verbinden sich also insgesamt vier Wasserstoffatome mit einem Kohlenstoffatom. Das Kohlenstoffatom hat dann mit jedem Wasserstoffatom je ein Elektronenpaar gemeinsam, und da die innerste Schale (K-Schale) maximal zwei Elektronen aufnehmen kann, sind auch die Schalen der vier Wasserstoffatome aufgefüllt. Jedes gemeinsame Elektronenpaar entspricht einer einfachen Bindung, d.h. einer Valenz. Da sich die Verwendung der Valenzstriche anstelle der Elektronenpaarschreibweise allgemein eingebürgert hat, soll sie auch hier beibehalten werden. Man bezeichnet Bindungen dieser Art als **kovalente Bindungen.** Sie sind sehr fest und etwa von der gleichen Größenordnung wie die **Ionenbindungen** zwischen einfach entgegengesetzt geladenen Ionen, z.B. $Na^{\oplus}$ und $Cl^{\ominus}$. Kovalente und Ionenbindungen werden deshalb auch als primäre oder Hauptvalenzen bezeichnet.

Entsprechend liegen die Verhältnisse, wenn die Kohlenstoffatome Ketten bilden. Da sich jedes C-Atom bei der Bildung unverzweigter Ketten nur mit zwei weiteren Atomen seiner Art verbindet, fehlt bei zwei Elektronen die Ergänzung zum Paar, d.h. es bleiben zwei Valenzen frei, die wieder von anderen Elementen, z.B. von Wasserstoff, eingenommen werden können.

Bei verzweigten Ketten steht allerdings auch an mindestens einer dieser beiden Valenzen ein C-Atom. Die auf diese Weise entstehende Verbindungsklasse trägt den Namen Kohlenwasserstoffe. Die Anfangsglieder dieser Reihe sind: Methan CH_4, Ethan C_2H_6, Propan C_3H_8 usw., d.h. die einzelnen Glieder folgen der allgemeinen Formel: C_nH_{2n+2}. Sie werden als gesättigte Kohlenwasserstoffe oder **Alkane** bezeichnet. Ungesättigte Kohlenwasserstoffe mit einer oder mehreren Doppelbindungen nennt man **Alkene** bzw., wenn sie eine Dreifachbindung enthalten, **Alkine.**

■ Die Doppel- und Dreifachbindungen sind reaktionsfähiger als die einfachen Bindungen und neigen daher zu Additions- und Polymerisationsreaktionen. Außerdem können die Kohlenstoffatome auch Ringe aus drei, vier, fünf, sechs und mehr Gliedern bilden (isozyklische Ringe). Enthalten diese Ringe ein oder mehrere Nichtkohlenstoffatome, nennt man sie heterozyklisch.

Nun liegen allerdings die vier Valenzen des Kohlenstoffs nicht in einer Ebene, sondern sind räumlich so angeordnet, daß bei Verbindungen der Enden der vier Valenzstriche ein reguläres Tetraeder entsteht, in dessen Mittelpunkt sich das Kohlenstoffatom befindet (Abb. 1.**1**). Die Kohlenstoffketten sind also nicht geradegestreckt, sondern, dem Valenzwinkel entsprechend, zickzackförmig ausgebildet (Abb. 1.**2**). Auch die Häufigkeit der Ringsysteme aus fünf und sechs Kohlenstoffatomen erklärt sich aus der Leichtigkeit, mit der sich solche Ringe infolge der Größe des Valenzwinkels bilden, während alle kleineren Ringsysteme unter einer mehr oder weniger großen Spannung stehen. Abb. 1.**3A** zeigt einen Cyclopentanring, der aus fünf C-Atomen besteht. Der aus sechs C-Atomen bestehende Cyclohexanring liegt, dem Valenzwinkel entsprechend, entweder in der sogenannten Sesselform (Abb. 1.**4A**) oder in der Wannen-(Boot-)form (Abb. 1.**4B**) vor. Die letztere besitzt meist einen höheren Energiegehalt als die Sesselform und ist daher nicht begünstigt, weshalb sie nur bei wenigen Reaktionen von Bedeutung ist.

Abb. 1.**1**   Tetraedermodell des Kohlenstoffatoms

A   C   B   D   E

Abb. 1.2 **A** Kette von Kohlenstoffatomen, dem Valenzwinkel entsprechend geknickt, **B** formelmäßige Darstellung der gesättigten Kohlenwasserstoffkette, **C** wie **B** in vereinfachter Schreibweise, **D** ungesättigte Kohlenwasserstoffkette mit konjugierten, d.h. durch einfache Bindungen getrennten Doppelbindungen, **E** wie **D** in vereinfachter Schreibweise

Abb. 1.3 **A** Fünfgliedriger Ring von Kohlenstoffatomen, **B** in formelmäßiger Darstellung, **C** wie **B** in vereinfachter Schreibweise, **D** Fünfring mit 2 Doppelbindungen, **E** wie **D** in vereinfachter Schreibweise

Abb. 1.4   Ring aus 6 Kohlenstoffatomen. **A** Sesselform, **B** Wannenform, **C** Cyclohexanring. C-Atome mit Wasserstoff gesättigt, **D** wie **C** in vereinfachter Schreibweise, **E** Benzolring mit 3 Doppelbindungen, **F** wie **E** in vereinfachter Schreibweise

1.3   Entstehung der Moleküle

Wie bereits erwähnt, vermögen die Atome sowohl eines als auch verschiedener Elemente Moleküle zu bilden, indem sie sich unter Auffüllung ihrer Elektronenschalen gegenseitig binden. Meist tun sie dies jedoch nicht spontan, sondern erst, wenn sie unter Energieaufnahme in einen energiereicheren Zustand übergegangen sind. Eine solche Energiezufuhr kann in Form von Strahlung, elektrischer Entladung, Wärme usw. erfolgen.

Wird ein Atom von einem **Quant**[1] ausreichender Energie getroffen, so kann sich sein energetischer Zustand, je nach Energiegehalt des Quants, in verschiedener Weise ändern. Entweder wird ein Elektron des getroffenen Atoms auf eine höhere Schale, d.h. auf ein höheres Energieniveau, angehoben (Abb. 1.**5**), ein Vorgang, den man als **Anregung** bezeichnet, oder ein Elektron wird ganz aus dem Atom herausgeworfen (Abb. 1.**6**). Unter Übernahme der gesamten Energie des Quants kann es als **Photoelektron** andere Atome anregen. Solcherart angeregte Atome sind sehr reaktionsfähig und vermögen miteinander reagierend Moleküle zu bilden oder,

Abb. 1.**5**   Anregung. Durch Energiezufuhr wird ein Elektron eines Atoms auf ein höheres Energieniveau gehoben

Abb. 1.**6**   Photoelektrischer Effekt. Das einfallende Photon überträgt seine gesamte Energie auf ein Elektron, das als Photoelektron die Energiesphäre des Atoms verläßt (nach Fritz-Niggli)

---

[1]   Unter einem Lichtquant (h · ν) oder **Photon** verstehen wir den kleinstmöglichen absorbierbaren Anteil elektromagnetischer Strahlung, d.h. ein Molekül absorbiert entweder ein ganzes Quant oder keines. Dabei ist h die Plancksche Konstante und ν die Frequenz der Strahlung. Die Energie eines Quants beträgt $E = 1240{,}3 : \lambda$, wobei E die Energie in Elektronenvolt (eV) und λ die Wellenlänge in nm ist. Die Energie eines Quants elektromagnetischer Strahlung ist also um so größer, je kürzer die Wellenlänge ist. Die Energie je Mol Photonen liegt im sichtbaren Bereich zwischen 168 und 293 kJ (40 und 70 kcal). Man bezeichnet die Mengen von einem Mol Photonen auch als 1 Einstein (1 E).

wenn sie bereits Teil eines Moleküls sind, dies zu weiteren Reaktionen zu veranlassen oder aber auch seinen Zerfall herbeizuführen. Derartige Anregungszustände sind die Ursache vieler biochemischer und physiologischer Vorgänge. Darüber hinaus sind sie auch die Vorbedingung für die chemische Evolution, d.h. für die abiotische Bildung organischer Substanzen aus anorganischen, die ihrerseits die Voraussetzung für die Entstehung der Lebewesen, die Biogenese, ist.

❗ Die **chemische Evolution** hat wahrscheinlich schon sehr bald nach Abkühlung der Erdoberfläche begonnen. Durch Reaktionen zwischen den Atomen der vorhandenen Elemente entstanden zunächst kleinere Moleküle wie Ammoniak NH_3, Methan CH_4, Schwefelwasserstoff H_2S, Cyanwasserstoff HCN sowie Spuren von Kohlendioxid CO_2 bzw. Kohlenmonoxid CO. Da elementarer Sauerstoff fehlte, herrschte also eine reduzierende Uratmosphäre. Andere Elemente lösten sich als Kationen bzw. Anionen im Urmeer. Unter diesen Bedingungen dürften größere „organische" Moleküle entstanden sein.

Die hierzu nötige Anregungsenergie mag zunächst thermischer Natur gewesen sein, doch haben sicherlich auch die Strahlungsenergie der Sonne, vor allem das UV, sowie gewitterartige elektrische Entladungen dazu beigetragen. Daß die Entstehung organischer Substanzen auf diese Weise möglich ist, haben zahlreiche Experimente gezeigt, in denen unter Einfluß ultravioletter, ionisierender oder radioaktiver Strahlung sowie elektrischer Entladungen oder starker Hitze aus Gemischen von H_2O, NH_3, H_2 und CH_4 organische Substanzen wie Carbonsäuren, Aminosäuren, Zucker, Nucleotidbasen u.a. hergestellt wurden. Viele von ihnen sind am Aufbau der Lebewesen beteiligt und werden deshalb als **Biomonomere** bezeichnet.

1.4   Die wichtigsten molekularen Bausteine

Die Kennzeichnung der vorgenannten Verbindungen als Säuren, Aminosäuren usw. läßt erkennen, daß sie durch bestimmte Eigenschaften charakterisiert sind. Diese gehen auf Atomgruppierungen zurück, die zu bestimmten Reaktionen befähigt sind und deshalb als **funktionelle Gruppen** bezeichnet werden. Die wichtigsten dieser Gruppen und der durch sie charakterisierten Verbindungen werden nachstehend kurz besprochen.

❗ **Hydroxylgruppe** –OH: Sie ist die funktionelle Gruppe der Alkohole. Tritt sie in Einzahl auf, sprechen wir von einwertigen Alkoholen, sind mehrere vorhanden, von mehrwertigen Alkoholen.

Einwertige Alkohole sind z.B. Methanol und Ethanol, mehrwertige Glycerin, Ribit und Mannit. Die Polyalkohole mit fünf Gruppen werden als Pentite, die mit sechs als Hexite bezeichnet. Ein Hauptcharakteristikum der alkoholischen Hydroxyl-

$$R-CH_2-OH \qquad H_3C-OH \qquad H_3C-CH_2-OH$$

Alkohol   **Methanol**   **Ethanol**

$$
\begin{array}{lll}
H_2C-OH & H_2C-OH & H_2C-OH \\
HC-OH & H-C-OH & HO-C-H \\
H_2C-OH & H-C-OH & HO-C-H \\
 & H-C-OH & H-C-OH \\
 & H_2C-OH & H-C-OH \\
 & & H_2C-OH
\end{array}
$$

Glycerin   **Ribit**   **Mannit**

gruppe ist die Fähigkeit, mit organischen Säuren, die in der Carboxylgruppe ebenfalls eine HO-Gruppierung besitzen, unter Wasserabspaltung Ester zu bilden. Wie
Isotopenversuche gezeigt haben, stammt der Sauerstoff des bei der Veresterung
abgespaltenen Wassers nicht aus der Hydroxylgruppe des Alkohols, sondern aus
der Carboxylgruppe der Säure. Es besteht also keine einfache Parallele zwischen
Veresterung und Salzbildung. Den rückläufigen Vorgang, d.h. die Spaltung eines
Esters in seine Komponenten unter Wasseraufnahme, bezeichnet man als Verseifung.

$$R^1-CH_2-O\,H \quad + \quad HO \overset{O}{\underset{}{\diagdown}}C-R^2 \quad \underset{+H_2O}{\overset{-H_2O}{\rightleftarrows}} \quad R^1-CH_2-O \overset{O}{\underset{}{\diagdown}}C-R^2$$

Alkohol   +   **Säure**   **Ester**

🔳 **Oxogruppe** =O: Sie ist in den Carbonylverbindungen in Form der Carbonylgruppe >C=O enthalten. Zu diesen gehören zwei Verbindungsklassen: die **Aldehyde** (z.B. Glycerinaldehyd), die meist durch die Endsilbe -al gekennzeichnet werden, und die **Ketone** (z.B. Dihydroxyaceton), die an der Endsilbe -on zu
erkennen sind.

Im Stoffwechsel entstehen die Aldehyde häufig durch Abspaltung von Wasserstoff
(Dehydrierung) aus primären Alkoholen, z.B. Acetaldehyd aus Ethanol. Entsprechend entstehen die Ketone durch Dehydrierung sekundärer Alkohole. Die Ketone
lassen sich formal von den Aldehyden dadurch herleiten, daß man ein Wasserstoffatom an der Carbonylgruppe (Ketogruppe) durch einen weiteren organischen
Rest (in der Formel R^2) ersetzt. Wird eine einfache Bindung zwischen zwei Koh-

$$H_3C - CH_2 - OH \quad \underset{+2\,H}{\overset{-2\,H}{\rightleftharpoons}} \quad H_3C - C \overset{O}{\underset{H}{\big\backslash}}$$

Ethanol **Acetylaldehyd**

$$\begin{array}{c} R \\ \diagdown \\ C=O \\ \diagup \\ H \end{array} \qquad \begin{array}{c} O \diagdown_{C} \diagup H \\ | \\ HC-OH \\ | \\ H_2C-OH \end{array} \qquad \begin{array}{c} R^1 \\ \diagdown \\ C=O \\ \diagup \\ R^2 \end{array} \qquad \begin{array}{c} H_2C=OH \\ | \\ C=O \\ | \\ H_2C-OH \end{array}$$

Aldehyd **Glycerin-** **Keton** **Dihydroxy-**
    aldehyd   **aceton**

lenstoffatomen durch einen Sauerstoff überbrückt, spricht man von einer **Epoxygruppe** $-\overset{O}{\overset{\diagup\,\diagdown}{CH-CH}}-$.

❗ Die Oxogruppe ist auch die funktionelle Gruppe der **Kohlenhydrate,** deren Grundkörper die Zucker sind. Diese kann man formal aus den entsprechenden Polyalkoholen dadurch ableiten, daß man ein C-Atom dehydriert, und zwar meist das C_1- oder das C_2-Atom.

Je nachdem, ob die Zuckermoleküle aus 3, 4, 5, 6 usw. Kohlenstoffatomen bestehen, werden sie als Triosen, Tetrosen, Pentosen, Hexosen usw. bezeichnet. Bei den **Aldosen** steht die Oxogruppe am C_1-Atom des Zuckers (Aldehydform), wie bei der D-Glucose, D-Galaktose, D-Mannose, L-Rhamnose usw., bei den **Ketosen** dagegen am C_2-Atom, wie bei der D-Fructose. Tatsächlich verhalten sich die Zucker in mancher Hinsicht wie Aldehyde bzw. Ketone, doch liegen diese Formen nur in sehr geringer Konzentration vor. Sie stehen im Gleichgewicht mit den Halbacetalformen, die das Ergebnis innermolekularer Umlagerungen sind, indem die Hydroxylgruppe des C_5-Atoms mit der Oxogruppe reagiert, wobei eine weitere Hydroxylgruppe und ein sauerstoffhaltiger Sechsring (Pyran) entstehen. Erfolgt die Ringbildung, wie im Falle der D-Fructose, zwischen dem C_2- und dem C_5-Atom, entsteht ein sauerstoffhaltiger Fünfring (Furan). Man muß daher zwischen **Pyranosen** und **Furanosen** unterscheiden. Heute bevorzugt man allerdings meist die Ringschreibweise nach Haworth. Bei dieser ist der Ring senkrecht zur Papierebene liegend gedacht, was man durch die perspektivische Schreibweise zum Ausdruck zu bringen versucht, und die Substituenten zeigen entsprechend nach oben oder unten. Das ursprünglich die Oxogruppe tragende C_1-Atom unterscheidet sich jedoch auch weiterhin in seiner Reaktionsfähigkeit von den übrigen C-Atomen und wird als **glykosidisches C-Atom** bezeichnet. Durch die Halbacetalbildung wird auch das C_1-Atom zu einem asymmetrisch substituierten Kohlenstoffatom[2], wobei die neugebildete Hydroxylgruppe in der Projektionsformel rechts oder links bzw. in der Ringschreibweise unten oder oben, bezogen auf die Hydroxylgruppe des C_4-

Atoms also entweder auf der gleichen oder auf der entgegengesetzten Seite steht, ein scheinbar geringer, biologisch jedoch bedeutsamer Unterschied. Diese beiden Formen werden als α- und β-**Glucose** voneinander unterschieden.

Allerdings wird auch die Ringschreibweise nach Haworth den tatsächlichen Verhältnissen nicht ganz gerecht. Vielmehr liegen die Zucker meist in der Sesselform (Abb. 1.4A) vor, von der es wiederum zwei Varianten gibt. Die energetisch günstigere und deshalb wohl auch bevorzugte Sesselform ist auf S. 7 dargestellt. Meist wird allerdings die vereinfachte Schreibweise benutzt, bei der auf die Wiedergabe der Wasserstoffsubstituenten verzichtet wird.

Auch bei den Pentosen gibt es Aldosen (z. B. D-Ribose) und Ketosen (z. B. D-Ribulose). Die D-Desoxyribose unterscheidet sich von der D-Ribose dadurch, daß ihr Molekül am C_2-Atom um ein Sauerstoffatom ärmer ist. Andere biologisch wichtige Pentosen sind D-Xylose, ihre Ketoform, die D-Xylulose sowie L-Arabinose.

Werden, formal betrachtet, zwei, drei, mehrere oder viele einfache Zuckermoleküle (**Monosaccharide**) unter Wasserabspaltung (Kondensation) miteinander verbunden, so erhält man Di-, Tri-, Oligo- oder Polysaccharide. Da das Gleichgewicht jedoch auf der Seite der Monosaccharide liegt, kann die Verknüpfung von

---

◄ 2   Infolge der Tetraederanordnung der Valenzen am Kohlenstoffatom (Abb. 1.1) ergeben sich in den Fällen, in denen das Kohlenstoffatom vier verschiedene Substituenten trägt (asymmetrisch substituiertes Kohlenstoffatom), bei Projektion des Tetraeders in die Ebene zwei mögliche Formeln, die sich wie Spiegelbilder verhalten, also nicht miteinander zur Deckung gebracht werden können (**Spiegelbildisomerie**). Die entsprechenden Substanzen unterscheiden sich in der Regel nur durch die optische Drehung (links- und rechtsdrehende Form). Einer Konvention gemäß bezeichnet man die Zucker, in deren Projektionsformel das am höchsten oxidierte Kohlenstoffatom oben und die OH-Gruppe am untersten asymmetrisch substituierten, der HO–CH_2-Gruppe also benachbarten C-Atom rechts steht, als die **D-Form** und die spiegelbildisomere Form entsprechend als **L-Form**. Da der tatsächliche Drehungssinn nicht immer mit dieser Konfigurationsbezeichnung übereinstimmt, muß man ihn in den Fällen, in denen er von Bedeutung ist, zusätzlich durch die Angaben + (rechtsdrehend) bzw. – (linksdrehend) kennzeichnen.

α-D-Glucose

D-Glucose

β-D-Glucose

D-Fructose

(Halbacetalform)

(Aldose)

(Halbacetalform)

(Ketose)

Projektionsformel-Schreibweise

α-D-Glucose

β-D-Glucose

β-D-Fructose

(Pyranoseform)

(Furanoseform)

Schreibweise nach Haworth

α-D-Glucose

α-D-Glucose
(vereinfachte Schreibweise)

Sesselform-Schreibweise

Zuckern in der Zelle nur unter Energieaufwand und Mitwirkung von Enzymen erfolgen. Der reduzierende Charakter des gebildeten Saccharids wird dadurch bestimmt, zwischen welchen Kohlenstoffatomen der beteiligten Monosaccharide die Bindungen ausgebildet werden. Im Falle von 1→1-Bindungen werden die glykosidischen C-Atome beider Zucker für die Herstellung der Bindung „verbraucht", weshalb das entstehende Disaccharid keine reduzierenden Eigenschaften mehr besitzt. Wird dagegen eine 1→4-Bindung ausgebildet, bei der die C-Atome 1 und 4 zweier benachbarter Ringe miteinander verbunden werden, so bleibt der reduzierende Charakter erhalten. In diesem Falle schließt das gebildete Disaccharid auf der einen Seite mit einem glykosidischen C_1-Atom, auf der anderen Seite dagegen mit einem C_4-Atom ab, zeigt also eine Polarität zwischen einem reduzierenden und einem nicht-reduzierenden Ende. Entsprechendes gilt für die Oligo- und Polysaccharide.

Maltose   **Cellobiose**

Disaccharide sind die Maltose und die Cellobiose, die beide aus je zwei Glucosemolekülen bestehen, die durch $1 \rightarrow 4$-Bindungen miteinander verknüpft sind, und zwar im ersten Falle α-, im letztgenannten β-glykosidisch. Da bei dem nichtgebundenen C_1-Atom α- und β-Form miteinander im Gleichgewicht stehen und somit keine Konfiguration angegeben werden kann, ist die Hydroxylgruppe durch eine Wellenlinie mit dem Ring verbunden. Ist in der Cellobiose die zweite Glucoseeinheit 180 Grad um die Längsachse gedreht, so ist das resultierende Molekül weitgehend linear, während die beiden Glucosemoleküle in der Maltose einen Winkel miteinander bilden. Dies hat Konsequenzen für die entsprechenden Polysaccharide, die Cellulose und die Stärke. Saccharose (Rohrzucker) ist ein Disaccharid aus je einem Molekül Glucose und Fructose. Ein **Trisaccharid** ist die Raffinose, die aus je einem Molekül Galaktose, Glucose und Fructose aufgebaut ist. Häufig kommen in der Natur Zuckerderivate vor, die andere funktionelle Gruppen tragen. Hier sind die **Zuckersäuren** zu nennen, die eine Carboxylgruppe (s. unten) besitzen. Einige davon spielen im Stoffwechsel der Pflanze eine wichtige Rolle, z.B. die Gluconsäure (S. 340), die in der C_1-Position anstelle der Aldehydgruppe eine Carboxylgruppe trägt, sowie die Glucuronsäure und die Galakturonsäure (S. 121), bei denen die Carboxylgruppe die C_6-Position einnimmt. Die Aminozucker tragen

Saccharose   **N-Acetyl-glucosamin**

$$R - C \overset{\displaystyle O}{\underset{\displaystyle OH}{\diagup}} \;\; \rightleftharpoons \;\; R - C \overset{\displaystyle O}{\underset{\displaystyle O^{\ominus}}{\diagup}} \; + \; H^{\oplus}$$

$$R - COOH \;\; \rightleftharpoons \;\; R - COO^{\ominus} \; + \; H^{\oplus}$$

$H - COOH$ $H_3C - COOH$ $H_3C - CH_2 - CH_2 - COOH$

Ameisensäure   **Essigsäure**   **Buttersäure**

$H_2C - COOH$
$H_2C - COOH$
Bernsteinsäure

$H_2C - COOH$
$HO - C - COOH$
$H_2C - COOH$
Citronensäure

$H_2C - COOH$
H_2C
$O = C - COOH$
2-Oxoglutarsäure

$\overset{\displaystyle OH}{\underset{}{H_3C - CH - COOH}}$
Milchsäure

$HO - CH - COOH$
$H_2C - COOH$
Äpfelsäure

$H_3C - C \overset{\displaystyle O}{\underset{\displaystyle COOH}{\diagup}}$
Brenztraubensäure

$R^1 - C \overset{\diagup O}{\underset{\diagdown OH}{}} + HO - CH_2$

$R^2 - C \overset{\diagup O}{\underset{\diagdown OH}{}} + HO - C - H$ $\overset{-3\ H_2O}{\underset{+3\ H_2O}{\rightleftharpoons}}$

$R^3 - C \overset{\diagup O}{\underset{\diagdown OH}{}} + HO - CH_2$

$R^1 - C \overset{\diagup O}{\underset{\diagdown O - CH_2}{}}$

$R^2 - C \overset{\diagup O}{\underset{\diagdown O - C - H}{}}$

$R^3 - C \overset{\diagup O}{\underset{\diagdown O - CH_2}{}}$

Fettsäuren   Glycerin   **Triglycerid**

eine Aminogruppe, die ihrerseits mit weiteren Gruppen verknüpft sein kann, z. B. mit dem Acetylrest im Falle des *N*-Acetylglucosamins.

❗ Carboxylgruppe $-C \overset{\displaystyle O}{\underset{\displaystyle OH}{\diagup}}$: Die Carboxylgruppe ist die funktionelle Gruppe der

organischen Säuren. In wäßriger Lösung liegt sie weitgehend dissoziiert vor, indem sie durch Abgabe eines Protons eine negative Ladung erhält[3].

---

[3]   Aus didaktischen Gründen werden die Säuren allerdings in diesem Buch häufig in der undissoziierten Form geschrieben.

Monocarbonsäuren, wie die Ameisen-, Essig- und Buttersäure, tragen eine, Dicarbonsäuren (Bernsteinsäure) zwei und Tricarbonsäuren (Citronensäure) drei Carboxylgruppen. Häufig tritt die Carboxylgruppe am gleichen Molekül neben anderen funktionellen Gruppen auf, z.B. zusammen mit der Hydroxylgruppe bei den Oxysäuren (Milchsäure, Äpfelsäure), mit der Oxogruppe bei den Oxosäuren (Brenztraubensäure, 2-Oxoglutarsäure) oder mit der Aminogruppe bei den Aminosäuren.

Phosphatidylcholin

Die langkettigen Carbonsäuren, wie z.B. die Palmitinsäure mit 16, die Stearinsäure mit 18 und die eine Doppelbindung tragende, also ungesättigte Ölsäure mit ebenfalls 18 C-Atomen, sind Bestandteile der Fette, in denen sie als Glycerinester (Glyceride) vorliegen. Sie werden deshalb auch als **Fettsäuren** bezeichnet. Der Sauerstoff des bei der Veresterung abgespaltenen Wassers stammt aus der Carboxylgruppe der Fettsäure. Als Ester lassen sich die Fette durch Verseifung wieder in Glycerin und Fettsäuren zerlegen.

Den Fetten bis zu einem gewissen Grade ähnlich sind die **Lipoide,** die als Bausteine der Biomembranen (S. 48 ff.) eine wichtige Rolle spielen. Sie werden mit den Fetten und den Wachsen zur Gruppe der **Lipide** zusammengefaßt. Man unterscheidet Phosphatide, Sphingolipide und Glykolipide.

Phosphatide: Sie sind Di-ester der Phosphorsäure, die im Falle des Phosphatidylcholins (Lecithin) einerseits mit Glycerin, andererseits mit dem Aminoalkohol Cholin verestert ist. Die beiden freien Hydroxylgruppen des Glycerins sind mit langkettigen Fettsäuren verestert, wobei die in Endstellung stehende meist gesättigt (z.B. Palmitinsäure), die in Mittelstellung ungesättigt (Ölsäure) ist. Diese Anordnung hat die Ausbildung eines hydrophilen und eines hydrophoben (lipophilen) Poles zur Folge.

Sphingolipide: Bei ihnen treten an die Stelle des Glycerins die Aminoalkohole Sphingosin mit 2 bzw. Phytosphingosin mit 3 Hydroxylgruppen.

Glykolipide: Bei dieser Gruppe wird der hydrophile Pol von einem Zucker, meist Galaktose, eingenommen. Dies ist auch bei Sphingolipiden möglich. Ein **Glykosphingolipid** ist z.B. ein aus Weizen isoliertes Cerebrosid. Durch Variation der verschiedenen Komponenten entsteht eine Vielzahl von Derivaten, die in den Zellstrukturen meist als Gemische vorliegen.

Cerebrosid

Auch die **Sterole,** das sind Steroide, die am C_3-Atom des A-Ringes eine Hydroxylgruppe tragen, können mit langkettigen Fettsäuren verestert sein. Das Cholesterin ist häufig Bestandteil plasmatischer Membranen in tierischen Zellen. Bei höheren Pflanzen kommt es jedoch selten vor. Hier finden sich die **Phytosterole,** z.B. Stigmasterin (Formel) und Sitosterin. Die Sterole gehören zu den Triterpenen (S. 318).

Stigmasterin

❗ **Aminogruppe** $=NH_2$: Diese Gruppe hat basischen Charakter, da sie unter Aufnahme eines Protons ($H^\oplus$) eine positive Ladung erhält und dadurch die Protonenkonzentration herabsetzt. Sie ist die charakteristische Gruppe der Amine, doch bleibt der basische Charakter auch erhalten, wenn das Stickstoffatom in einem heterozyklischen Ring steht, wie in dem Pyrimidin- und Purinring.

Diese Ringsysteme liegen einer Reihe wichtiger Naturstoffe zugrunde, und zwar das **Pyrimidin**ringsystem dem Thymin (T), Cytosin (C) und Uracil (U), das **Purin**ringsystem dem Adenin (A) und Guanin (G). In den Nucleinsäuren, vor allem in der transfer-RNA (S. 31), kommen verschiedene Derivate der oben genannten Basen vor. Sie werden irreführend als „seltene" Basen bezeichnet. Tatsächlich sind

| Pyrimidin | Thymin | Cytosin | 5-Methylcytosin | Uracil |

| 9H-Purin | Adenin | Guanin |

sie jedoch nicht selten, sondern kommen zwar in geringer Menge, aber mit großer Regelmäßigkeit vor. Das 5-Methylcytosin ist in der Zellkern-DNA der höheren Pflanzen enthalten. Es macht hier etwa 5–7 % der gesamten Cytosinmenge aus.

Aminosäuren: Sie sind eine weitere wichtige, durch den Besitz einer Aminogruppe ausgezeichnete Stoffklasse. Da sie zugleich auch die Carboxylgruppe tragen, haben sie sowohl basischen als auch sauren Charakter, können also, je nach pH-Wert[4], als Kation oder Anion fungieren. Sind keine Überschußladungen vorhan-

| Kation | Zwitterion | Anion | undissoziiert |

Aminosäure

---

[4] Der **pH-Wert** (potentia hydrogenii) gibt die Konzentration der Wasserstoffionen bzw., richtiger, der Hydroniumionen (S. 46) und damit den Säuregrad (die Acidität) einer Lösung an. Er ist definiert als der negative dekadische Logarithmus der Wasserstoff- bzw. Hydronium-Ionenkonzentration: $pH = -\log c(H^{\oplus})$ bzw. $-\log c(H_3O^{\oplus})$. Da bei Zimmertemperatur (22 °C) das Ionenprodukt des Wassers $c(H_3O^{\oplus}) \cdot c(OH^{\ominus}) = K = 10^{-14}$ beträgt, ist am Neutralpunkt die Konzentration der Hydroniumionen gleich der Konzentration der Hydroxidionen, also $c(H_3O^{\oplus}) = c(OH^{\ominus}) = 10^{-7}$ der pH-Wert also 7. Ist der pH-Wert kleiner als 7, überwiegen die Hydroniumionen, d. h. die Lösung reagiert sauer. Umgekehrt ist der pH-Wert alkalischer Lösungen größer als 7.

L-Threonin (Thr) [T]

L-Prolin (Pro) [P]

L-Arginin (Arg) [R]

L-Serin (Ser) [S]

L-Histidin (His) [H]

L-Lysin (Lys) [K]

L-Isoleucin (Ile) [I]

L-Tryptophan (Trp) [W]

L-Glutamin (Glu-NH₂ oder Gln) [Q]

L-Leucin (Leu) [L]

L-Methionin (Met) [M]

L-Glutaminsäure (Glu) [E]

L-Valin (Val) [V]

L-Asparagin (Asp-NH₂ oder Asn) [N]

L-Alanin (Ala) [A]

L-Cystin (Cys-Cys) [C-C]

L-Asparaginsäure (Asp) [D]

Glycin (Gly) [G]

L-Cystein (Cys) [C]

L-Tyrosin (Tyr) [Y]

L-Phenylalanin (Phe) [F]

den, so liegen die Moleküle vorwiegend als **Zwitterionen** vor (isoelektrischer Punkt). Die undissoziierte Form tritt in Lösung nicht auf.

Bei den in Proteinen vorkommenden Aminosäuren befindet sich die Aminogruppe an dem der Carboxylgruppe benachbarten C-Atom (α-Stellung). Konventionsgemäß steht bei den L-Aminosäuren die Aminogruppe in der Projektionsformel links, bei den D-Formen rechts. In den Proteinen kommen nur L-Aminosäuren vor. Die wichtigsten proteinogenen Aminosäuren sind auf S. 19 wiedergegeben. Unter den Formeln sind die Namen, deren Abkürzungen und ihr Ein-Buchstaben-Code angegeben. Letztere wurden notwendig, um Sequenzen von vielen hundert Aminosäuren einigermaßen übersichtlich darstellen zu können. Außer diesen etwa 20 allgemein verbreiteten Aminosäuren gibt es einige weitere, die aus selteneren, meist sehr spezialisierten Proteinen isoliert wurden, z.B. das Hydroxyprolin aus den pflanzlichen Zellwandproteinen (S. 122 f.). In anderen Naturstoffen, z.B. den Peptidoglycanen (S. 183), kommen auch D-Aminosäuren vor. Einige der Aminosäuren tragen zusätzliche geladene Gruppen: die sauren Aminosäuren Asparaginsäure und Glutaminsäure eine weitere Carboxylgruppe, die basischen Aminosäuren Lysin, Arginin und Histidin eine zusätzliche basische Funktion. Reine Kohlenwasserstoffseitenketten haben Glycin, Alanin, Valin, Leucin, Isoleucin, Prolin und Phenylalanin. Sie können daher, mit Ausnahme des Glycins, hydrophobe Bindungen bilden. Die übrigen nicht genannten Aminosäuren besitzen nicht-ionisierte, polare Gruppen, die an der Ausbildung von Wasserstoffbrückenbindungen beteiligt sein können. Besondere Erwähnung verdienen noch die schwefelhaltigen Aminosäuren Methionin, Cystein und Cystin, von denen die beiden letztgenannten für die Ausbildung von Disulfidbindungen verantwortlich sind.

1.5   Makromoleküle

Obwohl sich schon aus relativ wenigen Elementen durch verschiedene Kombinationen von Atomen und funktionellen Gruppen eine relativ große Anzahl verschiedener Verbindungen synthetisieren läßt, ist die hohe Spezifität der vielen, zum Teil nur ganz bestimmten Arten von Organismen eigenen Substanzen damit nicht zu gewährleisten. Wenn wir bedenken, daß allein etwa 400000 Arten pflanzlicher Organismen bekannt sind, von denen jede neben den vielen allgemein verbreiteten Produkten des Primär- und Sekundärstoffwechsels auch eine große Anzahl artspezifischer Substanzen besitzt, und daß jedes äußerlich erkennbare, charakteristische Merkmal eines Organismus auch eine spezifische stoffliche Basis haben muß, so wird klar, welches hohe Maß an Spezifität, d.h. also an molekularen Kombinationsmöglichkeiten, hierfür erforderlich ist. Diesen Anforderungen vermögen nur Makromoleküle gerecht zu werden.

Die Makromoleküle sind aus einer zahlenmäßig begrenzten Gruppe verschiedener, meist relativ einfacher molekularer Bausteine aufgebaut. Sowohl durch Veränderung der Anzahl dieser Bausteine im Molekül (Molekülmasse) als auch durch die Änderung ihrer Aufeinanderfolge (Sequenz) ist eine praktisch unbegrenzte Zahl von Kombinationen möglich. Auf diese Weise kann der Syntheseapparat der Organismen mit relativ geringem Aufwand an Material und Energie ein hohes Maß an Spezifität bewältigen, eine Bedingung, die schon aus stoffwechselökonomischen Gründen unerläßlich ist.

Neben diesen Funktionen als Informationsträger bzw. Strukturelemente der Lebewesen werden Makromoleküle auch als Gerüstsubstanzen benötigt, da sie sich zu langgestreckten, fibrillären Elementen „verspinnen" und netzartig verflechten lassen, ein Umstand, der besonders für den mechanisch stark beanspruchten Vegetationskörper der höheren Pflanze von Wichtigkeit ist. Schließlich wird durch die Zusammenlagerung zahlreicher Monomere zu einem Polymer auch die Anzahl der Moleküle verringert. Da das osmotische Potential einer Lösung (S. 55) nicht von der Gewichtsmenge des gelösten Stoffes, sondern von der Zahl der gelösten Teilchen abhängt, bietet die Bildung von Makromolekülen die Möglichkeit, größere Substanzmengen in eine osmotisch nahezu unwirksame Form zu überführen und zu speichern.

1.5.1 Evolution der Makromoleküle

Der zweite Schritt in der chemischen Evolution war daher die Evolution der Makromoleküle, d.h. die Bildung von Biopolymeren aus den oben genannten Biomonomeren. Nach vorläufigen Schätzungen soll dies vor etwa $4 \cdot 10^9$ Jahren geschehen sein.

Die Biopolymerbildung erfolgt meist durch Polykondensation, d.h. durch Zusammenlagerung der Monomeren unter Abspaltung von Wasser. Liegen reaktionsfähige Doppelbindungen vor, können Makromoleküle auch durch Polymerisation, d.h. durch Zusammenlagerung der Monomeren unter Aufspaltung der Doppelbindungen ohne gleichzeitige Wasserabspaltung entstehen.

Die Möglichkeit der abiotischen Synthese von Biopolymeren ist in mehreren Laboratorien demonstriert worden. So lassen sich aus Methan und Ammoniak Substanzen herstellen, die Energie aus ionisierender und ultravioletter Strahlung speichern. Sie enthalten Doppelbindungen oder Dreifachbindungen zwischen Kohlenstoff und Stickstoff. Unter geeigneten Bedingungen können sie Aminosäuremoleküle unter Dehydrierung zu Kondensationsreaktionen veranlassen, die zu Oligopeptiden führen. Verwendet man für derartige Untersuchungen Aminosäuregemische, so stellt man fest, daß zwischen bestimmten Aminosäuren besonders starke Affinitäten bestehen. Diese stimmen recht gut mit den Werten überein, die man bei den heute bekannten Proteinen ermittelt hat, indem man die Häufigkeit des benachbarten Auftretens zweier Aminosäuren bestimmt. Man darf daher annehmen, daß die damals abiogen entstandenen Polypeptide den heutigen sehr ähnlich waren. Ein anderer Weg zu den Polypeptiden führt über Aminosäureadenylate, das sind Verbindungen von Aminosäuren mit Adenosinnucleotiden. Bringt man diese verhältnismäßig energiereichen Verbindungen mit Montmorillonit, einem natürlich vorkommenden Lehm, zusammen, so entstehen Polypeptide, die bis zu 40 Aminosäuren enthalten können. Diese Versuche zeigen, daß die abiotische Synthese von Biopolymeren bestimmter Sequenz auch ohne Enzyme und Informationsträger möglich ist. Polypeptide und frühe Proteine können also durchaus vor der Entstehung eines informationsspeichernden und -übertragenden Systems entstanden sein.

Drei Typen von Makromolekülen sind allgemein verbreitet: die Proteine, die Nucleinsäuren und die Polysaccharide. Darüber hinaus gibt es weitere Typen mit recht spezifischen Funktionen, die nur bei bestimmten Pflanzengruppen vorkommen und daher später besprochen werden.

1.5.2 Proteine

Die Makromoleküle der Proteine (Eiweiße) sind aus Aminosäuremolekülen aufgebaut, die durch Peptidbindungen miteinander verknüpft sind. Diese kann man sich durch Reaktion der Aminogruppe eines Aminosäuremoleküls mit der Carboxylgruppe eines anderen unter Wasserabspaltung entstanden denken, so daß das Reaktionsprodukt wiederum ein Aminoende mit einer NH_2-Gruppe und ein Carboxylende mit einer freien COOH-Gruppe hat, also die gleiche Polarität aufweist wie die einzelnen Aminosäuren.

Das Gleichgewicht dieser Reaktion liegt jedoch auf der Seite der Aminosäuren, was in der Reaktionsgleichung durch Strichelung des einen Pfeiles zum Ausdruck gebracht ist. Deshalb ist die Verknüpfung der Aminosäuren zu Peptiden und Proteinen nur unter Energieaufwand und Mitwirkung von Enzymen möglich (S. 286). Mit Hilfe der Peptidbindungen sind die Aminosäuren zu Ketten der Folge

$$\begin{array}{c} R \\ | \\ -NH-CH-CO- \end{array}$$

verbunden, an denen, wie der Ausschnitt aus einem Proteinmolekül zeigt, als Seitenketten die Reste R der Aminosäuren stehen. Entsprechend der Zahl der Aminosäureglieder spricht man von Dipeptiden (2), Tripeptiden (3) usw., bis zu etwa 10 von Oligopeptiden und bei vielen von Polypeptiden. Diese leiten zu den Proteinen über, doch ist die Grenze nicht scharf zu ziehen. Die Molekülmassen der Proteine liegen zwischen 10 000 und einigen Millionen **Dalton**[5].

Wie bereits erwähnt, sind die Proteine aus etwa 20 verschiedenen Aminosäuren aufgebaut. Nehmen wir an, daß jede von ihnen in einer Peptidkette aus 20 Gliedern nur einmal vertreten wäre, so ergeben sich bereits 2,4 Trillionen Kombinationsmöglichkeiten. Da aber die Eiweißmoleküle aus mehreren hundert oder gar tausend Amino-

---

[5] Die Molekülmasse (genauer: Molekülmassenzahl) gibt die Masse eines Moleküls (u) an. Sie ist gleich der Summe der Atommassenzahlen der im Molekül enthaltenen Elemente. Die Atommasseneinheit ist als $^1/_{12}$ der Masse des Kohlenstoffisotops ^{12}C definiert. Sie beträgt $1{,}66 \cdot 10^{-24}$g und wird als ein Dalton (Da) bezeichnet. Als relative Molekülmasse (M_r) bezeichnet man das Verhältnis der Molekülmasse zur atomaren Masseneinheit, die als relative Größe dimensionslos ist. Sie wurde früher als Molekulargewicht bezeichnet.

Aminosäure   Aminosäure   Dipeptid

Tyrosin | Alanin | Leucin | Glycin | Asparagin- | Cystein
säure

Ausschnitt aus einem Proteinmolekül

säuremolekülen bestehen, ergibt sich eine praktisch unbegrenzte Anzahl von Kombinationsmöglichkeiten. Somit erfüllen die Eiweiße in geradezu vollkommener Weise die oben gestellte Bedingung höchster Spezifität bei geringem Aufwand, nämlich eine unbegrenzte Anzahl von Verbindungen bei nur etwa 20 Bausteinen. Im Hinblick darauf ist es nicht überraschend, daß jede Tier- und Pflanzenart ihre spezifischen Proteine besitzt.

Primärstruktur: Die Sequenz der Aminosäuren im Proteinmolekül bezeichnet man als dessen Primärstruktur. Ihre Ermittlung erfolgt heute unter Anwendung automatisch arbeitender Verfahren. Infolgedessen ist die Primärstruktur einer großen Anzahl von Proteinen bereits bekannt.

Sekundärstruktur: Im natürlichen Zustand liegen die Proteine allerdings nicht als gestreckte Peptidketten vor. In bestimmten Bereichen nehmen ihre Moleküle unter Ausbildung von Wasserstoffbrückenbindungen zwischen benachbarten CO- und NH-Gruppen der Peptidbindungen die Gestalt eines Faltblattes oder einer Schraube, z.B. einer α-Helix, an. Man bezeichnet dies als die Sekundärstruktur der Proteine. Ob und welche Sekundärstruktur in einem bestimmten Molekülabschnitt ausgebildet wird, hängt von der Aminosäuresequenz ab. Somit ist also durch die Primärstruktur auch die Sekundärstruktur bereits festgelegt. Bei den meisten Proteinen gehört nur etwa die Hälfte der Aminosäuren eines Moleküls Bereichen an, die eine Sekundärstruktur zeigen.

Box 1.1   Chaperone

Obwohl die Konformation, d. h. die Sekundär- und Tertiärstruktur der Proteine, bereits durch deren Primärstruktur festgelegt ist, erfolgt die „Faltung" der Peptidketten und somit die Ausbildung der räumlichen Gestalt bei den meisten Proteinen nicht spontan, sondern unter Mitwirkung von „Hilfsproteinen". Diese werden als Chaperone oder auch als PCB-Proteine (Polypeptide Chain Binding) bezeichnet. Sie binden vorübergehend nicht-kovalent an die entstehenden, noch ungefalteten Peptidketten und verhindern auf diese Weise unerwünschte Wechselwirkungen mit anderen Proteinen. Sie können auch beim Zusammenbau der Monomeren zu einer Quartärstruktur beteiligt sein, z. B. bei der Synthese der RubisCO (S. 97). Schließlich spielen sie auch bei dem Transport von Proteinen durch Membranen, bei dem die Proteine linear vorliegen müssen, eine Rolle, z. B. beim Einschleusen von Proteinen in Chloroplasten, Mitochondrien und in das ER. Chaperone sind spezifisch, d. h. sie müssen „ihre" Polypeptidkette erkennen, an sie binden, solange dies erforderlich ist (für die Synthese oder den Transport), und sich dann von ihnen so ablösen, daß das Protein seine richtige Konformation erhält. Hierzu ist Energie in Form von ATP erforderlich, das die Chaperone zu spalten vermögen. Sie haben also den Charakter von ATPasen (S. 58). Viele Chaperone zählen zu den Hitzeschockproteinen (S. 495). Die wichtigsten sind die HSP 70 und HSP 60 (letztere auch als Chaperonine bezeichnet). Beide kommen in Prokaryoten und in Eukaryoten vor, und zwar bei den letzteren sowohl im Cytosol als auch in intrazellulären Kompartimenten.

Die schraubenförmige α-**Helix** ist in Abb. 1.**7** als Raummodell dargestellt. Wie ersichtlich, entfallen auf eine Windung 3,6 Aminosäuren, wobei jeder folgende Aminosäurerest gegenüber dem vorhergehenden um einen Winkel von 100 Grad und in Richtung der Längsachse der Schraube um 0,15 nm verschoben ist. Dabei bilden sich zwischen der CO-Gruppe einer jeden Aminosäure und der benachbarten NH-Gruppe der jeweils viertnächsten Aminosäure Wasserstoffbrückenbindungen aus, die das Molekül stabilisieren. Die Aminosäurereste weisen nach außen. Die Gesamthöhe einer Windung beträgt 0,54 nm.

Tertiärstruktur: Die asymmetrische dreidimensionale Anordnung der Peptidketten im Proteinmolekül, die Tertiärstruktur, wird durch Bindungen zwischen den Aminosäureseitenketten bestimmt. Daran können sowohl Haupt- als auch Nebenvalenzen beteiligt sein (Abb. 1.**8**). Je nachdem, ob es sich um polare, hydrophile (Carboxyl-, Hydroxyl-, Oxo-, Aminogruppe) oder um apolare, hydrophobe Gruppen (Methyl-, Ethyl-, Isopropyl-, Phenylrest) handelt, können wir die Bindungstypen wie folgt klassifizieren:

Kovalente Bindungen: Die für die Tertiärstruktur der Proteine wichtigste Hauptvalenz ist die Disulfidbrücke $-S-S-$, die durch Dehydrierung, d. h. Abspaltung von Wasserstoff zwischen den HS-Gruppen zweier benachbarter Cysteinmoleküle,

Abb. 1.**7** Raummodell der α-Helix eines Proteins. Man kann sich dieses Modell sehr leicht selbst herstellen, indem man die -NH-CH-CO-Ketten der Aminosäuren in regelmäßigen Abständen auf einen Streifen Papier schreibt und, wie im Modell gezeigt, schraubig so aufrollt, daß die CO-Gruppe einer Aminosäure der NH-Gruppe der viertnächsten Aminosäure gegenübersteht. Zwischen diesen bilden sich Wasserstoffbrückenbindungen (rot) aus. Die Seitenketten der Aminosäuren R weisen nach außen, was bei Verwendung von etwas festerem Material am Modell durch eingesteckte Nadeln kenntlich gemacht werden kann

zustandekommt (Abb. 1.**9**). Als Hauptvalenz ist sie sehr fest und kann unter physiologischen Bedingungen nur unter Mitwirkung von Enzymen gelöst werden.

Ionische Bindungen: Eine typische Ionenbindung ist die Brückenbildung zwischen zwei negativ geladenen Carboxylgruppen durch zweiwertige Kationen, etwa Calcium- oder Magnesiumionen. Obwohl derartige Bindungen relativ fest sind, können sie wegen ihrer pH-Abhängigkeit unter physiologischen Bedingun-

Abb. 1.**8**   Möglichkeiten der Ausbildung der Haupt- und Nebenvalenzen bei Proteinmolekülen

gen leicht gelöst werden. Eine weitere, für die Proteinstruktur sicherlich bedeutsamere Bindung ist die zwischen der $NH_3^\oplus$- und der $COO^\ominus$-Gruppe. Obwohl sie ebenfalls ionischen Charakter hat, ist sie doch schwächer und entspricht eher einer Nebenvalenz.

Wasserstoffbrückenbindungen und Dipole: Als Wasserstoffbrückenbindungen, oft auch kurz Wasserstoffbindungen genannt, bezeichnet man elektrostatische Wechselwirkungen, die dadurch zustande kommen, daß ein H-Atom zwischen zwei gleich stark elektronegativen Atomen, z.B. N und O, gewissermaßen pendelt, obwohl es an eines der beiden kovalent gebunden ist. Die Wasserstoffbrückenbindungen zählen zu den Nebenvalenzen. Ihre Stärke beträgt nur etwa $\frac{1}{10}$ der einer Hauptvalenz, in gewissen Fällen sogar noch weniger. Da sie jedoch in den Proteinmolekülen, z.B. der α-Helix, gehäuft auftreten, leisten sie einen erheblichen Beitrag zur Molekülstruktur. Auch durch Wechselwirkungen von Dipolen mit Dipolen, induzierten Dipolen sowie ionischen Ladungen entstehen Bindungskräfte. So können z.B. auch Hydratationshüllen, die sich in den elektrischen Feldern geladener Gruppen ausbilden, zu einer Bindung beitragen.

Hydrophobe Bindungen: Sie entstehen, wenn apolare Gruppen der Aminosäureseitenketten (S. 20) miteinander in Kontakt treten und sich auf diese Weise der wäßrigen Phase gewissermaßen entziehen. Sie haben ihre Ursache in van der Waalschen Kräften zwischen den apolaren Gruppen und werden stark durch das umgebende Medium beeinflußt. Da es sich nicht um Bindungen im eigentlichen Sinne handelt, spricht man heute meist von hydrophoben Wechselwirkungen.

Da die Möglichkeit zur Ausbildung derartiger Bindungen bzw. Wechselwirkungen von der Lage der beteiligten Aminosäuren zueinander abhängt, z.B. die Ausbildung einer Disulfidbrücke von der Nachbarschaft zweier Cysteinreste, ist auch die Tertiärstruktur schon durch die Aminosäuresequenz determiniert. Letztlich gilt dies auch für die **Quartärstruktur,** worunter man die räumliche Anordnung mehrerer Peptidketten zueinander versteht. Sie ist homogen, wenn die einzelnen

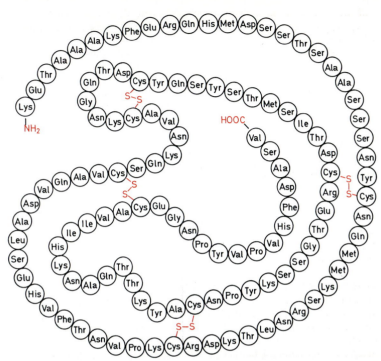

Abb. 1.9 Schematisches Diagramm eines Ribonucleasemoleküls. Zur Demonstration der Aminosäuresequenz und der Disulfidbrücken ist es in eine Ebene projiziert. In Wirklichkeit ist es räumlich aufgeknäult, wobei bestimmte Abschnitte eine Sekundärstruktur zeigen. Am Aminoende steht ein Lysin, am Carboxylende ein Valin

Peptidketten, die Monomeren, gleichartig, bzw. heterogen, wenn sie verschieden sind.

Jedem Protein kommt somit eine charakteristische Gestalt zu, die als **Konformation** bezeichnet wird. Danach kann man **fibrilläre** und **globuläre Proteine** unterscheiden. Die ersteren sind unlöslich, von langgestreckter Gestalt und finden meist als Gerüstsubstanzen Verwendung, weshalb sie auch den Namen **Skleroproteine** führen. Die globulären **Sphäroproteine** sind aufgeknäult und haben eine mehr oder weniger kugelige Gestalt. Sie sind in Wasser oder Salzlösungen löslich. Im Inneren der Proteine bildet sich ein hydrophober, wenig hydratisierter Bereich aus. Die geladenen Gruppen finden sich meist an der Oberfläche. Sie umgeben sich in wäßriger Lösung mit einer Hydrathülle, so daß das Molekül etwas größer erscheint. Als dritte Gruppe kann man die **Proteinkomplexe** abgrenzen, die außer einem Eiweißanteil auch nicht-eiweißartige prosthetische Gruppen enthalten. So liegen z.B. viele pflanzliche Pigmente als Chromoproteine vor, d.h. die den Farbstoffcharakter bedingende Gruppe, der Chromophor, ist als prosthetische Gruppe an ein Protein gebunden. Entsprechendes gilt für die Verbindungen von Proteinen mit Lipiden (Lipoproteine), Zuckern (Glykoproteine) u.a.

Da die Proteine aus Aminosäuren aufgebaut sind, haben sie manche Eigenschaften mit diesen gemeinsam. So gibt es auch für die Proteine einen isoelektrischen Punkt, an dem sie die gleiche Zahl positiver und negativer Ladungen tragen. An diesem Punkt sind sie verhältnismäßig instabil und neigen dazu, aus der Lösung auszuflocken. In saurer Lösung werden sie unter Aufnahme ebensovieler Wassermoleküle, wie bei der Peptidbildung frei wurden, gespalten (Hydrolyse).

1.5.3   Nucleinsäuren

Im Gegensatz zu den Proteinen, die nur aus einer Klasse von Molekülen zusammengesetzt sind, gehören die molekularen Bausteine der Nucleinsäuren nicht alle der gleichen Stoffklasse an. Vielmehr bestehen ihre als **Nucleotide** bezeichneten Bauelemente aus drei Komponenten: Phosphorsäure, Zucker (Pentose) und Base (Purine und Pyrimidine).

Diese sind, wie aus Abb. 1.**10** ersichtlich, in der Reihenfolge: Phosphorsäure – Pentose – Phosphorsäure – Pentose – miteinander zu Polynucleotiden verbunden, wobei die Verknüpfung über die Kohlenstoffatome 3′ und 5′ der Pentose erfolgt. Infolgedessen weisen die Polynucleotidstränge ein 3′- und ein 5′-Ende auf, sind also polar gebaut. Die Basen stehen seitlich am Zuckermolekül.

Grundsätzlich können wir zwei Typen von Nucleinsäuren unterscheiden, die sowohl hinsichtlich ihrer Zuckerkomponente als auch in der Basenzusammensetzung voneinander abweichen. Die **Desoxyribonucleinsäure** enthält als Zucker die D-Desoxyribose sowie als Basen Thymin, Cytosin, Adenin und Guanin (S. 18). Die **Ribonucleinsäure** enthält dagegen als Zucker die D-Ribose und als Basen Uracil, Cytosin, Guanin und Adenin. Bei ihr ist also Thymin durch Uracil ersetzt. Dies ermöglicht es der Zelle, zwischen Original und Kopie zu unterscheiden. Anstelle der deutschen Abkürzungen DNS und RNS werden heute, in Anlehnung an das Anglo-amerikanische, allgemein die Abkürzungen DNA und RNA benutzt.

Die Verbindungen zwischen Basen und Zuckern nennt man **Nucleoside** und bezeichnet sie, den Basen entsprechend, als Adenosin, Cytidin, Guanosin und Uridin, wenn als Zucker die Ribose vorliegt. Handelt es sich dagegen um die Nucleoside der Desoxyribose, so ist die Silbe „Desoxy" voranzusetzen, d.h. Desoxyadenosin usw. Thymidin bezeichnet stets das Desoxyribosid. Liegen die Nucleoside in Verbindung mit ein, zwei oder drei Phosphatresten vor, so spricht man von Nucleotiden. Z.B. können wir im Falle des Adenins Adenosinmono-, di- und triphosphat unterscheiden (S. 284), die als AMP, ADP und ATP abgekürzt werden. Entsprechendes gilt für die anderen Nucleotide, also für die Guanosinphosphate GMP, GDP, GTP, für die Cytidinphosphate

Abb. 1.10 Watson-Crick-Modell der DNA. **A** Aufbau des Doppelstranges, **B** Kalottenmodell, **C** spezifische Basenpaarung. C_B = C in Basen, C_D = C in Desoxyribose (**B** nach Foghelman)

CMP, CDP, CTP usw. Die Desoxyribose enthaltenden Nucleotide werden durch Vorsetzen des Buchstabens d kenntlich gemacht, also dAMP, dGMP und dCMP.

Sonderformen sind die zyklischen Nucleotide, vor allem das cyclo-AMP (cAMP), das durch das Enzym Adenylat-Cyclase unter Abspaltung von Pyrophosphat (PP_i) aus ATP gebildet wird. Es spielt u. a. als Signalsubstanz eine wichtige Rolle.

DNA: Bei der quantitativen Analyse der DNA hat sich gezeigt, daß die Anzahl der Pyrimidinbasen stets gleich der der Purinbasen ist. Sowohl das molare Verhältnis von Thymin zu Adenin als auch das von Cytosin zu Guanin beträgt 1. Dagegen ist das Verhältnis von Thymin zu Cytosin oder, was auf dasselbe hinausläuft, von Adenin zu Guanin bei den einzelnen Organismen starken Schwankungen unterworfen. Hieraus folgt, daß eine spezifische Basenpaarung Thymin-Adenin und Cytosin-Guanin vorliegt. Auf der Grundlage dieser Befunde entwarfen Watson und Crick das nach ihnen benannte Strukturmodell der DNA, das in Abb. 1.**10** wiedergegeben ist. Danach besteht die DNA aus zwei unverzweigten Polynucleotidsträngen, die in Form einer rechtsgewundenen Doppelschraube (Doppelhelix) um eine gemeinsame Achse laufen, während die Basen etwa senkrecht zur Längsachse der Helix angeordnet sind (B-Konformation).

Wie Abb. 1.**10C** zeigt, ist bei dem einen Strang das 5′-Ende nach oben, bei dem anderen nach unten gerichtet. Die beiden Stränge weisen also eine entgegengesetzte Polarität auf: sie sind antiparallel. Eine Schraubenwindung umfaßt etwa 10 Nucleotidbausteine je Strang. Die Phosphatgruppen liegen nach außen und sind für Kationen leicht zugänglich, während die Basen rechtwinklig zur Achse nach innen stehen, wobei das Thymin stets dem Adenin, das Cytosin dem Guanin gegenübersteht. Wie aus Abb. 1.**10C** ersichtlich, bestehen zwischen den benachbarten Amino- und Oxogruppen der entsprechenden Basen Wasserstoffbindungen, die aus räumlichen Gründen eine andere Basenpaarung unmöglich machen. Die beiden Stränge sind also nicht miteinander identisch, sondern komplementär. Sie können linear vorliegen oder in sich geschlossen, also zirkulär sein. Letzteres ist z. B. für die DNA aus Bakterien, Plastiden und Mitochondrien nachgewiesen worden.

❗ Trotz der geringen Zahl von nur vier verschiedenen Nucleotidbausteinen besitzen die DNA-Moleküle eine hohe Spezifität. Sie ist in der Sequenz der Nucleotide begründet, deren Anzahl, um ein Beispiel zu nennen, bei der DNA von *Escherichia coli* etwa 3,6 Millionen beträgt. Für höhere Organismen wurden erheblich höhere Werte ($10^9 - 10^{11}$) gefunden. Da die DNA außerdem die Fähigkeit zur Autoreplikation (S. 414) besitzt, ist sie als genetische Substanz geradezu prädestiniert.

Mit Hilfe der Sequenzierungstechnik (S. 419) ist es gelungen, die Nucleotidsequenz, d. h. die Primärstruktur von zahlreichen DNA-Molekülen bzw. von Teilen derselben, zu ermitteln.

Box 1.2 Z-DNA

Außer der natürlichen B-Konformation ist auch die Ausbildung anderer DNA-Konformationen möglich. So läßt sich *in vitro* unter bestimmten Bedingungen eine linksgewundene Doppelschraube erzeugen, die 12 Basenpaare pro Windung aufweist. Aus sterischen Gründen stehen die Nucleotidketten jedoch unter einer gewissen Spannung. Infolgedessen sind die Windungen nicht so glatt wie bei der B-DNA, sondern gewissermaßen zickzackförmig verformt, weshalb diese Konformation als Z-DNA bezeichnet wird. Ihre Ausbildung ist begünstigt, wenn die DNA reich an G-C-Basenpaaren ist.

Inzwischen wurde nachgewiesen, daß die Z-DNA auch *in vivo* vorkommen kann, z. B. in den Chromosomen eukaryotischer Dinoflagellaten, die als recht ursprünglich angesehen werden, wie z. B. *Prorocentrum micans*. Diese Formen zeigen einen ungewöhnlichen Zellzyklus, bei dem die Kernhülle nicht aufgelöst wird und die Chromosomen kondensiert bleiben. Das Auftreten von Z-DNA wird hier durch das Fehlen von Histonen und Nucleosomen, einen hohen Gehalt an Guanin und Cytosin, die relative Häufigkeit des Auftretens einer seltenen Base, nämlich Hydroxymethyl-Uracil, sowie durch zweiwertige Kationen, die die DNA-Superschraube stabilisieren, begünstigt.

RNA: Die Ribonucleinsäure tritt überwiegend in Gestalt einfacher Nucleotidketten auf, doch kommen auch Doppelstränge vor. Die meisten Zellen enthalten zwei- bis achtmal soviel RNA wie DNA. Nach der Größenordnung ihrer Molekülmassen können wir drei Fraktionen unterscheiden:

Transfer-RNA (tRNA): Sie wird auch lösliche oder soluble RNA (sRNA) genannt, hat Molekülmassen M_r der Größenordnung von 23 000–28 000, was 73–93 Nucleotidbausteinen und einem Sedimentationskoeffizienten von etwa 4 S[6] entspricht. Ihr Anteil an der Gesamt-RNA einer Zelle beträgt bei *Escherichia coli* etwa 16%. Die Aufgabe der tRNA besteht in der Übertragung (Transfer) von Aminosäuren bei der Proteinbiosynthese.

Daher gibt es für jede der 20 proteinogenen Aminosäuren mindestens eine, meist sogar mehrere tRNA-Molekülarten. Von den verschiedenen, für die gleiche Aminosäure spezifischen tRNA-Molekülen kommen offenbar in den Mitochondrien und in den Plastiden andere Formen vor als im Cytoplasma.

Bei *Escherichia coli* sind etwa 60 tRNA-Molekülsorten nachgewiesen. Alle tragen am 5′-terminalen Ende das Guanosin und am 3′-terminalen Ende die Nucleotidsequenz Cytidin-Cytidin-Adenosin. Auf eine freie Hydroxylgruppe dieses Adenosins wird bei

---

[6] 1 S = 1 **Svedberg** = Einheit des Sedimentationskoeffizienten, definiert als Geschwindigkeit der Sedimentation bei 20 °C, bezogen auf die Zentrifugalbeschleunigung (10^{-13} s).

der Proteinbiosynthese enzymatisch eine Aminosäure übertragen, wodurch die beladene Form der tRNA, die Aminoacyl-tRNA, entsteht. Die so aktivierte Aminosäure wird auf die wachsende Polypeptidkette am Ribosom übertragen.

Die Basensequenz, d. h. die Primärstruktur der meisten tRNA-Moleküle, ist inzwischen aufgeklärt. Ihre Basen liegen zu 60–70% in Gestalt einer Doppelhelix vor, was eine Schleifenbildung und eine spezifische dreidimensionale Konformation zur Folge hat. Bei der Projektion in eine Ebene ergibt sich ein charakteristisches Bild, das als Kleeblattstruktur bezeichnet wird (Abb. 1.**11A**). Das entsprechende Raumdiagramm zeigt (Abb. 1.**11B**). Das Anticodon (S. 416) und das 3'-Ende ragen aus dem Molekül heraus.

tRNA-Moleküle können bis zu 10% der oben erwähnten „seltenen" Basen enthalten. Deren Aufgabe scheint u. a. darin zu bestehen, daß sie in bestimmten Bereichen des tRNA-Moleküls eine Basenpaarung verhindern und somit für die Schleifenbildung und die charakteristische dreidimensionale Struktur verantwortlich sind.

❗ **Messenger-RNA** (mRNA): Sie wird auch Matrizen-RNA genannt. Es handelt sich um eine höhermolekulare Form mit Molekülmassen M_r zwischen 25 000 und 1 Million, was etwa 75–3000 Nucleotidbausteinen entspricht. Die Sedimentationskoeffizienten liegen zwischen 6 S und 25 S. Ihr Anteil an der gesamten RNA einer Zelle beträgt bei *Escherichia coli* etwa 2%, bei höheren Organismen bis zu maximal 10%. Bei der Proteinbiosynthese überträgt sie die genetische Information von der DNA, wo sie in einem als Transcription (S. 435) bezeichneten Prozeß gebildet wird, an die Ribosomen.

❗ **Ribosomale RNA** (rRNA): Sie macht bei *Escherichia coli* etwa 82% der Gesamt-RNA der Zelle und etwa 65% des Gesamtgewichts der Ribosomen aus. Bei Prokaryoten wurden 3, bei Eukaryoten 4 rRNA-Typen gefunden, deren Molekülmassen M_r zwischen 35 000 und über 2 Millionen liegen, was Sedimentationskoeffizienten zwischen 5 S und 28 S entspricht (S. 80 f.).

In den Ribosomen liegen die Polynucleotidstränge der rRNA zu 60–70% in Form einer Doppelhelix vor.

1.5.4 Polysaccharide

❗ Die Makromoleküle der Polysaccharide werden durch die Endung „-ane" gekennzeichnet, also als Glucane, wenn sie aus Glucose, als Galaktane, wenn sie aus Galaktose aufgebaut sind usw., allgemein als Glycane. Homoglycane bestehen nur aus einer, Heteroglycane aus mehreren Zuckersorten.

Häufig liegen 1→4-Bindungen vor, doch sind andere Bindungstypen, wie etwa die 1→3-Bindungen, keineswegs selten. In beiden Fällen zeigen die Polysaccharidmoleküle die bereits erwähnte Polarität zwischen einem reduzierenden und einem nicht-reduzierenden Ende. Auch Verzweigungen, meist vom 1→6-Typus, kom-

Cellulose

■ **Cellulose:** Die Cellulose ist ein β-1→4-Glucan, d.h. ihre Makromoleküle sind aus D-Glucosemolekülen aufgebaut, die in β-1→4-Bindung vorliegen. Formal betrachtet ist der Grundbaustein also das Disaccharid Cellobiose. Ist deren zweiter Ring jeweils um 180 Grad um die Längsachse gedreht, entstehen langgestreckte, unverzweigte Fadenmoleküle.

Diese können mehrere tausend Glucosemoleküle umfassen. Die höchsten bisher gefundenen Werte liegen bei 15 000, was einer Molekülmasse M_r von etwa 2,5 Millionen entspricht. Da ein Glucosemolekül in der Kette einen Raum von etwa 0,5 nm beansprucht, ergibt dies eine Moleküllänge von etwa 7,5 µm.

Außer der Cellulose finden auch andere Polysaccharide als Wandsubstanzen Verwendung, und zwar vor allem bei niederen Pflanzen. Bei Algen wurden u. a. β-1→4-Mannane und β-1→3-Xylane mit Mannose bzw. Xylose als Baustein gefunden. Die charakteristische Wandsubstanz zahlreicher Pilze ist das Chitin, dessen Makromoleküle aus dem Aminozucker N-Acetylglucosamin aufgebaut sind. Sie liegen in β-1→4-glykosidischer Bindung vor. Bei einigen Pilzen findet sich β-1→3-Glucan als Wandsubstanz. Wegen der fädigen Gestalt ihrer Moleküle sind alle diese Polysaccharide als Gerüstsubstanz hervorragend geeignet. Ganz anders liegen die Verhältnisse bei der Grünalge *Chlamydomonas* (Abb. 5.**6**, S. 189), deren Zellwand aus Glykoproteinen besteht.

Chitin

■ **Stärke:** Auch die Stärke ist aus D-Glucose aufgebaut. Da diese jedoch in α-1→4-glykosidischer Bindung vorliegt, ist der Grundbaustein die Maltose. Infolgedessen ist das Stärkemolekül nicht langgestreckt, sondern gleichmäßig schraubig gewunden, wobei jede Windung etwa sechs Glucosemoleküle umfaßt.

In den pflanzlichen Speichergeweben kommen zwei Arten von Stärke in wechselnden Anteilen vor: die Amylose, deren Moleküle die Gestalt einer unverzweigten Schraube (Abb. 1.**12A**) haben und aus einigen hundert Glucoseeinheiten be-

Stärke

stehen, und das Amylopektin, dessen Moleküle aus mehreren tausend Glucose-einheiten aufgebaut und vielfach verzweigt sind (Abb. 1.**12 B**). Der Abstand der Verzweigungen beträgt im Mittel etwa 25 Glucoseeinheiten.
Infolge ihres Molekülbaues ist die Stärke als Gerüstsubstanz ungeeignet. Sie gibt jedoch der Pflanze die Möglichkeit, die als Energievorrat wertvolle Glucose ohne größere Veränderungen am Molekül in eine unlösliche und damit osmotisch un-wirksame Form zu überführen, aus der sie sich jederzeit wieder mobilisieren läßt. Die Stärke ist deshalb der am weitesten verbreitete Reservestoff der Pflanzen (S. 138 f.).

Andere pflanzliche Polysaccharide: Neben der Stärke finden im Pflanzenreich noch weitere Polysaccharide als Reservestoffe Verwendung. Das Glykogen, das bei Bakterien, Cyanobakterien und Pilzen vorkommt, ist ebenfalls ein α-$1\rightarrow4$-Glucan, doch sind seine Moleküle noch stärker verzweigt als die des Amylopektins. Bei den in Algen vorkommenden Kohlenhydraten Laminarin, Leukosin (= Chrysolaminarin) und Paramylon (S. 90) sind die Glucosemoleküle durch β-$1\rightarrow3$-Bindungen verknüpft. Zu-sätzlich kommen bei den beiden erstgenannten vereinzelt auch $1\rightarrow6$-Bindungen vor. Sie sind also schwach verzweigt. Die Moleküle des für einige höhere Pflanzen charak-teristischen Inulins sind aus etwa 30–40 Fructosemolekülen aufgebaut, wobei jedes Molekül mit einem Glucosemolekül beginnt. In der Kallose liegen β-D-Glucosemole-küle in $1\rightarrow3$-Bindungen vor. Die offenbar unregelmäßige Anordnung der Glucose-moleküle hat zur Folge, daß die Kallose keine kristalline Struktur zeigt und homo-gen erscheint. Kallose-Ablagerungen dienen dem schnellen Verschluß von Poren, z.B. von Plasmodesmen nach mechanischen Verletzungen oder von Siebporen im Phloem. Auch bei der Resistenz von Pflanzen gegen pathogene Pilze spielen Kallose-Ablagerungen eine wichtige Rolle.

Abb. 1.**12**   Anordnung der Glucosemoleküle in der Stärke, schematisch. **A** Amylose, **B** Amylo-pektin

Auch saure Polysaccharide, deren Monosaccharidbausteine die Uronsäuren (S. 14) sind, sind im Pflanzenbereich weit verbreitet. Die Galakturonsäure ist der Haupt-bestandteil der Pektine, während die Alginsäure der Braunalgen, die bis zu 40% der Trockensubstanz der Zellwände ausmachen kann, aus Mannuronsäure und Guluron-säure besteht. Einige Zellwandpolysaccharide der Algen tragen auch Sulfatgruppen (Agar).

Zusammenfassung

Die höheren Pflanzen benötigen zu ihrer Ernährung die Elemente C, O, H, N, S, P, K, Ca, Mg und Fe sowie in äußerst geringen Mengen Spurenelemente wie B, Cl, Cu, Mn, Zn, Mo u. a. Sie liegen in der Pflanze überwiegend in Form organischer Substanzen, zum Teil aber auch als Ionen vor.

Nach unseren derzeitigen Vorstellungen sind die den Organismus aufbauenden Substanzen, die Biomere, im Verlaufe der chemischen Evolution auf abiotischem Wege entstanden. Manche dieser Schritte können im Laboratoriumsexperiment simuliert werden.

Bei den Organismen allgemein verbreitete Biomonomere sind organische Säuren, Polyalkohole, Zucker, Lipide, Aminosäuren sowie Pyrimidin- und Purinbasen. Hieraus sind durch fortschreitende chemische Evolution die Biopolymere entstanden: die Proteine, Nucleinsäuren und Polysaccharide.

Die Proteine sind aus zahlreichen Aminosäuren aufgebaut, die durch Peptidbindungen untereinander verknüpft sind. Ihre hohe Spezifität, die auf der Sequenz der 20 proteinogenen Aminosäuren basiert, prädestiniert sie als Strukturelemente der lebenden Substanz. Zusammen mit den Lipoiden bilden sie die Biomembranen.

Die Nucleinsäuren, deren Spezifität in ihrer Nucleotidsequenz begründet ist, dienen der Zelle überwiegend als Informationsträger und -überträger.

Die aus Zuckermolekülen bestehenden Polysaccharide, die nicht diesen hohen Grad an Spezifität besitzen, finden als Gerüstsubstanzen und osmotisch weitgehend unwirksame Speicherstoffe Verwendung.

2 Struktureller Aufbau des Protoplasmas

Das Leben ist an ein Substrat gebunden, das wir seit Hugo von Mohl (1856) als Protoplasma bezeichnen. Aus einer Fülle verschiedener molekularer Bausteine aufgebaut, ist es doch nichts weniger als eine zufällige Anhäufung von Molekülen, eine Vorstellung, die man leicht gewinnen könnte, wenn man das flüssige und in Bewegung befindliche Plasma mancher Zellen betrachtet. Vielmehr liegen die das Protoplasma aufbauenden Moleküle in bestimmten, allerdings noch keineswegs in allen Einzelheiten klaren Ordnungszuständen vor, die labil sind und gegen das **Entropie**gefälle nur unter ständiger Zufuhr „freier Energie" aufrechterhalten werden können.

Die Entropie ist ein Maß für den Zustand der Materie und der Energie. Nach dem zweiten Hauptsatz der Thermodynamik sind ungeordnete Zustände, d.h. Zustände zufallsbedingter Verteilung, wahrscheinlicher als geordnete. Infolgedessen verlaufen physikalische und chemische Prozesse immer gerichtet, und zwar so, daß die Entropie des Systems und seiner Umgebung im Ganzen gesehen zunimmt, also in Richtung der größtmöglichen Unordnung. Dennoch ist die Herausbildung eines höheren Ordnungszustandes bzw. der Aufbau eines thermodynamischen Potentials in einem System durchaus möglich, und zwar dann, wenn diese Entropieabnahme durch eine Entropiezunahme an anderer Stelle kompensiert wird. Entscheidend ist, daß die Gesamtentropie des Systems und seiner Umgebung zunimmt. Ein Lebewesen kann also sehr wohl durch Aufbau molekularer Ordnungszustände die Entropie seiner Materie auf Kosten einer Entropiezunahme in seiner Umgebung verringern.

Eine unerläßliche Voraussetzung für die Lebensvorgänge ist somit das Vorhandensein eines energetischen Apparates, da die Lebewesen die thermische Energie, dem zweiten Hauptsatz der Thermodynamik entsprechend, nicht nutzen können. Sie verwenden chemische Energie, die durch Umsetzung geeigneter Moleküle in Prozessen verfügbar wird, deren Gesamtheit wir Stoffwechsel nennen. Eine weitere Aufgabe des Stoffwechsels besteht in der Produktion plasmatischer und zellulärer Strukturelemente.

Allerdings ist durch den Stoffwechsel allein das Leben noch keineswegs vollständig charakterisiert. Weitere Kriterien sind das Wachstum und die Fortpflanzung, d.h. Prozesse, die das Vorhandensein eines informationsspeichernden und -übertragenden Apparates zur Voraussetzung haben. Schließlich ist noch die Reizbarkeit zu nennen, d.h. die Fähigkeit, Umwelteinflüsse zu perzipieren und mit Entwicklungs- bzw. Bewegungsvorgängen darauf zu reagieren. Dies erfordert einen entsprechenden Wahrnehmungs-(Perzeptions-)Apparat sowie ein Signalverarbeitungssystem.

2.1   Evolution der Strukturen

Die molekularen Ordnungszustände des Protoplasmas finden ihren sichtbaren Ausdruck in der Ausbildung funktionsspezifischer **Strukturen,** die häufig schon lichtmikroskopisch, in der Regel jedoch elektronenmikroskopisch nachweisbar sind. In chemischer Hinsicht sind sie nicht einheitlich. Vielmehr bestehen sie aus verschiedenen Klassen von Molekülen, von denen aber nur ein Teil aktiv, d.h. funktionell unmittelbar beteiligt ist, während andere wohl nur als Strukturträger bzw. als formbestimmende Komponenten fungieren. Die Plasmastrukturen sind funktionsspezifisch, d.h. sie können nur ganz bestimmte, von Fall zu Fall verschiedene Funktionen ausüben, doch ist häufig ein und dieselbe Struktur zu mehreren verschiedenen Funktionen befähigt. Die Ausbildung komplexer, funktionsspezifischer Strukturen ist zweifellos ein entscheidender Schritt in der **Biogenese** gewesen. Wie sie entstanden sind, ist noch unbekannt. Zwar sind, basierend auf Modellversuchen unter Laborbedingungen, mehrere Hypothesen vorgeschlagen worden, doch ist noch völlig offen, ob gleichartige Prozesse unter den Bedingungen der Ur-Erde hätten ablaufen können.

Allgemeine Übereinstimmung besteht darin, daß die abiotisch gebildeten Biomeren sich im Urmeer gelöst und allmählich zu einer „Ursuppe" angereichert haben. Da die Makromoleküle unter den Bedingungen, unter denen sie entstehen, leicht wieder zerfallen, mußten sie sofort nach ihrer Bildung stabilisiert werden. Dies kann auf verschiedene Weise geschehen sein, im einfachsten Falle z.B. durch die Adsorption an die Oberflächen von gewissen Tonmineralien. Oparin nimmt die Bildung von Koazervaten an, das sind tropfenförmige Entmischungen gleichartiger oder verschiedener Moleküle in verdünnten kolloidalen Systemen. Schließlich ist als erster Schritt auch die Bildung von Mikrosphären vorgeschlagen worden, die sich bei Abkühlung konzentrierter Lösungen von Proteinoiden (proteinähnlichen Verbindungen) spontan ausbilden.

Es ist denkbar, daß bei der Bildung der **Koazervate** eine Anzahl kleinerer Biomonomere mit eingeschlossen und hierdurch den Einflüssen der Umgebung bis zu einem gewissen Grade entzogen wurde. Allerdings darf nicht jeglicher Kontakt mit der Umgebung unterbunden sein. Vielmehr ist, um eine weitere Evolution zu ermöglichen, die Ausbildung besonderer Grenzschichten notwendig, die einerseits als Barrieren das Innere eines Koazervates gegen die Umwelt abschirmen, indem sie den Durchtritt gewisser Moleküle unterbinden, andererseits aber auch Poren enthalten, die gewissen Molekülen den Eintritt und anderen den Austritt ermöglichen. Solange hierbei keine Konzentrationsgradienten errichtet werden, genügen einfache Schleusen. Soll jedoch eine Aufnahme oder Abgabe gegen das Konzentrationsgefälle erfolgen, sind Pumpen notwendig, die unter Energieverbrauch arbeiten.

❗ In dieser Phase der Evolution müssen also die **Biomembranen** entstanden sein. Wahrscheinlich haben sie sich rein zufällig durch die Anhäufung und Ausrichtung von Molekülen, die einen hydrophilen und einen hydrophoben Pol besitzen, an Phasengrenzen ausgebildet.

Hierbei könnte es sich grundsätzlich schon um Lipoide gehandelt haben, die abiotisch unter dem Einfluß von energiereicher Strahlung oder elektrischer Entladung entstanden zu denken wären. Die oben erwähnten Versuche mit Mikrosphären haben jedoch gezeigt, daß sich bei diesen unter bestimmten pH-Bedingungen eine äußere Membran bilden kann, die den Biomembranen insoweit ähnelt, als sie eine doppelschichtige Struktur aufweist. Sie besteht allerdings nicht aus Lipiden, die in dem Reaktionsgemisch nicht vorhanden sind, sondern aus Aminosäuren mit unpolaren Resten, die sich spontan in ähnlicher Weise anzuordnen vermögen wie die Lipoide. Da die mit einer Membran versehenen Mikrosphären in Salzlösungen höherer Konzentration schrumpfen, in Lösungen sehr niedriger Konzentration bzw. in Wasser hingegen anschwellen, ist anzunehmen, daß sie, gleich den Lipoidmembranen, semipermeabel sind.

❗ Gleichzeitig mit den Membranen muß ein **System der Energiefreisetzung** entstanden sein, da eine Stoffakkumulation und damit eine Erhöhung der Konzentration über die Konzentration der Außenlösung hinaus nur mit Hilfe von membranenständigen Pumpen und Energiezufuhr möglich ist.

Dabei konnte es sich nur um chemische Energie handeln, da die gebildeten Strukturen sehr kompliziert und gegen physikalische Energie empfindlich geworden waren. Deshalb war die Entstehung bzw. Weiterentwicklung dieser Strukturen nur möglich, nachdem eine gewisse Abkühlung erfolgt und Bedingungen entstanden waren, unter denen die energiereiche Strahlung weitgehend abgeschirmt wurde. Da noch kein elementarer Sauerstoff vorhanden war, muß dieses energetische System ein Gärungsstoffwechsel, also eine Art Urglykolyse gewesen sein. Hierfür, wie auch für zahlreiche weitere Prozesse, waren **Enzyme** erforderlich, deren Entstehung wiederum zur Voraussetzung hatte, daß die unter abiotischen Bedingungen gebildeten Polymere in ihre **Sekundär-** und **Tertiärstruktur** überführt wurden. Diese sind notwendige Voraussetzungen dafür, daß die Biopolymere ihre Funktionen als Katalysatoren und Strukturelemente erfüllen können.

Stellt man Koazervattröpfchen her, in die Enzymmoleküle eingeschlossen sind, und fügt der Lösung das Substrat des betreffenden Enzyms hinzu, so finden im Inneren des Koazervates Stoffumsetzungen statt, die als Modell eines primitiven Stoffwechsels angesehen werden können.

❗ Da die katalytische Funktion von Enzymen die Mitwirkung besonderer **prosthetischer Gruppen** erfordert, ist anzunehmen, daß die Biopolymere mit anderen Elementen in Wechselwirkung getreten sind, z.B. mit Eisenionen, denen selbst schon eine gewisse katalytische Wirkung zukommt.

Eisen ist in vielen Komponenten der Elektronen- und Wasserstofftransportketten (Ferredoxin, Cytochrome) enthalten. Die abiotische Entstehung derartiger prosthetischer Gruppen ist durchaus vorstellbar. So wurde z. B. die Entstehung von porphyrinähnlichen Verbindungen in einem Gemisch aus Methan, Ammoniak und Wasserdampf durch elektrische Entladungen nachgewiesen. Auch die Entstehung dimerer Eisen-Sulfid-Strukturen, die dem Ferredoxin eigen sind, erscheint unter abiotischen Bedingungen möglich, da das Eisen-Schwefel-Mineral Pyrit in der Erdkruste und Schwefelwasserstoff in der Uratmosphäre vorhanden waren.

Haben derartige Koazervate bzw. Mikrosphären infolge einer stärkeren Stoffakkumulation eine gewisse Größe erreicht, können sie in kleinere Tröpfchen zerfallen. Sollen diese mit dem „Muttertropfen" im wesentlichen identisch sein, müssen sie dieselben Molekülsorten enthalten. Das setzt voraus, daß von jeder Molekülsorte mehrere identische Kopien vorhanden sind. Dennoch hat eine solche Vermehrung als Resultat eines Wachstums Zufallscharakter, d. h. die Wahrscheinlichkeit, daß in dem einen oder anderen „Tochtertropfen" gewisse Moleküle nicht vorhanden sind, ist sehr groß.

❗ Eine unerläßliche Voraussetzung für eine identische Reduplikation ist daher die Evolution eines **informationsübertragenden Systems.** Hierfür kommen nur Substanzen mit hoher Spezifität in Frage, von denen wir zwei kennengelernt haben: die Proteine und die Nucleinsäuren.

Die Frage, ob zuerst die Proteine und dann die Nucleinsäuren entstanden sind oder umgekehrt, ist bis heute kontrovers. Einerseits konnte gezeigt werden, daß lysinreiche Proteinoide sich selektiv mit PolyC- und PolyU-Nucleotiden assoziieren, argininreiche hingegen mit PolyA- und PolyC-Nucleotiden. Das beweist, daß im Prinzip die in der Aminosäuresequenz eines Proteins liegende Information in eine Nucleotidsequenz überführt werden könnte. Andererseits wissen wir, daß bei der Proteinbiosynthese die Nucleotidsequenz einer Nucleinsäure in eine Aminosäuresequenz übersetzt wird. Somit erfüllen beide Biopolymersorten die Voraussetzungen, die von den ersten informationstragenden Makromolekülen zu erwarten wären. Allgemein wird angenommen, daß die ersten Nucleinsäuren dem RNA-Typus angehört haben, da die Existenz einer freien Desoxyribose in der „Ursuppe" wegen ihrer hohen Reaktivität kaum denkbar ist. Auch sind alle bisherigen Experimente einer matrizengesteuerten Polymerisation von Desoxyribonucleotiden erfolglos verlaufen. Jedenfalls erscheint eine abiotische Entstehung des heutigen genetischen Codes nach dem derzeitigen Stande unseres Wissens durchaus möglich.

Eine weitere Schwierigkeit für jede Hypothese der Biogenese besteht darin, daß in den Zellen der rezenten Lebewesen für die identische Replikation der Informationsmoleküle Enzyme benötigt werden, deren Bildung wiederum die Existenz eines informationsübertragenden Systems zur Voraussetzung hat. Um aus diesem Dilemma herauszukommen, setzen manche Hypothesen die Möglichkeit einer enzymlosen Replikation der Nucleinsäuren unter frühirdischen Bedingungen voraus. In diesem Zusammenhang sei erwähnt, daß gewisse RNA-Moleküle selbst katalytische Eigenschaften haben können (Ribozym).

Diese Vorstellung hat insofern eine experimentelle Grundlage, als sich in Simulationsexperimenten proteinähnliche Polymerisate herstellen lassen, denen gewisse enzymatische Aktivitäten zukommen, wie etwa die Hydrolyse von ATP, die Decarboxylierung Von Pyruvat, aber auch eine schwache replikative Aktivität. Allerdings sind die Umsatzraten derartiger protenoider Enzyme ungleich geringer als die unserer heutigen Enzyme, doch darf man davon ausgehen, daß die zur Biogenese führenden präbiotischen Prozesse ohnehin erheblich langsamer abliefen als etwa Stoffwechsel- und Replikationsprozesse in den heute lebenden Organismen.

Auf der Basis dieser Spekulationen und Simulationsexperimente wäre somit der Vorläufer der einzelligen Lebewesen, der **Protobiont,** ein von einer Membran umgebenes zellähnliches Gebilde, das aus abiotisch gebildeten Proteinen, Nucleinsäuren und anderen organischen Substanzen entstanden ist und bereits mit primitiven Apparaten zur Energiegewinnung und Informationsübertragung ausgestattet war.

2.2   Wasser

Der Anteil des Wassers an der plasmatischen Substanz ist verhältnismäßig hoch. Er liegt normalerweise zwischen 60 und 90%, kann in Extremfällen bei einigen Wasserpflanzen sogar 98% erreichen. Im Hinblick darauf ist es verständlich, daß viele Eigenschaften des Protoplasmas entscheidend durch die Struktur und die Eigenschaften des Wassers bestimmt werden.

Trotz seiner einfachen chemischen Zusammensetzung als Dihydrid des Sauerstoffs (H_2O) ist das Wasser in mehrfacher Hinsicht eine ungewöhnliche Substanz. Sein Schmelzpunkt, sein Siedepunkt und der Wert für die molare Verdampfungswärme liegen im Vergleich zu anderen Dihydriden (H_2S, H_2Se, H_2Te) unverhältnismäßig hoch. Seine Wärmekapazität ist 2- bis 3mal so groß wie die vieler anderer Lösungsmittel, weshalb es Temperaturschwankungen ungleich langsamer folgt als diese. Seine hohe Dielektrizitätskonstante macht es zu einem guten Lösungsmittel für ionische Substanzen, und seine hohe Oberflächenspannung ist für die Ausbildung plasmatischer Grenzflächen von großer Bedeutung. Schließlich sei noch daran erinnert, daß das Wasser sein Dichtemaximum nicht bei $0\,°C$, sondern bei $+4\,°C$ erreicht, weshalb Eis schwimmt. Daher frieren Gewässer von oben und nicht von unten her zu, was für die Lebensbedingungen in ihnen von entscheidender Bedeutung ist. Alle diese Eigenschaften haben ihre Ursache in der Struktur des Wassers.

Obwohl die Wassermoleküle neutral sind, ist die Ladungsverteilung im Molekül wegen des Valenzwinkels am Sauerstoffatom, der 104,5 Grad beträgt, nicht gleichmäßig, sondern auf der einen Seite überwiegt die positive, auf der anderen Seite die negative Ladung (Abb. 2.**1A**). Das Wassermolekül ist also ein **Dipol.**

Abb. 2.**1** Wasserstruktur und Hydratation. **A** Wassermolekül als Dipol, **B** Vernetzung von Wassermolekülen durch Wasserstoffbrückenbindungen, **C** Anordnung von Wassermolekülen im kristallinen Eis, Sauerstoffatome und Wasserstoffbrückenbindungen rot, **D** dreidimensional vernetzte Strukturen aus Wassermolekülen („cluster"), dazwischen Bereiche ohne Wasserstoffbrückenbindungen, **E** Kation mit Hydrathülle, **F** Anion mit Hydrathülle, **G** hydratisiertes elektroneutrales Teilchen mit ungleicher Ladungsverteilung (Dipol) (**C** nach Watson, **D** nach Nemethy u. Scheraga)

Benutzt man zur Darstellung des Wassermoleküls die Elektronenpaarschreibweise, so wird ersichtlich, daß das Sauerstoffatom im Wassermolekül zwei ungeteilte Elektronenpaare besitzt. Diese können gewissermaßen als „Akzeptor"-Stellen für die Wasserstoffatome anderer Wassermoleküle dienen (Abb. 2.**1B**), was zur Ausbildung von Wasserstoffbrückenbindungen führt. Auf diese Weise können zahlreiche Wassermoleküle zu einem dreidimensionalen Netzwerk verbunden werden. Jede Änderung dieser Struktur, z.B. durch die Herausnahme eines Wassermoleküls, erfordert mehr Energie, als wenn alle Wassermoleküle solitär vorliegen würden. Dies ist die Erklärung für die oben genannten physikalischen Eigenschaften, aber auch für die starke innere Kohäsion des Wassers.

Wie Abb. 2.**1C** zeigt, ist in kristallinischem Eis jedes Wassermolekül mit vier benachbarten Wassermolekülen durch Wasserstoffbrückenbindungen verknüpft. Obwohl die Stärke einer einzelnen Wasserstoffbrückenbindung mit 18,8 kJ/mol (4,5 kcal/mol) verhältnismäßig klein ist, sind sie bei gehäuftem Auftreten insgesamt doch recht stark. Beim Schmelzen des Eises werden nur etwa 10% der Wasserstoffbrückenbindungen gebrochen. Folglich müßte das Wasser eigentlich eine relativ hohe Viskosität haben, was jedoch bekanntlich nicht der Fall ist. Hierfür gibt es zwei mögliche Erklärungen: Entweder werden die Wasserstoffbrückenbindungen ständig gebrochen und wieder neu gebildet, oder das Wasser besitzt im flüssigen Zustand keine durchgehend kontinuierliche Struktur. Es wäre z.B. denkbar, daß nur ein Teil der Wassermoleküle durch Wasserstoffbrückenbindungen untereinander vernetzt ist, so daß gewissermaßen Schwärme (sogenannte „cluster", Abb. 2.**1D**) entstehen, die durch solitäre Wassermoleküle voneinander getrennt und somit gegeneinander verschiebbar sind.

❗ Sind Ionen im Wasser gelöst, so üben sie infolge ihrer elektrischen Ladung eine Anziehungskraft auf die Wasserdipole aus und umgeben sich mit einer Wasserhülle. Je nach Ladungssinn sind entweder die positiven oder negativen Pole der Wassermoleküle den Ionen zugekehrt (Abb. 2.**1E** u. **F**). Diesen Vorgang bezeichnet man als **Hydratation.**

Auch elektrisch neutrale Teilchen können Hydrathüllen ausbilden, wenn sie eine ungleichmäßige Ladungsverteilung aufweisen, also selbst Dipole sind (Abb. 2.**1G**). Dies trifft z.B. für die Plasmaproteine zu. Die Größe der Hydrathüllen hängt sowohl von der Anzahl der Ladungen als auch von der Größe der Teilchen ab, d.h. also von der Ladungsdichte an der Oberfläche. Sehr deutlich demonstriert dies die Reihe der Alkaliionen. Da bei ihnen innerhalb der Reihe die Ladung konstant ist, nimmt mit zunehmendem Ionendurchmesser die Ladungsdichte an der Oberfläche und damit auch der Durchmesser der Hydrathülle ab (Abb. 2.**2**).

Es ist leicht einzusehen, daß durch die Ausbildung von Hydrathüllen um gelöste Teilchen die Struktur des Wassers weitgehend zerstört wird, was in einer Änderung seiner Eigenschaften zum Ausdruck kommt. So verursacht die Lösung von Substanzen in Wasser eine der Konzentration des gelösten Stoffes entsprechende Gefrierpunkterniedrigung, Siedepunkterhöhung und Dampfdruckerniedrigung. Außerdem nimmt mit steigender Konzentration der potentielle osmotische Druck

Abb. 2.**2** Hydrathüllen (rot) der Alkaliionen (nach Frey-Wyssling)

der Lösung zu. So erzeugt z.B. eine 1-molare Lösung eines nicht-dissoziierenden Stoffes im Osmometer einen osmotischen Druck von 22,7 bar (= 22,4 atm). Schließlich ist zu beachten, daß im Protoplasma ein großer Teil des Wassers gebunden oder auf andere Weise mit Proteinen assoziiert ist, so daß sein Diffusionskoeffizient erheblich reduziert wird. Das Protoplasma ist also keineswegs einer wäßrigen Lösung gleichzusetzen.

Wie bereits erwähnt (S. 18), ist das Wasser, wenn auch nur zu einem sehr geringen Teil, in Ionen dissoziiert. Da Protonen ein sehr großes elektrisches Feld haben und in wäßrigen Systemen mit einem Molekül H_2O zu $H_3O^{\oplus}$ (Hydroniumion) reagieren, dissoziiert das Wasser nicht nach der Gleichung $H_2O = H^{\oplus} + OH^{\ominus}$, sondern nach der Gleichung $2 H_2O = H_3O^{\oplus} + OH^{\ominus}$, also in Hydronium- und Hydroxidionen.

Allerdings spricht man aus historischen Gründen oft auch heute noch von Wasserstoffionen. Die Hydroxidionen liegen ebenfalls in hydratisierter Form vor. Tatsächlich existiert ein einzelnes $H_3O^{\oplus}$-Ion in wäßriger Lösung nur sehr kurze Zeit (etwa 2,2 ps), da das Proton sehr leicht von einem auf ein anderes H_2O-Molekül übertragen wird. Hierbei wird jedoch nicht eigentlich ein Proton bewegt, sondern es springt lediglich die Bindung um. Wiederholt sich dieser Vorgang über eine Kette von Wassermolekülen, so resultiert ein scheinbarer Protonentransport, der jedoch in Wirklichkeit nur eine Verschiebung von Ladungen ist. Dies erklärt die hohe Geschwindigkeit, mit der Protonen „transportiert" werden können, was für die Lebensvorgänge von großer Bedeutung ist.

2.3   **Grundstruktur des Protoplasmas**

Entfernt man das Wasser durch Trocknen bis zur Gewichtskonstanz, so erhält man die Trockensubstanz des Protoplasmas, die zu etwa 50% aus Proteinen und zu 2–3% aus Lipoiden besteht. Der Rest entfällt auf Kohlenhydrate, Fette, Nucleinsäuren, anorganische Salze und zahlreiche andere Verbindungen, deren Anteil von Fall zu Fall sehr verschieden sein kann. Soweit sie nicht Bestandteile plasmatischer Strukturen sind, liegen sie entweder gelöst oder in kolloidähnlicher Dispersion vor.

Wegen ihrer großen Molekülmasse und der damit einhergehenden Molekülgröße[1] werden die in wäßriger Phase vorliegenden Proteine meist zu den Kolloiden gezählt, deren Teilchendurchmesser nach der von Ostwald gegebenen Definition zwischen 1 und 100 nm liegt. Tatsächlich haben sie manche Eigenschaften mit den Kolloiden gemein. Wir müssen jedoch beachten, daß die Teilchen eines Kolloids Aggregate kleinerer Einheiten darstellen, die noch weiter zerteilt werden können, während Proteinlösungen in der Regel molekulardispers sind, also einzelne, wenn auch große Makromoleküle enthalten, die nicht weiter zerlegt werden können, ohne ihre spezifischen Eigenschaften einzubüßen.

Da die Proteinmoleküle sowohl Dipolcharakter haben als auch Ladungen tragen können, umgeben sie sich mit einer Hydrathülle, d.h. sie liegen im nativen Zustand gequollen vor. Unter **Quellung** versteht man die reversible Einlagerung von Molekülen des Lösungsmittels, im vorliegenden Falle also des Wassers, zwischen die Moleküle des quellbaren Körpers, was eine reversible Volumen- und Gewichtszunahme zur Folge hat. Hierbei handelt es sich um einen rein physikalischen Prozeß, der durch eine positive Wärmetönung (Quellungswärme) gekennzeichnet ist. Infolge der Volumenzunahme entfaltet ein quellender Körper einen Druck, den Quellungsdruck τ, der vor allem in der Anfangsphase der Quellung beträchtliche Werte (bis zu 1000 bar) erreichen kann. Befindet sich ein quellbarer Körper nicht in direktem Kontakt mit dem betreffenden Lösungsmittel, so daß er keinen akuten Quellungsdruck entfalten kann, spricht man von seinem potentiellen Quellungsdruck τ^* bzw. korrekter von seinem Quellungspotential ψ_τ. Man unterscheidet unbegrenzt und begrenzt quellbare Körper. Bei den ersteren führt der Quellungsvorgang zu einer Lösung der Moleküle, die schließlich in molekulardisperser Verteilung vorliegen. Im zweiten Fall sind der Einlagerung des Lösungsmittels zwischen die Moleküle infolge von deren Vernetzung Grenzen gesetzt.

   Bis zu einem gewissen Grade entspricht eine molekulardisperse Proteinlösung also einem kolloidalen Zustand, der als Sol bezeichnet wird. Liegen die Proteine in höheren Konzentrationen vor, so können sie auch in einen gelartigen Zustand übergehen, indem sie sich untereinander vernetzen und ein lockeres Gerüstwerk bilden, dessen kapillare Zwischenräume von Wasser erfüllt sind. Auch das Proto-

---

[1]   Die Molekülgröße hängt allerdings nicht nur von der Molekülmasse, sondern auch von der Gestalt des Moleküls ab. Eine strikte Parallelität besteht also nicht.

plasma kann sowohl sol- als auch gelartige Konsistenz zeigen, je nachdem, ob die Moleküle überwiegend monodispers vorliegen oder untereinander vernetzt sind. Dennoch ist die Zusammensetzung wie auch die Struktur des Protoplasmas viel zu kompliziert, als daß es einem einfachen Kolloid gleichgesetzt werden könnte.

Die Struktur des Protoplasmas wird durch äußere Faktoren in verschiedener Weise beeinflußt. Jede Ladungsänderung, etwa infolge von Veränderungen des Ionenmilieus oder des pH-Wertes, wirkt sich wegen der Abhängigkeit des Hydratationsgrades von der Ladungsstärke (S. 45) zwangsläufig auf die Größe der Hydrathüllen und damit auf den Quellungszustand aus. Die Wirkung der Ionen hängt von der Größe ihrer Hydrathüllen ab. Liegen sie in geringer Konzentration vor, was im natürlichen Zustand der Fall ist, so wirken sie um so stärker entquellend, je kleiner ihre Hydrathülle ist und je stärker sie sich somit den Proteinen nähern und diese entladen können. Im Falle der Alkaliionen nimmt daher die entquellende Wirkung von $Li^{\oplus}$ nach $Cs^{\oplus}$ zu (Abb. 2.2). Zweiwertige Kationen wirken infolge ihrer doppelten Ladung auf die Plasmaproteine stärker entladend und somit stärker entquellend als einwertige Ionen. Daher ist das Verhältnis von ein- zu zweiwertigen Ionen für den Quellungszustand des Protoplasmas von entscheidender Bedeutung (**Ionenantagonismus**). Für den pflanzlichen Organismus ist besonders der Ionenantagonismus zwischen $K^{\oplus}$ und $Ca^{2\oplus}$ wichtig.

Sowohl infolge des Einflusses von Außenfaktoren als auch aus inneren Ursachen heraus ist also der Zustand des Protoplasmas starken Änderungen unterworfen. Schon in relativ kurzen Zeiträumen können gelartige in solartige Zustände übergehen und umgekehrt, indem die Proteinmoleküle sich vernetzen oder wieder voneinander lösen. Das Protoplasma besitzt also eine dynamische Struktur. Dies gilt auch in chemischer Hinsicht, da seine Strukturelemente und die sie aufbauenden Moleküle einem ständigen Auf-, Ab- und Umbau unterliegen.

2.4　Biomembranen

Untersucht man das im Lichtmikroskop homogen erscheinende Protoplasma mit dem Elektronenmikroskop, so zeigt es sich von zahlreichen Strukturen durchsetzt. Vorwiegend handelt es sich dabei um Biomembranen, deren Anteil bis zu 80% der Trockensubstanz ausmachen kann. Sie treten bei hoher Auflösung als dunkle Doppellinien hervor, die einen hellen Zwischenraum einschließen (Abb. 2.**3A**). Ihre Dicke schwankt, je nach Objekt, Membrantypus und Darstellungsverfahren, zwischen 7 und 10 nm. Schon die unterschiedliche Dicke und die verschieden starke Kontrastierung lassen erkennen, daß sich die verschiedenen Membrantypen in ihrer molekularen Architektur unterscheiden. In noch weit stärkerem Maße gilt dies für ihre Funktion.

A

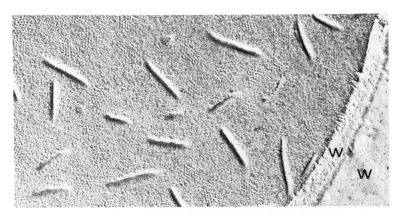

B

Abb. 2.3 Plasmalemma als Beispiel einer Biomembran. **A** Querschnitt durch das Plasmalemma (pl) des Flechtenpilzes von *Normandina pulchella.* Oberhalb des Plasmalemmas ist ein Teil der aus zwei Biomembranen bestehenden Kernhülle (kh) zu sehen. Ein Vergleich mit dem Plasmalemma zeigt die geringere Dicke der Einzelmembranen. kp = Karyoplasma, w = Zellwand. Fixierung: Glutaraldehyd/OsO$_4$, Uranylacetat-Bleicitrat-Kontrastierung, Vergr.: ca. 160 000fach. **B** Flächenansicht des Plasmalemmas der Bäckerhefe *(Saccharomyces cerevisiae)* nach Gefrierätzung. Man erkennt Gruppen globulärer Proteine, die in dichter Packung in die Plasmamembran eingebaut sind. Die stäbchenförmigen Vertiefungen werden durch Invaginationen der Zellwand (w) (rechts im Bild in Aufsicht und im Querbruch) verursacht. Sie sind in diesem Zusammenhang jedoch ohne Interesse. Platin-Kohle-Bedampfung, Vergr.: 55 000fach (Originalaufnahmen: K. Kowallik)

2.4.1   Chemische Zusammensetzung

Wie groß die Unterschiede in der Zusammensetzung tatsächlich sind, zeigt die chemische Analyse. Zwar sind die Biomembranen im typischen Falle aus Proteinen und Lipoiden aufgebaut, wozu in einigen Fällen noch Kohlenhydrate kommen, doch sind die Mengenverhältnisse der einzelnen Komponenten von Fall zu Fall außerordentlich verschieden. Bei vielen Membrantypen liegt der Lipidanteil in der Größenordnung von 40% und der Proteinanteil bei etwa 60%, doch sind auch Membranen mit wesentlich geringerem (25%) bzw. höherem (80%) Proteinanteil isoliert worden. Auch hinsichtlich der Zusammensetzung der einzelnen Fraktionen können sich die verschiedenen Membrantypen sehr stark unterscheiden. In manchen Fällen machen die Hauptmenge der Lipidfraktion die Phosphatide aus, wie in der Plasmamembran von *Escherichia coli,* die zu 100% aus Phosphatidylcholin besteht. Einige tierische Membranen sind verhältnismäßig reich an Cholesterin, während der Anteil an Sterolen bei pflanzlichen Membranen in der Regel ungleich geringer ist. Die Membranen der Chloroplastenhülle und die Thylakoide sind reich and Glykoglycerolipiden, die als Zucker ein oder zwei Galaktosemoleküle tragen. Die Kettenlänge der meist ungesättigten Fettsäuren variiert zwischen C_{14} und C_{24}. Die Anzahl der Doppelbindungen kann bis zu 6 betragen. Jeder Membrantyp ist somit durch ein spezifisches Lipidmuster charakterisiert, dessen genaue Zusammensetzung wiederum artabhängig ist.

Die Membranproteine sind wohl ausschließlich Sphäroproteine, die einen hohen α-Helix-Anteil aufweisen. Nach ihrem Extraktionsverhalten unterscheidet man **periphere Proteine,** die nur locker an die Membranoberfläche gebunden sind und leicht abgelöst werden können, und **integrale Proteine,** die mit ihren ausschließlich aus hydrophoben oder ungeladenen Aminosäuren bestehenden Abschnitten die Membranen einfach oder mehrfach (S. 547, Abb. 17.**24**) durchsetzen (Brücken- oder Tunnelproteine) und folglich fest in diesen verankert sind. Sie können daher nur durch deren Denaturierung isoliert werden. Der Anteil der integralen Proteine liegt in der Größenordnung von 70% der gesamten Membranproteine.

Die äußeren Membranen tierischer Zellen sowie mancher Bakterien und Pilze besitzen auf ihrer Außenfläche Kohlenhydrate in Form von Oligosacchariden, die als Glykolipide oder Glykoproteine vorliegen (Glykokalyx). Sie verleihen der Zelloberfläche eine gewisse Spezifität und ermöglichen so die Erkennung von Zellen, aber auch deren Anheftung. Sie werden spezifisch durch **Lectine** gebunden, was zur Agglutination führt (Box 2.**1**).

2.4.2   Membranmodelle

Da alle Membranen funktionell spezialisiert sind, stehen der Konstruktion eines allgemein gültigen Basismodells gewisse Schwierigkeiten entgegen. Die meisten Modelle basieren auf der von Davson und Danielli entwickelten Vorstellung, wonach die Biomembranen aus einem bimolekularen Lipoidfilm bestehen, der auf beiden Seiten von Proteinen bedeckt ist. Eine Modifikation dieser Vorstellung ist

Box 2.1 Lectine

Lectine sind Proteine nicht-immunogenen Ursprungs, die sehr spezifisch Zucker bzw. Polysaccharide erkennen und binden, auch wenn diese an Lipide oder Proteine gebunden sind. Sie sind bei allen lebenden Organismen weit verbreitet. Bei Pflanzen kommen sie vor allem bei Hülsenfrüchtlern vor, z. B. Bohnen, Sojabohnen und Linsen, aber auch in Kartoffeln, Weizenkeimen und *Ricinus*. Charakteristisch für die Lectine ist ihre Fähigkeit der Agglutination von Erythrocyten, die auch zum Nachweis benutzt wird. Im Gegensatz zu Immunoglobulinen und Antikörpern, die erst auf einen Reiz hin gebildet werden, sind die Lectine organismenspezifische Inhaltsstoffe. Sie sind Proteine oder Glykoproteine mit Molekülmassen zwischen 8500 und 300 000, die aus mehreren (2 – 8) Untereinheiten bestehen. Die Aminosäuresequenzen verschiedener pflanzlicher Lectine zeigen oft eine große Übereinstimmung. Am längsten bekannt ist das Concanavalin A, ein Metallprotein aus vier identischen Untereinheiten, die jeweils eine Molekülmasse von 26 000 besitzen und aus 238 Aminosäureresten, je einem $Ca^{2\oplus}$- und $Mn^{2\oplus}$-Zentrum sowie einer Bindungsstelle für Kohlenhydrat bestehen, aber keinen kovalent gebundenen Zucker enthalten, also keine Glykoproteine sind. Concanavalin A kommt in den Samen der Fabacee *Canavalia ensiformis* in großer Menge vor und stellt sicher ein Speicherprotein dar. Ob es noch eine andere spezifische Funktion hat, ist nicht bekannt.

das „Fluid-mosaic"-Modell (Abb. 2.**4**), das heute von der Mehrzahl der Arbeitsgruppen der Interpretation ihrer Ergebnisse zugrunde gelegt wird.

Auch beim Fluid-mosaic-Modell wird als Basismembran ein bimolekularer Lipoidfilm angenommen, in dem die lipophilen Pole einander zugekehrt sind, während die hydrophilen, von einer Hydrathülle umgebenen, nach außen weisen. Dieser Film ist von integralen Proteinen (s. oben) durchsetzt, während die peripheren Proteine nur lose an die Membranoberfläche gebunden sind.

Betrachtet man eine Biomembran unter dem Elektronenmikroskop von der Fläche her, so sind diese globulären Proteine deutlich zu erkennen (Abb. 2.**3B**). An manchen Stellen erscheint ihre Anordnung regellos, während sie in anderen Bereichen ein bestimmtes Muster aufweisen. Spaltet man, was bei der Gefrierbruchtechnik häufig geschieht, die beiden Schichten des bimolekularen Lipoidfilms, so sieht man das Muster der Lipidmoleküle von den Tunnelproteinen unterbrochen.

Die Biomembranen sind in der Regel asymmetrisch gebaut. Die Asymmetrie kommt u. a. darin zum Ausdruck, daß die dem Cytoplasma zugewandte P-(Plasmatic-)Seite sich strukturell von der dem Cytoplasma abgewandten E-(Exoplasmatic-)Seite unterscheidet. So ist die P-Seite oft wesentlich dichter mit Proteinen, wahrscheinlich Enzymproteinen, bedeckt als die Außenseite. Bei Anwendung der Gefrierbruchtechnik (S. 72) brechen nicht selten die beiden Halbschichten des bimolekularen Lipoidfilms auseinander, so daß wir vier Flächen unterscheiden

Abb. 2.4 Fluid-mosaic-Modell einer Biomembran. Die bimolekulare Phospholipid-
schicht ist von Proteinen (rot) durchsetzt, die
auf beiden Seiten über die Membran hin-
ausragen oder einseitig in die Membran eingebettet sind. Die Proteine sind in der
Phospholipiddoppelschicht lateral beweglich (nach Singer u. Nicolson)

müssen: die beiden Oberflächen, die mit S (Surface), und die beiden Bruchflächen,
die mit F (Fracture) bezeichnet werden. Insgesamt ergibt sich daraus die folgende
Flächenbezeichnung (von innen nach außen): PS, PF, EF, ES. In diesen Halbflächen
fallen sogenannte intramembranäre Partikel von etwa 5 – 20 nm Durchmesser ins
Auge, denen an der komplementären Stelle der anderen Bruchhälfte eine entsprechende Vertiefung gegenübersteht. Diese Partikel sind integrale Membranproteine, die mehr oder weniger tief in die Lipoiddoppelschicht hineinragen oder diese
quer durchsetzen. Diese morphologische Asymmetrie ist der sichtbare Ausdruck
der funktionellen Asymmetrie der Membranen. Die Sequenzierung der integralen
Proteine hat ergeben, daß die die Lipiddoppelschicht durchsetzenden Abschnitte
hydrophobe α-Helices sind, die aus etwa 20–25 hydrophoben bzw. unpolaren
Aminosäuren bestehen, wie etwa Alanin, Valin, Phenylalanin, Leucin u.a. Diese
helikale Anordnung, bei der die Aminosäurereste außen liegen, ermöglicht hydrophobe Wechselwirkungen zwischen dem integralen Proteinabschnitt und den ihn
umgebenden Membranproteinen.

Wie der Name erkennen läßt, setzt das Fluid-mosaic-Modell voraus, daß sich
der bimolekulare Lipoidfilm in einem halbflüssigen Zustand befindet, wobei die
Fluidität bei verschiedenen Temperaturen weitgehend von dem Gehalt an ungesättigten Fettsäuren abhängt. Infolgedessen sind nicht nur die Lipoidmoleküle

selbst, sondern auch die eingebetteten Proteine in lateraler Richtung beweglich. Dagegen stehen dem Hindurchtreten von Lipoidmolekülen durch die Membran erhebliche Schwierigkeiten entgegen, weshalb ein transversaler Austausch von Molekülen zwischen Außen- und Innenschicht (sogenannter „Flip-flop"-Mechanismus) relativ selten vorkommt. Die halbflüssige Konsistenz erklärt zugleich die Leichtigkeit, mit der die Biomembranen durch Einlagerung weiterer Lipid- und Proteinkomponenten (Intussusception) wachsen bzw. durch deren Herausnahme eingeschmolzen werden können.

Für den Zusammenhalt der Membranen sind neben elektrostatischen vor allen Dingen hydrophobe und Dipol-Wechselwirkungen verantwortlich, die einerseits zwischen den hydrophoben Polen der Lipoidmoleküle wirksam sind, andererseits, wie bereits erwähnt, zwischen diesen und den hydrophoben Gruppen der integralen Proteine.

2.4.3 Funktionen der Biomembranen

Eine der Hauptaufgaben der Biomembranen ist die Aufgliederung der Zelle in Reaktionsräume (Kompartimente). Als deren Grenzflächen haben sie einerseits die Funktion von Schranken, indem sie das Kompartiment gegen seine Umgebung abschirmen und den unkontrollierten Durchtritt gelöst vorliegender Stoffe verhindern. Andererseits erfüllen sie Transportfunktionen, da es notwendig ist, daß die umzusetzenden Stoffe in das Kompartiment eintreten und die Reaktionsprodukte es wieder verlassen können. Schließlich sind sie auch Träger der Enzyme und Redoxysysteme für die im Kompartiment ablaufenden chemischen Reaktionen und Synthesen. Weitere Aufgaben sind Energiekonservierung, Signalaufnahme und -leitung sowie Informationsspeicherung.

Die Schrankenfunktion von Biomembranen hat deren Unpassierbarkeit (**Impermeabilität**) für die betreffenden Substanzen zur Voraussetzung. Diese ist allerdings nicht absolut, sondern relativ. Offenbar können sehr kleine Moleküle, deren Molekülmasse $M_r < 75$ ist, z.B. Wasser, frei durch die Membranen diffundieren, während größere zurückgehalten werden. Dies gilt nicht in gleichem Maße für Ionen, da diese eine Hydrathülle haben und außerdem die Membranen ihrerseits Träger von Ladungen sind. Deshalb hängt die Permeabilität der Ionen sowohl von ihrer Ladung als auch von dem Ionenradius ab (**selektive Ionenpermeabilität**). Schließlich spielt auch die Lipoidlöslichkeit eine wesentliche Rolle, da hydrophobe Substanzen den bimolekularen Lipoidfilm leichter passieren können als hydrophile. Die Biomembranen sind also nicht im strengen Sinne des Wortes semipermeabel (s. unten), sondern **selektiv permeabel.** Dennoch können sie sich, zum mindesten innerhalb kürzerer Zeiträume, wie semipermeable Membranen verhalten, was für die osmotischen Eigenschaften der Pflanzenzellen von Bedeutung ist.

2.4.4   Diffusion und Osmose

❗ Unter **Diffusion** versteht man das Bestreben eines gasförmigen oder gelösten Stoffes, sich in dem zur Verfügung stehenden Raum bzw. Lösungsmittel gleichmäßig zu verteilen. Sie hat ihre Ursachen in der thermischen Bewegungsenergie der Moleküle.

Die thermische Bewegungsenergie der Moleküle eines Lösungsmittels findet ihren Ausdruck in der **Brownschen Molekularbewegung.** Bei lichtmikroskopischer Betrachtung zeigen suspendierte Teilchen bzw. emulgierte Tröpfchen, die kleiner als 5 μm sind, eine ständige zitternde Bewegung, die durch den Aufprall von Lösungsmittelmolekülen verursacht wird.

Werden zwei Lösungen verschiedener Konzentration, von denen die eine auch reines Wasser sein kann, übereinandergeschichtet, so diffundieren die Teilchen vom Ort höherer zum Ort niedrigerer Konzentration. Die Diffusion folgt dem **1. Fickschen Diffusionsgesetz:**

$$\frac{d_m}{d_t} = -D \cdot q \; \frac{\delta_c}{\delta_x}$$

Danach ist die Diffusionsrate, d.h. die in der Zeiteinheit d_t diffundierende Substanzmenge d_m, proportional dem Konzentrationsgradienten δ_c/δ_x, wobei δ_c in mol/cm^3 und δ_x in cm angegeben wird. q ist die Austauschfläche und D die Diffusionskonstante in cm^{2}s^{-1}. Das negative Vorzeichen beschreibt die Richtung des Vorganges. Werden die beiden Lösungen durch eine **permeable Membran** getrennt, die sowohl das Lösungsmittel als auch den gelösten Stoff durchläßt, so ist die Gleichung um den Faktor P, die Permeabilitätskonstante der betreffenden Membran, zu erweitern. Auch in diesem Fall ist die Diffusionsrate dem Konzentrationsgradienten proportional, zeigt also keine Sättigung (s. unten).

❗ Werden jedoch die beiden Lösungen durch eine **semipermeable** (halbdurchlässige) **Membran** getrennt, die zwar für das Lösungsmittel, nicht aber für den gelösten Stoff durchlässig ist, so wird dem Diffusionsbestreben der gelösten Moleküle bzw. Ionen Einhalt geboten. Infolgedessen verursacht das bestehende Diffusionspotential den Durchtritt des Lösungsmittels, im vorliegenden Fall des Wassers, durch die Membran zur Seite der höheren Konzentration, ein Vorgang, den man als **Osmose** bezeichnet. Der ständige Wassereintritt in das osmotische System verursacht eine Volumenzunahme und damit einen Ausdehnungsdruck, den **osmotischen Druck** (π).

Der osmotische Druck kann mit Hilfe eines **Osmometers** gemessen werden, das im einfachsten Falle aus einer Glasglocke besteht, der ein Steigrohr aufgesetzt und die unten durch eine semipermeable Membran, z.B. eine Schweinsblase oder Kollodiummembran, verschlossen wird. Nach Einfüllen der zu messenden Lösung taucht

Abb. 2.**5** Pfeffersche Zelle. Aus dem Vorderteil des Tonzylinders und des Aufsatzrohres ist ein Viertel herausgeschnitten. l = zu messende Lösung, m = Quecksilbermanometer, n = Niederschlagsmembran (rot), t = Tonzylinder, w = Wasser. Quecksilber rot

man den unteren Teil der Glocke in Wasser. Infolge des Wassereintritts steigt die Wassersäule im Steigrohr so lange an, bis der von ihr entwickelte hydrostatische Druck gleich dem osmotischen Druck (π) ist. Den osmotischen Druck, den eine Lösung im Osmometer entwickeln würde, nennt man ihren potentiellen osmotischen Druck (π^*) bzw. ihr osmotisches Potential (ψ_π, S. 260 f.).

Da die vorgenannten Membranen nicht streng semipermeabel sind, hat Pfeffer ein nach ihm benanntes System entwickelt, in dem als semipermeable Membran eine in den Kapillaren eines Tonzylinders erzeugte Niederschlagsmembran von Kupferhexacyanoferrat-II Cu_2 [Fe(CN)$_6$] fungiert. Die zu messende Lösung wird in die Pfeffersche Zelle eingefüllt und der osmotische Druck an einem Quecksilbermanometer abgelesen (Abb. 2.**5**).

Durch derartige Messungen wurden gewisse Gesetzmäßigkeiten ermittelt, die in der van't Hoffschen Theorie der Lösungen zusammengefaßt werden:
1. Bei konstanter Temperatur ist der osmotische Druck proportional der Konzentration.
2. Bei konstanter Konzentration ist der osmotische Druck proportional der absoluten Temperatur.
3. Äquimolare Lösungen, d.h. Lösungen, die die gleiche Anzahl von Teilchen enthalten, sind isosmotisch (isotonisch). Dies gilt allerdings nur für ideale Lösungen. Bei Elektrolytlösungen, die weitgehend in ihre Ionen dissoziieren, sowie bei höher konzentrierten Nicht-Elektrolytlösungen (etwa > 0,2 M) erhält man

abweichende Werte, die durch den osmotischen Koeffizienten (g) berücksichtigt werden müssen.

❗ Insgesamt gilt für den osmotischen Druck somit die Beziehung $\pi = (c_1 - c_2) \cdot R \cdot T$, wobei c_1 und c_2 die Konzentrationen der Innen- bzw. Außenlösung in mol/l, T die absolute Temperatur und R die Gaskonstante ist. π wird in bar (1 bar = 0,987 atm) angegeben. Für nicht-ideale Lösungen gilt entsprechend: $\pi = (c_1 - c_2) \cdot g \cdot R \cdot T$ bzw., wenn die eine Lösung reines Wasser ist, $\pi = c \cdot g \cdot R \cdot T$.

Während c die Molarität einer Lösung angibt, bezeichnet das Produkt g · c die **Osmolarität.** Bei einem Salz, das aus einem Kation und einem Anion besteht und zu 100% in seine Ionen dissoziiert, wäre also die Osmolarität um den Faktor 2 höher als die Molarität, da doppelt so viele Teilchen in der Lösung vorliegen wie bei einem Nicht-Elektrolyten.

2.4.5   Permeabilität und Transport durch Membranen

Der Durchtritt eines Stoffes durch eine Membran kann auf verschiedene Weise erfolgen: entweder auf passivem Wege, wobei zwischen Diffusion und katalytischer Permeation unterschieden werden muß, oder durch aktiven Transport. Wie bereits erwähnt, können nur sehr kleine Moleküle ($M_r < 75$) die Biomembranen auf dem Weg der freien Diffusion passieren. In der Regel erfolgt der Transport von Ionen und Molekülen, die nicht frei durch die Membran diffundieren können, mit Hilfe spezifischer Transportproteine, bei denen wir Kanäle und Carrier (Träger) unterscheiden müssen.

❗ **Erleichterte Diffusion:** Größere Moleküle bzw. Ionen können die Biomembranen nur mit Hilfe von **Kanälen** passieren, das sind Tunnelproteine, die die Membran quer durchsetzen und einen hydrophilen Weg durch den hydrophoben Innenbereich der Membran bilden. Sie können ständig offen sein (Abb. 2.**6A**), oder sie öffnen und schließen sich spontan in bestimmten Zeitabständen, oder das Öffnen und Schließen wird auf elektrischem oder chemischem Wege ausgelöst. So wird bei den spannungsabhängigen Calciumkanälen das Öffnen und Schließen durch das elektrische Membranpotential (s. unten) gesteuert, während bei den calciumabhängigen Kaliumkanälen die Steuerung durch die Bindung eines Effektors an den Kanal erfolgt (Abb. 2.**6B**).

Infolge elektrostatischer Wechselwirkungen mit den polaren Gruppen des Transportproteins wird der Eintritt eines bestimmten Ions, z.B. des Kations $K^{\oplus}$, in den Kanal energetisch begünstigt, weshalb diese Kanäle mehr oder weniger selektiv sind. So nimmt ihre Durchlässigkeit für Kationen etwa in der Reihenfolge $K^{\oplus} > Rb^{\oplus} > Na^{\oplus} > Li^{\oplus} > Cs^{\oplus}$ ab. In allen diesen Fällen erfolgt, wie bei der freien Diffusion, der Transport vom Ort höherer zum Ort niedrigerer Konzentration, d.h. die Permeationsrate nimmt mit steiler werdendem Konzentrationsgefälle zu. Bedingt durch die Leistungsfähigkeit der Kanäle bzw. die begrenzte Anzahl von Bindungs-

Abb. 2.**6** Membrantransportmechanismen. **A** Passive Diffusion durch einen ständig geöffneten Kanal, **B** katalytische Permeation durch einen Kanal, dessen Öffnung durch einen Effektor (schwarzes Dreieck) bewirkt wird, **C** aktiver Transport gegen das Konzentrationsgefälle, der durch Konformationsänderung eines Carriermoleküls unter Hydrolyse von ATP bewerkstelligt wird. Hellrot = niedrigere, dunkelrot = höhere Konzentration

stellen erreicht sie jedoch, abweichend von der reinen Diffusion, schließlich einen Sättigungswert. Aus diesem Grund, wie auch im Hinblick auf die ungleich größere Spezifität für das zu transportierende Substrat, wird dieser Vorgang als **katalytische Permeation** bezeichnet.

In diesem Zusammenhang sind auch die **Porine** zu nennen, die in den äußeren Membranen der gramnegativen Bakterien sowie den äußeren Membranen der Mitochondrien und Chloroplasten vorkommen. Ihr Bau und ihre Funktion sind auf S. 183 f. beschrieben.

Aktiver Transport: Hierunter versteht man einen Transport von ungeladenen organischen Molekülen gegen das Konzentrationsgefälle bzw. von Ionen gegen das elektrochemische Gefälle. Er benötigt Energie und erfolgt mit Hilfe von meist spezifischen **Carriern** (Abb. 2.6C). Diese können unter Umständen sogar die D- und L-Formen von Hexosen und Aminosäuren erkennen und selektiv transportieren.

Eine zentrale Rolle bei der Energetisierung des Membrantransportes spielt die protonenmotorische Kraft (**proton motive force,** pmf), die sich aus einem transmembranen pH-Gradienten und einer elektrischen Potentialdifferenz (dem Membranpotential) zusammensetzt. Die hierfür notwendige Energie kann aus einem transmembranen Redox-System stammen, das z.B. durch die Elektronentransportkette der Photosynthese an den Thylakoidmembranen oder durch die Atmungskette an den inneren Mitochondrienmembranen errichtet wird. Die in der pmf konservierte Energie wird dann zur ATP-Synthese genutzt. Diese erfolgt an den ATP-Synthasen, die unter bestimmten experimentellen Bedingungen auch rückwärts laufen können und unter ATP-Spaltung Protonen pumpen, weshalb sie auch als ATPasen bezeichnet werden, die dem F-Typus zugehören.

Box 2.2 Protonenpumpen (ATPasen)

ATP-spaltende Enzyme (ATPasen) finden sich in allen lebenden Zellen, wo sie die aus der ATP-Spaltung stammende Energie in den vektoriellen Transport bestimmter Ionen umsetzen, z. B. $H^\oplus$, $K^\oplus$ oder $Ca^{2\oplus}$. Elektronenmikroskopische und molekularbiologische Untersuchungen haben gezeigt, daß die verschiedenen ATPasen erhebliche Unterschiede, aber auch Übereinstimmungen in ihrer molekularen Struktur zeigen. Nach Struktur und Funktion unterscheiden wir die folgenden Typen:

P-ATPasen: Sie sind in der äußeren Plasmamembran lokalisiert. Neben der Protonenpumpe gehören zu ihnen auch eine $Ca^{2\oplus}$-ATPase, die $Na^\oplus/K^\oplus$-Pumpe der tierischen Zellmembran und eine bakterielle $K^\oplus$-Pumpe. Die P-ATPasen sind vergleichsweise einfach gebaut und im allgemeinen nur aus ein bis zwei Untereinheiten von etwa je 100 kDa zusammengesetzt. Während des Transportvorgangs wird ein Aspartatrest an der katalytisch wirksamen Proteindomäne durch ATP phosphoryliert.

F-ATPasen (Abb. 3.**13 B**, S. 95): Dieser Typ findet sich in der Plasmamembran der Prokaryoten sowie in den energiekonservierenden Membranen der Mitochondrien und Chloroplasten. Sie bestehen aus einem etwa kugelförmigen, die Membran überragenden Kopplungsfaktor CF_1 und einem basalen Anteil CF_0, der sie in der Membran verankert. Dieser morphologischen geht eine große Ähnlichkeit in der molekularen Architektur einher, was als ein weiterer Beweis für die Endosymbiontenhypothese gewertet wird. *In vivo* fungieren sie allerdings als ATP-Synthasen, indem sie die pmf zur Synthese von ATP benutzen. Sie lassen sich jedoch unter bestimmten experimentellen Bedingungen in ihrer Richtung umkehren, so daß sie unter ATP-Spaltung Protonen pumpen.

V-ATPasen: Sie finden sich nicht nur im Tonoplasten, wo sie Protonen in die Vakuole pumpen, sondern auch in den Membranen anderer saurer Kompartimente. Sie haben einen aus sechs Untereinheiten bestehenden, etwa kugelförmigen Kopplungsfaktor, doch unterscheiden sie sich in der Größe der Untereinheit wie auch in deren Anzahl und Anordnung im intramembranären Bereich.

Am Plasmalemma und am Tonoplasten wird die pmf durch membranständige **ATPasen** erzeugt, wobei ATP hydrolytisch in ADP und Orthophosphat (P_i) gespalten wird (Abb. 2.**6 C**). Dieser gerichtete, primär aktive Transport von geladenen Teilchen durch eine Ionenpumpe baut ein Membranpotential auf, weshalb man eine derartige Pumpe, in der Regel eine **Protonenpumpe,** als elektrogen bezeichnet (Box 2.**2**). Die dem P-Typus zugehörige Protonenpumpe des Plasmalemmas (Abb. 2.**7 A**) pumpt $H^\oplus$-Ionen nach außen in den apoplasmatischen Raum, während die im Tonoplasten lokalisierte Pumpe des V-Typus die Protonen in die Vakuole pumpt (Abb. 2.**8**). Eine Calciumpumpe im Plasmalemma pumpt $Ca^{2\oplus}$ nach außen. Auf diese Weise werden sowohl der pH-Wert (7,5 – 8,0) als auch die Calciumkonzentration ($10^{-7} – 10^{-8}$ M) konstant gehalten.

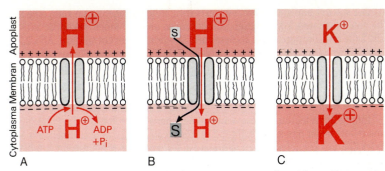

A   B   C

Abb. 2.**7** Beispiele für den Transport durch die äußere Cytoplasmamembran. **A** Errichtung eines Protonengradienten durch eine membrangebundene Protonenpumpe unter Hydrolyse von ATP, **B** durch einen Carrier an einen pmf-getriebenen Protoneneinstrom gekoppelter Symport eines Substrates (S), **C** Uniport von $K^{\oplus}$-Ionen durch einen Kaliumkanal

Abb. 2.**8** Typen von Protonenpumpen und ihre Lokalisierung in der Pflanzenzelle. Weitere Erläuterungen im Text bzw. in Box 2.**2**

Der von der pmf getriebene, einwärts gerichtete Protonenstrom kann eine Reihe von Substraten, z.B. Hexosen, Aminosäuren und $Cl^\ominus$-Ionen, sekundär aktiv in die Zelle transportieren, was als **Symport** ($H^\oplus$-getriebener Cotransport, Abb. 2.**7B**) bezeichnet wird. Die Kopplung entgegengesetzt gerichteter Flüsse (**Antiport**) kann entweder streng spezifisch sein, indem derselbe katalytische Mechanismus wie für den Transport der Protonen benutzt wird (chemische Kopplung), oder nicht spezifisch, indem das erzeugte Membranpotential einen **Uniport,** z.B. von $K^\oplus$- oder $NH_4^\oplus$-Ionen, in die Zelle treibt (elektrische Kopplung, Abb. 2.**7C**).

Infolge der selektiven Ionenpermeabilität können die $K^\oplus$-Ionen das Plasmalemma relativ leicht passieren, während die Permeabilität für andere Ionen, z.B. $Na^\oplus$ oder $Cl^\ominus$, um Zehnerpotenzen geringer ist. Daher ist die $K^\oplus$-Diffusion neben der Protonenpumpe an der Entstehung des stationären Membranpotentials (**Ruhepotential**) maßgeblich beteiligt. Die elektrische Polarisation des Plasmalemmas durch die ATP-getriebene Protonenpumpe, die – 300 mV übersteigen kann, wird in der Regel von den einströmenden $K^\oplus$-Ionen auf das bei Pflanzen typische Ruhepotential zwischen – 150 und – 250 mV reduziert. Beim **Aktionspotential** (S. 523 f.) führt eine plötzliche drastische Erhöhung der $Cl^\ominus$-Permeabilität zu einem $Cl^\ominus$-Efflux, der das Plasmalemma vorübergehend umpolarisiert.

2.5   Cytoskelett

Außer den Biomembranen finden sich in den Zellen aller daraufhin untersuchten Eukaryoten langgestreckte, fibrilläre Proteinstrukturen, die an der Ausbildung und Aufrechterhaltung der cytoplasmatischen Struktur einen entscheidenden Anteil haben und insgesamt als Cytoskelett bezeichnet werden. Von diesen sind in Pflanzenzellen die Mikrotubuli und die Mikrofilamente nachgewiesen worden. Wie die Biomembranen sind auch die Elemente des Cytoskeletts dynamische Strukturen, die je nach Entwicklungs- und Aktivitätszustand der Zellen starken Veränderungen unterworfen sein können. Mikrotubuli und Mikrofilamente sind auch für intrazelluläre Bewegungen sowie für die Bewegungen ganzer Zellen verantwortlich.

Mikrotubuli: Der Durchmesser der Mikrotubuli beträgt etwa 27 nm. Die Vermessung von Querschnitten (Abb. 2.**9A**) hat ergeben, daß der helle Innenraum einen Durchmesser von etwa 19 nm hat und von einer ringförmigen, etwa 4 nm breiten, dunkel erscheinenden Wand umgeben ist. Folglich erscheint im Längsschnitt (Abb. 2.**9B**) der helle Innenraum von zwei dunklen Linien begrenzt. Bei Pflanzenzellen wurden Mikrotubulus-Längen zwischen 2,5 und 30 µm gemessen. Die Wand der Mikrotubuli besteht aus Untereinheiten von 100 000 Da, die Heterodimere aus zwei ähnlichen, aber nicht identischen globulären Proteinprotomeren von etwa 50 000 Da darstellen, die als α- und β-**Tubulin** bezeichnet werden. α-Tubulin besteht aus 450, β-Tubulin aus 445 Aminosäureresten. Die Tubuline sind recht konservative Proteine, d.h. ihre chemische Zusammensetzung ist bei allen

A   B

Abb. 2.**9** *Beta vulgaris* (Rübe). Mikrotubuli aus einer Blattparenchymzelle, in der Nähe des Plasmalemmas verlaufend. In **A** quer getroffen, in **B** längsgeschnitten. Die Mikrotubuli treten bei diesem Objekt meist in Gruppen auf und sind parallel zur Zellwand orientiert. Im Cytoplasma zahlreiche Ribosomen. Fixierung: Glutaraldehyd/OsO$_4$, Vergr. **A** 150 000fach, **B** 100 000fach (Originalaufnahmen: K. Kowallik)

Klassen von Organismen, bei denen sie untersucht wurden, ähnlich. Dies läßt darauf schließen, daß die Mikrotubuli schon zu einem sehr frühen Zeitpunkt der Biogenese entstanden und seither weitgehend unverändert erhalten sind. Gewisse geringe Unterschiede in der Primärstruktur scheinen nicht nur zwischen verschiedenen Organismen, sondern auch zwischen verschiedenen Geweben zu bestehen. Es wäre denkbar, daß diese Unterschiede in der Primärstruktur in Beziehung zur Funktion der Mikrotubuli in den betreffenden Zellen und Geweben stehen. Die Tubulindimere sind in meist 13 parallel zur Längsachse verlaufenden Reihen (Protofilamenten) angeordnet und so gegeneinander verschoben, daß eine flache Schraube mit einer Steigung von etwa 10 Grad entsteht (Abb. 2.**10**).

❗ Die Mikrotubuli zeigen eine dynamische Instabilität, d. h. sie können durch Assoziation von Tubulinmolekülen wachsen oder sich durch deren Dissoziation verkürzen. Offensichtlich besteht eine Polarität zwischen einem schneller wachsenden Plus- und einem langsamer wachsenden Minus-Pol. Assoziation und Dissoziation können an beiden Polen erfolgen. Je nachdem, welcher Prozeß überwiegt, wachsen bzw. verkürzen sich die Mikrotubuli, wobei die Richtung durch die Polarität vorgegeben ist.

Abb. 2.**10** Rekonstruktionszeichnung eines Mikrotubulus. Die Tubulindimere (β-Tubulin rot) sind in 13 Protofilamenten angeordnet, die parallel zur Längsachse des Mikrotubulus laufen. Im Vordergrund assoziierendes, im Hintergrund dissoziierendes Ende

Bei der Steuerung dieser Prozesse spielt GTP eine entscheidende Rolle. Wachsende Mikrotubuli haben eine sogenannte GTP-cap, deren Tubulinmonomere je ein GTP gebunden haben. Hierdurch werden die Mikrotubuli stabilisiert. Durch die GTP-Hydrolyse entstehen GDP-Untereinheiten, die labil gebunden sind und zu einer raschen Depolymerisation führen. Calcium fördert die Depolymerisation, wobei offenbar **Calmodulin,** ein Calcium-bindendes Protein, eine Kontrollfunktion ausübt. Durch Colchicin, das an Tubulin bindet, wird die Aggregation und damit die Bildung der Mikrotubuli verhindert. Häufig entspringen die Mikrotubuli besonderen Strukturen, die als Mikrotubulus organisierende Centren (MTOCs) bezeichnet werden. Hierzu zählen die Kinetochore der Chromosomen, die Centrosomen und die Basalkörper der Geißeln. Wie das Beispiel der Polkappen zeigt, gibt es aber auch weniger deutlich strukturierte MTOCs. Manche Beobachtungen sprechen auch für das Vorhandensein diffuser MTOCs in den Zellen höherer Pflanzen, z.B. in den corticalen Bereichen des Cytoplasmas oder in dem an die Kernhülle grenzenden Cytoplasma. Für die Funktion der Mikrotubuli, z.B. ihre Bindung an bestimmte Organellen, sind die mit den Mikrotubuli assoziierten Proteine (MAPs) von Wichtigkeit.

Ob die Verkürzung bzw. Verlängerung der Mikrotubuli Bewegungen und Gestaltveränderungen zu verursachen vermag, wie dies z.B. für den Transport der Chromosomen in der Anaphase der Mitose angenommen wird, ist nicht mit Sicherheit erwiesen. In der Regel kommen intrazelluläre Bewegungen durch Interaktionen zwischen Mikrotubuli und Mikrofilamenten (s. unten) zustande. In diesen Fällen haben die Mikrotubuli eher die Funktion eines Widerlagers, an dem kontraktile Mikrofilamente die Kraftübertragung vornehmen. Die schlagenden und rotierenden Bewegungen von Cilien und Geißeln werden dadurch hervorgerufen, daß Mikrotubulidupletts aneinander vorbeigleiten (S. 518 f.). Bei vielen Einzellern sind Mikrotubuli im peripheren Bereich unterhalb des Plasmalemmas lokalisiert, was darauf schließen läßt, daß sie für die Ausbildung, Erhaltung bzw. Veränderung der Gestalt dieser Zellen verantwortlich sind. Bei höheren Pflanzen scheint die Teilungsebene bei der Zellteilung und die Orientierung der Cellulose-fibrillen der Zellwand bei deren Ablagerung durch Mikrotubuli gesteuert zu werden.

Aus tierischen Zellen isolierte Mikrotubuli-Segmente können in gerader Linie viele 100 µm über eine Glasoberfläche gleiten, wobei sie kleine Polystyren-Partikel mit einer Geschwindigkeit von 0,2–2 µm/s an sich entlang transportieren. Als Motorenzym wurde ein als **Kinesin** bezeichnetes MAP identifiziert, das die benötigte Energie durch Hydrolyse von ATP gewinnt, also ATPase-Aktivität besitzt. Es besteht aus zwei schweren (M_r 120 000) und zwei leichten Polypeptidketten (M_r 62 000). Das Kinesin besitzt die Gestalt eines Stabes mit zwei kugelförmigen Bereichen, der an einem Ende vogelfederförmig ausläuft.

Ein anderes zu den MAPs gehörendes mechanochemisches Protein mit ATPase-Aktivität ist das **Dynein,** das als „innere" und „äußere" Arme an den Axonemen der Cilien und Geißeln vorkommt. Die Molekülmassen der äußeren Arme betragen 1,9, die der inneren 1,2 Millionen. Neben dem Kinesin ist das Dynein jedoch auch für den cytoplasmatischen Transport entlang den Mikrotubuli zuständig.

Mikrofilamente: Die etwa 6 nm dicken Mikrofilamente (Abb. 2.**11**) bestehen im wesentlichen aus **Actin,** dessen Monomere 376 Aminosäurereste enthalten und eine Molekülmasse von etwa 42 000 Da haben. Sie sind asymmetrisch und haben die Gestalt von Keilen (5,6·3,3·4 nm), die durch eine flache Rinne in zwei Lappen geteilt sind. Jedes Monomer besitzt eine Bindungsstelle für ATP und Ca^{2+} oder Mg^{2+}. Durch Polymerisation der Monomeren entsteht fibrilläres F-Actin, das aus einem schraubig umeinander gewundenen Doppelstrang (Abb. 2.**12**) mit einem Durchmesser von 9–10 nm besteht. Gleich den Mikrotubuli weisen die Actinfilamente eine strukturelle und funktionelle Polarität auf, d.h. die Verlängerung durch Anhängen weiterer Monomeren erfolgt überwiegend an einem Filamentende, dem +-Ende. Das Actin macht 5–10% der zellulären Proteine einer Pflanzenzelle aus.

Bei vielen Eukaryoten sind Actin-assoziierte Proteine nachgewiesen worden, die verschiedene Funktionen haben. Hierzu zählen die Verlängerung der Actinfibrillen durch Anhängen von Monomeren unter Hydrolyse je eines ATP-Moleküls, die Begrenzung der Actinfilamente in ihrer Länge und ihre Verbindung zu einem dreidimensionalen Netz, was zu einer Viskositätserhöhung des Cytoplasmas führt. Auch die polymerisierenden Proteine sind charakterisiert worden. Für die grünen Pflanzenzellen steht ein Nachweis all dieser Proteine jedoch noch aus. Letzteres trifft auch für das Myosin zu, das zwar in einigen Nicht-Muskelzellen (Schleimpilze, Hefen) nachgewiesen wurde, nicht aber in Pflanzenzellen.

Es ist wahrscheinlich, daß die durch Mikrofilamente verursachten Gestaltveränderungen sowie die locomotorischen und intrazellulären Bewegungen auf einem ähnlichen Mechanismus beruhen wie bei den Muskelzellen, d.h. daß die Actinfilamente sich mit den Myosinfilamenten verbinden (Abb. 2.**12 B**) und unter ATP-Verbrauch an diesen entlanggleiten. Jedenfalls ist die Regulation von Bewegungsvorgängen durch Ca^{2+}-Ionen und Calmodulin auch für Nicht-Muskelzellen nach-

Abb. 2.**11**   Immunfluoreszenzdarstellung von Mikrotubuli und Actinfilamenten der Grünalge *Acetabularia cliftoni*. **A** Mikrotubuli aus dem peripheren Cytoplasma einer jungen Zyste. Vergr. 2200fach, **B** Actinfilamentbündel im Cytoplasma. Vergr. 2380fach (Originalaufnahmen: D. Menzel)

gewiesen worden. Als Anheftungspunkte und Bildungsorte der Actinfilamente scheinen die Plasmamembranen zu fungieren.

Durch das Antibiotikum Cytochalasin B, das spezifisch auf das Actomyosinsystem wirkt, können die durch Mikrofilamente verursachten Bewegungsvorgänge und Gestaltsveränderungen gehemmt werden. Nach Entfernen des Cytochalasins werden die Bewegungen wieder aufgenommen.

In ihrer chemischen Zusammensetzung gleichen sich, soweit bekannt, Actin und Myosin aus Muskelzellen und Nicht-Muskelzellen weitgehend. Offenbar sind diese beiden Proteine, gleich dem Tubulin der Mikrotubuli, phylogenetisch sehr alte Moleküle, was darauf schließen läßt, daß sich die Muskelbewegungen aus primitiven Formen der Zellbewegung entwickelt haben. Die Untersuchung der Nucleotid- bzw. Aminosäuresequenzen hat ergeben, daß eine größere Anzahl verschiedener Actinmoleküle in einer Pflanze existiert, als ursprünglich angenommen wurde. So finden sich bei *Arabidopsis* mindestens zehn Actinsequenzen im Genom, die bei der Expression eine entsprechende Anzahl von Isotypen bilden, die sich in ihrer Aminosäuresequenz geringfügig unterscheiden. Bei der Sojabohne konnte gezeigt werden, daß die Grundorgane Sproßachse, Blatt und Wurzel verschiedene Isotypen des Actins enthalten.

A

B

C

Abb. 2.**12** Actin. **A** Modell eines aus G-Actin-Monomeren bestehenden, schraubig gewundenen F-Actin-Doppelstranges. **B** Dreidimensionale Darstellung eines F-Actin-Stranges aus Skelettmuskeln (grau), der von einer Tropomyosin-Doppelhelix (rot) umwunden ist, die sich räumlich in die von der Actin-Doppelhelix gebildeten Rille einfügt. **C** wie **B**, jedoch ohne Tropomyosin. Es sind die Tropomyosin-Bindungsstellen rot markiert (**B,C** nach Milligan u. Mitarb.)

An den intrazellulären Bewegungen sind weitere Proteine beteiligt. Hierzu zählen die Mikrotubuli-assoziierten Proteine (MAPs) wie etwas das Kinesin, Actin-assoziierte Proteine sowie Centrin. Die **Centrine** sind calciumbindende Proteine, die sich innerhalb von weniger als 20 ms um etwa 50% verkürzen und auf diese Weise sehr rasche (Shock) Bewegungen verursachen können. Ihre M liegen zwischen 16 und 22 kDa, und in ihrer Primärstruktur weisen sie zwischen 45 und 48% Homologie zu anderen $Ca^{2\oplus}$-bindenden Proteinen, z.B. Calmodulin, auf. Ihre Kontraktion erfolgt offenbar durch eine Konformationsänderung, die zu einer Aufschraubung (supercoiling) führt, unterscheidet sich also grundsätzlich von dem oben beschriebenen Gleitmechanismus. Sie ist infolgedessen ATP-unabhängig und wird lediglich durch die Bindung von $Ca^{2\oplus}$-Ionen ausgelöst. Die Extension auf die ursprüngliche Länge erfolgt relativ langsam (einige Sekunden bis eine Stunde). Hierbei werden die $Ca^{2\oplus}$-Ionen wieder entfernt. Außerdem ist für den wiederholten Ablauf des Kontraktions-Extensions-Zyklus die Phosphorylierung und anschließende Dephosphorylierung des Proteins notwendig. Das Centrin scheint in allen eukaryotischen Zellen vorzukommen. So ist es z.B. Bestandteil der Basalkörper und Geißelwurzeln der Flagellaten, der Centrosomen und anderer Zellbestandteile.

Zusammenfassung

Die Lebensvorgänge sind an ein Substrat gebunden, das wir als Protoplasma bezeichnen. Sein Wassergehalt beträgt 60 – 90%. Die Trockensubstanz besteht etwa zur Hälfte aus Proteinen, die andere Hälfte aus Lipiden, Kohlenhydraten, Nucleinsäuren, Ionen u. a. Substanzen, deren Anteil von Fall zu Fall verschieden ist.

Das Wasser zeichnet sich vor anderen Dihydriden durch seinen hohen Schmelz- und Siedepunkt sowie durch seine hohe Wärmekapazität, Elektrizitätskonstante, Oberflächenspannung, molare Verdampfungswärme und seine Dichteanomalie aus. Diese Eigenschaften sind darauf zurückzuführen, daß ein großer Teil der Wassermoleküle durch Wasserstoffbrückenbindungen untereinander vernetzt ist. Infolge des Dipolcharakters der Wassermoleküle bilden sich in der Umgebung von Ladungsträgern Hydrathüllen aus.

Das Protoplasma kann sowohl in sol- als auch in gelartigen Zuständen vorliegen, die ineinander übergehen können. Je nach pH-Wert und Ionenmilieu ändert sich sein Quellungszustand, der bei Pflanzen vor allem durch den Ionenantagonismus zwischen $K^{\oplus}$- und $Ca^{2\oplus}$-Ionen reguliert wird.

Das Protoplasma ist durch Biomembranen in Kompartimente unterteilt. Nach dem Fluid-mosaic-Modell bestehen die Membranen aus einem bimolekularen Lipoidfilm, dessen lipophile Pole einander zugekehrt sind. Die Proteine sind mit diesem entweder lose assoziiert, tauchen in ihn ein oder durchsetzen ihn in Querrichtung. Sie sind die Träger der spezifischen funktionellen Eigenschaften der Membranen.

Die Biomembranen sind selektiv permeabel. Für die Permeabilität gelöster Stoffe sind deren Molekülgröße, Lipidlöslichkeit und elektrische Ladung ausschlaggebend. Der Durchtritt durch die Membranen kann passiv vermittels Diffusion, mit Hilfe von Kanälen durch katalytische Permeation sowie mit Hilfe von Carriern, aber unter Energieverbrauch, durch aktiven Transport erfolgen. Diffusion und katalytische Permeation verlaufen in Richtung des Konzentrationsgefälles, während der aktive Transport auch gegen den Konzentrationsgradienten gerichtet sein kann.

Die Mikrotubuli und Mikrofilamente sind für das Zustandekommen locomotorischer und intrazellulärer Bewegungen sowie für die Erhaltung und Veränderung der Gestalt der Zellen verantwortlich. Die Mikrotubuli haben einen Durchmesser von 27 nm und bestehen im typischen Falle aus 13 in Längsrichtung verlaufenden Reihen von Tubulindimeren. Die Mikrofilamente mit einem Durchmesser von 9 – 10 nm bestehen aus Actin. Die Bewegungsmechanik scheint weitgehend der Muskelbewegung zu entsprechen, wobei jedoch die Actinfilamente an den plasmatischen Membranen verankert sind.

An den intrazellulären Bewegungen sind weitere Proteine beteiligt. Hierzu zählen die Mikrotubuli-assoziierten Proteine (MAPs), wie etwa das Kinesin, Actin-assoziierte Proteine sowie Centrin, ein Calcium-bindendes Protein, dessen Moleküle sich in Bruchteilen von Sekunden auf die Hälfte verkürzen und auf diese Weise sehr rasche Bewegungen verursachen können.

Die Ausbildung komplexer, funktionsspezifischer Strukturen ist ein entscheidender Schritt in der Biogenese gewesen. Man nimmt an, daß die Vorläufer der Lebewesen, die Protobionten, durch Entmischung und Anreicherung von Proteinen im Urmeer entstanden sind. Nach Ausbildung von Membranen und einfachen Enzymen dürften die Apparate zur Energieerzeugung, Informationsübertragung, Reizaufnahme und Bewegung entstanden sein.

3 Zelle

Wenn wir das Protoplasma als Substrat der Lebensvorgänge bezeichnen, so heißt das nicht, daß jeder beliebig kleine Anteil davon als „lebend" anzusehen ist. Die kleinste selbständig lebensfähige morphologische Einheit ist der Protoplast, d. h. der plasmatische Inhalt einer Zelle. Zwar können das Protoplasma und seine Strukturelemente unter entsprechenden Versuchsbedingungen auch außerhalb des Organismus noch gewisse biochemische Leistungen vollbringen, doch ist die Fähigkeit zur Steuerung und Koordinierung dieser Vogänge an die Organisationsform der Zelle gebunden. Wird sie zerstört, oder werden ihre Grundorganellen aus ihr entfernt, verliert sie die Fähigkeit zum Leben.

Der Protoplast der Pflanzenzelle ist im typischen Falle von einer Zellwand umgeben. Seine Hauptmasse macht das Cytoplasma (Grundplasma) aus, das den Zellkern, in dem die weitaus überwiegende Menge der genetischen Information lokalisiert ist, umgibt. Darüber hinaus enthält das Cytoplasma zahlreiche weitere Einschlüsse, die zum Teil Träger besonderer Funktionen sind. Hierzu zählen die von zwei Biomembranen umgebenen Zellorganellen wie die Mitochondrien und Plastiden, die selbst Kontinuität besitzen, d. h. von Zelle zu Zelle weitervererbt werden und in begrenztem Umfang eigene genetische Information enthalten. Von einfachen Membranen umgeben sind die Microbodies, die Dictyosomen sowie das endoplasmatische Reticulum. Die Ribosomen sind die Orte der Proteinsynthese. Schließlich finden sich auch Speicherstoffe verschiedener chemischer Zusammensetzung.

3.1   Evolution der Zelle

Zahlreiche Autoren nehmen an, daß die ersten „echten" Einzeller, die **Procyten,** mit dem Protobionten durch eine Übergangsform verbunden sind, die als **Eobiont** bezeichnet wird. Man stellt sich vor, daß dieser bereits zelluläre Individualität besaß, aber noch wesentlich einfacher organisiert war, z.B. ausschließlich RNA als Informationsspeicher und -überträger benutzte. Bisher ging man davon aus, daß die Procyten eine prokaryotische Zellorganisation (S. 175) besaßen, die etwa der heute lebenden anaeroben Bakterien der Gattung *Clostridium* vergleichbar ist. Seit der Entdeckung der Archaebakterien (methanogene Bakterien, Halobakterien u.a.), die sich in ihrer Lebensweise, ihrem Stoffwechsel und ihrer chemischen Zusammensetzung ganz erheblich von den Eubakterien unterscheiden, werden jedoch auch andere Möglichkeiten diskutiert.

So sind insbesondere die methanogenen Bakterien den hypothetischen Procyten insofern ähnlich, als sie an Lebensbedingungen (kein O_2, viel CO_2 und H_2 neben NH_3, H_2S, Zuckern und Aminosäuren) angepaßt sind, wie man sie für die frühe Erdgeschichte zur Zeit der Entstehung des Lebens annimmt. Wie die Urformen der Lebewesen tatsächlich ausgesehen haben, wissen wir allerdings nicht, da Fossilien von ihnen nicht existieren.

Zunächst erhielten die Protobionten und wahrscheinlich auch die Eobionten das notwendige organische Material ausschließlich aus der Ursuppe. Infolge der abnehmenden Außenkonzentration der meisten Biomere durch Einbau in die Ureinzeller wurde die offenbar in größerer Menge vorhandene Glucose das Hauptsubstrat für die ersten synthetischen Prozesse und, nach Entwicklung der Urglykolyse, für die Energieerzeugung. Bei einem angenommenen Erdalter von 4,6 Milliarden Jahren hat diese Entwicklung wahrscheinlich vor 4 – 3 Milliarden Jahren stattgefunden. Nachdem auch die im Urmeer vorhandene Glucose weitgehend aufgebraucht war, mußte die Photosynthese „erfunden" werden, und zwar zunächst die Photosynthese vom anoxygenen Typus, wie wir sie heute noch bei den photosynthetischen Bakterien (S. 306) finden.

Die ersten photosynthetischen Organismen entstanden wahrscheinlich ebenfalls schon vor mehr als 3 Milliarden Jahren. Als Wasserstoff- bzw. Elektronendonator der **anoxygenen Photosynthese** hat wohl überwiegend Schwefelwasserstoff Verwendung gefunden, der in relativ großer Menge vorhanden war. Etwa gleichzeitig mit der Photosynthese dürfte der Mechanismus der Fixierung elementaren Stickstoffs entstanden sein, der auch heute noch ausschließlich auf Prokaryoten beschränkt ist (S. 347). Ob es zu dieser Zeit in begrenzten Arealen auch schon O_2-produzierende phototrophe Mikroorganismen gab, wie aus gewissen geologischen Befunden geschlossen wird, ist nicht sicher.

Vor etwa 2,3 Milliarden Jahren sind dann die ebenfalls zu den Prokaryoten zählenden Cyanobakterien (= Cyanophyceen) entstanden, die, wie wir aus Fossilienfunden wissen, in ihrer Organisation unseren heutigen Formen recht ähnlich waren. Sie betreiben bereits **oxygene Photosynthese,** nutzten also Wasser als Wasserstoff- bzw. Elektronendonator, was zur Bildung elementaren Sauerstoffs führte (S. 290). Infolgedessen verlor die Erdatmosphäre allmählich ihren reduzierenden Charakter und reicherte sich mit Sauerstoff an. Da die zur Fixierung des Stickstoffs notwendigen Enzyme sauerstoffempfindlich sind, war eine Stickstofffixierung nur noch in einem weitgehend anaeroben Milieu möglich, sofern sie nicht, wie bei den Nostocaceae, auf bestimmte, von Sauerstoff freigehaltene Zellen (Heterocysten, S. 173) beschränkt wurde. Die obligaten Anaerobier (S. 337) wurden hierdurch in begrenzte, weitgehend von Sauerstoff freie Areale zurückgedrängt. Zugleich entwickelten die Cyanobakterien jedoch auch die Fähigkeit, die durch Photosynthese gebildeten Substanzen unter Verwendung des elementaren Sauerstoffs auf dem Wege der aeroben Respiration (S. 330) zu oxidieren und hieraus die im organischen Substrat fixierte Energie zurückzugewinnen. Die Cyanobakterien haben somit in der Evolution entscheidende Fortschritte gegenüber den anderen Bakterien gemacht.

Die **Eucyten,** d. h. die eukaryotischen Einzeller (S. 189), sind erst vor etwa 1,5 – 1,4 Milliarden Jahren entstanden. Sie waren von Anfang ihrer Entwicklung an aerob. Der hochentwickelte Apparat zur Übertragung und Realisierung der genetischen Information einerseits und die wahrscheinlich sehr früh entwickelte sexuelle Fortpflanzung andererseits hatten zur Folge, daß sich in verhältnismäßig kurzer Zeit eine große Anzahl verschiedener Arten entwickelte, was vor etwa 1 Milliarde Jahren zur Evolution der ersten Vielzeller führte.

Hinsichtlich der Entstehung der den Eucyten eigenen Organellen gehen die Ansichten weit auseinander. Die Vertreter der **Zellkompartimentierungshypothese** gehen davon aus, daß mit der Kompartimentierung des Informationsapparates in Gestalt des Zellkernes auch der Photosynthese- und der Atmungsapparat in besondere Kompartimente, die Chloroplasten und Mitochondrien, eingeschlossen wurden (intrazelluläre Differenzierung). Eine Alternative hierzu ist die **Endosymbiontenhypothese.** Danach leiten sich die Mitochondrien und Plastiden von prokaryotischen Organismen, also Bakterien und Cyanobakterien, ab, die im Laufe der phylogenetischen Entwicklung in die Eucyten eingedrungen sind und hier gewissermaßen domestiziert wurden. Wesentliche Argumente für diese Hypothese werden später ausführlicher besprochen (S. 98). Auch für Mikrotubuli, Centrosomen und Geißeln wird eine ähnliche Herkunft diskutiert.

A

B

Abb. 3.1 Bau der Pflanzenzelle. **A** Raumdiagramm einer meristematischen Pflanzenzelle. **B** Raumdiagramm des endoplasmatischen Reticulums, links granulärer, rechts
glatter Typ. **C** Schematische Darstellung einer Kernhülle mit zwei Porenkomplexen (vgl.
Abb. 3.**16**, S. 102). **D** und **E** Raumdiagramme
pflanzlicher Dictyosomen. Zwischen den Zi-

C

pk

z

kh

pk

D

E

äm

im

pr

F

H

G

sternen liegen die sogenannten Golgi-Filamente (rot) von 7 – 8 nm Durchmesser (**E**). **F** und **G** Raumdiagramme von Mitochondrien des Cristatypus (**F**) und des tubulären Typus (**G**). Bei beiden wurde die äußere Membran (rot) in der oberen Hälfte weitgehend entfernt, und beide sind auf der rechten Seite aufgeschnitten. **H** Ausschnitt aus **G**. Die äußere Membran ist von Porinen durchsetzt, während die innere Membran die Komponenten der Atmungskette trägt, u. a. die kugelförmigen Proteine der ATP-

Synthase. äm = äußere Membran, d = Dictyosomen, ger = glattes endoplasmatisches Reticulum, im = innere Membran, kh = Kernhülle, l = Lipidtröpfchen, m = Mitochondrien, ml = Mittellamelle, n = Zellkern, no = Nucleolus, pd = Plasmodesmos, pk = Porenkomplex, pl = Plasmalemma (rot), pp = Proplastid, pr = perimitochondrialer Raum, pw = Primärwand, r = Ribosom (rot), rer = rauhes endoplasmatisches Reticulum, t = Tüpfel, v = Vakuole, z = Zentralgranulum (**D** nach Drawert u. Mix, **E** nach Mollenhauer)

3.2   Cytoplasma

Das Cytoplasma erscheint im Lichtmikroskop meist homogen, seltener granulär. Außer den bereits besprochenen Elementen des Cytoskeletts und den verhältnismäßig beständigen und weitgehend selbständigen Organellen wie Zellkern, Plastiden und Mitochondrien enthält es stark veränderliche Strukturen, deren Anzahl und Ausdehnung weitgehend vom physiologischen Zustand der Zelle abhängt. Hierzu zählen die Microbodies, das endoplasmatische Reticulum (ER) und die Dictyosomen. Zwischen diesen bestehen räumliche, funktionelle und genetische Zusammenhänge. Sie stellen von Biomembranen umgrenzte Kompartimente dar. Den löslichen, nach Abzentrifugation der Organellen und Membranfraktionen verbleibenden Anteil des Cytoplasmas bezeichnet man als **Cytosol.**

Im meristematischen Zustand füllen Cytoplasma und Zellkern die Zelle ganz aus (Abb. 3.**1A**). Nach außen ist das Cytoplasma durch eine Biomembran, das **Plasmalemma,** begrenzt (Abb. 2.**3**, S. 49), das den Stoffeintritt und -austritt kontrolliert. Bei den höheren Pflanzen sind die Protoplasten benachbarter Zellen durch **Plasmodesmen** verbunden, das sind dünne, von einer Plasmamembran umgebene Plasmastränge, die die Primärwände bzw. die Schließhäute der Tüpfel in den Sekundärwänden durchsetzen (Abb. 3.**2**). Als **Desmotubuli** bezeichnete Ausläufer des ER durchziehen die Plasmodesmen und verbinden die ER-Zisternen benachbarter Zellen (Abb. 3.**2A**). Die Durchtrittsstellen der Plasmodesmen durch die Zellwand sind mit Kallose ausgekleidet (Abb. 3.**2B**). Der Durchmesser der Plasmodesmen liegt in der Größenordnung von 30–50 nm. Ihre Anzahl wird auf einige hundert bis mehrere tausend pro $100 \mu m^2$ geschätzt. Infolge der Verbindung durch Plasmodesmen stellen die Zellen eines vielzelligen pflanzlichen Organismus eine physiologische Einheit dar, die man als **Symplast** bezeichnet und vom **Apoplasten** abgrenzt, wozu Zellwand und Ausscheidungsprodukte des Protoplasten gerechnet werden.

Obwohl der Durchmesser des Plasmodesmenkanals den Durchtritt größerer Moleküle gestatten würde, werden normalerweise nur Moleküle einer $M_r < 800$ transportiert. Das ist darauf zurückzuführen, daß die Desmotubuli keine Kanäle im eigentlichen Sinne, sondern solide Cytoskelettelemente enthalten. Diese stabilisieren offenbar den offenen Plasmodesmenkanal, begrenzen zugleich aber auch die Größe der zu transportierenden Moleküle. Möglicherweise ist das Plasmalemma am Transport direkt beteiligt, d.h. die Stoffe diffundieren nicht einfach durch die Plasmodesmen, sondern wandern in der Lipidschicht des Plasmalemmas, also in der „Wand" der Röhre.

Die Oberflächen der durch Biomembranen begrenzten Kompartimente lassen sich besonders gut durch Gefrierbruchtechnik darstellen (Abb. 3.**3**). Bei dieser heute in der Elektronenmikroskopie häufig angewandten Technik wird das tiefgefrorene Objekt im Vakuum aufgebrochen und sofort (Gefrierbruch) oder nach Absublimieren von Eis (Gefrierätzung) mit Platin-Kohle bedampft. Dabei werden nicht selten die beiden Lipoidfilme einer Biomembran gespalten, so daß man auf deren Innenflächen (F-Flächen, also EF bzw. PF, S. 51) schaut.

Abb. 3.**2** Plasmodesmen. **A** Elektronenmikroskopische Aufnahme eines Längsschnittes durch einen Plasmodesmos aus dem Haustorium von *Cuscuta odorata.* Die ER-Zisternen (er) der benachbarten Zellen sind durch einen zentralen ER-Tubulus (Desmotubulus) verbunden. w = Zellwand. **B** Wie **A**, schematisch, pl = Plasmalemma (rot). **C** Plasmodesmen aus dem primären Tüpfelfeld des Phloem-Parenchyms von *Metasequoia glyptostroboides* im Querschnitt. Der zentrale Desmotubulus und das Plasmalemma sind als Biomembranen deutlich zu erkennen. Jeder Plasmodesmos ist von einem Ring aus Kallose (helle periphere Bereiche) umgeben. **D** Einzelner Plasmodesmos, schematisch. Desmotubulus schwarz, Plasmalemma rot. Vergr. der EM-Aufnahmen 86 000fach (Originalaufnahmen: R. Kollmann und Ch. Glockmann)

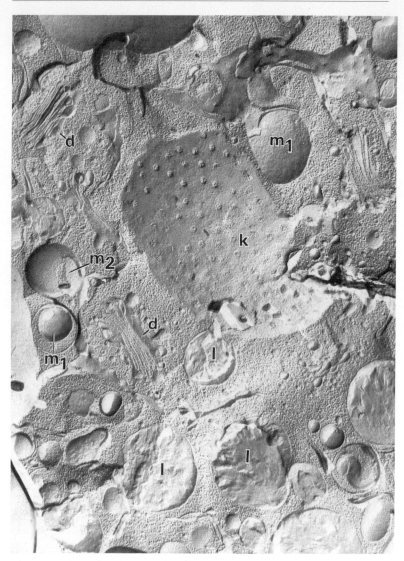

Abb. 3.**3** Ausschnitt aus einem Gefrierbruch einer Zelle von *Oocystis solitaria*. d =
Dictyosomen, k = Zellkern mit Poren und
Porenapparaten, l = Lipidtröpfchen, m₁ =
Microbodies, m₂ = Abdrücke herausgebro-
chener Microbodies. Vergr. 15 000fach (Originalaufnahme: D. G. Robinson)

🔋 **Microbodies:** Unter dieser Bezeichnung faßt man runde bis ovale Einschlüsse von 0,5–1,5 µm Durchmesser (Abb. 10.**6**, S. 306) zusammen. Ihre Grundsubstanz, die von einer einfachen Membran begrenzt ist, kann amorphe, fädige oder kristalline Einschlüsse enthalten. Die Microbodies zeigen keine charakteristischen morphologischen Unterschiede. Auch ihre Klassifizierung anhand biochemischer Kriterien ist nur in begrenztem Umfange möglich.

Die **Peroxisomen** sind durch den Besitz von Oxidasen charakterisiert, die Wasserstoff von ihrem jeweils spezifischen Substrat abspalten und auf elementaren Sauerstoff übertragen. Das hierdurch entstehende Wasserstoffperoxid (H_2O_2) wird durch das Enzym Katalase in O_2 und H_2O zerlegt. Die Art der Oxidasen ist je nach Zelltyp und Funktion verschieden. Die Peroxisomen der grünen Pflanzen (Blattperoxisomen) sind die Organellen der Photorespiration. Hier wird die Glykolsäure oxidiert, wobei die Elektronen auf Sauerstoff übertragen werden, so daß H_2O_2 entsteht. Die regelmäßig in den Speichergeweben fettreicher Samen anzutreffenden Microbodies enthalten außer den Enzymen zur β-Oxidation der Fettsäuren den enzymatischen Apparat des Glyoxylsäurezyklus und werden deshalb als **Glyoxysomen** bezeichnet.

Die Entstehung der Peroxisomen ist nicht klar. Vereinzelte elektronenmikroskopische Beobachtungen lassen auf eine Abschnürung aus dem endoplasmatischen Retikulum (s. unten) schließen. Entgegen früherer Annahmen werden die Proteine der Peroxisomen jedoch an den freien Ribosomen im Cytosol synthetisiert und auf unbekannte Weise durch die Membran in die Peroxisomen transportiert. Die Möglichkeit einer *De-novo*-Synthese ist daher nicht auszuschließen. Nach neueren Befunden wandeln sich die Glyoxysomen in den Keimblättern mancher Samen mit Einsetzen der Ergrünung in Peroxisomen um.

🔋 **Endoplasmatischs Reticulum:** Als endoplasmatisches Reticulum (ER) bezeichnet man ein das Cytoplasma durchziehendes, von 5–6 nm dicken Biomembranen begrenztes, unregelmäßiges, vielfach kommunizierendes System von flachen Hohlräumen und Kanälen, die sich zu Zisternen erweitern können (Abb. 3.**1 B**). Es ist ständig in lebhafter Bewegung und Veränderung begriffen. Seine Ausdehnung hängt vom physiologischen Zustand der Zelle ab. Der von der Membran umschlossene Innenraum erscheint hell und ist wahrscheinlich von einer Flüssigkeit erfüllt, die sich in ihrer Zusammensetzung sehr wesentlich vom Cytosol unterscheidet.

Ist die Außenseite (P-Seite) des ER von Ribosomen bedeckt, spricht man von einem „rauhen" ER und unterscheidet es von dem ribosomenfreien „glatten" ER-Typ (Abb. 3.**1 B** und Abb. 3.**4**). Beide können gleichzeitig in einer Zelle vorkommen und ineinander übergehen. Das rauhe ER ist Ort der Proteinsynthese. Hier werden auch die sekretorischen Polypeptide synthetisiert, die, im Gegensatz zu den cytoplasmatischen Proteinen, in den Innenraum des ER gelangen. Von dort werden sie, in kleine Vesikel verpackt, zu den Dictyosomen transportiert, wo sie modifiziert werden. Darüber hinaus ist das ER zu einer ganzen Reihe weiterer chemischer

Abb. 3.**4** *Beta vulgaris* (Rübe). Rauhes ER aus einer Haarzelle. Rechts unten sind mehrere tubuläre Ausläufer des ER quer getroffen. Sie sind an ihrem Ribosomenbesatz deutlich zu erkennen. Fixierung: Glutaraldehyd/OsO$_4$, Vergr. 30 000fach (Originalaufnahme: K. Kowallik)

Umsetzungen befähigt, z. B. auch zur Synthese der Membran- und Reservelipide. Die daran beteiligten Enzyme sind teils periphere, teils integrale Proteine der ER-Membran. Das ER ist also sowohl Syntheseort als auch Teil des intrazellulären Transportsytems (Box 3.**1**).

Golgi-Apparat: Abweichend von den von Golgi erstmals beschriebenen netzartigen Strukturen tierischer Nervenzellen verwendet man diesen Ausdruck heute für die Gesamtheit der **Dictyosomen,** das sind Stapel abgeflachter, durch Membranen begrenzter Hohlräume (Abb. 3.**1** D,E, Abb. 3.**3** und 3.**5**), die als Zisternen bezeichnet werden. Ihre Anzahl pro Dictyosom liegt häufig unter 10, bisweilen aber auch erheblich darüber (bis zu 30). Die Durchmesser der Dictyosomen betragen 1 – 3 µm, die Abstände zwischen den Zisternen 20 – 30 nm. In der Regel sind zahlreiche Dictyosomen pro Zelle vorhanden, in den Zellen der Wurzelhauben sogar mehrere hundert, doch besitzen z. B. die Zellen mancher Algen nur ein Dictyosom.

Der Golgi-Apparat ist sowohl Syntheseort als auch Teil des intrazellulären Transportsystems. In der Pflanzenzelle obliegt ihm die Synthese des Zellwandmaterials mit Ausnahme der Cellulose. Die Glucose wird in den Dictyosomen in Protopektin- bzw. Cellulosanvorstufen umgewandelt und in den abgeschnürten Golgi-Vesikeln durch das Cytoplasma zur Peripherie transportiert, wo sie durch das Plasmalemma hindurchgeschleust und in die Zellwand inkorporiert werden. Dies trifft auch für die Zellwandproteine zu, die am ER synthetisiert (s. oben) und in den Dictyosomen durch Anhängen von Zuckern zu Glykoproteinen umgebaut

Box 3.1 Cytochrom-P450-System

Die Cytochrome P450 sind bei Prokaryoten und Eukaryoten verbreitet. Ihre Tetrapyrrolringe mit Eisen als Zentralatom sind kovalent an Proteine gebunden und mit diesen in Biomembranen verankert. Ihre M_r liegt in der Größenordnung von etwa 50 000. Für ihre Bezeichnung ist ihre Hauptabsorptionsbande maßgebend, die bei 450 nm liegt. Bei Pflanzen wurden sie im Plasmalemma, in den Glyoxysomen, im endoplasmatischen Reticulum und in den Mitochondrien nachgewiesen.

Die Cytochrome P450 katalysieren eine große Zahl oxidativer bzw. reduktiver Reaktionen, z.B. oxidative Demethylierungen bzw. Hydroxylierungen. Letztere folgen dem Reaktionsschema: $NADPH + H^\oplus + O_2 + RH \rightarrow NADP^\oplus + H_2O + R\text{-}OH$.

Es gibt eine große Vielfalt von Cytochrom-P450-Formen in Pflanzenzellen, die verschiedene Funktionen ausüben. Spezifische Cyt-P450-Enzyme katalysieren die Synthese von Gibberellinen, Flavonoiden, Indolalkaloiden, Terpenen und Sterolen. Andere, weniger spezifische sind für die Entgiftung von Herbiziden und allelopathischen Substanzen verantwortlich. Die Bildung bestimmter Cyt-P450-Proteine wird durch Schädigungen der Pflanzen, z.B. durch Verwundung oder durch Parasitenbefall, ausgelöst. Bisher wurden über 100 verschiedene Cyt-P450-Gene von Mikroorganismen, Tieren und Pflanzen sequenziert.

werden. Der für die Verpackung des Materials notwendige Auf-, Um- und Abbau der Lipoproteinmembranen und ihrer Bausteine gehört ebenfalls zu den Leistungen der Dictyosomen. Bei den schleimproduzierenden Drüsenzellen erfolgt im Golgi-Apparat die Bildung und Sekretion des aus sauren Polysacchariden bestehenden Schleimes.

Bei den Algen und bei tierischen Zellen findet man die Dictyosomen häufig in unmittelbarer Nachbarschaft von ER-Zisternen. Sie lassen dann meist eine deutliche Polarität zwischen der dem ER benachbarten cis- und der gegenüberliegenden trans-Seite erkennen. Wie Abb. 3.**5C** zeigt, werden vom ER sogenannte Primärvesikel abgeschnürt, die zur cis-Seite wandern und hier zu einer Zisterne fusionieren. Die cis-Seite wird deshalb auch als Regenerations- oder Bildungsseite bezeichnet. Auf der trans-Seite kann man dagegen häufig einen Zerfall der Dictyosomenzisternen in die Golgi-Vesikel beobachten (Sekretions- oder Reifungsseite). Diese Befunde wurden bisher so gedeutet, daß nach der Fusionierung der Primärvesikel, die die oben erwähnten Syntheseprodukte des ER enthalten, biochemische Prozesse einsetzen, die zum Umbau der importierten Moleküle bzw. zur Synthese weiterer Produkte führen. Infolge ihrer ständigen Neubildung auf der cis-Seite und ihres fortgesetzten Zerfalls auf der trans-Seite werden die Zisternen zwangsläufig allmählich durch den Stapel zur trans-Seite geschoben. Dieser Vorgang wird als **Zisternenprogression** bezeichnet. Da für den Umbau bzw. die Synthese der Moleküle verschiedene Reaktionsschritte erforderlich sind, die zum Teil nicht nebeneinander ablaufen können, muß sich in diesem Falle die Enzymaus-

Abb. 3.5 Elektronenmikroskopische Aufnahme von Dictyosomen. **A** Dictyosomen aus der Rhizodermis von *Zea mays* im Querschnitt. Fixierung: KMnO$_4$, Vergr. 50000fach. **B** Wie **A**, zwischen zwei ER-Zisternen. Die Randpartien sind zu Vesikeln aufgetrieben, die zum Teil bereits abgeschnürt sind. Eine Polarität ist hier nicht zu erkennen. Fixierung: KMnO$_4$, Vergr. 80000fach. **C** *Vaucheria sessilis*. Querschnitt durch ein Dictosom, das sich in enger Nachbarschaft zu einer Zisterne des endoplasmatischen Reticulums (er) und eines Mitochondrions (m) befindet. Die Abgliederung von Primärvesikeln aus der ER-Zisterne, die zur Bildung der Zisternen des Dictyosoms auf der Regenerationsseite beitragen, ist deutlich zu erkennen. Im oberen Teil der Abbildung sieht man den Zerfall einer Dictyosomenzisterne unter Bildung von Golgi-Vesikeln (Sekretionsseite). Fixierung: Glutaraldehyd/OsO$_4$, Vergr. 70000fach (Originalaufnahmen: K. Kowallik)

A

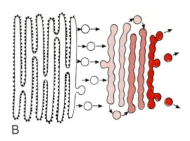

B

Abb. 3.6 Modelle des mit verschiedenen Syntheseschritten verbundenen Transportes von Substanzen, etwa eines Glykoproteins, durch den Zisternenstapel eines Dictyosoms. **A** Zisternenprogression. Die vom ER abgeschnürten Primärvesikel (farblos) fusionieren auf der dem ER zugewandten cis-Seite zu Zisternen, die durch fortgesetzte Neubildung von Zisternen immer weiter zur trans-Seite geschoben werden. Während dieses Prozesses erfahren sie eine ständige biochemische Umrüstung, die durch verschieden starke rote Farbtöne angedeutet

ist. Schließlich zerfallen sie auf der trans-Seite in die Golgi-Vesikel. **B** Vesikeltransport. Die vom ER gebildeten Primärvesikel fusionieren mit dem ER zugewandten Zisterne. Nachdem die in die Zisterne inkorporierten Substanzen eine erste Umwandlung erfahren haben, werden sie durch Vesikel in die nächste Zisternengruppe transportiert (Pfeile) und schließlich in die übernächste. Auch hier ist die verschiedene biochemische Ausstattung der Zisternen durch verschiedene Farbtöne angedeutet

stattung der Zisternen während der Wanderung von der cis- zur trans-Seite ändern (Abb. 3.**6A**).

Untersuchungen an isolierten Golgi-Apparaten scheinen jedoch eher ein anderes Modell zu bestätigen, das als **Vesikeltransport** bezeichnet wird. Danach unterscheiden sich die aufeinanderfolgenden Zisternen eines Dictyosoms in ihren biochemischen Leistungen, und zwar so, daß die jeweils (zur trans-Seite hin) anschließenden ein oder zwei Zisternen die zum nächsten Reaktionsschritt erforderliche Enzymausstattung enthalten. In diesem Falle wären die Zisternen als stationäre, in ihren biochemischen Leistungen spezialisierte Kompartimente anzusehen, weshalb der Transport der jeweiligen Reaktionsprodukte von einem Zisternentyp zum nächsten durch Vesikel erfolgen müßte, wie in Abb. 3.**6B** dargestellt. Hierfür spricht auch die Beobachtung, daß an den Rändern der Dictyosomen meist eine größere Anzahl von Vesikeln zu beobachten ist und die Zisternenstapel eines Dictyosoms auch nach dessen Isolierung aus dem Cytoplasma erhalten bleiben, also offensichtlich untereinander verbunden sind. Möglicherweise spielen dabei die in Abb. 3.**1E** eingezeichneten Golgi-Filamente eine Rolle.

Unabhängig davon, welches der beiden vorgenannten Modelle richtig ist, sind das ER, die Primärvesikel, die Dictyosomen und die Golgi-Vesikel Teile eines komplexen cytoplasmatischen Endomembransystems, in dem ein ständiger Membranfluß vom ER über die Dictyosomen zum Plasmalemma erfolgt. Die Membranen müssen jeweils an Ort und Stelle, ihren Aufgaben entsprechend, modifiziert werden. Da jedoch der in wachsenden Zellen erfolgende Membranzufluß zum

Plasmalemma zwei- bis dreimal so groß ist wie der durch die Flächenvergrößerung bedingte tatsächliche Bedarf, muß ein ständiger Rückfluß von Membranmaterial in das Zellinnere erfolgen. Berechnungen haben ergeben, daß der auf diese
Weise erfolgende komplette Austausch der Membranbausteine, je nach Zelltyp,
innerhalb einiger Minuten bis einiger Stunden stattfindet. Bei tierischen Zellen erfolgt diese Rückführung durch Endocytosis, d.h. durch Aufnahme von festem oder
gelöstem Material in die Zelle unter Umhüllung mit Membranmaterial. Daß ein
solcher Weg bei Pflanzenzellen grundsätzlich auch möglich ist, zeigen Versuche
mit Protoplasten. Da jedoch die pflanzliche Zellwand für größere Moleküle oder
gar Partikel undurchlässig ist, dürften endocytische Vesikel eher der Rückführung
des Plasmamembranmaterials in das Zellinnere dienen als dem Transport aufgenommener Stoffe. Derartige Vesikel wurden bisher relativ selten beobachtet. Es ist
daher anzunehmen, daß das Membranmaterial enzymatisch abgebaut und somit
auf mikroskopisch unsichtbarem Wege zurückgeführt wird. Zielorte dieses Rück-
transportes könnten das ER und die Dictyosomen sein.

Bei höheren Pflanzen lassen Dictyosomen zwar ebenfalls Polaritätsmerkmale
erkennen, z.B. Unterschiede in der Zisternenbreite, weisen aber häufig keine eindeutige Lagebeziehung zum ER auf (Abb. 3.5A,B). Auch eine Anhäufung vom ER
abgeschnürter Vesikel ist nur selten zu beobachten. Statt dessen sind die Ränder
meist fensterartig durchbrochen (Abb. 3.1E). Sie laufen in Tubuli aus, die anasto-
mosieren und die Dictyosomen mit einem Netzwerk umgeben. Sie stehen mit Vesikeln verschiedener Größe und Gestalt in Verbindung.

Hinsichtlich der Entstehung und Vermehrung des Dictyosomen gehen die Ansichten
noch auseinander. In elektronenmikroskopischen Aufnahmen erkennt man bisweilen eine Querteilung mittels einfacher Durchschnürung der Zisternen. Nach dem
oben beschriebenen Modell der Zisternenprogression wäre jedoch auch eine Neubildung aus den Primärvesikeln denkbar.

█ **Ribosomen:** Ribosomen sind aus rRNA und Proteinen bestehende Partikel, an
denen die Proteinbiosynthese (S. 437 ff.) erfolgt. Ihren Sedimentationskoeffizienten entsprechend unterscheidet man zwei Größenklassen: die 80 S und die
70 S Ribosomen. Die 80 S Ribosomen finden sich ausschließlich im Cytoplasma
der Eukaryoten, während die 70 S Ribosomen sowohl im Cytoplasma der Prokaryoten als auch in den Mitochondrien (Mitoribosomen) und in den Plastiden
(Plastoribosomen) der Eukaryoten vorkommen. Im Gegensatz zu den Plastoribosomen, die den Ribosomen der Prokaryoten recht nahestehen, zeigen die
Mitoribosomen beträchtliche Unterschiede. Alle Ribosomen bestehen aus zwei
morphologisch und funktionell verschiedenen Untereinheiten.

Am besten untersucht sind die **70 S Ribosomen** ($M_r = 2,3 \cdot 10^6$) von *Escherichia coli*,
die aus einer 50 S und einer 30 S Untereinheit zusammengesetzt sind (Abb. 3.7).
Die 50 S Untereinheit besteht aus 33 Proteinmolekülen mit insgesamt 4228 Aminosäuren sowie zwei RNA-Molekülen, von denen die 23 S RNA 2904, die 5 S RNA
120 Nucleotide umfaßt. Die kleinere Untereinheit enthält eine 16 S RNA aus 1542
Nucleotiden. Außerdem wurden 21 verschiedene Proteine mit einer Gesamtzahl

Abb. 3.**7** Ribosomenstruktur, schematisch.
A Prokaryotisches Ribosom *(Escherichia coli)*, **B** eukaryotisches (cytoplasmatisches) Ribosom

von 3108 Aminosäuren gefunden. Alle Proteine kommen nur einmal im Ribosom vor mit Ausnahme eines Proteins der großen Untereinheit, das in vierfacher Kopie vorliegt. Es ist gelungen, die 70 S Ribosomen nach Dissoziation in ihre 57 Komponenten unter bestimmten Bedingungen *in vitro* völlig zu rekonstituieren (Totalrekonstitution). Offenbar enthalten die Komponenten selbst die für ihre Faltung und den Aufbau des Ribosoms notwendige Information. Die Primärstruktur sowohl der RNA als auch der Proteine ist bekannt. Während die Plastoribosomen in ihrem Aufbau den prokaryotischen Ribosomen offenbar recht ähnlich sind, wurden für die Mitoribosomen abweichende RNA-Werte ermittelt, und zwar 26 S, 18 S, 5 S und eine zusätzliche 4,5 S. Die Daten für die eukaryotischen cytoplasmatischen **80 S Ribosomen** ($M_r = 4 \cdot 10^6$) sind, soweit bekannt, in Abb. 3.7 angegeben. Allerdings zeigen sich hier in Abhängigkeit von der systematischen Zugehörigkeit des betreffenden Organismus Abweichungen, weshalb nur ungefähre Angaben gemacht werden können.

> Die Anzahl der Ribosomen pro Zelle ist, je nach Art, außerordentlich verschieden. Sie wird bei *Escherichia coli* auf 20 000 – 30 000 geschätzt, was bei einer wachsenden Zelle etwa 40 % der gesamten Trockenmasse entspricht. Bei den am höchsten entwickelten Eukaryoten kann ihre Anzahl mehrere Millionen pro Zelle betragen.

Im Funktionszustand sind die einzelnen Ribosomen (Monosomen) perlschnurartig auf messenger-RNA-Molekülen zu Polyribosomen oder **Polysomen** aufgereiht. Polysomen, die sekretorische Proteine und Glykoproteine bilden, sind membrangebunden und spiralig aufgerollt (Abb. 3.**8**). Die einzelnen Ribosomen sitzen mit ihrer größeren Untereinheit der Oberfläche des ER auf. Die zelleigenen Strukturproteine werden an frei im Cytoplasma liegenden Polysomen synthetisiert, die meist eine schraubige Gestalt mit etwa 4 – 6 Ribosomen pro Umlauf aufweisen. Nach Beendigung ihrer Synthesetätigkeit zerfallen die Ribosomen in ihre Untereinheiten. Solange der Initiationsfaktor 3 an die kleine Untereinheit gebunden ist, bleiben die Untereinheiten aktiv und können erneut an die messenger-RNA bin-

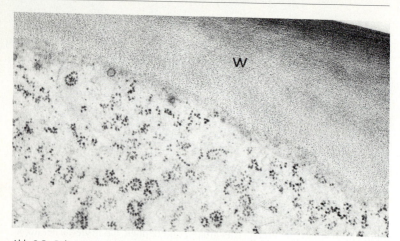

Abb. 3.8 Polysomen aus der Koleoptile von *Zea mays* (Mais). Die Schnittrichtung ist parallel zur Oberfläche des ER, so daß der Polysomenbesatz in Aufsicht zu sehen ist. In der Zellwand (w) erkennt man mikrofibrilläre Strukturen. Das Plasmalemma wurde schräg angeschnitten. Fixierung: Glutaraldehyd/OsO$_4$, Uranylacetat-Bleicitrat-Kontrastierung, Vergr. 46 000fach (Originalaufnahme: K. Kowallik)

den. Zwar können die Untereinheiten nach Ablösung des Initiationsfaktors auch ohne m-RNA zu Monosomen zusammentreten, sind dann aber inaktiv.

3.3   Mitochondrien

Im Gegensatz zu den vorgenannten Strukturen, deren Vorkommen in Pflanzenzellen erst mit Hilfe des Elektronenmikroskopes nachgewiesen wurde, sind die Mitochondrien schon sehr früh mit dem Lichtmikroskop, insbesondere im Phasenkontrast, erkannt worden. Sie sind meist von langgestreckter, fädiger Gestalt, können jedoch auch sehr kurz und fast kugelig sein. Entsprechend schwankt ihre Länge zwischen einem bis mehreren µm, während ihr Durchmesser mit 0,5 – 1,5 µm angegeben wird. Das Vorkommen der Mitochondrien ist auf die Eukaryoten beschränkt. Ihre Zahl liegt zwischen mehreren hundert und einigen tausend pro Zelle, doch gibt es z. B. unter den Flagellaten Arten, deren Zellen nur ein Mitochondrion enthalten. Die Vermehrung der Mitochondrien erfolgt durch Querteilung. Bei der Zellteilung werden sie offenbar passiv auf die beiden Tochterzellen verteilt. Andererseits kann es bei der Zygotenbildung auch zu einer Verschmelzung der Mitochondrien beider Gameten kommen.

Im elektronenmikroskopischen Bild (Abb. 3.**9**) erkennt man, daß die Mitochondrien von zwei Membranen umgeben sind. Trotz ihres gleichartigen Aussehens unterscheiden sich diese voneinander sowohl strukturell als auch funktionell sehr stark. Die äußere Membran ist reich an Phosphatiden und Cholesterin und ähnelt in ihrer Zusammensetzung den Membranen des glatten ER. Dagegen ist der Phospholipid- und vor allem der Cholesteringehalt der inneren Membran sehr viel geringer. Sie zeichnet sich durch einen hohen Gehalt an Cardiolipin aus, einem Bisphosphatidylglycerin, das sonst nur bei Bakterien vorkommt und in der äußeren Membran ganz fehlt. Auch in ihrer Permeabilität unterscheiden sich die beiden Membranen beträchtlich. Während die äußere Membran infolge ihres Gehaltes an Porinen für die meisten Stoffwechselprodukte und Ionen bis zu einer M_r von etwa 5000 durchlässig ist und daher keine spezifischen Transportsysteme enthält, ist die innere Membran weitgehend impermeabel und durch den Besitz zahlreicher spezifischer Transportsysteme charakterisiert, die den selektiven Eintritt bzw. Austritt von Molekülen und Ionen kontrollieren. In diesem Zusammenhang sei erwähnt, daß die Mitochondrien auch Ionen, insbesondere Calcium, akkumulieren und die Ionenzusammensetzung des Cytoplasmas regulieren können.

❗ Funktionell sind die Mitochondrien vor allem Sitz der Atmung. Während die Enzyme und Redox-Systeme des Citronensäurezyklus mit Ausnahme der membrangebundenen Succinat-Dehydrogenase in der Matrix gelöst vorliegen, sind die Komponenten der Atmungskette und der oxidativen Phosphorylierung integrale bzw. periphere Proteine der inneren Mitochondrienmembran.

Auf der Innenseite der inneren Membran liegen die kugelförmigen Proteine des Kopplungsfaktors F_1 (Abb. 3.**1H**), die durch ein die Mitochondrienmembran in Querrichtung durchsetzendes Protein F_0 verankert sind. Sie sind die Orte der ATP-Synthese. Der Fettsäureabbau, der bei tierischen Zellen ausschließlich eine Funktion der Mitochondrien ist, kann bei Pflanzenzellen auch in den Glyoxysomen erfolgen. Dieser Vielfalt der Funktionen und der dazugehörigen Enzyme entsprechend ist die Fläche der inneren Membran durch Einfaltung (Invagination) stark vergrößert, was zur Ausbildung von Falten (Cristae) und/oder Röhren (Tubuli) führt (Abb. 3.**1F,G** und Abb. 3.9). Zwischen der äußeren und der inneren Membran liegt der etwa 8,5 nm breite perimitochondriale Raum.

❗ Die Grundsubstanz (Matrix) der Mitochondrien besteht hauptsächlich aus Proteinen und Lipiden. Sie enthält zahlreiche granuläre Einschlüsse, u. a. die Mitoribosomen. Daneben finden sich relativ substanzarme Bereiche, die, ähnlich wie die Kernäquivalente der Bakterien, von feinen DNA-Strängen, der **Mitochondrien-DNA** (mtDNA), durchzogen sind (Abb. 3.9).

Die mtDNA ist nicht mit Histonen oder anderen Proteinen assoziiert. Bei höheren Pflanzen besteht das Mitochondriengenom, je nach Art, aus 200 000 bis 2,5 Millionen Basenpaaren, ist also ungleich größer als bei tierischen Zellen. Die mtDNA liegt in Form getrennter ringförmiger Doppelstränge verschiedener Größe vor, die

Abb. 3.**9** *Lithodesmium undulatum* (Diato-mee). Elektronenmikroskopische Aufnah-men eines Ultradünnschnittes durch Mito-chondrien. Im Innern quer und schräg ange-schnittene Tubuli. An den durch die beiden unteren Pfeile gekennzeichneten Stellen ist die Einstülpung der inneren Membran deut-lich zu erkennen. Der Pfeil rechts oben zeigt auf eine Hellzone, die DNA-Fäden enthält. Fixierung: Glutaraldehyd/OsO$_4$, Vergr. ca. 150 000fach (Originalaufnahme: K. Kowallik)

jedoch miteinander in Verbindung treten können und deshalb in wechselnder An-zahl auftreten. Jedes Mitochondrion enthält eine größere Anzahl von Genomen, hat also eine polyploide Konstitution. Insgesamt gesehen ist der DNA-Gehalt der Mitochondrien jedoch erheblich geringer als der eines Zellkerns.

Der Besitz von DNA und Ribosomen befähigt die Mitochondrien zu einer eigenstän-digen RNA- und Proteinsynthese. Die DNA enthält jedoch nur relativ wenige Gene, für die mitochondrialen rRNAs und tRNAs sowie für weniger als 5% der mitochon-drialen Proteine, während alle anderen Proteine unter der Regie der Zellkern-DNA an den freien 80 S-Polyribosomen des Cytoplasmas synthetisiert werden. Sie müssen also von außen nach innen durch die Mitochondrienmembran hindurchtransportiert werden. Dies geschieht mit Hilfe besonderer Transitpeptide (Leader Sequences), die an den Aminoenden der Proteine synthetisiert werden und bis zu 80 Aminosäuren umfassen können. Mit ihrer Hilfe können die Proteine die Membranen passieren bzw. in diese eingebaut werden. Anschließend werden die Transit-Peptide abgelöst.

3.4   Plastiden

Plastiden sind Zellorganelle, die für alle photoautotrophen (S. 281) Organismen, mit Ausnahme der Cyanobakterien und der photosynthetisch aktiven Bakterien, charakteristisch sind. Nach ihrer Färbung unterscheiden wir bei den höheren Pflanzen die grünen Chloroplasten, die gelb bis orange gefärbten Chromoplasten und die farblosen Leukoplasten. Die beiden ersten faßt man auch unter dem Namen **Chromatophoren** zusammen. Der Terminus Chloroplasten wird meist auch für die Chromatophoren der Algen benutzt, selbst wenn diese durch andere Pigmente braun (Phaeoplasten) oder rot (Rhodoplasten) gefärbt sind.

Im elektronenmikroskopischen Bild erscheinen alle Plastiden von einer **Plastidenhülle** umgeben, die aus zwei Biomembranen besteht (Abb. 3.**10F,G**). Wie bei den Mitochondrien unterscheiden sich die beiden Membranen voneinander sowohl strukturell als auch in ihren biochemischen Leistungen sehr stark. Während die innere Membran die Transportsysteme für den Stoffaustausch mit der umgebenden Phase enthält, ist die äußere Membran für viele Substanzen permeabel.

❗ Trotz erheblicher struktureller und funktioneller Unterschiede handelt es sich bei den Plastiden nur um einen Typus von Organellen. Sie können sich nämlich, zum mindesten prinzipiell (Ausnahmen s. S. 100), ineinander umwandeln und gehen aus gemeinsamen Vorstufen, den **Proplastiden**, hervor. Diese sind ebenfalls bereits von einer Plastidenhülle umgeben, im übrigen aber noch weitgehend undifferenziert.

Während der Differenzierung der Proplastiden zu Chloroplasten faltet sich die innere Membran ein (Abb. 3.**1A**) und bildet die charakteristischen Thylakoide. Im Gegensatz zu den Cristae der Mitochondrien bleiben die Thylakoide jedoch nicht ständig mit der inneren Membran in Verbindung, sondern schnüren sich ab. Der von ihnen umgebene Innenraum ist also als ein extraplastidäres Kompartiment anzusehen. Bei der Zellteilung werden die Plastiden bzw. Proplastiden offenbar passiv auf die Tochterzellen verteilt. Außerdem können sich die Plastiden, gleich den Mitochondrien, durch Teilung in Form einer einfachen Durchschnürung vermehren (Abb. 3.**10A**).

3.4.1   Chloroplasten

❗ Sie sind die Organelle der Photoynthese und enthalten die Komponenten des Photosyntheseapparates. Darüber hinaus sind sie zu zahlreichen weiteren Syntheseleistungen befähigt, von denen einige später (S. 313 ff.) ausführlicher behandelt werden. Die photosynthetisch aktiven Pigmente sind die Chlorophylle, die Carotinoide und, gegebenenfalls, die Phycobiliproteine.

Abb. 3.**10** Chloroplasten. **A** Einzelne Chloroplasten mit Stärkeeinschlüssen, zum Teil in Teilung begriffen (ca. 1000fach). **B** Einzelner Chloroplast in lichtmikroskopischer Dimension mit zahlreichen Grana (ca. 3000fach). **C** Modell eines Chloroplasten einer höheren Pflanze, im vorderen Teil aufgeschnitten. **D** Rekonstruktionszeichnung eines Membran- körpers mit zwei Granastapeln. Im Vordergrund ist ein Granabereich im Anschnitt gezeichnet (nach Wehrmeyer). **E** Strukturmodell von Thylakoidmembranen (nach J. M. Anderson und B. Andersson). **F** und **G** Elektronenmikroskopische Aufnahmen von Dünnschnitten: **F** durch einen Spinatchloroplasten (Granatypus), Fixierung: KMnO₄,

Vergr. ca. 27000fach, **G** durch einen Chloroplasten von *Zea mays* (Mais) mit Prolamellarkörper und zahlreichen Ribosomen, Fixierung: Glutardialdehyd/OsO$_4$, Vergr. ca. 36000fach (Originalaufnahmen: W. Wehrmeyer). ar = äußerer Raum, cf = Kopplungsfaktor CF$_1$, cm = Chloroplastenhülle, cy = Cytochrom b, f-Komplex, g = Granabereich, lh = light harvesting complex, ir = innerer Raum, pk = Prolamellarkörper, pm = Plasmalemma, ps I, II = Photosysteme I und II, st = Stromathylakoid

Chlorophylle: Sie sind, ähnlich dem Hämoglobin und den Cytochromen, durch den Besitz eines Porphyrinringsystems charakterisiert, in dem vier Pyrrolkerne durch Methingruppen verbunden sind. Im Zentrum ist, anstelle des Eisens im Häm, ein Magnesiumatom komplex gebunden. Außerdem befindet sich bei den meisten Chlorophyllen am Pyrrolring C ein fünfgliedriger isozyklischer Ring, dessen Carboxylgruppe mit Methylalkohol verestert ist.

Beim **Chlorophyll a** sind außerdem folgende Seitenketten vorhanden: vier Methyl-, eine Ethyl- und eine Vinylgruppe sowie ein Propionsäurerest, der mit dem langkettigen Alkohol Phytol $C_{20}H_{39}OH$ verestert ist.

R = CH_3 Chl a
R = CHO Chl b

Chlorophyll a, b

Bakteriochlorophyll a

Chlorophyll a kommt bei allen photosynthetischen Organismen einschließlich der Cyanobakterien, nicht aber der anderen phototrophen Bakterien vor. Bei diesen finden sich die **Bakteriochlorophylle,** von denen bisher fünf bekanntgeworden sind (a, b, c, d, e). Sie lassen sich alle vom Chlorophyll a ableiten, von dem sie sich durch einige Substituenten unterscheiden. So ist bei dem Bakteriochlorophyll a die Vinylgruppe in der Position 3 durch einen Acetylrest ersetzt, und die Positionen 7 und 8 sind hydriert. Somit ist es ein 3-Desvinyl-3-acetyl-7, 8-dihydrochlorophyll.

Chlorophyll b unterscheidet sich vom Chlorophyll a nur dadurch, daß die Methylgruppe in Position 7 am Pyrrolring B durch eine Aldehydgruppe ersetzt ist. Sein Vorkommen ist auf grüne Organismen beschränkt. Bei den Diatomeen, Phaeophyceen und einigen kleineren Algengruppen finden sich die **Chlorophylle c_1 und c_2,** die sich vor allem durch das Fehlen des Phytolschwanzes von den anderen Chlorophyllen unterscheiden. **Chlorophyll d,** bei dem der Vinylrest in Position 3 am Pyrrolring A des Chlorophylls a durch einen Formylrest ersetzt ist, wurde bisher nur bei Rhodophyceen gefunden.

❗ Carotinoide: Unter dieser Bezeichnung faßt man gelb, orange oder rot gefärbte lipidlösliche Pigmente (Lipochrome) zusammen, deren Struktur das aus acht Isopreneinheiten aufgebaute Carotingerüst $C_{40}H_{56}$ zugrunde liegt. Man unterscheidet zwei Gruppen: die Carotine und die Xanthophylle.

Die **Carotine** enthalten keinen Sauerstoff im Molekül, wie z.B. das regelmäßig in den Chloroplasten zu findende β-Carotin und das sich von diesem nur durch die Lage einer Doppelbindung unterscheidende α-Carotin. Die oxidative Spaltung des β-Carotins in der Mitte des Moleküls führt zu zwei Vitamin-A-Einheiten. Das β-Carotin ist daher das Provitamin A für Säugetiere. Die **Xanthophylle** enthalten Sauerstoff in Form von Hydroxyl-, Carbonyl-, Carboxyl- u.a. Gruppen. Beispiele sind das in den Chloroplasten enthaltene Lutein $C_{40}H_{56}O_2$ (Dihydroxy-α-carotin) und das Fucoxanthin, das bei den Chrysophyceen und Phaeophyceen in so großer Menge vorkommt, daß es das Chlorophyll überdeckt und die Chromatophoren

β-Carotin

Lutein

braun färbt **(Phaeoplasten)**. Es hat sich eingebürgert, die zur Grundausstattung funktionsfähiger Chloroplasten gehörenden Carotinoidpigmente als Primärcarotinoide von den in Chromoplasten vorkommenden Sekundärcarotinoiden zu unterscheiden.

🔴 **Phycobiliproteine:** Diese Pigmente kommen bei Cyanobakterien, Cryptophyceen und Rhodophyceen vor. Sie sind Chromoproteine, die als Chromophore lineare Tetrapyrrolkörper, die Phycobiline, enthalten. Ihre Wasserlöslichkeit beruht darauf, daß ihre Chromophore, im Gegensatz zu den Chlorophyllen und Carotinoiden, kovalent an die Proteine gebunden sind.

Man unterscheidet die blaugrünen **Phycocyanine** und die rotvioletten **Phycoerythrine**. Auf sie ist die blaugrüne bzw. schmutzigviolette Färbung der Cyanobakterien zurückzuführen. Bei den Rhodophyceen (Rotalgen) dominieren meist die Phycoerythrine, so daß sie die Chlorophylle überdecken und die Chromatophoren rot färben **(Rhodoplasten)**.

Größe und Gestalt der Chloroplasten: Während die Chloroplasten der höheren Pflanzen meist linsenförmig gestaltet sind (Abb. 3.**10**) und einen Durchmesser von 4 – 8 µm bei einer Dicke von 2 – 3 µm haben, herrscht bei den Chromatophoren der Algen eine große Formenvielfalt (Abb. 3.**11**). Sie können plattenförmig (**A**), bandförmig-schraubig (**B**) oder mäanderartig (**C**) gewunden, netzartig durchbrochen (**D**), morgensternförmig (**E**) oder anders gestaltet sein. Von den großen Chromatophoren enthält jede Algenzelle meist nur ein oder zwei, von kleineren entsprechend mehr. Für die höheren Pflanzen lassen sich nur Größenordnungen angeben. So enthält eine Mesophyllzelle im Durchschnitt etwa 50 bis maximal 200 Chloroplasten, während deren Anzahl in den Schließzellen der Spaltöffnungen meist unter 10 liegt.

Nach längerer Belichtung enthalten die Chloroplasten der höheren Pflanzen Körnchen von **Assimilationsstärke** (Abb. 3.**10**A), die bei anschließender Verdunkelung wieder verschwinden. Bei manchen Pflanzen können auch die Chloroplasten Reservestärke speichern, z. B. bei einigen Coniferen und bei der Urticacee *Elatostema repens*. Die Chromatophoren vieler Algen besitzen sogenannte **Pyrenoide**, an deren Grenze häufig Stärke (Abb. 3.**11**) bzw. bei *Euglena* das stärkeähnliche Paramylon (S. 35) abgelagert wird (Abb. 3.**12**B). Bei der Grünalge *Chlamydomonas* sowie bei einer Reihe von Lebermoosen, insbesondere *Anthoceros* und verwandten Gattungen, bestehen die Pyrenoide fast ausschließlich aus RubisCO (s. S. 97), ähneln in dieser Hinsicht also den Carboxysomen der Bakterien und Cyanobakterien. Da vergleichbare Mengen der übrigen Enzyme des Calvin-Zyklus in den Pyrenoiden nicht nachgewiesen werden konnten, sind sie sicherlich nicht, wie zeitweilig angenommen, Orte der CO_2-Fixierung und der Stärkesynthese. Bei *Chlamydomonas* sind etwa 30 – 40% der RubisCO im Stroma lokalisiert. Sie repräsentieren wahrscheinlich die aktive Form dieses Enzyms. Ob jedoch die RubisCO in den Pyrenoiden ausschließlich als inaktive Speicherform vorliegt oder aber auch in Form aktiver Moleküle, konnte bisher nicht entschieden werden.

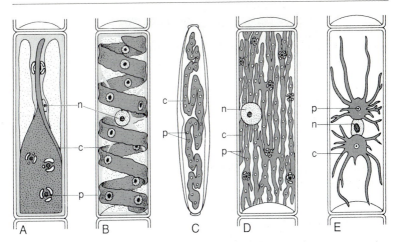

Abb. 3.**11** Algenchromatophoren. **A** *Mougeotia* spec., plattenförmiger Chromatophor, im oberen Teil um 90 Grad aus der Flächen- in die Kantenstellung gedreht (ca. 500fach), **B** *Spirogyra* spec. (ca. 200fach), **C** *Pleurosigma angulatum* (Gürtelbandansicht) (ca. 200fach), **D** *Oedogonium* spec. (ca. 500fach), **E** *Zygnema* spec. (ca. 650fach). c = Chromatophor, n = Zellkern, p = Pyrenoid, zum Teil von Stärkekörnern umgeben (nach Palla, Kienitz-Gerloff, Karsten, Schmitz)

Submikroskopischer Bau: Im elektronenmikroskopischen Bild (Abb. 3.**10F, G**) ist die Chloroplastenhülle deutlich zu erkennen. Sie besteht aus zwei Membranen von je 5 nm Durchmesser, die durch einen Zwischenraum von 2–3 nm Breite voneinander getrennt sind. Die äußere Membran enthält Porine, die für Moleküle bis zu einer M_r von 10000 durchlässig sind.

❗ Die Chloroplastenhülle umschließt die Grundsubstanz, das **Stroma,** das zahlreiche granuläre Einschlüsse enthält, insbesondere die zum 70 S Typ gehörenden Plastoribosomen sowie osmiophile, d.h. Osmium speichernde Lipidglobuli, die auch als **Plastoglobuli** bezeichnet werden und in ihrer Struktur den Oleosomen (S. 141) vergleichbar sind. Im Stroma liegen zahlreiche Membranen, die Träger der Photosynthesepigmente sind. Zur Kennzeichnung ihrer besonderen Funktion in der Photosynthese werden sie als **Thylakoide** bezeichnet.

Die Thylakoide durchziehen bei dem durchgehend lamellierten Typ, der für die meisten Algen charakteristisch ist, die Chloroplasten in ihrer ganzen Länge (Abb. 3.**12A**). Wie Abb. 3.**12B** zeigt, können sie auch in die Pyrenoide eintreten. Die Chloroplasten vom Grana-Typ, die für die höheren Pflanzen charakteristisch sind, enthalten neben den ausgedehnten, den Chloroplasten bisweilen in seiner ganzen Länge durchziehenden Stromathylakoiden relativ kurze Granathylakoide, die jeweils zu 10–100 geldrollenartig übereinandergestapelt sind (Abb. 3.**10C,F**).

Abb. 3.**12** Algenchromatophoren (durchgehend lamellierter Typ). **A** *Ceratium horridum*, Thylakoide, Fixierung: Glutaraldehyd/ OsO₄, Vergr. 38 000fach, **B** *Euglena gracilis*, Chloroplast mit Pyrenoid, dessen Matrix dichter ist als die des Chloroplastenbereiches. In diesem sind einige Plastoglobuli zu sehen. Das Pyrenoid ist beidseitig von Paramylon bedeckt. Fixierung: Glutaraldehyd/ OsO₄, Vergr. 40 000fach (Originalaufnahmen: K. Kowallik)

Diese Bereiche entsprechen den lichtmikroskopisch erkennbaren **Grana** (Abb. 3.**10 B**). Die Stromathylakoide setzen sich aus dem Bereich der Grana nach einer oder beiden Seiten in den Intergranabereich des Stromas fort. Die Grana- und Stromathylakoide bilden einen zusammenhängenden Membrankörper, in dem die Granathylakoide durch schmalere oder breitere Stege mit den Thylakoiden des Intergranabereiches und über diese untereinander in Verbindung stehen (Abb. 3.**10 C,D**).

> Die Plastiden etiolierter, d. h. unter Lichtabschluß angezogener Pflanzen (S. 486) werden als **Etioplasten** bezeichnet. In ihnen entwickeln sich anstatt der normalen Thylakoidmembranen sogenannte Prolamellarkörper tubulärer Kristallgitterstruktur. Auch durch zeitweilige Verdunkelung bereits ergrünter Pflanzen kann es zu einer sekundären Prolamellarkörperbildung kommen, wie der in Abb. 3.**10 G** wiedergebene Chloroplast von *Zea mays* zeigt.

Vom molekularen Aufbau der Thylakoidmembranen haben wir heute gut begründete Vorstellungen. Mit Hilfe der Gefrierätzung wurde festgestellt, daß die Thylakoide Partikel verschiedener Größe enthalten, die in den bimolekularen Lipoidfilm eingebettet sind. Auch ist es gelungen, funktionsfähige Partikel zu isolieren, ihre Proteine zu reinigen und sie sowie ihre Gene zu identifizieren (Abb. 3.**13**).

Bei den Chloroplasten der höheren Pflanzen lassen sich die Partikel des **Photosystems II** (PS II, S. 298) durch ihre Größe (12 – 18 nm) verhältnismäßig leicht identifizieren. Es besteht aus dem zentralen Core-Komplex, der mit den beiden Molekülen D_1 und D_2 das Reaktionszentrum (RC II) sowie Cytochrom b_{559} enthält (Abb. 3.**13 A**), von Chlorophyll-Antennen (CP) umgeben und mit dem Wasser-oxidierenden Komplex verbunden ist. PS II ist mit stationären und mobilen Lichtsammler-Chlorophyll a, b-Komplexen II (**light-harvesting-complex, LHC II**) assoziiert. Deutlich kleiner (9 – 11 nm) sind die Partikel des **Photosystems I** (PS I, S. 300), dessen Core-Komplex das Reaktionszentrum (RC I) enthält. Es ist mit Chlorophyll a/b-Antennen und dem LHC I-Komplex asoziiert (Abb. 3.**13 B**). Ebenfalls zu den kleineren Partikeln zählt der **Cytochrom b, f-Komplex** (Abb. 3.**13 A**), der funktionell zwischen die beiden Photosysteme geschaltet ist. Außer den Cytochromen f und b_6 enthält er ein Schwefel-Eisen-Protein (Fe_2S_2). Außerdem enthalten die Thylakoide die **ATP-Synthase** (ATPase). Wie bei den Mitochondrien sind die etwa kugelförmig angeordneten Proteine des Kopplungsfaktors CF_1 durch das Protein CF_0 in der Thylakoidmembran verankert (Abb. 3.**13 B**). Infolgedessen ist der Kopplungsfaktor weniger fest an die Thylakoidmembran gebunden und läßt sich verhältnismäßig leicht abtrennen, während das Protein CF_0 Bestandteil der Membran ist und nur durch deren Zerstörung isoliert werden kann.

In den Gefrierbrüchen erkennt man, daß sich die PF- und EF-Flächen der Grana- und Stromathylakoide deutlich unterscheiden. In den Granabereichen, in denen die Thylakoide dicht gestapelt sind und unmittelbar an das gegenüberliegende Granathylakoid stoßen, also nicht exponiert sind, finden sich nur die PS II-Partikel und die Cyt b, f-Komplexe. Demgegenüber enthalten die an das Stroma grenzen-

Abb. 3.13 A

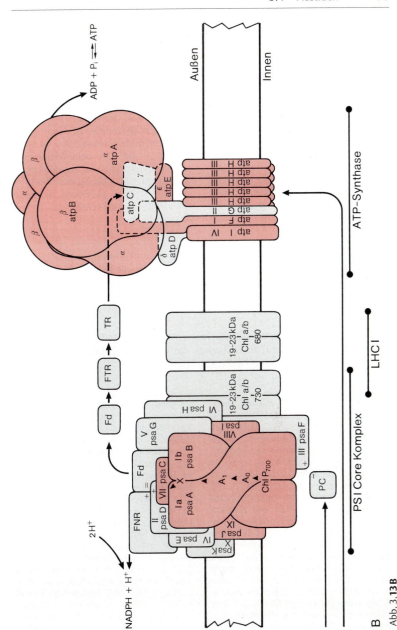

Abb. 3.**13B**

Box 3.2   Thioredoxine

Thioredoxine sind hitzestabile Polypeptide aus etwa 85–110 Aminosäuren, deren M_r zwischen 9700 und 12 000 liegen. Sie wurden in allen daraufhin untersuchten Pflanzen, Tieren und Mikroorganismen gefunden. Im Zentrum enthalten sie zwei Cysteinmoleküle. Werden deren H-S-Gruppen oxidiert, entsteht eine Disulfidbrücke. Die Wiederherstellung des reduzierten Zustandes erfolgt durch Ferredoxin unter Mitwirkung des Enzyms Ferredoxin-Thioredoxin-Oxidoreduktase.

Die Thioredoxine sind an biochemischen Redoxprozessen als Elektronenüberträger beteiligt. Eine wesentliche Rolle spielen sie bei der lichtinduzierten Aktivierung von Chloroplastenenzymen, z. B. der Glutamin-Synthetase. Auch an anderen Stoffwechselprozessen sind sie beteiligt, z. B. an der Reduktion von Ribonucleosiddiphosphaten zu Desoxyribonucleosiddiphosphaten unter Mitwirkung der Ribonucleotid-Reduktase, ein Prozeß, der der DNA-Synthese vorgeschaltet ist.

den, also nicht gestapelten, exponierten Thylakoide die Gesamtheit der PS I-Partikel und die ATP-Synthase (Abb. 3.**10E**). Es kann jedoch als sicher gelten, daß die oben beschriebene Anordnung der Komponenten in den Thylakoidmembranen keine statische, sondern eine dynamische ist. So wird z. B. für den Cyt b, f-Komplex ebenso wie für die LHC-Komplexe eine gewisse laterale Beweglichkeit angenommen.

Das Stroma enthält, seinen verschiedenen physiologischen Leistungen entsprechend, zahlreiche Enzyme, insbesondere die des Calvin-Zyklus. Der Hauptbestandteil der Stromaproteine ist die Ribulose-1,5-bisphosphat-carboxylase bzw.

Abb. 3.**13** Molekulares Modell der Thylakoidmembran. Die Zeichnungen lassen die laterale Heterogenität der Membran (PS II vor allem in den nicht exponierten Bereichen, PS I und ATP-Synthase in den exponierten Bereichen) erkennen. **A** Photosystem II mit Reaktionszentrum, wasseroxidierendem Komplex, Antennen (CP 47, 57, 24, 26, 29) sowie mobile (mob.) und stationäre (stat.) LHC II's. CP 47 und CP 57 sind plastomcodiert, alle übrigen genomcodiert. Cytochrom b, f-Komplex, der außer den Cytochromen b_6 und f ein Eisen-Schwefel-Protein enthält, das als einziges genomcodiert ist. ZTyr und DTyr = Tyrosin-Radikale, die an der Wasserspaltung beteiligt sind. PC = Plastocyanin. **B** Photosytem I mit zwei assoziierten Antennenkomplexen (19–23 kD). Mit dem PS I ist auch die sogenannte Thiolkette assoziiert, die aus Fd = Ferredoxin, FTR = Ferred-oxin/Thioredoxin-Oxidoreduktase und TR = Thioredoxinen besteht. FNR = Ferredoxin-NADP-Reduktase. Der rechte Teil der Abbildung zeigt die ATP-Synthase, deren Kopplungsfaktor CF_1 durch den Proteinkomplex CF_0 in der Thylakoidmembran verankert ist. Die Gennomenklatur unterscheidet vier Klassen: psa = PS I, psb = PS II (ausgenommen die Gene für die Apoproteine der Antennen), atp = ATP-Synthase und pet = periphere Komponenten und Gene für den Cytochrom b, f-Komplex. Die einzelnen Gene werden mit Großbuchstaben in der Reihenfolge ihres Auffindens bezeichnet. Die grau gerasterten Proteine sind genomcodiert, die rot gerasterten plastomcodiert (s. Abb. 15.**18**, S. 444). Bezüglich der funktionellen Aspekte sei auf das Kapitel 10.3 verwiesen (Originalzeichnung: R. Herrmann)

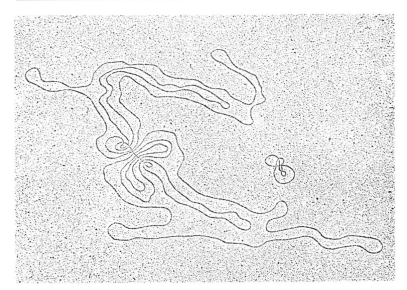

Abb. 3.**14** Isoliertes zirkuläres DNA-Molekül aus einem Chloroplasten der Grünalge *Derbesia marina* mit einer Molekülmasse von $65 \cdot 10^6$ Da. Bei dem rechts davon liegenden kleinen Zirkel handelt es sich um die einsträngige, zirkuläre DNA des Phagen ΦX 174 (S. 421), die als Marker-DNA für die Bestimmung der Molekülmasse dient. Sie enthält 5386 Nucleotide mit einer Molekülmasse von $3{,}5 \cdot 10^6$ Da. Vergr. 20 000fach (Originalaufnahme: K. Kowallik und M. Schmidt)

genauer, die **Ribulose-1,5-bisphosphat-carboxylase/Oxygenase (RubisCO),** da sie als multifunktionelles Enzym auch die Funktion einer Oxygenase haben kann. Ihr Anteil an den löslichen Proteinen des Blattes kann bis zu 50% betragen. Weitere Einzelheiten werden später besprochen (S. 302). Außerdem finden sich im Stroma kontrastarme Bereiche, die, wie im Falle der Mitochondrien, von feinen Strängen der Plastiden-DNA (ptDNA) durchzogen und somit den Kernäquivalenten der Bakterien (S. 178) ähnlich sind. Im Gegensatz zur Zellkern-DNA enthält die ptDNA kein 5-Methyl-cytosin und ist, gleich der mtDNA, nicht mit Histonen oder anderen Proteinen assoziiert. Die Chloroplasten-DNA ist doppelsträngig und zirkulär. Isolierte native DNA zeigt eine Überstruktur (Abb. 3.**14**). Die Molekülmassen der ptDNA sind bei den einzelnen Pflanzengruppen etwas verschieden. Bei der Alge *Derbesia marina* beträgt die Molekülmasse $65 \cdot 10^6$ Da und ist damit um etwa ⅓ kleiner als die der meisten höheren Pflanzen, bei denen sie in der Größenordnung von $85 – 100 \cdot 10^6$ Da liegt, was etwa 150 000 Basenpaaren und einer Konturlänge von $50 – 55\ \mu m$ entspricht.

Der Chloroplast enthält, je nach Größe und Alter, zwischen 10 und 200 identische ptDNA-Stränge, hat also eine polyploide Konstitution. Jeder Strang trägt eine komplette Kopie der im Chloroplasten lokalisierten genetischen Information (Plastom). Diese umfaßt die Gene für die plastidären rRNAs und tRNAs sowie eines kleineren Teiles der Polypeptide des Photosyntheseapparates (Abb. 3.**13**). Die übrigen Proteine werden unter der Regie der Zellkern-DNA an den freien 80 S Polyribosomen des Cytoplasmas synthetisiert. Von hier müssen sie durch die Chloroplastenhülle und gegebenenfalls durch die Thylakoidmembranen transportiert werden, was wahrscheinlich, wie bei den Mitochondrien, mit Hilfe sogenannter Transitpeptide geschieht, die die gesamte Information für den Transport enthalten und nach dem Einbau der Proteine entfernt werden.

Die begrenzte genetische Unabhängigkeit der Plastiden und Mitochondrien (S. 84) vom Zellkern wird als Argument für die Endosymbiontenhypothese (S. 69) gewertet. Weitere Argumente sind die Kontinuität dieser beiden Organellen, die von Zelle zu Zelle weitervererbt werden, das Vorhandensein von 70 S Ribosomen sowie die Tatsache, daß die mtDNA und die ptDNA nicht mit Histonen und anderen Proteinen assoziiert sind.

3.4.2   Chromoplasten

Die durch Carotinoide gelb, orange oder rötlich gefärbten Chromoplasten enthalten kein Chlorophyll und sind photosynthetisch inaktiv. Sie finden sich in entsprechend gefärbten Blüten u.a. Pflanzenteilen, z.B. in den Wurzeln von *Daucus carota*, der Karotte. Ihre Gestalt ist mannigfaltig. Sie können rund, oval, spindelig, fädig oder unregelmäßig-amöboid gestaltet sein. Im Lichtmikroskop erscheinen die Carotinoide entweder im Stroma verteilt, in tröpfchenförmigen Globuli angereichert oder auskristallisiert. Elektronenmikroskopische Untersuchungen haben gezeigt, daß die Pigmente an bestimmte Trägerstrukturen gebunden sind.

Folgende Typen wurden gefunden:
1. Lipidglobuli zwischen 0,2 und 1 μm Durchmesser, die den Plastoglobuli der Chloroplasten entsprechen.
2. Tubuli von 20–50 nm Durchmesser (Abb. 3.**15A,B**), die trotz vergleichbarer Dimensionen nichts mit den cytoplasmatischen Mikrotubuli zu tun haben.
3. Membranen, die bisweilen in Gestalt zahlreicher konzentrischer Hohlkugeln ineinandergeschachtelt sein können (Abb. 3.**15C**).
4. Kristalle. Diese sind rechteckig oder rhombisch, enthalten jedoch nur 20–56% β-Carotin. Der restliche pigmentfreie Anteil besteht aus Lipiden, Proteinen u.a. Substanzen, weshalb die Bezeichnung „Kristalle" nicht ganz zutreffend ist. Nicht selten haben sie die Gestalt relativ großflächiger Häute oder breiter Bänder, die zu Schrauben aufgewunden sein können. Auch dies spricht gegen eine echte Kristallnatur.

Die Chromoplasten der Blütenblätter und Früchte können aus Leukoplasten oder jungen Chloroplasten entstehen. Sie enthalten, gleich den Chloroplasten, zirkuläre DNA von etwa 45 μm Länge in mehreren Kopien, sind also zu bestimmten Synthesen befähigt. Tatsächlich wurde in einzelnen Fällen eine Rückdifferenzierung

Abb. 3.**15** Chromoplasten. **A** und **B** Tubuli in Blütenchromoplasten des Schöllkrauts *(Chelidonium majus)*, in **A** quer, in **B** längs getroffen. Vergr. 38 000fach. **C** Membranen in den Blütenchromoplasten der gelben Narzisse *(Narcissus pseudonarcissus)*. Etwa 200 hohlkugelige Doppelmembranen sind dicht ineinander geschachtelt. Vergr. ca. 54 000fach. Alle Präparate wurden mit $KMnO_4$ fixiert (Originalaufnahmen: P. Sitte)

von Chromoplasten in Chloroplasten beobachtet. Hierin unterscheiden sie sich von den **Gerontoplasten,** das sind Plastiden ähnlicher Pigmentausstattung, die bei der Alterung (Seneszenz) ehemals funktionstüchtiger Chloroplasten in den Laubblättern entstehen (herbstliche Laubfärbung) sowie in reifen Früchten. In ihnen liegen die Carotinoide ausschließlich in Form von Globuli vor, und Plastoribosomen sind nicht mehr nachweisbar.

3.4.3   Leukoplasten

❗ Unter diesem Begriff werden Plastiden ganz verschiedener Funktionen zusammengefaßt, denen nur das Fehlen von Pigmenten gemeinsam ist. So zählt man zu ihnen z.B. die Plastiden, die Reservestoffe speichern, wie die Amyloplasten die Reservestärke in Form von Stärkekörnern, die Proteinoplasten Proteine, meist in Form von Kristallen, und die Elaioplasten Fette und Öle in Form von Tröpfchen.

Bisweilen werden die in den Amyloplasten gebildeten Stärkekörner so groß, daß sie nur noch von einer sehr dünnen, mikroskopisch nicht mehr nachweisbaren Plastidenhülle umgeben sind, sofern sie nicht völlig nackt im Plasma liegen. Von den Speicherplastiden unterscheiden sich die Leukoplasten der Zellen, die etherische Öle oder Harze produzieren, grundsätzlich durch das Fehlen von Stromathylakoiden und typischen Plastoribosomen sowie durch die Unfähigkeit, bei Belichtung zu ergrünen und sich zu normalen Chloroplasten zu entwickeln. Die Unterschiede werden bereits im Stadium der Proplastiden deutlich.

3.5   Zellkern

Der Zellkern (Nucleus) ist das genetische Steuerzentrum der Zelle. Er enthält die Chromosomen, auf denen die weitaus überwiegende Anzahl der Gene (Erbanlagen) lokalisiert ist. Deren Gesamtheit bezeichnen wir als Genom bzw. als Kerngenom, um es von dem Plastiden- und Mitochondriengenom abzugrenzen. Der Kern- und Zellteilung (Mitosis) geht eine Verdoppelung der DNA voraus, was während des Teilungsvorganges zu einer Spaltung eines jeden Chromosoms in zwei Tochterchromosomen führt, die auf die entstehenden Tochterzellen verteilt werden. Auf diese Weise wird dafür Sorge getragen, daß jede Tochterzelle eine identische Kopie der gesamten genetischen Information erhält.

Der Zellkern hat häufig die Form einer Kugel, erscheint bisweilen aber auch linsenförmig, ellipsoidisch, gelappt oder anders gestaltet. Seine Größe steht in einer gewissen, wenn auch nicht strengen Beziehung zu der Menge des ihn umgebenden Cytoplasmas **(Kern-Plasma-Relation).** Häufig liegen die Durchmesser pflanzlicher Zellkerne in der Größenordnung von 5–25 µm, doch kommen auch Durchmesser von einigen hundert µm vor.

3.5.1 Organisation des Zellkerns

Der nicht in Teilung begriffene, also in der Interphase befindliche Zellkern wurde früher, im Gegensatz zum Teilungskern, als Ruhekern bezeichnet. Funktionell betrachtet trifft diese Bezeichnung natürlich nicht zu, da der Zellkern gerade in dieser Phase seine Wirksamkeit entfaltet (s. unten).

❗ Im Lichtmikroskop erscheint der Zellkern homogen und stärker lichtbrechend als das Cytoplasma, von dem er durch eine mehr oder weniger scharf erscheinende Grenze, die Kernhülle, abgesetzt ist. Im Phasenkontrast sowie nach Fixierung und Anfärbung mit basischen Farbstoffen hebt sich jedoch das Chromatin (S. 107) deutlich von dem Karyoplasma ab, das den übrigen Kernraum ausfüllt. Abhängig vom DNA-Gehalt der jeweiligen Art liegt das Euchromatin, entsprechend dem Auflockerungsgrad der Chromosomen, in diffuser, granulärer oder fibrillärer Form vor. Das Karyoplasma enthält zahlreiche Enzym- und Strukturproteine und zeichnet sich meist durch einen, verglichen mit dem Cytoplasma, höheren Wassergehalt (ca. 80%) aus. Außerdem enthalten die Zellkerne mindestens einen, häufig mehrere Nucleoli (Kernkörperchen), die sich ebenfalls mit basischen Farbstoffen intensiv anfärben.

Karyoplasma: Bei elektronenmikroskopischer Betrachtung (Abb. 3.**16A**) erscheint das Karyoplasma feingranulär. Entfernt man aus isolierten Zellkernen das Chromatin durch Extraktion, bleibt die nucleare Matrix zurück, die im wesentlichen aus einem Gerüst feiner Proteinfibrillen, den sogenannten Nucleonemen, besteht. Offensichtlich sind die chromosomalen DNA-Protein-Fibrillen in Schlaufen oder Domänen angeordnet, deren Enden sowohl während der Replikation als auch während der Transcription fest an das Kernskelett gebunden sind. Diese Anordnung garantiert eine korrekte Reduplikation der Chromosomen. Wahrscheinlich trägt das Kernskelett auch die Komponenten des Replikations- und Transcriptionsapparates. Außerdem spielt es bei dem „processing" sowie beim gerichteten intranuclearen Transport eine Rolle. Das die Chromosomen aufbauende Chromatin erscheint im Vergleich zum Karyoplasma elektronenoptisch dichter. Nicht selten findet man schraubig gewundene Fibrillen von etwa 10 und 30 nm Durchmesser.

Kernhülle: Zwei etwa 7,5 nm dicke Membranen bilden die Kernhülle. Sie umschließen den sogenannten perinucleären Raum von 10–15 nm Breite (Perinuclealzisterne, Abb. 3.**16C**). Er steht mit dem Innenraum des endoplasmatischen Reticulums in Verbindung (Abb. 3.**1A**). Die äußere Membran kann von Polysomen bedeckt sein. Beides läßt darauf schließen, daß die Kernhülle ein Teil des ER ist. Wahrscheinlich ist auch bei pflanzlichen Zellkernen die Innenseite der inneren Membran, wie für zahlreiche tierische Zellen nachgewiesen, von einer aus Proteinen bestehenden Faserschicht (Nuclear Lamina) ausgekleidet, die Skelettfunktion hat und die Form des Zellkerns bestimmt. Die Kernhülle zeigt in Aufsicht (Abb. 3.**16B**) zahlreiche Poren runder bis oktogonaler Gestalt. Ihr Durchmesser

Abb. 3.**16** Zellkern. **A** Nichtinfizierte Zelle eines Wurzelknöllchens von *Glycine max* (s. auch Abb. 13.**4**, S. 367). In der Mitte der große Zellkern mit der doppelt konturierten Kernhülle und dem fast schwarz erscheinenden Nucleolus. In der Umgebung Amyloplasten, Mitochondrien, Microbodies und ER. Fixierung: Glutaraldehyd/OsO₄; Kontrastierung: Uranylacetat/Bleicitrat; Vergr. 7700fach (Originalaufnahme: E. Mörschel). **B** Flächenschnitt durch die Kernhülle von *Stephanopyxis palmeriana* (Diatomeae) mit Kernporen in Aufsicht. **C** Querschnitt durch die Kernhülle von *Vaucheria sessilis* (Xanthophyceae). Die Kernporen (p) sind im Profil getroffen. Fixierung: **B,C** Glutaraldehyd/OsO₄, Vergr. **B** 35 000fach, **C** 80 000fach (Originalaufnahmen: K. Kowallik)

kann zwischen 20 und 100 nm schwanken, ist innerhalb eines Kernes jedoch relativ konstant. Bei guter Auflösung erkennt man am Rande der Poren eine ringförmige Zone, den Annulus, der im typischen Falle aus 8 Untereinheiten aufgebaut ist. Dieses aus Ribonucleoprotein bestehende annuläre Material wird, zusammen mit der Pore, als **Porenkomplex** bezeichnet (Abb. 3.1 C). Im Zentrum der Poren ist bisweilen ein sogenanntes Zentralgranulum zu finden. Von diesem wie auch von den acht Untereinheiten erstrecken sich fädige Fortsätze in das Kerninnere bzw. in das Cytoplasma. Offenbar stehen die Porenkomplexe der Kernhülle mit dem Gerüstwerk der Kernmatrix in Verbindung. Wahrscheinlich handelt es sich bei den Zentralgranula um Partikel, die gerade durch die Pore transportiert werden, z.B. Ribonucleoproteine von innen nach außen oder Kernproteine von außen nach innen. Jedenfalls besteht an der Transportfunktion des Porenkomplexes für die Ribosomenvorstufen und andere große Moleküle kein Zweifel.

Nucleolus: Die in Ein- oder Mehrzahl vorhandenen Nucleoli erscheinen im Lichtmikroskop scharf konturiert, sind jedoch von keiner besonderen Hülle umgeben. Man unterscheidet die meist periphere „pars granulosa", die aus 15 – 20 nm messenden Granula besteht, und die überwiegend zentrale „pars fibrosa", die aus dichtgepackten, 5 – 8 nm dicken fibrillären Elementen zusammengesetzt ist. Die Nucleoli entstehen an den **Nucleolus organisierenden Regionen** (NOR) der Chromosomen (S. 105), deren Chromatin sie durchzieht. Diese DNA enthält repetitive Sequenzen der ribosomalen RNA, mit Ausnahme der 5 S RNA, deren Gene auf anderen Chromosomen liegen. An ihr werden die 45 S Vorstufen der ribosomalen RNA (Präkursor) synthetisiert und mit den ribosomalen Proteinen, die an den Polyribosomen des Cytoplasmas synthetisiert werden, verbunden. Nach Hinzufügen der 5 S RNA liegen die fertigen, auch als Präribosomen bezeichneten Vorstufen der cytoplasmatischen Ribosomen vor. Diese werden in einem als „processing" bezeichneten Vorgang zu den Vorstufen der kleinen und großen Ribosomenuntereinheiten weiterverarbeitet und schließlich durch die Porenkomplexe in das Cytoplasma transportiert. Der Nucleolus ist also Synthese- und Reifungsort der Ribosomenvorstufen.

Ein Zellkern mit den oben beschriebenen Merkmalen findet sich in den Zellen aller Organisationsstufen mit Ausnahme der Bakterien. Diese besitzen zwar DNA-haltige, kernäquivalente Bereiche, doch fehlen diesen die typischen Organisationsmerkmale eines Zellkerns. Man grenzt sie daher als **Prokaryoten** von den **Eukaryoten,** die einen „echten" Zellkern besitzen, ab.

Nicht selten finden sich im Pflanzenreich vielkernige Zellen. Es konnte jedoch nachgewiesen werden, daß auch in diesen jeder Kern eine plasmatische Wirkungssphäre besitzt, die man zusammen mit dem Kern als Energide bezeichnet. Da eine polyenergide Plasmamasse, auch wenn sie von einer gemeinsamen Zellwand umgeben ist, nicht einer einzelnen Zelle äquivalent ist, bezeichnet man sie als **Coenoblast** (Coenocyte). Morphologisch und größenordnungsmäßig kann ein Coenoblast allerdings durchaus einer normalen Pflanzenzelle entsprechen, wie bei der Grünalge *Cladopho-*

ra (S. 194 f.). Die Coenoblasten können aber auch schlauchartig auswachsen und erhebliche Dimensionen erreichen, wie im Falle der niederen Pilze und Schlauchalgen (Siphonales, S. 194).

3.5.2 Chromosomen

Chromosomenformwechsel: Die Funktion des Zellkerns erfordert, daß die in ihm enthaltene genetische Information bei der Kernteilung vollständig und unverändert an die Tochterkerne weitergegeben wird. Daher ist es notwendig, daß bei der Mitose die Chromosomen, die zu diesem Zeitpunkt aus zwei identischen, sich gegenseitig umwindenden Chromatiden bestehen, unter Kondensation des Chromatins aus der feinfädigen, langgestreckten Funktionsform des Interphasenkernes in die relativ kurze, gedrungene Transportform des Teilungskernes überführt werden. Die Chromosomen nehmen dabei eine meist stäbchenförmige Gestalt an (Abb. 3.**17** und 3.**18A**). Sie können aber auch so kurz sein, daß sie fast kugelig erscheinen. In manchen Fällen sind sie winkelförmig abgeknickt. Ihre Länge kann zwischen 0,2 und 50 μm und ihre Breite zwischen 0,2 und 2 μm schwanken. In dieser kondensierten Form färben sich die Chromosomen nach Fixierung intensiv mit basischen Farbstoffen an. Dieser Eigenschaft verdanken sie ihren Namen.

Da die Chromosomen nur in der Transportform als selbständige Elemente in Erscheinung treten, wird auch ihre Individualität erst zu diesem Zeitpunkt erkennbar. Jedes Chromosom hat jetzt eine definierte Größe und eine charakteristische, durch den Formwechsel in keiner Weise beeinträchtigte Gestalt, die seine Identifizierung ermöglicht. Bei den **Haplonten,** zu denen eine Anzahl niederer Pflanzen gehört, kommt jedes Chromosom einer bestimmten Individualität nur einmal vor. Man nennt solche Zellkerne mit einem einfachen Chromosomensatz (n) haploid. Die weitaus überwiegende Mehrzahl der Pflanzen gehört jedoch zu den **Diplonten.** Ihre Zellen sind diploid, d.h. sie enthalten zwei Chromosomensätze (2n), in denen sich folglich jeweils zwei Chromosomen in Größe und Gestalt entsprechen (Abb. 3.**17B**). Sie werden als **homologe Chromosomen** bezeichnet.

Sind in einer Zelle 3, 4, 5 bzw. viele Chromosomensätze enthalten (Abb. 3.**17 C,D**), so bezeichnet man sie als triploid, tetraploid, pentaploid bzw. polyploid und das Phänomen selbst als **Polyploidie.** Die Anzahl der Chromosomen pro Zelle ist artspezifisch. Bei *Haplopappus gracilis* beträgt ihre Anzahl (2n) vier, bei einigen Farnen über tausend.

Kinetochor: Jedes Chromosom weist in seinem Längsverlauf eine Einschnürung auf, die als primäre Einschnürung oder Centromer bezeichnet wird (Abb. 3.**18A**). Sie untergliedert das Chromosom in zwei meist ungleich lange Schenkel, kann in seltenen Fällen jedoch auch endständig sein. Das Centromer vermittelt die Wechselwirkung zwischen Tochterchromatiden und enthält den Komplex des Kinetochors. Entlang der primären Einschnürung des Chromosoms ist Dynein konzen-

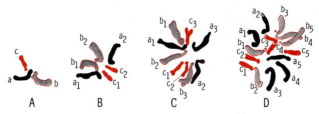

Abb. 3.**17** Polyploidie bei *Crepis capillaris.* Die normale Pflanze ist diploid (**B**). Um die Identifizierung der Chromosomen zu erleichtern, ist in **A** ein haploider Satz gezeichnet. **C** triploider, **D** pentaploider Satz. Die homologen Chromosomen sind durch gleiche Farbe und Buchstaben (a_1, a_2 usw.) gekennzeichnet (nach Hollingshead und Navashin)

triert. Das Kinetochor fungiert während der Mitose als Ansatzstelle der Spindelfasern und ist wahrscheinlich auch Bildungsort der diese aufbauenden Mikrotubuli. Im elektronenmikroskopischen Bild erscheinen die Kinetochore als elektronendichte Bereiche, die meist dreischichtig sind. Ihrer äußeren Schicht entspringen dünne Filamente, deren Gesamtheit als Corona bezeichnet wird.

Bei Hefezellen, die offenbar ein sehr einfachs Kinetochor ohne sichtbare strukturelle Differenzierung haben, ist es gelungen, den das Kinetochor durchziehenden DNA-Abschnitt zu sequenzieren. Dabei wurde eine lange Sequenz festgestellt, die zu 93–94% ausschließlich die Basenpaarung A–T aufweist. Da auszuschließen ist, daß diese Sequenz für Proteine kodieren kann, wird sie als Ansatzbereich der Spindelfasern angesehen. Das Kinetochor steht mit der Spindelfaser über einen einzelnen Mikrotubulus in Verbindung. Da Tubulin nicht direkt an DNA binden kann, wird die Verbindung zwischen den Mikrotubuli und der DNA des Kinetochors über spezifische Proteine hergestellt, von denen einige möglicherweise für die Bewegung der Chromosomen verantwortlich sind (Dynein). Andere binden an das +-Ende der Spindelmikrotubuli, und wieder andere verankern diese am Kinetochor. Dabei bleiben die Mikrotubuli trotz ihrer Anbindung befähigt, Tubulin-Untereinheiten zu assoziieren oder zu dissoziieren. Möglicherweise sind daran die Filamente der Corona beteiligt. Durch die Dissoziation der Tubulin-Untereinheiten und die dadurch bedingte Verkürzung der Mikrotubuli wird die Wanderung der Chromosomen zu den Spindelpolen bewirkt. Bei den höheren Pflanzen sind die Chromosomen mit ihren Kinetochoren an zahlreiche Mikrotubuli gebunden.

In manchen Chromosomen finden sich außer dem Centromer noch sogenannte sekundäre Einschnürungen (Abb. 3.**18A**), die bestimmte Abschnitte der Chromosomen abgliedern. Diese sind oft sehr klein und werden als Satelliten bezeichnet. Die sekundären Einschnürungen sind die Bildungsstätten der Nucleoli und werden deshalb als Nucleolus organisierende Regionen (NOR) bezeichnet.

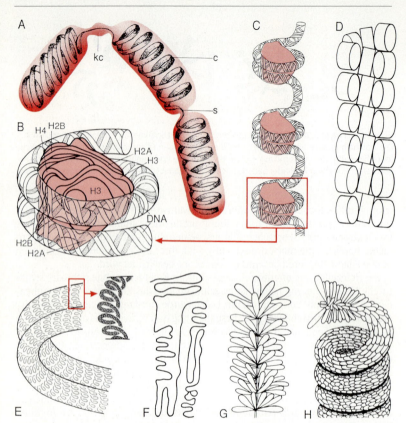

Abb. 3.**18** Chromosomenstruktur. **A** Schematische Zeichnung eines Chromosoms in lichtmikroskopischer Dimension. Das aus zwei Chromatiden bestehende, schraubig aufgewundene Chromonema (c) liegt in der Chromosomenmatrix (rot). kc = Kinetochor, s = sekundäre Einschnürung. **B** Modell eines Nucleosoms. Das Histon-Oktamer ist von 1³⁄₄ DNA-Doppelstrang umwunden (Histonbezeichnungen s. Text). **C** Teil eines Nucleofilaments, dessen Nucleosomen durch Linker-Abschnitte getrennt sind. **D** Chromatinfibrille, die sich in Gegenwart des Histons H1 ausbildet. Sie stellt ein Solenoid dar, das aus etwa sechs Chromatosomen pro Windung besteht. **E – H** Modelle der Chromatinkondensation. **E** Mehrfache Aufrollung zu Schrauben immer höherer Ordnung. **F** Faltungsmodell, **G** Bildung dichtgepackter Schleifen, **H** Schrauben und Schleifen kombiniert (z. T. nach Nagl)

⚠ **Chromatin:** Die Gesamtheit des chromosomalen Materials einer Zelle bezeichnet man als Chromatin. Es besteht im wesentlichen aus DNA, RNA und Proteinen. Bei den Proteinen werden Histone und Nicht-Histonproteine unterschieden.

Die **Histone** haben basischen Charakter. Dieser beruht auf dem hohen Gehalt an Lysin und Arginin, zwei Aminosäuren, die zusätzliche Aminogruppen enthalten (S. 19f.). Sie lassen sich in 5 Fraktionen auftrennen, die wie folgt beziffert werden: H1, H2A, H2B, H3, H4. Die Aminosäuresequenzen der einzelnen Fraktionen, deren Molekülmassen zwischen 11 000 und 21 000 Da liegen, sind für H3 und H4 bei allen daraufhin untersuchten Organismen sehr ähnlich. Die H2-Fraktion zeigt eine etwas größere Variabilität, wobei vor allem die Pflanzenhistone sich von den tierischen stärker unterscheiden, weshalb sie als PH2A und PH2B bezeichnet werden. Die Unterschiede betreffen vor allem das Lysin-Arginin-Verhältnis. Damit verglichen zeigt die lysinreiche Fraktion H1 eine sehr große Variabilität, was darauf schließen läßt, daß ihr eine besondere Funktion zukommt. Meist entspricht der im Chromatin vorhandene Mengenanteil der Histone etwa dem der DNA. Im Gegensatz zu den Histonen sind die meisten Nicht-Histonproteine reich an den sauren Aminosäuren Glutaminsäure und Asparaginsäure. Daneben kommen jedoch auch basische und neutrale Nicht-Histonproteine vor. Die Nicht-Histonproteine unterscheiden sich in ihrer Funktion und Zusammensetzung sehr stark. Letztlich gehören hierzu alle mit dem Chromatin assoziierten Enzyme, Regulationsfaktoren und sonstigen Proteine. Besondere Erwähnung verdienen in diesem Zusammenhang die Histon-Acetyl-Transferasen (HAT), die die γ-Aminogruppen der Lysine acetylieren, und die Histon-Deacetylasen (HD), die die Acetylreste wieder entfernen.

Die Hauptmasse des Chromatins besteht aus lockerem **Euchromatin,** das den bereits erwähnten Wechsel von Kondensation bei Eintritt in die Mitose und Dekondensation in der Interphase zeigt. Es enthält die weitaus überwiegende Menge der im Zellkern liegenden genetischen Information. In seinem Färbeverhalten unterscheidet es sich deutlich vom dichtgepackten **Heterochromatin,** das sich stärker mit Farbstoffen tingiert. Man unterscheidet konstitutives und funktionelles Heterochromatin. Das konstitutive Heterochromatin verharrt während der Interphase im kondensierten Zustand und ist im Zellkern in Gestalt der Chromozentren sichtbar. Es besteht aus hochrepetitiven DNA-Sequenzen (S. 110) und ist genetisch inaktiv. Auch enthält es deutlich weniger Nicht-Histonproteine als das Euchromatin. Das konstitutive Heterochromatin findet sich bei allen Zellen einer Art stets in den gleichen homologen Chromosomen eines diploiden Satzes an den gleichen Stellen, unabhängig vom Entwicklungszustand und Gewebetypus. Hierin unterscheidet es sich vom funktionellen (fakultativen) Heterochromatin, dessen Vorkommen bei Pflanzen allerdings ungewiß ist.

Chromosomenfeinbau: Die Anordnung des Chromatins in den Chromosomen ist wegen erheblicher methodischer Schwierigkeiten noch weitgehend unklar. Die folgenden Modellvorstellungen wurden an isolierten Chromatinfibrillen gewonnen.

❗ Es gilt heute als sicher, daß die gesamte genetische Information eines Chromosoms auf einer kontinuierlichen DNA-Doppelhelix liegt. Diese hat einen Durchmesser von 2,5 nm. Die in den Chromosomen und im Zellkern elektronenmikroskopisch nachgewiesenen 10-nm-Fibrillen, die auch als Nucleofilamente bezeichnet werden, kommen durch die Assoziation der DNA mit Histonen in Form der sogenannten **Nucleosomen** zustande. Diese sind elektronenmikroskopisch nachweisbare Partikel, deren Grundkörper (Core) ein Histonoktamer ist, in dem alle oben genannten Histonfraktionen mit Ausnahme des Histons H1 zweimal enthalten sind (Abb. 3.**18 B**). Um dieses Oktamer läuft ein 146 Basenpaare umfassender DNA-Strang in 1 ¾ Windungen herum, wobei die Histone offenbar mit ihren NH_2-Gruppen ionisch an die Phosphatgruppen der DNA gebunden sind.

Die Nucleosomen sind untereinander durch etwa 20 – 80 Basenpaare umfassende DNA-Abschnitte, die als **Linker** bezeichnet werden, verbunden und erscheinen daher perlschnurartig aufgereiht (Abb. 3.**18 C** und 3.**19**). Die 25 – 30 nm dicke Chromatinfibrille bildet sich nach Zusatz der lysinreichen Histonfraktion H1 aus. Diese bindet an die Linker, wodurch etwa weitere 20 Basenpaare der DNA mit dem Histonoktamer assoziiert werden, so daß dieses nunmehr von zwei vollständigen DNA-Windungen umfaßt wird. Man nennt diese Partikel zum Unterschied von den Nucleosomen auch **Chromatosomen.** Durch Kondensation der Chromatosomen entsteht eine als Solenoid bezeichnete, dicht gepackte Schraube mit wahrscheinlich sechs Chromatosomen pro Windung (Abb. 3.**18 D**).

Da die DNA-Doppelhelix eines eukaryotischen Chromosoms eine Länge von mehreren bis vielen Zentimetern aufweist, die Länge der Chromosomen aber im typischen Fall nur einige Mikrometer beträgt, muß das Chromatin bei der Bildung der Transportform der Chromosomen weiter kondensiert werden, und zwar 5000- bis 10 000fach. Der molekulare Mechanismus dieser Kondensation ist unbekannt. Lange Zeit hat man angenommen, daß die Verdichtung durch fortgesetzte Aufrollung zu Schrauben immer höherer Ordnung erfolgt (Abb. 3.**18 E**). Auch Faltungsmodelle sind vorgeschlagen worden (Abb. 3.**18 F**). Neuerdings wird die Möglichkeit diskutiert, daß das Chromatin in Form dicht gepackter Schleifen vorliegt (Abb. 3.**18 G**), oder daß Schrauben und Schleifen kombiniert sind (Abb. 3.**18 H**). Außer den bereits erwähnten H1-Histonen scheinen auch einige Nicht-Histonproteine für die strukturelle Organisation der Chromosomen verantwortlich zu sein.

Wie bereits erwähnt, wurden diese Modelle aufgrund von Untersuchungen an isolierten Chromatinfibrillen entwickelt, und es ist keineswegs sicher, daß das native Chromatin in der gleichen Anordnung vorliegt. Als gesichert wird allerdings angesehen, daß die 25- bis 30 nm-Chromatinfibrille eine superhelikale Struktur aufweist und daß jede helikale Windung nur eine geringe Anzahl von Chromatosomen umfaßt. Da das Histon H1 vor allem im inaktiven Chromatin auftritt, könnte es bei der Regulation der Chromatinaktivität eine wichtige Rolle spielen. Extraktionsversuche haben jedoch gezeigt, daß es auch für die strukturelle Stabilität der Chromosomen in ihrer Transportform von erheblicher Bedeutung ist. Sehr wahrscheinlich spielt auch die Acetylierung bzw. De-acetylierung von Lysin-Re-

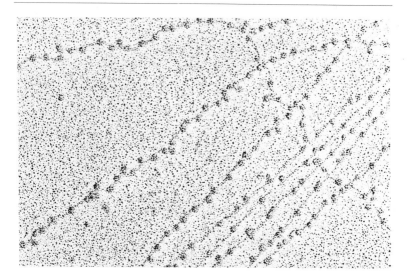

Abb. 3.**19** Elektronenmikroskopische Auf-nahme von Nucleosomen-Ketten (Nucleo-filamenten) in gespreitetem Chromatin der Küchenzwiebel *(Allium cepa)*. Vergr. 122 400-fach (Originalaufnahme: W. Nagl)

sten eine Rolle, die unter Mitwirkung der bereits erwähnten Histon-Acetyl-Trans-ferasen bzw. der Histon-Deacetylasen erfolgt. Eine Modellvorstellung dieses Pro-zesses ist in Abb. 3.**20** dargestellt.

An geeignten Objekten, insbesondere während der Prophase der ersten Reifungstei-lung (Abb. 14.**3**, S. 386 f.), kann man die auch als Chromonemen bezeichneten dün-nen, fädigen Grundelemente der Chromosomen erkennen. Auf jedem Chromonema liegen perlschnurartig, aber in unregelmäßigen Abständen, die intensiv färbbaren Chromomeren aufgereiht. Die Anordnung der nach Größe und Form meist wohl zu unterscheidenden Chromomeren, das Chromomerenmuster, ist für jedes Chromo-som charakteristisch und konstant. Hinsichtlich der funktionellen Bedeutung der Chromomeren gehen die Ansichten auseinander. Da ihre Anzahl etwa der Anzahl der Replikone entspricht, könnten sie funktionelle Untereinheiten der Replikation dar-stellen. Riesenchromosomen enthalten zahlreiche, unter Umständen bis zu 500 identische Chromonemen, sind also polytän. Da die einander entsprechenden Chro-momeren in allen Strängen etwa auf gleicher Höhe liegen, entsteht der Eindruck von Banden bzw. Scheiben (Abb. 3.**21**).

Repetitive DNA: Berechnungen haben ergeben, daß der DNA-Gehalt der Zellkerne vielzelliger Organismen erheblich größer ist, als ihrem Gengehalt entspricht. Nur 0,1 – 3 % der gesamten Kern-DNA bestehen aus codierenden Genen, von denen wiederum zu einem gegebenen Zeitpunkt der Entwicklung nur wenige Prozent aktiv sind. Dies ist u. a. darauf zurückzuführen, daß die DNA eines Chromosoms

Abb. 3.**20** Modell der möglichen Funktion der Histon-Acetylierung bzw. De-acetylierung bei der Kondensation der Nucleosomen zu Chromatosomen und umgekehrt. Die Wellenlinien repräsentieren die N-terminalen Regionen der Histone, die schwarzen Punkte acetylierte Lysine. Oben: Infolge der Acetylierung haben die N-terminalen Enden keine positive Ladung und sind nach außen orientiert. Unten: Infolge der De-acetylierung haben die N-terminalen Enden eine positive Ladung und werden zu den negativen Ladungen der DNA hin gefaltet (nach Tordera, Sendra, Pérez-Ortin)

nicht, wie ursprünglich angenommen, eine ununterbrochene Folge von Strukturgenen ist, sondern in erheblichem Umfang auch nicht-informative Abschnitte enthält. Diese liegen in Form repetitiver, d.h. sich ständig wiederholender Nucleotidsequenzen vor. Man unterscheidet hochrepetitive Sequenzen mit einem sehr hohen Wiederholungsgrad zwischen etwa 10^5 und 10^6, zu denen das konstitutive Heterochromatin gehört, und mittelrepetitive Sequenzen, deren Wiederholungsgrad $< 10^5$ ist und unter Umständen sogar nur wenige Sequenzen umfaßt. Hochrepetitive DNA enthält keine genetische Information und wird folglich nicht transkribiert. Auch ein Teil der mittelrepetitiven Sequenzen wird nicht transcribiert. Hierzu zählen die nicht-informativen Abschnitte, die als sogenannte „Spacer" die Strukturgene voneinander trennen.

A

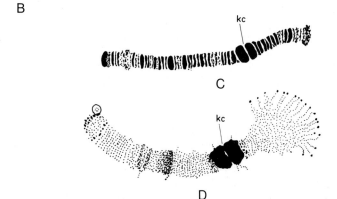

B

C

D

Abb. 3.**21** Riesenchromosomen. **A** Mikroskopische Aufnahme eines Riesenchromosoms aus dem Suspensor von *Phaseolus coccineus* im inaktiven Zustand (1200fach). **B** Mikroskopische Aufnahme eines Riesenchromosoms aus dem Suspensor von *Phaseolus vulgaris* im aktiven Zustand mit Puffbildung (1200fach). **C** Zeichnung eines gebänderten Riesenchromosoms von *Phaseolus* im inaktiven Zustand. **D** Zeichnung eines Riesenchromosoms von *Phaseolus* im aktiven Zustand mit Puffbildung. kc = Kinetochor (Originalaufnahmen und Originalzeichnungen von W. Nagl)

■ Darüber hinaus gibt es jedoch auch informationstragende repetitive Sequenzen in Form sich wiederholender, **redundanter Gene.** Beispiele hierfür sind die Gene für die rRNA und tRNA sowie die mRNA der Histone, die mehrere hundert bis einige tausend Mal in einem haploiden Zellkern vorhanden sein können. Auch in diesen Fällen sind die einzelnen Gene durch Spacer getrennt. Allgemein liegt die Bedeutung redundanter Gene darin, daß zu einem bestimmten Zeitpunkt der Entwicklung bei Bedarf gleichzeitig eine sehr große Anzahl gleichartiger Genprodukte gebildet werden kann, z.b. Histone während der DNA-Replikation sowie die ribosomale RNA und die tRNA während der Proteinsynthese.

Die Bedeutung der nicht-informativen repetitiven DNA in Eukaryoten ist noch nicht völlig geklärt. Offenbar erfüllt sie vor allem strukturelle Funktionen, indem sie z.b. den Kondensationsgrad der Chromosomen bestimmt, aber auch Aufgaben bei der Regulation der Genaktivität erfüllt.

3.5.3   Kern- und Zellzyklus

Der Zellzyklus beginnt mit der Entstehung einer Zelle durch Teilung aus einer Mutterzelle und endet mit einer erneuten Teilung in zwei Tochterzellen. Normalerweise laufen Zellzyklus und Kernzyklus parallel, d.h. die Teilung der Zelle ist mit einer Teilung des Zellkernes verbunden. Dieser geht die Replikation der DNA (S. 426f.) voraus. Sie findet in der Interphase, d.h. in dem zwischen zwei Teilungen liegenden Zeitraum, statt und ist zugleich die Voraussetzung für den Beginn der Teilung. Man untergliedert den Kern- und Zellzyklus in die folgenden Abschnitte: Die G_1-Phase reicht von der Entstehung der Zelle durch Teilung bis zum Beginn der DNA-Replikation. In der S-Phase erfolgt gleichzeitig mit der DNA-Replikation die Histon-Synthese. Die G_2-Phase umfaßt den Zeitraum zwischen Beendigung der DNA-Replikation und dem Beginn der Zellteilung. Die Teilungsphase wird auch als M-Phase bezeichnet, wobei das M für Mitose (s. unten) steht.

Für die Dauer der einzelnen Phasen wurden bei den Wurzelspitzen von *Vicia faba* folgende Werte gefunden: G_1-Phase 4 Stunden, S-Phase 9 Stunden, G_2-Phase $3\frac{1}{2}$ Stunden, M-Phase 114 Minuten. Die bei anderen Pflanzen ermittelten Werte weichen hiervon natürlich ab, liegen aber meist in der gleichen Größenordnung.

Der Zellzyklus wird bei allen bisher daraufhin untersuchten Eukaryoten, vom Einzeller bis zum Menschen, prinzipiell auf die gleiche Weise gesteuert, und zwar durch Proteine, von denen bisher erst zwei näher charakterisiert wurden. Das eine ist eine Proteinkinase, also ein Proteine phosphorylierendes Enzym. Da es eine M_r von 34 kDa besitzt und den Zellteilungszyklus (cell division cycle) steuert, wird es als p34^{cdc_2} oder als **cdc$_2$-Kinase** oder, kurz, als p34 bezeichnet. In aktiven meristematischen Geweben bleibt seine Konzentration während des Zellzyklus unverändert (Abb. 3.**22**).

Während der Interphase wird eine zweite Sorte von Proteinen synthetisiert, die den Zyklus steuern und daher als **Cycline** bezeichnet werden. Der Übergang von

Abb. 3.**22** Modell der Regulation des Zellzyklus

der G_2- in die M-Phase erfolgt, wenn die cdc$_2$-Kinase mit dem Cyclin zu einem als MPF (Maturation Promoting Factor) bezeichneten Komplex zusammentritt, der, nachdem sowohl p34 als auch das Cyclin phosphoryliert wurden, die Mitose auslöst. Ob dieser aktive Komplex einzelne Prozesse direkt steuert, wie etwa die Phosphorylierung des Histons H1, wodurch möglicherweise die Kondensation der Chromosomen eingeleitet wird, oder ob er andere Proteine aktiviert, die nun ihrerseits regulierend in den Prozeß eingreifen, ist nicht bekannt. Am Ende der Mitose wird der MPF durch proteolytischen Abbau des Cyclins wieder inaktiviert, was den Übergang in die Interphase zur Folge hat.

❗ **Mitose:** Die Teilung des Zellkernes (Karyokinese) ist mit dem oben beschriebenen Formwechsel der Chromosomen verbunden. Zu diesem Zeitpunkt sind sie bereits in zwei identische Längshälften gespalten, die als Chromatiden bezeichnet werden. Nach Umwandlung der Chromosomen in die Transportform werden die Chromatiden voneinander getrennt und auf die Tochterzellen verteilt. Hierauf erfolgt die Rückbildung der Interphasenkerne. Auf diese Weise ist gewährleistet, daß jede Tochterzelle die gleiche Chromosomenausstattung und damit die gleiche genetische Information erhält.

Den Ablauf der Mitose untergliedert man in einzelne Abschnitte, die jeweils durch charakteristische Abbildungen belegt werden (Abb. 3.**23** und 3.**24**). Dabei ist zu beachten, daß es sich um eine willkürliche Abgrenzung von Abschnitten eines *kontinuierlich* ablaufenden Vorganges handelt, und daß die Abbildungen Momentaufnahmen aus einem dynamischen Geschehen darstellen und nicht etwa Ruhezustände zwischen den einzelnen Phasen. Hinsichtlich der Dauer der verschiedenen Mitosephasen bestehen von Organismus zu Organismus Unterschiede. Für die Staubfadenhaare von *Tradescantia* wurden folgende Werte ermittelt: Prophase 105, Metaphase 50, Anaphase 15 und Telophase 30, insgesamt also 200 Minuten.

Abb. 3.**23** Mitose aus der Wurzelspitze von *Bellevalia romana (Hyacinthus romanus)*, einer Pflanze mit nahezu euchromatischen Chromosomen. **A** = Kern in Interphase oder gerade beginnender Prophase, **B – D** = Pro- phase, **E** = Metaphase, **F,G** = Anaphase, **H** = Telophase, **I** = Tochterkerne (aus Oehlkers, F.: Das Leben der Gewächse, Bd. I. Springer, Berlin 1956)

Prophase (Abb. 3.**23 B – D**, Abb. 3.**24 B, C**): Die Teilung des Zellkerns beginnt mit einer Kondensation der aus jeweils zwei Chromatiden bestehenden Chromosomen. Sie schreitet so lange fort, bis die Chromosomen schließlich in ihrer Transportform vorliegen, was unter Umständen erst in der Metaphase oder in der frühen Anaphase der Fall ist. Die kondensierten Chromosomen bilden keine Genprodukte mehr.

! In der Prophase erfolgt auch die Bildung des **Spindelapparates,** wobei die Kinetochore als Bildungsorte der Spindelfasern (MTOCs, S. 62) angesehen werden. An den Polen bilden sich hyaline Polkappen aus. Die im Tierreich verbreiteten Zentralkörperchen (Centrosomen, Centriolen) kommen im Pflanzenreich nur bei einigen Gymnospermen und manchen Algen vor. Die Spindelfasern bestehen aus Bündeln von bis zu 100 Mikrotubuli.

In der Regel finden sich zwei Arten von Spindelfasern. Die einen verbinden die Kinetochore der Chromosomen mit den Polkappen (Kinetochor-Mikrotubuli), wobei das plus-Ende an die Kinetochore gebunden und das minus-Ende in das Material der Polkappen bzw., wo vorhanden, der Centrosomen eingebettet ist. Dagegen erstrecken sich die Polmikrotubuli, die ebenfalls mit ihrem minus-Ende in dem polaren Material verankert sind, in die Ebene des Zelläquators, wo sie, sich fingerartig überlappend, Verbindungen zwischen den beiden Polen herstellen. Am Ende der Prophase zerfällt die Kernhülle in einzelne Bruchstücke, die sich in den Polregionen ansammeln. Gleichzeitig verschwinden die Porenkomplexe. Die Nucleoli zerfallen ebenfalls, und das nucleoläre Material verteilt sich im Cytoplasma. Die in der Interphase an der Peripherie der Zellen mehr oder weniger gleichmäßig verteilten Mikrotubuli (Abb. 3.**24A**) wandern zum Zelläquator, wo sie sich in Gestalt eines den Kern umgebenden Preprophase-Bandes (PPB) anordnen (Abb. 3.**24B**).

Auch die corticalen Mikrofilamente zeigen eine Umorientierung während der Mitose. Während der Interphase erstrecken sie sich in alle Bereiche des Cytoplasmas in offenbar zufälliger Verteilung. Noch vor Ausbildung des PPB der Mikrotubuli vermindert sich ihre Anzahl, und neue Mikrofibrillen erscheinen in der Cortex. Diese nehmen die gesamte Zelloberfläche ein und sind parallel zu den corticalen Mikrotubuli angeordnet. Im Zeitraum zwischen der Prometaphase bis zur Anaphase, wenn die letzteren das PPB bilden, umgeben sie dieses als etwas breiteres Band und flankieren es, wenn es die größte Dichte erreicht hat (Abb. 3.**24B**). Ein Teil der Mikrofilamente wird jedoch vom PPB getrennt und wandert zu den Enden der Zelle, wo sie den Spindelpol überlagern. In der Spindel ist wenig oder kein Actin nachweisbar. Während der Telophase geht die Anordnung der Mikrofilamente wieder in das Interphase-Netzwerk über.

Metaphase (Abb. 3.**23 E**, Abb. 3.**24 D**): In der Metaphase ist die Spindel fertiggestellt. Die Chromosomen werden in der Äquatorialplatte angeordnet. Der Längsspalt zwischen den beiden Chromatiden eines Chromosoms wird immer deutlicher, bis diese schließlich nur noch am Kinetochor miteinander verbunden sind. Die Kernhülle und die Nucleoli sind zu diesem Zeitpunkt normalerweise nicht mehr nachweisbar.

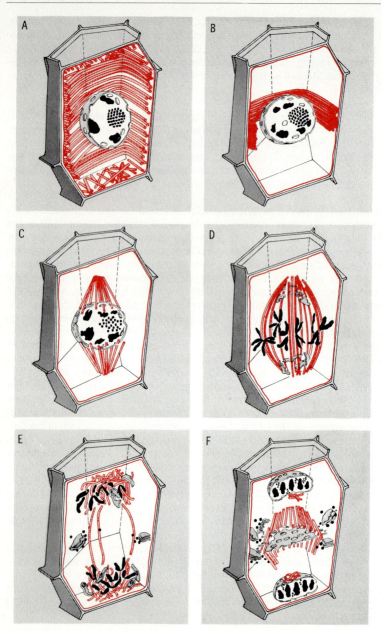

Abb. 3.**24**

🔶 *Anaphase* (Abb. 3.**23 F, G**): Die Anaphase beginnt mit der Teilung der Kinetochore. Die nunmehr als Tochterchromosomen vollständig voneinander getrennten Chromatiden wandern zu den Polen, wobei das Kinetochor vorangeht (Anaphase A). Anschließend streckt sich die Spindel, so daß die Pole weiter auseinanderrücken (Anaphase B). Die Mechanik dieser Vorgänge ist noch nicht klar.

Nach den bisher vorliegenden Erkenntnissen erfolgt an den Kinetochoren eine Dissoziation der Mikrotubuli in die Tubulin-Untereinheiten, wobei jedoch Kinetochor und Mikrotubuli ständig miteinander verbunden bleiben. Diese Verkürzung der Kinetochor-Mikrotubuli führt zu polwärts gerichteten Bewegungen der Chromosomen. In Versuchen mit *In-vitro*-Modellen konnte gezeigt werden, daß dieser Vorgang keine Energiezufuhr in Form von ATP und GTP benötigt. Dagegen kommt das Auseinanderweichen der Pole in der Anaphase B offenbar dadurch zustande, daß die sich in der Äquatorialebene mit ihren plus-Enden überlappenden Polmikrotubuli in Polrichtung aneinander vorbeigleiten. Gleichzeitig werden sie durch Assoziation weiterer Tubulin-Untereinheiten, die durch die an den Kinetochoren erfolgende Dissoziation verfügbar werden, verlängert. Dieser den Geißelfilamenten der Eukaryoten vergleichbare Gleitmechanismus ist ATP-abhängig, was das Vorhandensein einer ATPase in der Spindel erklärt. Calcium in Konzentrationen von $0{,}8 – 1{,}0\,\mu M$ beschleunigt die Bewegung der Chromosomen in der Anaphase, indem es die Depolymerisation der Kinetochor-Mikrotubuli erleichtert, während eine weitere Steigerung die Chromosomenbewegung hemmt. Dieser Effekt erklärt das Vorhandensein von Calmodulin in der Spindel, das die Calciumwirkung moduliert.

🔶 *Telophase* (Abb. 3.**23 H, I**, Abb. 3.**24 E, F**): In diesem letzten Abschnitt der Mitose erfolgt die Rückumwandlung der zu den beiden Polen gewanderten Tochterchromosomen aus der Transportform in die Funktionsform des Interphasenkerns unter Dekondensation. Diese werden durch die Kernhüllen eingeschlossen, deren Neubildung vom ER und den Dictyosomen ausgeht. Die Porenkomplexe werden neu gebildet.

Zwischen der Neubildung der Kernhüllen und der Dekondensation der Chromosomen scheinen ursächliche Zusammenhänge zu bestehen, da die Hemmung der Dekondensation auch die Bildung der Kernhülle verzögert. Schließlich bilden sich an den Nucleolus organisierenden Regionen wieder die Nucleoli.

◀ **Abb. 3.24** Änderung der Mikrotubuli-Anordnung während der Mitose, schematisch. **A** Interphase. Die Mikrotubuli sind peripher, parallel zum Plasmalemma, angeordnet. **B** Prophase. Die Mikrotubuli sammeln sich am Zelläquator. **C** Späte Prophase. Bildung der Kernspindel. **D** Metaphase. **E** Frühe Telophase. Zerfall der Mikrotubuli der Kernspindel. **F** Späte Telophase. Restitution des Zellkerns, Bildung der Zellplatte im Bereich des Phragmoplasten unter Beteiligung von Mikrotubuli und Dictyosomen. Plasmalemma und Mikrotubuli rot (nach Ledbetter und Porter)

Zellteilung (Cytokinese): Hinsichtlich der Zellteilung bestehen zwischen den einzelnen Pflanzengruppen größere Unterschiede. Bei den höheren Pflanzen bildet sich zwischen den auseinanderweichenden Chromosomen eine verhältnismäßig dichte Zone von zylinder- bis tonnenförmiger Gestalt, der **Phragmoplast,** der aus Mikrotubuli besteht, die dieselbe Polarität zeigen wie die Mikrotubuli der Spindel. Wahrscheinlich entsteht der Phragmoplast aus der Post-Anaphasespindel. In der Mitte des Phragmoplasten, d. h. also in der Äquatorialebene, sammeln sich Golgi-Vesikel, die von den in der Nähe befindlichen Dictyosomen gebildet und mit den Bausteinen der Zellwandgrundsubstanz beladen werden. Sie schließen sich zur Zellplatte zusammen, die, vom Zentrum ausgehend, schließlich die Seitenwände erreicht und die Zelle teilt. Dabei scheinen die Mikrotubuli des Phragmoplasten die Bewegung der Vesikel zur Zellplatte hinzulenken. Die Membranen der Vesikel fließen zusammen und bilden auf beiden Seiten der Zellplatte die Plasmagrenzschichten der Tochterzellen. An den Stellen, an denen das endoplasmatische Reticulum die Zellplatte durchzieht, unterbleibt die Trennung, was zur Bildung von Plasmodesmen führt. Einzeller teilen sich meist in Form einer einfachen Durchschnürung, während bei einigen fädigen Algen (z. B. *Spirogyra,* Abb. 3.**11** B) die Bildung der neuen Wand, dem Zuziehen einer Irisblende vergleichbar, von außen nach innen erfolgt. Wenn die entstandenen Zellen nicht in den Differenzierungsprozeß eintreten, ordnen sich die Mikrotubuli wieder an der Peripherie an (Ab. 3.**24 A**).

3.5.4   Somatische Polyploidie

Lange Zeit hat man angenommen, daß die Menge der im Kern enthaltenen genetischen Information in allen Zellen eines Individuums konstant ist und daß die Differenzierung zu verschiedenen Zelltypen ausschließlich die Folge der Aktivierung verschiedener Gene ist. Es hat sich jedoch gezeigt, daß der Zellkern eine dynamische Struktur besitzt und daß die einzelnen Differenzierungsprozesse häufig von Änderungen der nuclearen bzw. chromosomalen Organisation begleitet sind.

So setzen die Zellen der meisten Angiospermen auch nach Aufhören der mitotischen Teilungen die DNA-Synthese noch eine Zeitlang fort und verdoppeln wiederholt ihre Chromosomen, ohne daß die Kernhülle aufgelöst wird. Bei der **Endomitose** werden die Chromosomen mitotisch kondensiert und treten noch in die Prophase ein, die dann jedoch abgebrochen wird, während bei dem **Endoreduplikationszyklus** keine mitoseähnlichen Stadien mehr auftreten. Wenn die auf diese Weise gebildeten Schwesterchromosomen sich nicht voneinander trennen, entstehen polytäne Chromosomen (Riesenchromosomen, Abb. 3.**21**). Endomitose und Endoreduplikation führen zur **Endopolyploidie** (Abb. 3.**25 B**). Diese somatische Polyploidie ist wohl zu unterscheiden von der generativen Polyploidie, bei der bereits die Keimzellen und damit auch alle aus ihnen hervorgehenden Körperzellen mehrere Chromosomensätze enthalten (S. 104).

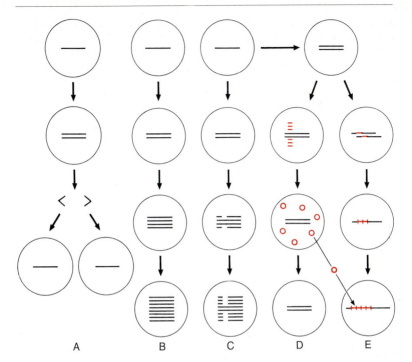

Abb. 3.**25** Verschiedene Typen der DNA-Replikation während der Zelldifferenzierung. Ein Strich repräsentiert einen diploiden Chromosomensatz. **A** Mitose, schematisch, **B** Endopolyploidie (Polytänie ist ein Spezialfall der Endopolyploidie), **C** DNA-Unterreplikation, **D,E** DNA-Amplifikation, die hier im tetraploiden Zustand erfolgt. Der betreffende DNA-Abschnitt, das Amplicon, kann entweder lateral repliziert werden, was zu instabilen, außerhalb des Genoms liegenden Kopien führt (rot), die später verlorengehen können (**D**), oder sie werden durch ein inäquales Crossing over vervielfacht (**E**), was zu einer stabilen DNA-Verlängerung führt. Allerdings können auch die zirkulären Einzelkopien in das Genom integriert werden, wie durch den Schrägpfeil von **D** nach **E** angedeutet ist. Ursprünglich integrierte Kopien können wieder herausgeschnitten werden und verlorengehen (nach Nagl)

Die endomitotisch erreichten Ploidiegrade können beträchtlich sein. Die höchsten gefundenen Werte sind 8192 im Suspensor von *Phaseolus coccineus* (Feuerbohne) und 24576 im Endospermhaustorium von *Arum maculatum* (Aronstab).

Endopolyploidie ist eher die Regel als die Ausnahme. Sie findet sich meist bei sehr stoffwechselaktiven Zellen. Nach Schätzungen sind z.B. bei der Zuckerrübe mehr als 80% der Zellen endopolyploid. Endopolyploide Zellen sind, der Kern-Plasma-Relation entsprechend, größer als diploide Zellen.

⚠ Die Vorteile der Endopolyploidisierung gegenüber der Mitose liegen auf der Hand: Es muß weniger Wandmaterial synthetisiert werden, es ist keine Spindelbildung nötig, die Kernhülle wird nicht aufgelöst und muß somit nicht neu gebildet werden, und im Falle der Endoreduplikation entfällt auch die mitotische Kondensation der Chromosomen. Letzteres hat zugleich den Vorteil, daß die RNA-Synthese, die im mitotisch kondensierten Zustand nicht möglich ist, während der Differenzierungsvorgänge nicht unterbrochen wird.

Die Replikation muß sich jedoch nicht, wie bei den Endomitosen, auf die gesamte DNA des Zellkernes erstrecken, sondern kann auch nur Teile davon betreffen. Ist nur ein kleiner Teil von der Replikation ausgenommen, etwa das Heterochromatin, spricht man von Unterreplikation (Abb. 3.**25 C**). Wird andererseits nur ein kleiner Teil der DNA repliziert, etwa die ribosomalen Gene, spricht man von DNA-Amplifikation. Wird der amplifizierte Abschnitt, das **Amplicon,** lateral repliziert (selektive Polytänie), führt dies zur Bildung kürzerer zirkulärer Einzelkopien, die häufig instabil sind und später wieder abgebaut werden (Abb. 3.**25 D**). Durch einen Mechanismus, der einem inäqualen Crossing over entspricht, können die Amplicone auch tandemartig amplifiziert werden, was eine stabile Verlängerung des DNA-Stranges zur Folge hat (Abb. 3.**25 E**). Die amplifizierten Sequenzen (Gene oder repetitive Abschnitte) können jedoch auch in das Chromosom eingebaut und damit weitervererbt werden, was evolutionäre Konsequenzen hat. Z.B. kann eine derartige Amplifikation eine Resistenz gegen Herbizide, Schwermetalle u.a. Chemikalien zur Folge haben, wobei zu beachten ist, daß Resistenzen auch das Resultat von Mutationen sein können. Andererseits wurde gefunden, daß bereits in das Genom integrierte Kopien wieder herausgeschnitten werden und verlorengehen. Unterreplikation und Amplifikation sind somit ein Ausdruck für die hohe Ökonomie der Zelle, da nur von solchen Genen eine größere Anzahl von Kopien hergestellt wird, deren Produkte in großer Menge benötigt werden. Der differentielle Gebrauch multipler Schablonen ist also ein weiterer Weg, die relative Menge der Genprodukte zu regulieren.

3.6   Zellwand

Die pflanzlichen Zellen sind im typischen Falle von einer festen Zellwand, dem Sakkoderm, umgeben. Ausnahmen sind die nackten Plasmodien der Schleimpilze (Myxomyceten), Gameten und Zoosporen einiger Flagellaten und niederer Pilze sowie amöboide Stadien derselben. Der Besitz einer Zellwand ist für die Pflanzenzelle eine unerläßliche Bedingung, weil sie im ausgewachsenen Zustand eine Zellsaftvakuole besitzt, die nur noch von einem dünnen Plasmaschlauch umgeben ist. Da die Osmolarität des Zellsaftes um etwa eine Zehnerpotenz höher liegt als die des die Zelle umgebenden Mediums, würde die Zelle fortgesetzt Wasser aufnehmen und schließlich platzen, wenn der damit verbundenen Ausdehnung nicht der Druck der Zellwand entgegenwirken würde. Nackte Protoplasten pflanzlicher Zellen, die man durch enzymatischen Abbau der Zellwände erhalten kann, sind daher nur stabil, wenn Außenlösung und Zellsaft isotonisch sind. Wegen Fehlens der formbestimmenden Zellwand nehmen sie Kugelgestalt an.

Alle Zellwände einer Pflanze mit Ausnahme der die Eizelle umgebenden Haut sind zu irgendeinem späteren Zeitpunkt bei der Zellteilung als Querwände eingezogen worden. Die Zellwand ist also ein Produkt der Syntheseleistungen des Protoplasten. Aufgrund der Besonderheiten ihres Aufbaus und ihrer Zusammensetzung ist sie jedoch in der Lage, ihre mechanischen Funktionen auch nach Absterben des Protoplasten auszuüben und damit zur Festigkeit pflanzlicher Organe beizutragen.

3.6.1 Chemie der Zellwand

❗ Im wesentlichen sind es drei Gruppen von Kohlenhydraten, die im typischen Falle als Bausteine pflanzlicher Zellwände dienen: die Pektine in Form des Protopektins, die Cellulosane und die Cellulose. Außerdem enthalten die Zellwände Proteine, deren Anteil bei Dikotylen in der Größenordnung von 1 – 15 % liegt.

Protopektin: Das Protopektin, das die Hauptmasse der Interzellularsubstanz (s. unten) ausmacht, ist ein Mischpolymerisat aus sauren Polysacchariden. Hauptbestandteil ist die Pektinsäure, ein Polysaccharid aus D-Galakturonsäure, deren Carboxylgruppen zum Teil methyliert sind. Sie liegt in Verbindung mit Rhamnose vor, ist also ein Rhamnogalakturonan. Außerdem sind Seitenketten vorhanden, die aus D-Galaktose, L-Arabinose und anderen Zuckern bestehen. Die Ketten sind untereinander vernetzt (Abb. 3.**26A**), indem jeweils zwei Carboxylgruppen durch zweiwertige Ionen, etwa $Ca^{2\oplus}$ und $Mg^{2\oplus}$, miteinander verbunden sind (Abb. 3.**26B**). Diese Brücken können sich relativ leicht lösen und an anderen Stellen neu bilden, so daß ein elastisches, leicht veränderliches Gerüstwerk entsteht. Hierauf beruhen die Eigenschaften des Protopektins, das gelartigen Charakter hat und außerordentlich plastisch und hydrophil ist. Im Elektronenmikroskop erscheint es amorph.

Durch ein Gemisch von Kaliumchlorat und Salpetersäure (Schulzesches Gemisch) wird das Protopektin aufgelöst. Da die cellulosehaltigen Wände der Behandlung widerstehen, kann man auf diese Weise die Zellen eines Gewebes voneinander trennen (Mazeration). Auch durch das Enzym Pektinase kann die Interzellularsubstanz aufgelöst werden.

Cellulosane: Unter der Bezeichnung Cellulosane (= Hemicellulosen) faßt man eine Reihe nichtcellulosischer Polysaccharide zusammen, die die Hauptmasse der im elektronenmikroskopischen Bild strukturlos erscheinenden Grundsubstanz (Matrix) der Zellwand ausmachen. Man unterscheidet die Pentosane, deren Makromoleküle aus Pentosen, z. B. D-Xylose und L-Arabinose, aufgebaut sind, und die Hexosane, deren Moleküle aus Hexosen, z. B. D-Glucose, D-Mannose und D-Galaktose bestehen. Sie liegen meist als Heteroglycane vor, z. B. als Xyloglucane, Arabinogalaktane, Rhamnogalakturonane und Glucomannane, deren Moleküle aus kleineren, sich periodisch wiederholenden Einheiten bestehen und unter Umständen auch verzweigt sein können.

Abb. 3.**26** **A** Verknüpfung von Pektinmakromolekülen durch Ca$^{2\oplus}$- bzw. Mg$^{2\oplus}$-Ionen. In **B** Ca-Brücke (nach Sitte)

Die Cellulosane sind auch Bestandteile der pflanzlichen Schleime. In anderen Fällen haben sie die Funktion von Reservestoffen, wie die hauptsächlich aus Mannanen bestehende sogenannte Reserve„cellulose". Sie ist die Grundsubstanz der Sekundärwände in den Samen der Dattelpalme *(Phoenix dactylifera).*

Cellulose: Wie bereits erwähnt (S. 34), ist die Cellulose ein β-1 → 4-Glucan. Durch das Enzym Cellulase, das die β-glykosidischen Bindungen löst, werden die Cellulosemoleküle zu Cellobiose abgebaut, die ihrerseits durch Cellobiase in Glucose überführt wird. In den meisten der bekannten Lösungsmitteln ist Cellulose unlöslich, doch löst sie sich unter Erhaltung der Fadenmoleküle in Schweizers Reagens (Kupferoxidammoniak). Durch konzentrierte Schwefelsäure werden die Cellulosemoleküle bis zur Glucose aufgespalten (Holzverzuckerung). Im Gegensatz zur Stärke reagiert Cellulose mit Jod nur in Gegenwart gewisser quellend wirkender Chemikalien, z.B. Zinkchlorid. Unverholzte Cellulose färbt sich mit Chlorzinkjod blau bis dunkelviolett, verholzte dagegen gelb.

Zellwandproteine: Drei große Klassen von Zellwandproteinen werden unterschieden: die glycinreichen Proteine (GRP), die prolinreichen Proteine (PRP) und die hydroxyprolinreichen Glykoproteine (HRG). Letztere sind wohl am weitesten verbreitet und am besten untersucht. Sie zeichnen sich durch einen relativ hohen Gehalt an Hydroxyprolin aus. Es wurden drei Klassen nachgewiesen: die hydroxyprolinreichen Lectine bei Solanaceen, die Arabinogalaktan-Proteine und die **Extensine.** Hier sollen nur die letzteren berücksichtigt werden. Sie bestehen zu etwa

Abb. 3.**27 A** Ausschnitt aus einem Zellwandprotein. ara = Arabinose, gal = Galaktose, hyp = Hydroxyprolin, lys = Lysin, ser = Serin. **B** Isodityrosin. **C** Netz aus Extensin-Molekülen (rot), die helikale und nicht-helikale Bereiche aufweisen und deren Moleküle durch Isodityrosin-Bindungen (rote Punkte) vernetzt sind. Es ist in das Gerüst der Cellulosefibrillen (c) räumlich integriert, und beide sind in ein Pektin-Cellulosan-Gel, dessen Elemente durch schwarze Linien angedeutet sind, eingebettet (nach Wilson u. Fry)

einem Drittel aus Polypeptidketten, die neben Hydroxyprolin auch die Aminosäuren Serin, Lysin, Tyrosin, Histidin und Valin enthalten. Dabei treten häufig sich wiederholende kurze Peptidsequenzen auf, insbesondere ein Pentapeptid, das aus einem Serin und vier Hydroxyprolinmolekülen besteht (Abb. 3.**27 A**). Meist sind die Extensine auch reich an Lysin, wodurch sie einen basischen Charakter erhalten. Diese Ketten können untereinander durch Etherbrücken zwischen zwei Tyrosinmolekülen (Isodityrosin, Abb. 3.**27 B**) vernetzt sein. Die meisten Hydroxyprolinmoleküle tragen drei oder vier Arabinosemoleküle umfassende Seitenketten. Neben Arabinose kommt noch Galaktose vor, die an das Serin gebunden ist (Abb. 3.**27 A**).

Da eine kovalente Bindung der Extensinmoleküle an die Kohlenhydrat- und insbesondere Celluloseketten nicht nachgewiesen werden konnte, nimmt man an, daß die untereinander vernetzten Extensinmoleküle ein selbständiges Gerüst bilden, das in das Gerüst der Cellulosefibrillen räumlich integriert ist. Dies würde erklären, warum das Extensin nicht ohne Zerstörung seiner Moleküle aus der Zellwand isoliert werden kann. Danach wäre die Primärwand der Zelle eine gewebeartige Struktur, die aus zwei Polymeren besteht, nämlich Cellulose-Mikrofibrillen, die die Maschen eines Extensinnetzes durchdringen, eingebettet in ein hydrophiles Pektin-Cellulosan-Gel (Ab. 3.**27**C). Dabei wird vorausgesetzt, daß die helikale Struktur der Extensin-Moleküle durch nicht-helikale Bereiche unterbrochen wird. Die Vernetzungen durch Isodityrosin treten in Abständen von etwa 30 Aminosäuren auf.

Die Synthese der Polypeptidkette des Extensins erfolgt an den Ribosomen des ER. Zunächst wird Prolin eingebaut, das wahrscheinlich im Lumen des ER hydroxyliert wird. Vom ER wird es in den Primärvesikeln zu den Dictyosomen transportiert, wo die Anheftung der Zuckermoleküle Arabinose und Galaktose durch Glykosyltransferasen erfolgt. Dabei werden die Zucker in Form von UDP-Arabinose bzw. UDP-Galaktose bereitgestellt. Möglicherweise erfolgt jedoch auch die Hydroxylierung des Prolins im Golgi-Apparat, zum mindesten bei den Monokotyledonen. Die glykosylierten Moleküle werden in den Golgi-Vesikeln zum Plasmalemma transportiert, wo sie nach außen entleert und durch Isodityrosin-Bindungen in das vorhandene Extensin-Netzwerk eingebaut werden.

Durch die Kohlenhydratseitenketten wird die helikale Konformation des Polypeptids in Form eines steifen, stabförmigen Moleküls stabilisiert. Dies legt nahe, daß das Polymer eine strukturelle Aufgabe erfüllt. Hierfür spricht auch der Befund, daß die cellulosefreien Zellwände mancher Algen, z.B. *Chlamydomonas*, zu 70% aus Glykoproteinen bestehen, die einen hohen Anteil an Hydroxyprolin, Arabinose und Galaktose aufweisen. Die ursprüngliche Vorstellung, daß Extensin durch reversibles Brechen seiner Quervernetzungen die Zellstreckung kontrolliert, was zur Namensgebung geführt hat, läßt sich nicht länger aufrechterhalten. Vielmehr spricht alles dafür, daß das Extensin als ein strukturelles Polymer fungiert, das in der Zellwand irreversibel fixiert wird und damit deren weiteres Flächenwachstum unterbindet. Schließlich scheint eine verstärkte Bildung von Extensin auch ein Schutzmechanismus zu sein, der die Infektion durch Parasiten verhindert oder zum mindesten begrenzt, worauf hier jedoch nicht näher eingegangen werden kann.

3.6.2 Submikroskopischer Aufbau der Zellwand

Bisweilen lassen die Zellwände schon im Lichtmikroskop bei stärkerer Auflösung fibrilläre Elemente, die Makrofibrillen, erkennen, die einen Durchmesser von etwa 0,5 µm haben. Bei elektronenmikroskopischer Betrachtung erscheinen sie aus feineren Fibrillen von 10–30 nm Durchmesser zusammengesetzt, die als Mikrofibrillen bezeichnet werden. Sie stellen offenbar die strukturelle Grundeinheit der Zellwände dar. Bei höherer Auflösung erscheinen sie aus bis zu 20 noch feineren Elementen aufgebaut, die einen Durchmesser von 3,5–

5 nm haben und als Elementarfibrillen (Micellarstränge) bezeichnet werden (Abb. 3.**28D**). Diese bestehen aus je 50 – 100 Cellulosemolekülen.

Die genaue Anordnung der Cellulosemoleküle ist zwar noch nicht klar, doch gibt es gut begründete Modellvorstellungen (Abb. 3.**28E**). Danach sind alle β-Glucanketten parallel angeordnet, und zwar so, daß sich ihre reduzierenden Enden alle am gleichen Ende der Fibrille befinden. Benachbarte Ketten sind jeweils um die Länge eines halben Glucoseringes gegeneinander verschoben, so daß sich zwischen dem Ringsauerstoff des einen und einer Hydroxylgruppe des benachbarten Glucosemoleküls Wasserstoffbrückenbindungen ausbilden können. Folglich ist jedes Glucosemolekül eines jeden Stranges durch je zwei Wasserstoffbrückenbindungen mit zwei Glucosemolekülen benachbarter Celluloseketten verbunden. Auf diese Weise entstehen kristallgitterähnliche Micellarbereiche, in denen die Glucanketten parallel zueinander und in regelmäßigen Abständen voneinander angeordnet sind (Abb. 3.**28F**). Die Cellulosemoleküle können aus den kristallinen Bereichen in parakristalline Abschnitte hineinlaufen, in denen sie zwar noch mehr oder weniger parallel ausgerichtet sind, aber keine strenge Gitteranordnung mehr zeigen. Diese Anordnung bezeichnet man als „Fransenmicelle".

Zwischen den Elementarfibrillen bleiben Räume von etwa 1 nm Durchmesser ausgespart, die als intermicelläre Räume bezeichnet werden. Die Mikrofibrillen sind durch interfibrilläre Räume getrennt, deren Weite in der Größenordnung von 10 nm liegt. Im nativen Zustand ist die Zellwand gequollen, d. h. sowohl die interfibrillären als auch die intermicellären Räume sind von Wasser erfüllt.

Hinsichtlich der Fixierung der Fibrillen in der Matrix besteht noch keine Klarheit. Nach einer neueren Modellvorstellung sind die Xyloglucanmoleküle mit den an der Oberfläche der Fibrillen liegenden Cellulosemolekülen durch Wasserstoffbrückenbindungen quer vernetzt, und zwar in der gleichen Art wie die Glucanketten der Cellulosefibrillen untereinander. Jedes Xyloglucanmolekül ist mit einem Arabinogalaktanmolekül verbunden, das radial von der Cellulosefibrille fortläuft und an ein Rhamnogalakturonan gebunden ist. Da jede Cellulosefibrille von vielen Xyloglucanmolekülen bedeckt ist und andererseits jedes Rhamnogalakturonan mit zahlreichen Arabinogalaktanmolekülen verbunden ist, die von verschiedenen Cellulosefibrillen stammen, entsteht gewissermaßen ein Gerüstwerk, mit dessen Hilfe die Cellulosefibrillen in der mehr oder weniger versteiften Matrix fixiert sind.

3.6.3   Mikroskopischer Aufbau der Zellwand

Die Grenze zwischen benachbarten Zellen wird durch die Mittellamelle gebildet (Abb. 3.**28A,B**). Die Zellwände selbst erscheinen im Lichtmikroskop mehr oder weniger deutlich geschichtet. Man unterscheidet die Primärwand, die während des Weitenwachstums der Zelle gebildet wird, und die Sekundärwand, die der Primärwand nach Abschluß des Streckungs- und Weitenwachstums aufgelagert wird.

Abb. 3.**28**

Mittellamelle: Die aus Protopektin bestehende Mittellamelle verbindet als strukturlos erscheinende Kitt- oder Interzellularsubstanz die Wände benachbarter Zellen fest miteinander. Sie geht aus der Zellplatte hervor, die bei der Zellteilung in der Äquatorialebene angelegt wird. Später weichen die sich abrundenden Zellen unter lokaler Auflösung der Interzellularsubstanz an den Ecken und Kanten auseinander und bilden luftgefüllte Hohlräume, die Interzellularen (Abb. 3.**28A**). Eine derartige Entstehungsweise bezeichnet man als schizogen. Ihrer Ausdehnung nach ist die Mittellamelle unscheinbar. In der Regel läßt sie sich nur unter Anwendung besonderer mikroskopischer Methoden nachweisen.

Primärwand: Die bei der Zellteilung das Material für die Bildung der Zellplatte zum Zelläquator transportierenden Golgi-Vesikel enthalten bereits die Komponenten der Primärwand. Sie bilden unter Fusion der Golgi-Vesikel die Zellplatte. Neuere Untersuchungen haben gezeigt, daß erst nach deren Fertigstellung durch eine Umverteilung des Wandmaterials, unter Hinzufügung weiterer Polysaccharide durch Golgi-Vesikel, innerhalb der Primärwand die Mittellamelle sichtbar und dadurch die Zellwand dreischichtig wird. Die Bildung der Mittellamelle geht also nicht, wie bisher angenommen, der Anlagerung des Primärwandmaterials voraus. Wenn die Zellplatte mit der Mutterzellwand fusioniert, bildet sich an dieser eine rundherumlaufende Leiste aus, in der, von der Mittellamelle der Mutterzelle ausgehend, die Bildung der Mittellamelle innerhalb der Zellplatte von außen zum Zentrum hin fortschreitet, bis schließlich die gesamte Zellplatte dreischichtig ist. Sie besteht hauptsächlich aus sauren Pektinen. Die Primärwände enthalten Cellulose, deren Anteil mit 8 – 14% allerdings gering ist. Die Mikrofibrillen liegen wirr durcheinander und sind zu einem lockeren Gerüst verknüpft, eine Anordnung, die man als Streuungstextur bezeichnet (Abb. 3.**28B**). Sie sind in die Grundsubstanz (Matrix) eingelagert. Diese ist in ihrer chemischen Zusammensetzung dem Protopektin der Mittellamelle noch recht ähnlich und geht ohne scharfe Grenze in diese über. Die Primärwand ist sehr elastisch, läßt sich aber auch plastisch dehnen und verformen und kann somit der Größenzunahme der Zelle beim Wachstum folgen. Mit zunehmender Extensineinlagerung kommt das Wachstum schließlich zum Stillstand.

◀ Abb. 3.**28** Zellwand. **A** Zellwandschichtung im Querschnitt, schematisch. **B** Textur der einzelnen Schichten, von der Fläche her gesehen, schematisch. **C** Sekundärwandschichtung bei der Grünalge *Valonia* (Zeichnung nach einer elektronenmikroskopischen Aufnahme). **D** Bündel aus mehreren Mikrofibrillen, die im Anschnitt den Aufbau aus Elementarfibrillen erkennen lassen (schematisch). **E** Aufbau einer Elementarfibrille (Micellarstrang), in der die Cellulosemoleküle parallel angeordnet sind. Sechs Cellulose-ketten sind im Anschnitt herausgezogen. **F** Kristalline Anordnung von sechs Celluloseketten in der Elementarfibrille. Kovalente Bindungen durchgezogen. Wasserstoffbrückenbindungen in der Ebene gestrichelt, senkrecht zur Ebene rot punktiert. as = Außenschicht, ef = Elementarfibrille, i = Interzellularen, if = interfibrillärer Raum, im = intermicellärer Raum, is = Innenschicht, m = Mittellamelle, mf = Mikrofibrille, pw = Primärwand, sw = Sekundärwand, t = Tüpfel, ü = Übergangslamelle, zs = Zentralschicht

Sekundärwand: Die Sekundärwand enthält wesentlich mehr Cellulose als die Primärwand, im Extremfall bis zu 94%. Ihre Matrix besteht aus Cellulosanen und Proteinen. Die Sekundärwand zeigt sowohl eine mikroskopische als auch eine submikroskopische Schichtung. Häufig ist sie vielschichtig, wie z. B. bei der Grünalge *Valonia*. Bei vielen Tracheiden und Holzfasern kann man lichtmikroskopisch eine Außen-, Zentral- und Innenschicht unterscheiden (Abb. 3.**28A,B**). Bei submikroskopischer Betrachtung erkennt man, daß die Außenschicht in der Regel aus vier Lagen von Fibrillen besteht, während die Zentralschicht, die am mächtigsten entwickelt ist und die Hauptmasse der Zellwand bildet, aus zahlreichen Schichten aufgebaut erscheint.

Mit der Primärwand ist die Sekundärwand durch eine Übergangslamelle verbunden, die zwar noch ein Überkreuzungsgeflecht von Fibrillen besitzt, aber schon zur parallelen Anordnung der Fibrillen in den folgenden Schichten überleitet (Abb. 3.**28B**). Diese **Paralleltextur** der Fibrillen, die über weite Strecken miteinander verbändert sein können (Abb. 3.**28C** und Abb. 4.**8A**, S. 147), ist ein charakteristisches Merkmal vieler Sekundärwände. In aufeinanderfolgenden Schichten pflegt sich die Streichrichtung der Fibrillen zu überkreuzen. Die innerste, auch als **Tertiärwand** bezeichnete Schicht unterscheidet sich von der Sekundärwand sowohl in der Zusammensetzung als auch in der Textur. Sie kann von einer warzig skulpturierten Abschlußlamelle bedeckt sein.

In den Wänden faserförmiger Zellen (Abb. 3.**29**) ist die Streichrichtung der parallel gelagerten Fibrillen von ausschlaggebender Bedeutung für die mechanischen Eigenschaften. Liegen sie etwa parallel zur Längsachse der Zellen, spricht man von einer Fasertextur (**A**). Solche Fasern, wie z. B. die Ramiefaser *(Boehmeria nivea)*, besitzen eine hohe Zugfestigkeit, sind aber nur wenig dehnbar. Häufiger ist der Typus der Schraubentextur (**B**), der bei Flachs-, Hanf- und Holzfasern sowie den Tracheiden vorkommt. Hier laufen die Fibrillen in einem mehr oder weniger steilen Winkel schraubig um die Längsachse der Zellen. Manche dieser Fasern, z. B. die Palmfasern von *Cocos,* zeichnen sich durch eine starke Dehnbarkeit aus. Seltener ist der Typus der Ringtextur (**C**), bei dem die Fibrillen etwa senkrecht zur Längsachse der Zelle verlaufen. Möglicherweise handelt es sich aber auch hier um sehr flache Schrauben.

Tüpfel: Trotz Ausbildung der Sekundärwand bleibt die Verbindung benachbarter Zellen durch Plasmodesmen erhalten. Beim Dickenwachstum der Zellwand werden bestimmte Bereiche durch Plasmawülste offengehalten, die die Mikrofibrillen beiseiteschieben, so daß diese einen Ringwulst bilden (Abb. 3.**30A**). Derartige unverdickte Bereiche der Zellwand bezeichnet man als Tüpfel. Bei starker Verdikkung der Zellwände entstehen auf diese Weise regelrechte Tüpfelkanäle. Die Schließhäute der Tüpfel, die aus der Mittellamelle und den beiden Primärwänden der benachbarten Zellen bestehen, sind von zahlreichen Plasmodesmen durchsetzt.

Ein besonderer Typus, der **Hoftüpfel,** ist für die Wasserleitungsbahnen charakteristisch. Die verhältnismäßig große Schließhaut dieser Tüpfel wird beidseitig, bei an lebenden Zellen grenzenden Tüpfeln allerdings nur einseitig von der Zell-

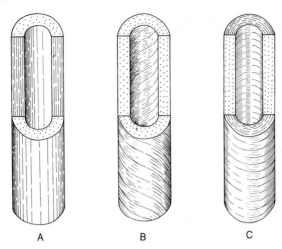

Abb. 3.**29**   Ausschnitte aus Faserzellen, schematisch. **A** Faser-, **B** Schrauben-, **C** Ringtextur

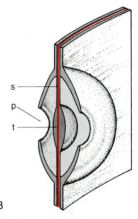

Abb. 3.**30**   Tüpfel. **A** Anlage eines Tüpfels in der Primärwand der *Avena*-Koleoptile. Übergang von der Streuungstextur der Primärwand zur Paralleltextur der Sekundärwand (Zeichnung nach einer elektronenmikroskopischen Aufnahme von Böhmer). **B** Beidseitig behöfter Tüpfel von *Pinus*, aufgeschnitten. Mittellamelle rot. s = Schließhaut, p = Porus, t = Torus

wand überwallt (Abb. 3.**30B**), so daß nur ein verhältnismäßig kleiner zentraler Porus offen bleibt. Hierdurch entsteht in Aufsicht das Bild eines „Hofes". Bei den meisten Gymnospermen ist die Schließhaut in der Mitte zum Torus verdickt, während der Rand (Margo) unverdickt bleibt. In einigen Fällen, z. B. bei den Pinaceae, besteht die Schließhaut in diesem Bereich sogar nur noch aus Bündeln cellulosischer Mikrofibrillen, die vom Torus zum Rand hin überwiegend radial orientiert sind. Das gesamte nicht-cellulosische Wandmaterial der Mittellamelle und der beiden Primärwände wurde hier aufgelöst. Hierdurch wird der Wasserdurchtritt stark erleichtert. Infolge dieser elastischen Aufhängung wird der Torus beim Auftreten einseitigen Druckes gegen den Porus gepreßt und verschließt diesen.

Zusammenfassung

Die kleinste selbständig lebensfähige morphologische Einheit ist der Protoplast, d. h. der plasmatische Inhalt einer Zelle. Die Hauptmasse des Protoplasten macht das Cytoplasma aus. Es enthält den Zellkern, Mitochondrien und Plastiden bzw. deren Vorstufen. Microbodies, Dictyosomen, das endoplasmatische Reticulum, Ribosomen sowie Lipidtröpfchen u. a. Zelleinschlüsse.

Die ersten Lebewesen waren wahrscheinlich Prokaryoten, deren Zellen noch nicht durch Membranen kompartimentiert waren. Aus ihnen haben sich die Eukaryoten entwickelt, die einen Zellkern besitzen und die typische Kompartimentierung verschiedener Stoffwechselbereiche aufweisen.

Die Protoplasten sind nach außen durch eine Biomembran, das Plasmalemma, begrenzt. Sie stehen mit den Protoplasten benachbarter Zellen durch Plasmodesmen in Verbindung. Zu den Microbodies zählen die Glyoxysomen und Peroxisomen. Sie sind von einer einfachen Membran umgeben. In den Glyoxysomen erfolgt der Abbau der Fette, während die Peroxisomen die Organellen der Photorespiration sind. Das ebenfalls von einer einfachen Membran begrenzte endoplasmatische Reticulum (ER) ist sowohl Syntheseort als auch intrazelluläres Transportsystem. Seine Ausdehnung wechselt in Abhängigkeit vom physiologischen Zustand der Zelle sehr rasch. Im Gegensatz zum glatten ER sind die Membranen des rauhen ER auf der Außenseite von Polysomen besetzt.

Dictyosomen bestehen aus flachen, von einfachen Membranen begrenzten Zisternen, die paketartig übereinander geschichtet sind. Bei der Pflanze synthetisieren sie vor allem Zellwandpolysaccharide bzw. deren Vorstufen mit Ausnahme der Cellulose. Das synthetisierte Material wird in Vesikel verpackt zur Peripherie der Zelle transportiert, durch das Plasmalemma hindurchgeschleust und als Zellwandmaterial benutzt. Die Gesamtheit der Dictyosomen bezeichnet man als Golgi-Apparat.

Ihren Sedimentationskoeffizienten entsprechend unterscheidet man 80 S und 70 S Ribosomen. Erstere kommen im Cytoplasma der Eukaryoten vor, letztere im Cytoplasma der Prokaryoten sowie in den Plastiden und Mitochondrien der Eukaryoten. Sie sind die Orte der Proteinsynthese.

Die Mitochondrien sind von zwei Membranen begrenzte Organelle, die Kontinuität besitzen, d. h. von Zelle zu Zelle weitervererbt werden. Die inneren Membranen sind zu Falten, Röhren oder Säckchen eingestülpt. Die Mitochondrien enthalten die Enzyme des Citronensäurezyklus, der Atmungskette, der oxidativen Phosphorylierung und des Fettsäureabbaues. Außerdem regulieren sie die Ionenzusammensetzung des Cytoplasmas. Sie können durch Teilung auseinander hervorgehen oder aus Vorstufen (Promitochondrien) entstehen. Sie enthalten DNA und Ribosomen und sind zu einer begrenzten eigenständigen Proteinsynthese befähigt.

Die Plastiden sind den Pflanzen eigene Organelle, die von einer aus zwei Biomembranen bestehenden Plastidenhülle begrenzt sind. Die farblosen Leukoplasten speichern vor allem Reservestoffe. Die Chromoplasten, die für die Färbung zahlreicher Blüten und Früchte verantwortlich sind, enthalten große Mengen an Carotinoiden. Die Chloroplasten sind die Orte der Photoynthese. Durch Einstülpung der inneren Membran entstehen Thylakoide, auf denen die Chlorophylle und Carotinoide sowie die Bestandteile der Elektronentransportkette und der Photophosphorylierung lokalisiert sind. Auch die Chloroplasten besitzen Kontinuität und gehen entweder durch Teilung auseinander hervor oder entstehen aus Proplastiden. Sie besitzen ebenfalls DNA und Ribosomen und sind zu einer begrenzten Proteinsynthese befähigt.

Der Zellkern ist durch die aus zwei Biomembranen bestehende Kernhülle, die Perinuclealzisterne, begrenzt. Diese ist von Poren durchbrochen, die mit einem Porenapparat ausgestattet sind und Transportfunktionen haben. Der Kern ist von Karyoplasma erfüllt. außerdem enthält er das Chromatin und die Nucleoli. Das Chromatin besteht aus den dekondensierten, feinfädigen Chromosomen, die auch während der Interphase in gewissen Abschnitten an die Kernhülle angeheftet sind. Die in Ein- oder Mehrzahl vorhandenen Nucleoli sind die Bildungstätten der Ribosomenvorstufen.

Das Chromatin besteht aus DNA, RNA und Proteinen. Bei den letzteren sind die basischen Histone sowie die überwiegend sauren Nicht-Histonproteine zu unterscheiden. Das Chromatin läßt perlschnurartig aufgereihte Partikel, die Nucleosomen, erkennen. Sie bestehen aus den Histonen PH2A, B, H3 und H4 und sind von $1\frac{3}{4}$ Windungen des DNA-Stranges umwunden. Sie sind durch bis zu 80 Nucleotide umfassende DNA-Abschnitte, die sogenannten Linker, voneinander getrennt. Durch Anlagerung des Histons H1 entsteht eine als Solenoid bezeichnete Schraube.

Vor Eintritt der Kern- und Zellteilung (Mitose) wird die DNA-Doppelhelix eines jeden Chromosoms repliziert. Jedes Chromosom besteht dann aus zwei Chromatiden. Zu Beginn der Mitose wird es aus der langgestreckten Funktionsform in die kompakte Transportform überführt. Es bildet sich ein Spindelapparat aus, der die Chromosomen im Zelläquator anordnet. Hierauf erfolgt die endgültige Trennung der Chromatiden, die als Tochterchromosomen zu den beiden Polen der Zelle transportiert werden. Gegen Ende der Mitose erfolgt die Neubildung der Kerne und schließlich die Durchtrennung der Zelle durch eine neue Zellwand.

Die Pflanzenzelle ist in der Regel von einer Wand (Sakkoderm) umgeben, die in der Mehrzahl der Fälle aus Cellulose besteht. Die Cellulosemoleküle aggregieren abschnittsweise unter Ausbildung von Wasserstoffbrücken zu Micellarsträngen (Elementarfibrillen), die ihrerseits zu Mikrofibrillen zusammengelagert werden. Diese können zu lichtmikroskopisch nachweisbaren Makrofibrillen aggregieren.

Die Zellwände benachbarter Zellen sind durch eine aus Protopektin bestehende Interzellularsubstanz, die Mittellamelle, miteinander verkittet. Die Zellwände sind geschichtet. Die an die Mittellamelle grenzende Primärwand enthält nur wenig Cellulose und besteht im wesentlichen aus Cellulosanen und hydroxyprolinreichen Zellwandproteinen, deren Anteil

1 – 15% betragen kann. Hierzu zählt das Extensin, dessen Moleküle ebenfalls untereinander vernetzt sind. Das Polysaccharid- und das Extensingerüst durchdringen sich gegenseitig. Durch das Extensin wird das Flächenwachstum der Zellwand kontrolliert. Hauptbestandteil der Sekundärwand ist die Cellulose, die in eine aus Cellulosanen bestehende Grundsubstanz eingebettet ist. Um den Kontakt zwischen benachbarten Zellen aufrechtzuerhalten, werden bei der Sekundärwandbildung bestimmte Bereiche, die Tüpfel, ausgespart. In den Tüpfeln sind die Zellen von den Nachbarzellen nur durch eine dünne Schließhaut abgegrenzt, die bei lebenden Zellen von Plasmodesmen durchsetzt ist.

4   Differenzierung der Zelle

Die Tatsache, daß die Entwicklung der höheren Organismen ihren Ausgang von der Eucyte und nicht von der Procyte genommen hat, ist zweifellos darauf zurückzuführen, daß die Aufgliederung der Eucyte in Reaktionsräume eine ungleich bessere Regulation und Koordinierung gleichzeitig ablaufender physiologischer Vorgänge ermöglicht. Ein weiterer entscheidender Schritt in der Evolution war nun die **Arbeitsteilung,** d. h. die Spezialisierung bestimmter Zellen auf bestimmte Funktionen.

Diese Arbeitsteilung bringt für den vielzelligen Organismus eine ganze Reihe von Evolutionsvorteilen. So stellt die Übernahme bestimmter physiologischer Leistungen durch spezialisierte Zellen eine Weiterführung des Kompartimentierungsprinzips dar, indem eben nicht mehr nur bestimmte Kompartimente einer Zelle, sondern bestimmte Zellen und Gewebe eine Funktion überwiegend oder ausschließlich übernehmen. Die Ausbildung leistungsfähiger reproduktiver Gewebe ermöglicht die Produktion einer größeren Anzahl von Fortpflanzungszellen. Die Fähigkeit, ständig neue Zellen zu bilden und ältere zu ersetzen, die für die höhere Pflanze so charakteristisch ist, ist die Voraussetzung für eine hohe Lebensdauer. Schließlich erleichtert die Ausbildung spezialisierter Zellen die Anpassung an extreme Standorte.

Ein erster Schritt in diese Richtung war die Ausbildung reproduktiver Zellen und Gewebe, die die Funktion der Zellteilung und Fortpflanzung übernahmen, während die übrigen Zellen als Grund- und Arbeitsgewebe dienten. Anpassungen an bestimmte Lebensräume, insbesondere aber das Vordringen in den Luftraum, machten weitere Spezialisierungen notwendig. Das Ergebnis dieser Entwicklung ist die höhere Pflanze, deren Vegetationskörper aus einer Vielzahl verschiedener Zellen besteht.

Die Entwicklung von Zellen verschiedener Struktur und Funktion aus ursprünglich gleichartigen meristematischen Zellen (s. unten) bezeichnen wir als **Differenzierung.** Hierbei wird in jeder in den Differenzierungsprozeß eintretenden Zelle nur der Teil der genetischen Information realisiert, der die künftige Funktion betrifft. Es ist selbstverständlich, daß dies nach einem bestimmten Plan, also koordiniert, geschehen muß, was das Bestehen von Wechselwirkungen (Korrelationen, S. 480) mit anderen Zellen und Organen der Pflanze zur Voraussetzung hat.

4.1   Gewebetypen

Vergleicht man den Bau einer meristematischen Pflanzenzelle mit dem einer tierischen Zelle, so fällt, wenn man von der zunächst noch dünnen Primärwand und
den Plastiden absieht, eine gewisse Übereinstimmung auf. Mit Einsetzen des Län-
genwachstums und der Differenzierungsvorgänge ändert sich jedoch der Charakter der Pflanzenzelle sehr wesentlich. Dies hat seinen Grund einerseits in der Ausbildung der zentralen Zellsaftvakuole, andererseits in der besonderen Ausgestaltung der Zellwand, deren mechanische Qualitäten für viele Funktionen von ausschlaggebender Bedeutung sind. Vakuolenbildung und Zellwandwachstum sind
also zwei eng miteinander verbundene, sich gegenseitig bedingende Prozesse, die
an den Differenzierungsvorgängen maßgeblich beteiligt sind. Darüber hinaus
können die Eigenschaften der Zellwände noch durch sekundäre An- oder Einlagerungen verändert werden. Aber auch die Synthese von Zellinhaltsstoffen, zu der
häufig nur ganz bestimmte Zellen befähigt sind, ist ein Differenzierungsprozeß.

Differenzierungsvorgänge äußern sich also sowohl in der Ausbildung bestimmter
morphologischer Merkmale als auch in der Entwicklung besonderer physiologischer Leistungen. Alle diese Veränderungen sind Leistungen des Protoplasten,
dessen Organelle und Strukturen im Differenzierungsprozeß ebenfalls gewisse
Veränderungen erfahren können, wie etwa die Entwicklung der Chloroplasten aus
den Proplastiden u.a.

▉ In der Regel sind in der Pflanze Zellen gleicher Funktion zu Komplexen zusammengeschlossen, die man als **Gewebe** bezeichnet. Grundsätzlich unterscheiden wir Bildungsgewebe (Meristeme), deren Zellen teilungsfähig und noch
nicht funktionell differenziert sind, und Dauergewebe, die im Laufe des Differenzierungsprozesses eine bestimmte Gestalt und Funktion erhalten haben.
Homogene Gewebe bestehen aus nur einer Art von Zellen, heterogene Gewebe
aus verschiedenen Zelltypen. Letztere bezeichnet man auch als **Gewebesysteme.** Sind in ein homogenes Gewebe einzelne Zellen abweichenden morphologischen und physiologischen Charakters eingestreut, bezeichnet man sie als
Idioblasten.

Meristeme: Die Apikalmeristeme, die die Spitzen der Wurzeln und Sproßachsen
einnehmen, gliedern auf der proximalen Seite Zellen ab, die dann in den Differenzierungsprozeß eintreten (primäres Wachstum). Diese Meristeme behalten also
ihren meristematischen Charakter von Beginn der Embryonalentwicklung an bei,
auch wenn sie vorübergehend ihre Teilungsaktivität einstellen (Restmeristeme).
Das sekundäre Wachstum, das zu einer Umfangserweiterung des primär gebildeten Pflanzenkörpers führt, erfolgt mit Hilfe lateraler Meristeme, zu denen das
Kambium und das Phellogen zählen. Diese entstehen ganz oder teilweise aus Dauergeweben, deren bereits differenzierte Zellen unter Rückdifferenzierung ihre

Teilungsfähigkeit wiedererlangen, also meristematisch werden. Sind nur einzelne Zellen zu Teilungen befähigt, nennt man sie **Meristemoide**.

Nach einer anderen Terminologie unterscheidet man primäre und sekundäre Meristeme. Erstere behalten ihre Teilungsfähigkeit vom Embryonalzustand an bei, während letztere durch Rückdifferenzierung von Dauerzellen (s. oben) wieder teilungsfähig werden.

Bei den Dauergeweben lassen sich, der Funktion entsprechend, folgende Gewebearten unterscheiden:

1. **Grundgewebe:** Sie bestehen meist aus etwa isodiametrischen Zellen und werden, je nach vorherrschender Funktion, weiter in Speicher-, Photosynthese-, Durchlüftungs-, Mark- u. a. Gewebe untergliedert.

2. **Abschluß- oder Hautgewebe:** Als äußere Häute schützen sie oberirdische Organe vor mechanischen Beschädigungen und vermindern Transpirationsverluste. Als innere Häute grenzen sie bestimmte Gewebe voneinander ab. Zu den Abschlußgeweben zählen die Epidermis mit ihren Anhangsgebilden, die Cutisgewebe, die Endodermis und die Korkgewebe.

3. **Absorptionsgewebe:** Sie dienen der Aufnahme von Wasser und darin gelösten Stoffen, wie die Rhizodermis und die Absorptionshaare.

4. **Leitungsgewebe:** Ihre Aufgabe ist der Transport von Wasser und darin gelösten anorganischen und organischen Stoffen über größere Entfernungen. Zu ihnen zählen die Tracheiden, die Gefäße sowie Siebzellen und Siebröhren.

5. **Festigungsgewebe:** Sie verleihen den pflanzlichen Organen die erforderliche mechanische Festigkeit, wobei wir Kollenchyme und Sklerenchyme unterscheiden.

6. **Sekretionsgewebe:** Ihnen obliegt die Ausscheidung bzw. Absonderung von Stoffen. Zu ihnen zählen die ungegliederten und gegliederten Milchröhren, Harzkanäle, Ölbehälter und Drüsenzellen.

7. **Reproduktive Gewebe:** Sie dienen der Fortpflanzung.

8. **Gewebesysteme:** Ein Beispiel hierfür sind die Leitbündel, in denen Gefäße, Tracheiden, Siebröhren, Geleitzellen sowie parenchymatische und sklerenchymatische Elemente zu einem komplexen Leitungssystem zusammengefaßt sein können.

4.2   Bildung der Zellsaftvakuole

Das Wachstum pflanzlicher Zellen erfolgt unter Wasseraufnahme. Das erste Symptom, das den Beginn der Zellvergrößerung und somit das Ende der meristematischen Phase anzeigt, ist daher die Bildung des Vakuoms, wie man die Gesamtheit der Vakuolen einer Pflanzenzelle nennt (Abb. 4.**1**). War bisher die ganze Zelle vom Plasma erfüllt, so bilden sich jetzt infolge eines ständigen Membranflusses aus dem ER über den Golgi-Apparat zahlreiche kleine Vakuolen, die durch eine Biomembran vom Cytoplasma abgegrenzt sind (**A**). Unter fortgesetzter Wasseraufnahme vergrößern sie sich und fusionieren mit anderen Vakuolen (**B**). Schließlich treten sie zu einer zentralen Zellsaftvakuole zusammen, die fast den gesamten Raum der Zelle einnimmt und den Protoplasten auf einen dünnen Wandbelag zurückdrängt (**C**). Ist der Zellkern in einer Plasmatasche im Vakuolenraum aufgehängt, so ist dieser von einem feinen Netz plasmatischer Fäden durchzogen (**D**).

Sowohl die Gestalt des Netzes als auch die Lage der Plasmatasche ändern sich im lebenden Zustand ständig. Hieran haben die Plasmaströmungen, die sich anhand mitgeschleppter Zelleinschlüsse mikroskopisch verfolgen lassen, wesentlichen Anteil. Die Strömungsrichtung ist sowohl in den einzelnen Plasmasträngen als auch in verschiedenen Bereichen des plasmatischen Wandbelages verschieden und kann sich ändern. Wir bezeichnen diesen Typus als **Zirkulation.** In Zellen, die nur einen wandständigen Plasmaschlauch besitzen, strömt das Plasma häufig in einer Richtung an der Zellwand entlang. Die auf den gegenüberliegenden Seiten der Zelle in entgegengesetzter Richtung verlaufenden Ströme greifen auch auf den Plasmabelag der Seitenwände über, wo sie durch einen Bereich ruhenden Plasmas (Indifferenzstreifen) getrennt sind. Dieser Typus wird als **Rotation** bezeichnet. Darüber hinaus sind noch weitere Strömungstypen bekannt. Die Plasmagrenzschichten werden von der Strömung nicht erfaßt. Bei manchen Objekten scheinen die Plasmaströmungen ohne ersichtlichen äußeren Anlaß zu erfolgen. In anderen Fällen werden sie durch Einflüsse von außen hervorgerufen (S. 535).

Der Protoplast wird von der Vakuole durch eine Biomembran, den Tonoplasten, abgegrenzt. Bei elektronenmikroskopischer Betrachtung bietet der **Tonoplast** das gleiche Bild wie das Plasmalemma (Abb. 2.**3**, S. 49). Dennoch unterscheidet er sich von diesem in zahlreichen Eigenschaften, insbesondere in seiner Ausstattung mit Pumpen und Kanälen, und infolgedessen in seiner selektiven Permeabilität. So wird z. B. die Tonoplasten-ATPase, im Gegensatz zur Plasmalemma-ATPase, durch Vanadat nicht gehemmt, während im Falle des Nitrat-Ions die Verhältnisse genau umgekehrt liegen. $Ca^{2\oplus}$ wird durch den Tonoplasten nicht mit Hilfe einer Calciumpumpe befördert, sondern durch einen Antiport im Austausch gegen Protonen (S. 58 ff.).

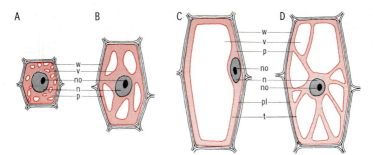

Abb. 4.1 Vakuolenbildung, schematisch. Cytoplasma rot gerastert, Plasmalemma und Tonoplast durch rote Linien markiert. **A** Zelle zu Beginn des Streckungswachstums mit zahlreichen kleinen Vakuolen. **B** In Streckung begriffene Zelle mit zahlreichen Vakuolen. **C** Zelle nach Abschluß des Streckungswachstums. Die Vakuole hat das Plasma auf einen Wandbelag zurückgedrängt. **D** Wie **C**, doch ist hier der Kern in einer Plasmatasche im Innern der Vakuole an Plasmafäden aufgehängt. n = Zellkern, no = Nucleolus, p = Plasma, pl = Plasmalemma, t = Tonoplast, v = Vakuole, w = Zellwand

⚠ Infolge der selektiven Permeabilität der Plasmagrenzschichten stellt die Pflanzenzelle nach Abschluß der Zellstreckung ein osmotisches System dar. Da im Zellsaft zahlreiche Stoffe gelöst sind (s. unten), ist sein osmotisches Potential meist erheblich höher als das des Mediums, das die Zelle umgibt. Infolgedessen nimmt die Zelle Wasser auf. Hierdurch entsteht ein Innendruck, der **Turgor,** der den Protoplasmaschlauch gegen die Zellwand preßt und diese dabei dehnt.

Die Wasseraufnahme hält so lange an, bis der mit zunehmender Spannung der Zellwand größer werdende Wanddruck, der dem Turgor entgegenwirkt, einem weiteren Wassereinstrom Einhalt gebietet. Der Turgor trägt erheblich zur Festigkeit des Pflanzenkörpers bei, insbesondere bei krautigen Pflanzen, die verhältnismäßig arm an Festigungselementen sind.

4.3   Zellinhaltsstoffe

Die Syntheseleistungen der pflanzlichen Zellen übersteigen die der tierischen beträchtlich. Dies gilt sowohl in quantitativer als auch in qualitativer Hinsicht. Ein großer Teil der Syntheseprodukte wird in die Vakuole transportiert, so daß im Zellsaft zahlreiche Stoffe gelöst sind. Hierzu zählen neben den anorganischen Ionen auch organische Anionen, wie Malat, Citrat und Oxalat, sowie Aminosäuren, Zucker in Form von Mono-, Di- und Oligosacchariden, wasserlösliche Farbstoffe und die sogenannten sekundären Pflanzenstoffe.

Die Konzentration der gelösten Stoffe kann beträchtliche Werte erreichen, in manchen Fällen mehrere hundert mM. So beträgt z. b. die Saccharose-Konzentration in den Parenchymzellen des Zuckerrohrs 0,6 M. Der damit verbundene starke Anstieg des osmotischen Potentials wird bei zahlreichen Pflanzen dadurch verhindert, daß ein Teil der gelöst vorliegenden Substanzen in eine osmotisch unwirksame Form überführt wird, und zwar entweder durch Ausfällen in unlöslicher Form oder durch Kondensation zu Makromolekülen. Bei den letzteren handelt es sich um Reservestoffe, die unter Hydrolyse wieder in eine lösliche Form gebracht, d. h. mobilisiert werden können. Von manchen Zellen werden aber auch Sekrete bzw. Exkrete gebildet, die entweder im Zellraum abgelagert oder aber, wie im Falle der Drüsenzellen, nach außen abgeschieden werden. Es sind also keineswegs alle Zellen einer Pflanze gleichermaßen zu allen Syntheseleistungen befähigt, woraus folgt, daß auch über die Bildung von Zellinhaltsstoffen im Differenzierungsprozeß entschieden wird.

4.3.1   Reservestoffe

Obwohl Reservestoffe als Produkte des Primärstoffwechsels grundsätzlich in jeder Zelle vorkommen können, wird die Funktion der Stoffspeicherung meist von bestimmten Zellen, Geweben und Organen übernommen. In diesen können sich die Reservestoffe in so großen Mengen anreichern, daß sie fast die gesamte Zelle erfüllen.

Kohlenhydrate: Unter den Speicherstoffen nehmen die Kohlenhydrate eine hervorragende Stellung ein. Sie können im Zellsaft gelöst sein, wie die Monosaccharide Glucose (Traubenzucker) und Fructose (Fruchtzucker), die z. B. in Früchten weit verbreitet sind, sowie die Disaccharide Maltose (Malzzucker) und Saccharose (Rohrzucker), von denen die letztere in großer Menge in den Zuckerrüben und im Zuckerrohr vorkommt (s. oben). Meist liegen sie jedoch als Polysaccharide vor, die in beliebig großer Menge abgelagert werden können, ohne daß die Gefahr einer osmotischen Schädigung besteht. So kann z. B. das typisch pflanzliche Reservekohlenhydrat, die **Stärke**, im Getreidekorn bis zu 70% des Frischgewichtes erreichen. Die Stärkekörner können konzentrisch oder exzentrisch geschichtet, rund, oval oder anders gestaltet, einfach oder zusammengesetzt sein (Abb. 4.**2**). Haferstärke kann aus mehreren hundert Einzelkörnern bestehen.

❗ Die Bildung der Stärkekörner erfolgt in den **Amyloplasten.** Die Schichtung kommt dadurch zustande, daß Bereiche geringerer und höherer Dichte einander abwechseln, wobei in jeder Schicht der Bereich höherer Dichte innen liegt. Bei der Kartoffel werden täglich zwei bis drei Schichten gebildet.

Umgibt der Amyloplast das entstehende Stärkekorn in gleichmäßiger Dicke, ist die Schichtung konzentrisch. Liegt der Herd der Stärkebildung nicht genau in der Mitte des Amyloplasten, so ist das Korn exzentrisch geschichtet. Mit zunehmender Stärkeablagerung wird die umgebende Schicht der Amyloplasten immer dün-

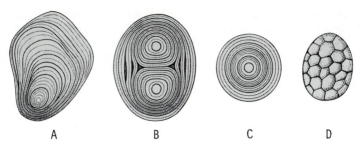

A   B   C   D

Abb. 4.2 Stärkekörner. **A–B** Kartoffelstär- **C** Weizenstärke, **D** Haferstärke (nach Kny,
ke, in **A** einfach, in **B** zusammengesetzt, Gassner)

ner, bis nur noch ein Häutchen übrig bleibt, das schließlich auch noch platzen
kann. Die Zellen des Endosperms der Getreidekörner sind schließlich ganz mit
Stärkekörnern vollgestopft (Abb. 4.**3A**), und das Endospermgewebe stirbt ab. In
der natürlich vorkommenden Stärke finden sich sowohl Amylose als auch Amylo-
pektin.

Zum Stärkenachweis benutzt man elementares Jod, das in einer Kaliumjodidlö-
sung gelöst wird (Jod-Jodkaliumlösung). Die Jodmoleküle lagern sich im Innern
des schraubenförmigen Stärkemoleküls ab, was zu einer starken Absorption der
langwelligen sichtbaren Strahlung, d. h. zu einer blau-violetten Färbung führt. Mit
zunehmender Spaltung der Stärkemoleküle in kürzere Teilstücke, die Dextrine,
wird der Farbton rötlich, um schließlich ganz zu verschwinden. Weitere als Reservestoffe dienende Polysaccharide wurden bereits auf S. 35 besprochen.

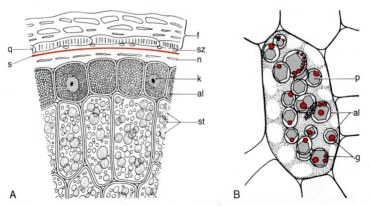

A   B

Abb. 4.3 Speichergewebe. **A** Querschnitt boid (rot), k = Zellkern, n = Nucellarschicht,
durch ein Weizenkorn (ca. 200fach), **B** Zelle p = Proteinkristalloid, q = Querzellen, s =
aus dem *Ricinus*-Endosperm (ca. 1000fach). Samenschale (rot), st = Stärkekörner, sz =
al = Aleuronkörner, f = Fruchtschale, g = Glo- Schlauchzellen (nach Strasburger, Kny)

Proteine: Als Speicherproteine bezeichnet man die Proteine der Samen, die als Reserve an reduziertem Stickstoff dienen. Die Hauptspeicherproteine der Dikotyledonen, z.B. der Leguminosen, sind die **Globuline.** Sie lösen sich nicht in Wasser, wohl aber in Salzlösungen. Sie sind reich an Glutamin und/oder Asparagin, doch fehlen ihnen die schwefelhaltigen Aminosäuren Cystein und Methionin. Die Reserveproteine der Getreide sind die vor allem Prolin und Glutamin enthaltenden **Prolamine,** die sich in wäßrigem Alkohol (60–80%) lösen, und die **Gluteline,** die nur in unverdünnten Säuren oder Alkalien löslich sind. Zum Teil liegen die Speicherproteine auch als Glykoproteine vor.

Die Speicherform der Reserveproteine sind die Proteinkörper, die z.B. auch als **Aleuron**körner (Abb. 4.3) bezeichnet werden. Eine scharfe begriffliche Abgrenzung ist nicht möglich. Sie finden sich entweder im Mesophyll der Kotyledonen oder im Endosperm. In großen Mengen kommen sie in der nach ihnen benannten Aleuronschicht der Getreidekörner vor (Abb. 4.3A), die beim weißen Mehl in der Kleie zurückbleibt, im Vollkornbrot hingegen enthalten ist. Aber auch die Zellen des Mehlendosperms enthalten Proteine in Form des sogenannten Klebers, der die Backfähigkeit des Mehls bestimmt. Außerdem können Reserveproteine auch im Zellsaft gelöst vorliegen.

🛈 Meist sind jedoch die Reserveproteine durch eine Biomembran, die in ihrer Zusammensetzung dem Tonoplasten sehr ähnlich zu sein scheint, in Kompartimente eingeschlossen. Auf diese Weise werden sie dem Angriff von Proteasen entzogen. In der überwiegend aus Proteinen bestehenden Matrix der Aleuronkörner findet man häufig, z.B. bei *Ricinus communis* (Abb. 4.3B), etwa kugelige Globoide, die aus **Phytin** bestehen, dem Calcium-Magnesium-Salz der Inosithexaphosphorsäure, das als Phosphatspeicher dient. Außerdem treten bei *Ricinus,* wie in den Aleuronkörnern mancher anderer Samen, Proteinkristalloide auf, die sich von echten Kristallen durch ihre Quellbarkeit unterscheiden.

Die Biosynthese der Reserveproteine erfolgt im Regelfall am rauhen ER. Die synthetisierten Polypeptidketten gelangen durch die Membran in den Innenraum des ER, in dem sie, zumindest in manchen Fällen, durch Anhängen von Zuckern glykosyliert werden. In Primärvesikel verpackt werden sie zu den Dictyosomen transportiert, in denen wahrscheinlich noch ein weiterer Umbau stattfindet und, sofern vorhanden, die Oligosaccharide wieder abgetrennt werden. Der weitere Transport erfolgt in den Golgi-Vesikeln, die zu den Proteinvakuolen wandern und ihren Inhalt unter Membranfusion in diese entleeren. Durch Anreicherung der Proteine und Wasserabgabe gehen diese allmählich in Proteinkörper über. Bei der Mobilisierung werden die Speicherproteine durch proteolytische Enzyme, die in die Proteinkörper abgegeben werden, zu den Aminosäuren abgebaut. Beim Getreidekorn, dessen Endosperm abgestorben ist, werden die Enzyme von der umgebenden Aleuronschicht synthetisiert und diffundieren in das gequollene Endosperm. Glykoproteine werden durch Proteasen und Glykosidasen zu Aminosäuren bzw. Hexosen abgebaut.

Lipide: Die Speicherlipide liegen in Pflanzenzellen in der Regel als Öle vor, da sie einen hohen Anteil an ungesättigten Fettsäuren enthalten. Sie sind die Hauptreservestoffe mancher Algen sowie der ölreichen Samen einiger höherer Pflanzen (Lein, Raps, *Ricinus,* Sonnenblume, Erdnuß u. a.), wo ihr Anteil bis zu 70 % der Trockensubstanz ausmachen kann. Sie können sowohl im Endosperm als auch in den Speicherkotyledonen enthalten sein. Auch das Fruchtfleisch der Olive ist fettreich. Die als **Oleosomen** bezeichneten Fetttröpfchen sind offenbar von einer einfachen Lipidschicht umgeben, deren hydrophile Seite außen liegt. Bei der Mobilisierung werden die Fette zunächst durch Lipasen an der Innenseite der Hülle in Fettsäuren und Glycerin gespalten, deren weitere Verarbeitung auf S. 334 beschrieben ist.

4.3.2 Sekrete und andere Zellinhaltsstoffe

Während der ständige Austausch gasförmiger Stoffe bei Tier und Pflanze gleichermaßen eine Rolle spielt, hat die Ausscheidung von Stoffwechselprodukten in fester, flüssiger oder gelöster Form, die für den tierischen Organismus so wesentlich ist, für die Pflanzen eine ungleich geringere Bedeutung. Bei den Ausscheidungsprodukten handelt es sich entweder um nicht mehr benötigte bzw. nicht mehr verwendbare Stoffwechselprodukte oder aber um Substanzen, die nur noch außerhalb der Zelle bzw. des Organismus eine Funktion erfüllen. Sie werden entweder in den Vakuolen bestimmter Zellen oder in besonderen Hohlräumen deponiert oder durch Drüsenzellen nach außen abgeschieden. Die Synthese der Ausscheidunsprodukte erfolgt entweder in den Dictyosomen oder im granulären ER, sofern sie nicht in Form zunächst noch wasserlöslicher Stoffwechselprodukte in anderen Bereichen der Zelle anfallen.

❗ Die Abgrenzung von Exkreten und Sekreten ist nicht immer leicht. Die Bezeichnung **Exkrete** verwendet man für nicht mehr verwendbare Stoffwechselschlacken, die zwangsläufig im Stoffwechsel anfallen. Dagegen bezeichnet man als **Sekrete** solche Ausscheidungsprodukte, die für den Organismus im Zusammenleben mit seiner Umwelt noch eine Bedeutung haben. Allerdings fällt gerade bei Pflanzen eine Entscheidung oft sehr schwer, da die Bedeutung des ausgeschiedenen Stoffes für die Pflanze keineswegs in allen Fällen bekannt ist.

Salzkristalle: Neben den zahlreichen Salzen, die im Zellsaft gelöst und überwiegend in Ionen dissoziiert vorliegen, sind in den Vakuolen pflanzlicher Zellen häufig auch Kristalle schwerlöslicher Salze zu finden. Dabei handelt es sich meist um Calciumoxalat, das die im Stoffwechsel anfallende Oxalsäure, die ein starkes Zellgift darstellt, in unlöslicher Form ausfällt und damit entgiftet. In den monoklinen Kristallen liegt es als Monohydrat $Ca(COO)_2 \cdot H_2O$ vor, in den tetragonalen Kristallen als Dihydrat $Ca(COO)_2 \cdot 2H_2O$. Der Form nach können wir feinen Kristallsand, Solitärkristalle, Drusen und Raphiden unterscheiden (Abb. 4.**4**). Die nadelförmigen Raphiden können im Querschnitt vier- oder sechseckig (Abb. 4.**5A,B**) sein. Jede Raphide steckt in einer Scheide, die im elektronenmikroskopischen Bild lamelliert erscheint. Wahrscheinlich sind alle Oxalatkristalle von Scheiden umge-

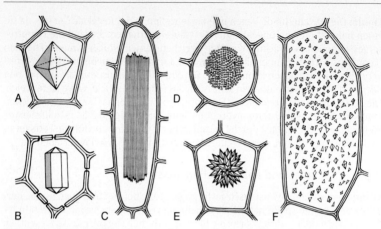

Abb. 4.**4**   Calciumoxalatkristalle (ca. 400-fach) **A,B** tetragonale Einzelkristalle, **C,D** Raphiden längs und quer, **E** Kristalldruse, **F** Kristallsand. Die plasmatischen Strukturen und die Kristallscheiden wurden aus Gründen der Übersichtlichkeit fortgelassen (z.T. nach Troll)

ben, deren chemische Zusammensetzung, je nach Art, verschieden sein kann. Es wurden Cellulose, Kallose, Suberin und anderes lipophiles Material nachgewiesen. Offenbar entstehen die Kristalle in den Vakuolen. Im fertigen Zustand befinden sie sich zwar meist außerhalb des Protoplasten, jedoch nicht eigentlich in der Vakuole. Sie sind von Wandmaterial (Kristallscheide) umgeben, das vom Plasmalemma aufgebaut wurde. Seltener findet sich Calciumcarbonat, das meist in feinkristallinem Zustand auftritt.

Farbstoffe: Außer den Plastidenpigmenten, die meist strukturgebunden vorliegen, gibt es auch zellsaftlösliche Pigmente, die bestimmten Pflanzenteilen eine charakteristische Färbung verleihen, z.B. manchen Blüten und den blutfarbigen Blättern (Blutbuche u.a.). Die blauen, violetten oder roten Farbtöne sind auf die **Anthocyane,** die gelben auf die **Flavone** zurückzuführen.

Milchsaft: Nicht wenige Pflanzen enthalten Milchröhren, wie z.B. Wolfsmilch *(Euphorbia)* und Löwenzahn *(Taraxacum)*. Die Milchröhren sind von einem charakteristischen Sekret, dem Milchsaft, erfüllt. Die Milchsäfte enthalten zahlreiche, von Fall zu Fall ganz verschiedene Verbindungen, z.B. Zucker, Stärke, Eiweiß, Öle, Kautschuk u.a. Diese liegen entweder gelöst oder aber in Form von Tröpfchen oder festen Partikeln emulgiert bzw. suspendiert vor, worauf die milchige Beschaffenheit zurückzuführen ist.

A   B

Abb. 4.5 Querschnitt durch Raphidenidioblasten von *Agave americana*. **A** Die Kristalle sind viereckig, und eine Schleimvakuole ist nicht ausgebildet. Bei den runden Gebilden im peripheren Cytoplasma handelt es sich wahrscheinlich um angeschnittene Schleimbehälter. Fixierung: Glutaraldehyd/ OsO₄, Kontrastierung: Uranylacetat-Bleicitrat. Vergr. 800fach. **B** Raphidenbündel mit Schleimkörper und Scheiden, deren Lamellierung hier nicht zu erkennen ist. Das Calciumoxalat wurde vor der Einbettung herausgelöst und durch das Einbettungsmittel ersetzt. Die Scheiden sind an den spitzen Kanten der Kristalle hantelförmig aufgebläht. Fixierung: Glutaraldehyd/OsO₄, Kontrastierung: Uranylacetat. Vergr. ca. 1000fach (Originalaufnahmen: J. Wattendorff)

Etherische Öle: Die von den fetten Ölen wohl zu unterscheidenden etherischen Öle stellen, ebenso wie die **Balsame** und **Harze,** Gemische sekundärer Pflanzenstoffe dar, deren Hauptbestandteile die Terpene sind. Meist liegen sie in Form kleiner, stark lichtbrechender Tröpfchen vor (Abb. 4.**6A**). Unter Auflösung der Zellwände und der Protoplasten können aber auch die Öltropfen benachbarter Zellen zusammenfließen und größere Ölbehälter bilden (Abb. 4.**6B**). Man bezeichnet eine solche Entstehungsweise als lysigen. Schizogene Ölbehälter (Abb. 4.**6C**) entstehen, gleich den Interzellularen, durch Auseinanderweichen von Zellen. Sie sind, wie z.B. auch die Harzkanäle, von einer Zellschicht ausgekleidet, die die Öle resp. das Harz in den Hohlraum abscheidet. Diese Zellen haben also Drüsenfunktion, was zu den Drüsenzellen überleitet, die an der Oberfläche des Pflanzenkörpers liegen und ihr Sekret nach außen absondern. Dies ist z.B. bei den Drüsenhaaren der Fall, bei denen die auf einem oft mehrzelligen Stiel stehende köpfchenförmige Drüsenzelle das Sekret in den subcuticularen Raum abscheidet, das ist ein Spaltraum, der durch Abheben der Cuticula und der Cuticularschichten von der Cellulosewand bzw. der darüberliegenden Pektinschicht entsteht (Abb. 4.**13E**). Schließlich können etherische Öle auch in die Zellsaftvakuole abgegeben werden oder in die Luft entweichen. Häufig liegen die Drüsenzellen in Gruppen, wie bei

A   B   C

Abb. 4.6 Ölbehälter. **A, B** Lysigene Entstehung der Ölbehälter im Blatt des Diptam
(Dictamnus albus). **A** vor, **B** nach Auflösung
der Zellwände (ca. 30fach). **C** Schizogener

Ölbehälter im Blattquerschnitt vom Johan-
niskraut *(Hypericum perforatum).* e (rot) =
Drüsenepithel (ca. 40fach) (nach Rothert,
Haberlandt)

den Drüsenschuppen, den Fangschleim absondernden Drüsen der Carnivoren
oder den Nektarien, die einen zuckerhaltigen, der Anlockung von Insekten dienenden Saft absondern. Schließlich sind in diesem Zusammenhang auch die aktiven Hydathoden zu nennen, die Wasser, in dem meist auch Salze gelöst sind, in
flüssiger Form nach außen abscheiden.

4.4   Differenzierung durch Zellwandwachstum

Die durch die Vakuolenbildung bedingte Zellvergrößerung ist mit einem Wachstum der Zellwand verbunden. Grundsätzlich müssen wir dabei Flächen- und Dik-
kenwachstum unterscheiden, von denen das erstere dem zweiten in der Regel
vorangeht. Das Flächen- oder Dehnungswachstum der Zellwand führt entweder
zu einer allgemeinen Erweiterung des Zellumfanges (Weitenwachstum) oder,
wenn eine Wachstumsrichtung bevorzugt ist, zur Längsstreckung der Zelle. Auch
das Dickenwachstum kann entweder alle Zellwände erfassen oder aber auf einzelne Zellwände bzw. sogar Teile derselben beschränkt bleiben. Ein engbegrenztes
lokales Dickenwachstum kann zur Ausbildung bestimmter Skulpturen führen.

Bei meristematischen Zellen ist das Flächenwachstum der Zellwand in der Regel
noch gering, da die allein auf Plasmawachstum beruhende Zellvergrößerung nur
langsam vor sich geht. Erst mit Einsetzen der Vakuolenbildung und der damit verbundenen raschen Volumenzunahme kommt es zu einer starken plastischen Dehnung der Primärwand. Da ständig neue Mikrofibrillen auf die bereits vorhandenen Schichten aufgelagert werden (Apposition), bleibt die Wanddicke während
des Flächenwachstums unverändert (Abb. 4.**7 A – C**). Zwangsläufig wird jedoch mit
zunehmender Dehnung die Maschenweite der fibrillären Netze der Primärwand
immer größer, so daß diese schließlich aus zahlreichen übereinanderliegenden
Netzen von Fibrillen besteht, deren Maschenweite von innen nach außen zu-

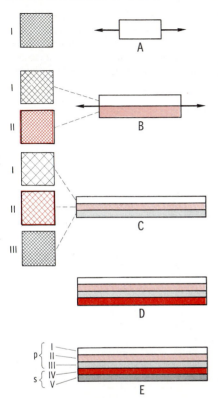

Abb. 4.**7** Zellwandwachstum durch Apposition, schematisch. **A–C** Flächenwachstum. Links sind die einzelnen Schichten in Aufsicht mit eingezeichneter Maschenweite wiedergegeben. **C–E** Dickenwachstum. Die von außen nach innen aufeinanderfolgenden Schichten sind mit I–V bezeichnet. p = Primärwandschichten, s = Sekundärwandschichten

nimmt. Man bezeichnet diesen Wachstumstypus deshalb auch als Multinetzwachstum. Bei starker Längsstreckung der Zellen erfahren die Fibrillen in den äußeren Schichten eine passive Umorientierung in Längsrichtung. Werden nach Aufhören der Zellvergrößerung weitere Schichten aufgelagert, setzt das Dickenwachstum der Zellwand ein (Abb. 4.**7C–E**). Infolge der hierdurch bedingten Zunahme des Wanddurchmessers büßt die Zellwand dann sehr bald ihre plastische Dehnbarkeit ein, gewinnt dafür aber an Festigkeit.

❗ Hinsichtlich der Synthese des Zellwandmaterials bestehen heute gut begründete Vorstellungen. Wie bereits erwähnt, erfolgt die Synthese der Zellwandpolysaccharide mit Ausnahme der Cellulose in den Dictyosomen. Neben der Glucose werden weitere Zucker zur Bildung der Primärwand benötigt, die durch Umwandlung der Glucose entstehen. Die Biosynthese der Cellulose geht von der UDP-Glucose aus (S. 288). Sie erfolgt bei den meisten bisher untersuchten Pflanzen durch die Cellulosesynthase am Plasmalemma, und zwar in zwei zeitlich kurz aufeinanderfolgenden Schritten. Zunächst werden die β-1→4 Glucan-ketten gebildet und dann zu kristallinen Elementarfibrillen zusammengelagert (Abb. 3.**28**, S. 126). Durch geeignete Farbstoffe, z. B. Kongorot und Calcofluor White, lassen sich diese beiden Vorgänge entkoppeln. Die Farbstoffe lagern sich an die entstehenden Glucanketten an und verhindern deren kristallinische An-ordnung.

Mit Hilfe der Gefrierbruchtechnik ist es gelungen, im Plasmalemma Strukturen darzustellen, bei denen es sich mit großer Wahrscheinlichkeit um **Cellulosesyn-thase**-Komplexe handelt. Bei einer Reihe von Algen, z. B. *Oocystis solitaria,* findet man Reihen von parallelen Partikeln als lineare „terminale Komplexe" an den En-den von Mikrofibrillen (Abb. 4.**8**). Die Komplexe werden sehr wahrscheinlich durch den kinetischen Druck der sich verlängernden kristallinen Mikrofibrillen durch die Membran bewegt, wobei die Richtung dieser Bewegung durch die un-terhalb der Plasmamembran liegenden Mikrotubuli (Abb. 4.**8A**) bestimmt wird. Hierfür spricht, daß bei *Oocystis* die regelmäßige Anordnung der terminalen Kom-plexe innerhalb des Plasmalemmas durch Hemmstoffe, die die Funktion der Mi-krotubuli beeinträchtigen, aufgehoben wird. Auch bei anderen Grünalgen, die sich wie *Oocystis* durch sehr dicke Einzelfibrillen auszeichnen, finden sich ähnliche „terminale Komplexe".

Dagegen treten bei den ebenfalls zu den Grünalgen zählenden Zygnematophy-ceae sowie bei den Moosen, Farnen und höheren Pflanzen „Rosetten" aus sechs Partikeln auf, die vermutlich je eine Elementarfibrille synthetisieren. Diese sind bei den Algen *Micrasterias, Closterium* und *Spirogyra* zu hexagonalen Packungen angeordnet (Abb. 4.**9A,B**). Im Gegensatz hierzu treten bei der Primärwandbildung der höheren Pflanzen, wo die Ablagerung der Mikrofibrillen relativ ungeordnet erfolgt, nur einzelne Rosetten auf (Abb. 4.**9C**). Bei der Sekundärwandbildung sind

Abb. 4.**8** Zellwandaufbau und -biogenese der einzelligen Grünalge *Oocystis solitaria.* **A** Elektronenoptische Aufnahme eines Zell-wandbereiches mit angrenzendem Cyto-plasma. Die Zellwand besteht aus zahlrei-chen Schichten sich überkreuzender, sehr dicker Mikrofibrillen, die entsprechend ab-wechselnd quer oder längs getroffen sind. Innerhalb einer Schicht verlaufen alle Fibril-len nahezu parallel. Mikrotubuli unterhalb des Plasmalemmas kontrollieren die Ablage-rung der Mikrofibrillen. **B** Gefrierbruchab-druck der E-Hälfte des Plasmalemmas einer jungen Autospore im Zustand der Zellwand-bildung. An den Mikrofibrillen, die zum Zeit-punkt des Einfrierens der Zelle gerade synthetisiert wurden, sind lineare „terminale Komplexe" erkennbar. Die Bewegungsrich-tungen einiger dieser Komplexe sind durch

Pfeile angezeigt. Etwa in der Mitte ist ein Doppelkomplex erkennbar, der aus zwei an-tiparallel zueinander angeordneten Komple-xen besteht. Beide haben noch nicht mit der Synthese von Mikrofibrillen begonnen, was aus dem Fehlen von Mikrofibrilleneindrük-ken geschlossen werden kann. **C** Zwei „ter-minale Komplexe", die, wie die kurzen Mi-krofibrilleneindrücke zeigen, gerade mit der Synthese begonnen haben, in stärkerer Ver-größerung. Die Komplexe bestehen aus drei Reihen von je ca. 30 Partikeln. Die Pfeile zei-gen wiederum die entgegengesetzte Be-wegungsrichtung der beiden Komplexe an. dk = Doppelkomplexe, mf = Mikrofibrillen, mt = Mikrotubuli, tc = terminale Komplexe. Markierungsstriche in **A** und **C** = 0,1 µm, in **B** = 0,5 µm (Originalaufnahmen: H. Quader)

Abb. 4.**8**

Abb. 4.**9** Rosettenförmige Cellulosesyn-
thase-Komplexe im Plasmalemma, dargestellt mittels Gefrierbruchtechnik. Die Rosetten sind stets in der plasmatischen Bruchflä-
che (P-Hälfte) zu finden. **A** Hexagonale Ro-
settenanordung bei *Micrasterias*. **B** Kleineres,
hexagonal gepacktes Rosettenfeld bei *Spi-*
rogyra. **C** Einzelrosette einer Suspensionskul-
tur-Zelle der Sojabohne mit deutlich erkennbaren sechs Untereinheiten (Pfeilköpfe). **D**
Reihung von Rosetten bei der Sekundärwandbildung im Hypokotyl der Mungbohne.
Markierungsstriche jeweils 0,1 μm (Originalaufnahmen: **A** I. Haußer, **B – D** W. Herth)

häufig nicht ganz regelmäßige Reihen von Rosetten zu beobachten, die etwa parallel zur Mikrofibrillenrichtung orientiert sind (Abb. 4.9 D).

Mit dem Flächenwachstum der Zellwand geht ein Flächenwachstum des Plasmalemmas einher, das unter Einbau eines Teiles der Golgi-Vesikelmembranen erfolgt. Diese müssen natürlich mit weiteren Cellulosesynthase-Komplexen ausgestattet sein, um die vorhandenen Komplexe nicht zu weit auseinanderzurücken. Des weiteren müssen sie die notwendigen Ionenkanäle und Pumpen enthalten.

Infolge des verschieden starken Flächenwachstums der Zellwand zeigen die pflanzlichen Zellen sowohl in der Größe als auch in der Gestalt eine große Mannigfaltigkeit. Die Größe kann zwischen einem bis wenigen µm (Einzeller) und ½ m (Faserzellen von *Boehmeria nivea*, S. 128) schwanken. Die Durchmesser nichtfaserförmiger Zellen liegen meist in der Größenordnung von 20–200 µm. Bezüglich der Gestalt unterscheiden wir die parenchymatische, isodiametrische Zelle, die in allen Richtungen des Raumes etwa den gleichen Durchmesser[1] hat, und die prosenchymatische Zelle, die infolge der Bevorzugung einer Wachstumsrichtung (s. oben) langgestreckt ist. Da für die künftige Funktion einer Zelle sowohl ihre Größe als auch ihre Gestalt von ausschlaggebender Bedeutung sein kann, ist somit durch das verschieden starke Flächenwachstum der Zellen auch der erste Schritt zur Differenzierung getan.

Ein besonders starkes Dickenwachstum der Zellwand findet sich bei den Festigungsgeweben. Bei den **Sklerenchymen** bestehen die Wandverdickungen aus Sekundärwandmaterial, wobei die Verdickung alle Wände etwa gleichmäßig erfaßt. Meist sterben die plasmatischen Inhalte sklerenchymatischer Zellen nach ihrer Fertigstellung ab, doch kennen wir auch Fälle, in denen sie am Leben bleiben. Häufig werden die Wände durch nachträgliche Ligninenlagerungen sehr hart, doch bleiben manche Sklerenchymfasern fast oder ganz unverholzt. Bei den Zellen der **Kollenchyme** erfahren bereits die Primärwände eine Verdickung, die jedoch auf einzelne Zellwände oder Zellwandbereiche beschränkt bleibt. Dem Primärwandcharakter entsprechend bestehen die Verdickungen aus abwechselnden Schichten von Cellulose oder pektinartigen Stoffen, die nicht verholzen. Die Zahl der Schichten ist in verdickten und unverdickten Wandbereichen gleich, nur sind sie eben verschieden stark.

Lokal begrenztes Dickenwachstum kann auch zur Ausbildung von Leisten, Netzen, Stacheln u.a. Skulpturen führen, und zwar sowohl auf der Innen- als auch auf der Außenseite der Zellwand. Auch das Flächenwachstum kann auf bestimmte Bereiche beschränkt bleiben, was zur Bildung von Auswüchsen und unregelmäßigen Zellformen führt. Das Ergebnis dieses Zusammenspiels von Flächen- und Dickenwachstum kann also von Fall zu Fall sehr verschieden sein, so daß es nicht wundernimmt, in wieviel verschiedenen Gestalten uns die Pflanzenzelle entgegentritt.

---

[1] Wir dürfen hier natürlich keine allzu strengen Maßstäbe anlegen, da nur wenige Zellen diese Bedingungen exakt erfüllen. Als parenchymatisch wird man im allgemeinen solche Zellen bezeichnen, die nicht prosenchymatisch, d.h. nicht in einer Richtung des Raumes besonders stark gestreckt sind.

4.4.1 Isodiametrische Zelle

❗ Das Ergebnis eines etwa gleichmäßigen Flächen-(Weiten-)wachstums ist die isodiametrische Zelle, die im Idealfall, dem Prinzip der geringsten Oberflächenentwicklung folgend, die Gestalt einer Kugel anstrebt. Die Ursache hierfür sind Oberflächenkräfte, die die Tendenz haben, die zunächst kubischen oder quaderförmigen Zellen nach Auflösung der Mittellamelle bei der Interzellularenbildung abzurunden. Allerdings sind die so entstehenden Zellen nicht ideale Kugeln, sondern sie haben wegen der zahlreichen Berührungsflächen mit den Nachbarzellen eine polyedrische Gestalt.

Parenchymzellen: Sie kommen dem Idealfall der isodiametrischen Zelle am nächsten, obwohl auch bei ihnen die eine oder andere Richtung des Raumes etwas bevorzugt sein kann, wie etwa im Falle des Palisadenparenchyms der Laubblätter. Mit ihren nur schwach verdickten und in der Regel unverholzten Wänden bilden sie u.a. das **Grundgewebe** des pflanzlichen Vegetationskörpers, das dank seiner turgeszenten Spannung auch zu dessen Festigkeit beiträgt. Die Parenchyme sind meist reich an **Interzellularen,** die ein zusammenhängendes Durchlüftungssystem bilden. Wie bereits erwähnt (S. 127), entstehen sie meist schizogen. Allerdings können Hohlräume auch durch Auflösung ganzer Zellen (lysigen) oder durch Zerreißen von unter Spannung stehenden Gewebebereichen (rhexigen) zustande kommen. In einzelnen Fällen, z.B. bei Wasserpflanzen, können die Interzellularen so groß werden, daß ein regelrechtes **Durchlüftungsgewebe** (Aerenchym) entsteht. Meist sind die Grundgewebe funktionell spezialisiert. So sind **Photosynthesegewebe** reich an Chloroplasten, während **Speichergewebe** der Speicherung von Reservestoffen dienen, die nicht selten die ganze Zelle ausfüllen. Ein erst in neuerer Zeit bekanntgewordener Typ sind die **Transferzellen,** die sich bevorzugt an den Übergangsstellen vom Grund- zum Leitgewebe und umgekehrt finden. Ungeachtet einer großen Formenmannigfaltigkeit zeichnen sie sich durch den Besitz fingerförmiger, oft verzweigter und gekrümmter zentripetaler Wandverdickungen aus (Abb. 4.**10**), die durch lokales Dickenwachstum der Zellwand entstanden sind. Hierdurch vergrößert sich die Innenfläche der Zellwand und, da sie vom Plasmalemma bedeckt ist, auch dessen Ausdehnung auf das 10- bis 20fache. Die Transferzellen haben meist große Zellkerne, sind reich an Mitochondrien und weisen eine hohe ATPase-Aktivität aus. All diese Eigenschaften lassen darauf schließen, daß sie vor allem Transportfunktionen ausüben.

Durch äußere Einflüsse, z.B. Verletzung, können die Parenchymzellen des Grundgewebes durch Rückdifferenzierung wieder meristematisch werden und als Kallus die Wunde verschließen.

Epidermis: An ihrer Oberfläche sind die oberirdischen Organe der höheren Pflanzen von einem meist einschichtigen **Abschlußgewebe** überzogen, der Epidermis. Ihre Zellen schließen lückenlos, also ohne Interzellularen, aneinander. Ihren beiden Hauptfunktionen – mechanischer Schutz der Oberfläche und Kontrolle von Gasaustausch und Wasserdampfabgabe – entsprechend haben die Epidermiszel-

Abb. 4.**10** Wandlabyrinth einer Transfer-zelle aus einem Wurzelknöllchen von *Pisum sativum*. Die zahlreichen Mitochondrien (m) liegen zum Teil zwischen den fingerförmigen Fortsätzen (f). Vergr. 11400fach (Original-aufnahme H.-G. Heumann, aus G. Jurzitza: Anatomie der Samenpflanzen. Thieme, Stuttgart 1987)

len eine charakteristische Gestalt (Abb. 4.**11**). Sie sind meist flächig ausgedehnt, also keineswegs streng isodiametrisch, und ihre seitlichen Zellwände zeigen häu-fig einen welligen Verlauf. Das hat eine enge Verzahnung benachbarter Zellen und somit eine erhöhte mechanische Beanspruchbarkeit zur Folge. Die Außenwände der Epidermiszellen sind im typischen Falle durch zahlreiche Sekundärwand-schichten verdickt, während alle anderen Wände nur eine relativ schwache Ver-dickung erfahren. Außen ist die Epidermis von einer **Cuticula** überzogen. Auch die darunterliegenden Wandschichten können Cutin enthalten. Sie werden dann als **Cuticularschichten** bezeichnet. Zwischen den Cuticularschichten und der Cellu-losewand befindet sich eine dünne Schicht aus Protopektin, die sich mikrosko-pisch allerdings meist nicht ohne weiteres nachweisen läßt. Der Plasmaschlauch umschließt eine große Vakuole, deren Zellsaft bisweilen durch Anthocyane ge-färbt ist („blutfarbige" Blätter, s. oben). Die Epidermiszellen enthalten in der Regel Leukoplasten, seltener, z. B. bei einigen Schatten- und Wasserpflanzen, auch Chlo-roplasten. Das regelmäßige Muster der Epidermiszellen ist, je nach Pflanzenart und Organ, von Spaltöffnungen (S. 240), Idioblasten, Haaren (s. unten) u. a. An-hangsgebilden unterbrochen.

Steinzellen: Steinzellen sind isodiametrische Sklerenchymzellen (S. 149). Die alle Wände erfassenden sekundären Wandverdickungen können so stark sein, daß nur noch ein kleines Lumen übrigbleibt (Abb. 4.**12**). Meist lassen die Sekundär-

A

B

Abb. 4.**11** Epidermiszellen. **A** Blattepidermiszelle, schematisiert. Die Zelle ist im Vorderteil aufgeschnitten, c = Cuticula (rot), cs = Cuticularschicht (rot gerastert), m = Mittellamelle, n = Zellkern, p = wandständiges Cytoplasma, w = Zellwand, **B** Gefrierbruch durch die Epidermis der Blattoberseite von *Helleborus niger*. Im Innern der Zelle sind noch Reste des wandständigen Cytoplasmas erkennbar. Vergr. ca. 1400fach (Originalaufnahme: G. Wanner)

Abb. 4.**12** Schematisches Raumbild einer Steinzelle, im Vorderteil aufgeschnitten, t = Tüpfelkanäle

wände schon im Lichtmikroskop eine deutliche Schichtung erkennen. Ob diese, wie offenbar in einigen Fällen nachgewiesen, stets das Ergebnis einer Tagesperiodizität ist, läßt sich nicht mit Sicherheit sagen. Da die Tüpfel bei der Verdickung ausgespart bleiben, entstehen regelrechte Tüpfelkanäle. Fusionieren zwei Tüpfelkanäle bei zunehmendem Dickenwachstum miteinander, spricht man von verzweigten Tüpfeln. Durch Lignineinlagerungen (S. 163) wird die Festigkeit der Wände noch erhöht. Stark verholzte Steinzellen, deren plasmatischer Inhalt abgestorben ist, finden als Festigungselemente bei Gewölbekonstruktionen (z. B. Nußschale) Verwendung. Nicht selten sind sie jedoch auch in parenchymatische Gewebe, z. B. Fruchtfleisch, eingestreut, ohne daß man ihnen hier eine besondere

Abb. 4.**13** Haartypen **A** einzellig, unverzweigt *(Fuchsia)*, **B** einzellig, verzweigt *(Matthiola incana)*, **C** mehrzellig, verzweigt *(Lavandula officinalis)*, **D** Köpfchenhaar *(Hyoscyamus niger)* (**A–D** ca. 200fach). **E** Drüsenhaar des Salbei *(Salvia pratensis)* c = Cuticula und Cuticularschicht (rot), n = Zellkern, s = Sekret, w = Cellulosewand (ca. 200fach), **F–H** Brennhaar der Brennessel *(Urtica dioica)*, **F** Haar auf Sockel im optischen Schnitt (ca. 25fach). Der Zellkern befindet sich in einer Plasmatasche in der Mitte der Vakuole, die an Plasmasträngen aufgehängt ist. Die äußere Zellschicht des Sockels ist die Epidermis, die drei inneren sind aus subepidermalen Schichten hervorgegangen. Köpfchen in **G** vergrößert, in **H** abgebrochen (ca. 400fach) (nach Troll, Hummel und Staesche, Kny, Kienitz-Gerloff)

Funktion zuschreiben könnte. Bisweilen findet man Steinzellen, die noch lange Zeit nach ihrer Fertigstellung am Leben bleiben und z.B. Speicherfunktionen übernehmen.

4.4.2 Prosenchymatische Zelle

❗ Die langgestreckte, faserförmige Prosenchymzelle ist das Ergebnis einer eindimensionalen Zellstreckung. Diese kann entweder die gesamte Zellwand erfassen oder sie beschränkt sich auf die Spitzen der Zellen. Im letzteren Falle spricht man von Spitzenwachstum, das uni- oder bipolar erfolgen kann. Unipolares Spitzenwachstum ist z.B. für Wurzelhaare, Trichome, Pollenschläuche und Pilzhyphen charakteristisch.

Haare: Die pflanzlichen Haare, auch **Trichome** genannt, entstehen durch lokales Auswachsen einzelner Epidermiszellen. Sie sind mit ihrem unteren Teil, dem Fuß, in der Epidermis verankert, während sich der Schaft über diese erhebt. In ihrer Ausgestaltung und Funktion herrscht eine große Mannigfaltigkeit (Abb. 4.**13**). Sie können ein- oder mehrzellig, verzweigt oder unverzweigt, lebend oder abgestor-

Abb. 4.14 Rasterelektronenmikroskopische Aufnahmen von Haaren. **A** Blattunterseite von *Virola surinamensis* (Lauraceae). Die etwa halbkugeligen Epidermiszellen zeigen einen dichten Wachsbelag und sternförmige Trichome, die jedoch keinen Wachsbelag tragen. **B** Vielzellige Trichome mit Verdauungsdrüsen des Sonnentaues *(Drosera* spec., Abb. 13.**9 B**, S. 376) Vergr. **A** 520fach, **B** 105fach (Originalaufnahmen: W. Barthlott)

ben, papillös oder köpfchenförmig gestaltet sein. Die Wände mancher Haare werden durch Sekundärwandauflagerungen vielschichtig, wie das Baumwollhaar, erhalten Zellwandeinlagerungen, wodurch ihre mechanischen Eigenschaften verändert werden, oder erfahren eine ihrer Funktion entsprechende, bisweilen recht komplizierte Ausbildung, wie im Falle der bereits besprochenen Drüsenhaare (Abb. 4.**13 E**), der schuppenförmigen Absorptionshaare oder der Brennhaare (Abb. 4.**13 F – H**). Bei den letzteren ist der untere, balgförmige Teil in einen sockelartigen Auswuchs epidermalen und subepidermalen Gewebes eingesenkt, während der obere Teil spitz ausläuft und mit einer kleinen Kuppe endet. Die Zellwand ist im oberen Teil des Haares verkieselt. Die Verkieselung wird zur Basis hin schwächer, während gleichzeitig die Calciumcarbonat-Inkrustierung zunimmt. Das Köpfchen bricht bei Berührung an einer präformierten, infolge der Kieselsäureeinlagerungen spröden Stelle schräg ab (Abb. 4.**13 G,H**), so daß gewissermaßen eine Injektionskanüle entsteht, die in die Haut eindringt. Durch den hierbei auf den Unterteil ausgeübten Druck wird der Zellsaft, der Natriumformiat, Acetylcholin und Histamin enthält, in die Wunde eingespritzt. Abb. 4.**14** zeigt rasterelektronenmikroskopische Aufnahmen sternförmiger Haare und vielzelliger Trichome mit Verdauungsdrüsen.

Von den Trichomen zu unterscheiden sind die **Emergenzen,** das sind Anhangsgebilde, an deren Bildung sowohl die Epidermis als auch darunterliegende Gewebeschichten beteiligt sind. Beispiele hierfür sind der Sockel des Brennhaares der Brennessel (Abb. 4.**13 F**) sowie die Stacheln (S. 227).

A   B

Abb. 4.**15** Verschiedene Festigungsgewe-
be, schematisch. Es wurden mehrere Zellen
im Verband gezeichnet. Mittellamelle rot.
A Kantenkollenchym, **B** Plattenkollenchym,
C Sklerenchymfasern. Hier sind die Wände
C   gleichmäßig verdickt

Kollenchymzellen: Wie bereits erwähnt (S. 149), entstehen die Kollenchymzellen
durch lokale Verdickungen der Primärwände. Beschränken sich diese auf die Kanten der Zellen (Abb. 4.**15 A**), spricht man von Kanten-(Ecken-)Kollenchym, sind
ganze Wände verdickt, während andere unverdickt bleiben (Abb. 4.**15 B**), von Plattenkollenchym. In der Regel sind die Kollenchymzellen prosenchymatisch und an
den Enden zugespitzt, doch können bisweilen auch isodiametrische Zellen koll-
enchymatisch verdickt sein. Da größere Wandbereiche von der Verdickung ausgenommen sind, werden die Kollenchymzellen in ihrem Stoffaustausch kaum
behindert. Sie behalten deshalb ihren plasmatischen Inhalt und führen, wenn sie
an der Peripherie von Organen liegen, häufig sogar Chloroplasten. Da sie bis zu einem gewissen Grade dehnungs- und wachstumsfähig sind, finden sie sich vor allem in jüngeren, noch im Wachstum begriffenen Pflanzenteilen. Interzellularen
sind in Kollenchymgeweben häufig klein oder fehlen ganz.

Sklerenchymfasern: Wie der Name sagt, handelt es sich um prosenchymatische
Sklerenchymzellen (S. 149). Ihre Wände sind etwa gleichmäßig verdickt und regelmäßig geschichtet (Abb. 4.**15 C**). Fasern mit unverholzten Wänden, wie z. B. die

Leinfaser *(Linum usitatissimum),* zeichnen sich durch eine hohe Elastizität aus. Durch Lignineinlagerungen (S. 163) werden sie mehr oder weniger starr, wie das Beispiel der Holzfasern zeigt. Die Sklerenchymfasern sind an den Enden zugespitzt und erreichen eine beträchtliche Länge, die zwischen einigen mm und 55 cm (Ramiefasern) liegen kann. Die schräg aufsteigenden, spaltförmigen Tüpfel, die sich z.B. bei *Saccharum officinarum* (Zuckerrohr) finden, lassen auf eine Schraubentextur, die parallel zur Längsachse ausgerichteten spaltförmigen Tüpfel von *Chlorophytum comosum* (Liliengrün) auf eine Fasertextur schließen. Bei krautigen Stengeln, die biegungsfest sein müssen, sind die Sklerenchymfasern meist peripher angeordnet, und zwar entweder in Form einzelner Stränge oder als geschlossene Zylinder. Häufig begleiten sie als Leitbündelscheiden die Leitelemente. Bei Baumstämmen, die eine der Baumkronengröße entsprechende Säulenfestigkeit aufweisen müssen, sind sie über den Stammquerschnitt verteilt (Holz- und Bastfasern). Dagegen sind sie bei den Wurzeln, die vor allem einer Zugbeanspruchung ausgesetzt sind, entweder zentral angeordnet oder in Form einzelner Stränge über den Wurzelquerschnitt verteilt. Grundsätzlich können die Sklerenchymfasern ihre Funktion auch im abgestorbenen Zustand erfüllen, doch behalten z.B. die Holzfasern oft längere Zeit ihren lebenden Inhalt und übernehmen Speicherfunktionen.

Tracheiden: Sie sind langgestreckte, an den Enden zugespitzte Zellen, die in erster Linie der Wasserleitung dienen, bei stärkerer Verdickung ihrer Wände aber auch als Festigungselemente fungieren (Coniferen, S. 217). Die Zellwände sind, der Leitungsfunktion entsprechend, stark getüpfelt, und zwar vor allem an den schräggestellten Endwänden, um die Wegsamkeit in der Längsrichtung zu erhöhen. Die Schließhäute der Tüpfel sind nicht oder nur teilweise aufgelöst. Der plasmatische Inhalt der Tracheiden ist im funktionsfähigen Zustand abgestorben.

Ungegliederte Milchröhren: Diese ungegliederten, milchsaftführenden Coenoblasten, die z.B. bei *Euphorbia*-Arten (Wolfsmilch) vorkommen, durchziehen als langgestreckte und weitverzweigte Schläuche den Pflanzenkörper, indem sie vom Keimlingsstadium an der Größenzunahme der Pflanze folgen. Ihre Wände bestehen aus Schichten sich schräg kreuzender Fibrillen mit Paralleltextur.

4.4.3 Zellfusionen

❗ Wie das Beispiel der Tracheiden lehrt, sind langgestreckte Zellen nicht nur als Festigungselemente, sondern auch für die Leitung von Wasser und darin gelösten Stoffen geeignet. Ungleich leistungsfähiger sind jedoch Leitungssysteme, die unter teilweiser oder völliger Auflösung der Querwände in offene Verbindung miteinander treten, was man als Zellfusion bezeichnet. In der Regel geht der Zellfusion noch ein Weitenwachstum der einzelnen Glieder voraus, wodurch die Transportleistung erheblich vergrößert wird. Darüber hinaus können sie allseitig oder lokal verdickt sein.

Siebröhren und Siebzellen: Dem Ferntransport organischer Stoffe dienen die Siebelemente, die in ihren Querwänden bzw. in ihren schrägstehenden Endwänden von Siebporen durchbrochen sind. Die für die Pteridophyten (Farnpflanzen) und Gymnospermen (Nacktsamer) charakteristischen Siebzellen weisen in ihren zugespitzten, an das Ende einer benachbarten Zelle grenzenden Endwänden mehrere Siebporen umfassende Siebfelder auf. Hier sind die Siebporen beiderseits von Anhäufungen glatten endoplasmatischen Reticulums bedeckt, dessen Ausläufer, wie bei den Plasmodesmen, die Siebporen durchziehen. Das läßt den Schluß zu, daß die Siebporen gewissermaßen für den Ferntransport modifizierte Plasmodesmen sind. Im Vergleich hierzu sind bei den Angiospermen die Poren in den Querwänden der Siebröhren erheblich größer und in der Regel nicht von tubulären Ausläufern des ER, wohl aber von Plasmasträngen durchzogen. Auch finden sich zu beiden Seiten der Poren keine ER-Anhäufungen. Ihre Transportleistung wird hierdurch erheblich erhöht, d.h. sie sind noch besser für den Ferntransport geeignet. Die Siebporen sind, wie die Tüpfel der Plasmodesmen, mit Kallose ausgekleidet. Bei den Siebröhren stellt entweder die gesamte Querwand eine einzige Siebplatte dar (Abb. 4.16A und Abb. 4.17), oder es entstehen mehrere Siebfelder, was häufig bei schräggestellten Wänden der Fall ist. Außerdem kommen auch in den seitlichen Wänden Siebplatten vor.

Das wandständige Cytoplasma der Siebröhren (Abb. 4.17) ist nicht durch einen Tonoplasten vom übrigen Zellinhalt abgegrenzt. Neben einigen Mitochondrien, Plastiden bzw. Proplastiden enthält es vor allem flache Zisternen des glatten ER sowie Anhäufungen locker miteinander vernetzter fibrillärer Proteine, die als P-(Phloem-)Protein bezeichnet werden. Ihre Funktion ist noch nicht klar. Wie auf S. 277 dargelegt, stehen die Siebröhren unter Druck. Sie würden somit schon bei geringfügigen mechanischen Beschädigungen funktionsuntüchtig. Da häufig zu beobachten ist, daß das P-Protein die Siebporen in Form eines dichten Bündels durchzieht (Abb. 4.16B), nimmt man an, daß es sich gewissermaßen um vorsorglich produzierte Proteine handelt, die während eines eventuellen Druckausgleiches in die Poren gezogen werden und diese verstopfen. Die Beteiligung des P-Proteins am Stofftransport gilt heute als unwahrscheinlich.

Allgemein gelten die Siebröhren als kernlos. Bei den Dikotyledonen sind sie meist nur eine Vegetationsperiode über tätig. Bei anderen Pflanzen, z.B. den baumförmigen Monokotyledonen, können sie hingegen ihre Funktion viele Jahre ausüben. Gegen Ende der Vegetationsperiode werden die Siebplatten durch Beläge aus Kallose verschlossen. Bei den Angiospermen gehen die Siebröhren durch inäquale Teilung aus den Siebröhrenmutterzellen hervor. Aus der größeren Zelle entsteht das Siebröhrenglied, aus der kleineren, die sich noch mehrfach quer teilen kann, die **Geleitzellen** (Abb. 4.16A und 4.17). Diese für die Angiospermen charakteristischen plasmareichen Zellen sind durch zahlreiche Plasmodesmen mit den Siebröhrengliedern verbunden und bilden mit diesen eine physiologische Einheit. Es wird angenommen, daß über sie die Be- und Entladung der Siebröhren mit den zu transportierenden Substanzen erfolgt, was ihren Reichtum an Mitochondrien erklären würde.

Abb. 4.**16** Phloemelemente. **A** Siebröhre mit Geleitzellen (schematisch), im oberen Teil der Länge nach aufgeschnitten. **B** Siebpore aus dem Phloem von *Impatiens olivieri* im Längsschnitt. Die Siebpore ist von Kallose ausgekleidet (weiße Bereiche) und von P-Protein-Filamenten in dichter Anordnung durchzogen. Vergr. 52 500fach (Originalaufnahme: R. Kollmann und Ch. Glockmann). g = Geleitzellen, p = wandständiges Cytoplasma, s = Siebplatten, s_1 und s_2 in den Querwänden, s_3 in den Längswänden

Bei den Siebzellen wird diese Aufgabe offensichtlich von den Zellen des Phloemparenchyms übernommen. Bei den Gymnospermen sind dies die sogenannten **„Strasburger-Zellen"** der Baststrahlen (Abb. 4.**18**), die mit den Siebzellen durch zahlreiche Plasmodesmen verbunden sind. Im Gegensatz zu den Geleitzellen entstehen sie jedoch nicht durch inäquale Teilungen aus den Mutterzellen der Siebelemente, sondern aus anderen Kambiumzellen. Die Strasburger-Zellen sind reich an Proteinen, doch fehlt ihnen Stärke, und anstelle der großen Zellsaftvakuole der benachbarten Baststrahlparenchymzellen finden sich zahlreiche kleine Vakuolen. Sie enthalten viele Mitochondrien und weisen folglich eine erhöhte Aktivität mitochondrialer Enzyme sowie saurer Phosphatasen auf. Auch das Vorhandensein zahlreicher Polysomen, die Vergrößerung der Oberfläche des Zellkerns, der er-

Abb. 4.**17** Elektronenmikroskopische Aufnahme eines Längsschnittes durch das Phloem von *Passiflora coerulea*. gz = Geleitzelle, m = Mitochondrion, p = Plastide, pp = P-Protein, pp* = P-Proteinkörper, sp = Siebporen der Siebplatte, sr = Siebröhre. Vergr. 6000fach (Originalaufnahme: R. Kollmann und Chr. Glockmann)

Abb. 4.**18** Elektronenmikroskopische Auf-nahme einiger Zellen aus dem Baststrahl von *Pinus nigra*. LBS = liegende Baststrahlpar-enchymzellen, SBS = stehende Baststrahl-parenchymzellen, STZ = Strasburger-Zellen, SZ = Siebzellen, k = Zellkern, st = Stärke, v = Vakuole. Vergr. 1260fach (Originalaufnah-me: J. J. Sauter)

höhte Anteil dekondensierten Chromatins und der hohe RNA-Gehalt sind Anzei-chen für eine erhöhte Stoffwechselaktivität.

Gefäße: Bei der Bildung der Gefäße erfahren die in Längsreihen angeordneten künftigen Gefäßglieder zunächst eine Zellstreckung, die mit einem Weitenwachs-tum verbunden ist (Ab. 4.**19A – C**). Sie werden dabei endopolyploid. Haben sie ihre endgültige Größe erreicht, beginnt die Bildung der Sekundärwand, die jedoch auf die Längswände beschränkt bleibt. Nun werden die Querwände entweder ganz aufgelöst (Abb. 4.**19D,E**), oder es bleiben noch einzelne Stege stehen, so daß lei-terartige Durchbrechungen entstehen (Abb. 4.**19F**). Dieser Fall leitet zu den be-reits besprochenen Tracheiden über. Grundsätzlich werden nur die Interzellular-substanz und die Matrix der Primärwand aufgelöst, da Cellulase fehlt. Die zu-nächst als feines Netzwerk erhaltenen Cellulosefibrillen werden später mecha-nisch, wahrscheinlich durch den Transpirationsstrom, entfernt. Die ehemaligen Zellgrenzen sind durch Ringwülste aus Sekundärwandmaterial, das an den Naht-stellen der einzelnen Gefäßglieder abgelagert wurde, zu erkennen (Abb. 4.**19E**). Auf diese Weise entstehen weitlumige, relativ lange Zellschläuche, die eine Länge

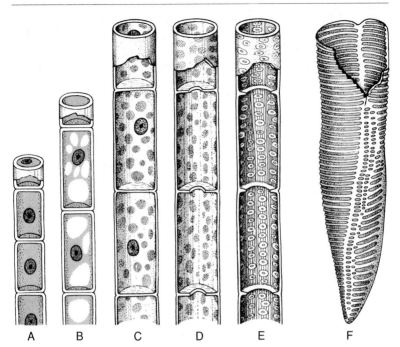

A   B   C   D   E   F

Abb. 4.**19** Gefäße. **A–C** Gefäßentstehung durch Zellstreckung und Weitenwachstum. Anlage der Tüpfelfelder. **D** Beginn der Sekundärwandbildung und der Auflösung der Querwände. **E** Fertiges Gefäß mit Ringwülsten an den Nahtstellen. Hoftüpfel fertig ausgebildet. **F** Endabschnitt eines Leitergefäßes

von einigen Zentimetern, in Extremfällen (Lianen) sogar von einigen Metern erreichen können. Nach Fertigstellung der Gefäße sterben die Protoplasten der einzelnen Glieder ab.

Die Aufgabe der Gefäße besteht in der Leitung des Wassers und der darin gelösten Ionen. Um das Zusammenpressen der Wände durch die Zugspannung der in den Gefäßen aufsteigenden Wassersäule zu verhindern, sind sie durch Sekundärwandauflagerungen versteift. Da jedoch die Möglichkeit zum Wasser- und Stoffaustausch mit der Umgebung erhalten bleiben muß, kann die Verdickung nur lokal erfolgen. Dabei bestehen im Verhältnis von verdickter zu unverdickter Wandfläche starke Unterschiede (Abb. 4.**20**). Die Ringgefäße (**A**) sind nur durch einige ringförmige Verdickungsleisten ausgesteift. Ähnlich sind die Schraubengefäße gebaut, nur laufen die Verdickungsleisten hier schraubig um die Längsachse (**B**). Bei den Netzgefäßen wird bereits ein größerer Teil der Gefäßwand von den netzartig verbundenen Verdickungsleisten bedeckt (**C**), während bei den Tüpfelgefäßen praktisch die ganze Wand verdickt ist und nur die Tüpfel ausgespart bleiben (**D**).

A   B   C   D

Abb. 4.**20** Gefäßtypen, schematisch. **A**   Alle Gefäße sind im oberen Teil der Länge
Ring-, **B** Schrauben-, **C** Netz-, **D** Tüpfelgefäß.   nach aufgeschnitten

Häufig handelt es sich dabei um Hoftüpfel. Ring- und Schraubengefäße finden
sich überwiegend in jungen Pflanzenteilen, wo sie durch das weitere Streckungswachstum zerrissen werden. Ihre Funktion wird in den älteren Pflanzenteilen von
den Netz- und Tüpfelgefäßen übernommen, zusammen mit den bereits besprochenen Tracheiden, bei denen wir hinsichtlich der Wandverdickungen die gleichen Typen unterscheiden können.

Gegliederte Milchröhren: Auch die gegliederten Milchröhren sind durch Zellfusion entstanden. Einem Netzwerk gleich durchziehen sie den gesamten Pflanzenkörper. Sie kommen z.B. beim Kautschukbaum *(Hevea brasiliensis)* und beim
Schlafmohn *(Papaver somniferum)* vor. Hinsichtlich ihrer Funktion und ihrer Inhaltsstoffe gleichen sie den ungegliederten Milchröhren.

4.5   Sekundäre Veränderungen der Zellwand

Nachträgliche Veränderungen der Zellwand führen nicht so sehr zu gestaltlichen Veränderungen der Zellen als vielmehr zu einer Änderung der chemischen und physikalischen Eigenschaften ihrer Wände. Dies trifft vor allem für die Verholzung zu, bei der bereits vorhandene und verdickte Zellwände durch Einlagerungen verfestigt werden. Durch derartige Ein- und Auflagerungen kann sich der ursprüngliche Charakter der Zellen erheblich verändern, so daß, zum mindesten in funktioneller Hinsicht, ein ganz neuer Zelltyp entsteht, wie etwa im Falle des Korkgewebes. Werden die bereits fertig ausgebildeten Zellwände lediglich mit diesen Zusatzstoffen durchtränkt und imprägniert, spricht man von Inkrusten (Abb. 4.**21 A**), werden sie den Zellwänden als zusätzliche Schichten aufgelagert, von Akkrusten (**B**).

4.5.1   Verholzung

Die Verholzung kommt durch Einlagerung von Ligninen (Holzstoffen) in die interfibrillären Räume der Zellwand zustande. Chemisch sind die **Lignine** Mischpolymere aus Phenylpropanen, z.B. Coniferyl-, Cumaryl- und Sinapylalkohol, die sich zu einem dreidimensionalen Gitter vernetzen und so die Zellwand durchdringen. Mit den polymeren Kohlenhydraten der Zellwand sind sie durch kovalente Bindungen verknüpft.

Die Lignine lassen sich durch Eau de Javelle[2] oder (technisch) durch Kochen mit Calciumbisulfit herauslösen (Sulfitablauge), wobei nur das Cellulosegerüst zurückbleibt. Dieses Verfahren wird zur Herstellung von Zellstoff und holzfreiem Papier angewandt. Zum mikrochemischen Nachweis der Lignine bedient man sich eines Gemisches aus Phloroglucin und Salzsäure, das eine kirschrote Färbung ergibt. Die Verholzung führt zu einer erhöhten mechanischen Festigkeit, insbesondere gegen Druckbelastung, was jedoch gleichzeitig mit einem gewissen Verlust an Elastizität verbunden ist. Auch die Wasserwegsamkeit der Zellwände wird durch die Inkrustierung mit Lignin herabgesetzt. Die Verholzung kann die verschiedensten Zelltypen erfassen.

> Außer den Ligninen werden in die Zellwände vielfach noch weitere, zu den Gerbstoffen zählende Verbindungen eingelagert. Bei diesen handelt es sich um phenolische Körper, die die Zellwände vor mikrobieller Zersetzung schützen. Sie werden hierdurch dunkel gefärbt (Verkernung).

---

[2]   Eau de Javelle enthält vornehmlich Kaliumhypochlorit. Seine Wirkung beruht auf dem freiwerdenden Chlor.

Abb. 4.**21** Sekundäre Veränderungen der Zellwand, schematisch. **A** Inkrustierung, **B** Akkrustierung, c = amorphes Cutin oder Suberin, i = Innenschicht der Sekundärwand, k = Kittschicht, p = Primärwand, s = Sekundärwand, w = monomolekularer Wachsfilm. Stäbchenförmige Moleküle senkrecht zur Lamelle angeordnet (nach Sitte)

	R^1	R^2
Cumaryl-	H	H
Coniferyl-	H	OCH$_3$
Sinapyl-	OCH$_3$	OCH$_3$

Phenylpropan-Körper   **Ausschnitt aus einem Ligninmolekül**

4.5.2   Mineralstoffeinlagerung

Neben organischen Stoffen sind bei manchen Pflanzen auch Substanzen mineralischer Natur in den Zellwänden zu finden. Wie bereits erwähnt (S. 154), ist in die basalen Zellwandbereiche der Brennhaare Calciumcarbonat eingelagert. Bei der Schirmalge *Acetabularia* kommt es zusammen mit Calciumoxalat vor. Einlagerungen aus Kieselsäure sind charakteristisch für die Schalen der Kieselalgen (Diatomeen), finden sich aber auch bei Gräsern, Riedgräsern und Schachtelhalmen. In jedem Falle führt die Mineraleinlagerung zu einer Härtung der Zellwände, die dadurch aber ihre Elastizität einbüßen und spröde und brüchig werden.

4.5.3   Cutinisierung, Verkorkung, Ablagerung von Wachsen

! **Cutin** und **Suberin** enthalten als Bausteine in oft nur geringen Mengen gesättigte und ungesättigte Mono- und Dicarbonsäuren. Mit größeren Anteilen kommen Hydroxy-, Epoxy- und Oxosäuren vor. Diese Monomere sind untereinander durch Esterbindungen zu hochpolymeren Makromolekülen vernetzt. Obwohl das Suberin dem Cutin sowohl in physikalischer als auch in chemischer Hinsicht recht ähnlich ist, finden sich doch charakteristische Unterschiede. So ist oft der prozentuale Anteil der Dicarbonsäuren beim Suberin höher, und die Kohlenstoffketten der Monomere sind meist erheblich länger als beim Cutin (C_{20}–C_{30}). **Wachse** sind Ester langkettiger aliphatischer Fettsäuren mit ebenfalls langkettigen aliphatischen und zyklischen Alkoholen. Daneben enthalten sie in wechselnden Anteilen auch deren unveresterte Komponenten sowie Alkane, Alkene u. a. Verbindungen. Insgesamt sind also die Wachse komplizierte Stoffgemische, deren Zusammensetzung von Art zu Art und offenbar auch in verschiedenen Stadien der Entwicklung unterschiedlich sein kann.

Cutin und Suberin liegen in der Regel amorph vor. Sie dienen als Matrix für die Wachse. Da diese stark hydrophob sind, werden die Zellwände durch Inkrustierung bzw. Akkrustierung mit diesen Stoffen wasserundurchlässig. Derart ausgerüstete Zellen finden daher häufig als innere und äußere Häute Verwendung, wo sie die Funktion haben, den Wasserdurchtritt zu kontrollieren bzw. zu verhindern.

Cuticula: Der Herabsetzung der Wasserwegsamkeit dient auch die Cuticula mit den ihr angelagerten cuticularen Wachsen, die in der Regel die Außenwände der Epidermiszellen als lückenloser Film verschiedener Dicke überzieht (Abb. 4.11). Sie erscheint im Querschnitt meist gefältelt, wobei die Falten in der Aufsicht eine bestimmte, wohl durch die Hauptstreckungsrichtung der Zellen bedingte Ausrichtung zeigen. In kontrastierten Dünnschnitten durch die Cuticula erkennt man deutlich, daß sie aus zahlreichen Lamellen aufgebaut ist (Abb. 4.22). Wie der Transport des Cutins durch die Zellwand erfolgt und auf welche Weise die regelmäßige Lamellierung zustande kommt, ist unbekannt. Da man Oligomere des Cutins nie gefunden hat, nimmt man an, daß die Cutinmonomeren (s. oben) nach außen transportiert und dort zum Cutin polymerisiert werden. Manche Befunde

A

B

Abb. 4.**22** Cuticula und Cuticularschichten von *Agave americana*. **A** Junge Cuticula (c) nahe dem Sproßscheitel. Die Schichtung ist deutlich zu erkennen. Da das Kontrastierungsmittel zwar von beiden Seiten eingedrungen ist, die Cuticula aber noch nicht völlig durchdrungen hat, ist in der Mitte eine helle, weniger kontrastierte Zone entstanden. Eine Cuticularschicht wurde noch nicht ausgebildet, weshalb die Cuticula der Primärwand (pw) unmittelbar aufliegt. cp = Cytoplasma. Vergr. ca. 40 000fach. **B** Wachsschicht (ws), Cuticula (c) und Teil der Cuticularschicht (cs) einer älteren Epidermiszelle. Auf der Innenseite der deutlich geschichteten Cuticula erkennt man freie, helle Lamellenenden (Pfeile). Auch in der Cuticularschicht finden sich Lamellen in weniger geordneter Form, doch treten sie in der Abbildung nicht deutlich hervor. Dagegen sind die dunkel gefärbten Polysaccharidfibrillen klar zu erkennen. In der Wachsschicht sind die Kristalloide unregelmäßig angeordnet. Fixierung: Glutaraldehyd/OsO_4 mit 5% Rutheniumrot. Vergr. ca. 50 000fach (Originalaufnahmen: J. Wattendorff)

sprechen dafür, daß auch die interzellulären Spalträume von submikroskopisch feinen Cutinfilmen ausgekleidet sein können.

Cuticularschichten: Bei vielen Pflanzenarten, besonders bei den an trockene Standorte angepaßten Xerophyten, ist der Verdunstungsschutz noch durch weitere, zwischen Cuticula und Zellwand liegende Cuticularschichten verstärkt (Abb. 4.**22**B). Die Cuticularschichten entstehen durch Inkrustierung der Zellwand mit Cutin, so daß bei geeigneter Kontrastierung in dem homogen erscheinenden Cutin das fibrilläre Netz der Zellwandpolysaccharide zu erkennen ist.

Epicuticulare Wachse (Box 4.**1**): Bei vielen Pflanzen wird ein verstärkter Transpirationsschutz durch die Ablagerung epicuticularer Wachse erreicht, die durch die Zellwand und die Cuticula auf die Oberfläche der pflanzlichen Organe gelangen müssen. Wie dies geschieht, ist noch nicht bekannt. Häufig liegen die Wachse als Kristalloide vor, die eine große Formenmannigfaltigkeit aufweisen (Abb. 4.**22**B und 4.**23**), z. B. mächtige Kristalloidpakete, die senkrecht zur Oberfläche angeord-

Box 4.1 Epicuticulare Wachse

Die die Cuticula bedeckenden und daher als epicuticular bezeichneten „Wachse" entsprechen nur zum Teil der im Text gegebenen Definition. Vielmehr handelt es sich hier um eine große Gruppe chemisch ganz verschiedener lipophiler Substanzen, die sich bei nahezu allen Gruppen der Angiospermen finden. Außer den im Text bereits genannten Wachsen im Sinne der Definition und den sie aufbauenden Komponenten zählen hierzu auch cyclische Verbindungen wie Phytosterole, pentacyclische Triterpenoide und epicuticulare Flavonoide, die alle eine wachsähnliche Beschaffenheit haben. Überwiegend kommen sie in Form mikroskopischer Kristalloide vor. Diese haben häufig die Gestalt von Schuppen oder Stäbchen, doch hat die genaue Untersuchung ergeben, daß es sich auch bei den sogenannten „Stäbchen" in Wirklichkeit um röhrenförmige Strukturen, also Tubuli, handelt.

Umfangreiche rasterelektronenmikroskopische Untersuchungen der letzten anderthalb Jahrzehnte an über 11 000 Arten von Angiospermen aus den verschiedensten Gattungen und Familien haben ergeben, daß die Orientierung und die Ultrastruktur der Kristalloide eine Charakterisierung und Eingrenzung verschiedener Taxa auf der Stufe der Familien bzw. Unterklassen erlaubt und somit als Kriterium für die systematische Einordnung der Angiospermen dienen kann.

Von besonderem Interesse ist die Feststellung, daß Wassermangel und eine Verminderung der Ionenversorgung, insbesondere auch mit Magnesium und Calcium, weder auf die Mikromorphologie noch auf die qualitative und quantitative Zusammensetzung der epicuticularen Wachse von Einfluß ist.

net sind (**A**), Nadeln (**B**), Plättchen, die scheinbar wirr durcheinander liegen (**C**) oder aber eine bestimmte Anordnung zeigen (**D**). Des weiteren finden sich Filamente, Bänder und dendritische Strukturen. Die Form dieser Wachsausscheidungen ist ein systematisch verwertbares Merkmal. Liegen stärkere Wachsausscheidungen vor, so sehen die Oberflächen der betreffenden Pflanzenteile reifartig überzogen aus, wie z.B. bei manchen Früchten (Weinbeere, Pflaume u.a.) und Blättern (Kohl).

Über die o.a. Funktionen hinaus bieten die Wachsbeläge auch einen Schutz gegen die einfallende Strahlung, da sie die Reflexion und Streuung erhöhen. Außerdem verursachen die stark skulpturierten Oberflächen Turbulenzen, die den Wärmeaustausch des Blattes mit der Umgebung beschleunigen. Schließlich setzen sie infolge der stark verminderten Benetzbarkeit die Kontamination der Epidermisoberfläche sowohl durch Staub als auch durch Mikroorganismen und Sporen herab, was eine höhere Resistenz gegen phytopathogene Erreger zur Folge hat. Sehr dicke Wachsschichten können auch einen Befall durch Insekten erschweren.

Abb. 4.**23** Epicuticulare Wachse. **A** Extrem starke Wachssekretion auf der Frucht des Wachskürbis *Benincasa hispida* (Cucurbitaceae). Die Kristalloide sind senkrecht zur Oberfläche orientiert. **B** Kristallnadeln eines terpenoiden Sekretes des Farnes *Campyloneuron* spec. (Polypodiaceae). **C** Nicht-orientierte Wachskristalloide der Narzisse (*Narcissus* spec., Amaryllidaceae). **D** Orientierte plättchenförmige Wachskristalloide des Maiglöckchens (*Convallaria majalis*, Liliaceae). Vergr. **A** 1100fach, **B – D** 5800fach (Originalaufnahmen: W. Barthlott)

Sporoderm: Pollenkörner und Sporen sind in der Regel von einer Außenschicht (Exine) umgeben, die die aus Cellulose bestehende Innenschicht (Intine) überzieht. Die Exine besitzt meist ein charakteristisches Oberflächenprofil aus Warzen, Stacheln, Zahnleisten usw. Chemisch besteht sie aus **Sporopolleninen,** das sind hochpolymere Stoffe, die wahrscheinlich aus Carotin-ähnlichen Monomeren

Abb. 4.**24** Endodermiszellen, schematisch. **A** Primärer, **B** sekundärer, **C** tertiärer Zustand, oben im Querschnitt, unten in räumlicher Darstellung. **D** Endodermiszellen im Geweberverband. c = Casparysche Streifen, k = Korklamelle, p = Primärwand, v = geschichtete Verdickungsschicht (vgl. Abb. 8.**2**, S. 251)

aufgebaut sind. Wegen ihres hohen Polymerisationsgrades sind sie schwer angreifbar und nur auf oxidativem Wege abzubauen. Infolgedessen bleiben die Sporoderme unter anaeroben Bedingungen über lange Zeiträume hin unverändert erhalten, eine Eigenschaft, die uns heute die Identifizierung fossiler Pollenkörner ermöglicht (Pollenanalyse).

Cutiszellen: Sie sind innen von einer dünnen, der Zellwand aufgelagerten Suberinschicht ausgekleidet, ähnlich wie dies in Abb. 4.**24B** für die sekundären Endodermiszellen dargestellt ist. Die Cutinisierung kann die Epidermiszellen erfassen oder die subepidermalen Zellen, die dann eine ein- oder mehrschichtige Hypodermis bilden. Auch die Exodermis (S. 250) zählt zu den Cutisgeweben. In der Regel behalten die Cutiszellen ihren lebenden Inhalt.

Endodermis (Abb. 4.**24**): Ein den Cutiszellen entsprechender Zelltypus findet sich in Gestalt der Endodermen im Innern pflanzlicher Organe. Sie fungieren als physiologische Scheiden, indem sie den Wasser- und Stofftransport kontrollieren. Ihre Zellen haben eine prismatische Gestalt. Im primären Zustand sind sie allerdings noch nicht von einer Cutismembran ausgekleidet, sondern es sind nur bestimmte Bereiche der Primärwand inkrustiert. Die Inkrustierung beschränkt sich auf einen schmalen Streifen von wenigen μm Breite, den **Casparyschen Streifen,** der als zusammenhängendes Band die radialen Wände der Zellen (vgl. Abb. 8.**2A,B**, S. 251) umläuft, während die übrigen Teile der Zellwand zunächst unverändert bleiben (Abb. 4.**24A**). Bei der inkrustierten Substanz handelt es sich

Abb. 4.**25** *Acacia senegal.* Zellwand einer an eine Phellogenzelle (pg, S. 222) grenzenden Phellemzelle (ph). Die stufenweise Ablagerung der Suberinlamellen (sb) ist deutlich zu erkennen. Die Polysaccharide der aneinandergrenzenden Primärwände (pw) der benachbarten Zellen (die sie trennende Mittellamelle ist nicht erkennbar) und die das wandständige Cytoplasma (cp) begrenzenden Tonoplasten (t) erscheinen granulär kontrastiert. Fixierung: Glutaraldehyd-Osmium; Kontrastierung: Perjodsäure-Thiosemicarbazid-Silberproteinat. Vergr. 100 000fach (Originalaufnahme: J. Wattendorff)

nach der bisherigen Lehrmeinung um ein Gemisch von Lignin und einem suberinähnlichen Stoff, der als Endodermin bezeichnet wird. Allerdings wurde in neuerer Zeit für einige Pflanzen nachgewiesen, daß der Casparysche Streifen ausschließlich mit Lignin inkrustiert ist. Ungeachtet der chemischen Natur der Inkrusten scheint die wichtigste Aufgabe des Casparyschen Streifens die Verstopfung der kapillaren Räume der Zellwand zu sein, wodurch der apoplasmatische Transport von Ionen blockiert wird, während die kleinen, ungeladenen Wassermoleküle den Casparyschen Streifen offenbar ungehindert passieren können. Alle aufgenommenen Stoffe müssen somit die Zellen passieren, wodurch dem Protoplasten bzw. seinen Biomembranen die Möglichkeit zu einer Kontrolle und Selektion gegeben wird. Isolierte Casparysche Streifen zeigen eine netzartige Struktur mit welligem Verlauf, die darauf schließen läßt, daß sie auch mechanische Funktionen haben. Werden Endodermiszellen plasmolysiert, so löst sich der Protoplast von den Primärwänden ab, bleibt aber an den Casparyschen Streifen haften. Erst wenn im sekundären Zustand die gesamte Zelle innen mit einer dünnen Suberinlamelle ausgekleidet ist, hebt sich das Plasmalemma im plasmolysierten Zustand auch im Bereich der Casparyschen Streifen ab. Später, im sekundären Zustand, wenn die gesamte Zelle innen mit einer Suberinlamelle ausgekleidet ist (**B**), bleibt diese Kontrollfunktion auf einzelne **Durchlaßzellen** beschränkt, die keine Suberinlamelle besitzen. In einigen Fällen, vor allem bei den Monokotylen, erhalten die radialen Wände sowie die innen liegenden, in selteneren Fällen auch noch die außen liegenden tangentialen Wände Auflagerungen verholzter Celluloseschichten (**C**), wodurch sie zu einer mechanischen Scheide werden (tertiäre Endodermis) (Abb. 8.**2C,D**, S. 251). Dabei handelt es sich um ein mit Inkrustierung verbundenes Dickenwachstum der Zellwand.

Kork: Im Falle der auch als **Phellem** bezeichneten Korkzellen kann die Akkrustierung erhebliche Ausmaße erreichen, indem der Zellwand in der bereits beschriebenen Weise in regelmäßigem Wechsel Wachs- und Suberinschichten innen aufgelagert werden (Abb. 4.**25**). Beim sogenannten Steinkork können diesen noch verholzte Celluloseschichten folgen. Die damit einhergehende Verminderung des Wasser- und Stoffaustausches führt schließlich zum Absterben des plasmatischen Inhalts. Die zunächst noch offen gehaltenen Tüpfel werden dann verstopft. Auf diese Weise entstehen weitgehend wasserundurchlässige Zellschichten, die dem nachträglichen Abschluß der Oberfläche des Pflanzenkörpers, etwa nach Verletzung oder nach Zugrundegehen der Epidermis, dienen.

Zusammenfassung

Die arbeitsteilige Differenzierung der Zellen ist ein entscheidender Schritt in der Evolution gewesen. Sie führte zu einer immer weitergehenden funktionellen Spezialisierung der Zellen, so daß die am höchsten entwickelten Vielzeller aus zahlreichen verschiedenen Zelltypen aufgebaut sind.

Prozesse, die zu einer arbeitsteiligen Differenzierung führen, sind: das Flächen- und Dickenwachstum der Zellwände und die damit verbundene Ausbildung einer zentralen Zellsaftvakuole, die Inkrustierung und Akkrustierung der Zellwände mit Lignin, Cutin, Suberin und Wachsen, die Ausbildung bestimmter Organellen, die Ablagerung von Reservestoffen, die Synthese besonderer Zellinhaltsstoffe sowie die Entwicklung spezifischer physiologischer Leistungen.

Die für das Zellwandwachstum benötigten Bausteine werden in den Dictyosomen gebildet und durch das Plasmalemma nach außen transportiert, mit Ausnahme der Cellulose, die durch den Cellulosesynthase-Komplex des Plasmalemmas gebildet wird.

Durch Einlagerung nicht-cellulosischer Substanzen in die interfibrillären Räume (Inkrustation) bzw. durch Auflagerung auf die Zellwände (Akkrustation) können die Zellwände sekundäre Veränderungen erfahren, die im Falle der Lignineinlagerungen zu einer erhöhten Festigkeit, im Falle der Ein- bzw. Auflagerung von Cutin, Suberin u. ä. Verbindungen bzw. Wachsen zu einer weitgehenden Wasserundurchlässigkeit der Zellwände führt.

Meist sind im vielzelligen Organismus Zellen gleicher Funktion zu Geweben zusammengeschlossen. Vereinzelt in einem Gewebe liegende Zellen abweichender Funktion bezeichnet man als Idioblasten. Sind verschiedenartige Zellen zu Komplexen zusammengeschlossen, die einer bestimmten Leistung dienen, spricht man von Gewebesystemen.

Bei Pflanzen unterscheidet man Bildungsgewebe (Meristeme), deren Zellen die Fähigkeit zur Teilung beibehalten, und Dauergewebe, deren Zellen sich nicht weiter teilen und im Prozeß der Differenzierung ihrer künftigen Funktion entsprechend ausgebildet wurden. Im einzelnen unterscheidet man die folgenden Dauergewebetypen:

1. Grundgewebe, die die Hauptmasse des Pflanzenkörpers ausmachen und überwiegend aus parenchymatischen Zellen bestehen. Meist sind sie noch funktionell weiter differenziert, z. B. zu Speicher-, Photosynthese-, Durchlüftungs-, Mark- u. a. Geweben.

2. Abschlußgewebe, die als äußere Häute die Pflanze vor mechanischen Beschädigungen und zu großen Transpirationsverlusten schützen, wie Epidermis, Cutisgewebe und Korkgewebe, oder als innere Häute bestimmte Gewebe voneinander abgrenzen, wie die Endodermis. Bei allen diesen Zellen ist die Wasserwegsamkeit ihrer Wände durch Akkrustierung oder Inkrustierung mit Cutin, Suberin und Endodermin mehr oder weniger stark herabgesetzt.

3. Absorptionsgewebe, die der Aufnahme des Wassers und darin gelöster Ionen dienen, haben meist dünne, die Wasseraufnahme erleichternde Wände.

4. Leitungsgewebe bestehen überwiegend aus Zellen langgestreckter Gestalt, deren Querwände zur Erleichterung der Transportfunktion häufig ganz oder teilweise unter Zellfusion herausgelöst sind. Dem Transport des Wassers und der darin gelösten Stoffe von der Wurzel zu den oberirdischen Organen dienen die Gefäße und Tracheiden, dem Transport der ebenfalls gelöst vorliegenden Assimilate in beiden Richtungen die Siebröhren, die bei den Angiospermen stets gemeinsam mit Geleitzellen vorkommen.

5. Festigungsgewebe verleihen den pflanzlichen Organen die erforderliche mechanische Stabilität. Entweder sind nur einzelne Zellwände teilweise verdickt, wie beim Platten- bzw. Kantenkollenchym, oder die Verdickungen erfassen alle Zellwände gleichmäßig, wie bei den Sklerenchymfasern und den Steinzellen. Die Wände der beiden letzteren können durch Inkrustierung mit Lignin verfestigt sein, verlieren dadurch aber an Elastizität.

6. Sekretionsgewebe dienen zur Ausscheidung bzw. Absonderung von Stoffen. Hierzu zählen die Kristallidioblasten, Drüsenzellen, Milchröhren, Ölbehälter und Harzgänge.

5   Organisationsformen der Pflanzen

Da fossile Formen von Cyanobakterien eine weitgehende Ähnlichkeit mit den heute lebenden Arten aufweisen, dürfen wir davon ausgehen, daß sich die Prokaryoten ganz allgemein wohl nicht sehr wesentlich von ihren Vorfahren unterscheiden. Dagegen haben die Eukaryoten, von denen es auch heute noch zahlreiche einzellige Formen gibt, eine stürmische Entwicklung erfahren, die vor allem nach vollzogenem Übergang vom Einzeller zum Vielzeller zu einer großen Formenvielfalt geführt hat. In Zahlen ausgedrückt stehen etwa mehrere 10 000 Arten von Prokaryoten mehreren Millionen Eukaryotenarten gegenüber, von denen etwa 400 000 dem Pflanzenreich zuzurechnen sind. Hiervon sind etwa 250 000 höhere Pflanzen, die von allen Pflanzen den höchsten Grad an arbeitsteiliger Differenzierung aufweisen.

In diesem Zusammenhang bedarf es der Erwähnung, daß arbeitsteilige Differenzierung auch schon bei Prokaryoten vorkommt. So finden sich in den Fäden mancher Cyanobakterien, die aus gleichartigen und physiologisch gleichwertigen Zellen bestehen, in mehr oder weniger regelmäßigen Abständen abweichend gestaltete Zellen, die Heterocysten. Ihre Aufgabe ist die Fixierung des elementaren Stickstoffs. Da diese nur unter anaeroben Bedingungen erfolgen kann, besitzen die Heterocysten nur das Photosystem I, während ihnen das sauerstoffentwickelnde Photosystem II fehlt.

5.1   Stammbaum der Pflanzen

Die stammesgeschichtliche Entwicklung (**Phylogenie**) der einzelnen Pflanzen-
(und Tier-)gruppen aus gemeinsamen Vorfahren und somit ihr Verwandtschafts-
grad ist noch weitgehend Gegenstand von Hypothesen. Zwar können unsere Vorstellungen in einigen Fällen, in denen reiche Fossilienfunde zur Verfügung stehen,
als recht gut gesichert angesehen werden, doch sind die Ableitungen in anderen
Fällen, in denen Fossilien spärlicher sind oder ganz fehlen, noch recht unsicher.
Naturgemäß wird die Unsicherheit um so größer, je weiter wir den Weg der Stammesgeschichte zurückverfolgen. Aus diesen Gründen haftet allen Stammbäumen,
die bisher erarbeitet wurden, ein erhebliches Maß an Unsicherheit an. Dies trifft
auch für den in Abb. 5.1 wiedergegebenen Stammbaum der Pflanzen zu. Es sei
deshalb betont, daß er nur als ein, noch dazu stark vereinfachtes, Modell angesehen werden darf.

In neuerer Zeit sind unsere Kenntnisse der verwandtschaftlichen Beziehungen und
damit die Möglichkeiten der Klassifizierung durch die **Chemotaxonomie** erheblich
erweitert worden. Diese nimmt eine taxonomische Einteilung nach chemischen
Merkmalen vor. Dabei werden z. B. die Aminosäuresequenzen von Proteinen ermittelt und der Grad ihrer Übereinstimmung als Maß des Verwandtschaftsgrades benutzt. Auch die Ähnlichkeit der Nucleotidsequenzen der ribosomalen 16 S RNA hat
sich als ein zuverlässiges Merkmal für eine natürliche Klassifikation, insbesondere
der Prokaryoten, erwiesen.

Allerdings ist noch nicht einmal eine absolut zuverlässige Abgrenzung zwischen
Pflanze und Tier möglich. Zwar haben wir bereits einige Organisationsmerkmale
kennengelernt, die als charakteristisch für den pflanzlichen Organismus angesehen werden. In der Dimension der Zelle waren dies das Vorhandensein einer Zellwand, der Besitz von Plastiden und die Bildung einer Vakuole, in der molekularen
Dimension die Verwendung von Cellulose als Wandsubstanz, der Besitz von Chlorophyll und die Verwendung des Polysaccharids Stärke als Reservestoff. Keines
dieser Kriterien hat jedoch absolute Gültigkeit, da manche Pflanzen keine oder
nichtcellulosische Zellwände haben, keine Plastiden bzw. kein Chlorophyll besitzen, keine Zellsaftvakuolen haben oder einen anderen Reservestoff als Stärke verwenden.

Auch bei Betrachtung des ganzen Organismus gibt es keine allgemeingültigen
Unterscheidungsmerkmale zwischen Tier und Pflanze. So ist die Fähigkeit zur
Ortsveränderung und die damit im Zusammenhang stehende Verlagerung aller
wichtigen Organe in das Innere zwar für viele, aber doch keineswegs für alle Tiere
charakteristisch, wie andererseits die Standortgebundenheit und die starke Oberflächenentwicklung nicht alle Pflanzen auszeichnet. Auch das auf das Jugendsta-
dium begrenzte Wachstum der Tiere und das sich über die gesamte Lebensdauer
erstreckende, potentiell unbegrenzte Wachstum der Pflanzen sind keine generell
zutreffenden Kriterien. Die Einordnung der Organismen in das Tier- und Pflanzenreich kann also nur unter Berücksichtigung aller Merkmale erfolgen. In gewissen

Fällen, wie etwa bei den begeißelten Eukaryoten (Flagellaten), von denen wir sowohl grüne als auch farblose Formen kennen, ist eine klare Entscheidung überhaupt nicht möglich, da sie mit gleichem Recht sowohl als Tier als auch als Pflanze angesprochen werden können. Auch die Pilze können nur bedingt den Pflanzen zugerechnet werden, weshalb sie in den Stammbäumen häufig als selbständiges Reich ausgewiesen sind.

5.2 Protophytische Organisation

Die niedrigste Organisationsstufe, auf der die Einzelzelle den Wert eines ganzen Organismus hat, fassen wir in der Kategorie der Protophyta zusammen. Es sei jedoch nachdrücklich darauf hingewiesen, daß wir mit diesem Begriff lediglich eine Organisationsform, nicht aber eine Gruppe des natürlichen Systems der Pflanzen bezeichnen, was schon daraus hervorgeht, daß systematisch ganz verschiedene Gruppen, wie alle Bakterien, eine größere Zahl von Algen und einige niedere Pilze, hierher gehören.

Häufig bleiben allerdings die durch Teilung auseinander hervorgehenden Zellen miteinander verbunden, sei es in Form fadenförmiger Zellverbände, sei es in Form lockerer Aggregate, die durch Schleimkapseln oder Scheiden zusammengehalten werden. Daß es sich dennoch auch in diesem Falle um Protophyten handelt, geht aus der Tatsache hervor, daß die Einzelzellen auch allein lebensfähig sind. Bestehen derartige Aggregate nicht aus umhäuteten Zellen, sondern aus nackten Plasmamassen, so sprechen wir von Plasmodien.

5.2.1 Prokaryotische Protophyten

Allen Prokaryoten ist gemein, daß ihnen ein Zellkern mit den oben als typisch bezeichneten Organisationsmerkmalen fehlt, insbesondere die Kernhülle. Dennoch fungiert auch bei ihnen als Träger der genetischen Information die DNA, die elektronenmikroskopisch als fibrilläre Elemente in bestimmten Bereichen der Zellen nachweisbar ist. Diese sind nicht durch Membranen abgegrenzt, erscheinen aber meist etwas kontrastärmer als das stark elektronenstreuende Cytoplasma (Hellzonen, Abb. 5.**2**).

! Die DNA der Prokaryoten ist nicht an Histone gebunden. Am eingehendsten wurde bisher das Eubacterium *Escherichia coli* untersucht. Bei diesem liegt der in sich geschlossene, also zirkuläre DNA-Doppelstrang (S. 416 f.) in Form eines Knäuls vor, das aus etwa 50 superhelikalen Schleifen besteht. Wird dieses vorsichtig aus der Zelle herauspräpariert, behält es seine Form (Abb. 5.**3D**). Durch Behandlung mit dem Enzym Ribonuclease wird das Knäul vollständig ausgebreitet. Offenbar ist die RNA für die Ausbildung und Erhaltung der knäulartigen Struktur der DNA wesentlich. Außerdem scheinen hierfür auch Proteine

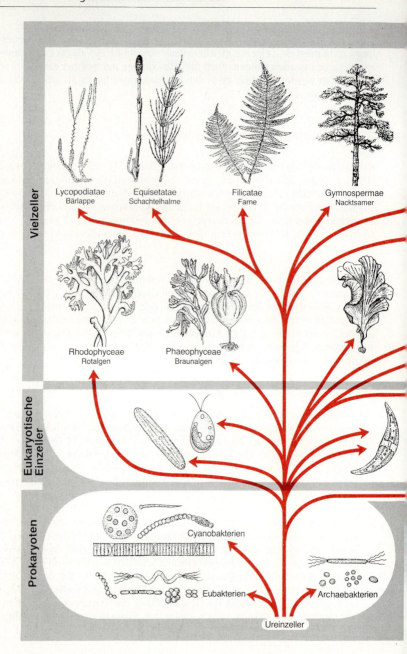

Vielzeller

Lycopodiatae
Bärlappe

Equisetatae
Schachtelhalme

Filicatae
Farne

Gymnospermae
Nacktsamer

Rhodophyceae
Rotalgen

Phaeophyceae
Braunalgen

Eukaryotische Einzeller

Prokaryoten

Cyanobakterien

Eubakterien

Archaebakterien

Ureinzeller

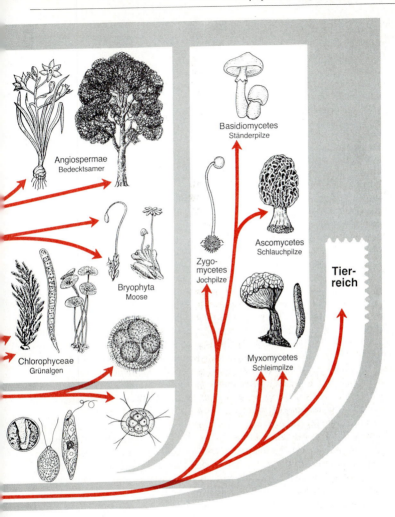

Angiospermae
Bedecktsamer

Basidiomycetes
Ständerpilze

Ascomycetes
Schlauchpilze

Zygo-
mycetes
Jochpilze

Bryophyta
Moose

Chlorophyceae
Grünalgen

Myxomycetes
Schleimpilze

**Tier-
reich**

Abb. 5.1 Entwurf eines Stammbaums der Pflanzen

verantwortlich zu sein. Bei der Spreitung geht die Superhelix durch Einstrang-
brüche in eine offene Ringstruktur über, die häufig Replikationsgabeln erkennen läßt (Abb. 5.3E).

Trotz dieser von der chromosomalen DNA der Eukaryoten stark abweichenden Organisation hat sich die inkorrekte Bezeichnung „Bakterienchromosom" eingebürgert,
wie auch nicht selten von Bakterienzellkernen geprochen wird, obwohl der ältere
Terminus „Kernäquaivalente" den tatsächlichen Verhältnissen besser Rechnung
trägt.

Bisher wurden erst bei einer begrenzten Anzahl von Gattungen bzw. Arten genauere Untersuchungen durchgeführt. Dennoch dürfen wir davon ausgehen, daß
die DNA bei allen Prokaryoten eine ähnliche Überstruktur aufweist.

Unter den Prokaryoten lassen sich drei Hauptgruppen voneinander abgrenzen:
die Eubakterien, die Archaebakterien und die Cyanobakterien. Letztere werden
von manchen Autoren den Eubakterien zugerechnet, während sie in der botanischen Literatur meist als Cyanophyceen bezeichnet und bei den Algen eingeord-
net werden. Der Hauptgrund hierfür ist, daß ihre Photosynthese, im Gegensatz zur
anoxygenen Bakterienphotosynthese, oxygen, d. h. infolge der Wasserspaltung
unter Sauerstoffbildung verläuft.

Eubakterien: Die Anzahl der DNA-Hauptstränge pro Bakterienzelle hängt von ihrem Alter und ihrem physiologischen Zustand ab. In ruhenden Zellen der stationären Phase enthält jede Zelle im typischen Falle nur einen Hauptstrang. Schnell
wachsende Zellen, die sich in der logarithmischen Phase befinden, enthalten zwei,
drei oder sogar vier DNA-Hauptstränge, von denen sich jeder bereits wieder in Replikation befinden kann. Das frühzeitige Einsetzen der Replikation ist notwendig,
da sich manche Bakterien schneller teilen, als der Replikationszyklus abläuft. So
teilen sich die Zellen von *Escherichia coli* unter günstigen Bedingungen alle
20 Min., während der Replikationszyklus 40 Min. in Anspruch nimmt.

Während der Replikation ist ein Punkt des zirkulären DNA-Moleküls an die Cytoplasmamembran angeheftet. Daher liegen die beiden neugebildeten Doppelstränge zunächst noch nebeneinander. Ihre Verteilung auf die beiden Tochterzellen kommt offenbar dadurch zustande, daß zwischen die beiden Anheftungsstellen, synchron mit der Zellwandsynthese, neues Membranmaterial eingebaut
wird, wodurch die Anheftungsstellen immer weiter auseinanderrücken. Erfolgt
schließlich die Teilung, so erhält jede Zelle mindestens einen Doppelstrang. Hierdurch wird die korrekte und vollständige Weitergabe der genetischen Information gewährleistet, ohne daß ein Spindelapparat ausgebildet wird.

Bei zahlreichen Arten finden sich zusätzlich zu dem DNA-Hauptstrang noch kleinere
ringförmige DNA-Elemente, die **Plasmide,** deren Größe je nach Typ zwischen einigen Tausend und 0,5 Millionen Nucleotidpaaren liegen kann. Sie besitzen einen eigenen Startpunkt für ihre Replikation. Ein Plasmid kann in der Wirtszelle seine Autonomie als unabhängiges Replikon behalten, oder es kann in den DNA-Hauptstrang
der Wirtszelle integriert werden. In diesem Falle wird es auch als Episom bezeich-

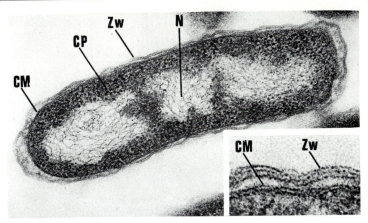

Abb. 5.**2** Elektronenmikroskopische Aufnahme eines Ultradünnschnittes von *Escherichia coli*. Infolge leichter Plasmolyse hat sich der Protoplast von der Zellwand gelöst. Hierdurch sind die Zellwand (zw) und die Cytoplasmamembran (cm) gut zu erkennen. cp = Cytoplasma mit Ribosomen, n = Kernäquivalente mit DNA-Strängen. Vergr. Zelle 26 200-fach, Zellausschnitt 216 000fach (Originalaufnahmen: H. Frank, aus H. G. Schlegel: Allgemeine Mikrobiologie, Thieme, Stuttgart 1985)

net. Manche Plasmidarten können von einer Zelle, dem Spender, auf eine andere, den Empfänger, übertragen werden. Hierzu gehören die F-Plasmide (Fertilitätsfaktoren, S. 418) und die R-Plasmide (Resistenzfaktoren), die die Resistenz gegen bestimmte Antibiotika und Sulfonamide bedingen. Sie werden als konjugative Plasmide bezeichnet. Nicht-konjugative Plasmide besitzen kein transfer-Gen und werden daher nicht übertragen. Meist liegen die Plasmide in mehreren Kopien vor, deren Anzahl pro DNA-Hauptstrang für das jeweilige Plasmid charakteristisch zu sein scheint. Weitere Plasmide sind das Ti-Plasmid (S. 484) sowie das Sym-Plasmid, auf dem die nif-Gene codiert sind (S. 347). Der Besitz von Plasmiden verschafft den betreffenden Bakterien zwar bestimmte Selektionsvorteile, ist aber keine unerläßliche Voraussetzung für ihre Lebensfähigkeit.

⚠ Das Cytoplasma wird außen durch die Cytoplasmamembran begrenzt, die im elektronenmikroskopischen Bild den typischen Aufbau einer Biomembran zeigt (Abb. 5.2). Gleich dem Plasmalemma der Pflanzenzelle hat sie die Funktion einer den Stoffaustausch kontrollierenden physiologischen Barriere. Darüber hinaus ist sie Trägerin der Atmungsenzyme, die bei der Eukaryotenzelle in den Mitochondrien lokalisiert sind, sowie des enzymatischen Apparates der Zellwandsynthese.

Abb. 5.**3**   Zelle eines gramnegativen Bakteriums. **A** Raumdiagramm mit kombiniertem Längsquerschnitt (schematisch), **B** Modell des Basalkörpers mit Geißelhaken von *Escherichia coli,* **C** Feinstrukturmodell eines Geißelfilamentabschnittes, **D** DNA-Molekül von *Escherichia coli* im nativen Zustand. **E** wie **D** in Replikation, gezeichnet nach einem Autoradiogramm, **F** Strukturmodell der Zellwand, **G** Ausschnitt aus zwei Peptidoglycanmolekülen von *Escherichia coli* mit Quervernetzung, **H** = Porin OmpF, **I** = Porin PhoE. am = äußere Membran, cm = Cytoplasmamembran (rot), ez = Enzymmolekül, ge =

Geißel, gf = Geißelfilament, gh = Geißelhaken, gl = Glykogeneinschlüsse, li = Lipoidmoleküle, lp = Lipoproteinmokeküle, lr =
Ring des Basalkörpers in der äußeren Membran, ls = Lipopolysaccharidmolekül, lt = Lipidtropfen, mr = Ring des Basalkörpers in der
Cytoplasmamembran, om = Porin OmpF,
pg = Peptidoglycanschicht, ph = Porin PhoE,
pn = Proteinmolekül, po = Polyphosphatgranula, pr = Ring des Basalkörpers in der
Peptidoglycanschicht, pt = periplasmatischer Raum, rb = Ribosom, sr = Ring des Basalkörpers über der Cytoplasmamembran,
w = Zellwand

Abb. 5.4 *Rhodospirillum rubrum.* Zelle mit zahlreichen bläschenförmigen Thylakoiden. Fixierung: nach Kellenberger, Vergr. ca. 54 000fach (Originalaufnahme: G. Drews und Marx)

Obwohl den Prokaryoten außer den Mitochondrien und Plastiden auch die übrigen für die Eukaryotenzelle charakteristischen Membranstrukturen wie Dictyosomen und ER fehlen, kommen doch auch in Bakterienzellen **intracytoplasmatische Membranen** vor, die durch Invagination (Einstülpung) der Cytoplasmamembran entstehen und mit dieser vorübergehend oder dauernd in Verbindung bleiben. Hier sind vor allem die den Thylakoiden der Chloroplasten vergleichbaren Membranen der photosynthetischen Bakterien zu nennen, auf denen die Photosynthesepigmente (Bakteriochlorophylle, Carotinoide) lokalisiert sind. Je nach Art können sie als Vesikel (Abb. 5.4), Tubuli oder Membranstapel ausgebildet sein. An granulären Einschlüssen enthält das Cytoplasma neben den Ribosomen, die dem 70 S Typus angehören, vor allem Reservestoffe. Die früher als Volutinkörner bezeichneten metachromatischen Granula bestehen im wesentlichen aus Polyphosphaten, das sind kettenförmige kondensierte Phosphate, die als Phosphatreserve und, wenn auch wohl nur in geringem Umfang, als Energiespeicher dienen. Andere Granula bestehen aus Polysacchariden (Glykogen), Poly-β-hydroxybuttersäure, Lipiden und, bei Schwefelbakterien, aus Polysulfiden. Bei einigen autotrophen Formen sind auch Carboxysomen gefunden worden, die eine polyedrische Gestalt haben und überwiegend aus dem Enzym RubisCO (S. 97) bestehen.

Die formbeständige, aber elastische Zellwand, deren Dicke zwischen 10 und 40 nm liegt, unterscheidet sich sowohl in ihrer Feinstruktur als auch in ihrer chemischen Zusammensetzung grundsätzlich von der typischen Pflanzenzellwand.

Darüber hinaus bestehen auch innerhalb der Bakterien größere Unterschiede, die u. a. das verschiedene Gram-Verhalten bedingen.

Bei der Gram-Färbung werden die Bakterien mit bestimmten Anilinfarbstoffen (Karbolgentianaviolett, Kristallviolett o. a.) angefärbt und anschließend mit Jod-Jodkaliumlösung behandelt. Hierdurch entstehen Farblacke, die bei den gramnegativen Formen durch eine anschließende Alkoholbehandlung ausgezogen werden, bei den grampositiven hingegen nicht. Das Gram-Verhalten ist, von einigen gramlabilen Formen abgesehen, artspezifisch und hat in der Bakteriologie diagnostischen Wert.

Die Zellwände der Eubakterien sind stets mehrschichtig (Abb. 5.**3F**). Allen gemein ist jedoch nur die innerste Schicht, die infolge ihrer Starrheit die formbestimmende Komponente der Zellwand darstellt und deshalb als Stützschicht bezeichnet wird. Sie besteht aus Peptidoglycanen, das sind Heteropolymere, die aus Aminozuckern und kleineren Peptideinheiten aufgebaut sind. Bei den ersteren handelt es sich um N-Acetylglucosamin und N-Acetylmuraminsäure, die alternierend in Ketten angeordnet und β-1$\rightarrow$4-glykosidisch miteinander verbunden sind (Abb. 5.**3G**). Die Peptide stehen in Form kurzer Seitenketten an den N-Acetylmuraminsäuremolekülen. Sie enthalten charakteristische, in Proteinen nicht vorkommende Aminosäuren, bei *Escherichia coli* z. B. m-2,6-Diaminopimelinsäure, D-Glutaminsäure und D-Alanin neben L-Alanin. Die benachbarten parallel angeordneten Peptidoglycanmoleküle sind, wie Abb. 5.**3G** zeigt, über die m-Diaminopimelinsäure der einen und das D-Alanin der anderen Seitenkette quer vernetzt. Auf diese Weise entsteht ein beutelförmiges Riesenmolekül (Sacculus), das Murein, das den Protoplasten der Zelle einschließt.

Gramnegative Bakterien: Bei ihnen ist der Peptidoglycan-Sacculus einschichtig. An ihn sind langgestreckte Lipoproteinmoleküle kovalent gebunden, die auswärts gerichtet und mit ihren Lipidanteilen in der äußeren Membran verankert sind (Abb. 5.**3F**), wodurch diese in einem bestimmten Abstand vom Murein-Sacculus gehalten wird. Sie ist eine Biomembran, zeigt aber eine starke Asymmetrie. Ihre innere Hälfte besteht überwiegend aus Phospholipiden, die äußere hingegen aus Lipopolysacchariden. Diese tragen im typischen Fall sechs Fettsäureketten, mit denen sie im Lipidbereich der Biomembran verankert sind (Abb. 5.**3F**). Die Fettsäuren sind mit einem aus zwei Glucosaminen bestehenden Disaccharid verbunden. Dieses trägt außerdem eine lange Polysaccharidkette, die weit über die Zelloberfläche hinausragt. In ihrem proximalen Bereich tragen diese Polysaccharide negative Ladungen, an ihrem distalen Ende die O-Antigene (Körperantigene). Diese Schicht ist sehr wasserhaltig, weshalb die Bakterienoberfläche glatt und glänzend erscheint. Sie schützt die Bakterien, die man deshalb als S-(smooth-)Formen bezeichnet, bis zu einem gewissen Grade vor der Reaktion mit Antikörpern und der Phagocytose durch die Leukocyten. Deshalb sind die S-Formen sehr viel widerstandsfähiger als die durch eine rauhe Oberfläche ausgezeichneten R-(rough-)Formen, denen diese Polysaccharidketten fehlen.

Die äußere Membran enthält **Porine,** die transmembrane, wassergefüllte Kanäle mit Durchmessern zwischen 0,6 und 2,3 nm bilden. Sie gestatten hydrophi-

Box 5.1   Antigene

Der Begriff Antigen leitet sich von Anti-somatogen ab, d. h. Antikörperbildner. Hierunter versteht man Stoffe, die im Körper von Mensch und Tier die Bildung von Antikörpern hervorrufen, das sind spezifische Serumeiweiße (Immunglobuline), die mit dem betreffenden Antigen reagieren und dieses unwirksam machen. Auf diese Weise kann Immuni- tät erworben werden. Zu den Antigenen zählen vor allem gewisse Proteine und Polysaccharide. Voraussetzung für eine Immunantwort ist im allgemeinen, daß das Antigen vom Organismus als fremd erkannt wird und daß es eine M_r von mindestens 1000 besitzt. Bakterien mit ihren O- bzw. H-Antigenen zählen zu den partikulären Antigenen.

len Molekülen einer $M_r < 1000$ den Durchtritt, so daß die äußere Membran etwa um den Faktor 10 durchlässiger ist als die Cytoplasmamembran. Bei einigen Bakterien sind sogar noch höhere Werte gefunden worden. Die Selektivität der Porine ist gering. Meist unterscheiden sie sich nur hinsichtlich ihrer Selektivität für Kationen bzw. Anionen, je nach Ladung der Aminosäuren, die den Kanal bilden. So zeigt das PhoE-Porin eine gewisse Selektivität für Anionen und phosphathaltige Substanzen. In *In-vitro*-Experimenten erwiesen sich die Porine als spannungsabhängig (S. 56 f.).

Offenbar liegen die Porine meist als Trimere vor, von denen jedes eine nach außen gerichtete Eintrittsöffnung enthält, die das Porin entweder als drei getrennte Kanäle durchsetzen, wie im Falle des sogenannten PhoE, oder aber zu einem gemeinsamen Kanal zusammenlaufen, wie im Falle des OmpF, beide von *Escherichia coli* (Abb. 5.3 I, H). Außerdem wurden in der äußeren Membran auch andere Transportproteine gefunden. So hat sich gezeigt, daß das als Rezeptor für den Phagen λ (S. 423) fungierende LamB-Protein die Aufnahme von Maltose und Maltodextrinen bei geringen Außenkonzentrationen spezifisch verstärkt. Da es gewisse Gemeinsamkeiten mit den Porinen zeigt, wird es auch als Maltoporin bezeichnet. Auch ist bekannt, daß es mit Maltose-bindenden Proteinen in Wechselwirkung treten kann.

In dem zwischen der äußeren Membran und der Stützschicht liegenden periplasmatischen Raum befinden sich lösliche Proteine (Abb. 5.3 F), die zum Teil Bindungsproteine für lösliche Metabolite wie Zucker und Aminosäuren sind und auch als Chemorezeptoren fungieren, zum Teil enzymatischen Charakter tragen und Nährstoffe so weit abbauen, daß sie durch die Cytoplasmamembran transportiert werden können. Auch toxisch wirksame Moleküle können abgebaut und auf diese Weise unschädlich gemacht werden. Der Besitz einer solchen Zone kontrollierter physikalischer und chemischer Bedingungen erklärt den breiten Milieubereich, in dem die gramnegativen Bakterien zu wachsen vermögen.

Grampositive Bakterien: Sie besitzen einen vielschichtigen Peptidoglycan-Sacculus, dessen Anteil an der Zellwandsubstanz mit 30–70% wesentlich höher ist als bei den gramnegativen, wo er nur etwa 10% beträgt. Die übrige Wandsubstanz besteht aus Polysacchariden und/oder Teichonsäuren, das sind wasserlösliche Heteropolymere aus Zuckern, D-Alanin und Glycerinphosphorsäure oder Ribitphosphorsäure.

Viele Eubakterien scheiden mehr oder weniger stark quellendes Wandmaterial ab, das meist aus sauren Heteropolysacchariden besteht. Es führt entweder zur Bildung unscharf begrenzter, schleimiger Höfe oder scharf umschriebener Kapseln bzw. Scheiden höherer Viskosität. Diese Schleimhüllen bieten einen gewissen Schutz und erhöhen damit die Resistenz, z.B. gegen Antikörper und Leukocyten.

Manche Eubakterien tragen in Ein- oder Mehrzahl **Geißeln,** die in der Zellwand bzw. in der Cytoplasmamembran mit Hilfe der Basalkörper verankert sind. Diese bestehen bei den gramnegativen Bakterien aus mindestens neun Proteinen, die in vier voneinander abgesetzten ringförmigen Scheiben auf einem relativ dünnen Schaft angeordnet sind (Abb. 5.**3**B). Sie werden als M-, S-, P- und L-Ring bezeichnet und liegen (in gleicher Folge) in der Cytoplasmamembran, im intermembranären Raum, im Mureinsacculus und in der äußeren Membran. Die Geißeln der grampositiven Bakterien haben nur die beiden inneren Ringe (M und S). An dem Basalkörper ist der abgewinkelte Geißelhaken inseriert, der aus einem Protein ($M_r = 42\,000$) besteht. An ihn ist das Filament angeheftet. Bei hoher Auflösung erkennt man, daß es aus mehreren, häufig elf Subfibrillen aufgebaut ist, die schraubig umeinander gewunden sind. Sie bestehen aus einem als Flagellin bezeichneten Protein, dessen Bausteine (Monomere) in Längsreihen angeordnet sind (Abb. 5.**3**C). Hinsichtlich der Größe und Zusammensetzung der Flagellinmoleküle gibt es bei den verschiedenen Bakteriengruppen Unterschiede. Bei *Escherichia coli* besteht das Flagellin aus einer Peptidkette mit einer Molekülmasse M_r von 54 000. Der Durchmesser der Geißeln liegt zwischen 10 und 20 nm, ihre Länge zwischen 5 und 25 μm. Monotriche Formen tragen eine, polytriche zahlreiche Geißeln. Letztere können in Form von Schöpfen angeordnet sein, und zwar entweder monopolar (lophotrich) oder bipolar (amphitrich), oder sie sind über die Oberfläche etwa gleichmäßig verteilt (peritrich). Bei einigen polar begeißelten gramnegativen Bakterien sind die Geißeln ganz oder teilweise von einer Geißelscheide eingehüllt, deren chemische Natur noch unklar ist. Auch die Geißeln können Sitz von Antigenen sein (H-Antigene).

! Archaebakterien: Der Name dieser erst in neuerer Zeit genauer untersuchten Gruppe von Bakterien wurde gewählt, weil viele von ihnen an extreme Bedingungen angepaßt sind, die wahrscheinlich während der Frühgeschichte des Lebens auf der Erde vorherrschten, z.B. hohe Temperaturen. Sie werden daher als eine selbständige Gruppe angesehen, die sich aus den Ureinzellern, unabhängig von den Eubakterien und den Eukaryoten, entwickelt hat. Zu ihnen zählen die methanogenen (methanbildenden) Bakterien, die halophilen (salzliebenden), d.h. an hohe Salzgehalte angepaßten Halobakterien sowie die thermoacidophilen (wärme- und säureliebenden) Bakterien.

Obwohl sie in ihrer äußeren Gestalt den Eubakterien weitgehend ähnlich sind (Stäbchen, Kokken usw.), bestehen in physiologischer und biochemischer Hinsicht grundlegende Unterschiede, von denen hier nur einige genannt werden können. So unterscheidet sich die ribosomale 16 S RNA in der Zusammensetzung und Anordnung ihrer Bausteine grundsätzlich von der der Eubakterien. Ihre Zellwände enthalten keine Peptidoglycane, sondern sind von Fall zu Fall sehr verschiedenartig zusammengesetzt. Bei einigen Gruppen überwiegen Glykoproteine, bei anderen verschiedenartige Heteropolysaccharide. Die Lipide der Cytoplasmamembranen enthalten keine Fettsäureglycerinester, sondern Ether des Glycerins mit langkettigen Isoprenoidkohlenwasserstoffen. Sofern Geißeln vorhanden sind, wie bei *Halobacterium,* besteht das Flagellin aus sulfatierten Glykoproteinen. Schließlich kommen bei den Archaebakterien Stoffwechselwege vor, die bei Eubakterien ungewöhnlich sind.

Cyanobakterien: Die auch als Cyanophyceen oder blaugrüne Algen bezeichneten Cyanobakterien werden heute meist den Eubakterien zugerechnet. Sie kommen in Form von Einzelzellen, lockeren Zellaggregaten oder fadenförmigen Zellverbänden vor (Abb. 5.5 **A**). Sie zeigen alle wesentlichen Merkmale der Prokaryoten (Abb. 5.5 **B**). Die DNA ist nicht an Histone gebunden. Sie findet sich in bestimmten Bereichen des Centroplasmas, von dem sie jedoch nicht durch eine Kernmembran abgegrenzt ist. Über die Replikation der DNA und ihre Verteilung auf die Tochterzellen ist wenig bekannt, doch kann man davon ausgehen, daß sie in ähnlicher Weise wie bei den Bakterien erfolgt. Die Ribosomen gehören dem 70 S Typus an. Mitochondrien, Dictyosomen und ER fehlen ebenso wie Plastiden. Träger der Photosynthesepigmente sind Thylakoide, die, wie bei den photosynthetischen Bakterien, durch Invagination der Cytoplasmamembran entstehen und häufig, aber keineswegs immer, im peripheren Teil der Zelle zu finden sind, der dann als Chromatoplasma mehr oder weniger deutlich vom farblosen Centroplasma abgesetzt ist (Abb. 5.5).

❗ Der Photosyntheseapparat der Cyanobakterien unterscheidet sich jedoch grundsätzlich von dem der anderen Bakterien: Gleich den grünen Pflanzen besitzen sie Chlorophyll a sowie zwei in Reihe geschaltete Photosysteme (S. 295 ff.) und verwenden Wasser als Wasserstoff- bzw. Elektronendonator, weshalb die Photosynthese oxygen, d.h. mit einer Sauerstoffentwicklung verbunden ist. Während Chlorophyll a und die Carotinoide in die Thylakoidmembranen integriert sind, liegen die Phycobiliproteine Phycocyanin und Phycoerythrin in Gestalt von **Phycobilisomen** auf den Thylakoiden.

Bei den Cyanobakterien ist eine, verglichen mit den Eubakterien, ungleich größere Anzahl von Zelleinschlüssen nachgewiesen worden, von denen einige allerdings nur auf bestimmte Gattungen oder gar Arten beschränkt zu sein scheinen. Manche von ihnen sind Speicherstoffe, wie die aus Poly-β-hydroxybuttersäure oder aus Glykogen bestehenden Granula. Allgemein verbreitet sind die aus Polyphosphaten aufgebauten Volutingranula, die polyedrischen Carboxysomen, die

Abb. 5.**5** *Oscillatoria chalybea* (Cyanobakterium). **A** Lichtmikroskopisch (ca. 1500fach), **B** Rekonstruktionsschema nach elektronenmikroskopischen Aufnahmen. cm = Cytoplasmamembran (rot), cs = Carboxysomen,

g = Cyanophycingranula, gg = Glykogengranula (rot), l = Lipidtropfen, n = DNA, ps = Phycobilisomen, r = Ribosomen, th = Thylakoide, v = Volutingranula, w = Zellwand

RubisCO (S. 97) enthalten, Lipidtropfen sowie die sogenannten Cyanophycinkörnchen. Die Analyse der letzteren ergab bei einer genau untersuchten Art 98 % Protein, das aus nur zwei Aminosäuren, nämlich L-Arginin und L-Asparaginsäure im Verhältnis 1 : 1 zusammengesetzt ist. Wahrscheinlich dienen sie der Stickstoffspeicherung. Manche Formen enthalten Gasvakuolen, die aus mehreren, von Proteinmembranen umgebenen Vesikeln bestehen und den Zellen das Schweben im Wasser ermöglichen.

Die Zellwände der Cyanobakterien sind ähnlich gebaut wie die der gramnegativen Bakterien. Allerdings ist die Peptidoglycanschicht wesentlich dicker, weshalb die Gram-Färbung positiv ausfällt. Auch die Lipopolysaccharide der äußeren Membran unterscheiden sich von denen der gramnegativen Bakterien. Schleimscheiden und Kapseln kommen häufig vor.

Box 5.2   Prochlorophyta

Die Vertreter dieser Gruppe sind systematisch wie phylogenetisch schwer einzuordnen. Sie sind Prokaryoten, die zur oxygenen Photosynthese befähigt sind und neben Chlorophyll a auch Chlorophyll b besitzen, das bisher als charakteristisches Photosynthesepigment der eukaryotischen Grünalgen und höheren Pflanzen angesehen wurde. Es wurden drei Formen isoliert: *Prochloron didemni,* ein Ektosymbiont der Seescheide *Didemnum,* der allein schwer kultivierbar ist, die Süßwasserform *Prochlorothrix hollandica,* deren Trichome aus mindestens fünf bis zu einhundert Zellen oder mehr bestehen, und der zum Picoplankton gehörende *Prochlorococcus marinus,* dessen Durchmesser in der Größenordnung von 1 μm liegen. Der prokaryotische Charakter wird belegt durch die Größe des Genoms, die zwischen 3,5 und 4×10^9 Basenpaaren liegt, das Fehlen einer Kernhülle, durch den Peptidoglycan-Gehalt der Zellwand, die im Aufbau und in ihrer chemischen Zusammensetzung der Zellwand der Cyanobakterien ähnelt, sowie durch das Fehlen der für die Eukaryoten charakteristischen Zellorganellen. Die Thylakoide liegen in Stapeln, sind aber nicht von einer Chloroplastenhülle umgeben.

Der Besitz der Chlorophylle a und b (*Prochlorococcus* enthält übrigens Divinyl-Chlorophylle) hat zu der Ansicht geführt, daß die Prochlorophyten Vorläufer der eukaryotischen Chloroplasten seien. Das trifft jedoch mit Sicherheit nicht zu, und zwar aus mehreren Gründen, von denen im folgenden nur einige angeführt sind. Die typischen Carotinoide der Chloroplasten sind β-Carotin, Lutein und Violaxanthin, die der Prochlorophyten hingegen β-Carotin und Zeaxanthin. Des weiteren hat sich gezeigt, daß der light harvestingcomplex nicht, wie bei den grünen Pflanzen, mit dem PS II, sondern funktionell mit dem PS I assoziiert ist. Hierdurch wird der zyklische Elektronentransport, der lediglich pmf erzeugt, gegenüber dem linearen gefördert. Dies ist günstig, wenn die Organismen in einer Umgebung mit reduzierten Substraten leben, so daß sie sich photoheterotroph ernähren können. Da der lineare Elektronentransport aber noch voll intakt ist, sind sie zu einer mixotrophen Lebensweise befähigt. Obwohl taxonomische Studien darauf hindeuten, daß die Prochlorophyten Abkömmlinge der Cyanobakterien sind, zeigen physiologische Studien, daß ihr Photosyntheseapparat in einer einzigartigen, von dem der grünen Eukaryoten wie auch der Cyanobakterien völlig abweichenden Weise organisiert ist.

Diese Befunde lassen den Schluß zu, daß die Prochlorophyta eine eigenständige Gruppe sind. Das bedeutet zugleich, daß das Chlorophyll b mehr als einmal während der phylogenetischen Entwicklung entstanden ist.

5.2.2 Eukaryotische Protophyten

⚠ Einzellige Eukaryoten, die als Entwicklungsursprung der eukaryotischen Vielzeller angesehen werden, kommen in vielen Algengruppen (Abb. 5.**6A,B**), aber
auch bei niederen Pilzen vor. Sie zeigen die für Eukaryoten typischen Organisationsmerkmale (Kapitel 3). Allerdings bestehen ihre Zellwände häufig nicht aus
Cellulose, sondern aus anderen Polysacchariden (S. 35) bzw., wie im Falle von
Chlamydomonas (Abb. 5.**6A**), aus Glykoproteinen (S. 124).

Die meisten Vertreter sind photoautotroph und enthalten Chloroplasten, die dem
durchgehend lamellierten Typ angehören, doch kommen auch farblose, heterotrophe Formen vor.

Bei manchen eukaryotischen Protophyten, die zu freien Ortsbewegungen befähigt sind, finden sich besondere Bewegungsorganellen, die **Geißeln.** Sie können
in Ein- oder Mehrzahl vorhanden sein (Abb. 5.**6A**). Die Eukaryotengeißeln weisen
einen recht einheitlichen, von den Bakteriengeißeln stark abweichenden Bau auf
(Abb. 5.**7**). Sie enthalten 11 fibrilläre Längselemente, von denen 2 axial, die übrigen 9 peripher angeordnet sind (A, B). Die letzteren entsprechen Mikrotubuli-
dupletts, von denen der A-Tubulus aus 13, der B-Tubulus aus 10 Protofilamenten
gebildet wird, wobei letzterer 3 mit dem A-Tubulus gemeinsam hat. Die Dupletts
sind untereinander durch Nexine verbunden, die von den A-Tubuli ausgehen,
ebenso wie die radial verlaufenden Speichen, die bis zu den Zentraltubuli reichen.
An den A-Tubuli inserieren paarweise Dynein-Arme, die zu den benachbarten B-
Tubuli hin gerichtet sind. Sie besitzen ATPase-Aktivität. Diese als **Axonema** bezeichnete Skelettstruktur ist im Cytoplasma durch einen Basalkörper verankert
(Abb. 5.**8**). An dem Basalkörper enden die Zentraltubuli, während zu den peripheren Dupletts je ein C-Tubulus hinzutritt, der wiederum 3 Protofilamente mit dem
B-Tubulus teilt. Hierdurch entstehen 9 Mikrotubulitripletts (C). Gleich den Cen-
trosomen fungiert der Basalkörper als MTOC (S. 62). Die Mikrotubuli sind meist
mit ihrem minus-Ende an dem Basalkörper inseriert, so daß das Wachstum der
Geißeln am distalen plus-Ende erfolgt. Das Tubulin muß also nach seiner Syn-

A

B

Abb. 5.**6** Eukaryotische Einzeller. **A** *Chla-*
mydomonas reinhardtii, **B** *Chlorella vulgaris*.
bk = Basalkörper, c = Chloroplast, g = Geißeln, n = Zellkern mit Nucleolus, p = Pyrenoid, st = Stigma, v = kontraktile Vakuolen,
zw = Zellwand (ca. 1500fach)

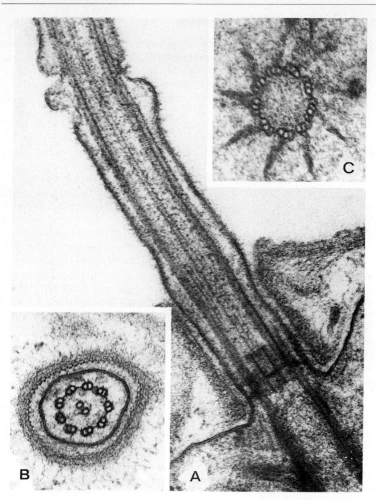

Abb. 5.**7** Geißel von *Chlamydomonas rein-hardtii.* **A** Längsschnitt durch den unteren Teil der Geißel und den Basalkörper, **B** Querschnitt durch die Geißel. Die von den Mikrotubuliduplets radial nach innen verlaufenden Speichen sind nur zum Teil erhalten, **C** Querschnitt durch den Basalkörper. Fixierung: Glutaraldehyd/OsO₄, Vergr. ca. 100 000fach (Originalaufnahmen. D. G. Robinson)

these zum distalen Ende transportiert werden. Vom Basalkörper laufen Mikrotubulibündel, die sogenannten Geißelwurzeln, in die peripheren Bereiche der Zelle, wo sie offenbar Cytoskelettfunktionen ausüben. An den Spitzen der Geißeln sind die B-Tubuli kürzer als die A-Tubuli, so daß hier die beiden Zentraltubuli

A B

C D

Abb. 5.**8** Computergraphische Rekonstruktion eines Axonems. **A** Freigestellte Axonem-Rekonstruktion in Aufsicht, **B** wie **A**, unter einem Blickwinkel von 30 Grad, **C** Freilegung des Innenbereiches des Axonems, **D** einzelne freigestellte Funktionseinheit des Axonems, mit der „Computerkamera" herangezoomt (Einzelbilder aus dem Film C 1842 „Motilität – Cilien- und Flagellenbewegung", K. Hausmann, H. Machemer und Institut für den wissenschaftlichen Film, Göttingen 1993)

von 9 einfachen Tubuli umgeben sind. Der Durchmesser des Axonemas beträgt 0,2 μm. Außen ist die Geißel von einer Membran überzogen, die eine Ausstülpung des Plasmalemmas darstellt (A), sich aber in ihrer Zusammensetzung von diesem unterscheidet.

Die meisten begeißelten Formen besitzen ein durch Carotinoide rot gefärbtes Stigma (Abb. 5.**6A** und 5.**9**), das wahrscheinlich durch Umwandlung aus einem

Abb. 5.9   Zellkolonie und Aggregatverband. **A** 16zellige Kolonie von *Pandorina morum*, **B** scheibenförmiger Aggregatverband von *Pediastrum granulatum*. Auf der rechten Seite ist eine Zelle in Aufteilung begriffen. Die darunter liegende Zelle entläßt eine Blase mit 16 Schwarmzellen. **C** Zoosporen nach dem Austritt, **D** etwa $4\frac{1}{2}$ Stunden später. ga = Gallerthülle, ge = Geißel, st = Stigma. Vergr. **A** ca. 500fach, **B – D** ca. 300fach (nach Smith, Braun)

Chromatophor bzw. einem Teil desselben entstanden ist. Von seiner Funktion wird später noch die Rede sein (S. 531). Bei vielen Süßwasserformen finden sich kontraktile Vakuolen, die in regelmäßigem Rhythmus Wasser nach außen abscheiden und der Osmoregulation dienen.

5.3   Thallus

Im Gegensatz zur protophytischen Organisationsform ist der Thallus ein mehrzelliges, bisweilen auch polyenergides Gebilde. Er ist im typischen Falle an das Leben im Wasser angepaßt. Die Thalli höher entwickelter Formen zeigen bereits eine arbeitsteilige Differenzierung. Entwicklungsgeschichtlich läßt sich der Thallus von den Protophyten ableiten, mit denen er durch Übergangsformen wie die Zellkolonien und coenoblastischen Formen verbunden ist.

5.3.1   Zellkolonie

Die typische **Zellkolonie** besteht aus einer größeren Anzahl nicht differenzierter, einander also noch gleichwertiger Zellen, die durch Teilung, also congenital, entstanden sind. Bei *Pandorina* sind 16 zweigeißelige, *Chlamydomonas*-ähnliche Zellen zu einer Kolonie vereinigt, die von einer Gallerthülle umgeben ist (Abb. 5.**9**A). Die Totipotenz dieser Zellen geht daraus hervor, daß jede Zelle nach Verlassen des Verbandes auch selbständig weiterzuleben vermag und unter geeigneten Bedingungen wieder zu einer Kolonie heranwachsen kann. Bei manchen Arten sind die Zellen durch Plasmodesmen verbunden und hierdurch in die Lage versetzt, als

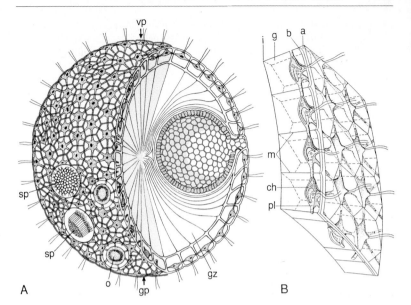

Abb. 5.**10** *Volvox globator.* **A** Kugel links in räumlicher Darstellung mit eingestülpter Tochterkugel, rechts im Schnitt (ca. 60-fach), **B** Kugelausschnitt stärker vergrößert, schematisch. a = Außenschicht, b = zweite Schicht, ch = Chloroplasten, g = Gallerte, gp = generativer Pol, gz = Gallertzylinder, i = Innenschicht, m = Mittellamelle, o = Oogonium, pl = Plasma, sp = Spermatozoiden, vp = vegetativer Pol

physiologische Einheit zu reagieren, was sie über die einfachen Zellverbände erhebt. Die Zellen der **Aggregatverbände,** z.B. die zweigeißeligen Zoosporen von *Pediastrum,* verschmelzen unter Verlust der Geißeln erst nachträglich, also postgenital, miteinander zu einem Tochterverband, der schließlich auf die ursprüngliche Größe heranwächst (Abb. 5.**9 B – D**).

Außer diesen einheitlichen, relativ einfachen Kolonien kennen wir auch hochentwickelte Formen, die bereits als echte Vielzeller angesprochen werden müssen. Von ihnen sei *Volvox* (Abb. 5.**10**) genannt. Die Zellen, deren Anzahl bei manchen Arten bis zu 10 000 je Organismus betragen kann, sind in eine gallertige Masse eingebettet, die eine Hohlkugel bildet. Die Geißeln sind nach außen gerichtet. Untereinander stehen die Zellen durch Plasmafortsätze in Verbindung. Die Kugel zeigt bereits einen polaren Bau, da die Zellen des bei der Bewegung vorangehenden vegetativen Poles ein größeres Stigma besitzen als die des gegenüberliegenden generativen Poles. An diesem erfolgt die Bildung der Fortpflanzungszellen, die wesentlich größer sind als die der Ernährung und Bewegung dienenden vegetativen. Nach der Befruchtung gehen die vegetativen Zellen zugrunde. Dabei werden den vegetativ gebildeten Tochterkugeln frei.

❗ Es kommt hier also, im Gegensatz zur potentiellen Unsterblichkeit der Einzeller, zur regelmäßigen Bildung einer Leiche, die neben der arbeitsteiligen Differenzierung in vegetative und generative Zellen und der Ausbildung der Polarität ein Kriterium eines echten Vielzellers ist.

5.3.2   Coenoblast

Schon bei den Protophyten gibt es Vertreter, die während der Hauptphase ihrer Entwicklung mehrkernig sind, also nicht mehr streng der oben gegebenen Definition der Zelle entsprechen. Bei einigen Organismen, z. B. zahlreichen Schlauchalgen (Siphonales) und Algenpilzen (Phycomyceten), führt diese Entwicklungstendenz zur Ausbildung querwandloser, weit über die durchschnittliche Dimension einer Zelle hinausgehender, meist schlauchförmig gestalteter Gebilde, die eine große Zahl von Zellkernen enthalten, also polyenergid sind. Aus den bereits erörterten Gründen (S. 103 f.) können wir sie nicht mehr als Zellen bezeichnen, sondern sprechen von Coenoblasten (Coenocyten).

5.3.3   Fadenthallus

Während der fadenförmige Coenoblast durch eindimensionales Auswachsen einer Keimzelle entsteht, das zwar mit zahlreichen Kernteilungen, nicht aber mit Zellteilungen verbunden ist, ist der Fadenthallus, der im einfachsten Falle aus einer Reihe einkerniger Zellen besteht, das Ergebnis regelmäßig aufeinanderfolgender Kern- und Zellteilungen. Dies zeigt Abb. 5.11 A – C am Beispiel der Grünalge *Ulothrix zonata*. Ihre mit einer Rhizoidzelle festgewachsenen Fäden sind unverzweigt. Die Zellen enthalten nur einen ringförmigen, wandständigen Chloroplasten. Der Faden wächst durch quer zur Längsachse verlaufende mitotische Teilungen (**A**). Mit Ausnahme der Rhizoidzelle, deren Chloroplast zugrunde geht, behält jede Zelle des Fadens ihre Teilungsfähigkeit bei, d. h. das Wachstum erfolgt intercalar. Die Zellen sind also untereinander gleichwertig. Das geht auch daraus hervor, daß jede Fadenzelle zur Bildung von Zoosporen (**A,B**) bzw. Gameten befähigt ist. Die Zoosporen sind viergeißelig. Sie setzen sich mit ihrem Geißelpol fest und wachsen durch Querteilungen zu neuen Fäden aus (**B,C**).

❗ Die überwiegend sessile (festsitzende) Lebensweise der fadenförmigen Algen bringt es mit sich, daß schon sehr bald in der stammesgeschichtlichen Entwicklung eine ausgesprochene Polarität entsteht. Diese kommt z. B. in der Bildung von **Scheitelzellen** zum Ausdruck, die allein zu Zellteilungen befähigt sind. Sie sind im einfachsten Falle einschneidig, d. h. sie teilen sich quer zur Längsachse des Fadens und gliedern ständig basalwärts Segmente ab (Abb. 5.11 E).

Bei der ebenfalls zu den Grünalgen zählenden *Cladophora* (Abb. 5.11 D – F) sind allerdings sowohl die Scheitel„zellen" als auch die von ihnen abgegliederten Segmente mehrkernig (**F**) und entsprechen somit Coenoblasten. Die seitliche Verzweigung kommt dadurch zustande, daß durch seitliche Auswölbungen älterer

Abb. 5.**11**   Fadenthalli. **A–C** *Ulothrix zonata* (Chlorophyceae). **A** Aus einer Zellreihe bestehender Fadenthallus, mit Rhizoid-Zelle festsitzend. Zwei Zellen haben sich in Zoosporangien umgewandelt, von denen das eine gerade Zoosporen entläßt (ca. 500-fach), **B** viergeißelige Zoospore (ca. 750-fach), **C** junger, auswachsender Faden, dessen untere Zelle sich in eine Rhizoidzelle umwandelt. **D–F** *Cladophora* spec. (Chloro- phyceae). **D** verzweigter Fadenthallus (ca. 50fach), **E** Scheitelzellenwachstum und Verzweigung, schematisch, **F** mehrkerniges Glied eines Fadens (Coenoblast, ca. 250-fach). ch = Chloroplast, n = Zellkern, py = Pyrenoid, r = Rhizoid, st = Stigma, v = Vakuole, z_1 = Zoosporangium, Zoosporen entlassend, z_2 = in Bildung begriffenes Zoosporangium (nach Stocker, van den Hoek)

Abb.5.**12** Steinpilz (*Boletus edulis,* Basidiomycetes). **A** Mycel mit Fruchtkörper (ca. ¼ nat. Gr.), **B** Plektenchym aus dem Stiel des Fruchtkörpers, räumlich dargestellt (ca. 150fach). Der besseren Übersichtlichkeit wegen wurden die Schnallen des dikaryotischen Mycels (vgl. S. 399) nicht gezeichnet. **C** Hyphen eines haploiden Mycels

Abb. 5.**13** *Furcellaria fastigiata* (Rhodophyceae). **A** Habitusbild (ca. 0,6fach), **B** Teilstück eines Thallus in räumlicher Darstellung, schematisch. a = Außenrinde, i = Innenrinde, r = Rhizoide, z = Zentralkörper

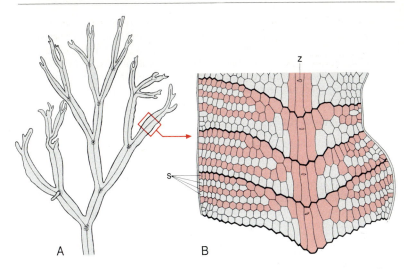

Abb. 5.**14** *Caloglossa leprieurii* (Rhodophy-ceae), **A** Habitusbild, **B** Thallusstück (ca. 25fach). s = Seitenfäden verschiedener Ord-nung, z = Zentralfaden (nach Cramer, Falken-berg)

Zellen des Fadens neue Scheitelzellen entstehen (**E**). In anderen Fällen geht sie von der Scheitelzelle selbst aus, die sich schräg teilt.

Auch die farblosen Hyphen der Schlauchpilze (Ascomycetes) und Ständerpilze (Basi-diomycetes) sind einreihige, seitlich verzweigte Fadenthalli, deren Zellen ein- bzw. zweikernig sind (Abb. 5.**12A,C**).

5.3.4   Flechtthallus

Auf den Typus des Fadenthallus lassen sich auch die höher entwickelten Thallus-formen zurückführen. Besonders klar liegen die Verhältnisse bei den Flechtthalli, die bei zahlreichen höher entwickelten Algen, vor allem bei den Rotalgen (Rhodo-phyceen) vorkommen, aber auch in Gestalt der Pilzfruchtkörper. Bei der Rotalge *Furcellaria fastigiata,* deren über 1 dm lange, runde und sich knorpelig anfühlen-de Thalli sich mit klauenartigen Rhizoiden auf Steinen festsetzen (Abb. 5.**13**), be-steht der Zentralkörper aus parallel laufenden Zellfäden, die sich springbrunnen-artig verzweigen (Springbrunnentypus). Die äußeren Zellen dieser Verzweigun-gen schließen sich zu einer festen Rinde zusammen. Bei anderen Arten können die Verzweigungen von einem einzigen zentralen Faden ausgehen (Zentralfaden-typus). Auch die blattartig ausgebildeten Thalli mancher Rotalgen, z.B. *Caloglossa leprieurii,* lassen sich bei genauer Analyse auf einen verzweigten Faden zurück-führen, dessen Äste in einer Ebene verwachsen sind (Abb. 5.**14**).

Die Fruchtkörper der höheren Pilze (Abb. 5.12) bestehen aus einem unregelmäßigen Geflecht vielfach verzweigter und zum Teil miteinander verwachsener Hyphen. Die Verwachsung kann bei manchen Arten so weit gehen, daß Schnitte durch die Fruchtkörper Schnittbildern durch parenchymatische Gewebe täuschend ähnlich sehen (Pseudoparenchyme). Allgemein bezeichnen wir solche durch Fadenverflechtung entstandenen Pseudogewebe als Plektenchyme.

5.3.5   Gewebethallus

Die plektenchymatische Thallusform leitet zu den Gewebethalli über, die für viele Braunalgen (Phaeophyceen) charakteristisch sind. Von den Flechtthalli unterscheiden sie sich vor allem dadurch, daß die von der Scheitelzelle basalwärts abgegliederten Segmente durch Längsteilungen und meist auch weitere Querteilungen aufgegliedert werden. Auf diese Weise entstehen mehrschichtige Thalli, die rund, bandförmig abgeflacht oder anders gestaltet sein können. Meist geht die Bildung des Thallus von einer Scheitelzelle aus, die bei den einfacheren Formen einschneidig ist (Abb. 5.15B), bei den höheren jedoch auch mehrschneidig sein kann. Bei einigen Arten sind sogar ganze Gruppen von Initialzellen vorhanden, ähnlich den Scheitelmeristemen höherer Pflanzen.

Die Verzweigung erfolgt entweder seitlich oder dichotom. Die Dichotomie, die bei *Dictyota dichotoma* (Abb. 5.15) die Regel ist, kommt dadurch zustande, daß

Abb. 5.15 *Dictyota dichotoma* (Phaeophyceae). **A** Habitusbild (etwa nat. Gr.), **B–D** Scheitelzelle in dichotomer Teilung, schema- tisch, **E** Thallusquerschnitt (ca. 200fach). m = Markzellen, r = Rindenzellen, s = Scheitelzelle (rot) (nach Thuret, Stocker)

sich die Scheitelzelle, die normalerweise uhrglasförmige Segmente abgliedert, in der Längsrichtung des Thallus teilt, worauf beide Tochterzellen als gesonderte Äste weiterwachsen.

Funktionell lassen die Zellen der Gewebethalli bereits eine Differenzierung erkennen. Neben den Fortpflanzungszellen können wir bei den größeren Formen stets ein zentrales Mark- und ein peripheres Rindengewebe unterscheiden. Bei *Dictyota* (Abb. 5.15 E) enthalten lediglich die Zellen des letzteren die photosynthetisch aktiven Plastiden (Phaeoplasten), fungieren also als Photosynthese- und Abschlußgewebe, während die farblosen Markzellen als Grund- und Speichergewebe dienen. Bei den stattlichen Tangen, deren Thalli mehrere Meter messen können (bei der amerikanischen *Macrocystis pyrifera* über 50 m), findet sich außerdem ein zentrales Stranggewebe, dessen Elemente den Siebröhren der höheren Pflanzen ähnlich sind.

5.4 Organisationsformen der Bryophyten

Die Moose (Bryophyta) nehmen zwischen den Thallophyten und den noch zu besprechenden Kormophyten eine vermittelnde Stellung ein. Zum Teil haben sie noch eine ausgesprochen thallöse Organisation, wie zahlreiche Lebermoose (Hepaticae) und alle Vorkeime (Protonemen). Einige der höher entwickelten Lebermoose und vor allem die Laubmoose (Musci) gehen jedoch schon erheblich über die thallöse Organisation hinaus. Der Verankerung im Boden und zum Teil auch der Wasser- und Ionenaufnahme dienen die Rhizoide, die einreihige Zellfäden darstellen oder gar einzellig sind. Trotz einer gewissen Ähnlichkeit der Funktion haben sie mit einer Wurzel nichts gemein.

Als Repräsentant der thallösen Formen mag das Lebermoos *Marchantia polymorpha* dienen, das einen mehrschichtigen, bandförmig abgeflachten Thallus besitzt (Abb. 5.**16A,C**). Er besteht aus verschieden differenzierten Zellen, die als Photosynthese-, Speicher- oder Hautgewebe fungieren. Erstmals findet sich hier auch ein besonderes Durchlüftungssystem in Gestalt von Luftkammern, die durch schornsteinähnliche Luftspalten mit der Außenluft in Verbindung stehen. Im Boden sind die Thalli durch einzellige Rhizoide befestigt. Bei *Marchantia* kommen neben glatten, vorwiegend der Befestigung des Thallus im Boden dienenden, auch Zäpfchenrhizoide vor, deren zäpfchenartige Wandverdickungen durch lokales Dickenwachstum eng umgrenzter Bereiche der Zellwand entstehen (Abb. 5.**16D**).

Das Wachstum eines solchen flachen Thallus erfolgt mittels einer zweischneidigen Scheitelzelle (Abb. 5.**16B**). Sie gliedert in regelmäßiger Folge wechselseitig Segmente ab, die sich noch weiter teilen und so den mehrschichtigen Thallus bilden können. Die Verzweigung erfolgt seitlich durch Anlage neuer Scheitelzellen, ist also nur scheinbar dichotom.

Die foliosen Lebermoose und die Laubmoose zeigen bereits Organisationsmerkmale, die zu den Kormophyten überleiten, wie etwa die Gliederung in

Abb. 5.**16** *Marchantia polymorpha* (Hepaticae). **A** Habitusbild (etwa natürliche Größe), **B** schematisches Raumdiagramm einer zweischneidigen Scheitelzelle (rot) und der von ihr abgeschnürten Segmente, parallel zur Fläche halbiert. Die Segmente, die inzwischen zum Teil weitere Teilungen erfahren haben, sind in der Reihenfolge ihrer Entstehung numeriert, **C** Thallusquerschnitt (ca. 200fach). **D** Zäpfchenrhizoid. br = Brutbecher mit Brutkörpern, e = Epidermis, l = Luftkammer, o = Ölkörper, p = photosynthetisch aktive Zellen, s = Luftspalte, w = Zellen mit Wandverdickungen (**C** nach Sachs)

Stämmchen und Blättchen, die allerdings noch viel einfacher gebaut sind als Sproßachsen und Blätter der Kormophyten. Sie wachsen mit einer dreischneidigen Scheitelzelle, die in regelmäßigem, schraubigem Umlauf Segmente in basaler Richtung erzeugt (Abb. 5.**17**). Da aus jedem Segment unter weiterer Teilung neben dem Grund- und Rindengewebe des Stämmchens auch ein Blatt hervorgeht, kommt eine schraubige Blattstellung zustande, in der die Blättchen in drei Reihen (Orthostichen) übereinander stehen. Allerdings wird diese Anordnung nicht in allen Fällen streng eingehalten, so daß gewisse Abweichungen von diesem Grundtypus vorkommen. Die Blättchen sind meist einschichtig (Abb. 17.**17**, S. 535) und besitzen eine mehrschichtige Mittelrippe. Bei einigen wenigen Arten sind sie mehrschichtig. Sie zeigen jedoch auch in diesem Falle nicht den typischen Aufbau des Laubblattes einer höheren Pflanze. Die Laubmoose sind mit einreihig-mehrzelligen Rhizoiden im Boden verankert (Abb. 5.**17A, C**), die in der Regel schrägstehende Querwände haben.

Obwohl die Wasseraufnahme durch die gesamte Oberfläche erfolgt und der Wasseraufstieg in dichten Moospolstern kapillar vor sich gehen kann, sind doch sowohl in den Stämmchen als auch in den Mittelrippen der Blättchen leitende Elemente ausgebildet. So finden sich z.B. bei *Funaria hygrometrica* langgestreckte, an den Enden schrägzulaufende Zellen, deren plasmatischer Inhalt abgestorben ist. In ihnen erfolgt offenbar die Wasserleitung, weshalb sie als **Hydroide** bezeichnet werden. Schmalere Zellen mit stark verdickten Wänden dienen der Festigung und werden **Stereide** genannt (Abb. 5.**17F**). Der Stofftransport scheint in

Abb. 5.17 Laubmoose (Musci). **A** *Fontinalis antipyretica* Habitusbild (ca. 2½fach). Das Stämmchen, normalerweise im Wasser flutend, ist hier aufrecht gezeichnet. **B** Teil eines Stämmchens mit dreizeiliger Beblätterung, schematisiert, **C** Rhizoid mit schrägstehenden Querwänden, **D** dreischneidige Scheitelzelle in Aufsicht, **E** im Längsschnitt, **F** und **G** *Funaria hygrometrica*. **F** Querschnitt durch die Mittelrippe, **G** Längsschnitt durch zwei aneinandergrenzende Leptoide. c = Chloroplast, er = endoplasmatisches Reticulum, h = Hydroid, l = Leptoid, m = Mitochondrion, oe = obere Epidermis, s = Scheitelzelle, st = Stereid, ue = untere Epidermis, v = Vakuolen. Die Pfeilköpfe in **F** zeigen auf Lipidtropfen. Vergr. **F** ca. 1500fach, **G** ca. 3500fach (**F,G** Wiencke u. Schulz: aus Z. Pflanzenphysiol. 112 [1983])

den **Leptoiden** zu erfolgen, das sind langgestreckte Zellen mit plasmatischem Inhalt, in deren Querwänden sich zahlreiche Plasmodesmen befinden, die die einzelnen Leptoide miteinander verbinden. Sie zeigen eine signifikante Polarität zwischen einem stark kondensierten Cytoplasma im basalen Bereich und vakuolisiertem, die üblichen Zellorganellen enthaltenden Plasma im Spitzenbereich der Zelle (Abb. 5.**17F,G**). Die zentrale Zellsaftvakuole fehlt. Insofern ähneln die Leptoide den stoffleitenden Elementen des Phloems. Trotz ihrer äußeren Gliederung in Stämmchen und Blättchen und des Vorhandenseins leitender Elemente weichen jedoch die Laubmoose in ihrer Organisation noch erheblich von dem reichgegliederten und funktionell stark differenzierten Kormus ab.

5.5 Kormus

Der Kormus, die Organisationsform der höheren Pflanzen (Kormophyten), ist in seiner typischen Gestalt an das Landleben angepaßt. Der in der Regel oberirdische Sproß ist mit einer Wurzel im Boden verankert. Er ist in die Sproßachse (= Stengel) und die Blätter gegliedert. Somit besteht der Kormus aus drei Grundorganen: Sproßachse, Blatt und Wurzel (Abb. 5.**18**).

Die Blätter sind im typischen Falle Photosyntheseorgane, deren flächige Ausgestaltung einen optimalen Lichtgenuß ermöglicht. Die Sproßachse sorgt durch ihren meist aufrechten Wuchs und eine entsprechende Blattstellung für eine günstige Anordnung der Blätter zum Strahlungseinfall bei geringstmöglicher gegenseitiger Beschattung. Außerdem übernimmt sie den Transport von Wasser und Nährsalzen von den auch als Haftorgane dienenden Wurzeln, in denen die Aufnahme erfolgt, zu den Blättern sowie in ihren Siebröhren den Transport der Assimilate zu den Orten des Verbrauchs bzw. der Speicherung. Diese Aufgabenverteilung findet nicht nur in der äußeren Gestaltung des Kormus ihren Ausdruck, sondern auch in einer funktionsgerechten Anordnung der Gewebe und Gewebesysteme, deren Elemente wir bereits kennengelernt haben (Kapitel 4).

Charakteristisch für die Mehrzahl der Kormophyten ist die Ausbildung besonderer Scheitelmeristeme (Apikalmeristeme). Bei vielen Farnpflanzen (Pteridophyten) kommen noch Scheitelzellen vor, die in der Regel dreischneidig sind. Bei allen anderen Kormophyten finden wir jedoch ganze Gruppen teilungsfähiger Initialzellen. Sie teilen sich bei den Pteridophyten und Gymnospermen (Nacktsamigen) sowohl antiklin, d.h. senkrecht zur Oberfläche, als auch periklin, d.h. parallel zur Oberfläche des Vegetationsscheitels. Bei den Angiospermen (Bedecktsamigen) sind sie in mehreren Schichten übereinander angeordnet (Abb. 5.**18B**). Die Zellen der äußeren Schichten teilen sich nur antiklin und bilden eine aus einer oder mehreren Zellschichten bestehende periphere **Tunica** (in Abb. 5.**18B** zweischichtig), während sich die Zellen der inneren Initialschichten sowohl periklin als auch antiklin teilen und den zentralen Gewebekomplex, das **Corpus,** bilden. Die Blattanlagen entstehen als seitliche Auswüchse aus den äußeren Zellschichten, also exogen. Der Sproßachse im Wachstum vorauseilend, umgeben die jungen Blätter den Sproßscheitel als schützende Knospe (Abb. 5.**18A** und 6.**1**).

Der Scheitel der Wurzel (Abb. 5.**18C**) unterscheidet sich von dem der Sproßachse durch das Fehlen von Blattanlagen und durch den Besitz einer Wurzelhaube

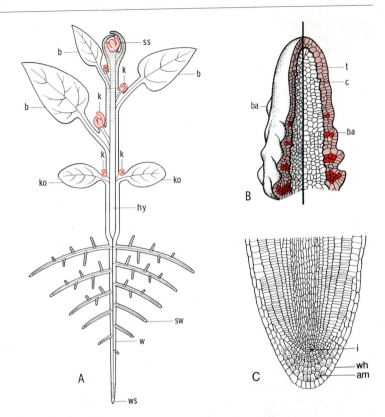

Abb. 5.18 Organisation des Kormus. **A** Schema einer dikotylen Pflanze, **B** Scheitelmeristem einer Sproßachse (*Elodea canadensis*, Wasserpest), **C** Scheitelmeristem einer Wurzel (*Brassica rapa*, Rübsen) (ca. 70fach). am = Amyloplasten, b = Blatt, ba = Blattanlagen (rot), c = Corpus, hy = Hypokotyl, i = In-itialzellschichten, k = Achselknospen (rot), ko = Kotyledonen, sw = Seitenwurzel, ss = Sproßscheitel (rot), t = zweischichtige Tunica (rot gerastert), w = Hauptwurzel, wh = Wurzelhaube, ws = Wurzelscheitel (nach Troll, Hering, Kny)

(Kalyptra). Bei den meisten Pteridophyten wird der Wurzelscheitel von einer tetraedrischen Scheitelzelle eingenommen. Diese ist jedoch doch nicht drei-, sondern vierschneidig. Aus den drei proximal abgegliederten Segmenten entsteht der Wurzelkörper, aus dem vierten, distal abgegliederten, die Wurzelhaube. Bei allen anderen höheren Pflanzen finden sich Gruppen von Initialzellen, die meist stockwerkartig übereinander angeordnet sind. Bei den Gymnospermen wird die nicht deutlich abgesetzte Wurzelhaube von der äußeren Initialschicht, aus der auch das Rindengewebe hervorgeht, durch perikline Teilungen gebildet, während die innere Schicht durch perikline und antikline Teilungen den Wurzelkörper erzeugt. Auch bei den Angiospermen, vor allem bei den Dikotyledonen, finden sich meist mehrere Etagen von Initialzellen, von denen die äußere durch antikline Teilungen die künftige Rhizodermis und durch perikline Teilungen die Wurzelhaube bildet, während aus den beiden darunterliegenden Rinde und Zentralzylinder entstehen (Abb. 5.**18C**). In anderen Fällen, u. a. bei den Monokotyledonen, findet sich keine so deutliche Schichtung der Initialzellen. Hier teilen sich die in der Spitzenregion unterhalb der Wurzelhaube befindlichen Zellen gar nicht oder doch nur selten, weshalb man von einem **ruhenden Zentrum** spricht (Abb. 8.**1**, S. 249).

Zusammenfassung

Den Prokaryoten fehlt der für Eukaryoten typische Zellkern. Die DNA liegt im Cytoplasma und ist nicht mit Histonen assoziiert. Die Ribosomen gehören dem 70 S Typus an. Mitochondrien, Plastiden, Dictyosomen und endoplasmatisches Reticulum fehlen. Intracytoplasmatische Membranen finden sich in Gestalt von Mesosomen und Thylakoiden. In granulärer Form kommen außer den Carboxysomen Speicherstoffe vor, z. B. das zu den Polysacchariden gehörende Glykogen, die als Volutin bezeichneten Polyphosphate, Lipide sowie bei den Cyanobakterien die Cyanophycinkörnchen, die aus einem Protein bestehen, das im wesentlichen nur aus zwei Aminosäuren zusammengesetzt ist. Die Zellwände der Eubakterien bestehen aus einer Peptidoglycanstützschicht. Sie ist bei den gramnegativen Bakterien und den Cyanobakterien von einer äußeren Biomembran bedeckt, die sogenannte Porine enthält und deshalb auch für größere Moleküle mit einer $M_r <$ 1000 durchlässig ist. Die Archaebakterien unterscheiden sich in physiologischer und biochemischer Hinsicht von den anderen Prokaryoten erheblich. Ihre Zellwände enthalten keine Peptidoglycane, sondern sind von Fall zu Fall sehr verschiedenartig zusammengesetzt.

Unter den eukaryotischen Einzellern, die einen echten Zellkern sowie alle anderen für Eukaryoten typischen cytoplasmatischen Strukturen und Organellen besitzen, gibt es sowohl farblose als auch photoautotrophe Vertreter. Die letzteren enthalten photosynthetisch aktive Chromatophoren. Neben unbeweglichen kommen auch begeißelte Formen vor. Die Geißeln enthalten elf fibrilläre Längselemente, von denen zwei axial, die übrigen neun peripher angeordnet sind. Die letzteren entsprechen Mikrotubuliduplets. Die begeißelten Formen enthalten meist ein Stigma, Süßwasserformen eine kontraktile Vakuole.

Zellkolonien sind Verbände gleichartiger Zellen, die congenital miteinander verwachsen sind. Sie reagieren als physiologische Einheit. Die höchstentwickelten Formen weisen schon Polarität sowie eine Differenzierung in verschiedene Zelltypen auf. Sie sind bereits als Vielzeller aufzufassen.

Die Thalli der Schlauchalgen und einiger niederer Pilze sind mehrkernige Schläuche ohne zelluläre Gliederung, also Coenoblasten. Die Fadenthalli bestehen im einfachsten Falle aus einer Reihe einkerniger Zellen, doch können die einzelnen Fadenglieder auch mehrkernig, also coenoblastisch sein. Bei den am höchsten entwickelten Formen findet sich die Ausbildung von Scheitelzellen, mit der die seitliche Verzweigung einhergeht. Häufig sind besondere Rhizoidzellen ausgebildet.

Sind mehrere Fäden zu einem einheitlichen Thallus verflochten, spricht man von Flechtthalli. Gewebethalli zeigen bereits eine arbeitsteilige Differenzierung in ein zentrales Mark und ein peripheres Rindengewebe sowie Fortpflanzungszellen. Sie wachsen entweder mit ein- oder mehrschneidigen Scheitelzellen oder ganzen Gruppen von Scheitelinitialen.

Die Moose nehmen hinsichtlich der Organisationsform eine vermittelnde Stellung zwischen Thallus und Kormus ein. Viele sind rein thallös, andere zeigen eine Gliederung in Stämmchen und Blättchen. Farblose Rhizoide dienen der Verankerung im Boden, in geringerem Umfange auch der Wasserversorgung. Außerdem finden sich bei den Moosen leitende Elemente, wie die Hydroide, die der Wasserleitung, und der Leptoide, die der Stoffleitung dienen.

Der Kormus, die Organisationsform der höheren Pflanzen, ist in die drei Grundorgane Sproßachse, Blatt und Wurzel gegliedert. Sproßachse und Wurzel wachsen mit Hilfe charakteristischer Scheitelmeristeme. Bei den höheren Pflanzen hat die arbeitsteilige Differenzierung ihren höchsten Grad im Pflanzenreich erlangt.

6 Innere und äußere Organisation der Sproßachse

Das Charakteristikum der Sproßachsen, seien sie nun als krautige Stengel, als mehr oder weniger verdickte und dann meist auch verholzte Stämme oder als Seitenzweige ausgebildet, ist der Besitz von Blättern. Dabei muß es sich keineswegs immer um voll ausgebildete Laubblätter handeln, sondern sie können auch unauffällig und schuppenförmig oder anders gestaltet sein. Werden die Blätter abgeworfen, bleiben die sogenannten Blattnarben zurück. Lediglich bei den viele Jahre alten Stämmen der Holzgewächse ist die ehemalige Beblätterung nicht mehr zu erkennen.

In der Mehrzahl wachsen die Sproßachsen aufrecht (orthotrop) und zeigen bezüglich ihrer Beblätterung eine radiäre Symmetrie. Lediglich bei sogenannten bodenbedeckenden Pflanzen wachsen sie mehr oder weniger horizontal (plagiotrop) und zeigen dann bezüglich ihrer Beblätterung eine dorsiventrale Symmetrie. Im Hinblick auf die Gestalt und den Bau der Sproßachsen sowie ihre Lebensdauer unterscheiden wir:

Kräuter: Sie sind ein- oder zweijährig und in der Regel nicht verholzt.

Stauden: Obwohl sie mehrjährig sind, sind ihre oberirdischen Teile ebenfalls nicht verholzt und sterben gegen Ende der Vegetationsperiode ab. Sie überwintern entweder mit Hilfe unterirdischer Organe (Geophyten) oder mit der Erdoberfläche dicht anliegenden, im Winter von Schnee bedeckten Sprossen mit oberirdischen Erneuerungsknospen (Hemikryptophyten).

Bäume: Als Bäume bezeichnen wir vieljährige Holzgewächse, bei denen die Spitze, zum mindesten in der Jugend, gefördert ist, während die ersten Seitenzweige bald absterben, sofern die Verzweigung in den ersten Jahren nicht überhaupt unterbleibt. Hierdurch entsteht ein Stamm, der später durch reiche Verzweigung der bleibenden Seitenäste eine Krone erhält.

Sträucher: Sie sind ebenfalls vieljährige Holzgewächse, doch sind bei ihnen die basalen Knospen gefördert. Sie treiben bald aus und übergipfeln die ursprüngliche Hauptachse.

Da die mehrjährigen, höheren Pflanzen offene Systeme sind, deren Meristeme, von Ruheperioden abgesehen, ihre Teilungsfähigkeit über lange Zeit beibehalten können, sind sie bezüglich ihres Wachstums potentiell unbegrenzt. Folglich werden die Vegetationskörper durch fortgesetztes Längenwachstum und das diese begleitende Dickenwachstum nicht nur ständig vergrößert, sondern erfahren auch eine durchgreifende Änderung ihrer Gestalt. Auch die Verschiedenartigkeit der Verzweigung trägt zur äußeren Vielgestaltigkeit der Pflanzen bei. Schließlich kann das Grundorgan der Sproßachse in Anpassung an die Umweltbedingungen so grundlegende morphologische Änderungen erfahren, daß sein ursprünglicher Charakter nicht mehr zu erkennen ist (Metamorphosen).

6.1   Gewebedifferenzierung und primärer Bau der Sproßachse

Die vom Scheitelmeristem der Sproßachse proximal abgegliederten Zellen teilen sich entweder noch eine Zeitlang weiter oder erfahren eine stärkere Zellstrekkung. Erstere werden zu parenchymatischen Zellen, etwa des Grund- oder Abschlußgewebes, letztere zu Leitungs- und Festigungselementen. Die Differenzierung erfolgt nach einem einheitlichen Plan, der zu einer bestimmten Anordnung der Zellen und Gewebe in der Sproßachse führt. Nach Abschluß dieses Prozesses liegt die Sproßachse in ihrem primären Bau vor.

Das Scheitelmeristem der Sproßachse behält vom embryonalen Zustand der Pflanze an seine Teilungsfähigkeit bei. Seine Ausdehnung in Richtung der Längsachse beträgt nur Bruchteile eines Millimeters. Es geht ohne deutliche Grenze in die **Determinationszone** über, in der, entsprechend der Zugehörigkeit der Zellen zu Tunica oder Corpus (S. 202), die Gliederung in einen peripheren Mantel aus künftigem Abschluß- und Rindengewebe (**Urrinde**) und einen zentralen Strang künftigen Markgewebes (**Urmark**) erfolgt. Zwischen diesen bleibt bei den Dikotylen ein schmaler Zylinder von Zellen erhalten, die ihre Teilungsfähigkeit beibehalten und somit ein Restmeristem darstellen. Aus ihnen geht später unter Umständen das Kambium hervor. Da dieser **Meristemzylinder** im Querschnitt ringförmig erscheint, wird er auch als Meristemring bezeichnet.

An die ebenfalls sehr kurze, etwa 0,02 – 0,08 mm lange Determinationszone schließt sich die **Zone der Differenzierung** an. In dieser nehmen die Zellen des Marks und eines Teiles der Rinde den Charakter parenchymatischer Dauerzellen an, während aus der äußersten Tunicaschicht das Abschlußgewebe, die Epidermis, entsteht (Abb. 6.1). Mit der Entwicklung der Blätter aus den seitlichen Blattanlagen (Abb. 5.**18B**, S. 203) geht die Ausbildung von Leitungselementen im Meristemzylinder einher, dessen Zellen sich in Längsrichtung strecken, also prosenchymatischen Charakter annehmen. Auf diese Weise entstehen die in Längsrichtung der Sproßachse verlaufenden Prokambiumstränge, von denen Abzweigungen in die Blattanlagen eintreten. Die Prokambiumstränge differenzieren sich zu Leitbündeln, indem auf der Innenseite wasserleitende Elemente, das Protoxylem, und auf der Außenseite Siebröhren und Geleitzellen, das Protophloem, gebildet werden. Die Xylemprimanen sind Ring- oder Schraubengefäße, die nur kurze Zeit in Funktion sind und im Verlaufe des weiteren Wachstums zusammengedrückt bzw. zerrissen werden. Letzteres gilt auch für die Phloemprimanen. Ihre Funktionen werden dann von den Elementen des Metaxylems bzw. Metaphloems übernommen.

Abb. 6.1 Schematische Darstellung eines dikotylen Sproßscheitels. Links in Aufsicht, rechts im Längsschnitt. Der besseren Übersichtlichkeit wegen wurde nur ein Teil der Leitbündel eingezeichnet. Das angeschnittene Leitbündel ist etwas vergrößert. ba = Blattanlagen, cl = kollaterales Leitbündel, e = Epidermis, m = Mark, mz = Meristemzylinder, pb = primäre Bastfasern, ph = Phloem (primär), pk = Prokambium, pp = Protophloem, pr = primäre Rinde, ps = Prokambiumstrang, px = Protoxylem, vp = Vegetationspunkt, xy = Xylem (primär)

6.1.1 Bau des Leitsystems

⚠ Der Wasser- und Stofftransport über längere Strecken erfolgt bei den Kormophyten in besonderen Leitungsbahnen, deren Gesamtheit man als Leitsystem bezeichnet. Im Gegensatz zur Wurzel, die ein komplexes, im Zentralzylinder lokalisiertes radiales Leitsystem besitzt (Abb. 6.**3F**), ist das Leitsystem der Sproßachse in einzelne Stränge, die **Leitbündel**, aufgelöst. Diese bestehen mit Ausnahme der sogenannten „unvollständigen Leitbündel" stets aus zwei funktionell verschiedenen Komplexen, dem Xylem und dem Phloem, sind also hete-

Abb. 6.2 Bau eines kollateralen Leitbündels. g = Geleitzellen, k = Kambium, p = Parenchym, rg = Ringefäß, s = Siebröhren mit Siebplatten, sg = Schraubengefäß, sk = Sklerenchym, tg = Tüpfelgefäß (nach Mägdefrau)

rogene Gewebe (Gewebesysteme). Im **Xylem** sind die Elemente der Wasserleitung, d.h. Gefäße (Tracheen) und Tracheiden, zusammengefaßt, während zum **Phloem** die Siebröhren und, bei den Angiospermen, die Geleitzellen gehören (Abb. 6.2). Beide können von parenchymatischen Zellen begleitet sein, die man entsprechend als Xylem- und Phloemparenchym bezeichnet. Im Metaxylem findet man häufig auch Fasern, was im Metaphloem nur selten der Fall ist. Die Anordnung dieser Elemente ist von Fall zu Fall verschieden, so daß wir mehrere Typen von Leitsystemen unterscheiden, die in Abb. 6.3 schematisch dargestellt sind.

Bei den konzentrischen Leitbündeln mit Außenxylem (**A**), die für die Sprosse und Erdsprosse einiger Monokotylen charakteristisch sind, umgibt das Xylem ringförmig einen Phloemkern, während die Anordnung bei den konzentrischen Leitbündeln mit Innenxylem (**B**), die bei der Mehrzahl der Farne vorkommen, genau

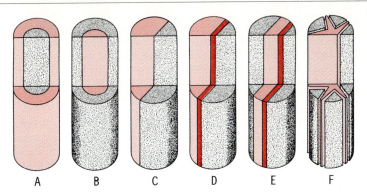

Abb. 6.3 Leitbündeltypen, schematisch. **A** Konzentrisch mit Außenxylem, **B** konzentrisch mit Innenxylem, **C** kollateral geschlossen, **D** kollateral offen, **E** bikollateral, **F** fünf- strahliges, radiales Leitsystem der Wurzel. Alle Bündel im oberen Abschnitt längs halbiert. Xylem: rot gerastert, Phloem: grau gerastert, Kambium: rot

umgekehrt ist. In den kollateralen Leitbündeln (**C,D**), die sowohl bei den Gymnospermen als auch bei den Angiospermen weit verbreitet sind, liegen Xylem und Phloem einander gegenüber, und zwar das Xylem innen, das Phloem außen.

In den geschlossenen kollateralen Leitbündeln, wie wir sie bei vielen Monokotylen finden, grenzen Xylem und Phloem unmittelbar aneinander (**C**), in den offenen kollateralen Bündeln der Gymnospermen und Angiospermen sind sie dagegen durch einen meristematischen Gewebestreifen, das Kambium, getrennt (**D**). Als Sonderfall der kollateralen Bündel sind die bikollateralen Leitbündel aufzufassen, bei denen das Xylem auch auf der Innenseite noch von einem Phloemstrang begleitet wird (**E**). Sie sind für einige Familien der Dikotylen (z.B. Solanaceae, Cucurbitaceae) typisch. Die Wurzeln besitzen ein radiales Leitsystem, das nicht in einzelne Bündel aufgelöst ist. Das Xylem ist hier in Leisten angeordnet, die strahlig vom Zentrum zur Peripherie verlaufen (**F**). Die Phloemanteile liegen, durch schmale Parenchymstreifen vom Xylem getrennt, in entsprechender Anzahl zwischen den Xylemstrahlen. Die Anzahl dieser Strahlen ist von Art zu Art verschieden.

Die Leitbündel können von einer Scheide umgeben sein, die aus parenchymatischen Zellen, aus Festigungselementen (Abb. 6.2) oder aus einer Endodermis besteht. Bei kollateralen Bündeln finden sich an den Stellen, wo Xylem und Phloem zusammenstoßen, Durchlaßstreifen aus unverdickten Zellen, die einen Stoffaustausch mit dem umliegenden Gewebe ermöglichen.

6.1.2   Primärer Bau

🄴 Die endgültige Fertigstellung der Leitbündel sowie der sonstigen Gewebe der Sproßachse, die auch als Reifung bezeichnet wird, ist mit dem Hauptstreckungswachstum sowie dem primären Dickenwachstum (Erstarkungswachstum) verbunden. Nach deren Abschluß liegt die Sproßachse im wesentlichen fertig differenziert vor.

Die Leitbündel verlaufen grundsätzlich in der Längsrichtung der Achse, sind aber z.B. bei dem als Eustele bezeichneten Bündelrohr der krautigen Dikotylen (Abb. 6.4A) netzartig untereinander verbunden. An den Ansatzstellen der Blätter biegen von den sproßeigenen Bündeln die Blattspurstränge in die Blätter ein (Abb. 6.4A), deren Gesamtheit man als **Blattspur** bezeichnet. Bei den Gymnospermen und den dikotylen Angiospermen liegen die im typischen Falle offenen kollateralen Bündel auf einem Zylindermantel und erscheinen deshalb auf dem Querschnitt ringförmig angeordnet (Abb. 6.4A). Sie sind durch Streifen parenchymatischen Gewebes voneinander getrennt, die Parenchymstrahlen, die das Mark mit der Rinde verbinden und deshalb auch als Markstrahlen bezeichnet wurden. Allerdings ist diese Bezeichnung irreführend, da zwischen den später angelegten Strahlen und dem Mark keine Verbindungen mehr besteht, weshalb der Ausdruck **Parenchymstrahlen** zweifellos korrekter ist. Bei vielen krautigen Pflanzen und manchen Lianen sind diese Strahlen verhältnismäßig breit (Abb. 6.5A). Bei den meisten Holzgewächsen grenzen jedoch die Prokambiumstränge so dicht aneinander, daß von Anfang an ein geschlossener Leitbündelzylinder mit nur sehr schmalen Parenchymstrahlen vorliegt (Abb. 6.5C). Der Leitbündelzylinder umschließt das **Mark**, dessen Zellen in der Regel farblos sind und hauptsächlich der Stoffspeicherung dienen. Nicht selten werden sie später zerrissen und weichen auseinander, so daß rhexigen oder schizogen eine Markhöhle entsteht.

Außerhalb des Leitbündelzylinders liegt die Rinde, deren Zellen meist Chloroplasten enthalten. Mit Ausnahme der sie durchbrechenden Blattspurstränge ist die Rinde frei von leitenden Elementen. Ihre innerste Schicht ist häufig als **Stärkescheide,** selten als Endodermis ausgebildet. Die Zellen der Stärkescheide enthalten große Amyloplasten, die wahrscheinlich auch der Graviperzeption dienen. Außen ist das Rindengewebe von der Epidermis bedeckt, die Spaltöffnungen besitzt.

Gleichzeitig mit den Leitbündeln werden die primären Festigungselemente fertiggestellt. Wie bereits erwähnt (S. 211), können sie die Leitbündel als sklerenchymatische Scheiden begleiten (Abb. 6.2 und 6.5). In anderen Fällen ist der Leitbündelzylinder von einem geschlossenen Hohlzylinder aus Sklerenchymfasern umgeben. Zusätzlich können weitere Festigungselemente kollenchymatischer oder sklerenchymatischer Natur gebildet werden, die entweder ebenfalls in Gestalt eines Hohlzylinders oder in Form von längsverlaufenden Strängen oder Leisten im peripheren Bereich des Rindengewebes angeordnet sind.

Abb. 6.4 Anordnung der Leitbündel und Blattspuren im Sproß, schematisch, **A** bei einer Dikotylen mit decussierter Blattstellung (*Clematis vitalba*), **B** bei einer Monokotylen (*Rhapis excelsa*). Der schraubige Verlauf ist hier unberücksichtigt geblieben. bl = Blattansatz

Abb. 6.5 Primärer Bau der Sproßachse, schematisch. Rinde, Mark, Phloem und Parenchymstrahlen im oberen Teil der Diagramme entfernt. Kambium rot. **A** Zylinder aus fünf offenen, kollateralen Leitbündeln, die durch breite Parenchymstrahlen getrennt sind. **B** wie **A**, aber Kambiumring durch die Anlage eines interfasciculären Kambiums geschlossen. **C** Geschlossener Leitbündelzylinder, bei dem der Kambiummantel direkt aus dem Prokambiumzylinder hervorgegangen ist. Die Parenchymstrahlen sind hier nur schmal. c = Kambiumring, e = Epidermis, fc = fasciculäres Kambium, ic = interfasciculäres Kambium, m = Mark, ms = Parenchymstrahl (früher Markstrahl), ph = Phloem, pr = primäre Rinde, sk = sklerenchymatische Elemente, xy = Xylem

6.2   Sekundäres Dickenwachstum der Sproßachse

Die im Verlaufe des Differenzierungs-, Reifungs- und Erstarkungswachstums fertiggestellten primären Gewebe sind häufig so bemessen, daß sie zur Versorgung der sich in einer Vegetationsperiode entwickelnden beblätterten Sproßachse mit Wasser und Mineralsalzen ausreichen und ihr auch genügend Festigkeit verleihen. Nehmen die Pflanzen jedoch durch weiteres Wachstum an Größe zu, müssen bereits im ersten Jahr zusätzliche Leitungs- und Festigungselemente gebildet werden. Dies trifft auch für manche Kräuter zu, vor allem aber für Bäume und Sträucher, bei denen sich dieser als sekundäres Dickenwachstum bezeichnete Prozeß jedes Jahr wiederholt.

Eine Ausnahme hiervon machen die Baumfarne, Cycadeen und gewisse baumartige Monokotyledonen. Bei ihnen erfährt die Sproßachse durch die Ausbildung eines an das Apikalmeristem anschließenden Primärverdickungsmeristems zwischen Rinde und Leitzylinder eine starke Verbreiterung, wodurch in vielen Fällen, insbesondere bei Palmen, schließlich eine kraterförmige Mulde entsteht, an deren tiefster Stelle die Spitze des kegelförmigen Apikalmeristems liegt (Abb. 6.**6**). Hierdurch erhält die Sproßachse von vornherein etwa ihre endgültige Stärke, so daß sie bei dem sich anschließenden Streckungswachstum in Gestalt einer Säule von etwa gleichmäßiger Dicke emporsteigt und die Blattrosette als Schopf hochhebt. Hier sind also von Anfang an genügend Leitungs- und Festigungselemente vorhanden, so daß sich ein sekundäres Dickenwachstum erübrigt.

Das sekundäre Dickenwachstum der Gymnospermen und der dikotylen Angiospermen erfolgt vermittels eines meristematischen Gewebes, das als **Kambium** bezeichnet wird. Geht dieses direkt aus dem Meristemzylinder des Sproßscheitels (Abb. 6.**1**) als geschlossener Kambiumzylinder hervor (Abb. 6.**5C**), so ist es ein Restmeristem. In anderen Fällen ist nur der in den offenen kollateralen Leitbündeln liegende Anteil, das fasciculäre Kambium, ein Restmeristem. Der zwischen den Leitbündeln liegende, also interfasciculäre Anteil wird von den Zellen des Parenchymstrahlgewebes gebildet, die ihre Teilungsfähigkeit wiedererlangen (Abb. 6.**5B**), ist also ein sekundäres Meristem.

Ungeachtet der Entstehungsweise liegt schließlich ein geschlossener Zylinder von Kambiumzellen vor, die sich allerdings von den typischen meristematischen Zellen u.a. durch den Besitz einer großen Zellsaftvakuole unterscheiden. Im typischen Falle laufen sie an den Enden spitz aus, haben also eine langgestreckte, prismatische Gestalt (Abb. 6.**7A**). Sie werden auch als fusiforme Zellen bezeichnet. Dieses Muster ist im Bereich der Parenchymstrahlen unterbrochen, wo durch Querteilung der fusiformen Zellen etwa isodiametrische Strahleninitialen entstehen. Die Zellen des Kambiums teilen sich durch tangential eingezogene Wände, wobei die neugebildeten Zellen nach innen oder nach außen abgeschoben werden. Diese können sich ebenfalls noch ein oder mehrere Male teilen und wandeln sich schließlich in die Elemente des sekundären Xylems bzw. Phloems um. Dabei

Abb. 6.**6** Scheitelgrube einer Monokotylen mit kegelförmigem Apikalmeristem, schematisch. In der linken Hälfte in Aufsicht, rechts im Längsschnitt dargestellt. Die Ansatzstellen der Blätter sind nur im Längsschnitt angedeutet. Der schwarz gerasterte Kegel im Schnittbild gibt die Verhältnisse bei Pflanzen ohne Scheitelgruben an, der rot gerasterte Bereich die bei Ausbildung einer Scheitelgrube. m_1 Meristem (rot) ohne Scheitelgrube, m_2 bei Vorhandensein einer Scheitelgrube, insbesondere bei zahlreichen Palmen

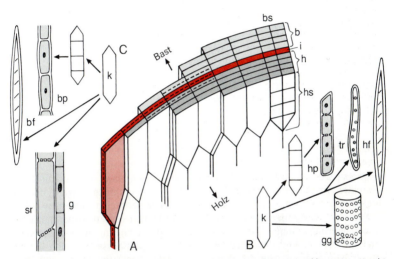

Abb. 6.**7** Schematische Darstellung der Teilungstätigkeit eines Kambiums. **A** Schematisches Raumdiagramm. Die prismatischen, an den Enden zugespitzten Zellen sind im oberen Teil quer geschnitten. Die Teilungsebene der Kambiumzellen ist durch eine gestrichelte Linie angedeutet. Am rechten Rand ein Parenchymstrahl. **B** Entwicklung einer Kambiumzelle zu den verschiedenen Holzelementen. **C** Entwicklung einer Kambiumzelle zu den verschiedenen Bastelementen. b = Bast, bf = Bastfaser, bp = Bastparenchym, bs = Baststrahl, g = Geleitzelle, gg = Gefäßglied, h = Holz, hf = Holzfaser, hp = Holzparenchym, hs = Holzstrahl, i = Initialschicht, k = Kambiumzelle, sr = Siebröhre, tr = Tracheide

Abb. 6.8 Stück eines vierjährigen *Pinus*-Stamms, im Winter geschnitten. Bast und Borke wurden etwa zur Hälfte entfernt, zu einem Viertel auch das Kambium (rot). ba = Bast, bo = Borke, bs = Baststrahl, fh = Frühholz, hk = Harzkanal, hs = Holzstrahl, jg = Jahresgrenze, k = Kambium (rot), m = Mark, ps = Parenchymstrahl, sh = Spätholz. 1, 2, 3, 4 = die aufeinanderfolgenden Jahresringe

bleibt aber stets eine zusammenhängende Schicht von Initialzellen erhalten. Bei den höher entwickelten Angiospermen sind die Kamben meist etagiert, d. h. die langgestreckten, fusiformen Initialen stehen in horizontalen Reihen, während die Kambien der Gymnospermen und der ursprünglicheren Angiospermen keine klare Etagierung erkennen lassen. Die fortgesetzte Erzeugung neuer Zellen nach innen hat eine ständige Umfangserweiterung der Sproßachse zur Folge, der das Kambium durch **Dilatation,** d. h. durch tangentiales Wachstum, folgen muß. Hierbei werden von Zeit zu Zeit auch radiale Wände in die Kambiumzellen eingezogen.

❗ Definitionsgemäß bezeichnet man alles vom Kambium nach innen erzeugte Gewebe, unabhängig vom Grade der Verholzung, als **Holz,** alles nach außen abgeschiedene als **Bast.**

Im Bereich der Leitbündel entsteht sekundäres Xylem bzw. sekundäres Phloem, während die Parenchymstrahlen durch die von den Strahleninitialen (Abb. 6.7A) gebildeten parenchymatischen Elemente verlängert werden, so daß sie vom Mark bis zur Rinde reichen. Mit zunehmender Umfangserweiterung des Stammes werden zusätzliche radial verlaufende Strahlen eingezogen, die im Holz bzw. Bast blind enden (Abb. 6.**8**) und als Holz- bzw. Baststrahlen bezeichnet werden. Wie oben erwähnt, stehen sie überhaupt nicht mehr mit dem Mark in Verbindung, weshalb die früher benutzte Bezeichnung „sekundäre Markstrahlen" keinen Sinn gibt.

6.2.1   Holz

Zu den Elementen des Holzes zählen die Gefäße, Tracheiden, Holzfasern, Holzparenchym und Holzstrahlparenchym. Je nachdem, welches Element sie bildet, muß die vom Kambium erzeugte Zelle eine weitgehende Umgestaltung erfahren (Abb. 6.**7**).

Teilungswachstum führt zu einer Unterteilung in parenchymatische Elemente, Streckungs- bzw. Spitzenwachstum zur Ausbildung von Tracheiden bzw. Holzfasern und Weitenwachstum, verbunden mit einer Auflösung der Querwände, zur Bildung von Gefäßen (Abb. 6.**7 B**).

Die Gefäße sind in der überwiegenden Mehrzahl Tüpfel-, seltener Netzgefäße. Verbinden die Tüpfel zwei Gefäße miteinander, so sind sie zweiseitig behöft (für *Pinus* s. Abb. 3.**30 B**, S. 129, Abb. 6.**9**), verbinden sie hingegen die Gefäße mit Parenchymzellen, sind sie nur einseitig behöft. Während die weitlumigen Gefäße ausschließlich der Wasserleitung dienen, können die Tracheiden sowohl Leitungs- als auch Festigungsfunktion haben. Im letzten Falle haben sie stark verdickte Wände und enge Lumina. Die Holzfasern haben gleichmäßig verdickte Wände mit schrägstehenden Tüpfeln und zugespitzten Enden, sind also typische Sklerenchymfasern. Die Holz- und Holzstrahlparenchymzellen schließlich sind plasmareich und mehr oder weniger isodiametrisch. Sie dienen teils der Speicherung von Reservestoffen, teils der Querleitung. Ihre Wände sind im allgemeinen nur schwach verdickt.

Sowohl hinsichtlich der Beteiligung der beschriebenen Grundelemente am Aufbau des Holzes als auch in bezug auf ihre Anordnung im Holzkörper bestehen zwischen den einzelnen Pflanzenarten erhebliche Unterschiede. Diese sind besonders auffällig zwischen Gymnospermen und Angiospermen, weshalb von jeder der beiden Gruppen ein Vertreter besprochen werden soll.

Das Holz der Gymnospermen, als deren Vertreter die Waldkiefer *(Pinus silvestris)* gewählt wird, ist einfacher gebaut als das der Laubhölzer. Bei ihm werden Festigungs- und Leitungsfunktion von denselben Elementen, den Tracheiden, übernommen. Es fehlen also sowohl Holzfasern als auch Gefäße. Auch das Holzparenchym ist in der Regel reduziert.

Im Falle von *Pinus* ist es auf die Umgebung der Harzkanäle beschränkt. Diese durchziehen als verzweigtes Netzwerk den ganzen Stamm. Bei der Eibe *(Taxus baccata)* fehlt das Holzparenchym sogar ganz. Die Zellen des Holzstrahlparenchyms sind, dem Verlauf der Holzstrahlen entsprechend, in radialer Richtung gestreckt (Abb. 6.**9**, Radialschnitt) und so übereinander angeordnet, daß der Holz-

Abb. 6.9 Holz der Kiefer *(Pinus silvestris)*. tüpfel, jg = Jahresgrenze, qt = Quertra-
fh = Frühholz, hs = Holzstrahlzellen, ht = Hof-   cheiden, sh = Spätholz (nach Mägdefrau)

strahl nur die Breite einer Zelle hat (Abb. 6.**9**, Tangentialschnitt). Bei *Pinus* sind die
Zellen der oberen und unteren Reihen meist tracheidal ausgestaltet und werden
als Quertracheiden bezeichnet. Sie erleichtern den Wassertransport in radialer
Richtung. Im Gegensatz zu den fensterartigen Tüpfeln der übrigen Holzstrahlzel-
len sind ihre Tüpfel, dem tracheidalen Charakter entsprechend, zweiseitig behöft.
Während sich zwischen den Tracheiden keine Interzellularen befinden, sind die
Holzstrahlen von einem Interzellularensystem durchzogen, das mit dem von Bast
und Rinde in Verbindung steht.

Bei vielen Hölzern erkennt man im Querschnitt schon mit bloßem Auge eine
ringartige Zonierung, die Jahresringe (Abb. 6.**8**). Sie sind der Ausdruck einer jah-

resrhythmischen Tätigkeit des Kambiums, das im Frühjahr seine Tätigkeit mit der Bildung weitlumiger Tracheiden mit überwiegender Leitungsfunktion (Frühholz) beginnt, während die mit fortschreitender Vegetationsperiode gebildeten Tracheiden immer engerlumig werden (Spätholz). Schließlich stellt das Kambium seine Tätigkeit ganz ein, um im Frühjahr wieder mit der Erzeugung weitlumiger Tracheiden zu beginnen. Auf diese Weise kommt eine scharfe Jahresgrenze zustande (Abb. 6.**9**). Das zwischen zwei Jahresgrenzen liegende Gewebe entspricht also einem Jahreszuwachs, so daß sich aus der Anzahl der Jahresringe mit einiger Genauigkeit das Alter eines Baumes bestimmen läßt. Bei den tropischen Hölzern, deren Wachstum keinen jahresperiodischen Schwankungen unterliegt, ist die Ringbildung nur schwach ausgeprägt oder fehlt ganz. Auch andere Faktoren können eine rhythmische Holzbildung verursachen.

Eine jahresperiodische Anordnung der Gewebe zeigen auch die Laubhölzer unserer Breiten, als deren Vertreter die Birke *(Betula alba)* gewählt sei (Abb. 6.**10**). Allerdings wird hier die regelmäßige Anordnung der einzelnen Elemente durch die sehr weitlumigen Gefäße gestört. Es handelt sich um Tüpfelgefäße, die schrägstehende, leiterartig durchbrochene Endwände aufweisen.

Werden weitlumige Gefäße bevorzugt im Frühjahr gebildet, sind sie auf dem Querschnitt ringförmig angeordnet. In diesem Falle spricht man von ringporigen Hölzern, z. B. Eiche *(Quercus),* Esche *(Fraxinus),* Ulme *(Ulmus).* Werden sie dagegen die ganze Vegetationsperiode über erzeugt, so sind sie mehr oder weniger gleichmäßig über den ganzen Querschnitt verteilt, und wir sprechen von zerstreutporigen Hölzern, z. B. Birke *(Betula),* Buche *(Fagus),* Pappel *(Populus),* Linde *(Tilia).* Die Gefäße der ringporigen Hölzer haben im allgemeinen einen größeren Durchmesser (mehr als 100 µm) und eine größere Länge (bis zu 10 m) als die der zerstreutporigen (kleiner als 10 µm und maximal 1–2 m lang), weshalb das Wasser in ihnen erheblich schneller (bis zu 10fach) geleitet wird als in den letzteren.

! Neben den Gefäßen finden wir bei den Laubhölzern alle oben genannten Holzelemente, also Holzfasern, Holz- und Holzstrahlparenchym sowie meist auch Tracheiden (Abb. 6.**10**). Die Holzparenchymstränge sind entweder vertikal oder tangential ausgerichtet. Im letzteren Falle verbinden sie die Holzstrahlen miteinander.

Häufig, z. B. bei den ringporigen Hölzern, sind die großporigen Gefäße des Frühholzes nur eine Vegetationsperiode über tätig. An der Wasserleitung ist also jeweils nur der äußerste Jahresring beteiligt, so daß im Frühjahr das gesamte Wasserleitungssystem vom Kambium neu gebildet werden muß. Bei den zerstreutporigen Hölzern bleibt das Xylem hingegen mehrere Jahre funktionsfähig, so daß der wasserleitende Querschnitt größer ist als bei einem gleichstarken ringporigen Stamm. Hierdurch werden die oben erwähnten Nachteile der langsameren Wasserleitung bei den zerstreutporigen Hölzern wieder ausgeglichen.

Die nicht mehr an der Wasserleitung beteiligten Jahresringe dienen nur noch der Festigung bzw. Speicherung (Holz- und Holzstrahlparenchym). Die Lumina der Gefäße werden in manchen Fällen durch **Thyllen,** das sind durch die Tüpfel

Abb. 6.**10** Holz und Bast der Birke *(Betula alba).* bs = Baststrahl, g = Geleitzellen, gf = Gefäße, hs = Holzstrahl, jg = Jahresgrenze, k = Kambium, ks = kollabierte Siebröhren, sr = Siebröhren (nach Mägdefrau)

unter blasenartiger Auftreibung der Schließhäute in die Gefäße einwachsende Holzparenchymzellen, oder durch die Einlagerung von Gerbstoffen und anderen Substanzen verstopft. Letztere werden meist auch in den Zellwänden abgelagert und schützen diese gegen mikrobielle Zersetzung. Damit geht häufig eine dunkle Verfärbung einher, an der man das **Kernholz** gut von dem hellen **Splintholz** unterscheiden kann. Durch derartige Einlagerungen werden sowohl die mechanischen Eigenschaften des Holzes als auch seine Dauerhaftigkeit verbessert, wodurch es technisch wertvoller wird (Teak, Ebenholz). Bei manchen Bäumen, z. B. Linde, Pappel und Weide *(Salix)*, unterbleibt die Verkernung. Sie werden deshalb häufig durch Fäulnis hohl.

6.2.2   Bast

Seiner Funktion, der Stoffleitung, entsprechend enthält der Bast vor allem die Siebzellen bzw. Siebröhren, die bei den Dikotyledonen[1] von den Geleitzellen begleitet werden. Hinzu kommen Bastparenchym und Baststrahlparenchym sowie als sklerenchymatische Elemente die Bastfasern (Abb. 6.7 C und 6.10). Infolge der jahresperiodischen Tätigkeit des Kambiums können in seltenen Fällen, z. B. bei der Lärche *(Larix)*, auch im Bast Jahresringe gebildet werden, doch ist dies in der Regel nicht der Fall. Zwar werden bei manchen Bäumen, z. B. bei der Linde *(Tilia)*, vom Kambium im mehrfachen Wechsel **Hartbast** (Bastfasern) und **Weichbast** (Siebröhren, Geleitzellen, Parenchym) gebildet, doch sind bei vielen Pflanzen die Bastfasern einzeln und verstreut in das Bastgewebe eingebettet oder fehlen ganz.

Die Siebelemente sind im typischen Falle nur eine, in seltenen Fällen einige wenige Vegetationsperioden über tätig. Die Baststrahlen bilden, wie bereits erwähnt, die Fortsetzung der Holzstrahlen. Ihre Zellen dienen, gleich denen des Bastparenchyms, überwiegend der Speicherung. Schließlich können im Bast auch Harzkanäle (z. B. bei Coniferen) oder andere Sekretbehälter vorkommen.

Die anfangs noch regelmäßige Anordnung der Bastelemente erfährt sehr bald eine Störung, da durch die zunehmende Umfangserweiterung der Sproßachse infolge des sekundären Dickenwachstums das Rindengewebe in tangentialer Richtung gedehnt und schließlich zerrissen wird, sofern Rinde und Bast der Umfangserweiterung nicht durch Dilatationswachstum zu folgen vermögen. In manchen Fällen, z. B. bei der Linde, ist das Dilatationswachstum besonders in den Baststrahlen sehr stark, so daß diese sich nach außen hin keilartig erweitern.

---

[1] Wie bereits erwähnt (S. 157), kommen Geleitzellen auch bei Monokotyledonen vor. Da diese jedoch kein sekundäres Dickenwachstum im eigentlichen Sinne aufweisen (S. 214), haben sie auch keinen Bast.

6.2.3   Periderm

⚠ Die Epidermis der Sproßachse ist bei manchen Pflanzen, z.B. bei Rose *(Rosa)*, Ahorn *(Acer)* und vor allem bei vielen Stammsukkulenten zu einem Dilatationswachstum befähigt. In vielen Fällen vermag sie jedoch der Umfangserweiterung der Sproßachse nicht zu folgen und wird zerrissen. Sie muß dann durch ein sekundäres Abschlußgewebe ersetzt werden. Dieses wird durch das **Phellogen** (Korkkambium) erzeugt, das bisweilen aus der Epidermis selbst (Abb. 6.11 A), meist aber aus der darunterliegenden oder aber einer noch tieferen Rindenschicht hervorgeht. Es ist also ein sekundäres bzw. laterales Meristem.

Die Bildung des Phellogens erfolgt mit Einsetzen des sekundären Dickenwachstums, bisweilen aber auch schon vorher. Seine Zellen teilen sich durch tangentiale Wände. Die nach außen abgegliederten Zellen, die interzellularenfrei aneinanderschließen, werden als Kork (**Phellem**) bezeichnet, und zwar unabhängig davon, ob sie tatsächlich verkorkt sind oder nicht. Häufig, aber keineswegs bei allen Pflanzen, werden in geringem Umfang auch nach innen Zellen abgegliedert, die stets unverkorkt sind. Sie werden als **Phelloderm** bezeichnet. Kork, Phellogen und Phelloderm zusammen bilden das Periderm.

Da die Verkorkung eine Unterbrechung der Wasser- und Nährstoffzufuhr zur Folge hat, sterben nicht nur die Korkzellen selbst, sondern auch alle außerhalb des Periderms liegenden Gewebe ab. Um den Gasaustausch der Sproßachse mit der Umgebung aufrechtzuerhalten, werden bereits mit Beginn der Peridermbildung **Lenticellen** (Korkwarzen) gebildet. Sie entstehen unter ehemaligen Spaltöffnungen, indem das Phellogen durch erhöhte Teilungsaktivität zahlreiche, locker liegende Füllzellen erzeugt, die das darüberliegende Gewebe emporheben und schließlich durchbrechen (Abb. 6.11). Ihre weiten Interzellularen, die in diesem Bereich auch das Phellogen durchsetzen, ermöglichen einen ungehinderten Gasaustausch.

Abb. 6.11   Periderm eines Apfelbaumes. **A** Anlage des Phellogens in der Epidermis, **B** Schnitt durch das Periderm mit Lenticelle.

e = Epidermis, f = Füllzellen, k = Kork, kl = Kollenchym, lz = Lenticelle, ph = Phellogen (nach Mägdefrau, Stocker)

Abb. 6.**12** Entstehung der Borke, schematisch. **A** Ringborke, **B** Streifenborke, **C** Schuppenborke. b = bast, c = Kambium (rot), h = Holz, p = Phellogen (rot)

Borke: Abgesehen von den selteneren Fällen, in denen das erste Korkkambium dauernd tätig bleibt, z.B. bei der Buche *(Fagus)* und der Korkeiche *(Quercus suber)*, stellt es seine Teilungen meist schon recht bald ein. Seine Funktion wird von einem zweiten Korkkambium übernommen, das in einer tieferen Rindenschicht entsteht. Auch dieses ist nur eine begrenzte Zeit über tätig und wird durch ein drittes, noch tiefer liegendes abgelöst usw. Die Korkkambien werden also sehr bald nicht mehr in der primären Rinde, sondern im Bast angelegt. Auf diese Weise werden durch die Peridermschichten die äußeren Gewebe der Rinde und des Bastes abgetrennt, deren Gesamtheit wir als Borke bezeichnen. Verlaufen die einzelnen Korkkambien etwa parallel zum Sproßumfang, indem sie in sich geschlossene Zylinder bilden, so sprechen wir von **Ringborke** (auch Ringelborke, Abb. 6.**12A**), wie z.B. beim Wein *(Vitis)*, dem Geißblatt *(Lonicera)*, dem Wacholder *(Juniperus)* und anderen Zypressen. Allerdings werden die äußeren Borkeschichten durch den tangentialen Zug infolge der Umfangserweiterung meist zerrissen und fallen als Längsstreifen ab. So sind z.B. beim Wein die ringförmigen Korklagen durch parenchymatische Längsstreifen unterbrochen, wodurch die Streifenbildung präformiert ist. Es ist daher korrekter, in diesem Falle von **Streifenborke** zu sprechen (Abb. 6.**12B**). Bei der **Schuppenborke** schließlich werden die Korkkambien so angelegt, daß sie auf ältere Peridermschichten stoßen und einzelne Sektoren herausschneiden (Abb. 6.**12C**), die später als Schuppen abfallen. Dies ist bei der Mehrzahl der Bäume der Fall, z.B. bei der Kiefer *(Pinus)*, Eiche *(Quercus)* u.a. Die äußeren, also ältesten Teile der Borke werden schließlich rissig und blättern meist von selbst ab. Bei manchen Bäumen (Platane, Kiefer) bilden sich regelrechte Trennungsschichten aus, mit deren Hilfe die Borke abgesprengt wird.

6.2.4   Dickenwachstum der Monokotylen

Bei einigen stammbildenden Monokotyledonen, z. B. beim Drachenbaum *(Dracaena)*, findet sich ein von dem oben beschriebenen gänzlich abweichender Typ sekundären Dickenwachstums. Hier liegt zwar, wie beim Kambium, ebenfalls ein geschlossener Zylinder aus meristematischen Zellen vor, doch entsteht dieser aus dem primären Verdickungsmeristem. Er erzeugt nach innen verholzendes Parenchym, in dem sich sekundäre Leitbündel differenzieren. Nach außen wird nur parenchymatisches Rindengewebe gebildet. Der Meristemzylinder unterscheidet sich somit grundsätzlich von einem Kambium.

6.3   Morphologie der Sproßachse

Im einfachsten Falle ist der Sproß eine blättertragende, aufrechte Achse mit terminalem Scheitelmeristem. Die Ansatzstellen der Blätter sind die Nodi (Knoten), die dazwischenliegenden Sproßabschnitte die Internodien. Der unterhalb der später meist zugrundegehenden Keimblätter liegende Abschnitt heißt Hypokotyl (Abb. 5.**18A**, S. 203), der darüberliegende, bis zum nächsten Knoten reichende Abschnitt Epikotyl. Die Internodien entstehen durch **intercalares Wachstum**, können aber auch nach Ausbildung der Blätter noch eine weitere Streckung erfahren, die mit einer Zellvermehrung verbunden sein kann. Allerdings ist die Dauer des intercalaren Wachstums meist begrenzt.

Sehr ausgeprägt ist es bei den Gräsern, z. B. den Getreidearten, bei denen sich die intercalaren Wachstumszonen an den unteren Enden der Internodien befinden (Abb. 6.**13**). Infolgedessen können sie sich durch einseitiges Flankenwachstum in den Knoten aus der horizontalen Lage wieder aufrichten. Da ihre Zellen dünnwandig sind, wird der Stengel im unteren Internodienabschnitt durch eine röhrenförmige Scheide gestützt, die aus dem Unterblatt des entsprechenden Laubblattes gebildet wird. Außerdem ist die Basis des Unterblattes zu einem festen Knoten verdickt. Bleibt die Internodienstreckung aus, kommt es zur Bildung einer Blattrosette, wie im Falle des Wegerichs *(Plantago,* Abb. 7.**2C**, S. 234).

Ein solcher einachsiger Aufbau trifft für eine Reihe von Pflanzen zu. In der Mehrzahl der Fälle ist der Aufbau der Sproßachsen jedoch ungleich komplizierter.

6.3.1   Verzweigung

❗ Wie bei den niederen Pflanzen, so kann auch bei den Kormophyten die Verzweigung sowohl dichotom als auch seitlich erfolgen. Die Dichotomie findet sich hier vor allem bei den niederen Gefäßpflanzen, z. B. dem Bärlapp *(Lycopodium)* und dem Moosfarn *(Selaginella),* kommt vereinzelt aber auch bei Angiospermen vor, z. B. bei manchen Kakteen. Im allgemeinen verzweigen sich die Kormophyten seitlich. Im typischen Falle gehen die Seitensprosse aus Achselknospen hervor, die von den äußeren Gewebepartien der Sproßachse, also exo-

Abb. 6.**13** Stück eines Getreidehalmes, teils in Aufsicht, teils im Längsschnitt dargestellt. e = meristematisches Gewebe, k = Knoten, o = Oberblatt, sp = Sproßachse, u = scheidenförmiges Unterblatt (z. T. nach Rauh)

gen, in den Achseln der Blätter (Abb. 5.**18A**, S. 203) gebildet werden. Sie werden deshalb als Achselsprosse, die dazugehörigen Blätter als Deck- oder Tragblätter bezeichnet.

Die Knospen sind von Blattanlagen umhüllte Sproßscheitel, die entweder bald austreiben oder aber lange Zeit im Zustand der Ruhe verharren („schlafen"). Im Gegensatz zu den Angiospermen, bei denen jedes Laubblatt eine Achselknospe trägt, sind bei den Gymnospermen nur einzelne Blattachseln zur Bildung von Achselsprossen befähigt. Außer diesen „normalen" Seitensprossen kommen auch Adventivsprosse vor, die an Sprossen, Blättern und Wurzeln dadurch entstehen, daß bereits ausdifferenzierte Gewebepartien ihre Teilungsfähigkeit wiedererlangen und neue Sproßscheitel anlegen, wie wir dies von Stecklingen kennen. In manchen Fällen kommen neben den Hauptachselknospen auch noch Beiknospen vor, die entweder übereinander (serial) oder nebeneinander (kollateral) stehen.

Bleiben die Seitenzweige in ihrem Wachstum der Hauptachse untergeordnet, so sprechen wir von einem **Monopodium** (Abb. 6.**14A**). Als typische Beispiele unter den Bäumen seien die Fichte *(Picea)* und die Tanne *(Abies)* genannt. Auch die Esche *(Fraxinus)* und die Eiche *(Quercus)* verzweigen sich monopodial, doch stellt hier die Hauptachse später ihr Wachstum ein. Verzweigen sich die Seitensprosse weiter, können wir sie als Seitensprosse 1., 2., 3. usw. Ordnung bezeichnen. Stets ist aber auch hier der Seitensproß höherer Ordnung schwächer entwickelt als der, dessen Achselsproß er darstellt. Sehr häufig findet man jedoch den umgekehrten Fall, daß die Hauptachse nach Anlage der Seitentriebe in der Entwicklung zurückbleibt oder sogar ihr Wachstum ganz einstellt. In diesem Falle sprechen wir von einem **Sympodium**. Setzt nur jeweils ein Seitentrieb die Entwicklung fort, so entsteht ein **Monochasium** (Abb. 6.**14B**), das nicht selten eine scheinbar monopo-

Abb. 6.**14** Verzweigungstypen der Sproßachse. **A** Monopodium, **B** und **C** Sympodium. **B** Monochasium, **C** Dichasium. Die Zahlen geben die Ordnung der Achsen an. **D** Lang- und Kurztrieb der Kiefer. d = Deckschuppe, k = Kurztrieb, l = Teil eines Langtriebes, n = Nadelblatt (**D** nach Troll)

diale Achse bildet. Setzen zwei Seitentriebe die Entwicklung fort, sprechen wir von einem **Dichasium** (Abb. 6.**14**C), sind es mehr, von einem **Pleiochasium.** Charakteristische Beispiele für Monochasien sind die Sproßachsen der Weinrebe *(Vitis vinifera)* und die Erdsprosse vom Salomonssiegel *(Polygonatum multiflorum,* Abb. 6.**15**F), Beispiele für Dichasien die Sproßachsen des Flieders *(Syringa vulgaris)* und der Mistel *(Viscum album,* Abb. 13.**1**, S. 362).

Allerdings sind nicht alle Seitensprosse am Aufbau der Zweigkrone gleichermaßen beteiligt. Nur ein Teil von ihnen wächst zu Langtrieben aus, während die Mehrzahl als Kurztriebe gestaucht bleibt und sich nicht weiter verzweigt. Meist dienen sie lediglich als Träger der Blätter, wie das Beispiel der Kiefer (Abb. 6.**14**D) zeigt.

6.3.2   Metamorphosen der Sproßachse

Abgesehen von der Variabilität im äußeren Erscheinungsbild, die durch die verschiedenen Verzweigungs- und Symmetrieverhältnisse bedingt ist, wird die Vielfalt der Gestalt der Sproßachsen noch durch morphologische Umwandlungen erhöht, die Anpassungen an bestimmte Lebensweisen bzw. Umweltbedingungen darstellen. So finden wir Anpassungen an extrem trockene Klimate bei den Xerophyten, an feuchte Standorte bei den Hygrophyten, an das Leben im Wasser bei den Hydrophyten, an wechselfeuchte Standorte bei den Tropophyten, an salzhal-

tige Böden bei den Halophyten u. a. m. Diese Abwandlungen, die wir als Metamorphosen bezeichnen, können so tiefgreifend sei, daß der morphologische Charakter des betreffenden Organs erst durch eine genaue morphologische und anatomische Untersuchung ermittelt werden kann.

❗ Dabei kann ein bestimmtes Grundorgan, z. B. die Sproßachse, die Gestalt eines
andern Grundorganes, etwa eines Blattes, annehmen, wie z. B. im Falle der
Phyllokladien (s. unten). Trotz der äußeren Ähnlichkeit sind jedoch Phyllokladien und Blätter einander nur **analog**, und trotz der äußeren Verschiedenheit
sind Sproßachse und Phyllokladien einander **homolog**, d. h. sie lassen sich auf
das gleiche Grundorgan, eben die Sproßachse, zurückführen.

Einige der wichtigsten Metamorphosen der Sproßachsen sind in Abb. 6.**15** zusammengestellt. Zu recht charakteristischen, sogenannten xeromorphen Umwandlungen der Sproßachse (allerdings auch der anderen Grundorgane; s. die nächsten
Kapitel) führt die Anpassung an extrem trockene Standorte, wie wir sie in Wü-
sten- und Steppengebieten finden. An erster Stelle ist hier die **Sukkulenz** zu nennen, worunter wir die Ausbildung fleischig-saftiger Wasserspeichergewebe verstehen. Werden diese von der Sproßachse, z. B. der primären Rinde, gebildet, sprechen wir von Stammsukkulenten. Ein Vergleich der beiden Hälften von Abb. 6.**15 A**
zeigt, wie sich die stark sukkulente Form von der normalen Sproßachse ableiten
läßt. Die Tragblätter und Seitensprosse sind hier nur schwach entwickelt, und die
Blätter der Seitensprosse zu Dornen umgebildet. Die Photosynthese wird von der
Sproßachse selbst übernommen. Außer bei den Kakteen (Cactaceae) finden sich
stammsukkulente Formen auch bei den Wolfsmilchgewächsen (Euphorbiaceae),
Korbblütlern (Compositae) und einigen anderen Familien.

❗ Diese auf die Anpassung an gleichartige Umweltbedingungen zurückzuführen-
de Übereinstimmung in der äußeren Gestalt bei Vertretern systematisch verschiedener Gruppen bezeichnen wir als **Konvergenz.**

Die bei den Stammsukkulenten erwähnte Reduktion der Blätter führt bei anderen
Pflanzen zu einer blattartigen Verbreiterung der Kurztriebe (**Phyllokladien**) oder
gar der Langtriebe (**Platykladien**). Daß es sich bei den Phyllokladien tatsächlich
um Seitensprosse und nicht um Blätter handelt, geht daraus hervor, daß sie in den
Achseln von Tragblättern stehen und selbst kleine schuppenförmige Blättchen
tragen, in deren Achseln Blüten entspringen (*Ruscus,* Abb. 6.**15 B**).
    Ein weiteres Beispiel xeromorpher Umgestaltung ist die starke Entwicklung
sklerenchymatischer Gewebe, die dem Vegetationskörper auch bei stärkerem
Wasserverlust trotz abnehmender Turgeszenz die nötige Festigkeit verleihen.
Hierher gehört die Umwandlung von Achselsprossen zu **Sproßdornen**, die aller-
dings auch bei nicht ausgesprochen xeromorphen Pflanzen zu finden ist
(Abb. 6.**15 C**). Sie lassen sich durch ihre Stellung in den Achseln von Tragblättern
eindeutig mit Achselsprossen homologisieren. Die Dornen sind von den **Stacheln**
(Rose) wohl zu unterscheiden. Diese sind Emergenzen.

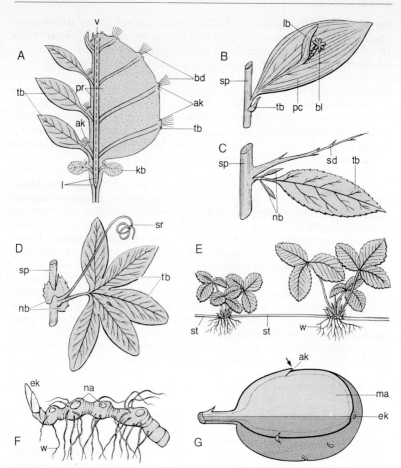

Abb. 6.**15** Sproßmetamorphosen. **A** Ableitung einer sukkulenten (rechte Hälfte) aus einer beblätterten (linke Hälfte) Kakteenform, schematisch, **B** Phyllokladium von *Ruscus hypoglossum,* **C** Sproßdorn von *Prunus spinosa* (Schlehe), **D** Sproßranke von *Passiflora* (Passionsblume), **E** Ausläuferbildung bei *Fragaria* (Erdbeere). **F** Rhizom von *Polygonatum multiflorum* (Salomonssiegel), **G** Sproßknolle von *Solanum tuberosum* (Kartoffel), zu einem Viertel aufgeschnitten. ak = Achselknospen, bd = Blattdornen, bl = Blüte, ek = Endknospe, kb = Keimblätter, l = Leitbündel, lb = Laubblatt, ma = Mark, na = Narbe, nb = Nebenblatt, pc = Phyllokladium, pr = primäre Rinde, sd = Sproßdorn, sp = Sproß, sr = Sproßranke, st = Stolonen (Ausläufer), tb = Tragblatt, v = Scheitelmeristem, w = Wurzel (nach Troll, Wettstein, Strasburger, Miehe, Rauh)

Einige Kletterpflanzen besitzen **Sproßranken.** Beim Wein *(Vitis vinifera)* sind die sympodial aufgebauten Hauptsprosse, bei der Passionsblume *(Passiflora)* die unverzweigten Seitensprosse (Abb. 6.**15 D**) zu Ranken umgewandelt.

Auch die Anpassung an den jahreszeitlichen Klimawechsel kann Sproßmetamorphosen im Gefolge haben. Die Pflanzen werden hierdurch in die Lage versetzt, Jahreszeiten mit ungünstigen Vegetationsbedingungen zu überdauern. Hier sind z.B. die **Rhizome** (Erdsprosse) zu nennen, das sind unterirdische, meist horizontal wachsende, verdickte Sproßachsen, die sproßbürtige Wurzeln tragen. In jeder Vegetationsperiode bilden sie einen Luftsproß, der die Erdoberfläche durchbricht und später abstirbt, während ein unterirdisches Scheitelmeristem das Wachstum in horizontaler Richtung fortsetzt. Beim Salomonssiegel *(Polygonatum multiflorum)* durchbricht stets der jeweilige Hauptsproß die Oberfläche, während der Achselsproß unter der Erde weiterwächst, so daß ein sympodialer Aufbau des Rhizoms resultiert (Abb. 6.**15 F**). Es gibt jedoch auch monopodial verzweigte Erdsprosse. Der Sproßcharakter der Rhizome läßt sich anhand morphologischer und anatomischer Merkmale eindeutig sicherstellen (Fehlen einer Wurzelhaube, Ausbildung von Knospen, Besitz von Niederblättern, keine radialen Leitsysteme).

Ein weiteres Beispiel sind die **Sproßknollen,** die entweder aus dem Hypokotyl (Radieschen, rote Rübe, Abb. 8.**6 D**, S. 256), aus oberirdischen (Kohlrabi) oder aus unterirdischen (Kartoffel) Sproßabschnitten gebildet werden. Sie können sich über mehrere Internodien erstrecken. Unterirdische Sproßknollen, wie die Kartoffel, unterscheiden sich von den Rhizomen durch ihr begrenztes Wachstum sowie durch das Fehlen sproßbürtiger Wurzeln. Sie entstehen als lokale, in der Regel endständige (terminale) Anschwellungen der etwa horizontal verlaufenden Ausläufer (Stolonen) (Abb. 6.**15 G**). Die sogenannten „Augen" sind Achselsprosse, die in den Achseln schuppenartiger Tragblätter stehen und in der nächsten Vegetationsperiode zu Luftsprossen austreiben. Da von einer Pflanze stets mehrere Knollen gebildet werden, ist in diesem Falle die Knollenbildung mit einer Vermehrung verbunden.

Oberirdische Ausläufer kommen z.B. bei der Erdbeere *(Fragaria vesca)* vor. Sie wachsen plagiogravitrop über den Boden hin (Abb. 6.**15 E**). Schließlich richten sie sich an den Enden auf, bilden eine orthogravitrope Sproßachse und bewurzeln sich. Da sich die Bildung von Ausläufern ständig wiederholt und die alten Ausläufer nach der Bewurzelung der Tochterpflanzen meist absterben, ist damit ebenfalls eine Vermehrung verbunden.

Zusammenfassung

Das Scheitelmeristem der Sproßachse geht ohne scharfe Grenze in die Determinationszone über, in der die Gliederung in Urrinde und Urmark erfolgt. Zwischen beiden bleibt ein Zylinder aus Restmeristem erhalten. Es schließt sich die Zone der Differenzierung und Reifung an, in der die Zellen entweder durch weitere Teilungen zu parenchymatischen Dauerzellen werden oder in den Prokambiumsträngen eine Längsstreckung erfahren und sich zu Leitungs- bzw. Festigungselementen entwickeln.

Aus den Prokambiumsträngen entstehen die Leitbündel, deren wasserleitende Elemente als Xylem und deren stoffleitende als Phloem bezeichnet werden. Der Anordnung dieser Elemente entsprechend unterscheidet man verschiedene Leitsysteme: das radiale Leitsystem der Wurzel sowie das in Leitbündel aufgelöste Leitsystem der Sproßachse. Bei den Leitbündeln kommen folgende Typen vor: offene und geschlossene kollaterale, bikollaterale und konzentrische, wobei bei den letzteren das Xylem entweder innen oder außen liegt. Häufig sind die Leitbündel von einer Scheide aus parenchymatischen oder sklerenchymatischen Zellen umgeben. Die Leitbündel verlaufen grundsätzlich in Längsrichtung der Achse, sind aber auch in Querrichtung untereinander verbunden, so daß ein netzartiger Leitbündelzylinder entsteht. Die in die Blätter eintretenden Leitbündel nennt man Blattspurstränge, ihre Gesamtheit Blattspur. Die Leitbündel sind durch Strahlen aus parenchymatischem Gewebe voneinander getrennt.

Außerhalb des Leitbündelzylinders liegt die Rinde, deren Zellen Chloroplasten enthalten können. Häufig haben sie auch Speicherfunktion. Der Leitbündelzylinder ist nicht selten von einem Zylinder aus Sklerenchymfasern oder von einer Stärkescheide umgeben. Nach außen ist die Rinde durch die Epidermis abgeschlossen. Bisweilen sind weitere Festigungselemente sklerenchymatischer oder kollenchymatischer Natur peripher im Rindengewebe angeordnet.

Das sekundäre Dickenwachstum erfolgt mit Hilfe des Kambiums. Das vom Kambium nach innen abgegliederte Gewebe heißt Holz, das nach außen abgegliederte Bast. Das Holz der Gymnospermen besteht nur aus Tracheiden, Holzparenchym (nicht immer) und Holzstrahlparenchym, das der Angiospermen meist sowohl aus weitlumigen Gefäßen als auch

aus Tracheiden, Holzfasern sowie Holzparenchym und Holzstrahlparenchym. Infolge der jahresperiodischen Tätigkeit des Kambiums zeigen die Hölzer gemäßigter Breiten eine charakteristische Jahreszonierung. Nicht mehr benötigte Gefäße der inneren Ringe werden durch Thyllen bzw. Einlagerungen von Gerbstoffen u. a. Verbindungen verstopft.

Der Bast enthält vor allem Siebzellen bzw. Siebröhren, die der Stoffleitung dienen. Die Siebröhren der Dicotyledonen werden von Geleitzellen begleitet. Zusammen mit dem Bastparenchym und dem Baststrahlparenchym werden diese Elemente als Weichbast bezeichnet und den sklerenchymatischen Bastfasern als Hartbast gegenübergestellt. Die Baststrahlen sind die Fortsetzung der Holzstrahlen. Sofern Rinde und Bast der Umfangserweiterung durch das sekundäre Dickenwachstum nicht durch Dilatationswachstum folgen, werden sie in tangentialer Richtung gedehnt und zerrissen. Dies trifft auch für die Epidermis zu. Diese wird durch ein sekundäres Abschlußgewebe, das Periderm, ersetzt, das durch das Phellogen (Korkkambium) erzeugt wird. Die ständig zunehmende Umfangserweiterung macht die Ausbildung neuer Periderme erforderlich, was zur Bildung der Borke führt.

Die Verzweigung der höheren Pflanzen erfolgt in der Regel seitlich aus Achselknospen. Dominiert ständig die Hauptknospe, entsteht ein Monopodium, bleibt sie in ihrer Entwicklung hinter den Seitentrieben zurück, ein Sympodium.

Als Metamorphosen bezeichnet man morphologische Umwandlungen pflanzlicher Grundorgane in Anpassung an bestimmte Lebensweisen bzw. Umweltbedingungen. Sproßmetamorphosen sind: Stammsukkulenz, Phyllokladien, Platykladien, Sproßdornen, Sproßranken, Rhizome und Sproßknollen.

7 Blatt

Das Blatt als typisches Grundorgan des Kormus tritt uns in einer enormen Vielfalt entgegen. Das betrifft nicht nur die äußere Gestalt und den inneren Aufbau, sondern auch die Funktion. Die Gestalt des Blattes ist genetisch determiniert und somit artspezifisch, kann aber in Anpassung an bestimmte Umweltbedingungen modifiziert werden. Sowohl hinsichtlich der äußeren und inneren Gestaltung der Blätter als auch ihrer Stellung an der Sproßachse bestehen zwischen den einzelnen Pflanzenarten erhebliche Unterschiede, die zur Vielfalt der äußeren Erscheinungsformen beitragen. Ihre Ränder können glatt, gesägt, lappig eingebuchtet oder anders gestaltet, die Blattfläche fingerartig aufgeteilt, einfach oder mehrfach gefiedert oder geschlitzt sein. Häufig sind die beiden Blatthälften symmetrisch, bei manchen Arten aber auch asymmetrisch.

Im allgemeinen denkt man, wenn man von Blättern spricht, an grüne Photosyntheseorgane, die flächig verbreitert sind, um die Absorption möglichst vieler Lichtquanten zu ermöglichen. Da jedoch jede Flächenvergrößerung zwangsläufig eine erhöhte Wasserdampfabgabe zur Folge hat, ist die Oberfläche der Blätter bei Pflanzen, die an trockene Standorte angepaßt sind, häufig reduziert. Sie können dann z. B. nadelartig ausgestaltet sein, mit besonderen, die Wasserabgabe hemmenden Schutzvorrichtungen versehen sein oder aber gänzlich reduziert werden, wobei die Photosynthesefunktion vom Blattstiel oder gar von der Sproßachse übernommen wird. In der Blütenregion sind die Blätter der Blütenkrone häufig leuchtend bunt gefärbt, um bestäubende Insekten anzulocken, eine Funktion, die auch von gefärbten Hochblättern übernommen werden kann. Nicht selten sind die Blätter, vor allem im basalen Bereich oder an Erdsprossen, nur schuppenförmig ausgebildet und im letzteren Falle sogar bleich. Schließlich sind auch die im Dienste der Fortpflanzung stehenden Staub- und Fruchtblätter den normalen Laubblättern homolog, also typische Blattorgane.

Wie im Falle der Sproßachse sind auch manche Blattorgane im Laufe der stammesgeschichtlichen Entwicklung metamorphotisch so stark verändert worden, daß ihr Blattcharakter nicht mehr ohne weiteres erkennbar ist. So sind z. B. Blattdornen und Sproßdornen einander analog, doch sind die Blattdornen und die Blätter nichtsdestoweniger homologe Organe.

7.1 Entwicklung des Blattes

Wie bereits erwähnt, entstehen die Blattanlagen exogen als wulstförmige Auswüchse der äußeren Schichten des Sproßscheitels (Abb. 5.**18B**, S. 203). Im Gegensatz zur Sproßachse wachsen sie in der Regel nur kurze Zeit mit der Spitze (akroplast). Diese stellt sehr bald ihre Tätigkeit ein, und das Wachstum wird von basalen bzw. intercalaren Meristemen übernommen (basiplastes Wachstum). Eine Ausnahme machen hier u.a. die Blätter mancher Farne, die ständig mit einer Scheitelzelle bzw., wenn mehrere Initialen vorliegen, mit einer Scheitelkante akroplast wachsen. Die zarten, empfindlichen Spitzen ihrer Blätter sind eingerollt und so durch das ältere Blattgewebe geschützt. Auch das Breitenwachstum der Blätter erfolgt hier durch Scheitelkanten, während in den anderen Fällen subepidermale Zellen das Breitenwachstum übernehmen. Die Teilungstätigkeit dieser Randmeristeme wird durch Zellteilungen in der Blattfläche ergänzt.

Die erste äußerlich erkennbare Differenzierung der Blatthöcker besteht in einer Einschnürung, die die Blattanlage in einen breiteren proximalen, d.h. dem Sproß zugekehrten Abschnitt, das Unterblatt, und in einen schmaleren distalen, vom Sproß abgewandten Abschnitt, das Oberblatt, gliedert (Abb. 7.**1A,B**). Im Verlaufe der weiteren Entwicklung zu einem typischen Laubblatt entstehen aus dem Unterblatt der meist etwas verbreiterte Blattgrund und gegebenenfalls die Nebenblätter (Stipula), aus dem Oberblatt dagegen durch Flächen-, Breiten- und mäßi-

Abb. 7.1 Entwicklung des Fiederblattes der Rose. **A** Blatthöcker am Sproßscheitel, **B** Gliederung in Unter- und Oberblatt, **C** Anlage der Fiederblätter, **D** fertig ausgebilde-tes Blatt. bg = Blattgrund, e = Endfieder, n = Nebenblatt, o = Oberblatt, s_1–s_3 = Seitenfiedern, st = Blattstiel, u = Unterblatt

ges Dickenwachstum die Blattspreite (Lamina) und, sofern es sich nicht um ungestielte, sogenannte sitzende Blätter handelt, der Blattstiel (Petiolus), der durch intercalares Wachstum zwischen Blattgrund und Blattspreite eingeschoben wird (**C,D**). Ist die Blattspreite, wie im vorliegenden Falle, aufgegliedert, so werden die Fiedern bereits mit Beginn der Spreitenentwicklung angelegt, indem die Randmeristeme in den einzelnen Abschnitten eine verschieden starke Aktivität entwickeln. Entsprechendes gilt natürlich für mehrfach gefiederte, gefingerte und alle anderen Blattformen, die nicht glattrandig sind.

7.2   Anordnung der Blätter an der Sproßachse

Unterschiede in der Ausgestaltung der Blätter bestehen jedoch nicht nur zwischen verschiedenen Arten. Vielmehr können sich Größe und Gestalt der Blätter auch an ein und derselben Sproßachse im Verlaufe der Entwicklung ändern. Wir bezeichnen dies als Blattfolge. Aber selbst innerhalb eines Bereiches der Sproßachse, also etwa der Laubblätter, können bisweilen Unterschiede in Größe und Gestalt der Blätter auftreten, z.B. in Anpassung an die Schwerkraft (Dorsiventralität) oder an das Leben im Wasser und in der Luft bei sogenannten amphibischen Pflanzen. Die Anordnung der Blätter an der Sproßachse, die Blattstellung, kann ebenfalls von Fall zu Fall recht verschieden sein, folgt aber gewissen Regeln.

7.2.1   Blattstellung

Die Stellung der Blätter an der Sproßachse läßt sich auf bestimmte Grundtypen zurückführen. Werden an einem Knoten mehrere Blätter angelegt, so entstehen mehrzählige Wirtel. Für aufrecht wachsende, radiär gebaute Achsen gelten die beiden Regeln, daß der Winkel, den die Blätter eines Wirtels miteinander bilden, stets gleich ist (**Äquidistanz**) und daß bei aufeinanderfolgenden Blattwirteln die Blätter stets über den Blattlücken des vorhergehenden Wirtels stehen (**Alternanz**). Es stehen also die Blätter jedes zweiten Wirtels übereinander, so daß in der Längsrichtung der Achse Orthostichen (Geradzeilen) entstehen.

Nehmen wir als Beispiel einen Sproß, der an jedem Knoten zwei Blätter trägt, so stehen diese, den Blattstellungsregeln entsprechend, gekreuzt gegenständig (decussiert), wodurch insgesamt vier Orthostichen entstehen (Abb. 7.2**A**). Trägt jeder Wirtel nur ein Blatt, so spricht man von wechselständiger oder zerstreuter Blattstellung. Hier hängt die Zahl der Orthostichen von dem Winkel ab, den zwei aufeinanderfolgende Blätter miteinander bilden (Divergenzwinkel). Beträgt er 180 Grad, stehen sich je zwei aufeinanderfolgende Blätter genau gegenüber, wie bei vielen Monokotyledonen. Eine solche Blattstellung nennen wir distich. Ist der Winkel kleiner als 180 Grad, so resultieren andere Blattstellungstypen (Abb. 7.2**B**). Allerdings ist auch bei diesen die Anordnung der Blätter keineswegs regellos, sondern sie stehen auf einer den Sproß umlaufenden Schraube. Verbindet man die Spitzen der aufeinanderfolgenden Blätter durch eine Linie und projiziert diese in

Abb. 7.**2**   Blattstellung. **A** Kreuz-gegenständig (= decussiert), *Hypericum calycinum* (Johanniskraut). **B** Wechselständig *(Campanula rapunculoides,* Glockenblume)*,* **C** Rosettensproß von *Plantago media* (Wegerich) in Aufsicht. Die rote Linie, die von Blatt 1 an die Blattspitzen miteinander verbindet, stellt die Grundspirale dar. Die Blätter sind in der Folge ihrer Entstehung beziffert

eine Ebene, so erhält man die sogenannte **Grundspirale,** die links- oder rechtsläufig sein kann. Sehr anschaulich zeigt dies der Rosettensproß des Wegerichs *(Plantago media,* Abb. 7.**2 C**). Der Divergenzwinkel einer wechselständigen Blattstellung läßt sich folgendermaßen berechnen: Man bestimmt die Anzahl der Umläufe, die durchlaufen werden müssen, um wieder zu einem genau über dem Ausgangsblatt stehenden Blatt, das also derselben Orthostiche angehört, zu gelangen, im vorliegenden Falle also drei. Diese Zahl wird mit 360 Grad multipliziert und durch die Anzahl der Blätter geteilt, die während der Umläufe berührt werden, in unserem Beispiel also acht. Hieraus ergibt sich ein Divergenzwinkel von 135 Grad und eine Blattstellung von $\frac{3}{8}$. Andere Blattstellungstypen sind $\frac{1}{3}$, $\frac{2}{5}$ usw. Allerdings werden diese Blattstellungen nicht immer streng eingehalten. Es sind sogar zahlreiche Fälle bekannt, in denen sich die Blattstellung innerhalb derselben Sproßachse im Verlaufe der ontogenetischen Entwicklung ändert. Bei horizontal wachsenden Sprossen wird die Blattstellung durch die Schwerkraft beeinflußt. Meist sind die Blätter seitlich angeordnet. Bisweilen kommt es zur Ausbildung von Anisophyllie (Abb. 7.**4 B**).

7.2.2   Blattfolge

Die ersten Blätter einer Pflanze sind stets die Keimblätter, die Kotyledonen. Die Monokotyledonen, oft auch Monokotyle genannt, haben nur eines, die Dikotyledonen (Dikotylen) zwei, die Gymnospermen häufig mehrere. Letztere sind also oft polykotyl. Die Keimblätter sind bereits am Embryo angelegt. Je nachdem, ob sie mit dem jungen Keimling die Bodenoberfläche durchbrechen (Abb. 5.**18A**, S. 203, Abb. 7.**3 B**) oder unter der Erde im Samen bleiben (Abb. 7.**3 A**), unterscheiden wir **epigäische** und **hypogäische Keimung.** Die Keimblätter sind meist einfacher gebaut als die Laubblätter und werden normalerweise bald abgeworfen oder gehen zugrunde.

Abb. 7.**3** Blattfolge. Keimpflanzen mit hypogäischer (**A**) und epigäischer Keimung (**B**). **A** *Phaseolus coccineus* (Feuerbohne). Die Kotyledonen bleiben im Samen, das Hypokotyl streckt sich kaum, wohl aber das Epikotyl. Die Primärblätter unterscheiden sich in ihrer Gestalt von den gefiederten Folgeblättern. **B** *Fraxinus excelsior* (Esche). Das Hypokotyl streckt sich stark, so daß die Kotyledonen über die Erdoberfläche gelangen und ergrünen. Die darauf folgenden Primärblätter erscheinen mit zunehmender Entwicklungshöhe stärker differenziert. ep = Epikotyl, fb = Folgeblatt, hy = Hypokotyl, ko = Kotyledonen, pb = Primärblatt, sa = Samen, w = Wurzel (nach Troll)

Abb. 7.**4** Heterophyllie bei *Ranunculus aquatilis* (Wasser-hahnenfuß, **A**), b = Blüte, sb = Schwimmblätter, wb = Wasser-blätter. **B** Anisophyllie bei *Selaginella caespitosa* (nach Troll)

Den Keimblättern folgen die Laubblätter, die häufig alle gleich aussehen. Es gibt jedoch nicht wenige Fälle, in denen die ersten Laubblätter, die Primärblätter, anders, und zwar meist einfacher, gestaltet sind als die Folgeblätter (Abb. 7.3). Unterscheiden sich auch die Folgeblätter voneinander, so spricht man von **Heterophyllie,** wenn sie verschieden gestaltet sind, von **Anisophyllie,** wenn sie im gleichen Sproßabschnitt, unter Umständen sogar am gleichen Knoten, eine verschiedene Größe haben (Abb. 7.4). Die Anisophyllie ist meist eine Folge der Dorsiventralität.

❗ In der Mehrzahl der Fälle weisen die Laubblätter eine Ober- und eine Unterseite auf, die aus den entsprechenden Seiten der Blattanlagen hervorgegangen sind. Man bezeichnet solche Blätter als bifazial. Sind Ober- und Unterseite verschieden (Abb. 7.**5A**), nennt man sie dorsiventral, sind sie gleich gestaltet (Abb. 7.**5B**), äquifazial. Bei den unifazialen Blättern, die bei manchen Monokotylen vorkommen, sind die Oberseiten reduziert, und die ganze Blattoberfläche wird von der morphologischen Unterseite gebildet (Abb. 7.**5C,D**).

Außer den eigentlichen Laubblättern finden sich an den Sproßachsen fast regelmäßig auch einfacher gestaltete, oft nur schuppenförmig ausgebildete und nicht selten farblos-häutige Blätter. Sie werden als **Niederblätter** bezeichnet, wenn sie der Laubblattbildung vorangehen, als **Hochblätter,** wenn sie oberhalb der Laubblattregion auftreten. Erstere finden sich auch an Erdsprossen, letztere vor allem in der Blütenregion, wo sie den Anschluß von den Laubblättern zu den Blütenblättern herstellen.

Abb. 7.**5** Blatt-Typen im Querschnitt, schematisch. **A** Dorsiventral, **B** äquifazial, **C** Übergangsform zum unifazialen Blatt, **D** unifazial. Assimilationsparenchym schwarz gerastert, Xylem rot. o = Oberseite, u = Unterseite

7.3 Anatomischer Bau des Laubblattes

Unabhängig davon, welcher Blatt-Typ vorliegt, sind am Aufbau eines Laubblattes die gleichen charakteristischen Zelltypen beteiligt. Die Oberfläche des Blattes ist von einer meist einschichtigen Epidermis bedeckt, deren Zellen in der Mehrzahl der Fälle keine Chloroplasten enthalten. Darunter liegt das Palisadenparenchym, das seinen Namen wegen der palisadenähnlichen Anordnung seiner meist langgestreckten Zellen erhalten hat. Es enthält die weitaus überwiegende Mehrzahl der Chloroplasten des Blattes und ist das eigentliche Photosynthesegewebe. An das Palisadenparenchym grenzt das Schwammparenchym, dessen Zellen ungleich weniger Chloroplasten enthalten und große Hohlräume umschließen. In der Epidermis befinden sich die Spaltöffnungen.

Der anatomische Aufbau eines dorsiventralen Laubblattes ist am Beispiel von *Helleborus niger* in Abb. 7.**6** anhand rasterelektronenmikroskopischer Aufnahmen sowie in Abb. 7.**7** in Form eines Blockdiagramms dargestellt. Ober- und Unterseite des Blattes sind von einer einschichtigen Epidermis bedeckt, deren Zellen keine Chloroplasten enthalten. Sie schließen das Zwischenblattgewebe, das Mesophyll, ein. Dieses setzt sich bei den dorsiventralen Blättern (Abb. 7.**5A**) aus dem oberseits liegenden Palisadenparenchym und dem darunterliegenden Schwammparenchym zusammen. Bei äquifazialen Blättern (Abb. 7.**5B**) ist auch auf der Unterseite ein Palisadenparenchym entwickelt.

Das Palisadenparenchym kann ein- oder mehrschichtig sein. Es ist von Interzellularen durchzogen, die jedoch enger sind als im Schwammparenchym. Die Palisadenzellen sind etwas in die Länge gestreckt und senkrecht zur Blattoberfläche angeordnet. Die Zellen des Schwammparenchyms sind unregelmäßig gestaltet und durch große Interzellularräume voneinander getrennt (Abb. 7.**6B**). Das Interzellularensystem steht durch die Spaltöffnungen mit der Außenluft in Verbindung und vermittelt den Gasaustausch sowie die Wasserdampfabgabe. Bei den hypostomatischen Blättern sind die Spaltöffnungen auf die Unterseite beschränkt (Abb. 7.**6C**), bei den amphistomatischen finden sie sich auf beiden Seiten. Einen Sonderfall bilden die epistomatischen Schwimmblätter, die mit der Unterseite dem Wasser aufliegen und deshalb die Spaltöffnungen auf der Oberseite tragen.

Abb. 7.**6** Rasterelektronenmikroskopische Aufnahmen der Blattanatomie von *Helleborus niger*. **A** Blattquerschnitt, total, **B** Schnitt durch das Schwammparenchym. In der rechten unteren Ecke ist ein Teilstück der unteren Epidermis mit einer angeschnittenen Spaltöffnung zu sehen. **C** Untere Epidermis mit Spaltöffnungen in Aufsicht. oe = obere Epidermis, pp = Palisadenparenchym, sp = Schwammparenchym, ue = untere Epidermis. Vergr. **A** 170fach, **B,C** 320fach (Originalaufnahmen: W. Barthlott)

Abb. 7.7 Bau des Blattes von *Helleborus niger* (Christrose), c = Cuticula (rot), oe = Epidermis der Oberseite, pp = Palisadenparenchym, sp = Schwammparenchym, sz = Schließzellen einer Spaltöffnung, ue = Epidermis der Unterseite, vh = Vorhof (nach Mägdefrau)

7.3.1   Bau der Spaltöffnungen

Die Spaltöffnungen entstehen durch Teilung aus Epidermiszellen, die also Meristemoide darstellen. Die Entwicklung der Spaltöffnungen verläuft je nach Typus verschieden. Bei zahlreichen Pflanzen, z. B. *Iris* (Abb. 7.**8**), entsteht die Schließzellenmutterzelle durch inäquale Teilung einer Epidermiszelle (**A,B**). Diese teilt sich nochmals der Länge nach und bildet die beiden Schließzellen (**C**), die sich etwas abrunden und in der Mitte ihrer gemeinsamen Zellwand auf schizogenem Wege einen Spalt bilden (**D**). Sind die Schließzellen von Nebenzellen umgeben, spricht man von einem Spaltöffnungsapparat.

Als Beispiel für eine fertige Spaltöffnung sei der *Helleborus*-Typus gewählt (Abb. 7.**6C**, 7.**7** und 7.**9**). Die beiden bohnenförmigen Schließzellen berühren sich nur an den Enden, so daß in der Mitte der Spalt ausgespart bleibt. Dessen engste Stelle, der Zentralspalt, erweitert sich nach außen zum Vor- und nach innen zum Hinterhof. Letzterer führt in einen relativ großen Interzellularraum, der als sub-

Abb. 7.**8**   Entwicklung der Spaltöffnungen von *Iris* (Schwertlilie). **A** u. **B** Inäquale Teilung der Epidermiszellen, **C** Teilung der Spaltöffnungsinitialen, **D** fertige Spaltöffnung (nach Popham, aus Lehrbuch der Botanik für Hochschulen)

A   B   C   D

Abb. 7.**9**   Spaltöffnung von *Helleborus niger*, von der Blattunterseite betrachtet. **A** Schließzellen quer angeschnitten. c = Cuticula (rot), ch = Chloroplasten, e = benachbarte Epidermiszellen, hg = Hautgelenk, hh = Hinterhof, s = Schließzelle, vh = Vorhof, zs = Zentralspalt. **B** Querschnitt, schematisch. Schwarz: Turgeszent gespannt und geöffnet. Rot: entspannt und geschlossen (**B** nach v. Denffer)

oder suprastomatische Kammer bezeichnet wird (früher als „Atemhöhle"). Er besteht mit dem Interzellularensystem des Blattes in Verbindung. In manchen Fällen sind die Schließzellen noch von Nebenzellen umgeben, die sich äußerlich von den Epidermiszellen unterscheiden und funktionell einen Teil des Spaltöffnungsapparates darstellen.

Die Schließzellen führen in der Regel Chloroplasten (Abb. 7.**9**). Ihre Wände sind verschieden stark verdickt. Im Falle des *Helleborus*-Typus sind die Außen- und die Innenwand nach dem Spalt hin in zunehmendem Maße verdickt, während die an die Epidermiszelle grenzende Rückenwand sowie die mittlere Partie der Bauchwand unverdickt bleiben. Auf diese Weise entstehen innen und außen Verdickungsleisten, die an den Übergangsstellen zur Rückenwand an regelrechten Hautgelenken aufgehängt sein können.

Der Bau der Schließzellen steht mit der Funktion der Spaltöffnungen in engem Zusammenhang. Mit steigendem Turgor wird die Rückenwand gedehnt. Da die dem Spalt zugekehrten Wände wegen der Verdickungsleisten der Dehnung nicht folgen können, krümmen sich die Schließzellen nach ihrer Rückenseite, so daß der Spalt sich öffnet. Umgekehrt führt eine Turgorabnahme zu einer Entspannung der Rückenwände und somit zur Entkrümmung der Schließzellen, was den Spaltenschluß zur Folge hat (Abb. 7.**9 B**). Durch diesen Mechanismus vermag die Pflanze sowohl die Wasserdampfabgabe als auch den Gasaustausch zu steuern.

7.3.2 Leitbündelanordnung

Wie bereits erwähnt, treten die Leitbündel als Blattspur durch den Blattstiel in das Blatt ein (Abb. 6.**4**, S. 213). Im Blattstiel sind sie, wenn man den Querschnitt betrachtet, häufig in Gestalt eines nach oben offenen Halbkreises angeordnet. In der Blattspreite verzweigen sie sich in verschiedener Weise.

Bei den meisten Dikotyledonen bilden die Leitbündel, die man unzutreffend auch als Blattnerven oder Adern bezeichnet, ein reich verzweigtes Netz, dessen Verästelungen von einem relativ starken, median liegenden Hauptstrang ausgehen (Abb. 7.**10 B**). Sie werden immer feiner und enden schließlich blind im Mesophyll (Abb. 7.**10 C**). Diese Anordnung gewährleistet eine rasche Verteilung des Wassers sowie der darin gelösten Stoffe über die ganze Blattfläche.

Bei streifiger Anordnung, die für die Monokotyledonen charakteristisch ist, durchzieht eine größere Anzahl etwa gleichstarker und nahezu parallel laufender Leitbündel die Blätter in Längsrichtung (Abb. 7.**10 A**). Allerdings sind auch hier feine Querverbindungen vorhanden. Phylogenetisch sehr alt ist die dichotome Gabelnervatur, die keine Mittelrippe aufweist. Sie findet sich nur noch bei wenigen rezenten Formen, z. B. *Ginkgo biloba* (Abb. 7.**10 D**). In der Regel sind die Leitbündel kollateral gebaut und im Blatt so angeordnet, daß das Xylem oben und das Phloem unten liegt (Abb. 7.**5 A, B**).

Abb. 7.**10** Leitbündelverlauf im Blatt. **A** Streifiger Verlauf bei *Convallaria majalis* (Maiglöckchen, Monokotyle), **B** netzartiger Verlauf bei *Impatiens parviflora* (Rühr-mich-nicht-an, Dikotyle), **C** Ausschnitt aus **B**, die blind endenden Verästelungen der Leitbündel zeigend, **D** Dichotom-gabelförmiger Verlauf bei *Gingko biloba* (Gymnospermae)

Nadelblätter: Die Nadelblätter der Coniferen zeigen einen charakteristischen, von dem des normalen Laubblattes stark abweichenden, xeromorphen Bau. Als Beispiel sei das äquifaziale Nadelblatt der Kiefer gewählt (Abb. 7.**11**). Die Spaltöffnungen sind in das Blatt eingesenkt, und die Epidermiswände sind so stark verdickt, daß nur noch ein kleines Lumen übrigbleibt. Zusammen mit dem darunterliegenden hypodermalen Sklerenchymgewebe verleiht die Epidermis der Nadel ihre Festigkeit.

Das Nadelinnere ist von Photosyntheseparenchym erfüllt, dessen Wände in das Zellinnere vorspringen (Armpalisaden). Es wird in Längsrichtung von Harzkanälen durchzogen, die, abweichend von denen der Sproßachse (Abb. 6.**8**, S. 216), von einer sklerenchymatischen Scheide umgeben sind. Die beiden kollateralen Bündel liegen als Doppelstrang in der Längsachse der Nadel. Sie sind von einem gemeinsamen Transfusionsgewebe umgeben, das teils aus tracheidalen, teils aus plasmareichen Zellen besteht und den Wasser- bzw. Stoffaustausch mit dem Blattgewebe vermittelt. Das Transfusionsgewebe wird durch eine Endodermis, deren Zellen die charakteristischen Casparyschen Streifen (S. 169) aufweisen, gegen das Armpalisadenparenchym abgegrenzt (Abb. 7.**11A**).

Abb. 7.**11** Bau des Nadelblattes der Kiefer *(Pinus silvestris).* **A** Übersichtsbild des Querschnittes, schematisch. **B** Ausschnitt aus dem Querschnitt, stärker vergrößert. ap = Armpalisaden, ed = Endodermis (rot), ep = Epidermis, hk = Harzkanal, hy = Hypodermis, ph = Phloem, sp = Spaltöffnung, tg = Transfusionsgewebe, xy = Xylem

7.4 Metamorphosen des Blattes

Im typischen Falle ist das Blatt das Photosynthese- und Transpirationsorgan. Infolgedessen sind seine Zellen reich an Chloroplasten und zeigen einen für die optimale Strahlungsabsorption geeigneten anatomischen Aufbau. Zwar ist bei den Nadelblättern die Oberfläche zwecks Verminderung der Transpiration reduziert, doch ist auch bei ihnen der Blattcharakter unverkennbar. Wie beim Sproß gibt es auch beim Blatt zahlreiche Fälle, in denen sowohl die äußere Gestalt als auch der anatomische Aufbau des betreffenden Organs eine so durchgreifende Umwandlung erfahren haben, daß es nicht mehr ohne weiteres als Blatt zu erkennen ist. Es liegen also Blattmetamorphosen vor.

Einige Beispiele sind in Abb. 7.**12** zusammengestellt. Der extremste Fall, nämlich die völlige Reduktion der Blattspreiten und die Übernahme ihrer Funktion durch die Sproßachse, wurde bereits im vorigen Kapitel behandelt (Abb. 6.**15**, S. 228). Nicht ganz so weit geht die Reduktion bei den **Phyllodien** (A). Wie die Übergangsformen bei *Acacia heterophylla* zeigen, ist hier nur die Blattspreite reduziert, während die Stiele blattartig verbreitert sind und die Funktion der Spreite übernehmen. Bei der Kannenpflanze *(Nepenthes)* ist der Blattgrund als Photosyntheseorgan entwickelt (Abb. 13.**11**, S. 377).

Nicht selten sind die Blätter in **Blattdornen** umgewandelt, wie bei den bereits besprochenen Kakteen (Abb. 6.**15**, S. 228) oder bei der Berberitze *(Berberis vulgaris),* wo anstelle der Tragblätter ein- bis mehrstrahlige Dornen stehen (Abb. 7.**12**B). In den Achseln der Blattdornen stehen hier normal beblätterte Kurztriebe. Wie das Beispiel der Robinie *(Robinia pseudo-acacia)* zeigt, können auch

Abb. 7.**12** Blattmetamorphosen. **A** Phyllodien von *Acacia heterophylla*. Übergänge von
den fiederteiligen Laubblättern (unten) zu
den Phyllodien (oben). **B** Blattdornen von
Berberis vulgaris (Berberitze), **C** Nebenblattdornen von *Robinia pseudo-acacia* (Robinie),
D Blattfiederranken von *Pisum sativum*
(Erbse). bd = Blattdornen, bf = Blattfiedern,
br = Blattfiederranken, nb = Nebenblätter,
nd = Nebenblattdornen, ph = Phyllodien,
sp = Sproßachse, ss = Seitensproß (**A** nach
Reinke, **D** nach Troll)

die Nebenblätter in Dornen umgewandelt sein (**C**). Bei den Kletterpflanzen
schließlich sind häufig die Blätter ganz oder teilweise zu **Blattranken** umgebildet.
Letzteres ist z. B. bei der Erbse *(Pisum sativum)* der Fall (**D**). Hier ist der untere Teil
des Fiederblattes normal ausgebildet, während der obere Teil in Blattfiederranken
umgewandelt ist. Eine Anpassung an die geophytische Lebensweise[1] stellen die

---

[1]   Unter Geophyten verstehen wir mehrjährige Pflanzen, die ausschließlich mit unterirdischen Organen überwintern, während alle oberirdischen Teile absterben (Stauden,
S. 207).

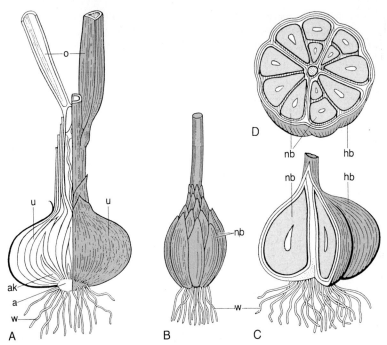

Abb. 7.**13** Zwiebeln. **A** Küchenzwiebel *(Allium cepa)*, links im Längsschnitt, die Zwiebelschalen zeigend, rechts in Aufsicht. **B** Türkenbundlilie *(Lilium martagon)*, aus schuppenförmigen Niederblättern bestehend. **C** Knoblauch *(Allium sativum)*, Zwiebel mit Brutzwiebeln im Herbst. **D** Querschnitt durch **C**, die Hüllblätter und die fleischigen Niederblätter zeigend. a = Achse, ak = Achselknospe, hb = Hüllblatt, nb = Niederblatt, o = Oberblatt, u = Unterblatt, w = Wurzel (nach Rauh, Irmisch)

Zwiebeln dar. Bei der Küchenzwiebel *(Allium cepa)* gehen die fleischigen, übereinandergreifenden Zwiebelschalen aus dem Blattgrund abgestorbener Laubblätter hervor (Abb. 7.**13**A). Der Sproß ist zu einer fast scheibenförmigen Achse verkürzt, der die Blätter aufsitzen. In den Achseln der Zwiebelschalen liegen Achselknospen, die zu Beginn der neuen Vegetationsperiode austreiben, wobei die in ihnen gespeicherten Reservestoffe aufgebraucht werden. In anderen Fällen werden die Zwiebeln von Niederblättern gebildet (Abb. 7.**13**B). Beim Knoblauch umschließt ein Hüllblatt jeweils eine ganze Gruppe von kleinen Zwiebeln (auch als Zehen oder Klauen bezeichnet), die nur von je einem verdickten Blatt gebildet werden (Abb. 7.**13**C,D). Sie entstehen als kollaterale Beiknospen in der Achsel eines Zwiebelblattes, von denen jede zu einer neuen Pflanze heranwachsen kann. Das röhrenförmige Zwiebelblatt, das als Niederblatt aufzufassen ist, ist von einem häutigen Hüllblatt umgeben.

Abschließend sei noch erwähnt, daß wir auch zahlreiche Blattsukkulenten kennen, bei denen das Wasserspeichergewebe in den Blättern liegt. Einige weitere Blattmetamorphosen werden wir bei den Insectivoren kennenlernen.

Zusammenfassung

Die Blattanlagen entstehen exogen aus den äußeren Schichten des Scheitelmeristems der Sproßachsen. Das anfängliche Spitzenwachstum wird sehr bald durch basales bzw. intercalares Wachstum abgelöst. Das Breitenwachstum erfolgt durch Randmeristeme.

Die Blattstellung an der Sproßachse folgt im allgemeinen den Regeln der Äquidistanz und der Alternanz. Die Keimblätter sind bereits am Embryo angelegt. Ihnen folgen die Laubblätter, bei denen die Primärblätter nicht selten einfacher gestaltet sind als die Folgeblätter. Sind auch die Folgeblätter verschieden gestaltet, spricht man von Heterophyllie, sind sie im gleichen Sproßabschnitt verschieden groß, von Anisophyllie. Bifaziale Blätter besitzen eine Ober- und eine Unterseite, die bei dorsiventralen Blättern verschieden, bei äquifazialen gleichgestaltet sind. Bei unifazialen Blättern ist die Oberseite reduziert.

Das Zwischenblattgewebe (Mesophyll) ist beiderseits von einer Epidermis bedeckt. Meist kann man Palisadenparenchym und Schwammparenchym unterscheiden. Ersteres ist chloroplastenreich und stellt das eigentliche Photosynthesegewebe dar, während das Schwammparenchym von großen Interzellularen durchzogen ist.

Die Spaltöffnungen bestehen aus zwei Schließzellen. Sind diese von Nebenzellen umgeben, spricht man von einem Spaltöffnungsapparat. Beim *Helleborus*-Typus sind die Schließzellen bohnenförmig. Zwischen ihnen befindet sich der Zentralspalt. Die Außen- und Innenwände sind zur Bauchwand des Spaltes hin zunehmend verdickt. Nur die Rückenwand bleibt unverdickt. Mit steigendem Turgor wird die Rückenwand gedehnt. Da die verdickten Wände der Dehnung nicht folgen können, krümmen sich die Schließzellen nach ihrer Rückenseite, wodurch sich der Spalt öffnet. Turgorabnahme führt zum Spaltenschluß.

Die Leitbündel treten als Blattspur durch den Blattstiel in das Blatt ein. Sie bilden entweder ein reich verzweigtes Netz, dessen feinste Verästelungen schließlich blind enden, durchziehen das Blatt mehr oder weniger parallel in Längsrichtung oder zeigen in seltenen Fällen eine dichotome Aufgabelung. Bei den Nadelblättern sind sie von einem Transfusionsgewebe umgeben, das den Stoffaustausch mit dem Blattgewebe vermittelt. Es ist vom Photosyntheseparenchym durch eine Endodermis abgegrenzt.

Zu den Blattmetamorphosen zählen Blattdornen und Blattranken. Phyllodien sind blattartig verbreiterte Blattstiele. Zwiebeln werden entweder aus dem fleischig ausgebildeten Blattgrund abgestorbener Laubblätter oder aus Niederblättern gebildet.

8   Wurzel

Die Wurzeln dienen sowohl der Verankerung der Pflanze im Boden als auch der Aufnahme von Wasser und darin gelösten Ionen. Die Festigungselemente sind, der überwiegenden Zugbeanspruchung wegen, im primären Zustand nicht peripher, wie bei der Sproßachse, sondern zentral angeordnet. Zur Erleichterung der Wasser- und Ionenaufnahme ist die Oberfläche der Wurzeln in der Regel durch zahlreiche Wurzelhaare erheblich vergrößert. Die Leitungsbahnen sind in Form eines radialen Leitsystems (Abb. 6.**3F**, S. 211) im Zentrum angeordnet. Dieser sogenannte Zentralzylinder ist von einem Mantel aus parenchymatischen Zellen, dem Rindengewebe, umgeben und von diesem durch eine Endodermis abgegrenzt.

Da in der Sproßachse die Leitbündel im typischen Fall kollateral gebaut und in einem eher peripher liegenden Ring angeordnet sind, muß beim Übergang von der Wurzel in die Sproßachse eine Umordnung der leitenden Elemente erfolgen. Bei mehrjährigen und ausdauernden Pflanzen werden die Wurzeln durch sekundäres Dickenwachstum verstärkt, das gleichzeitig mit dem der Sproßachse einsetzt. Häufig werden in den Wurzeln auch Reservestoffe gespeichert. Dies ist besonders bei den Rüben der Fall, die durch sekundäres Dickenwachstum stark verdickte Hauptwurzeln darstellen. Auch die Wurzelknollen haben Speicherfunktionen. Schließlich sind die Wurzeln auch Syntheseorte wichtiger Pflanzenstoffe, z. B. von Hormonen (Gibberelline, Cytokinine) sowie allelopathischen Substanzen.

8.1   Wurzelscheitel

Die Embryonen der höheren Pflanzen, mit Ausnahme der Pteridophyten, sind bipolar, d. h. der Wurzelpol wird dem Sproßpol gegenüber angelegt (Abb. 14.13 Q, R, S. 405). Der Wurzelscheitel ist von der Wurzelhaube, der **Kalyptra**, umhüllt (Abb. 8.1). Ihre äußeren Zellen verschleimen und schützen so die zarten meristematischen Zellen vor mechanischer Beschädigung, wenn die Wurzelspitze beim Wachstum zwischen den Bodenpartikeln hindurchgetrieben wird. Sie bedarf der ständigen Erneuerung und wird von innen heraus ergänzt. Bei manchen Pflanzen, z. B. den Gräsern, hat ihre innerste Schicht geradezu den Charakter eines Meristems. Sie wird dann als **Kalyptrogen** bezeichnet. Im Innern der Wurzelhaube befindet sich das Statenchym, dessen Amyloplasten-reiche Zellen der Graviperzeption dienen, also als Statocyten fungieren. Wie bereits erwähnt (S. 202 f.), liegen oberhalb der Kalyptra bei den meisten höheren Pflanzen Gruppen von Initialzellen, die in charakteristischer Weise angeordnet sind und sich nicht oder doch nur selten teilen. Sie werden daher als **ruhende Zentren** bezeichnet, die vor allem bei Monokotylen sehr ausgeprägt sind (Abb. 8.1 B).

Der Umfang des ruhenden Zentrums ist von Art zu Art verschieden. Bei *Allium sativum* (Knoblauch) besteht es aus etwa 30–50 Zellen. Der Zeitraum zwischen zwei Teilungen beträgt bei ihnen etwa 140 Stunden, während sich die meristematischen Zellen durchschnittlich alle 4 Stunden teilen. Außerdem unterscheiden sich die Zellen des ruhenden Zentrums sowohl im elektronenmikroskopischen Bild als auch in ihren biochemischen Leistungen von den angrenzenden meristematischen Zellen. Möglicherweise spielt das ruhende Zentrum eine Rolle bei der Regulation des Wurzelwachstums. Die meristematische Zone grenzt unmittelbar an das ruhende Zentrum. Die Bereiche stärkster Zellteilungsaktivität finden sich jedoch nicht in allen Gewebebezirken (Zentralzylinder, Rinde, Rhizodermis) auf gleicher Höhe, sondern in verschiedener Entfernung von der Wurzelspitze (Abb. 8.1 C).

Abb. 8.1 Bau einer Wurzelspitze. **A** Raumdiagramm, links in Aufsicht, rechts im Längsschnitt, oben im Querschnitt. **B** Längsschnitt durch die Wurzelspitze von *Zea mays* (Mais, Monokotyle). Die Zellen des ruhenden Zentrums sind rot, die der Wurzelhaube schwarz gerastert. **C** Mitosehäufigkeit in der Wurzelspitze von *Allium cepa* (Zwiebel, Monokotyle). Die durch rote Punkte markierten Mitosen fehlen im ruhenden Zentrum. aw = abgestorbene Wurzelhaare, ed = Endodermis, ex = Exodermis, ka = Kalyptra, pc = Perikambium, pd = Protoderm (äußerste Rindenschicht), ph = Phloem, rg = Ringgefäße, rh = Rhizodermis, ri = Rindenzellen, rz = ruhendes Zentrum, sg = Schraubengefäße, tg = Tüpfelgefäße, wh = Wurzelhaare, wi = Wurzelhaubeninitialen, xy = Xylem, z = Zentralzylinder

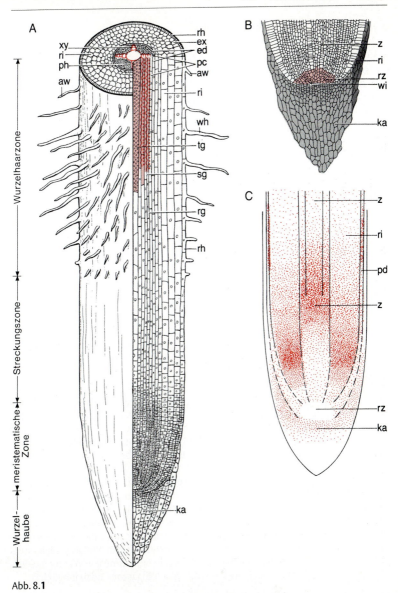

Abb. 8.**1**

8.2   Primärer Bau der Wurzel

Die meristematische Zone des Wurzelscheitels geht ohne scharfe Grenze in die Zellstreckungszone über, die einige Millimeter lang ist. Im Gegensatz zur Sproßachse ist die Zellstreckung bei der Wurzel auf diese Zone beschränkt. Sie geht, ebenfalls ohne scharfe Grenze, in die Differenzierungszone über, die äußerlich an der Bildung der Wurzelhaare zu erkennen ist (Abb. 8.1) und deshalb als Wurzelhaarzone bezeichnet wird.

Die Wurzelhaare, die bis zu 10 mm lang werden können, entstehen durch unipolares Spitzenwachstum aus Zellen der äußeren Schicht, der Rhizodermis. Entweder sind alle Rhizodermiszellen zur Bildung von Wurzelhaaren befähigt (Abb. 8.1), oder es entstehen durch inäquale Teilungen der Rhizodermiszellen Trichoblasten, die allein zu Wurzelhaaren auszuwachsen vermögen, also Meristemoide sind. Die Bezeichnung des primären Abschlußgewebes der Wurzel als Rhizodermis, zur Unterscheidung von der Epidermis, ist insofern berechtigt, als die Außenwände ihrer Zellen wie auch der Wurzelhaare in der Regel nicht cutinisiert und nicht von einer Cuticula überzogen sind. Durch die fehlende Verdickung und Cutinisierung der Zellwand, aber auch durch die mit der Wurzelhaarbildung verbundene Vervielfachung der Wurzeloberfläche (S. 264) wird die Wasser- und Ionenaufnahme erleichtert. Wasser- und Sumpfpflanzen, die bezüglich der Wasseraufnahme keine Probleme haben, bilden keine Wurzelhaare aus. Einige Schwimmpflanzen besitzen überhaupt keine Wurzeln. Im übrigen unterscheiden sich Rhizo- und Epidermis auch hinsichtlich ihrer Herkunft. Während die Epidermis exogen, d.h. aus der äußersten Tunicaschicht entsteht, wird die Rhizodermis zwischen Kalyptra und Wurzelkörper angelegt.

Die Lebensdauer der Wurzelhaare ist meist auf einige Tage beschränkt. In dieser Zeit wachsen sie einige Millimeter lang aus und schieben sich mit ihrer etwas verschleimenden Zellwand zwischen den Bodenpartikeln hindurch. Sie werden dann außer Funktion gesetzt und sterben vom proximalen Ende der Wurzel her ab (Abb. 8.1). Da mit ihnen auch die Rhizodermiszellen selbst zugrunde gehen, muß die Wurzel ein neues Abschlußgewebe, die Exodermis, bilden.

Exodermis: Die Exodermis ist ein Cutisgewebe. Sie geht aus der subrhizodermalen Schicht, bisweilen auch aus mehreren, hervor. In den Wänden der Exodermen einiger Pflanzen wurden Casparysche Streifen nachgewiesen. Die den Zellwänden innen aufgelagerte Suberinlamelle ist meist noch durch Sekundärwandschichten, die verholzt sein können, mehr oder weniger verdickt. Infolge der nur schwachen Verkorkung behalten ihre Zellen meist ihren lebenden Inhalt. Einzelne bleiben als sogenannte Durchlaßzellen unverkorkt, so daß die Aufnahme von Wasser und Salzen in gewissem Umfang auch oberhalb der Wurzelhaarzone noch möglich ist.

A

B

C

D

Abb. 8.2 Endodermen. **A** Querschnitt durch den Zentralzylinder der Wurzel von *Clivia miniata* mit umgebendem Rindengewebe. Vergr. 250fach. Die Endodermis ist an den Casparyschen Streifen deutlich zu erkennen. **B** Ausschnitt aus **A**. Von oben nach unten: Rindenzellen, Endodermis mit Casparyschen Streifen, Perikambium, Xylemstrahlen (infolge Phloroglucin-Salzsäure-Behandlung dunkel gefärbt), dazwischen das silbrig leuchtende Phloem. Vergr. 500fach. **C** Querschnitt durch den Zentralzylinder der Wurzel von *Iris germanica* mit zwölfstrahligem radia-len Leitsystem. Vergr. 120fach. Die tertiäre Endodermis ist an ihren U-förmig verdickten Wänden deutlich zu erkennen. Im Zentrum parenchymatisches Gewebe, dessen Wände verdickt und verholzt sind. **D** Ausschnitt aus **C**. Oben Rindengewebe, darunter tertiäre Endodermis. Etwa in der Bildmitte befindet sich eine Durchlaßzelle über einem Xylemstrahl, rechts und links von diesem Phloem. Unter der Endodermis liegt das Perikambium. Vergr. 500fach (aus W. Nultsch, A. Grahle: Mikroskopisch-botanisches Praktikum. Thieme, Stuttgart 1988)

Rinde: Gleichzeitig mit der Wurzelhaarbildung erfolgt die Differenzierung der übrigen Wurzelgewebe, die meist deutlich in Rinde und Zentralzylinder geschieden sind. Die Rindenzellen sind parenchymatisch, normalerweise chlorophyllfrei (nur bei den Luftwurzeln können sie Chloroplasten enthalten) und dienen, vor allem in den älteren Teilen der Wurzel, als Speichergewebe. Die innerste Rindenschicht, die **Endodermis**, umgibt mantelartig den Zentralzylinder, so daß sie im Querschnitt ringförmig erscheint (Abb. 8.2A,C). Wie bereits früher erwähnt (S. 169), wird ein unkontrollierter apoplasmatischer Wasserdurchtritt durch die Casparyschen Streifen (Abb. 8.2A,B) verhindert. Infolgedessen kann die Endodermis als physiologische Scheide fungieren und den Durchtritt des Wassers sowie der darin gelösten Salze aus der Rinde in den Zentralzylinder kontrollieren. Da im sekundären bzw. tertiären Zustand die Zellwände infolge der Suberineinlagerungen bzw. der Wandverdickungen weitgehend undurchlässig werden, übernehmen die Durchlaßzellen (Abb. 8.2D), die unverändert bleiben, die Kontrollfunktion.

Zentralzylinder: Im Zentralzylinder sind Xylem und Phloem in Gestalt eines radialen Leitsystems (Abb. 6.3F, S. 211) angeordnet. Im Längsschnitt läßt sich die Differenzierung der Gefäße verfolgen. Die Xylemstrahlen stoßen im Zentrum entweder unmittelbar zusammen (Abb. 8.1), oder es liegt hier ein Strang aus sklerenchymatischen oder parenchymatischen Zellen (Abb. 8.2A,C), so daß das Xylem auf die Radien beschränkt bleibt. Die unmittelbar an die Gefäße grenzenden Xylemparenchymzellen zeigen an ihrer dem Gefäß zugekehrten Wand lokale Wandverdickungen, die für die Transferzellen (S. 150f.) charakteristisch sind. Zwischen den Xylemradien liegen die Phloemstränge, die durch Streifen parenchymatischen Gewebes vom Xylem getrennt sind. Die Differenzierung des Phloems erfolgt früher als die des Xylems, so daß funktionsfähige Phloemstränge organisches Material bis in die Zone der Zellstreckung heranführen können, was sowohl für die Zellteilungen als auch für die Zellstreckung eine unerläßliche Voraussetzung ist. An der Peripherie des Zentralzylinders liegt das auch als **Perizykel** bezeichnete **Perikambium**, das ein- oder mehrschichtig sein kann.

8.3   Seitenwurzeln

Während die Primärwurzel des Keimlings zunächst noch unverzweigt ist, kommt es mit zunehmender Ausbreitung der oberirdischen Teile der Pflanze auch zu einer Verzweigung der Wurzel. Von den sich dichotom verzweigenden Wurzeln der Lycopodiinae (Bärlappgewächse) abgesehen erfolgt sie ausschließlich seitlich. Im Gegensatz zu den Achselsprossen entstehen die Seitenwurzeln endogen, und zwar bei den Gymnospermen und Angiospermen aus dem Perikambium (Abb. 8.3), bei den Pteridophyten aus der innersten Rindenschicht.

Abb. 8.3 Anlage einer Seitenwurzel in vier verschiedenen Stadien (**A–D**). ed = Endodermis (grau gerastert), g = Gefäß, pk = Perikambium, r = Anlage des Rindengewebes der Seitenwurzel, wh = Anlage der Wurzelhaube (rot gerastert), z = Zentralzylinder (nach van Tieghem)

Seitenwurzeln werden entweder vor den radialen Xylemstreifen oder vor den Parenchymplatten, die Xylem und Phloem voneinander trennen, angelegt, bei den Monokotyledonen jedoch häufig vor den Phloemsträngen. Infolgedessen stehen sie übereinander in Reihen, deren Anzahl entweder ebenso oder doppelt so groß ist wie die der Xylemstrahlen. Da die Seitenwurzeln endogen entstehen, müssen sie die Rinde durchbrechen, indem sie deren Zellen mechanisch beiseiteschieben.

Wächst der Wurzelpol direkt zu einer Hauptwurzel aus, die sich stärker entwickelt als die Seitenwurzeln (Abb. 8.**4A**), so nennen wir ein solches Wurzelsystem allorhiz. Die Hauptwurzel wächst normalerweise senkrecht in den Boden hinein, d.h. orthogravitrop, die Seitenwurzeln erster Ordnung mehr oder weniger horizontal, also plagiogravitrop (S. 536). Geht die Verzweigung noch weiter, so zeigen die Seitenwurzeln höherer Ordnung im allgemeinen keine bestimmte Ausrichtung mehr. Im Gegensatz zur **Allorhizie** steht die **Homorhizie** der Pteridophyten und Monokotyledonen. Bei den letztgenannten stellt der Wurzelpol seine Tätigkeit verhältnismäßig bald ein, und die Primärwurzel stirbt ab (Abb. 8.**4B**). Sie wird durch zahlreiche sproßbürtige Wurzeln ersetzt. Abweichend von diesem Verhalten, das wir als sekundäre Homorhizie bezeichnen, sind die Pteridophyten primär homorhiz, d.h. bei ihnen wird die Primärwurzel bereits seitlich angelegt und von vornherein durch sproßbürtige Wurzeln ergänzt.

Grundsätzlich können auch an Sproßachsen und Blättern Wurzeln entstehen, die entsprechend als sproß- bzw. blattbürtige Wurzeln bezeichnet werden. Beispiele hierfür sind die Ausläufer und Stecklinge. Wurzeln, die zu ungewöhnlicher Zeit an ungewöhnlichen Orten, etwa infolge von Verletzung oder Wuchsstoffbehandlung (S. 462), gebildet werden, nennt man Adventivwurzeln.

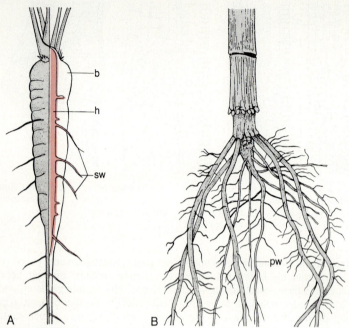

Abb. 8.**4** Allorhize (**A**) und homorhize (**B**) Bewurzelung. **A** Möhre *(Daucus carota)*, links in Aufsicht, rechts im Längsschnitt, **B** Mais *(Zea mays)*. b = Bast, h = Holzkörper (rot), pw = Primärwurzel, sw = Xylemstränge der Seitenwurzeln (nach Rauh)

8.4   Sekundäres Dickenwachstum der Wurzel

Etwa gleichzeitig mit dem sekundären Dickenwachstum der Sproßachse setzt auch der Dickenzuwachs der Wurzel ein. Das Kambium entsteht in den parenchymatischen Gewebestreifen, die Xylem und Phloem voneinander trennen. Über den Xylemstrahlen stößt es auf das Perikambium, dessen Zellen sich ebenfalls zu teilen beginnen. Auf diese Weise entsteht ein geschlossener Kambiumzylinder, der, dem Bau des radialen Leitsystems entsprechend, im Querschnitt eine etwa sternförmige Gestalt hat (Abb. 8.**5A**).

Gleich der Sproßachse erzeugt auch das Wurzelkambium nach innen Holz, nach außen Bast. Durch eine verstärkte Tätigkeit in den zwischen den Xylemradien liegenden Bereichen werden die Lücken mit Holzelementen aufgefüllt, so daß schließlich ein zentraler säulenförmiger Holzteil entsteht, der von einem im Querschnitt ringförmigen Kambiummantel umgeben ist (Abb. 8.**5B**). Der Holzkör-

A   B

Abb. 8.**5** Sekundäres Dickenwachstum der Wurzel, schematisch. **A** Bildung des Kambiums. **B** Zustand einige Zeit nach Einsetzen des sekundären Dickenwachstums, c = Kambium (rot), ed = Endodermis, ex = Exodermis, phs = primärer Holzstrahl, pk = Perikambium, pph = primäres Phloem, pxy = primäres Xylem, r = Rinde, sk = Sklerenchym, sph = sekundäres Phloem, sxy = sekundäres Xylem

per sieht dann dem der Sproßachse sehr ähnlich, unterscheidet sich von diesem jedoch dadurch, daß er im Zentrum ein primäres Leitsystem besitzt, wo sich beim Stamm ein parenchymatisches Markgewebe befindet. Während die primären Holzstrahlen vor den Xylemstrahlen des radialen Leitsystems angelegt werden, entstehen im Verlaufe des Dickenwachstums weitere (sekundäre) Holzstrahlen, die blind im Holz enden.

Die vom Kambium gebildeten Bastelemente schieben das primäre Phloem nach außen. Hierdurch entstehen breite Baststreifen, zwischen denen die Baststrahlen liegen, die die Holzstrahlen fortsetzen. Zusätzlich werden sekundäre Baststrahlen angelegt. Rindengewebe und Endodermis können der Umfangserweiterung meist noch eine Zeitlang durch Dilatationswachstum folgen, werden aber schließlich zerrissen (Abb. 8.**5 B**). Als Abschlußgewebe wird vom Perikambium ein mehrschichtiges Periderm gebildet, dessen Zellen verkorken (S. 171) und das somit dem Periderm der Sproßachse (S. 222) entspricht. Das Perikambium wird also zu einem Phellogen. Dieses bildet ständig neue Zellen, da die äußeren Zellen durch die allmähliche Umfangserweiterung abgesprengt werden und auch einem mechanischen Verschleiß unterliegen.

8.5   Metamorphosen der Wurzel

Wie von Sproß und Blatt kennen wir auch von der Wurzel zahlreiche Metamorphosen, die erhebliche Änderungen im inneren und äußeren Aufbau dieses Grundorgans zur Folge haben. So gibt es z. B. auch Wurzelsukkulenten, bei denen das Wasserspeichergewebe in die Wurzel verlagert ist, Wurzelknollen, Wurzeldornen, Wurzelranken und Haftwurzeln bei Wurzelkletterern, letztere z. B. beim Efeu *(Hedera helix)*, Stelz- und Atemwurzeln bei Sumpfpflanzen (Mangrove), grüne Assimilations- und Luftwurzeln bei Epiphyten und Kletterpflanzen u. a.

Wurzelknollen stellen Anpassungen an die geophytische Lebensweise dar. Sie kommen z. B. bei der Dahlie *(Dahlia variabilis)* vor (Abb. 8.**6A**). Von den äußerlich ähnlichen Sproßknollen lassen sie sich leicht durch den Besitz von Wurzelhauben, durch das Fehlen von Niederblättern sowie im anatomischen Bau unterscheiden. Sie sind Speicherorgane und dienen, gleich den Rüben, der Überwinterung.

    Als **Rüben** bezeichnet man die durch sekundäres Dickenwachstum stark verdickte, fleischige Hauptwurzel allorhizer Pflanzen. Bei der Möhre, die hier als Beispiel gewählt sei (Abb. 8.**4A**), läßt sich sowohl auf Längs- als auch auf Querschnit-

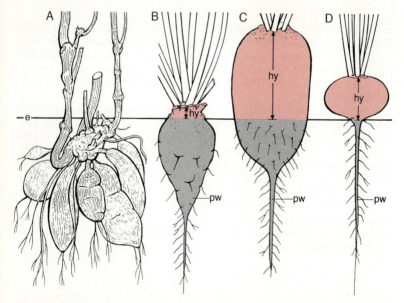

Abb. 8.**6**   Wurzelknollen und Rüben. **A** Sproßbürtige Wurzelknollen der Dahlie *(Dahlia variabilis)*, **B** Zucker-, **C** Futter-, **D** rote Rübe. e = Erdoberfläche, hy = Hypokotyl (rot gerastert), pw = Primärwurzel (schwarz gerastert)

ten der innenliegende, in der Regel heller gefärbte Holzkörper, das „Herz", von dem umgebenden Bastmantel leicht unterscheiden. Die primäre Rinde ist im Verlaufe des sekundären Dickenwachstums verlorengegangen. Die durch den Bastmantel hindurchtretenden Xylemstränge der Seitenwurzeln lassen sich leicht verfolgen. Zwischen dem zentralen Holzkörper und dem Bastmantel befindet sich das Kambium.

Das enorme Dickenwachstum der Zucker-, Futter- und roten Rübe erfolgt mit Hilfe mehrerer Kambien, ist also anomal. Es wird durch die Tätigkeit des primären Kambiums, das wie üblich angelegt wird, eingeleitet. Dieses teilt sich jedoch nur eine begrenzte Zeit und wird durch ein zweites Kambium abgelöst, das aus dem Perikambium hervorgeht. Durch dessen Tätigkeit wird die primäre Rinde nach anfänglicher Dehnung (Dilatation) schließlich abgesprengt. Aber auch dieses Kambium stellt schließlich seine Tätigkeit ein, und an der äußeren Grenze der von ihm erzeugten sekundären Rinde entsteht ein dritter Kambiumring. Dieser Prozeß wiederholt sich mehrfach, so daß konzentrisch angeordnete Zuwachszonen entstehen, von denen jede einen Holz- und einen Bastring umfaßt. Allerdings behalten auch die Holzringe ihre fleischige Konsistenz, da sie vorwiegend aus parenchymatischen Zellen bestehen und nur wenige verholzte Elemente enthalten.

In der Regel ist am Aufbau der Rüben auch das Hypokotyl beteiligt, das unter Umständen sogar allein die „Rübe" bilden kann. Abb. 8.6 zeigt dies an einigen Beispielen. Die Zuckerrübe wird fast ausschließlich von der Wurzel gebildet (**B**), an der Futterrübe hat das Hypokotyl bereits starken Anteil (**C**), während die „rote Rübe", ungeachtet ihres Namens, gar keine Rübe mehr ist, sondern eine reine Hypokotylknolle darstellt (**D**).

Zusammenfassung

Die Wurzeln dienen sowohl der Verankerung der Pflanzen im Boden als auch der Wasser- und Ionenaufnahme. Außerdem sind sie Syntheseort verschiedener Verbindungen, z. B. von Hormonen und allelopathisch wirksamen Substanzen. Schließlich können sie auch als Speicherorgane dienen.

Der Wurzelscheitel ist von der Wurzelhaube (Kalyptra) umhüllt, deren Zellen verschleimen und die meristematischen Zellen vor mechanischer Beschädigung durch Bodenpartikel schützen. An die meristematische Zone schließt sich die Zellstreckungszone an, die in die Differenzierungs- oder Wurzelhaarzone übergeht.

Die Wurzelhaare entstehen durch unipolares Spitzenwachstum aus den Rhizodermiszellen. Durch sie wird die zur Wasser- und Ionenaufnahme zur Verfügung stehende Fläche vervielfacht. Ihre Lebensdauer ist meist auf einige Tage begrenzt. Da mit den Wurzelhaaren auch die Rhizodermiszellen selbst zugrunde gehen, wird als neues Abschlußgewebe eine Exodermis gebildet, deren Zellwände verkorkt sind.

Im Innern der Wurzel liegt der Zentralzylinder, der ein radiales Leitsystem enthält. Dieses ist von dem ein- bis mehrschichtigen Perikambium umgeben. Zwischen Rhizodermis und Zentralzylinder liegt die Wurzelrinde aus normalerweise chlorophyllfreien Parenchymzellen. Die innerste Rindenschicht ist die Endodermis. Sie kontrolliert den Durchtritt des Wassers und der darin gelösten Ionen in den Zentralzylinder.

Die Seitenwurzeln werden im Perikambium oder, bei den Pteridophyten, in der innersten Rindenschicht angelegt, sind also endogenen Ursprungs. Bei Allorhizie entwickelt sich die Hauptwurzel stets stärker als die Seitenwurzeln, während bei Homorhizie die Primärwurzel entweder nach einiger Zeit abstirbt und durch zahlreiche sproßbürtige Wurzeln ersetzt wird oder von vornherein seitlich angelegt und durch sproßbürtige Wurzeln ergänzt wird.

Das sekundäre Dickenwachstum erfolgt mit Hilfe eines Kambiums, das in den parenchymatischen Gewebestreifen zwischen Xylem und Phloem sowie vor den Xylemstrahlen im Perikambium angelegt wird. Der zunächst sternförmige Kambiumzylinder erzeugt nach innen Holz, nach außen Bast, wobei er schließlich einen ringförmigen Querschnitt erhält. Die primären Holzstrahlen werden vor den Xylemstrahlen angelegt und durch die primären Baststrahlen fortgesetzt. Zusätzlich werden mit zunehmender Umfangserweiterung sekundäre Holz- und Baststrahlen gebildet. Als neues Abschlußgewebe entsteht aus dem Perikambium ein Periderm, das ständig Zellen nach außen abgibt, da die äußeren verkorkten Zellen abgesprengt werden bzw. einem mechanischen Verschleiß unterliegen.

Wurzelmetamorphosen sind Wurzeldornen, Wurzelranken, Haftwurzeln und Wurzelknollen. Als Rüben bezeichnet man die durch sekundäres Dickenwachstum stark verdickten, fleischigen Hauptwurzeln allorhizer Pflanzen.

9 Wasser- und Salzhaushalt, Stofftransport

Die aktiven Lebensvorgänge haben eine ausreichende Wasserversorgung zur Voraussetzung. Dementsprechend ist der Wassergehalt der pflanzlichen Vegetationskörper verhältnismäßig hoch. Er liegt im Durchschnitt zwischen 60 und 90%, kann jedoch im Falle einiger Wasserpflanzen sogar 98% erreichen. Sinkt er unter einen bestimmten, von Fall zu Fall verschiedenen Schwellenwert (Welkungspunkt), kommt es zu Störungen oder gar irreversiblen Schädigungen. Lediglich im Zustand des latenten Lebens (Ruhe- und Dauerzustände) kann der Wassergehalt bis auf 5%, unter Umständen sogar noch weniger, absinken. Die Lebensvorgänge sind dann allerdings kaum noch nachweisbar.

Pflanzen, die im Wasser oder an sehr feuchten Standorten leben, haben in der Regel keine besonderen Schutzvorrichtungen gegen Wasserverluste. Trockenperioden können sie nur im Zustand des latenten Lebens überstehen. Im Gegensatz hierzu müssen Landpflanzen ihren Wasserzustand aktiv aufrechterhalten, da sie mit ihren oberirdischen Teilen in eine Atmosphäre vordringen, die meistens eine geringere Wasserdampfspannung, d. h. ein negativeres Wasserpotential ψ_w, aufweist. Aufgrund dieses Dampfdruckgefälles bzw. Wasserpotentialgefälles ($\Delta\psi$) wird Wasser an die Umgebung abgegeben. Daher muß die Wasserbilanz durch eine ständige Zufuhr von Wasser ausgeglichen werden. Die Wasseraufnahme erfolgt im typischen Falle durch die Wurzel, die dem Boden Wasser entzieht. Dies ist insofern möglich, als der Boden meist einen deutlich höheren Wassergehalt bzw. ein weniger negatives Wasserpotential aufweist als die Pflanze. Diese schaltet sich also in das Wasserpotentialgefälle zwischen Boden und Atmosphäre ein. Da somit die Orte der Wasseraufnahme und der Wasserabgabe bei den Landpflanzen räumlich voneinander getrennt sind, ist ein Wassertransport erforderlich, der von Zelle zu Zelle bzw. apoplasmatisch in den Zellwänden, über größere Entfernungen jedoch in den Wasserleitungsbahnen des Xylems erfolgt.

9.1   Wasserhaushalt der Zelle

Zur Beschreibung bzw. Bestimmung des Wasserzustandes einer Zelle bedient man sich des volumetrischen **Wasserpotentials** ψ_w. Dieses ist definiert als

$$\psi_w = \frac{\mu_w - \mu_w^0}{\overline{V}_w}$$

Dabei ist μ_w das (molale) chemische Potential des Wassers im betreffenden System in J mol^{-1}, μ_w^0 das (molale) chemische Potential reinen Wassers unter Standardbedingungen, ebenfalls in J mol^{-1}, und $\overline{V}_w$ das partielle Molvolumen des Wassers im System in m^3 mol^{-1}. Das volumetrische Wasserpotential hat also die Dimension J m^{-3} = N m^{-2} = Pa, d.h. die Dimension eines Druckes.

Da sich die absoluten Werte von Wasserpotentialen nicht ermitteln lassen, hat man das Wasserpotential des reinen Wassers unter Standardbedingungen willkürlich gleich Null gesetzt. In jeder wäßrigen Lösung irgendeines Stoffes ist folglich das Wasserpotential, der obigen Gleichung gemäß, kleiner als Null. Es ist leicht einzusehen, daß das Wasserpotential eines so komplexen Systems, wie es die Pflanzenzelle darstellt, durch mehrere Komponenten bestimmt wird.

Matrixpotential ψ_τ: Wie bereits in Kapitel 2 dargelegt wurde, liegen in der lebenden Zelle alle cytoplasmatischen Bestandteile, die Ladungen tragen, im hydratisierten bzw. gequollenen Zustand vor. Dies trifft auch für die Zellwand zu. In Abhängigkeit von der Menge des verfügbaren Wassers stellt sich ein bestimmter Quellungszustand ein, der durch das Quellungspotential = Matrixpotential ψ_τ beschrieben wird. Da die quellbaren Bestandteile der Pflanzenzelle praktisch nie den maximalen Quellungsgrad erreichen, ist der Wert des Matrixpotentials der Pflanzenzelle unter natürlichen Bedingungen negativ.

Omotisches Potential ψ_π: Obwohl die Plasmamembranen nicht für alle Substanzen streng semipermeabel sind, stellt doch die ausgewachsene Pflanzenzelle, zum mindesten bei Betrachtung kürzerer Zeiträume, ein osmotisches System dar. Die pflanzlichen Zellwände hingegen sind normalerweise sowohl für Wasser als auch für die darin gelösten Stoffe durchlässig. Überträgt man eine entspannte Pflanzenzelle in eine Lösung, so hängt die Frage, ob Wasser in die Vakuole aufgenommen wird oder aus ihr austritt, von der Differenz der osmotischen Potentiale des Zellinhalts $\psi_{\pi i}$ und der Außenlösung $\psi_{\pi a}$ ab: $\Delta\psi_\pi = \psi_{\pi i} - \psi_{\pi a}$. In einem hypotonischen Medium, also einem wäßrigen Medium, dessen osmotisches Potential weniger negativ als das des Zellinhalts ist, strömt Wasser in die Vakuole ein. Hierdurch entsteht ein hydrostatischer Innendruck, der Turgor P, auch als **Druckpotential** ψ_p bezeichnet, der den Protoplasten gegen die Zellwand drückt. Diese wird so lange elastisch gedehnt, bis der sich entwickelnde Gegendruck, der Wanddruck W, zahlenmäßig dem Turgordruck P gleich ist. In diesem Zustand ist also $\psi_p = P = W$. Das Druckpotential ist größer als das des reinen Wassers unter Normalbedingungen

(Atmosphärendruck) und erhält deshalb ein positives Vorzeichen. Die osmotische Wasseraufnahme führt zu einer Verdünnung des Zellinhalts und folglich zu einer Verminderung der Negativität des osmotischen Potentials ψ_π.

❗ Unter Berücksichtigung der vorgenannten Teilpotentiale läßt sich somit das Wasserpotential einer Pflanzenzelle ψ_z durch die folgende **Wasserpotentialgleichung** beschreiben:

$$\psi_z = \psi_{\pi i} + \psi_\tau + \psi_p.$$

Alle Größen können in Einheiten des Druckes (bar oder Pascal) angegeben werden.

Die an Pflanzenzellen gemessenen osmotischen Potentiale variieren in einem weiten Bereich. Sie unterscheiden sich jedoch nicht nur bei den einzelnen Pflanzen, sondern auch bei den verschiedenen Organen und Geweben einer Pflanze. Aber auch innerhalb von Organen und Geweben können sie, z.B. in Abhängigkeit vom Entwicklungszustand oder vom Jahresgang, Änderungen unterliegen. Für Parenchymzellen der Wurzelrinde werden Werte zwischen −5 und −15 bar angegeben. In den Sprossen werden sie mit zunehmender Entfernung von der Wurzel negativer, um in den Blättern Größenordnungen zwischen −20 und −40 bar zu erreichen. Bei Halophyten können sie weit unter −100 bar liegen.

Beim Einbringen einer Zelle in ein Außenmedium bestimmten osmotischen Potentials stellt sich ein Gleichgewicht ein, so daß schließlich $\psi_z = \psi_{\pi a}$ ist. Ist das Außenmedium reines Wasser ($\psi_{\pi a}$ = Null), so wird der Zustand der Wassersättigung (Vollturgeszenz) erreicht, und ψ_p wird numerisch gleich $\psi_{\pi i}$. Da $\psi_{\pi i}$ einen negativen Wert hat, ergibt sich als Summe beider Werte Null. In diesem Zustand kann folglich osmotisch kein Wasser mehr aufgenommen werden. Andererseits ist die Zelle vollkommen entspannt, wenn $\psi_{\pi a} = \psi_z = \psi_{\pi i}$ ist (Zustand der Grenzplasmolyse, vgl. Abb. 9.**2**). In diesem Fall entspricht also die Wasserpotentialdifferenz dem vollen osmotischen Potential, wenn wir, wie auch bei den vorhergehenden Betrachtungen, das Matrixpotential außer acht lassen.

❗ **Gewebespannung:** Zellen, die sich im Gewebeverband befinden, sind den Druck- und Zugwirkungen ausgesetzt, die von den benachbarten Zellen ausgehen. In diesem Fall wird der Wanddruck durch einen zusätzlichen Außendruck (A) vermindert oder verstärkt, der der Ausdehnung der Zelle entgegenwirken oder sie als negative Spannung unterstützen kann. In diesem Falle entspricht also $\psi_p = W \pm A$. Dieser Außendruck äußert sich in der Gewebespannung, die man durch einfache Versuche demonstrieren kann.

Löst man bei einem Blattstiel des Rhabarbers *(Rheum)* mit Hilfe eines Korkbohrers das innere parenchymatische Gewebe vom äußeren Gewebemantel, so tritt nach längerer Wässerung das innere Gewebe ein Stück heraus (Abb. 9.**1A**), da es mehr Wasser aufgenommen hat als das Festigungsgewebe enthaltende periphere Gewebe. Im unverletzten Blattstiel wird es durch das periphere Gewebe an der

Abb. 9.1 Gewebespannung. **A** Blattstiel des Rhabarbers *(Rheum)*, dessen inneres Gewebe mit einem Korkbohrer mehrere cm tief ausgestochen wurde, nach mehrstündiger Wässerung. **B₁** Stück einer Blütenachse der Winterzwiebel *(Allium fistulosum)*, der durch Kreuzschnitte längsgespalten wurde. Die

Spaltstücke krümmen sich nach außen. **B₂** wie **B₁** nach längerer Wässerung. Die Spaltstücke rollen sich spiralig ein. **C** Blütenschaft des Löwenzahns *(Taraxacum officinale)*, im Unterteil kreuzweise gespalten, nach einstündiger Wässerung (**B** nach v. Guttenberg)

maximalen Ausdehnung gehindert. Spaltet man den Schaft eines Blütenstandes der Winterzwiebel *(Allium fistulosum)* oder des Löwenzahns *(Taraxacum officinale)* kreuzweise auf und überführt ihn in Wasser, rollen sich die Teilstücke nach außen auf (Abb. 9.1 **B,C**), da die innen liegenden Gewebe Wasser aufnehmen und sich ausdehnen, während die äußeren, Festigungselemente enthaltenden dieser Ausdehnung nicht folgen können. Die Gewebespannung kann wesentlich zur Festigung pflanzlicher Organe beitragen.

🔴 **Plasmolyse** (Abb. 9.2): Überträgt man eine Pflanzenzelle in eine hypertonische Lösung, deren osmotisches Potential $\psi_{\pi a}$ größer ist als das des Zellsaftes $\psi_{\pi i}$, so tritt so lange Wasser aus der Vakuole nach außen, bis $\psi_{\pi i} = \psi_{\pi a}$ ist. Die mit dem Wasseraustritt verbundene Volumenabnahme führt zunächst zu einer Entspannung der gedehnten Zellwand (**A,B**). Ist diese ganz entspannt, so löst sich der an der Vakuole adhärierende Plasmaschlauch bei deren weiterer Verkleinerung von der Zellwand ab (**B**). Diesen Vorgang bezeichnet man als Plasmolyse.

Je nach der Wandhaftung und Konsistenz des Plasmas erfolgt die Ablösung entweder glatt und unter baldiger Abrundung des Plasmaschlauches (Konvexplasmolyse, **C**), oder es entstehen bei starker Wandhaftung recht bizarre Formen, die wir je nach dem Grade der Verzerrung als Konkav- (**D**) oder Krampfplasmolyse (**E**) bezeichnen. Häufig wird das Plasma dabei zu dünnen Fäden ausgezogen (Hechtsche

Abb. 9.**2** Plasmolyseformen, schematisch. **A** Vollturgeszente Zelle, **B** entspannte Zelle im Zustand der Grenzplasmolyse, **C** Konvexplasmolyse, **D** Konkavplasmolyse, **E** Krampf-plasmolyse. Tonoplast und Plasmalemma rot, Cytoplasma rot gerastert, Zellkern grau. h = Hechtsche Fäden

Fäden, **E**). Den Zustand, in dem der Protoplast gerade beginnt, sich von der Zellwand abzuheben, bezeichnen wir als **Grenzplasmolyse** (**B**).

Die Zelle bleibt auch im plasmolysierten Zustand lebensfähig. Überführt man sie in Wasser, so strömt dieses in die Vakuole ein, wobei der Plasmaschlauch sich der Zellwand wieder anlegt. Die Zellwand wird gedehnt, bis die Zelle schließlich vollturgeszent vorliegt. Diesen Vorgang bezeichnet man als **Deplasmolyse.** Die Abtötung des Protoplasten führt zum sofortigen Verlust der selektiven Permeabilität der Plasmagrenzschichten und somit auch der Plasmolysierbarkeit, die man deshalb als Kriterium für den Lebenszustand des Protoplasten verwenden kann.

Läßt man plasmolysierte Zellen längere Zeit im Plasmolytikum liegen, so nimmt das Volumen der Vakuole allmählich wieder zu, obwohl die Konzentration der Außenlösung unverändert geblieben ist. Dieser **Plasmolyserückgang** hat seine Ursache darin, daß Ionen oder gelöste Moleküle durch den Plasmaschlauch in die Vakuole eingedrungen sind, wodurch sich die Konzentration des Zellsaftes erhöht hat. Er ist somit ein Beweis dafür, daß die Plasmagrenzschichten, über längere Zeiträume betrachtet, auch gelösten Stoffen den Durchtritt gestatten. Wie bereits erwähnt (S. 136), können sich Plasmalemma und Tonoplast hinsichtlich ihrer Durchlässigkeit für gelöste Teilchen unterscheiden.

9.2   Wasseraufnahme

Die Wasseraufnahme kann, wie das Beispiel der Wasserpflanzen zeigt, durch die gesamte Pflanzenoberfläche erfolgen. Grundsätzlich dürfte dies auch für die in den Luftraum vordringenden Teile der Landpflanzen zutreffen. Da Sproßachse und Blätter allerdings nur zeitweilig benetzt sind und die Cuticula, je nach Dicke, den Wasereintritt in die Epidermis mehr oder weniger behindert, erfolgt die Wasseraufnahme überwiegend durch die Wurzel, insbesondere durch die Wurzelhaare. Diese vergrößern die wasseraufnehmende Gesamtoberfläche, z.B. bei einer einzigen Roggenpflanze auf etwa 400 m². Ausnahmen finden sich bei den Epiphyten, z.B. den Zisternenepiphyten, deren Blätter eine Zisterne bilden, in der sich das Regenwasser sammelt, das dann durch besondere Absorptionshaare aufgenommen wird.

Im Boden liegt das Wasser in verschiedener Bindung vor. Das Grundwasser ist für viele Pflanzen nicht erreichbar, da ihr Wurzelsystem nur die oberen Bodenschichten durchzieht. Das in diesen zurückgehaltene Haftwasser liegt teils in den Hydrathüllen der Bodenkolloide gebunden vor (Quellungs- oder Schwarmwasser), teils wird es in den Kapillaren des Bodens festgehalten (Kapillarwasser). Da das Quellungswasser wegen des stark negativen Quellungspotentials ψ_τ praktisch nicht verfügbar ist, stellt das Kapillarwasser die eigentliche Wasserquelle der Pflanze dar. Dabei ist zu berücksichtigen, daß im Boden nicht reines Wasser vorliegt, sondern eine Lösung von Ionen, so daß auch das osmotische Potential ψ_π des Bodens bei der Wasseraufnahme von der Pflanze überwunden werden muß. Meist liegt dieses allerdings nur in der Größenordnung von -5 bar, doch kann es in Extremfällen (Wüsten, Salzsteppen) weit negativere Werte erreichen. Auf solchen Böden können nur wenige Spezialisten gedeihen, z.B. die bereits erwähnten Halophyten (S. 4).

Die Wurzelhaare drängen sich zwischen den Bodenpartikeln und den Gasblasen, deren Zusammensetzung sich infolge der Tätigkeit der Bodenmikroorganismen von der der Luft meist unterscheidet, hindurch (Abb. 9.3) und kommen so mit dem Kapillarwasser in Berührung. Eine Wasseraufnahme ist jedoch nur möglich, wenn das Wasserpotential ψ des Bodens weniger negativ ist als das der Wurzel, also ein entsprechendes Wasserpotentialgefälle besteht. Dabei tritt das Wasser zunächst in die intermicellären und interfibrillären Räume der Zellwand ein, die stärker quillt. Das hierdurch zwischen Zellwand und Cytoplasma entstehende Ungleichgewicht im Quellungszustand wird ausgeglichen, indem auch das Cytoplasma stärker quillt und damit der Zellwand wieder Wasser entzieht. Infolge des zwischen dem Leitsystem der Wurzel und der Rhizodermis bestehenden Wasserpotentialgefälles wird die angrenzende Zelle des Rindengewebes der Rhizodermiszelle Wasser entziehen usw., so daß ein symplasmatischer Wassertransport von der Rhizodermis bis zur Endodermis resultiert (Abb. 9.3). Außerdem kann der Wassertransport auch auf apoplasmatischem Wege in den intermicellären und interfibrillären Räumen der Zellwände erfolgen. Allerdings kommt diesem Weg nach den Ergebnissen kernmagnetischer Resonanzstudien keine so große Bedeutung zu, wie ursprünglich angenommen wurde. Wie groß sein Anteil auch sein

Abb. 9.**3** **A** Wasseraufnahme durch die Wurzel, schematisch. Wurzelhaare zwischen Bodenpartikeln und Gasblasen (weiß). Die Zwischenräume sind von Wasser erfüllt. Die durchgezogene rote Linie zeigt die Richtung des symplasmatischen Wassertransportes durch die Zellen, die gestrichelte rote Linie den apoplasmatischen Wassertransport durch die kapillaren Räume der Zellwände. **B** Ausschnitt. ed = Endodermis, g = Gefäße, pk = Perkambium, rh = Rhizodermis, ri = Rindenzellen, wh = Wurzelhaare

mag, auf jeden Fall wird dem apoplasmatischen Transport an der Endodermis durch die Casparyschen Streifen, die die Zellwandkapillaren verstopfen, Einhalt geboten, so daß spätestens hier der Übergang in den Symplasten erfolgen muß.

Auf welche Weise an der Endodermis der Übertritt des Wassers aus der Rinde in den Zentralzylinder bewerkstelligt wird, ist noch nicht geklärt. Es erscheint grundsätzlich möglich, daß auch hierfür das oben erwähnte, von außen nach innen gerichtete Wasserpotentialgefälle verantwortlich ist. In diesem Falle wäre der Durchtritt durch die Endodermis einer Druckfiltration vergleichbar. Denkbar wäre auch, daß das Plasmalemma der inneren, an das Xylem grenzenden Seite eine höhere Permeabilität besitzt als das der Außenseite. Mit Sicherheit sind aber aktive, d.h. energieverbrauchende Kräfte wirksam, die sich als **Wurzeldruck** nachweisen lassen. Dekapitiert man nämlich eine Pflanze, deren Wurzeln man ausreichend mit Wasser versorgt, und setzt dem Stumpf ein Manometer auf, so kann man den Wurzeldruck direkt am Anstieg der Quecksilbersäule ablesen. Er liegt meist unter 1 bar, kann bei manchen Arten jedoch bis zu 6 bar erreichen. Auch das „Bluten" mancher Bäume nach Verletzung ist auf aktive Kräfte zurückzuführen (Blutungsdruck). Offenbar kommt die Beladung des Xylems und somit der Wurzeldruck dadurch zustande, daß die Transferzellen des Xylemparenchyms (S. 252) osmotisch wirksame Substanzen, insbesondere anorganische Ionen, wahrscheinlich vermittels eines sekundär aktiven Transportes, in die leitenden Elemente des Xylems transportieren, so daß ein osmotisches Potential entsteht. Infolgedessen strömt Wasser in die Leitungsbahnen ein, wodurch sich ein hydrostatischer Druck, eben der Wurzeldruck, aufbaut. Grundsätzlich könnte allerdings der Eintritt von Ionen in die Gefäße auch passiv einem elektrochemischen Potentialgradienten folgen.

9.3   Wasserabgabe

Die Wasserabgabe oberirdischer Pflanzenteile durch ihre Oberfläche bezeichnet man als Transpiration. Sie ist die zwangsläufige Folge des Wasserpotentialgefälles $\Delta\psi$ zwischen den Pflanzen und der sie umgebenden Atmosphäre, also eine physikalische Notwendigkeit. Obwohl der Ausgleich der auf diese Weise entstehenden Wasserverluste die Pflanzen bisweilen vor erhebliche Probleme stellt, ist die Transpiration dennoch unerläßlich. Einerseits ist der Transpirationsstrom am Langstreckentransport von gelösten Substanzen, insbesondere anorganischen Ionen, beteiligt. Andererseits wird durch die Transpiration Wärme abgeführt und die Überhitzung der Blätter bei starker Bestrahlung verhindert. Messungen haben ergeben, daß auf diese Weise die Temperatur der Blätter um 10–15 °C unter die Außentemperatur abgesenkt werden kann. Man unterscheidet zwischen cuticulärer und stomatärer Transpiration (Abb. 9.**4**).

🔲 **Cuticuläre Transpiration:** Trotz der hydrophoben Eigenschaften der Cuticula geben die Epidermisaußenwände bei Vorliegen einer entsprechenden Wasserpotentialdifferenz Wasserdampf nach außen ab. Sie werden somit entquollen und ergänzen ihren Wasserverlust dadurch, daß sie das Wasser entweder apoplasmatisch durch die interfibrillären Räume der antiklinen Wände der Epidermiszellen und der anschließenden Mesophyllzellen nachsaugen oder aber der Zelle selbst entziehen, wodurch das Wasserpotential der Epidermiszellen negativer wird. Infolgedessen entziehen sie den benachbarten Zellen Wasser, worauf sich in diesen der gleiche Vorgang wiederholt, so daß ein symplasmatischer Wassertransport resultiert.

Da die cuticuläre Transpiration durch die Pflanze nicht reguliert werden kann, wird ihr Ausmaß im wesentlichen durch die Wasserpotentialdifferenz zwischen Pflanze und Umgebung bestimmt. Verglichen mit der stomatären Transpiration ist ihr Anteil an der Gesamttranspiration mit 5–10% verhältnismäßig gering. Bei Xerophyten kann sie durch Verstärkung der Cuticula bzw. der Cuticularschichten, durch epicuticulare Wachsauflagerungen sowie bei den sekundären Abschlußgeweben durch zunehmende Verkorkung noch erheblich herabgesetzt werden, so daß sie unter Umständen unter 0,1% der Evaporation, d.h. der Wasserdampfabgabe einer freien Wasseroberfläche, liegt. Eine Verminderung der cuticulären Transpiration wird auch durch Bedecken der Epidermis mit einem dichten Filz aus abgestorbenen Haaren erreicht, der die Geschwindigkeit der darüberstreichenden Luft herabsetzt und somit ein schnelles Abfließen des abgegebenen Wasserdampfes verhindert. Auf diese Weise wird eine Grenzschicht höherer Wasserdampfspannung zwischen Epidermis und Umgebung geschaffen.

🔲 **Stomatäre Transpiration:** Sie erfolgt, wie der Name sagt, über die Spaltöffnungen (Stomata), ist also über den bereits besprochenen Mechanismus der Schließzellen regulierbar. Bei voll geöffneten Spalten erreicht sie meist Werte

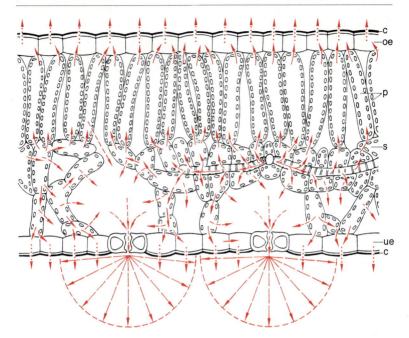

Abb. 9.**4** Transpiration eines Laubblattes, schematisch. In der Mitte des Blattquerschnittes zwei blind endende Gefäße. Die ausgezogenen roten Pfeile geben die Richtung der Wasserzufuhr an, die unterbrochenen Pfeile den Weg des abgegebenen Wassers. Dabei ist die stomatäre Transpiration durch gestrichelte, die cuticuläre durch punktierte Pfeile angedeutet. Der apoplasmatische Wassertransport in den Zellwänden ist nicht besonders gekennzeichnet. Über den Spaltöffnungen sind die Wasserdampfkuppen dargestellt. c = Cuticula, oe = obere Epidermis, p = Palisadenparenchym, s = Schwammparenchym, ue = untere Epidermis

von über 90% der Gesamttranspiration. Die Öffnungsweite ist von Außenfaktoren abhängig, insbesondere von Licht, Luftfeuchtigkeit, CO_2-Spannung und Temperatur.

Die Transpiration zeigt daher im typischen Falle den in Abb. 9.**5** dargestellten Tagesgang, d.h. sie steigt im Laufe des Vormittags mit zunehmender Temperatur und Bestrahlungsstärke und dem damit steiler werdenden Diffusionsgradienten für die Wasserdampfmoleküle an, erreicht um die Mittagszeit ein Maximum und sinkt dann, der Änderung der vorgenannten Parameter entsprechend, bis zum Abend hin wieder ab. An heißen, trockenen Tagen, wenn die abgegebenen Wasserdampfmengen sehr hoch sind, können sich die Spaltöffnungen um die Mittagszeit sogar vorübergehend schließen.

Abb. 9.**5** Tagesgang der Transpiration eines älteren Nadelblattes (Herbst) der Lärche *(Larix decidua)*, gemessen am 1.10.1980 bei Bayreuth in 450 m Höhe. Transpiration in mmol m^{-2}s^{-1} (rote, durchgezogene Linie), Nadel-Temperatur in °C (schwarze, durchgezogene Linie), Photonenflußrate in µmol m^{-2}s^{-1} (rote, gestrichelte Linie) und Δ_w (Differenz des Molenbruches von Wasserdampf zwischen Nadel und Umgebungsluft in mbar bar^{-1}). Die Molenbruchdifferenz Δ_w repräsentiert den Diffusionsgradienten für die Wasserdampfmoleküle zwischen den Interzellularen der Nadeln und der Umgebungsluft. Je größer Δ_w, um so steiler ist der Gradient, d.h. um so „trockener" ist die Luft relativ zum Blatt. Δ_w ist ein Maß für die in der Transpiration wirksam werdende Luftfeuchte (aus Benecke, U., I. Schulze, R. Matyssek, W. M. Havranek: Oecologia [Berl.], 50: 54–61, 1981)

Die Anzahl der Spaltöffnungen kann, je nach Art, zwischen 100 und 1000/mm^2 Blattfläche betragen. Bei normaler Öffnungsweite beträgt das Porenareal, d.h. die unbedeckte Fläche, nur etwa 1–2% der Blattoberfläche. Dennoch erreicht die Transpiration beträchtliche Werte, maximal 70% der Evaporation. Infolge des sogenannten Randeffektes wird nämlich das Diffusionsfeld jeder Spaltöffnung erheblich vergrößert (Wasserdampfkuppe, Abb. 9.**4**), so daß ihr Spalt in der Zeiteinheit von ungleich mehr Wasserdampfmolekülen passiert wird als ein entsprechend großer Abschnitt einer freien Wasseroberfläche.

Die Messung der durch Transpiration abgegebenen Wassermenge kann bei kleineren Pflanzen einfach mit der Transpirationswaage erfolgen. Will man gleichzeitig die Wasseraufnahme bestimmen, bedient man sich eines Potometers (Abb. 9.**6A**), an dessen geeichter Kapillare man den Wasserverbrauch ablesen kann. Da die Größe der Gesamttranspiration sowohl von der Oberfläche einer Pflanze als auch von Außenfaktoren, insbesondere von der Wasserpotentialdifferenz, abhängt, können keine allgemeinen Angaben gemacht werden. Vielmehr muß die Transpirationsleistung von Fall zu Fall bestimmt werden. So wird z.B. von einer ausgewachsenen Sonnenblume an einem trockenen, warmen Tag bei ausreichender Wasserversorgung etwa 1 l Wasser abgegeben.

Abb. 9.**6** Versuche zur Wasseraufnahme und Wasserabgabe. **A** Potometer. Infolge der Transpiration saugt die Pflanze das Wasser durch die Meßkapillare, an der die pro Zeiteinheit aufgenommene Wassermenge abgelesen wird. **B** *Taxus*zweig-Versuch zum Nachweis der saugenden Wirkung der Transpiration. Das untere Ende des Zweiges ist durch einen Gummischlauch mit einem wassergefüllten Steigrohr verbunden, dessen unteres Ende in eine mit Quecksilber gefüllte Wanne taucht. Infolge der Transpiration steigt die Quecksilbersäule an. hg = Quecksilber, m = Meßkapillare, t = *Taxus*zweig, w = Wasser (rot)

Guttation: Neben der Abgabe von Wasserdampf kommt auch eine Abgabe tropfbaren Wassers vor, die man als Guttation bezeichnet. So kann man z.B. an den Blattspitzen von Gräsern oder an den Spitzen gezähnter Blätter nach feuchtwarmen Nächten Tropfen beobachten, die das Ergebnis einer Guttation und nicht etwa Tautropfen sind. Auch bei Pilzen ist die Abscheidung von Wasser in Tropfenform oft zu beobachten. Während hier jedoch noch alle Zellen des Mycels zur Guttation befähigt sind, erfolgt sie bei den höheren Pflanzen durch die **Hydathoden.** Bei den passiven Hydathoden ist die Guttation die Folge des Wurzeldruckes. Da über Nacht unter den oben angegebenen Bedingungen das Wasserpotential der Atmosphäre weniger negativ wird, nimmt die Transpiration stark ab, so daß im Xylem gewissermaßen ein Überdruck entsteht, der durch die Guttation ausgegli-

chen wird. Bei den aktiven Hydathoden liegen Wasserdrüsen vor, die das Wasser
aktiv ausscheiden, also vom Wurzeldruck unabhängig sind.

9.4   Leitung des Wassers

Der Ferntransport des Wassers von der Wurzel zu den Orten der Wasserabgabe
erfolgt ausschließlich im Xylem. Man kann dies durch einfache Versuche demonstrieren. Entfernt man am unteren Ende eines Zweiges die Rinde und läßt nur den
Holzkörper in das Wasser eintauchen, so bleiben die Blätter turgeszent. Entfernt
man dagegen den Holzkörper und läßt nur die Rinde eintauchen, so welkt das
Laub schon nach kurzer Zeit. In einer Achse aufsteigende Farblösungen färben nur
den Holzteil an. Bei den meisten Hölzern liegt die Leitungsgeschwindigkeit in
der Größenordnung von einem bis mehreren Metern in der Stunde, kann aber bei
Lianen über 100 m in der Stunde betragen.

Zur Messung der Geschwindigkeit des Wassertransportes bedient man sich meist
thermoelektrischer Methoden. Durch einen Heizdraht wird das im Xylem aufsteigende Wasser kurzfristig erwärmt. Mit einem in einer bestimmten Entfernung oberhalb des Heizdrahtes montierten Thermoelement wird die Zeit bis zum Eintreffen
des erwärmten Wassers gemessen.

Der Ferntransport des Wassers von den Wurzeln bis zur Krone verläuft über weite
Strecken der Schwerkraft entgegen, wobei zusätzlich noch Reibungswiderstände
überwunden werden müssen. Aus physikalischen Gründen müßten die in den
Gefäßen aufsteigenden kapillaren Wasserfäden bei Atmosphärendruck von 1 bar
oberhalb 10 m abreißen. Zahlreiche Bäume sind jedoch wesentlich höher, die
Mammutbäume *(Sequoia sempervirens)* sogar über 100 m hoch. Bezüglich der Mechanik des Wassertransportes ergeben sich daher erhebliche Probleme, die kontrovers diskutiert werden.

Nach der sogenannten **Kohäsionstheorie des Wassertransportes** wird das
Aufsteigen des Wassers in den Gefäßen und Tracheiden durch die saugende
Wirkung der Transpiration der oberirdischen Pflanzenteile, insbesondere der
Blätter, bewerkstelligt. Dabei soll das Abreißen der Wasserfäden durch die starken Kohäsionskräfte zwischen den Wassermolekülen sowie durch die Adhä-
sion des Wassers an den Gefäßwänden verhindert werden. Voraussetzung hierfür ist allerdings, daß keine Gasblasen in den Gefäßen entstehen, etwa durch
eindringende Luft oder durch Übergang des Wassers aus dem flüssigen Zustand
in Wasserdampf.

Daß dies grundsätzlich möglich ist, zeigt ein Experiment, in dem eine Säule aus
reinem, entlüfteten Wasser, die sich in einem glatten Glasrohr befand, einem Unterdruck von 30 MPa, das sind etwa 300 bar, ausgesetzt werden mußte, ehe sie

Abb. 9.**7** Beziehung der Anzahl der Cavitations-Signale (rot) zu photosynthetisch aktiver Strahlung (schwarz, gestrichelt), Temperatur (rot, gestrichelt) und der resultierenden Dampfdruckabnahme (schwarz), gemessen an einer Kiefer in Schottland innerhalb des Zeitraumes von zwei Tagen Ende

August. Abszisse: Tageszeiten, Ordinaten (von links nach rechts): Stärke der photosynthetisch aktiven Strahlung in µmol m^{-2}s^{-1}, Temperatur in °C, Dampfdruckabnahme in kPa, Anzahl der Cavitationen pro Minute (nach Jackson u. Grace)

zerriß. Die in den wasserleitenden Systemen der Pflanzen auftretenden Zugspannungen sind ungleich geringer.

Die saugende Wirkung der Transpiration läßt sich durch folgenden Versuch demonstrieren: Verbindet man einen Zweig, etwa der Eibe *(Taxus baccata),* luftblasenfrei mit einem wassergefüllten Steigrohr (Abb. 9.**6B**), dessen unteres Ende in eine mit Quecksilber gefüllte Wanne taucht, so steigt das Quecksilber infolge des Transpirationssogs im Steigrohr auf, in der Regel allerdings nicht höher als 760 mm, entsprechend einer Wassersäule von etwa 10 m.

Obwohl die Zugspannungen in den Wasserleitungsbahnen der Pflanzen 4 MPa selten überschreiten, treten Embolien, d. h. Abreißen der Wassersäulen in den Leitungsbahnen durch Bildung von Gasblasen (Wasserdampf oder Luft), nicht selten auf. Diese Ereignisse, die als Cavitationen bezeichnet werden, können heute auch bei im Freiland wachsenden Bäumen messend verfolgt werden (Box 9.**1**). Wie Abb. 9.**7** zeigt, steht ihre Häufigkeit in einer eindeutigen Beziehung zur einfallenden Strahlung, zur Temperatur und der damit verbundenen Dampfdruckabnahme. Zunahme von Strahlung und Temperatur und Abnahme des Dampfdrucks erhöhen die Zugspannung und damit die Häufigkit der Cavitationen. Auch der Wind ist von Einfluß.

Box 9.1   Cavitationen

Als Cavitationen bezeichnet man das Abreißen der Wassersäulen in Gefäßen und Tracheiden infolge der Bildung von Gasblasen, die durch Verdampfen des Wassers oder durch eindringende Luft entstehen können. Das hierbei auftretende „Klick"-artige akustische Signal kann mit hochempfindlichen Sensoren gemessen werden. Da sich diese Technik jedoch nur in einem schalltoten Raum anwenden läßt und somit für Freilandversuche ungeeignet ist, hat sich die Ultraschallmessung durchgesetzt, da bei der Cavitation auch Signale dieser Frequenzen entstehen. Sie läßt sich im Freiland beliebig verwenden, indem die Sensoren nach Entfernung von Borke und Kambium direkt auf den Holzkörper aufgesetzt werden und eine zusätzliche Wasserabgabe durch Abdichten verhindert wird. Die Hauptursache der Cavitationen dürfte der Übergang des Wassers vom flüssigen in den Gaszustand sein, der um so wahrscheinlicher ist, je negativer die Spannung im Wasserleitungssystem der Pflanze infolge gesteigerter Transpiration wird, d.h. insbesondere unter Wasserstreß. Dies zeigt eindeutig Abb. 9.**7**. Darüber hinaus haben quantitative Messungen ergeben, daß jedes dieser Signale durch die Cavitation eines Gefäßes oder einer Tracheide verursacht wird. Nachts, wenn die Temperatur verhältnismäßig niedrig und der Dampfdruck relativ hoch ist, lassen sich praktisch keine Cavitationen nachweisen. Bei Bäumen, die unter Wasserstreß stehen, ist die Anzahl der Signale ungleich höher als bei solchen, die hinreichend mit Wasser versorgt sind. Wässert man die unter Wasserstreß stehenden Bäume, nimmt die Zahl der Cavitationen drastisch ab.

Grundsätzlich ist die Cavitation ein schädlicher Vorgang, da durch sie ein wasserleitendes Element blockiert wird. Da jedoch das Wasser auch in tangentialer Richtung durch die Tüpfel transportiert werden kann, können solche Blockaden im allgemeinen umgangen werden. Sollte allerdings der Prozentsatz der embolisierten Leitelemente, bezogen auf deren Gesamtzahl, sehr hoch werden, könnte dies zu Schädigungen, wenn nicht gar zum Tode der betreffenden Pflanze führen. Das scheint aber verhältnismäßig selten der Fall zu sein.

Um den relativen Wassergehalt des Holzes während der Wintermonate zu erhöhen, müssen die embolisierten Gefäße und Tracheiden wieder mit Wasser gefüllt werden. Wie dies vonstatten geht, ist noch unklar. Die Mitwirkung aktiver Prozesse wie Pumpen kann mit Sicherheit ausgeschlossen werden. Möglicherweise ist eine Kondensation des Wasserdampfes bzw. eine Auflösung der Luftblasen in Wasser die Ursache.

Insgesamt sprechen die Ergebnisse der Cavitations-Experimente eher für als gegen die Kohäsionstheorie.

Wenn auch die Kohäsionstheorie heute von der Mehrzahl der damit befaßten Experimentatoren als erwiesen angesehen wird, sind in neuerer Zeit Zweifel an ihrer Gültigkeit aufgetaucht, da direkt gemessene Drücke in den Xylemgefäßen meist nur bei – 0,2 MPa lagen. Einige Autoren nehmen daher an, daß der Langstreckentransport des Wassers in Pflanzen nur durch eine Kombination verschiedener Kräfte bewerkstelligt werden kann. Der Transpirationssog soll eine wesentlich geringere Rolle spielen, als bisher angenommen wurde, und zusätzlich sollen osmotische Gradienten entlang eines vertikal kompartimentierten Xylems, Kapillarkräfte sowie Kräfte an den Grenzflächen Luft–Wasser bei stationären Luftblasen an den Gefäßwänden wirksam sein.

In der Tat reicht bei blattwerfenden Laubbäumen die Annahme eines Transpirationssogs als alleinige Ursache des Wassertransportes nicht aus, ist doch im Frühjahr vor dem Austreiben der Blätter die saugende Wirkung der Transpiration praktisch Null. Hier kommt der Wurzeldruck ins Spiel, der ja einige bar erreichen und somit die Wassersäule über 10 m treiben kann. Nach Fertigstellung der Blattkrone ist sein Anteil an der Gesamttransportleistung allerdings verhältnismäßig gering. Dies erklärt möglicherweise die Tatsache, daß Laubbäume im allgemeinen nicht annähernd die Höhe der vorgenannten Nadelbäume erreichen.

Interessanterweise findet sich ein Langstreckentransport von Wasser auch bei höheren Pflanzen, die submers im Wasser leben. Da bei ihnen eine Transpiration unmöglich ist, erfolgt die Wasserabgabe durch Guttation. Die Geschwindigkeit des Wassertransportes liegt zwischen 20 und 80 cm/h. Durch Abkühlung der Wurzeln wird der Transport unterbunden, durch Temperaturerhöhung verstärkt, was darauf schließen läßt, daß aktive Vorgänge beteiligt sind.

9.5 Aufnahme der Mineralsalze

Auch zur Aufnahme der Mineralsalze ist grundsätzlich die gesamte Oberfläche der Pflanze befähigt, wovon man bei der Blattdüngung praktischen Gebrauch macht. Sehen wir von den Wasserpflanzen ab, so kommt normalerweise jedoch nur die Wurzel ständig mit den Mineralsalzen des Bodens in Berührung. Deshalb haben wir sie als das eigentliche Organ der Salzaufnahme anzusehen. Grundsätzlich können Salze nur in Form von Ionen aufgenommen werden, müssen also gelöst vorliegen.

Der elementaren Zusammensetzung des Pflanzenkörpers (S. 4) entsprechend, werden folgende Ionen benötigt: die Kationen $K^\oplus$, $Ca^{2\oplus}$, $Mg^{2\oplus}$ und $Fe^{2\oplus}$ (oder $Fe^{3\oplus}$) sowie die Anionen $NO_3^\ominus$, $SO_4^{2\ominus}$ und $PO_4^{3\ominus}$. Alle genannten Ionen sind in der Knopschen Nährlösung enthalten, die folgende Zusammensetzung hat: 1 g $Ca(NO_3)_2$, 0,25 g $MgSO_4 \cdot 7\ H_2O$, 0,25 g KH_2PO_4, 0,25 g KNO_3 und in Spuren $FeSO_4$ in 1000 ml Wasser. Zieht man höhere Pflanzen in Wasserkulturgefäßen, die mit dieser Nährlösung beschickt sind, so zeigen sie eine normale Entwicklung. Läßt man jedoch eines der genannten Ionen fort oder ersetzt es durch ein anderes (z. B. $K^\oplus$ durch $Na^\oplus$), so kommt es sehr bald zu Ausfalls- und Mangelerscheinungen, die die Notwendigkeit der genannten Ionen demonstrieren.

Der Haushalt von Stickstoff, Schwefel und Phosphor wird in Kapitel 12 ausführlich behandelt. Kalium, Magnesium und Calcium sind wichtige Cofaktoren bei Enzymreaktionen. $K^\oplus$-Ionen spielen eine Rolle bei Turgorbewegungen, z. B. bei den Spaltöffnungen und Blattgelenken. Magnesium ist Bestandteil der Chlorophylle sowie des Protopektins. Letztere Funktion hat es mit dem Calcium gemeinsam, das darüber hinaus auch als Antagonist des Kaliums von Bedeutung ist (Ionenantagonismus). Eisen ist Bestandteil der Häm-Verbindungen, z. B. der Cytochrome, aber auch der nicht-Häm-eisenhaltigen Proteine, z. B. des Ferredoxins.

Verwendet man in derartigen Versuchen hochgereinigte Chemikalien sowie Gefäße, die nicht aus Glas, sondern aus bestimmten Kunststoffen bestehen, die im Gegensatz zum Glas keine Ionen an die Nährlösungen abgeben, so treten auch bei Verwendung der Knopschen Nährlösung Mangelerscheinungen auf, die bei Zusatz von Mikroelementen (Spurenelementen) wieder verschwinden. So verursacht z. B. Bormangel die Herzfäule der Rüben, Kupfermangel die Urbarmachungskrankheit des Getreides und Manganmangel die Dörrfleckenkrankheit des Hafers. Während die physiologischen Ursachen des Bormangels noch weitgehend unklar sind, wissen wir über die Rolle der anderen Spurenelemente im Stoffwechsel besser Bescheid. Chlor- und Manganionen spielen eine Rolle bei der Sauerstoffentwicklung in der Photosynthese, außerdem als Cofaktoren vieler Enzyme. Kupfer ist in einigen Oxidasen enthalten, Molybdän in den Molybdoflavoproteinen. Zink ist Bestandteil zahlreicher Enzyme, z. B. der Alkohol-Dehydrogenasen, aber auch Cofaktor von Enzymen. Schließlich gibt es auch Spurenelemente, die nur von ganz bestimmten Pflanzen benötigt werden, doch ist ihre biochemische Funktion in den meisten Fällen noch nicht klar.

Von den im Boden vorhandenen Ionen sind nur etwa 2 % für die Pflanze verfügbar. Die übrigen liegen in Form schwerlöslicher Salze vor oder sind fest an andere Bodenbestandteile gebunden. Von den verfügbaren Ionen wiederum liegen weniger als 10 % in der Bodenlösung frei vor. Der überwiegende Anteil ist oberflächlich an die Bodenkolloide adsorbiert. Hierdurch wird einerseits ihre Auswaschung verhindert, andererseits aber auch vermieden, daß die der Pflanzenwurzel angebotenen Ionen toxische Konzentrationen erreichen (Pufferung). Selbst Ionen, die für die Pflanze lebensnotwendig sind, können giftig wirken, wenn sie allein geboten werden. Es ist deshalb wichtig, daß die Ionen in einem ausbalancierten Verhältnis vorliegen. Von besonderer Bedeutung ist dabei das Verhältnis von freien zu gebundenen $H^{\oplus}$-Ionen. Durch eine zu hohe Acidität wird nämlich das Bindungsvermögen der Bodenkolloide für Kationen stark herabgesetzt, so daß diese freigesetzt und damit leichter ausgewaschen werden. Außerdem können die meist als schwerlösliche Salze vorliegenden Schwermetallionen vermehrt in Lösung gehen und toxische Konzentrationen erreichen. Infolgedessen ist der pH-Wert des Bodens von ausschlaggebender Bedeutung für die Ionenaufnahme. Hinsichtlich der Lage des pH-Optimums zeigen die einzelnen Pflanzenarten allerdings erhebliche Unterschiede. So gedeiht z. B. Hafer am besten bei einem Bodensäuregrad von 5, ist also acidophil, während der optimale pH-Wert der basophilen Gerste bei etwa 8 liegt. Die Kartoffel wiederum ist innerhalb gewisser Grenzen pH-indifferent und gedeiht im gesamten Bereich von pH 5 bis 8 gut.

⚠ Die Pflanze ist jedoch nicht ausschließlich auf freie Ionen angewiesen. Sie kann die verfügbare Ionenmenge durch Austauschadsorption beträchtlich vergrößern. Kationen werden gegen $H^{\oplus}$-Ionen, Anionen gegen $HCO_3^{\ominus}$-Ionen ausgetauscht. Außerdem können Wurzeln organische Säuren ausscheiden und hierdurch auch schwerer lösliche Mineralien zugänglich machen. Wurzel und Bodenkolloide sind also zwei ionenadsorbierende Systeme, die miteinander um die Ionen konkurrieren.

Unsere Vorstellungen vom Mechanismus der Ionenaufnahme befinden sich noch überwiegend im Stadium der Hypothese. Sicherlich ist sie nicht ein einfacher Diffusionsvorgang. Hiergegen spricht einerseits das Selektionsvermögen der Pflanzen für bestimmte Ionen, andererseits die Tatsache, daß die Ionenaufnahme auch gegen das Konzentrationsgefälle erfolgen kann. Das schließt natürlich eine Beteiligung von Diffusionsvorgängen an der Ionenaufnahme nicht aus. Nach dem gegenwärtigen Stand unseres Wissens müssen wir bei der Ionenaufnahme eine passive Anfangsphase von der eigentlichen aktiven Aufnahme unterscheiden. Die passive Phase beginnt mit dem Einstrom der Ionen in den **„freien Raum"** (Apparent Free Space = AFS), der im wesentlichen durch den Apoplasten, d.h. die kapillaren Räume der Rhizodermis- und der Rindenzellwände, repräsentiert wird und größenordnungsmäßig 10–25% des Volumens dieser Gewebe ausmacht. Die Ionen strömen mit dem apoplasmatisch aufgenommenen Wasser in den freien Raum ein, wo sie teils ungehindert diffundieren, teils an unspezifische Bindungsstellen, z.B. die Carboxylgruppen der Zellwände oder negativ geladene Gruppen von Proteinen und Phosphatiden an der Außenseite des Plasmalemmas, gebunden werden. Die Ionen können auf diesem „freien Wasserweg" bis zur Endodermis gelangen.

Die Aufnahme in den „freien Raum" ist also ein rein physikalischer Vorgang, der nicht unter Energieverbrauch erfolgt, aber auch nicht selektiv ist. Prinzipiell gesehen ist der „freie Raum" für alle Ionen zugänglich. Überträgt man eine Wurzel in reines Wasser, so können die im „freien Raum" gelöst vorliegenden Ionen wieder aus der Wurzel herausdiffundieren.

Die eigentliche Ionenaufnahme, d.h. der Übergang der Ionen aus dem „freien Raum" in den Symplasten, den **„inneren Raum",** beginnt mit einer Adsorption der Ionen an die spezifischen Bindungsstellen bestimmter „Carrier", die im Plasmalemma lokalisiert sind. Wie bereits besprochen (S. 57f.), handelt es sich hierbei um transmembrane, das Plasmalemma in Querrichtung durchsetzende Proteine, die als Pumpen wirken, d.h. die Ionen gegen den elektrochemischen Gradienten transportieren. Die Carrier können für bestimmte Ionen spezifisch sein, doch ist die Spezifität in der Regel keine absolute, so daß unter Umständen auch andere, ähnliche Ionen transportiert werden können. Meist handelt es sich um einen sekundär aktiven Transport, der als Symport oder Antiport erfolgen kann.

Die Aufnahme in den „inneren Raum" muß spätestens an der Endodermis erfolgen. Hat sie schon im Rindengewebe stattgefunden, so erfolgt der Transport in den Zentralzylinder von Zelle zu Zelle im Symplasten durch die Plasmodesmen.

Die Zellsaftvakuolen werden nicht in den Transport einbezogen. Der Mechanismus des Überganges der Ionen von den Xylemparenchymzellen in die angrenzenden Gefäße ist noch nicht klar, doch macht der Wurzeldruck aktive Transportvorgänge wahrscheinlich.

9.6   Stofftransport und Stoffausscheidung

Beim Transport von Ionen und ungeladenen organischen Molekülen über kurze, mittlere und weite Distanzen werden von Fall zu Fall verschiedene Transportwege und Mechanismen benutzt. Es handelt sich hier also um ein sehr komplexes Phänomen. Auch für die Stoffausscheidung, die zur Bildung von Exkreten oder Sekreten führt, finden zum Teil ähnliche Mechanismen Verwendung, weshalb ihre Behandlung in diesem Abschnitt gerechtfertigt erscheint.

9.6.1   Ionentransport

Der Ionentransport über kurze Strecken erfolgt durch Diffusion in Richtung des Konzentrationsgefälles bzw. des elektrochemischen Gradienten. Der Ionentransport von den Gefäßen durch das Mesophyll dürfte in ähnlicher Weise vonstatten gehen wie der Transport durch die Wurzelrinde, d.h. entweder apoplasmatisch, dem Transpirationssog folgend, oder, nach Aufnahme durch das Plasmalemma in die Mesophyllzellen, auf symplasmatischem Wege. Der Ferntransport der Ionen von der Wurzel zu den Blättern erfolgt in den Gefäßen und Tracheiden.

Für einige Ionen ist auch ein Transport in den Siebröhren nachgewiesen worden, z.B. für Kalium-, Chlor- und Phosphat-Ionen. Die letztgenannten machen den Transport aller Kationen, deren Phosphate schwerlöslich sind, in den Siebröhren unmöglich (z.B. Calcium).

9.6.2   Transport organischer Substanzen

Zum Kurzstreckentransport zählen die Aufnahme in die Zelle und die Beförderung innerhalb der Zelle. Im ersteren Falle muß das Plasmalemma passiert werden, was auf verschiedene Weise geschehen kann (S. 57f.). Beim intrazellulären Transport spielen die Diffusion und möglicherweise auch die Plasmaströmungen eine Rolle. Unter Mittelstreckentransport versteht man einen Transport innerhalb von Geweben ohne Benutzung der Leitungsbahnen. Er scheint überwiegend symplasmatisch zu erfolgen, d.h. von Protoplast zu Protoplast durch die Plasmodesmen ohne Einbeziehung der Vakuolen. Da seine Geschwindigkeit immerhin einige cm/h beträgt, kann er nicht lediglich das Resultat von Diffusionsvorgängen sein. Eine Beteiligung der Plasmaströmungen innerhalb einer jeden Zelle, wie beim Kurzstreckentransport, ist nicht auszuschließen, doch wird auch eine Lösungsströmung (s. unten) diskutiert. Ob auch der apoplasmatische Weg für den Transport organischer Substanzen benutzt wird, ist nicht sicher. Da seine Richtung ausschließlich durch das Wasserpotentialgefälle $\Delta\psi$ bestimmt wird, erscheint er für einen Transport organischer Substanzen mit verschiedenen Zielen wenig geeignet.

Der Ferntransport organischer Substanzen kann, wie das Beispiel des Blutungssaftes zeigt, ebenfalls in den Gefäßen erfolgen, allerdings nur in einer Richtung, von der Wurzel zur Krone. Die eigentlichen Transportbahnen hierfür sind jedoch die Siebröhren, die die Orte der Synthese (source = Quelle) mit denen des Verbrauchs bzw. der Speicherung (sink = Abfluß) verbinden. Da die Orte des Verbrauchs z.B. Blüten, die sich bildenden Samen sowie die apikalen und lateralen Meristeme sind und als Speicherorgan häufig die Wurzeln dienen, findet in den Siebröhren sowohl ein Aufwärts- als auch ein Abwärtstransport statt.

Die Siebröhrensäfte sind 5 – 30%ige wäßrige Lösungen organischer Substanzen, also verhältnismäßig konzentriert. Genaue Analysen, die bei den verschiedensten Pflanzen durchgeführt wurden, haben gezeigt, daß sie hauptsächlich Zucker enthalten (häufig über 90% der Trockensubstanz). Die Haupttransportform der Zucker ist bei vielen Pflanzenarten bzw. Familien die Saccharose, bei anderen das Trisaccharid Raffinose, und bei einigen Familien sind es Zuckeralkohole (Mannit, Dulcit). Monosaccharide werden nicht transportiert. Darüber hinaus ist eine große Zahl weiterer organischer Verbindungen im Siebröhrensaft nachgewiesen worden, z.B. Aminosäuren, Carbonsäuren, Nucleinsäuren, Nucleotide (vor allem ATP) u.a. Auch der Transport von Phytohormonen, Vitaminen und Enzymen kann in den Siebröhren erfolgen. Fette werden zum Zwecke des Transportes in Kohlenhydrate umgewandelt.

⚠ Die Mechanik des Transportes ist noch unklar. Im Hinblick auf die verhältnismäßig hohe Transportgeschwindigkeit von mehreren cm bis zu 1 m/h scheiden Diffusionsvorgänge und Plasmaströmungen aus. Die Mehrzahl der Befunde spricht dafür, daß dem Siebröhrentransport eine **Lösungsströmung** zugrunde liegt. Diese ist die Folge eines osmotischen Gradienten, der zwangsläufig entsteht, wenn die Siebröhre an dem source-Ende ständig be- und am sink-Ende entladen wird.

Die Beladung mit Zuckern wird von den Geleitzellen oder, wo diese fehlen, von dem Phloemparenchym übernommen. Da sie gegen das Konzentrationsgefälle gerichtet ist, erfolgt sie unter Energie-(ATP-)verbrauch in Form eines protonengetriebenen Cotransportes (Abb. 2.**7B**, S. 59). Bedingt durch die hohe Zuckerkonzentration wird das Wasserpotential am source-Ende stark negativ, was einen Wassereinstrom aus dem Xylem und somit einen Turgoranstieg verursacht. Die Entladung wird durch die Invertase (= Saccharase) reguliert, ein Enzym, das die transportierte Saccharose in je ein Molekül Glucose und Fructose spaltet. Die Monosaccharide werden entweder dem unmittelbaren Verbrauch zugeführt oder in geeigneter Form gespeichert. Durch die Entladung wird das Wasserpotential am sink-Ende weniger negativ, so daß Wasser austreten kann und eine Strömung entsteht. Hierbei sind allerdings nicht unerhebliche Widerstände zu überwinden, besonders an den Siebplatten. Insgesamt stehen also die Siebröhren unter Druck.

Einen großen technischen Fortschritt brachte die Einführung der sogenannten Aphidentechnik. Hierbei läßt man Siebröhren von Blattläusen anstechen, narkotisiert diese und schneidet ihren Saugrüssel ab, womit man gewissermaßen Mikropipetten zur Verfügung hat. Durch den Rüssel wird Siebröhrensaft nach außen gepreßt, was beweist, daß der Siebröhreninhalt unter Druck steht. Die auf diese Weise erhaltene Siebröhrenflüssigkeit ist besonders rein und wird für die oben erwähnten Analysen benutzt. Sticht man eine Siebröhre an zwei Stellen an, läßt sich dieses System zur Untersuchung von Transportvorgängen benutzen. Bei gleichzeitiger Applikation ^{14}C-markierter Zucker und tritiummarkierten Wassers ergab sich der überraschende Befund, daß die Zucker eher die Meßstelle erreichten als das Wasser, die gelösten Stoffe also scheinbar schneller transportiert wurden als das Lösungsmittel. Genauere Untersuchungen haben jedoch gezeigt, daß ein großer Teil des Wassers während des Transports seitlich aus den Siebröhren „herausleckt" und daher an der Meßstelle sehr viel später nachweisbare Werte erreicht als die Zucker.

Während die Vorstellung eines Stofftransportes auf dem Wege der Lösungsströmung durch eine Siebröhre, deren Glieder durch große Siebporen untereinander verbunden sind, durchaus plausibel ist, läßt sie sich nicht ohne weiteres auf die Siebzellen übertragen, deren Siebporen einen erheblich geringeren Durchmesser haben und die zudem beiderseits von Anhäufungen des glatten ER bedeckt und von dessen Ausläufern durchzogen sind. Hierdurch wird der Widerstand so stark erhöht, daß ein einfacher Durchfluß durch eine Reihe von Siebzellen kaum denkbar ist. Es liegt daher nahe, anzunehmen, daß der Transport hier diskontinuierlich erfolgt, d.h. daß die Entladung der einen Siebzelle am „sink"-Ende und die Beladung der folgenden Siebzelle am „source"-Ende über das glatte ER, also gewissermaßen apoplastisch erfolgt. Das würde bedeuten, daß sich in jeder Siebzelle ein source-sink-Gradient aufbaut, wobei die Ent- und Beladung zwangsläufig unter Energieverbrauch erfolgt.

9.6.3   Stoffausscheidungen

Wie bereits früher dargelegt wurde (S. 141), spielt bei Pflanzen die Ausscheidung von Stoffen in fester, gelöster oder flüssiger Form eine untergeordnete Rolle. Sofern derartige Ausscheidungen vorkommen, sind sie meist auf bestimmte Zellen beschränkt. Es können sowohl anorganische als auch organische Stoffe ausgeschieden werden.

Salzausscheidungen: Werden regelmäßig bestimmte Ionen, z.B. Nitrat-, Sulfat- und Phosphat-Ionen, in den Stoffwechsel eingeschleust und in organische Substanzen eingebaut (Kapitel 12), so entsteht ein Überschuß von Kationen. Auch ist das Selektionsvermögen der Wurzel bei der Ionenaufnahme nicht absolut, so daß auch Ballaststoffe in die Pflanze gelangen. Schließlich kann sich der Ionenbedarf im Laufe der Entwicklung ändern.

Ein bei Pflanzen weit verbreitetes Verfahren zur Beseitigung überschüssiger Ionen ist deren Transport in die Vakuole, wo sie in Form schwerlöslicher Salze ausgefällt werden, das Calcium z.B. als Oxalat (Abb. 4.4, S. 142) oder, seltener, als Carbonat. Darüber hinaus werden auch bei Regenfällen Salze, die bei der Transpiration durch die Epidermiswände und die Cuticula nach außen gelangt sind, ausgewaschen. Bei einigen Halophyten finden sich besondere Salzdrüsen, die Ionen aktiv ausscheiden und für eine ausgeglichene Ionenbilanz Sorge tragen.

Ausscheidung organischer Stoffe: Auch organische Stoffe, wie ätherische Öle, Harze, der Zucker enthaltende Nektar u.a., können entweder in besondere Zellen bzw. Hohlräume oder aber durch die Epidermis nach außen abgeschieden werden. Der Mechanismus dieser Ausscheidungen ist bisher kaum untersucht. Grundsätzlich könnte auch hier ein aktiver Transport vorliegen. Eine andere Möglichkeit wäre eine lokal veränderte Permeabilität des Plasmalemmas. Schließlich besteht auch die Möglichkeit, daß das im Cytoplasma oder in einem Kompartiment gebildete Exkret in den Dictyosomen in Golgi-Vesikel verpackt und zur Zelloberfläche transportiert wird, wo die Vesikelmembran mit dem Plasmalemma fusioniert und das Sekret nach außen entläßt (Exocytose).

Zusammenfassung

Die aktiven Lebensvorgänge haben eine hinreichende Wasserversorgung der Zelle zur Voraussetzung. Dementsprechend ist der Wassergehalt der Pflanzen mit 60–90% verhältnismäßig hoch. Die infolge des bestehenden Wasserpotentialgefälles zwangsläufige Wasserabgabe der oberirdischen Pflanzenteile an die Umgebung muß durch die Wasseraufnahme der Wurzel ausgeglichen werden. Dies hat einen Wassertransport von der Wurzel zu den oberirdischen Pflanzenteilen zur Folge.

Das Wasserpotential der Pflanze ψ_z wird durch mehrere Komponenten bestimmt, und zwar durch das Matrixpotential ψ_τ (= Quellungspotential), das osmotische Potential ψ_π und das Druckpotential ψ_p nach der folgenden Gleichung:

$$\psi_z = \psi_{\pi i} + \psi_\tau + \psi_p.$$

Die Pflanzenzelle ist also ein osmotisches System, das auch quellbare Komponenten enthält. In einem hypotonischen Medium, dessen osmotisches Potential $\psi_{\pi a}$ weniger negativ als das des Zellinhalts $\psi_{\pi i}$ ist, strömt Wasser in die Vakuole ein. Hierdurch entsteht ein hydrostatischer Innendruck, der Turgor (P), der das Cytoplasma gegen die Zellwand drückt. Diese wird so lange elastisch gedehnt, bis der sich entwickelnde Gegendruck, der Wanddruck W, zahlenmäßig dem Turgordruck gleich ist. In einem Gewebeverband ist der Außendruck (A) der benachbarten Zellen zu berücksichtigen, der der Ausdehnung der Zelle entgegenwirken oder sie als negative Spannung unterstützen kann: $\psi_p = W \pm A$. Er kommt in der Gewebespannung zum Ausdruck. Überträgt man eine Pflanzenzelle in eine hypertonische Lösung, tritt Wasser aus der Vakuole aus. Die Zelle entspannt sich zunächst, bis der Wanddruck W = 0 ist. Tritt weiterhin Wasser nach außen, löst sich das Cytoplasma von der Zellwand ab (Plasmolyse), bis $\psi_{\pi a} = \psi_{\pi i}$ ist. Nach Überführung in Wasser erfolgt der rückläufige Vorgang (Deplasmolyse).

Die Wurzel nimmt das Wasser bevorzugt durch die Wurzelhaare auf. Bis zur Endodermis kann der Wassertransport apoplasmatisch in den intermicellären und interfibrillären Räumen der Zellwände oder, dem Wasserpotentialgefälle folgend, symplasmatisch von Zelle zu Zelle verlaufen. An der Endodermis wird der apoplasmatische Transport durch die

Casparyschen Streifen unterbrochen. Der Mechanismus des Durchtritts durch die Endodermis ist noch unklar, doch läßt der Wurzeldruck darauf schließen, daß aktive Kräfte daran beteiligt sind.

Die Wasserabgabe erfolgt entweder in Form von Wasserdampf (Transpiration) oder in Form von Tropfen (Guttation). Die cuticuläre Transpiration durch die Epidermisaußenwände und die Cuticula macht bei geöffneten Spalten meist weniger als 10% der Gesamttranspiration aus. Bei an trockene Standorte angepaßten Xerophyten ist sie noch wesentlich geringer. Die stomatäre Transpiration wird durch die Schließzellen der Spaltöffnungen reguliert. Die Kühlwirkung der Transpiration verhindert die Überhitzung der Blätter. Der Transpirationsstrom wird für den Transport der Ionen und anderer gelöster Substanzen von der Wurzel in die oberirdischen Pflanzenteile genutzt. Die Guttation erfolgt durch Wasserspalten (Hydathoden), die das Wasser entweder aktiv oder passiv ausscheiden.

Der Wassertransport in Geweben kann, wie bei der Wurzel, dem Wasserpotentialgefälle entsprechend sowohl apoplasmatisch als auch symplasmatisch verlaufen. Der Ferntransport erfolgt in den Gefäßen und Tracheiden. Nach der sogenannten Kohäsionstheorie ist die treibende Kraft vor allem der Transpirationssog. Daß die kapillaren Wasserfäden oberhalb 10 m nicht abreißen, wird durch die Kohäsionskräfte zwischen den Wassermolekülen erklärt. Allerdings treten bei starkem Wasserstreß Embolien auf, d.h. die Bildung von Gasblasen, die zum Abreißen der Wasserfäden in den Kapillaren führen. Nach einer anderen Vorstellung sollen außer dem Transpirationssog osmotische Gradienten entlang eines vertikal kompartimentierten Xylems sowie Kapillarkräfte für den Wassertransport über lange Strecken verantwortlich sein. In begrenztem Umfang kann, vor allem im Frühjahr, auch der Wurzeldruck am Aufwärtstransport des Wassers beteiligt sein.

Die Mineralsalze werden durch die Wurzel aus dem Boden als freie Ionen oder durch Austauschadsorption aufgenommen. Die Ionenaufnahme erfolgt weitgehend selektiv, und zwar auch gegen das Konzentrationsgefälle. Sie beginnt mit dem Einstrom der Ionen in den „freien Raum", aus dem sie auch wieder nach außen diffundieren können. Die Aufnahme in den „inneren Raum" ist ein aktiver Transport mit Hilfe von Carriern. Der Ionentransport durch das Rindengewebe erfolgt apoplasmatisch mit dem Wassereinstrom bzw. nach der Aufnahme in den „inneren Raum" symplasmatisch. Der Mechanismus des Durchtritts durch die Endodermis ist noch unklar.

Der Kurzstreckentransport in eine Zelle erfordert die Mitwirkung entsprechender Carrier. Über mittlere Distanzen, d.h. innerhalb von Geweben, erfolgt er überwiegend symplasmatisch durch die Plasmodesmen. Der Ferntransport organischer Substanzen und einiger Ionen findet hauptsächlich in den Siebröhren statt, und zwar sowohl aufwärts als auch abwärts, doch kann für den Transport von der Wurzel zu den oberirdischen Organen auch der Transpirationsstrom genutzt werden.

Dem Siebröhrentransport liegt offenbar eine Lösungsströmung zugrunde, die von Orten höheren zu Orten niedrigeren osmotischen Potentials führt. Zur Aufrechterhaltung der Potentialdifferenz $\Delta\psi$ ist allerdings ein sekundär aktiver Transport von Zuckern in die Siebröhren erforderlich. Die Be- und Entladung erfolgt durch die Geleitzellen bzw., wenn diese fehlen, durch die Zellen des Phloemparenchyms.

Salzausscheidungen erfolgen entweder durch Ausfällung überschüssiger Ionen in der Vakuole, durch Auswaschung oder durch besondere Salzdrüsen, die Ionen aktiv ausscheiden. Die Ausscheidung organischer Verbindungen erfolgt meist durch Drüsen. Der Mechanismus ist noch unklar.

10 Energieumwandlung und Syntheseleistungen autotropher Pflanzen

Wie bereits im ersten Kapitel dargelegt wurde, sind die Organismen aus einer großen Zahl der verschiedensten organischen Verbindungen aufgebaut. Sind sie in der Lage, den für die Synthese dieser Verbindungen benötigten Kohlenstoff durch Fixierung von Kohlendioxid zu gewinnen, bezeichnet man sie als **autotroph,** verwenden sie dagegen als Kohlenstoffquelle organische Verbindungen, nennt man sie **heterotroph.** In jeder dieser organischen Verbindungen liegt eine bestimmte, von Fall zu Fall verschieden große Energiemenge gebunden vor, die beim Abbau verfügbar wird und folglich bei der Bildung des betreffenden Moleküls dem Syntheseprozeß zugeführt werden muß. **Phototrophe**[1] Organismen verwenden als Energiequelle die elektromagnetische Strahlung der Sonne, während **chemotrophe** ihre Energie aus exergonischen chemischen Reaktionen beziehen. Verwenden sie als Wasserstoffdonatoren organische Verbindungen, nennt man sie **organotroph,** können sie hingegen anorganische Wasserstoffdonatoren verwerten, bezeichnet man sie als **lithotroph.** Zur Produktion organischer Substanzen aus rein anorganischen Bausteinen sind nur zwei Gruppen von Organismen befähigt: die Photoautotrophen, zu denen die photosynthetisch aktiven Bakterien, die Cyanobakterien und alle Chlorophyll besitzenden Pflanzen zählen, und die Chemolithoautotrophen, die sich ausschließlich bei den Bakterien finden. Die entsprechenden Prozesse werden als **Photosynthese** und **Chemosynthese** bezeichnet. Menschen, Tiere, Pilze und die überwiegende Mehrzahl der Bakterien, die ausschließlich organische Nahrung verwenden, sind also heterotroph, chemotroph und organotroph.

Die Bedeutung des Photosyntheseprozesses für unseren Planeten kann man kaum überschätzen, wenn man bedenkt, daß praktisch die gesamte auf der Erde vorhandene organische Substanz durch diesen Prozeß gebildet worden ist und noch gebildet wird, was besagt, daß letztlich auch alle heterotrophen Organismen von ihm profitieren. Bei einem Stillstand des Photosynthesevorganges würde daher alles Leben bereits nach kurzer Zeit zum Erliegen kommen.

---

[1] Da die grünen Pflanzen bei der Photosynthese vorwiegend den zum sichtbaren Bereich gehörenden Anteil des elektromagnetischen Wellenspektrums zwischen 400 und etwa 720 nm ausnutzen, pflegt man meist von Licht zu sprechen, was ja auch in der Bezeichnung „Photosynthese" zum Ausdruck kommt. Wir wissen jedoch heute, daß viele physiologische Prozesse auch durch nichtsichtbare Strahlungsarten, z. B. Ultraviolett oder Infrarot (= Ultrarot), beeinflußt werden. Deshalb empfiehlt es sich, allgemein von Strahlung zu sprechen.

10.1   Stoffumsetzung und Energieübertragung in der Zelle

Wie alle chemischen Umsetzungen streben auch die biochemischen Reaktionen einem Gleichgewichtszustand zu, den man für die allgemeine Reaktion $A + B \rightleftharpoons C + D$ folgendermaßen formulieren kann:

$$\frac{c(C) \cdot c(D)}{c(A) \cdot c(B)} = K,$$

wobei c die Konzentrationen der jeweils in der Klammer stehenden Reaktionspartner in mol/l und K die Gleichgewichtskonstante bedeuten. Je nachdem, ob K kleiner oder größer als 1 ist, liegt das Gleichgewicht mehr auf der linken oder rechten Seite der Gleichung. Liegt es weit auf der einen Seite, z.B. auf der Seite von C + D, so läuft die Reaktion praktisch quantitativ ab, d.h. es finden sich nach Erreichen des Gleichgewichtszustandes im Reaktionsgemisch fast ausschließlich die Reaktionspartner C + D und nur in ganz geringer Menge A + B.

Geben wir also die Reaktionspartner A und B zusammen, so findet die Umsetzung so lange statt, bis der Gleichgewichtszustand erreicht ist. Diese Änderung ist mit einer Veränderung des energetischen Zustandes verbunden, da eine Reaktion freiwillig nur von dem Zustand des Stoffgemisches, das das höhere Energiepotential besitzt, zu dem energieärmeren ablaufen kann. Bei dieser Reaktion wird also Energie frei, d.h. sie ist, wie jede freiwillig ablaufende Reaktion, **exergonisch.** Diesen Energiebetrag, der in einem chemischen System reversibel festgelegt ist und der beim Ablauf der Reaktion frei bzw. für den Aufbau eines anderen thermodynamischen Potentials nutzbar gemacht wird, bezeichnen wir als **„freie Energie"** G oder korrekter als „Änderung der freien Energie" des betreffenden Systems. Diese wird als ΔG^0 bezeichnet und auf Standardbedingungen bezogen, d.h. Umsatz von 1 mol bei 25 °C, pH 0 und 1 bar. Für biochemische Reaktionen wird häufig der auf pH 7 umgerechnete Wert benutzt, der als $\Delta G^{0'}$ bezeichnet wird. Das Vorzeichen ist bei exergonischen Reaktionen stets negativ. Entsprechend bezeichnet man Reaktionen, die in umgekehrter Richtung, also gegen das Energiegefälle verlaufen, als **endergonisch.** Ihr $\Delta G^{0'}$ ist positiv. Um ihren Ablauf zu ermöglichen, muß ihnen aus exergonischen Reaktionen Energie zugeführt werden, und zwar mindestens soviel, wie der Zunahme der freien Energie des Systems entspricht. Man bezeichnet dies als energetische Kopplung.

Im Gleichgewichtszustand ist $\Delta G^{0'} = 0$, d.h. das System befindet sich gewissermaßen in Ruhe. Ein geschlossenes Reaktionssystem kann also nur Energie liefern und Arbeit leisten, solange es dem Gleichgewichtszustand zustrebt. Es ist daher leicht einzusehen, daß ein geschlossenes System für den Haushalt der Zelle bald wertlos wird. Tatsächlich kommt es jedoch in der lebenden Zelle gar nicht zur Einstellung eines Gleichgewichtes. Vielmehr sind im Stoffwechselgeschehen im Regelfall mehrere Reaktionen miteinander gekoppelt, von denen die eine das Produkt der vorhergehenden umsetzt, die selbst wieder ihre Substrate von einer anderen bezieht, usw. Es liegen hier also offene Reaktionssysteme vor, denen fort-

Box 10.1 Freie Energie, Enthalpie und Entropie

Die Entropie ist ein Maß für den Zustand der Materie und der Energie. Nach dem zweiten Hauptsatz der Thermodynamik sind ungeordnete Zustände, d. h. Zustände zufallsbedingter Verteilung, wahrscheinlicher als geordnete. Infolgedessen verlaufen physikalische und chemische Prozesse immer gerichtet, und zwar so, daß die Entropie des Systems und seiner Umgebung im Ganzen gesehen zunimmt, also in Richtung der größtmöglichen Unordnung. Dennoch ist die Herausbildung eines höheren Ordnungszustandes bzw. der Aufbau eines thermodynamischen Potentials in einem System durchaus möglich, und zwar dann, wenn diese Entropieabnahme an anderer Stelle durch eine Entropiezunahme an anderer Stelle kompensiert wird. Entscheidend ist, daß die Gesamtentropie des Systems und seiner Umgebung zunimmt. Ein Lebewesen kann also sehr wohl durch Aufbau molekularer Ordnungszustände die Entropie seiner Materie auf Kosten einer Entropiezunahme in seiner Umgebung verringern.

Für die Änderung der freien Energie gilt nach dem ersten und zweiten Hauptsatz der Thermodynamik die Gleichung

$$\Delta G = \Delta H - T\Delta S.$$

Dabei ist ΔG die Änderung der freien Energie eines Systems unter konstantem Druck (P) und konstanter Temperatur (T), ΔH die Veränderung der Enthalpie des Sytems und ΔS die Änderung seiner Entropie. Die Enthalpieänderung ist gegeben durch die Gleichung

$$\Delta H = \Delta E + P\Delta V.$$

Da die Volumenänderungen ΔV bei biochemischen Reaktionen im allgemeinen gering sind, wird ΔH annähernd gleich ΔE. Es gilt somit

$$\Delta G = \Delta E - T\Delta S,$$

d. h. die freie Energie ΔG hängt von der Änderung der inneren Energie ΔE und der Änderung der Entropie des Systems ab.

während neue Ausgangsmaterialien zugeführt und Reaktionsprodukte entnommen werden.

❗ Auf diese Weise wird ein Ungleichgewicht aufrechterhalten, so daß die Reaktionen fortgesetzt in einer Richtung ablaufen. Diesen Zustand bezeichnet man als **Fließgleichgewicht** (steady state). Letztlich stellt die Gesamtheit der Lebensvorgänge ein solches Fließgleichgewicht dar, in das in Form von Nahrung ständig neue Substrate einfließen, die dann in zahllosen miteinander gekoppelten Reaktionen umgesetzt werden.

Die „freie Energie" eines Systems wird in Joule (J) bzw. kJ angegeben[2]. Man kann als Maßeinheit hierfür jedoch auch das Redoxpotential E_0 in V oder mV verwenden, d. h. das elektrische Potential des Systems bezogen auf die Wasserstoffelek-

---

[2] Die bisher verwendete Maßeinheit cal wird gemäß den neuen SI-Einheiten durch das Joule (J) ersetzt, und zwar entspricht 1 kcal = 4,1868 kJ.

trode $H_2/2H^\oplus$ und Standardbedingungen bei $c\,(H^\oplus) = 1$, pH = 0. Für biologische Systeme findet häufig das auf pH 7 bezogene E_0' Verwendung. Bei der Umrechnung entspricht ein V etwa 96 kJ (ca. 23 kcal). Ist das E_0' negativ, so zeichnet sich das betreffende Redoxsystem durch ein der Negativität entsprechendes Reduktionsvermögen aus, gibt also leicht Elektronen ab, während ein positives Vorzeichen auf ein entsprechend starkes Oxidationsvermögen, d.h. auf eine Affinität für Elektronen schließen läßt. Von zwei Redoxsystemen reduziert also das stärker negative, der Donator (D), das weniger negative, den Akzeptor (A), wobei es selbst in den oxidierten Zustand übergeht. Bei einem derartigen Elektronenübergang wird Energie freigesetzt, und zwar um so mehr, je größer die Differenz im Redoxpotential zwischen Donator und Akzeptor ist. Solche Elektronenübergänge, die auch zum Elektronentransport über eine längere Kette von Redoxsystemen benutzt werden können, spielen in der Bioenergetik eine wichtige Rolle.

🔋 Für den Energietransfer von exergonischen zu endergonischen Prozessen benötigt die Zelle Moleküle, die bestimmte Energiebeträge in Form energiereicher Bindungen reversibel festzulegen vermögen. Hierunter versteht man Bindungen, deren freie Energie größer als etwa 25 kJ/mol ist. Bei der Hydrolyse, d.h. bei der Spaltung der Bindung unter Wasseraufnahme, wird dieser Betrag wieder freigesetzt.

Adenin-Ribose-$P\sim P\sim P$

ATP

Ade-Rib-$P\sim P$ + P_i

ADP

Der wichtigste Energieüberträger der Zelle ist das Adenosintriphosphat, kurz ATP genannt. Das Nucleosid Adenosin ist am C_5-Atom der Ribose mit drei Phosphorsäureresten verestert, die untereinander anhydridartig verbunden sind. Für die freie Energie der hydrolytischen Spaltung von ATP in ADP und Phosphat werden, auf Standardbedingungen bezogen, $\Delta G^{0\prime}$-Werte zwischen 30,5 und 35 kJ/mol (= 7,28 – 8,35 kcal/mol) angegeben. Ihre tatsächliche Größe hängt jedoch von den jeweiligen Reaktionsbedingungen in der Zelle ab, insbesondere von den Konzentrationsverhältnissen und dem pH-Wert. Sie dürfte deshalb in der Regel größer als 35 kJ/mol sein. Die freie Energie der Spaltung von ATP in AMP und Diphosphat ist mit – 37,5 kJ/mol unter Standardbedingungen etwas größer. Umgekehrt kann aus ADP und Phosphat bzw. AMP und Diphosphat in einem endergonischen Prozeß unter Aufnahme des entsprechenden Energiebetrages (+ $\Delta G^{0\prime}$) wieder ATP gebildet werden. Entsprechende Verbindungen und Umsetzungen sind auch von Guanosin (GMP, GDP, GTP), Uridin (UMP, UDP, UTP), Cytosin (CMP, CDP, CTP) u.a. Basen bekannt.

Energieübertragung

Der Phosphatrest kann vom ATP bzw. von anderen energiereichen Phosphaten auf andere organische Verbindungen übertragen werden, in dem hier gewählten Beispiel (Schema) auf Glucose, wobei unter Mitwirkung des Enzyms (s. unten) Hexokinase Glucose-6-phosphat und ADP entstehen.

❗ Durch die Übertragung des Phosphatrestes, die man als **Phosphorylierung** bezeichnet, werden die betreffenden Substrate aktiviert. Derartige Phosphorylierungsvorgänge spielen im Stoffwechselgeschehen der Zelle eine wichtige Rolle.

Glucose + **ATP** → **Glucose-6-phosphat** + **ADP**

10.2 Biokatalyse

Da Reaktionen vom energiereicheren zum energieärmeren Zustand freiwillig verlaufen, sollte man erwarten, daß organische Verbindungen, die ja zum Teil recht energiereich sind, sich bei Anwesenheit von Sauerstoff spontan so lange umsetzen, bis der energieärmste Zustand erreicht ist, d.h. bis die Endprodukte H_2O und CO_2 entstanden sind. Das ist jedoch nicht der Fall, da die meisten Kohlenstoffverbindungen metastabil sind und sich infolgedessen im biologisch tragbaren Temperaturbereich mit Sauerstoff nicht umsetzen. Um sie zur Reaktion zu veranlassen, muß ihnen zunächst ein bestimmter Energiebetrag, die **Aktivierungsenergie,** zugeführt werden.

Außerhalb des Organismus kann dies z.B. durch Erhitzen geschehen. Als eine im Organismus geübte Form der Aktivierung haben wir bereits die Phosphorylierung (s. oben) kennengelernt. Da für die Aktivierung vieler organischer Verbindungen recht hohe Energiebeträge erforderlich sind, wendet die Zelle ein Prinzip an, von dem auch in der Technik in großem Umfang Gebrauch gemacht wird: das Prinzip der Katalyse. Definitionsgemäß verstehen wir unter Katalysatoren Stoffe, die in kleinsten Mengen große Umsätze bewirken, ohne selbst im Endprodukt zu erscheinen oder eine dauernde Umwandlung zu erfahren. Sie wirken als Reaktionsbeschleuniger, indem sie die für die Reaktion erforderliche Aktivierungsenergie herabsetzen. Wirkt das Reaktionsprodukt selbst als Katalysator, sprechen wir von einer Autokatalyse.

Die Biokatalysatoren der Zelle sind die **Enzyme** (Fermente). Sie besitzen eine hohe Spezifität, d.h. sie vermögen einerseits nur ganz bestimmte Reaktionen zu katalysieren (**Wirkungsspezifität**) und andererseits nur mit ganz bestimmten Substraten zu reagieren (**Substratspezifität**). Allerdings gibt es auch Enzyme, die mehrere, in ihrer Molekülstruktur ähnliche Substrate umsetzen können (**Gruppenspezifität**).

Viele Enzyme bestehen aus einem Eiweißanteil, dem **Apoenzym,** und einer festgebundenen **prosthetischen Gruppe,** deren chemische Natur bei den einzelnen Enzymen ganz verschieden ist. Funktionell bilden beide Gruppen eine Einheit, die auch als **Holoenzym** bezeichnet wird. Bei manchen Enzymen ist die prosthetische Gruppe nicht fest, sondern reversibel an das Apoenzym gebunden. Man bezeichnet sie dann als **Coenzym.** Da die Coenzyme bei der Reaktion eine Umwandlung erfahren und zur Wiederherstellung ihrer ursprünglichen Form, in der sie in die betreffende Reaktion einzugreifen vermögen, eine zusätzliche Reaktion erforderlich ist, entsprechen sie allerdings nicht genau der oben gegebenen Definition eines Katalysators, sondern fungieren eigentlich als Co-Substrate.

Als Beispiel für die Wirkungsweise eines Coenzyms seien, neben dem bereits besprochenen ATP, das Nicotinamid-adenin-dinucleotid (NAD) und das Nicotinamid-adenin-dinucleotidphosphat (NADP) gewählt. Wie die nachstehende Formel zeigt, sind am Aufbau des NAD-Moleküls das Nicotinsäureamid, das Adenin sowie zwei Ribosemoleküle beteiligt, die durch eine Brücke aus zwei Molekülen Phosphorsäure miteinander verbunden sind. Am Ribosemolekül des Adenosins befindet sich beim NADP noch ein dritter Phosphorsäurerest. Beide tragen im Pyridinring des Nicotinsäureamids eine positive Ladung, weshalb sie richtiger als NAD$^\oplus$ und NADP$^\oplus$ abgekürzt werden.

Die Nicotinamid-adenin-dinucleotide sind die Coenzyme der **Dehydrogenasen.** Diese spalten Wasserstoff aus ihren Substraten ab und übertragen ihn, je nach Spezifität, entweder auf **NAD**$^\oplus$ oder auf **NADP**$^\oplus$, wodurch diese in die reduzierte Form NADH + H$^\oplus$ bzw. NADPH + H$^\oplus$ überführt werden. Die reduzierten Coenzyme können nun in einer zweiten Reaktion den Wasserstoff auf ein anderes Substrat übertragen, wobei sie selbst wieder in die oxidierte Form übergehen, in der sie erneut Wasserstoff aufzunehmen vermögen. Auch die Flavinnucleotide, Flavinmononucleotid (**FMN**) und Flavin-adenin-dinucleotid (**FAD**), fungieren als Wasserstoffüberträger. Sie nehmen im Isoalloxazin-Ring des Riboflavins zwei H-Atome auf und gehen hierdurch in die reduzierte Form FMNH$_2$ bzw. FADH$_2$ über (s. Reaktionsschema).

$+ 2e + 2H^{\oplus} \quad - 2H$

R = H $\quad$ NAD$^{\oplus}$

R = HO−P−OH $\quad$ NADP$^{\oplus}$

NAD H $\quad$ + $\quad$ H$^{\oplus}$

NADP H $\quad$ + $\quad$ H$^{\oplus}$

Nicotinamid-adenin-dinucleotid(-phosphat)

$+ 2 [H]$
$- 2 [H]$

oxidiert (FAD) $\hspace{4cm}$ reduziert (FAD H$_2$)

Flavin-adenin-dinucleotid

Von den gruppenübertragenden Coenzymen, zu denen auch das noch ausführlich zu besprechende Coenzym A gehört, sei hier noch die **„aktive Glucose"** erwähnt, die aus einem Glucosemolekül und einem Nucleosid-diphosphat besteht. Den verschiedenen Nucleosiden entsprechend kommt sie als ADP-Glucose, UDP-Glucose und GDP-Glucose vor. In ihren verschiedenen Formen spielt die aktive Glucose bei Synthesen eine wichtige Rolle, z. B. die UDP-Glucose bei der Biosynthese der Cellulose.

Entsprechend der Vielfalt der biochemischen Reaktionen gibt es eine große Anzahl von Enzymen. Viele von ihnen sind bereits in reiner Form dargestellt und in ihrer Struktur aufgeklärt worden. Ursprünglich bezeichnete man die Enzyme nach den Substraten, die sie umsetzen, indem man dem Substratnamen die Endung -ase anhängte, z. B. die Amylase nach ihrem Substrat Stärke (Amylum). Heute werden sie nach Funktionstypen zusammengefaßt und entsprechend bezeichnet. Die **Oxidoreduktasen** sind an Reduktions- bzw. Oxidationsprozessen beteiligt (z. B. Dehydrogenasen, s. oben, Cytochromoxidasen). **Transferasen** übertragen Molekülgruppen (z. B. Hexokinase). **Hydrolasen** katalysieren die hydrolytische Spaltung von Molekülen (z. B. Amylasen, Peptidasen). **Lyasen** katalysieren Eliminierungsreaktionen (z. B. Pyruvat-Decarboxylase). **Isomerasen** sind bei der Umlagerung innerhalb von Molekülen beteiligt (z. B. Triosephosphatisomerase). **Ligasen** knüpfen Bindungen unter gleichzeitiger Spaltung von ATP.

Von manchen Enzymen gibt es verschiedene Formen, die zwar die gleiche Reaktion katalysieren, sich aber in ihrer Primärstruktur unterscheiden. Sie werden als **Isoenzyme** bezeichnet. Ihre biologische Bedeutung ist nicht klar. Innerhalb einer Zelle finden sie sich häufig, aber keineswegs immer, in verschiedenen Kompartimenten. Wahrscheinlich spielen sie eine Rolle bei der Regulation von Biosyntheseketten. Sind mehrere Enzyme, die verschiedene aufeinanderfolgende Schritte einer Reaktionskette katalysieren, zu einer strukturellen und funktionellen Einheit zusammengefaßt, spricht man von einem **Multienzymkomplex.** Als Beispiel sei die Fettsäuresynthase genannt.

Die Wirkungsweise eines Enzyms ist in Abb. 10.**1** schematisch am Beispiel einer Hydrolase dargestellt, die ein Molekül unter Wasseraufnahme in zwei Teile spaltet. Zunächst wird das Molekül an die Oberfläche des Enzyms im Bereich des „aktiven Zentrums" adsorbiert. Diese ist so beschaffen, daß nur Moleküle einer ganz bestimmten räumlichen Konfiguration „passen" (Substratspezifität). Allerdings ist der häufig benutzte Vergleich mit Schlüssel und Schloß insofern nicht zutreffend, als das Enzym bis zu einem gewissen Grade flexibel ist und das aktive Zentrum erst durch das Substrat in die funktionsfähige „Paßform" gebracht wird, wodurch andererseits das Substratmolekül bis zu einem gewissen Grade deformiert werden kann und so unter Spannung gerät. Das Substrat kann an das Enzym sowohl durch Nebenvalenzen als auch kovalent gebunden werden. Nach erfolgter Umsetzung lösen sich die Reaktionsprodukte vom Enzym ab, und der Enzym-Substrat-Komplex zerfällt. Sind zwei Moleküle einander in der Konfiguration sehr ähnlich, so kann unter Umständen auch das falsche Substrat in gleicher Weise umgesetzt werden. Meist wird es jedoch lediglich an die Enzymoberfläche adsor-

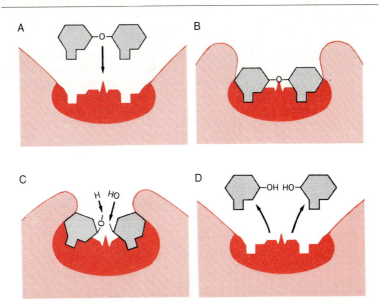

Abb. 10.**1** Wirkung eines Enzyms (Hydrolase), schematisch. **A** Das Substratmolekül (grau gerastert) nähert sich der Oberfläche des Enzyms (rot gerastert). **B** Das Substratmolekül wird an die Oberfläche des „aktiven Zentrums" (rot) adsorbiert, wodurch dieses in seine funktionsfähige Paßform gebracht wird. **C** Unter Anlagerung von Wasser wird das Substratmolekül hydrolytisch gespalten.

D Die Reaktionsprodukte lösen sich von der Enzymoberfläche ab, wobei diese wieder in den Ausgangszustand übergeht. Die Substratmoleküle sind nur als Symbole aufzufassen und sollen keine bestimmte Verbindung repräsentieren. Die Darstellung in einer Ebene gibt die wirklichen Verhältnisse nur unvollkommen wieder

biert, aber nicht umgesetzt. Das hat eine Blockierung des betreffenden Enzyms zur Folge, da seine Oberfläche nicht wieder frei wird (kompetitive Hemmung).

Die Regulation der Enzymaktivität wird häufig durch negative Rückkopplung gesteuert. Bei dieser Endprodukthemmung wird das Endprodukt, das als „Effektor" wirkt, an eine bestimmte Stelle des Enzymmoleküls, und zwar nicht an sein Reaktionszentrum, gebunden. Hierdurch erfährt das Enzym eine Veränderung der Gestalt, die Veränderungen am Reaktionszentrum und damit eine Verminderung der katalytischen Aktivität zur Folge hat (allosterische Hemmung). Die Bindung ist reversibel. Besteht Bedarf am Endprodukt, so dissoziiert es vom Enzym, worauf dieses wieder in seine katalytisch aktive Form übergeht.

10.3   Photosynthese

Bei der Photosynthese wird Strahlungsenergie absorbiert und in die Form einer chemischen Bindung überführt. Chemisch betrachtet besteht sie in einer Abspaltung von Wasserstoff aus dem Wasser unter Freisetzung von Sauerstoff. Der Wasserstoff wird auf das Kohlendioxid übertragen und in Form einer metastabilen Kohlenstoffverbindung festgelegt. Das Kohlendioxid fungiert also lediglich als Empfänger (Akzeptor) für den Wasserstoff. Die Trennung des Wasserstoffs vom Sauerstoff ist eine endergonische Reaktion, bei der genausoviel Energie zugeführt werden muß, wie bei der Wasserbildung aus Wasserstoff und Sauerstoff (Knallgasreaktion) frei wird.

Als Gesamtbilanz der Photosynthese ergibt sich somit die folgende Gleichung (s. auch S. 308):

$$6\ CO_2 + 12\ H_2O \xrightarrow{\ h \cdot \nu\ } C_6H_{12}O_6 + 6\ O_2 + 6\ H_2O \qquad \Delta G^{0'} + 2872\ kJ$$
$$(+\ 686\ kcal)$$

Mit Ausnahme des Wassers, dessen Verbrauch bei der Photosynthese im Vergleich zur vorhandenen Menge so gering ist, daß er sich nur schwer nachweisen läßt, kann man die Beteiligung der in der summarischen Gleichung aufgeführten Reaktionspartner schon durch einfache Grundversuche demonstrieren:

Notwendigkeit des CO_2: Zieht man Pflanzen in einer CO_2-freien Atmosphäre an, etwa unter einer Glasglocke in Gegenwart von Natriumhydroxid, so stellen sie nach kurzer Zeit trotz ausreichender Belichtung ihre Entwicklung ein und verkümmern. Darüber hinaus kann man den CO_2-Verbrauch durch belichtete Pflanzen auch direkt messen, z. B. vermittels chemischer, manometrischer und elektrochemischer Methoden, durch die Bestimmung des Einbaus von radioaktiv markiertem $^{14}CO_2$ oder mit Hilfe des Ultrarotabsorptionsschreibers (URAS).

Bildung des Sauerstoffs: Belichtet man eine Wasserpflanze, z. B. die kanadische Wasserpest *(Elodea canadensis)*, und fängt die entstehenden Gasblasen in einem Reagenzglas auf (Abb. 10.2 A), so läßt sich der Sauerstoff mit Hilfe der Kienspanprobe nachweisen. Außerdem stehen für den Nachweis des Sauerstoffs, wie im Falle des CO_2 chemische, manometrische, elektrochemische und Isotopen-Methoden zur Verfügung. Bestimmt man mit ihrer Hilfe die gebildete O_2- und die verbrauchte CO_2-Menge in Mol, so erhält man den Assimilationsquotienten O_2/CO_2, der, der obigen Gleichung entsprechend, normalerweise 1 beträgt. Die Notwendigkeit der Strahlung läßt sich sehr einfach dadurch demonstrieren, daß alle diese Vorgänge im Dunkeln nicht ablaufen.

Bildung von Kohlenhydraten: Da der zunächst entstehende Zucker gleich an Ort und Stelle in die Assimilationsstärke umgewandelt wird, läßt sich die Kohlenhydratbildung mit Hilfe der Jodstärkereaktion nachweisen. Hierzu umhüllt man ein Laub-

A

B

Abb. 10.**2** Grundversuche zur Photosynthese. **A** Auffangen des bei Belichtung von Sprossen der Wasserpest *(Elodea canadensis)* gebildeten Sauerstoffs (rot) im Reagenzglas. **B** Nachweis der Assimilationsstärke im Blatt (**B** nach Sierp)

blatt, das man einige Zeit im Dunkeln gehalten hat, mit einer lichtundurchlässigen Schablone, in die Figuren oder Buchstaben, etwa das Wort „Stärke", eingestanzt sind, und exponiert es dem Licht. Nach einiger Zeit kann man die Stärkebildung demonstrieren, indem man das Blattgewebe durch Eintauchen in kochendes Wasser abtötet und mit Jodjodkalilösung behandelt. Die Schrift erscheint dann blauschwarz auf dem durch Eintauchen in heißen Alkohol gebleichten Untergrund (Abb. 10.**2 B**).

Die oben wiedergegebene relativ einfache Bruttogleichung der Photosynthese vermittelt auch nicht annähernd eine Vorstellung von dem tatsächlichen Ablauf dieses Prozesses, an dem zahlreiche Einzelreaktionen beteiligt sind, die in komplizierter Weise zusammenwirken. Sie sind nur zum Teil **Lichtreaktionen** im engeren Sinne, während andere auch im Dunkeln ablaufen. Dennoch ist die Unterscheidung von Licht- und **Dunkelreaktionen** nur bedingt richtig, da in jedem Falle die im Dunkeln ablaufenden chemischen Umsetzungen die Lichtreaktionen zur Voraussetzung haben. Obwohl wir heute den Gesamtprozeß einigermaßen überschauen, sind doch viele Teilschritte noch immer nicht klar.

10.3.1   Strahlungsabsorption

⚠ Von der pro Flächen- und Zeiteinheit auf die Erdoberfläche einfallenden Energie wird nur ein Bruchteil photosynthetisch genutzt. Die photosynthetische Leistung von 1 m² Blattfläche liegt in der Größenordnung von 1 g Kohlenhydrat/Stunde. Die Absorption der photosynthetisch wirksamen Strahlung erfolgt durch die Chloroplastenpigmente. Dies läßt sich mit Hilfe von Aktionsspektren (Wirkungsspektren) zeigen, die die relative Wirksamkeit verschiedener Strahlungsbereiche auf strahlungsabhängige physiologische Prozesse angeben.

Ein exaktes **Aktionsspektrum** erhält man, indem man bei verschiedenen Wellenlängen die Zahl der Quanten bestimmt, die eingestrahlt werden müssen, um den gleichen physiologischen Effekt hervorzurufen (relative Quantenwirksamkeit). Ein Vergleich von Wirkungs- und Absorptionsspektrum läßt dann innerhalb gewisser Grenzen Rückschlüsse auf die an der Strahlungsabsorption beteiligten Pigmente zu.

Wie Abb. 10.**3** zu entnehmen ist, unterscheiden sich die Absorptionsspektren von Chlorophyll a und b vor allem dadurch, daß beim Chlorophyll b die beiden Maxima im blauen und roten Spektralbereich einander genähert sind. Der dazwischenliegende grüne Spektralbereich wird von beiden Chlorophyllen nur wenig, der äußerste dunkelrote hingegen gar nicht absorbiert. Daher sieht eine Chlorophyll-Lösung bei durchfallendem Licht in dünner Schicht grün, in dicker Schicht rot aus, da im letzten Falle auch die grüne Strahlung weitgehend absorbiert wird. Auch mehrere aufeinandergelegte Blätter erscheinen im durchfallenden Licht rot. Verglichen mit diesen Spektren ist im *In-vivo*-Absorptionsspektrum das rote Absorptionsmaximum des Chlorophylls a deutlich zum Längerwelligen hin verschoben. Das Nebenmaximum zwischen 470 und 500 nm ist auf die Absorption durch die Carotinoide zurückzuführen. Der Vergleich des photosynthetischen Aktionsspektrums mit dem *In-vivo*-Absorptionsspektrum (Abb. 10.**3 A**) zeigt, daß vor allem die durch die Chlorophylle a und b absorbierte Strahlung photosynthetisch wirksam ist. Im roten Strahlungsbereich ist auch das Wirkungsmaximum, dem *In-vivo*-Absorptionsmaximum entsprechend, zum Längerwelligen hin verschoben. Der hauptsächlich durch die Carotinoide absorbierte Bereich zeigt eine deutliche, ver-

---

Abb. 10.**3 A** Photosynthetisches Aktionsspektrum (rote ausgezogene Linie) und *In-vivo*-Absorptionsspektrum (schwarze ausgezogene Linie) der Grünalge *Ulva lactuca*. Zum Vergleich sind die Absorptionsspektren der Chlorophylle a (rote gestrichelte Linie) und b (schwarze gestrichelte Linie) in Ether eingezeichnet. Die Abszisse gibt die Wellenlänge in nm, die Ordinate im Falle der Absorptionsspektren die Extinktion, im Falle des Aktionsspektrums die Wirksamkeit in relativen Einheiten an. **B** Engelmannscher Bakterienversuch. Auf den Faden einer Grünalge (*Oedogonium*) wird ein Spektrum (Wellenlängen in **A**) projiziert. Die Ansammlungsstärke der durch photosynthetische Sauerstoffentwicklung angelockten aerophilen Bakterien (rote Punkte) spiegelt die photosynthetische Wirksamkeit der einzelnen Spektralbereiche wider. Die blaue Strahlung ist schwächer wirksam, als ihre Absorption durch die Chlorophylle erwarten läßt (nach Haxo u. Blinks, Zscheile, Engelmann) glichen mit dem durch die Chlorophylle absorbierten allerdings geringere Wirksamkeit. Dies läßt auf eine Beteiligung der Carotinoide an der Absorption der photosynthetisch wirksamen Strahlung schließen.

Die photosynthetische Wirksamkeit der verschiedenen Strahlungsbereiche läßt sich elegant durch den Engelmannschen Bakterienversuch demonstrieren. Projiziert man ein durch ein Prisma erzeugtes Spektrum sichtbarer Strahlung auf einen Algenfaden (*Cladophora, Oedogonium* o.ä.), so werden die im Präparat befindlichen Bakterien

Abb. 10.**3**

durch den photosynthetisch gebildeten Sauerstoff aerotaktisch angelockt, und zwar um so stärker, je größer die photosynthetische Wirksamkeit des betreffenden Spektralbereiches ist. Auf diese Weise erhält man also gewissermaßen direkt ein photosynthetisches Wirkungsspektrum (Abb. 10.**3B**). Bei manchen Pflanzen ist die blaue Strahlung im Vergleich zur roten allerdings erheblich schwächer wirksam, als die Absorption durch Chlorophyll a erwarten läßt. Möglicherweise ist dies auf die abschirmende Wirkung der im blauen Spektralbereich ebenfalls absorbierenden (Abb. 17.**14**, S. 529) Carotinoide zurückzuführen (s. unten).

Wie bereits besprochen (S. 89), kommt das Chlorophyll a bei allen photoautotrophen Organismen mit Ausnahme der photosynthetischen Eubakterien vor. Es stellt somit das Hauptpigment der Photosynthese dar. Dagegen fehlt Chlorophyll b bei vielen Algengruppen ganz. An seiner Stelle finden sich bei diesen andere Pigmente, und zwar die Chlorophylle c und d, die Phycobiliproteine sowie gewisse Carotinoide, z. B. Fucoxanthin. Über die Mitwirkung bei der Photosynthese hinausgehend üben die Carotinoide auch eine Schutzfunktion aus, indem sie bei der Photosynthese entstehende hochaktive Sauerstoffspezies, z. B. Singulettsauerstoff $^1O_2$, „quenchen" („löschen", also unwirksam machen) und auf diese Weise die Photooxidation des Chlorophylls verhindern, aber auch andere Moleküle und Prozesse vor einer Schädigung schützen.

10.3.2 Lichtreaktionen

❗ Durch die Absorption eines Lichtquants geht das Chlorophyll a in einen angeregten Zustand über, der eine höhere Energie besitzt als der Grundzustand. Die Größe der energetischen Differenz zum Grundzustand hängt von dem Anregungsniveau ab, das, dem Energiegehalt des absorbierten Lichtquants entsprechend, verschieden hoch sein kann. Fällt das Elektron auf ein niedrigeres Energieniveau oder in den Grundzustand zurück, so geht die Energie entweder als Wärme verloren, was vor allem für die kurzlebigen, höher angeregten Zustände zutrifft, oder sie wird, falls sie nicht anderweitig genutzt wird, in Form eines roten Fluoreszenzlichtes abgestrahlt, das längerwellig als das absorbierte Licht ist. Somit kommt dem Chlorophyll a nicht nur ein spezifisches Absorptionsspektrum, sondern auch ein charakteristisches Fluoreszenzspektrum zu.

Von den Chlorophyll a-Molekülen sind nur wenige photochemisch aktiv, nämlich die der **Reaktionszentren** (RC). Die übrigen Chlorophyll a-Moleküle bilden, zusammen mit Chlorophyll b (bzw. bei den Algen gegebenenfalls mit den anderen Chlorophyllen) und den photosynthetisch aktiven Carotinoiden Pigment-Protein-Komplexe, d. h. die Antennen und den **light-harvesting-complex** (LHC, S. 93). Auch die Biliproteine haben Antennenfunktionen, sind aber in besonderen Komplexen, den **Phycobilisomen,** zusammengefaßt, die bei den Cyanobakterien und den Rhodophyceen (Rotalgen) auf der Außenseite der Thylakoide angeordnet sind. Die Pigmente der Antennen und des LHC übertragen die absorbierte Strahlungsenergie durch Resonanzübertragung bzw. Excitonen-transfer auf die Reaktionszentren.

Unter **Resonanzübertragung** versteht man einen Transfer der Anregungsenergie von einem Pigment, das ein Photon absorbiert hat, auf ein benachbartes, mehr als 2 nm entferntes Pigment-Molekül, dessen Absorptionsspektrum sich mit dem Fluoreszenzspektrum des ersteren überlappen muß. Ist der Abstand kleiner, kommt es wegen der stärkeren Wechselwirkung zu einem Transfer von **Excitonen,** worunter man einen Zweiteilchenzustand aus einem angeregten negativen Elektron und einem zurückbleibenden positiven Loch versteht. Die Energieleitung zum Reaktionszentrum wird dadurch möglich, daß die innerhalb eines Lichtsammlerkomplexes gebunden vorliegenden Chlorophyll-Moleküle Unterschiede in der Lage der Rotbande zeigen, die um so längerwellig ist, je näher die Moleküle dem Reaktionszentrum liegen. Da ein Transfer nur vom energiereicheren zum energieärmeren, also vom kürzerwelligen zum längerwelligen Chlorophyll erfolgen kann, ist die Richtung des Energietransfers zum Reaktionszentrum festgelegt.

Infolge dieses Energietransfers zeigt in der lebenden Zelle nur Chlorophyll a eine Fluoreszenz. Auch sie ist verhältnismäßig gering, da der größte Teil der absorbierten Strahlungsenergie in die Form eines chemischen Potentials überführt und auf diese Weise für die Pflanze nutzbar gemacht wird. Dabei handelt es sich, wenn wir von der vorübergehenden Konservierung der Energie in der energiereichen Bindung des ATP absehen, um den Aufbau eines Potentials zwischen Wasserstoff und Sauerstoff. Hierzu ist es notwendig, den Wasserstoff des Wassers vom Sauerstoff zu trennen und auf einen Akzeptor, das NADP$^\oplus$, zu übertragen, während der Sauerstoff in elementarer Form freigesetzt wird. Tatsächlich werden allerdings über weite Strecken nicht Wasserstoffatome, sondern Elektronen transportiert, was jedoch insofern keinen grundsätzlichen Unterschied bedeutet, als nach Übertragung der Elektronen Protonen angelagert werden können (s. Photosyntheseschema).

10.3.2.1 Nicht-zyklischer Elektronentransport

Der Aufbau eines chemischen Potentials wird dadurch möglich, daß ein Pigment im angeregten Zustand ein Elektron auf ein Akzeptormolekül A übertragen kann, das hierdurch zu einem Reduktant A$^\ominus$ wird. Das entstehende Elektronendefizit wird durch Aufnahme eines Elektrons von einem Donatormolekül D ausgeglichen, das hierbei zu einem Oxidant D$^\oplus$ wird. Im Falle der Photosynthese ist der Elektronendonator letztlich das Wasser, das durch Elektronenentzug photooxidiert wird, und der Endakzeptor das NADP$^\oplus$, das in den reduzierten Zustand NADPH + H$^\oplus$ übergeht. Da das E_0' H$_2$/^{1}/$_2$O$_2$ + 0,81 V, das E_0' NADP$^\oplus$/NADPH + H$^\oplus$ jedoch −0,32 V beträgt, muß hierbei eine Energiepotentialdifferenz von mehr als 1,2 V überwunden werden. Wie aus dem Photosyntheseschema ersichtlich, sind die tatsächlich zu bewältigenden Potentialsprünge wegen der zwischengeschalteten, „bergab" (d. h. zu einem positiveren E_0') verlaufenden Elektronentransportkette sogar noch größer. Daher erfolgt dieser Vorgang nicht in einem Schritt, sondern in zwei hintereinander geschalteten Lichtreaktionen, die durch eine Elektronentransportkette verbunden sind. Sie werden als erste und zweite Lichtreaktion, die beteiligten Pigmentsysteme entsprechend als Photosystem I und II bezeichnet.

Photosynthese

Triose-3-phosphat

$2\,(NADPH+H^{\oplus})$

$2\,NADP^{\oplus}$

-- 2 ATP -->
-- 2 ADP + Pᵢ --
--2 H₂O

3-Phosphoglycerinsäure

$+H_2O$

$[C_6H_{12}O_{13}P_2]$

CO_2

C_1

Ribulose-1,5-biphosphat

-- 1 ADP <--
-- 1 ATP -->

Ribulose-5-phosphat

Fructose-1,6-biphosphat

🛑 **Photosystem II:** Wie bereits dargelegt (S. 93 und Abb. 3.**13 A**), besteht das PS II aus dem Reaktionszentrum RC II, dem Antennenkomplex und dem Wasser-oxidierenden Komplex. Es ist mit dem LHC II assoziiert. Die Energie der durch das Lichtsammlersystem absorbierten Photonen wird in Form von Elektronen auf dem oben beschriebenen Weg dem als RC II fungierenden **P680** zugeleitet, einer speziellen Form des Chlorophylls a, die eine charakteristische Absorption bei 680 nm zeigt.

P680 ist der primäre Elektronendonator und überträgt ein „energiereiches Elektron" auf den an der Außenseite der Membran liegenden primären Elektronenakzeptor, ein Pheophytin a-Molekül[3]. Das photooxidierte P680$^\oplus$ wird sofort durch einen sekundären Elektronendonator mit einem stark positiven Redox-Potential (ca. + 1,0 V), dessen chemische Natur nicht bekannt ist und der daher als Z bezeichnet wird, wieder reduziert. Dieser gleicht sein Elektronendefizit über den Wasser-oxidierenden Komplex aus, wodurch eine in ihren Einzelheiten noch nicht bekannte Folge von Reaktionen ausgelöst wird, an der Tyrosin-Radikale beteiligt sind (Abb. 3.**13 A**, S. 94). Sie führt schließlich zur Oxidation des Wassers. Dabei entstehen zwei Protonen und elementarer Sauerstoff ($\frac{1}{2} O_2$). Hieran sind sowohl Chlor- als auch Mangan-Ionen beteiligt, wobei die letzteren an Proteine gebunden vorliegen.

Vom Pheophytin a (Pheo) wird das Elektron über das gebundene Plastochinon Q_A auf das ebenfalls gebundene Plastochinon Q_B übertragen. Der weitere Elektronentransport wird erst fortgesetzt, wenn nach wiederholter Anregung ein weiteres Elektron auf Q_B übertragen wurde. Nach Anlagerung von zwei Protonen zu Plastohydrochinon (PQH_2) löst sich dieses vom PS II und wird gegen ein anderes PQ des Plastochinon-Pools ausgetauscht. Dessen Moleküle sind in der Thylakoidmembran sowohl transversal als auch lateral beweglich. Sie wandern zum **Cytochrom b, f-Komplex** (genauer Cytochrom b_6, f-Komplex), dessen Zusammensetzung der Abb. 3.**13 A** (S. 94) zu entnehmen ist. Dieser hat zwei PQ-Bindungsstellen (Q_Z und Q_C), die in der Nähe des FeS-Zentrums sowie der inneren Häm$_i$- und der äußeren Häm$_a$-Gruppe des Cytochroms b_{563} liegen. Durch die Bindung des PQH_2 an Q_Z werden zwei Elektronen auf den Cytochrom b, f-Komplex übertragen, wobei zwei Protonen freigesetzt werden, die wiederum in den Thylakoidinnenraum gelangen (Abb. 10.**4**). Hierdurch wird der 2-Elektronen-Transport wieder zu einem 1-Elektronen-Transport.

Die Verbindung vom Cytochrom b, f-Komplex zum PS I wird durch **Plastocyanin** (PC) hergestellt. Dieses ist ein kupferhaltiges peripheres Protein, das auf der Innenseite der Thylakoidmembranen liegt. Es wird durch den Cytochrom b, f-Komplex reduziert und überträgt die Elektronen auf PS I, das eine spezifische Bindungsstelle für PC besitzt.

---

[3] Als Pheophytine bezeichnet man Chlorophylle, denen das Mg-Zentralatom fehlt. Dem Chlorophyll a entspricht somit das Pheophytin a usw.

Abb. 10.4 Photosynthetischer Elektronentransport, Aufbau eines Protonengradienten und Phosphorylierung (schematisch). Bezüglich der Anordnung der Partikel im exponierten und nicht-exponierten Bereich sei auf S. 93 ff. verwiesen. Unter Absorption von zwei Photonen durch das PS II werden zwei Elektronen durch die Thylakoidmembran transportiert. Durch die damit verbundene Wasserspaltung entstehen im Thylakoidinnenraum zwei Protonen + $\frac{1}{2}O_2$. Durch Reduktion des Plastochinons (PQ) an der Außenseite verarmt der Außenraum um zwei Protonen, die bei der Oxidation des Plastohydrochinons (PQH_2) durch den Cytochrom b, f-Komplex an der Innenseite der Membran wieder freigesetzt werden, während die Elektronen über das Plastocyanin (PC) und, unter Absorption von zwei weiteren Photonen, über das PS I an die Außenseite zum Ferredoxin (Fd) transportiert werden. Dieses reduziert $NADP^{\oplus}$ zu $NADPH + H^{\oplus}$, wodurch

der Außenraum um zwei weitere Protonen verarmt. Dieser Elektronentransport (rote durchgezogene Pfeile) wird als nicht-zyklischer Elektronentransport bezeichnet. Daneben findet ein zyklischer Elektronentransport statt, der durch den gestrichelten roten Pfeil markiert ist. Die Stoechiometrie von $H^{\oplus}/e$ ist nicht sicher, da unter bestimmten Umständen mehrere (n) Protonen am Cytochrom b, f-Komplex zusätzlich durch die Membran gepumpt werden können (schwarze gestrichelte Pfeile). Der auf diese Weise errichtete Protonengradient erzeugt einen auswärtsgerichteten Protonenstrom (ausgezogene schwarze Linie) durch den Kopplungsfaktor (CF_0), wobei am CF_1 aus $ADP + P_i$ das ATP gebildet wird. Die rot gerasterten Bereiche an PS I und II repräsentieren die Antennen. Bezüglich der Bezeichnung der einzelnen Komponenten sei auf den Text bzw. Abb. 3.**13**, S. 94, verwiesen (vgl. auch Abb. 3.**10E**, S. 86)

🔴 **Photosystem I:** Das Photosystem I (PS I) besteht ebenfalls aus einem Core-Komplex, dessen Zusammensetzung in Abb. 3.**13 B** (S. 95) beschrieben und der mit dem Antennenkomplex bzw. LHC assoziiert ist. Der Antennenkomplex enthält die Chlorophylle a und b, wobei jedoch der Chl b-Anteil geringer ist als beim LHC II, sowie Carotinoide. Die absorbierten Photonen werden dem als RC I fungierenden **P700** zugeleitet, einem Chlorophyll a-Molekül, das durch eine Absorption bei etwa 700 nm charakterisiert ist.

Die chemische Natur des Primärakzeptors ist nicht bekannt, weshalb er mit A bezeichnet wird. Möglicherweise sind mehrere in Reihe geschaltet (A_0, A_1, A_2, deshalb im Photosyntheseschema die eckige Klammer). Sein Redox-Potential ist stark negativ (etwa $-0,7$ V), so daß er in der Lage ist, unter Mitwirkung eines Eisen-Schwefel-Proteins das an der Außenseite der Thylakoidmembran liegende **Ferredoxin** (Fd) zu reduzieren. Dieses ist ebenfalls ein Eisen-Schwefel-Protein. Es hat ein E_0' von $-0,45$ V und ist als peripheres Membranprotein in der Membran lateral beweglich. Das Fd überträgt die Elektronen auf ein ebenfalls peripher an die Membran gebundenes, FAD-haltiges Enzym, die **Ferredoxin-NADP-Reduktase**. Für die Reduktion des FAD sind zwei Elektronen notwendig, wobei zwei Protonen angelagert werden. Das Enzym reduziert nun seinerseits $NADP^\oplus$ zu **$NADPH + H^\oplus$**. Hiermit ist das Ende der Elektronentransportkette erreicht, die man als nicht-zyklischen Elektronentransport (auch linearer oder offenkettiger Transport genannt) bezeichnet.

🔴 Zusammenfassend kann man sagen, daß zwei Elektronen vom Wasser über die beiden in Serie geschalteten Photosysteme I und II zum $NADP^\oplus$ transportiert worden sind. Da dieses bei der Reduktion zum $NADPH + H^\oplus$ zwei Protonen aufnimmt, bei der Wasserspaltung hingegen 2 Protonen pro $\frac{1}{2} O_2$ entstehen, ist die Protonenbilanz ausgeglichen.

Dabei ist allerdings zu berücksichtigen, daß die aus dem Wasser stammenden Protonen im Thylakoidinnenraum freigesetzt werden, die zur Reduktion des $NADP^\oplus$ benötigten hingegen aus dem äußeren Raum stammen. Da außerdem durch das Plastochinon dem Außenraum zwei Protonen entzogen und auf der Innenseite freigesetzt werden, entstehen im Innenraum insgesamt vier $H^\oplus$ pro $\frac{1}{2} O_2$, während der Außenraum um die gleiche Anzahl verarmt. Hierdurch wird ein Protonengradient aufgebaut, der in einer p_H-Differenz zwischen dem inneren und dem äußeren Raum zum Ausdruck kommt.

10.3.2.2 Zyklischer Elektronentransport

Eine Alternative zum nicht-zyklischen ist der zyklische Elektronentransport, der vom Akzeptor des PS I über Ferredoxin und den Cytochrom b_6, f-Komplex zum P700 zurückführt. Das Ferredoxin überträgt das Elektron in diesem Falle also nicht auf $NADP^\oplus$, sondern auf eine spezifische Bindungsstelle des Cytochrom b_6, f-Komplexes. Durch zwei Elektronen und Aufnahme zweier Protonen aus dem

Außenraum wird Plastochinon zu Plastohydrochinon reduziert, das die beiden Protonen auf der Innenseite der Membran wieder freisetzt, während die Elektronen zum P700 zurückfließen. Ähnlich wie im Falle des nicht-zyklischen Elektronentransportes wird dadurch ein Protonengradient zwischen dem intrathylakoidalen und dem äußeren Raum aufgebaut, woran in diesem Falle aber nur das Photosystem I beteiligt ist.

10.3.2.3 Regulation der Energieverteilung

Wie in Abb. 3.**10 E** (S. 86) schematisch gezeigt, liegen die PS I-Partikel und die ATP-Synthase überwiegend in den Stromathylakoiden bzw. den exponierten Bereichen der Granathylakoide, die PS II-Partikel und der Cytochrom b, f-Komplex hingegen in den nicht-exponierten Bereichen der Granathylakoide. Die LHC II-Partikel sind in den Thylakoidmembranen lateral beweglich und können die absorbierte Strahlungsenergie sowohl auf PS I als auch PS II übertragen. Bei dem in Abb. 3.**10 E** wiedergegebenen Zustand, der auch als **„state 1"** bezeichnet wird, überträgt der LHC II die absorbierte Strahlungsenergie ausschließlich auf PS II. Ein Energietransfer vom PS I wird jedoch möglich, wenn der LHC II zu den exponierten Bereichen wandert oder die Granastapel sich öffnen und auf diese Weise die exponierten Flächen vergrößern (**„state 2"**). Offenbar sind diese beiden Zustände Phasen eines sich durch wechselseitige Übergänge („state transitions") selbst regulierenden Energieverteilungssystems. Im „state 1" ist der LHC II nicht phosphoryliert. Wird nun die vom LHC II absorbierte Strahlungsenergie auf PS II übertragen und der Plastochinon-Pool reduziert, so wird der LHC II durch eine Phosphokinase phosphoryliert und infolge der zunehmenden negativen Ladungen an seiner Oberfläche lateral beweglich. Er wandert aus den gestapelten Membranen der Grana in die exponierten Bereiche, so daß sich der „state 2" ausbildet. Außerdem weichen die Granamembranen an den Rändern der Grana auseinander, wodurch die Berührungsflächen der Membranen verkleinert und die freien Oberflächen vergrößert werden. Die nunmehr folgende Übertragung der Lichtenergie auf PS I führt zu einer Oxidation des Plastochinon-Pools, was wiederum eine Dephosphorylierung des LHC II durch eine Phosphatase und damit die Rückbildung des „state 1" zur Folge hat. Die Energieverteilung auf die beiden Photosysteme wird also über den Redox-Zustand des Plastochinon-Pools geregelt.

10.3.3 Photophosphorylierung

Wie aus dem Photosyntheseschema (S. 296) hervorgeht, werden für die Reduktion des Kohlendioxids nicht nur Reduktionsäquivalente in Form von $NADPH + H^{\oplus}$ benötigt, sondern auch Energieäquivalente in Form von ATP. Diese werden in einem mit dem Elektronentransport gekoppelten Prozeß gebildet, den man als Photophosphorylierung bezeichnet. Sie erfolgt an dem Kopplungsfaktor CF_1 der **ATP-Synthase,** die mit dem Protein CF_0 in der Thylakoidmembran verankert ist. Ihr Aufbau ist in der Abb. 3.**13 B** (S. 95) dargestellt.

Unsere Vorstellungen vom Mechanismus der Kopplung von Elektronentransport und ATP-Bildung basieren im wesentlichen auf der chemiosmotischen Theorie, die ursprünglich von Mitchell für die Atmungskettenphosphorylierung formuliert und später auf die Photophosphorylierung übertragen wurde. Danach kehrt der durch den zyklischen bzw. nicht-zyklischen Elektronentransport über der Thylakoidmembran errichtete Protonengradient und die daraus resultierende **proton-motive-force** die Protonenpumpe (Abb. 2.7A, S. 59) in ihrer Richtung um, so daß sie nunmehr als ATP-Synthase wirkt und ATP aus ADP und anorganischem Phosphat (P_i) bildet, wobei der Protonengradient abgebaut wird. Dabei ist es prinzipiell gleichgültig, ob der Gradient durch den nicht-zyklischen oder den zyklischen Elektronentransport errichtet wurde. Dennoch kann man eine nicht-zyklische und eine zyklische Photophosphorylierung unterscheiden. Blockiert man nämlich PS II durch den Hemmstoff 3(3,4-Dichlorphenyl)-1,1-dimethylharnstoff (DCMU), der Q_B von seiner Bindungsstelle am Protein D_1 verdrängt, wird kein $NADP^{\oplus}$ mehr reduziert. Dennoch kann ATP durch Abbau des Protonengradienten, der im zyklischen, durch DCMU nicht gehemmten Elektronentransport aufgebaut wurde, synthetisiert werden.

In der nicht-zyklischen Photophosphorylierung wird 1 ATP/1 NADPH + $H^{\oplus}$ gebildet. Da für die Reduktion eines CO_2-Moleküls 2 NADPH + $H^{\oplus}$, aber 3 ATP benötigt werden (s. unten), muß zusätzlich ATP gebildet werden. Dies könnte durch die zyklische Photophosphorylierung geschehen, doch gehen die Ansichten hierüber noch auseinander.

10.3.4   Reduktion des Kohlendioxids und Synthese der Kohlenhydrate

❗ Für den Einbau des Kohlendioxids stehen zwei Wege zur Verfügung: der Calvin-Zyklus, bei dem der Einbau direkt über C_3-Körper erfolgt, und der C_4-Dicarbonsäureweg, bei dem vorübergehend C_4-Körper gebildet werden. Man unterscheidet daher C_3- und C_4-Pflanzen. Zu den letzteren zählt man eine begrenzte Anzahl von Arten und Familien, die an bestimmte Standorte angepaßt sind.

Calvin-Zyklus: Bei der Mehrzahl der Pflanzen wird das CO_2 in eine Pentose, das Ribulose-1,5-bisphosphat, eingebaut (s. Photosyntheseschema S. 297). Das wirksame Enzym ist die RubisCO (S. 97), ein multifunktionelles Enzym, das auch noch eine für die Pflanze ungünstige Reaktion katalysiert, nämlich die Oxidation des gebundenen Ribulose-1,5-bisphosphates mit molekularem Sauerstoff zu 2-Phosphoglykolsäure und 3-Phosphoglycerinsäure (S. 305). Hierdurch entsteht ein instabiler C_6-Körper, der sofort in zwei C_3-Körper, die 3-Phosphoglycerinsäure, zerfällt. Diese wird durch die bereitgestellten Reduktionsäquivalente unter Wasserabspaltung und ATP-Verbrauch reduziert, wodurch je ein Molekül Triose-3-phosphat, $NADP^{\oplus}$ und ADP entstehen. Zwei Moleküle Triosephosphat werden in eine Hexose, also einen C_6-Körper, umgewandelt, während aus weiteren C_3-Körpern in einem komplizierten, über C_3-, C_4-, C_5- und C_7-Körper laufenden Zyklus, dem Calvin-Zyklus (= reduktiver Pentosephosphatzyklus, vgl. S. 340), ein C_5-Körper, das

Ribulose-5-phosphat, regeneriert wird. Durch einen abschließenden Phosphorylierungsschritt entsteht schließlich wieder das Ribulose-1,5-bisphosphat.

Um die Bildung eines C_6-Körpers aus 6 CO_2-Molekülen deutlich zu machen, wurden im Photosyntheseschema 6 Moleküle Ribulose-1,5-bisphosphat eingesetzt, die mit 6 CO_2-Molekülen 12 C_3-Körper ergeben. Hieraus wird ein C_6-Körper, das Fructose-1,6-bisphosphat, gebildet, während die restlichen 10 C_3-Körper wieder in 6 C_5-Körper umgewandelt werden. Insgesamt sind zur Reduktion von 6 CO_2-Molekülen also 12 NADPH + H$^\oplus$ nötig. Hierfür werden 12, für die Phosphorylierung der 6 Ribulose-5-phosphatmoleküle 6, insgesamt also 18 ATP verbraucht.

🔋 **C_4-Dicarbonsäureweg:** In den Blättern der C_4-Pflanzen findet eine Arbeitsteilung zwischen den Mesophyllzellen und den die Leitbündel kranzförmig umgebenden Bündelscheidenzellen statt. In den ersteren erfolgen der primäre CO_2-Einbau und die Bildung von Malat, in den letzteren der CO_2-Einbau nach dem Calvin-Zyklus und die Bildung der Kohlenhydrate. Nicht selten unterscheiden sich die Chloroplasten der beiden Zelltypen morphologisch: die der Mesophyllzellen sind klein und enthalten Grana, die der Bündelscheidenzellen sind größer und granafrei, erscheinen also durchgehend lamelliert.

Als primärer CO_2-Akzeptor dient bei den C_4-Pflanzen nicht das Ribulose-1,5-bisphosphat, sondern das Phosphoenolpyruvat (PEP, Salz der Phosphoenolbrenztraubensäure). Dieses wird durch die Phosphorylierung von Brenztraubensäure unter Mitwirkung des Enzyms Pyruvat-Phosphat-Dikinase nach der folgenden Reaktionsgleichung gebildet:

$$\text{Pyruvat} + \text{ATP} + P_i \rightarrow \text{Phosphoenolpyruvat} + PP_i + \text{AMP}.$$

Danach wird eine energiereiche Bindung für die Phosphorylierung des Pyruvates zu Phosphoenolpyruvat und eine zweite für die Phosphorylierung von Orthophosphat (P_i) zu Pyrophosphat (PP_i) benötigt. Folglich wird für die Rückgewinnung des ADP aus AMP ein weiteres ATP verbraucht, weshalb in Wirklichkeit für die Bildung des Phosphoenolypyruvates zwei ATP erforderlich sind, was der vorstehenden Gleichung nicht zu entnehmen ist.

Das entstehende Pyrophosphat (PP_i) wird enzymatisch zu Orthophosphat hydrolysiert. In das Phosphoenolpyruvat wird durch die PEP-Carboxylase CO_2 eingebaut, wodurch unter Abspaltung von anorganischem Phosphat Oxalacetat (Oxalessigsäure) entsteht. Diese Reaktionen finden im Cytosol der Mesophyllzellen statt. Das Oxalacetat wird in die granahaltigen Chloroplasten überführt und dort durch NADPH + H$^\oplus$ unter Mitwirkung des Enzyms Malatdehydrogenase zu Malat (Äpfelsäure) reduziert. Pro CO_2 werden 2 ATP und 1 NADPH + H$^\oplus$, das in der Photosynthese gebildet wurde, verbraucht. Das Malat wird aus den Chloroplasten des Mesophylls über das Cytosol in die granafreien Chloroplasten der die Leitbündel umgebenden Bündelscheidenzellen transportiert. Hier erfolgt durch eine carboxylierende Malat-Dehydrogenase unter Reduktion von NADP$^\oplus$ zu NADPH + H$^\oplus$ die Spaltung des Malats in Pyruvat und CO_2, das nun über die RubisCO in den Calvin-Zyklus eingeschleust wird. Für den endgültigen Einbau werden neben zwei NADPH + H$^\oplus$ weitere drei ATP-Moleküle benötigt (s. oben).

❗ Der vorübergehende Einbau von CO_2 in eine C_4-Dicarbonsäure erscheint unvorteilhaft, da die in Form von 2 ATP für die Bildung des PEP aufgewandte Energie nicht zurückgewonnen werden kann und somit verloren ist. Der zusätzliche Energieaufwand bringt den C_4-Pflanzen jedoch auch Vorteile. Da die PEP-Carboxylase eine ungleich höhere Affinität zu CO_2 hat als RubisCO, kann sein Einbau noch bei einer Konzentration erfolgen, die um eine Zehnerpotenz geringer ist als bei den C_3-Pflanzen.

Der CO_2-Einbau ist also bei den C_4-Pflanzen sehr viel effektiver, was auch in den Photosynthesekurven (Abb. 10.**8**) zum Ausdruck kommt. Wegen der CO_2-Anreicherung in den Bündelscheidenzellen wird nämlich das Sättigungsniveau der Photosynthese auch bei hohen Beleuchtungsstärken nicht erreicht, da CO_2 nicht zum begrenzenden Faktor wird. Des weiteren erlaubt der CO_2-Vorrat den C_4-Pflanzen, ihre Spaltöffnungen bei Vorliegen eines starken Wasserpotentialgefälles weniger weit zu öffnen als die C_3-Pflanzen. Schließlich wird durch die hohe CO_2-Spannung im Gewebe die Photorespiration (s. unten) gehemmt und der dadurch bedingte Substanzverlust herabgesetzt. Es ist also nicht verwunderlich, daß die Produktivität der Photosynthese bei C_4-Pflanzen höher ist.

Eine Variante des C_4-Dicarbonsäureweges findet sich bei Sukkulenten, die man auch als **CAM-(Crassulacean Acid Metabolism-)Pflanzen** bezeichnet. Sie speichern des Nachts bei geöffneten Spaltöffnungen CO_2 in Form von Malat, um es tagsüber wieder freizusetzen und in Ribulose-1,5-bisphosphat einzubauen. So sind diese Pflanzen in der Lage, am Tage trotz geschlossener Spaltöffnungen Photosynthese zu betreiben. Im Gegensatz zum vorgenannten Typus sind hier CO_2-Fixierung in Form von Malat und Kohlenhydratsynthese also nicht räumlich, sondern zeitlich getrennt.

10.3.5   Photorespiration

❗ In photosynthetisch aktiven Zellen ist unter bestimmten Bedingungen (hoher O_2-, geringer CO_2-Partialdruck) eine Aufnahme von Sauerstoff bei gleichzeitiger CO_2-Abgabe zu beobachten. Da dies ein Kriterium der Atmungsvorgänge ist, hat man dieses Phänomen als „Lichtatmung" (Photorespiration) der normalen „Dunkelatmung" gegenübergestellt, obwohl beide Prozesse grundsätzlich nichts miteinander zu tun haben.

Bei hohen O_2-Partialdrücken wird in den Chloroplasten die Oxygenase-Aktivität der RubisCO begünstigt, so daß sie Ribulose-1,5-bisphosphat oxidativ in je ein Molekül 3-Phosphoglycerat und Phosphoglykolat spaltet. Während das 3-Phosphoglycerat im Calvin-Zyklus verbleibt, wird die Phosphoglykolsäure zu Glykolsäure dephosphoryliert, die dann in die Peroxisomen transportiert wird (Abb. 10.**5**). Die bei der Oxidation der Glykolsäure zur Glyoxylsäure abgespaltenen Elektronen werden auf elementaren Sauerstoff übertragen. Das entstehende Was-

Abb. 10.**5** Vereinfachtes Schema der Photorespiration

serstoffperoxid (H_2O_2) wird durch Katalase gespalten. Durch Übertragung einer Aminogruppe (Transaminierung) wird die Glyoxylsäure in die Aminosäure Glycin umgewandelt. Diese wird in die Mitochondrien transportiert und dort mit einem weiteren Glycinmolekül unter Abspaltung von NH_3 und CO_2 in die Aminosäure Serin überführt. Das Serin kann, sofern es nicht anderweitig Verwendung findet, durch Desaminierung und Reduktion in 3-Phosphoglycerat überführt und in die Chloroplasten transportiert werden, wo es wieder in den Calvin-Zyklus eingeschleust wird. Da bei dieser Reaktionsfolge O_2 verbraucht und CO_2 gebildet wird, besteht hinsichtlich des Gaswechsels tatsächlich eine formale Parallele zur Atmung. Der Chemismus beider Prozesse ist jedoch grundsätzlich verschieden. Das funktionelle Zusammenspiel von Chloroplasten, Peroxisomen und Mitochondrien findet häufig seinen sichtbaren Ausdruck in einem engen räumlichen Kontakt dieser Organellen (Abb. 10.**6**).

Die Photorespiration kommt hauptsächlich bei C_3-Pflanzen vor, die CO_2 über den Calvin-Zyklus einbauen. Bei den C_4-Pflanzen ist sie wegen des hohen CO_2-Partialdruckes (s. oben) gering. Ihre biologische Bedeutung ist noch nicht ganz klar. Die Bildung der Aminosäuren Glycin und Serin für die Proteinsynthese ist zweifellos nicht ihre einzige Funktion. Da die Photorespiration recht unökonomisch ist, kommt ihr möglicherweise eine Art Ventilfunktion zu, indem sie bei niedrigen CO_2-Partialdrucken das Weiterlaufen des Elektronentransportes ermöglicht. Auf diese Weise wird eine Überlastung der photosynthetischen Reaktionszentren und somit deren Photoinaktivierung verhindert.

Abb. 10.**6** Enger räumlicher Kontakt zwischen Chloroplast (c), Microbody (mb) und Mitochondrion (m) bei *Prorocentrum micans*. Im Gegensatz zu den Chloroplasten und Mitochondrien ist der Microbody, bei dem es sich wahrscheinlich um ein Peroxisom handelt, von einer einfachen Biomembran umgeben. Fixierung: Glutaraldehyd/OsO_4, Vergr. 40 000fach (Originalaufnahme: K. Kowallik)

10.3.6   Bakterienphotosynthese

Sowohl hinsichtlich der Photosynthesepigmente als auch der Reaktionsmechanismen herrscht bei den Bakterien eine große Vielfalt, weshalb sich die folgende Darstellung auf einige Beispiele beschränken muß. Allen gemeinsam ist der Besitz intracytoplasmatischer Membranen (ICM, S. 182), die funktionell den Thylakoiden entsprechen.

Purpurbakterien: Zu den Purpurbakterien zählen die Chromatiaceae und die Rhodospirillaceae. Als Photosynthesepigmente enthalten sie meist das Bakteriochlorophyll a, seltener b. Beide absorbieren auch infrarote Strahlung, die von anderen photoautotrophen Pflanzen nicht genutzt werden kann. So liegt das Hauptabsorptionsmaximum des Bakteriochlorophylls a in der lebenden Zelle zwischen 850 und 900 nm (Abb. 10.**7**). Außerdem besitzen die Purpurbakterien Carotinoide, insbesondere das Spirilloxanthin, das eine starke Absorption zwischen 440 und 560 nm zeigt und deshalb rötlich-violett gefärbt ist. Es überdeckt die grüne Farbe der Bakteriochlorophylle, was zu der Namensgebung geführt hat.

🔴 Im Gegensatz zu den grünen Pflanzen ist bei den Purpurbakterien nur ein Photosystem entwickelt, das in seinem molekularen Aufbau dem PS II ähnlicher ist als dem PS I. Das Reaktionszentrum ist bei der Mehrzahl der Purpurbakterien das **P870**, eine bei 870 nm absorbierende Form des Bakteriochlorophylls a. Die-

Abb. 10.**7** Absorptionsspektrum der Chromatophoren von *Rhodospirillum rubrum* (rot). Das Maximum im Bereich zwischen 850 und 900 nm ist durch Bakteriochlorophyll a bedingt, während an der Absorption im kurzwelligen Bereich auch Carotinoide beteiligt sind. Zum Vergleich ist das Absorptionsspektrum der Grünalge *Chlorella* (schwarz) eingezeichnet (z. T. nach Drews)

ses ist von dem Antennenkomplex umgeben, der aus Bakteriochlorophyll a-Protein-Komplexen besteht, die sich in der Lage ihrer Absorptionsmaxima etwas unterscheiden und die absorbierte Strahlungsenergie zum P870 leiten.

Durch dessen Anregung wird ein zyklischer Elektronentransport gestartet, der über Bakteriopheophytin a, Q_A, Q_B und **Ubichinon** zum Cytochrom b, c_1-Komplex führt. Das Ubichinon übernimmt die Rolle des Plastochinons der höheren Pflanzen. Unter Aufnahme von 2 Elektronen und 2 Protonen an der Außenseite der ICM geht es in Ubihydrochinon über. Auf der Innenseite setzt es die beiden Protonen wieder frei, und die Elektronen werden durch das Cytochrom c_2 zum P870 zurücktransportiert. Hierdurch wird zwischen dem von der ICM umschlossenen Innenraum und der Außenseite ein Protonengradient aufgebaut, der durch die ebenfalls in die ICM eingebaute ATP-Synthase zur Synthese von ATP genutzt wird.

Der für die Reduktion des Kohlendioxids benötigte Wasserstoff wird in Form von Reduktionsäquivalenten, in diesem Falle NADH + H$^{\oplus}$, bereitgestellt. Da das Redox-Potential des primären Elektronenakzeptors etwa – 0,1 V beträgt, ist eine direkte Reduktion des NAD$^{\oplus}$ durch die Elektronentransportkette nicht möglich. Wahrscheinlich wird es durch einen umgekehrten, also „bergauf" verlaufenden Elektronentransport reduziert, der durch ATP getrieben wird, das aus der Photosynthese-Phosphorylierung stammt. Als Wasserstoff- bzw. Elektronendonatoren finden bei den Chromatiaceae meist anorganische Schwefelverbindungen, z.B. H_2S, Verwendung, bei den Rhodospirillaceae organische Substanzen, z.B. Äpfelsäure oder Bernsteinsäure. Da kein Wasser gespalten wird, entsteht auch kein Sauerstoff. Infolgedessen verläuft die Bakterienphotosynthese **anoxygen**. Dient das Sulfid-Ion als Elektronendonator, geht es nach der Gleichung $S^{2\ominus} \rightarrow S + 2e$ in elementaren Schwefel über, der in Form von Polysulfidtröpfchen in den Zellen abgelagert wird. Die Gesamtbilanz dieser Reaktion folgt der Gleichung:

$$6\,CO_2 + 12\,H_2S \xrightarrow{h \cdot \nu} C_6H_{12}O_6 + 12\,S + 6\,H_2O.$$

! Die Bildung elementaren Schwefels anstelle des Sauerstoffs beweist, daß der bei der Photosynthese der grünen Pflanzen gebildete Sauerstoff aus dem Wasser und nicht aus dem CO_2 stammt (s. oben).

Dies ist der Grund dafür, daß wir auf der linken Seite der Gleichung 12 H_2O einsetzen (S. 290), obwohl auf der rechten Seite wieder 6 H_2O erscheinen. Der Sauerstoff dieser sechs entstehenden Wassermoleküle stammt folglich aus dem CO_2. Entsprechendes gilt, wenn andere, z.B. organische Substanzen als Elektronendonatoren dienen. Für die Photosynthese ergibt sich somit die folgende allgemeine Bruttogleichung:

$$6\,CO_2 + 12\,H_2A \xrightarrow{h \cdot \nu} C_6H_{12}O_6 + 12\,A + 6\,H_2O.$$

In dieser Gleichung steht A für einen beliebigen Wasserstoff- bzw. Elektronendonator. Der CO_2-Einbau erfolgt über den Calvin-Zyklus.

Grüne Bakterien: Die Photosynthese der grünen Bakterien, die vor allem durch die Chlorobiaceae repräsentiert werden, weicht in vielen Punkten von der Photosynthese der Purpurbakterien ab. Das Reaktionszentrum **P840** ist zwar ebenfalls ein Bakteriochlorophyll a, doch finden als Antennenmoleküle überwiegend die Bakteriochlorophylle c und d Verwendung. Bei *Chlorobium* sind sie in besonderen Lichtsammlerkomplexen, den **Chlorosomen,** zusammengefaßt. Diese liegen der Cytoplasmamembran innen auf, so daß die absorbierte Strahlungsenergie, ähnlich wie bei den Phycobilisomen, auf das hier in der Cytoplasmamembran liegende Reaktionszentrum übertragen werden kann. Der primäre Elektronenakzeptor hat ein stark negatives Redox-Potential (etwa $-0,55\,V$), so daß die Reduktion des $NAD^\oplus$ direkt durch die Elektronentransportkette, also nicht-zyklisch, erfolgen kann. Da die Photosysteme in der Cytoplasmamembran liegen, werden die als Elektronendonatoren dienenden anorganischen Schwefelverbindungen nicht in die Zelle aufgenommen, weshalb den Chlorobiaceae die oben erwähnten Polysulfidtröpfchen fehlen. Schließlich sei noch bemerkt, daß die Reduktion des CO_2

nicht über den Calvin-Zyklus, sondern mit Hilfe eines reduktiven Citronensäurezyklus erfolgt, der in seinen Umsetzungen dem oxidativen Citronensäurezyklus entspricht, aber in umgekehrter Richtung verläuft.

10.3.7 Photosynthese am natürlichen Standort

Der überwiegende Teil unserer Erkenntnisse über den Ablauf des Photosyntheseprozesses wurde unter Laboratoriumsbedingungen gewonnen, die insofern den Verhältnissen am natürlichen Standort nicht entsprechen, als in der Regel alle Außenfaktoren mit Ausnahme des jeweils untersuchten konstant gehalten werden. In der freien Natur zeigen jedoch die Außenfaktoren (Temperatur, Licht, Wasserversorgung) oft schon innerhalb kürzerer Zeiträume stärkere Schwankungen, was sich natürlich auf die Photosyntheseleistung auswirkt. Dabei kann der fördernde Einfluß des einen Faktors durch den hemmenden Einfluß eines anderen aufgehoben werden. So kann z.B. ein Anstieg der Temperatur und der Lichtintensität bis zu den Optimalwerten die Photosyntheseleistung nicht verbessern, wenn nicht genügend CO_2 vorhanden ist. Andererseits bleibt eine noch so starke künstliche Erhöhung der CO_2-Konzentration (s. unten) bei schwacher Beleuchtung oder niedriger Temperatur wirkungslos.

❗ Die photosynthetische Substanzproduktion wird also stets durch den Faktor bestimmt, der sich jeweils im Minimum befindet, d.h. am weitesten vom Optimum entfernt ist. Wir bezeichnen dies als das **Gesetz der begrenzenden Faktoren,** das für alle physiologischen Vorgänge gilt.

Licht: Daß die Leistung eines lichtabhängigen Prozesses in erster Linie von den Strahlungsverhältnissen abhängt, ist evident. Wie Abb. 10.**8** zeigt, steigt die Photosyntheserate mit zunehmender Stärke der Bestrahlung an, und zwar so lange, bis der Sättigungswert erreicht ist, oberhalb dessen eine weitere Erhöhung der Lichtintensität die Photosyntheserate nicht mehr zu steigern vermag. Die Sättigungswerte sind für die an niedrige Intensitäten angepaßten **Schattenpflanzen** niedriger und werden deshalb eher erreicht als bei den an höhere Intensitäten angepaßten **Sonnenpflanzen.** Entsprechendes gilt für Schatten- und Sonnenblätter ein und derselben Pflanze. Bei den C_4-Pflanzen, z.B. dem Mais, wird aus den oben angeführten Gründen (S. 303 f.) allerdings nicht einmal im vollen Sonnenlicht eine Lichtsättigung erreicht.

❗ Die photosynthetische Leistungskurve schneidet die Abszisse oberhalb des Lichtintensitätswertes Null. Diesen Schnittpunkt nennt man den **Lichtkompensationspunkt.** Er gibt die Intensität an, bei der der CO_2-Verbrauch durch die Photosynthese und die CO_2-Erzeugung durch die Atmung bzw. Photorespiration gerade gleich sind.

Abb. 10.8 Photosynthesekurve einer Sonnenpflanze (*Nasturtium*, Kresse), einer Schattenpflanze (*Oxalis*, Sauerklee) und einer C4-Pflanze (*Zea mays*, Mais) in Abhängigkeit von der Beleuchtungsstärke. Abszisse: Bruchteile des vollen Lichtes, Ordinate: Photosyntheseleistung, gemessen als CO_2-Aufnahme. Kompensationspunkt: Schnittpunkt der Kurven mit der horizontalen Null-Linie (nach Lundegardh, Larcher)

Schattenpflanzen haben einen niedrigeren Kompensationspunkt als Sonnenpflanzen. Sie vermögen daher noch bei sehr niedrigen Beleuchtungsstärken zu existieren, bei denen die Sonnenpflanzen bereits eine negative Bilanz aufweisen. Die Lichtkompensationspunkte der C4-Pflanzen liegen bei noch höheren Intensitäten. Sie sind daher den C3-Pflanzen unter ungünstigen Bestrahlungsverhältnissen unterlegen, im vollen Sonnenlicht dagegen weit überlegen. Der Lichtfaktor beeinflußt also in entscheidender Weise sowohl die Verbreitung der Pflanzen in den einzelnen Klimazonen als auch die Besiedlung bestimmter Standorte. Im übrigen zeigt die Photosyntheseaktivität, gemessen als CO_2-Fixierung, im Prinzip den gleichen Tagesgang wie die in Abb. 17.2 (S. 510) wiedergegebenen Tagesgänge der Photonenflußrate und der Transpiration.

Kohlendioxid: Das Kohlendioxid dient als Wasserstoffakzeptor und geht somit in die Photosyntheseprodukte ein. Infolgedessen hängt die Photosynthese zwangsläufig auch von der zur Verfügung stehenden CO_2-Menge ab. Da der CO_2-Gehalt der Luft mit 0,03 % konstant ist, wird das Kohlendioxid am natürlichen Standort für C3-Pflanzen, die im Unterschied zu den C4-Pflanzen die CO_2-Konzentration im Gewebe nicht aktiv erhöhen können, immer dann zum begrenzenden Faktor, wenn alle übrigen Außenfaktoren sich ihrem Optimum nähern. Daher kann man bei Gewächshauskulturen unter günstigen Temperatur- und Bestrahlungsverhältnissen die Substanzproduktion durch eine künstliche CO_2-Begasung erhöhen, wovon man in gärtnerischen Betrieben Gebrauch macht.

Luftfeuchtigkeit: Da der Eintritt des Kohlendioxids in die Blätter durch die Spaltöffnungen erfolgt, deren Öffnungszustand u. a. von der Luftfeuchtigkeit abhängt (vgl. Abb. 17.**2**, S. 510), vermag diese mittelbar auch die Photosyntheserate zu beeinflussen. Aus den bereits dargelegten Gründen (S. 304) wirkt sich der Spaltenschluß für die C_3-Pflanzen wesentlich nachteiliger aus.

Temperatur: Die Temperaturabhängigkeit der Photosynthese folgt zwangsläufig aus dem Umstand, daß an der Photosynthese chemische Reaktionen beteiligt sind, die Q_{10}-Werte[4] von 2 oder mehr haben, während physikalische Prozesse mit einem Q_{10} von wenig mehr als 1 praktisch temperaturunabhängig sind. Tatsächlich muß die Temperatur zunächst erst einmal einen bestimmten Wert, das Minimum, überschreiten, ehe eine Photosynthese überhaupt möglich wird. Sofern nicht andere Faktoren begrenzend wirken, nimmt die Photosyntheserate mit steigender Temperatur zu, um nach Erreichen des Optimums bei weiterer Temperaturerhöhung wieder abzusinken, bis das Maximum erreicht ist, oberhalb dessen keine Photosynthese mehr möglich ist. Die Temperaturkurve zeigt also den Verlauf einer typischen Optimumskurve. Die Temperaturoptima liegen bei Pflanzen unserer Breiten etwa zwischen 20 und 30 °C, die Minima im Bereich des Gefrierpunktes. Es hat sich jedoch gezeigt, daß an extreme Standorte angepaßte Pflanzen, wie z.B. die Flechten, auch noch bei weit unter dem Nullpunkt liegenden Temperaturen Photosynthese zu betreiben vermögen. Die Maxima liegen im Bereich von 35 – 50 °C. Sie erreichen bei den an sehr heiße Standorte angepaßten Pflanzen die höchsten Werte, bei den thermophilen, d.h. in heißen Quellen lebenden Cyanobakterien sogar 70 °C und mehr.

10.4 Chemosynthese (Chemolithoautotrophie)

Wie bereits erwähnt (S. 281), gibt es unter den Bakterien einige Gruppen, die CO_2 als Kohlenstoffquelle für die Synthese organischer Verbindungen verwenden, für dessen Reduktion aber nicht die Photosynthese benutzen. Als Energiequelle dienen ihnen chemische Redox-Reaktionen, bei denen anorganische Substrate als Wasserstoffdonatoren genutzt werden. Diese Organismen sind also chemolithoautotroph.

In diesem Zusammenhang sei daran erinnert, daß wir unter Oxidation nicht nur eine Aufnahme von Sauerstoff, sondern auch eine Abgabe von Wasserstoff bzw. eine Abgabe von Elektronen verstehen. Deshalb kann man für die in Tab. 10.**1**

---

[4] Der Q_{10}-Wert ist ein Maß für die Temperaturabhängigkeit eines Prozesses und ist definiert durch die Steigerung der Reaktionsgeschwindigkeit bei Temperaturerhöhung um 10 °C. Temperaturunabhängige Prozesse haben einen Q_{10} von 1, d. h. eine Erhöhung der Temperatur ist auf die Reaktionsgeschwindigkit ohne Einfluß. Chemische Prozesse haben einen Q_{10} von 2 oder mehr, d. h. ihre Reaktionsgeschwindigkeit wird durch 10 °C Temperaturerhöhung auf das Doppelte oder sogar mehr gesteigert.

Tab. 10.1   Reaktionsgleichungen der verschiedenen Chemosynthesetypen bei verschiedenen Bakteriengattungen

Gruppe	Gattung	Reaktion	$\Delta G^{0'}$ (kJ/mol)
schwefeloxidierende Bakterien	*Beggiatoa*	$2H_2S + O_2 \rightarrow 2H_2O + 2S$	– 420
	Thiobacillus	$2S + 2H_2O + 3O_2 \rightarrow 2H_2SO_4$	– 1170
Nitritbakterien	*Nitrosomonas*	$2NH_3 + 3O_2 \rightarrow 2HNO_2 + 2H_2O$	– 541
Nitratbakterien	*Nitrobacter*	$2HNO_2 + O_2 \rightarrow 2HNO_3$	– 155
eisenoxidierende Bakterien	*Ferrobacillus*	$Fe^{2\oplus} \rightarrow Fe^{3\oplus} + e$	– 67
Knallgasbakterien	*Hydrogenomonas*	$2H_2 + O_2 \rightarrow 2H_2O$	– 475

zusammengestellten Reaktionsgleichungen der verschiedenen Chemosynthesetypen ebensogut die Elektronenschreibweise benutzen.

Die freie Energie der Oxidationsvorgänge ist, wie Tab. 10.**1** zeigt, von Fall zu Fall recht verschieden. Ist sie sehr niedrig, wie z.B. bei den eisenoxidierenden Bakterien, müssen große Mengen des Substrates umgesetzt werden, um den für die Synthese erforderlichen Energiebetrag bereitzustellen. Die nitrifizierenden Bakterien kommen stets miteinander vergesellschaftet vor, da die Nitratbakterien das durch die Nitritbakterien produzierte Nitrit zu Nitrat oxidieren, also das Stoffwechselprodukt eines anderen Organismus direkt weiterverwerten. Sie sind somit ein Musterbeispiel für eine **Parabiose.**

Verallgemeinernd kann man also sagen, daß in dem energieliefernden Prozeß ein in reduzierter Form vorliegendes Substrat der allgemeinen Formel H_2A unter Elektronenentzug oxidiert wird. Da elementarer Sauerstoff als Elektronenakzeptor dient, entsteht Wasser. Wie das nachstehende Schema zeigt, ist der energieliefernde Vorgang mit dem Syntheseprozeß gekoppelt, bei dem aus CO_2 und Wasserstoff organisches Material aufgebaut wird. Der Wasserstoff wird aus einem Wasserstoffdonator H_2X, der hierbei zu X oxidiert wird, abgespalten und auf $NAD^{\oplus}$ übertragen, das hierdurch in $NADH + H^{\oplus}$ übergeht. Dieses schließlich reduziert das CO_2.

$$2\,H_2A + O_2 \longrightarrow C_6H_{12}O_6 + 12\,X + 6\,H_2O$$

Energieliefernder Prozeß $-\Delta G^{0'}$ $+\Delta G^{0'}$ Synthese-Prozeß

$$2\,H_2O + 2\,A \longleftarrow 6\,CO_2 + 12\,H_2X$$

Chemosynthese

10.5   **Verwertung der Assimilate**

Vorläufiges Endprodukt der Photosynthese sind die Zucker vom Hexosetypus. Da die Zuckerproduktion bei voller Leistung des Photosyntheseapparates sowohl den Verbrauch des Zuckers an Ort und Stelle als auch die Möglichkeiten des Abtransportes übersteigt, könnte die zunehmende Zuckerkonzentration die osmotischen Verhältnisse in der Zelle unter Umständen ungünstig beeinflussen. Dies wird durch die Polykondensation zu Stärke vermieden. Hierzu wird das im Calvin-Zyklus gebildete Fructose-1,6-bisphosphat zu Fructose-6-phosphat dephosphoryliert, in Glucose-1-phosphat umgewandelt und mit ATP in ADP-Glucose überführt. Durch die Stärkesynthese wird der Glucoserest auf das nicht-reduzierende Ende einer Glucosekette übertragen, was zur Bildung von Assimilationsstärke im Chloroplasten führt (Abb. 3.**10A**, S. 86). Zum Abtransport während der Nacht wird die Stärke wieder in Triosephosphate überführt. Diese werden durch einen Phosphat-Translocator im Antiport gegen anorganisches Phosphat in das Cytoplasma der Blattzellen transportiert, wo die Synthese der Saccharose erfolgt. Diese wird zu den Orten des Verbrauchs transportiert. Hier kann sie direkt in den Bau- und Betriebsstoffwechsel einfließen, oder sie wird in den Speicherorganen als Reservestoff deponiert, und zwar entweder wieder in Form von Kohlenhydraten oder, nach biochemischer Umwandlung, als Fett oder Proteine.

10.5.1   **Fettsynthese**

Als Reservestoffe in Fettspeichergeweben finden in der Regel **Neutralfette** (Triglyceride) Verwendung, die aus einem Molekül Glycerin und drei Molekülen Fettsäure bestehen. Diese beiden Typen von Bausteinen werden auf getrennten Wegen synthetisiert und in einer abschließenden Reaktion zum Fettmolekül vereinigt.

■ **Biosynthese der Fettsäuren:** Die Synthese der Fettsäuren erfolgt an der **Fettsäure-Synthase,** einem Multienzymkomplex, der bei verschiedenen Organismengruppen (Bakterien, Hefen, Säugern, Pflanzen), aber offenbar auch in verschiedenen Kompartimenten (Cytosol, Chloroplasten) eine verschiedene Architektur aufweist. Dessen ungeachtet ist der biochemische Reaktionsablauf im Prinzip in allen Fällen der gleiche. Bei der *De-novo*-Synthese aus C_2-Bausteinen, auf die wir uns hier beschränken wollen, dient als C_2-Überträger das Acetyl-CoA.

Coenzym A, abgekürzt CoA oder, da es eine SH-Gruppe trägt, auch CoA-S-H, ist ein gruppenübertragendes Coenzym, das Carbonsäurereste, z.B. den Acetylrest oder Fettsäurereste verschiedener Länge, überträgt. Da die Bindungen dieser Acylreste an das CoA energiereich sind, besitzen die entstehenden Verbindungen ein hohes Gruppenübertragungspotential. Wie die nachstehende Formel zeigt, besteht das CoA aus drei Komponenten: dem Adenosin-3′,5′-diphosphat, dem Pantothen-

Coenzym A (CoA)

säurephosphat und dem Thioethanolamin (= Cysteamin). Die Verbindung von Pantothensäure und Thioethanolamin wird als Pantethein bezeichnet.

Acetyl-CoA kann nicht nur als Produkt der oxidativen Decarboxylierung des Pyruvates entstehen, sondern auch im Cytoplasma durch ein citronensäurespaltendes Enzym gebildet werden. Wahrscheinlich gilt dies auch für die Chloroplasten. Außerdem ist eine direkte Übertragung von Acetat auf CoA beschrieben worden, die möglicherweise sowohl in den Mitochondrien als auch in den Chloroplasten abläuft.

Während der gesamten Fettsäuresynthese bleibt der wachsende Fettsäurerest an den Fettsäure-Synthase-Komplex kovalent gebunden. Dieser besitzt zusätzlich zu den verschiedenen enzymatisch aktiven Bereichen ein Acetyl-Carrier-Protein (ACP). Das ACP trägt an einem Pantethein-Rest (s. oben), der über einen Phosphatrest an ein Serin-Molekül des Proteins gebunden ist, eine SH-Gruppe. Außer dieser „zentralen", gewissermaßen an einem Arm um eine Achse beweglichen SH-Gruppe ist noch eine „periphere" SH-Gruppe vorhanden, die mit der zentralen in Wechselwirkung tritt (Abb. 10.**9**).

In einem einleitenden Schritt wird das Acetyl-CoA unter ATP-Spaltung durch das Enzym Acetyl-CoA-Carboxylase, das Biotin als Coenzym enthält, zu Malonyl-CoA carboxyliert, das erheblich reaktionsfähiger ist. Die eigentliche Startreaktion besteht in der Übertragung eines Acetylrestes vom Acetyl-CoA auf die „periphere" SH-Gruppe. Im nächsten Reaktionsschritt wird Malonyl-CoA auf die „zentrale" SH-Gruppe des ACP übertragen (Malonyl-transfer), wobei das CoA frei wird. Anschließend erfolgt an der „zentralen" SH-Gruppe die Kondensation des Acetyl-

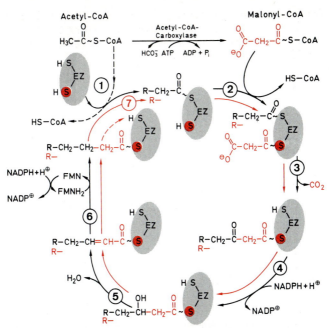

Abb. 10.**9** Vereinfachtes Schema der Fettsäuresynthese. Startreaktion und erster Zyklus = schwarze Pfeile, zweiter Zyklus = rote Pfeile. Schwarzes R = H, rotes R = wachsender Acylrest: $H(CH_2)_{2n}-$. EZ = Fettsäuresynthase (grau gerastert), SH-Gruppe am Pantethein = rot gerastert. 1. Acetyl-transfer, 2. Malonyl-transfer, 3. Kondensation zum 3-Oxoacyl-Rest unter CO_2-Abspaltung, 4. Reduktion zum 3-Hydroxyacyl-Rest, 5. Dehydratisierung zum Enoyl-Rest, 6. Reduktion zum Acyl-Rest, 7. Acyl-transfer von der zentralen auf die periphere SH-Gruppe

restes mit dem Malonylrest unter Abspaltung von Kohlendioxid zu einem 3-Oxoacylrest. Dieser wird durch $NADPH + H^{\oplus}$ zu einem Hydroxyacylrest reduziert. Unter Abspaltung von Wasser entsteht ein Enoylrest, der durch eine C=C-Doppelbindung charakterisiert ist. Unter nochmaliger Reduktion durch $NADPH + H^{\oplus}$ unter Mitwirkung eines FMN-enthaltenden Enzyms erfolgt die vollständige Reduktion zum gesättigten Fettsäurerest (Acyl-Rest). Nach vorübergehender Bindung dieses Restes an die „periphere" SH-Gruppe (Acyl-transfer) wiederholt sich dieser Prozeß in zyklischer Folge, bis Ketten von 16 oder 18 C-Atomen entstanden sind. Diese werden auf Coenzym A übertragen und stehen für die Fettsynthese zur Verfügung.

Auf die Bildung ungesättigter Fettsäuren, die zusätzliche Reaktionen erfordert, kann hier nicht eingegangen werden. Es sei auf die einschlägigen Lehrbücher der Pflanzenphysiologie verwiesen.

Bildung und Veresterung des Glycerins: Glycerin-3-Phosphat entsteht durch Reduktion von Triose-3-Phosphat. Zunächst reagieren in einer enzymatisch gesteuerten Reaktion zwei an CoA gebundene Fettsäurereste mit den freien OH-Gruppen des Glycerinphosphates, wobei unter Freisetzung von 2 CoA die Phosphatidsäure entsteht. Diese ist Ausgangspunkt für die als Membranbausteine dienenden Glycerophosphatide sowie einige Glykolipide. Nach Abspaltung der Phosphatgruppe kann das Diglycerid in einem weiteren Veresterungsschritt mit einem dritten Acyl-CoA reagieren, wodurch ein Triglycerid entsteht.

10.5.2   Sekundäre Pflanzenstoffe

Neben den vorgenannten Produkten des Primärstoffwechsels vermag der Syntheseapparat der Pflanzen eine große Anzahl weiterer, chemisch recht verschiedener Verbindungen zu synthetisieren, die unter dem Begriff „sekundäre Pflanzenstoffe" zusammengefaßt werden. Dabei stellt die Bezeichnung „sekundär" keineswegs eine Wertung dar. Vielmehr soll sie zum Ausdruck bringen, daß es sich um Stoffe handelt, die nicht jedem Zellplasma eigen, sondern für bestimmte Arten, Gattungen oder Familien charakteristisch sind. Allerdings läßt sich eine scharfe Grenze zwischen „primären" und „sekundären" Stoffen nicht ziehen. Dies ist auch nicht erforderlich, da die Bezeichnung „sekundäre Pflanzenstoffe" keine systematische Bedeutung hat, sondern nur eine Sammelbezeichnung darstellt.

In vielen Fällen ist uns die Bedeutung, die die sekundären Pflanzenstoffe für die Pflanze selbst haben, noch unklar. Manche von ihnen mögen Entgiftungsformen schädlicher Stoffwechselprodukte sein, andere nicht mehr verwertbare Stoffwechselendprodukte, und wieder andere vielleicht auch Reservestoffe. Viele von ihnen entfalten im menschlichen und tierischen Körper spezifische Wirkungen. Deshalb finden sie zum Teil auch heute noch medizinische Verwendung. Einige dieser Verbindungen sind nachstehend kurz behandelt. Spezieller interessierte Leser seien auf die einschlägigen Lehrbücher der Pharmakognosie verwiesen.

Die Abgrenzung der im folgenden aufgeführten Gruppen basiert nicht nur auf ihrer chemischen Struktur, sondern zum Teil auch auf ihren physiologischen Eigenschaften. Da es nicht wenige Substanzen gibt, die sowohl der einen als auch der anderen Gruppe zugerechnet werden können, führt dies zwangsläufig zu Inkonsequenzen. So sind die *Digitalis*-Glykoside und das Strophanthin infolge ihrer Verknüpfung mit Zuckern zwar zweifellos Glykoside, der chemischen Struktur ihrer Aglykone nach jedoch eindeutig Sterinkörper. Die Steroidalkaloide wiederum sind gleichermaßen Sterine wie auch Alkaloide. Die Zahl dieser Beispiele ließe sich beliebig vermehren.

10.5.2.1 Glykoside

❗ Als Glykoside bezeichnet man Verbindungen von Zuckern mit anderen Molekülen, die, ungeachtet ihrer chemischen Natur, als Aglykone bezeichnet werden. Da die Aglykone den verschiedensten Stoffklassen angehören, hat die Gruppe der Glykoside einen recht heterogenen Charakter.

Strenggenommen müßte man auch die Nucleinsäuren, ATP u.ä. Verbindungen hierher stellen. Wir wollen jedoch davon Abstand nehmen, da diese ja allen Zellen eigen und somit nicht sekundäre Pflanzenstoffe im Sinne der oben gegebenen Definition sind. Als Beispiele seien willkürlich die folgenden Vertreter herausgegriffen:

Amygdalin ist in Steinfrüchten, besonders in denen des Mandelbaumes *(Prunus amygdalus)* enthalten, in bitteren Mandeln bis zu 8%. Wie die Formel zeigt, ist es ein Benzaldehydcyanhydrin-diglykosid. Sowohl der Benzaldehyd als auch die Blausäure bedingen den Bittermandelgeruch bzw. -geschmack. Wegen seines Blausäuregehaltes ist es in größeren Mengen giftig.

Amygdalin

Strophanthin und die **Digitalis-Glykoside,** die aus *Strophanthus-* und *Digitalis-*(Fingerhut-)Arten gewonnen werden, sind herzwirksam, indem sie die Frequenz des Herzschlages bei gleichzeitiger Anhebung des Schlagvolumens herabsetzen.

Die **Saponine** verdanken ihren Namen der Eigenschaft, die Oberflächenspannung herabzusetzen, so daß sie in wäßriger Lösung beim Schütteln einen starken, haltbaren Schaum ergeben. Die Seifenwurzel *(Saponaria alba)* kann bis zu 20% davon enthalten.

Die **Anthocyane** und **Flavone (= Anthoxanthine)** haben wir bereits als im Zellsaft gelöste Pigmente kennengelernt (S. 142). Die Aglykone der Anthocyane heißen Anthocyanidine, z.B. das Cyanidin der Kornblume *(Centaurea),* das Delphinidin des Rittersporns *(Delphinium)* u.a. Infolge des Besitzes phenolischer OH-Gruppen und eines zur Salzbildung neigenden Sauerstoffatoms können die Anthocyane sowohl mit Säuren als auch mit Basen Salze bilden, die im ersten Falle rot, im zweiten blau aussehen. Die verschiedenartigen roten, violetten und blauen Farbtöne in den Pflanzenzellen kommen jedoch hauptsächlich dadurch zustande, daß die Anthocyane nicht nur monomolekular, sondern auch höhermolekular als

Cyanidinchlorid   **Flavan**

Chromosaccharide vorliegen können (Molekülmasse M_r bis zu 20000). Diese bestehen aus Anthocyanidinen und Zuckern, die mit Metallionen wie Fe, Al, Cr u.a. Komplexe bilden. Derartige Verbindungen können im Farbton ganz erhebliche Unterschiede zeigen.

Die gelb gefärbten Flavone, denen das vorstehend abgebildete Flavan-Skelett zugrunde liegt, gehören zu der bei Pflanzen weit verbreiteten Gruppe der Flavonoide. Sie sind nicht nur Blütenfarbstoffe, sondern tragen auch zur Färbung des Kernholzes bei. Meist sind sie mit Glucose oder Rhamnose glykosidisch verknüpft. Einige Flavone, z.B. das Quercetin, sind wirksame Inhibitoren der Aldose-Reduktase, die bei der Entstehung von Diabetesschäden eine Rolle spielen soll. Hesperidin und Rutin finden als gefäßerweiternde kapillaraktive Mittel Verwendung.

10.5.2.2 Terpene

❗ Unter dieser Bezeichnung faßt man eine Anzahl von Stoffen zusammen, deren Synthese für die Pflanze geradezu charakteristisch ist. In ihrem Vorkommen wie auch in ihren Eigenschaften außerordentlich mannigfaltig, ist ihnen allen gemeinsam, daß sie sich, ob sie zyklisch gebaut sind oder nicht, formal vom Isopren C_5H_8 ableiten lassen. Ihre Synthese erfolgt über das Isopentenyldiphosphat, die durch Einbau von Phosphat aktivierte Form des Isoprens. Infolgedessen enthält ihr Kohlenstoffskelett meist ganzzahlige Vielfache von 5 an C-Atomen, z.B. C_{10} (Monoterpene), C_{15} (Sesquiterpene), C_{20} (Diterpene), C_{30} (Triterpene) usw.

Isopren   **Isopentenyl-diphosphat**

Wegen seiner technischen Verwertbarkeit gehört der **Kautschuk** zu den wichtigsten Vertretern. Er ist im Milchsaft vieler Pflanzen enthalten, doch kommen für seine Gewinnung nur sehr kautschukreiche Pflanzen in Frage, wie *Hevea brasilien-*

Ausschnitt aus einem Kautschukmolekül   **Menthol**

sis und, in geringerem Maße, *Ficus elastica.* Die Makromoleküle des Kautschuks sind Polymerisate des Isoprens. **Menthol** ist in dem ätherischen Öl der Pfefferminze *(Mentha piperita)* enthalten, die eine vielseitige medizinische Verwendung findet. Dies trifft auch für das **Eucalyptusöl** zu, das aus den Blättern von *Eucalyptus globulus* gewonnen wird. Da es antiseptische Eigenschaften hat und durch eine gelinde Reizwirkung die Blutzirkulation erkrankter Organe anregt, wird es häufig bei Erkrankungen der Schleimhäute des Mundes, Rachens und der Nase angewandt. **Kampfer** wird aus dem Stammholz älterer Kampferbäume *(Cinnamomum camphora)* gewonnen. Da Kampfer anregend auf Atem- und Gefäßzentren wirkt, ist er ein ausgezeichnetes Stimulans für das Herz und die Atmung bei Fieberkranken sowie bei narkotischen Vergiftungen. Auch die Carotinoide, deren Grundkörper die Formel $C_{40}H_{56}$ haben, sind Isoprenoide. Schließlich sind hier noch die Sterine, die wegen des Besitzes einer alkoholischen Hydroxylgruppe richtiger als Sterole zu bezeichnen sind, zu nennen. Sie leiten sich von dem Triterpen Squalen ab.

10.5.2.3 Gerbstoffe

Als Gerbstoffe bezeichnet man eine Gruppe von Stoffen, die gewisse physiologische und technische Eigentümlichkeiten gemeinsam haben. Sie fällen Eiweiße und verwandeln dadurch tierische Häute in Leder. Durch Oxidation gehen sie in die rotbraunen Phlobaphene über, die vielen Borken die dunkle Farbe verleihen. Am bekanntesten ist das **Tannin.** Die Bedeutung der Gerbstoffe für die Pflanze liegt vor allem in ihrer konservierenden Wirkung.

10.5.2.4 Alkaloide

Der Name Alkaloide ist eine Sammelbezeichnung für organische Stickstoffverbindungen basischen Charakters. In ihrem chemischen Aufbau zeigen die einzelnen Vertreter erhebliche Unterschiede. Viele von ihnen finden wegen ihrer spezifischen physiologischen Wirkung medizinische Verwendung. Sie kommen bei zahlreichen Pflanzengruppen vor, sind jedoch für einige Familien, z. B. die Nachtschattengewächse (Solanaceae), geradezu charakteristisch.

Morphin

Cocain

Chinin

Morphin ist das wichtigste der ca. 25 Alkaloide des aus unreifen Kapseln des Schlafmohns *(Papaver somniferum)* gewonnenen Opiums, dessen Morphingehalt bis zu 12% betragen kann. Es wirkt beruhigend auf bestimmte Teile des zentralen Nervensystems und vermindert die Schmerzempfindung. Allerdings ist seine analgetische mit einer stark euphorischen Wirkung gepaart. Deshalb wird häufig Mißbrauch damit getrieben. Da es sehr schnell Sucht erzeugt, gehört es zu den gefährlichsten Rauschgiften. Bei häufigem Genuß entfaltet es eine vernichtende Wirkung auf die menschliche Psyche.

Cocain ist das Hauptalkaloid der Blätter von *Erythroxylum coca,* des „göttlichen Baumes" der Inkas. Da es die sensiblen Nervenendigungen lähmt, wurde es früher als Lokalanästhetikum benutzt. In neuerer Zeit ist es durch andere Präparate ersetzt worden, weil es zu den am weitesten verbreiteten Rauschgiften zählt. Es unterdrückt Ermüdungs- und Erschöpfungserscheinungen und ermöglicht dadurch physische Höchstleistungen. Da die tatsächliche Leistungsfähigkeit des Körpers natürlich nicht erhöht wird, kommt es dann sehr plötzlich zum totalen Zusammenbruch.

Chinin, das in der Rinde des Chinabaumes *(Cinchona succirubra)* enthalten ist, tötet die Merozoiten des Malaria-Erregers, *Plasmodium malariae,* ab und verhindert Fieberanfälle.

Nicotin ist das Alkaloid des Tabaks *(Nicotiana tabacum).*

Zusammenfassung

Autotrophe Organismen sind in der Lage, aus Kohlendioxid und Wasser organische Substanzen zu synthetisieren. Die Photoautotrophen beziehen die Energie hierzu aus dem Sonnenlicht (Photosynthese), die Chemoautotrophen gewinnen sie durch Oxidation anorganischer Verbindungen (Chemosynthese).

Wichtigster Energieüberträger in der Zelle ist das ATP. Die freie Energie der hydrolytischen Spaltung seiner energiereichen Phosphatbindungen beträgt unter Standardbedingungen etwa $-35\,kJ/mol$. Die Übertragung des Phosphatrestes auf andere organische Verbindungen bewirkt deren Aktivierung.

Die Biokatalysatoren der Zelle sind die Enzyme. Sie wirken als Reaktionsbeschleuniger, indem sie die Aktivierungsenergie herabsetzen. Die Enzyme bestehen aus einem Eiweißanteil, dem Apoenzym, und dem Coenzym bzw. einer prosthetischen Gruppe. Enzyme sind sowohl wirkungs- als auch substratspezifisch. Die Umsetzung des Substrates erfolgt am aktiven Zentrum des Enzyms.

In der Photosynthese der grünen Pflanzen wird Wasser unter Freisetzung von elementarem Sauerstoff oxidiert. Die Elektronen werden durch eine Elektronentransportkette, die über die beiden Photosysteme II und I (PS II und PS I) führt, auf NADP$^\oplus$ übertragen, das durch Aufnahme von 2 Protonen aus dem Außenraum in NADPH + H$^\oplus$ übergeht, während die Freisetzung der aus dem Wasser stammenden Protonen im Thylakoidinnenraum erfolgt. Zusätzlich werden durch Plastochinon, das als Glied der Elektronentransportkette an der Außenseite unter Aufnahme von 2 H$^\oplus$ zu Plastohydrochinon reduziert und an der Innenseite unter Abgabe von 2 H$^\oplus$ wieder oxidiert wird, Protonen in den Innenraum übertragen. Schließlich gelangen auch über den zyklischen Elektronentransport Protonen

in den Innenraum. Auf diese Weise entsteht ein Protonengradient zwischen dem inneren und dem äußeren Raum. Dieser wird durch eine ATP-Synthase zur Bildung von ATP aus ADP + P$_i$ genutzt (Photophosphorylierung). Das Hauptpigment der Photosynthese ist das Chlorophyll a, dessen spezielle Formen P700 und P680 die Reaktionszentren von PS I bzw. II bilden. Chlorophyll b und Carotinoide sowie, bei einigen Algen, die Chlorophylle c und d und das Carotinoid Fucoxanthin sind Bestandteile der Antennen bzw. des lightharvesting-complexes. Sie fungieren als Lichtsammlerpigmente, indem sie Photonen absorbieren und auf die Reaktionszentren übertragen. Die Cyanobakterien und die Rhodophyceen (Rotalgen) verwenden die Phycobiliproteine als Antennen, die in Form der Phycobilisomen den Thylakoidmembranen außen aufgelagert sind und die absorbierte Energie auf das Reaktionszentrum des PS II übertragen.

Das CO_2 wird in Ribulose-1,5-bisphosphat eingebaut. Der entstehende C$_6$-Körper zerfällt sogleich in 2 Moleküle 3-Phosphoglycerinsäure, die durch 2 NADPH + H$^\oplus$ unter hydrolytischer Spaltung von 2 ATP zu 2 Triosephosphatmolekülen reduziert werden. Diese werden in eine Hexose umgewandelt, während aus weiteren Triosephosphatmolekülen im Calvin-Zyklus das Ribulose-1,5-bisphosphat zurückgebildet wird.

Bei den C$_4$-Pflanzen wird das CO_2 zunächst in Phosphoenolpyruvat eingebaut und vorübergehend in Form einer C$_4$-Dicarbonsäure, z.B. Äpfelsäure, gespeichert, schließlich aber auch in den Calvin-Zyklus eingeschleust. Dieser Typus ist vor allem bei an trockene Standorte angepaßten Pflanzen verbreitet.

In dem als Photorespiration bezeichneten Prozeß, der bei hohem O$_2$- bzw. niedrigem CO_2-Partialdruck zu beobachten ist, erfolgt die Weiterverarbeitung des durch Spaltung aus dem Ribulose-1,5-bis-phosphat entstehenden Glykolaldehyds zu den Aminosäuren Glycin und Serin. Hierbei wird Sauerstoff verbraucht und Kohlendioxid gebildet, so daß im Gaswechsel eine formale Parallele zur Atmung besteht. An der Photorespiration sind Chloroplasten, Peroxisomen und Mitochondrien beteiligt.

In der Bakterienphotosynthese erfolgt die Strahlungsabsorption durch Bakteriochlorophylle, von denen einige auch infrarote Strahlung absorbieren, sowie einige Carotinoide. Als Wasserstoff- bzw. Elektronendonatoren finden entweder anorganische Schwefelverbindungen oder organische Substanzen Verwendung. Es ist nur ein Photosystem entwickelt, das im typischen Falle ausschließlich ATP erzeugt. Die Reduktion des $NAD^{\oplus}$ erfolgt unter ATP-Verbrauch in einem umgekehrten Elektronentransport. Nur bei den grünen Bakterien kann $NAD^{\oplus}$ direkt durch die Elektronentransportkette reduziert werden.

Am natürlichen Standort wird die Photosynthese durch Außenfaktoren beeinflußt, z. B. Licht, CO_2-Konzentration, Temperatur und Luftfeuchtigkeit. Die Intensität des Photosyntheseprozesses wird jeweils durch den Faktor bestimmt, der sich im Minimum befindet, d. h. am weitesten vom Optimum entfernt ist (Gesetz der begrenzenden Faktoren).

Im Prozeß der Chemosynthese, zu der nur Bakterien befähigt sind, werden anorganische Substrate unter Energiegewinn oxidiert. Dieser energieliefernde Prozeß ist mit dem Syntheseprozeß gekoppelt, in dem aus CO_2 und Wasserstoff, der von einem von Fall zu Fall verschiedenen Wasserstoffdonator geliefert wird, organische Substanz gebildet wird.

Die im Photosyntheseprozeß gebildeten Zucker können entweder direkt in den Bau- und Betriebsstoffwechsel einfließen oder als Reservestoffe gespeichert werden, und zwar entweder in der Kohlenhydratform oder nach biochemischem Umbau als Fette bzw. Proteine. Fette werden aus Glycerin und Fettsäuren synthetisiert. Die Bildung der Fettsäuren erfolgt an dem Multienzymkomplex der Fettsäuresynthase. Da bei der *De-novo*-Synthese durch Acetyl-CoA übertragene C_2-Bruchstücke aneinandergefügt werden, entstehen im typischen Fall geradzahlige Fettsäuren. Darüber hinaus ist der pflanzliche Syntheseapparat jedoch zur Bildung einer großen Anzahl weiterer Stoffklassen befähigt. Hierzu zählen die Glykoside, Terpene, Gerbstoffe und Alkaloide, die unter der Bezeichnung sekundäre Pflanzenstoffe zusammengefaßt werden.

11   Dissimilation

In der Photosynthese haben wir einen Prozeß kennengelernt, bei dem der Wasserstoff des Wassers vom Sauerstoff getrennt und in Form metastabiler Kohlenstoffverbindungen festgelegt wird. In das hierdurch entstehende Energiepotential zwischen Wasserstoff und Sauerstoff schalten sich nun alle Organismen ein, indem sie die Kohlenstoffverbindungen oxidieren und die darin enthaltene Energie verfügbar machen, und zwar unabhängig davon, ob sie autotroph sind, also diese Verbindungen selbst aufgebaut haben, oder heterotroph. Diesen Prozeß der biologischen Oxidation bezeichnet man als **Atmung** oder Dissimilation.

In diesem Zusammenhang sei daran erinnert, daß wir unter Oxidation keineswegs nur eine Vereinigung mit Sauerstoff, sondern auch eine Abspaltung von Wasserstoff bzw. die Abgabe von Elektronen verstehen. Dies wurde schon 1912 von H. Wieland erkannt. Nach seiner Theorie besteht der primäre Akt der Atmung in einer Dehydrierung, d.h. der Abspaltung von Wasserstoff aus dem Atmungssubstrat, das dabei selbst oxidiert wird.

Unter aeroben Bedingungen, d.h. in Anwesenheit von elementarem Sauerstoff, verläuft die Dissimilation in der Regel so lange, bis das bestehende Energiepotential ganz abgebaut ist, d.h. Wasserstoff und Sauerstoff wieder zu Wasser vereinigt sind. Dabei wird das vorher als Wasserstoffträger dienende, nun nicht mehr benötigte CO_2 wieder frei. Schreiben wir diesen Vorgang als Bruttogleichung, so ergibt sich:

Dieser Prozeß ist also exergonisch. Ein Vergleich mit der Photosynthesegleichung (S. 290) zeigt, daß die gesamte Energie, die bei der Photosynthese im Kohlenhydrat investiert wurde, wieder verfügbar wird. Allerdings erfolgt die Zusammenführung des Wasserstoffs mit dem Sauerstoff und die damit verbundene Freisetzung einer so großen Energiemenge nicht schlagartig, sondern allmählich, in einem über zahlreiche Zwischenstufen laufenden Prozeß. Wir können daher die Atmung als eine gesteuerte Knallgasreaktion auffassen. Wie die Bruttogleichung erkennen läßt, sind die gebildeten Kohlendioxid-Mengen gleich den verbrauchten Sauerstoffmengen, d.h. der Atmungsquotient CO_2/O_2 beträgt im vorliegenden Falle der Kohlenhydrate 1. Werden sauerstoffarme Verbindungen, z.B. Fette, veratmet, ist er kleiner, bei Veratmung der relativ sauerstoffreichen Carbonsäuren dagegen größer als 1.

Unter anaeroben Bedingungen, d.h. in Abwesenheit von elementarem Sauerstoff, können auch andere Substanzen als Akzeptoren für den abgespaltenen Wasserstoff dienen. In diesen Fällen entsteht als Endprodukt also nicht Wasser, sondern eine andere, noch verhältnismäßig energiereiche organische Verbindung. Man bezeichnet diesen Prozeß als **Gärung.**

$$C_6H_{12}O_6 \; + \; 6\,O_2 \; \longrightarrow \; 6\,CO_2 \; + \; 6\,H_2O \qquad \Delta G^{O'} \quad -2872\,kJ\;(-686\,kcal)$$

11.1 Bereitstellung des Ausgangssubstrates

Ausgangssubstrate für die biologische Oxidation sind die Hexosen Glucose oder Fructose. Andere Hexosen müssen zuvor in Glucose umgewandelt werden. Polysaccharide werden in ihre Monosaccharidbausteine zerlegt. Dies kann, wie am Beispiel der Stärke gezeigt wird, durch Hydrolyse oder durch Phosphorolyse geschehen.

11.1.1 Hydrolyse der Stärke

! Die Mobilisierung der Reservestärke in Samen erfolgt in der Regel auf hydrolytischem Wege, d. h. durch Lösen der glykosidischen Bindungen unter Anlagerung von Wasser. Die wirksamen Enzyme sind die zu den Hydrolasen zählenden **Amylasen,** von denen es zwei Typen gibt. Die α-Amylase greift die α1→4-Bindungen innerhalb der Stärkemoleküle an, indem sie diese in kleinere Einheiten von 5–7 Glucosemolekülen zerlegt, während die β-Amylase die Stärke bzw. deren Spaltstücke unter wiederholter Abspaltung von Maltosemolekülen vom nichtreduzierenden Ende her abbaut (Abb. 11.**1**).

In Analogie zu den Peptidasen kann man diese beiden Enzyme auch als Endo- und Exoamylasen bezeichnen. Amylose wird auf diese Weise vollständig in Maltose überführt, die durch eine α-Glucosidase (Maltase) in Glucose zerlegt wird. Die α1→6-Verzweigungen des Amylopektins können durch die Amylasen nicht hydrolysiert werden. Hierzu wird ein weiteres Enzym, das sogenannte R-Enzym (Isoamylase), benötigt. Während die α-Amylase auch bei Mensch, Tier und Mikroorganismen vorkommt, ist die Verbreitung der β-Amylase auf das Pflanzenreich beschränkt.

Abb. 11.**1** Wirkung der α- und β-Amylase, schematisch

11.1.2 Phosphorolyse der Stärke

❗ Die bei der Phosphorolyse wirksamen Enzyme, die **Phosphorylasen,** greifen, gleich der β-Amylase, die Moleküle der Stärke (und wohl auch der anderen Polysaccharide) vom nichtreduzierenden Ende her an. Allerdings werden dabei nicht Maltose-, sondern Glucose-Einheiten abgelöst. Abweichend von der Hydrolyse erfolgt die Abspaltung unter Anlagerung von anorganischem Phosphat.

Dieser Weg ist für die Zelle insofern günstiger, als im Reaktionsprodukt, dem Glucose-1-phosphat, ein wesentlicher Teil der beim Lösen der glykosidischen Bindung freiwerdenden Energie in Form der Phosphatbindung erhalten bleibt. Das Glucose-1-phosphat kann ohne weiteren Energieverbrauch in Glucose-6-phosphat umgewandelt werden, das direkt in die Glykolyse eintreten kann (s. unten). Da die Phosphorylase ebenfalls keine $\alpha 1 \rightarrow 6$-Verzweigungen lösen oder umgehen kann, ist auch in diesem Falle für den vollständigen Abbau verzweigter Moleküle die Mitwirkung eines weiteren Enzyms (D-Enzym) erforderlich.

11.2 Oxidativer Abbau der Kohlenhydrate

Die aerobe Dissimilation läßt sich in mehrere Teilabschnitte gliedern, die der besseren Übersichtlichkeit halber getrennt behandelt werden. Es sind dies:
1. die Glykolyse, in der die Spaltung des Glucosemoleküls in zwei C_3-Bruchstücke und deren Überführung in die Brenztraubensäure erfolgt;
2. die oxidative Decarboxylierung der Brenztraubensäure, die unter Abspaltung von Wasserstoff und Kohlendioxid zur Bildung eines C_2-Körpers, des Acetylrestes, führt, der auf Coenzym A übertragen wird;
3. der Citronensäurezyklus, in dem der Acetylrest unter stufenweiser Abspaltung von Wasserstoff und Kohlendioxid vollständig abgebaut wird und
4. die Endoxidation, in der die Vereinigung des abgespaltenen Wasserstoffs mit dem Sauerstoff unter stufenweiser Freisetzung der Energie und deren Festlegung in Form energiereicher Phosphate (ATP) stattfindet.

Alle diese Umsetzungen werden durch Enzyme katalysiert. Im Interesse der Übersichtlichkeit wird jedoch im folgenden davon Abstand genommen, alle beteiligten Enzyme zu nennen. Der interessierte Leser sei auf die einschlägigen Lehrbücher der Biochemie verwiesen.

11.2.1 Glykolyse

Zum Eintritt in die Glykolyse wird die Glucose durch ATP in der bereits besprochenen Weise (S. 285) am C_6-Atom phosphoryliert, sofern sie nicht schon in der phosphorylierten Form vorliegt (s. oben). Das Glucose-6-phosphat wird in Fructose-6-phosphat umgewandelt, das unter nochmaliger Phosphorylierung durch ATP am C_1-Atom in das Fructose-1,6-bisphosphat überführt wird. Dieses wird unter

Glykolyse

Glucose-6-phosphat

Fructose-6-phosphat

ATP

ADP

Dihydroxyacetonphosphat

Fructose-1,6-bisphosphat

Glycerinaldehyd-3-phosphat

ADP + P$_i$ NAD$^{\oplus}$

ATP   NAD H + H$^{\oplus}$

3-Phosphoglycerinsäure

2-Phosphoglycerinsäure

– H$_2$O

ATP   ADP

Brenztraubensäure
(Ketoform)

Brenztraubensäure
(Enolform)

Phosphoenol-
brenztraubensäure

Mitwirkung des Enzyms Aldolase in zwei Triosephosphatmoleküle, das Dihy-droxyacetonphosphat und das Glycerinaldehyd-3-phosphat, zerlegt. Diese beiden Triosephosphate stehen über ein Enzym, die Triosephosphat-Isomerase, im Gleichgewicht, das allerdings weit (96%) auf der Seite des Dihydroxyacetonphos-phates liegt. Dies fällt jedoch nicht ins Gewicht, da das Enzym mehrere hundert-tausend Moleküle/min umsetzen kann, so daß verbrauchtes Glycerinaldehyd-3-phosphat sofort nachgeliefert wird. Letzteres wird in einer komplexen Reaktion zu 3-Phosphoglycerinsäure (3-Phosphoglycerat) oxidiert, wobei die Elektronen auf $NAD^{\oplus}$ übertragen werden, das unter Anlagerung von Protonen in $NADH + H^{\oplus}$ übergeht. Ein Teil der bei der Reaktion freiwerdenden Energie bleibt in der ener-giereichen Bindung des ATP erhalten, das aus ADP und anorganischem Phosphat gebildet wird. Unter Umlagerung zu 2-Phosphoglycerinsäure und anschließender Wasserabspaltung entsteht die Phosphoenolbrenztraubensäure (Phosphoenol-pyruvat, PEP), eine Verbindung mit einem hohen Gruppenübertragungspotential. Deren Phosphatrest wird auf ADP übertragen, wodurch ATP und Brenztrauben-säure entstehen.

❗ Je Triosephosphat werden zwei, pro Glucosemolekül also vier Moleküle ATP gebildet. Ziehen wir die beiden ATP-Moleküle, die für die Phosphorylierung der Glucose zum Fructose-1,6-bisphosphat aufgewandt wurden, ab, so ergibt sich eine Gesamtbilanz von 2 ATP pro Glucosemolekül (**Substratkettenphospho-rylierung**). Die hierdurch entstehende Enolform der Brenztraubensäure steht mit der Ketoform im Gleichgewicht.

Alle diese Prozesse laufen im Cytoplasma ab. Mit der Brenztraubensäure, deren Salze Pyruvate[1] heißen, ist ein zentraler Punkt im Stoffwechselgeschehen der Zel-le erreicht, an dem die Weiche zum aeroben oder anaeroben dissimilatorischen Abbau gestellt wird. Wir wollen zunächst den Gang des aeroben Abbaus weiter verfolgen.

11.2.2   Oxidative Decarboxylierung der Brenztraubensäure

Bei den Eukaryoten wird das Pyruvat in die Mitochondrien eingeschleust, wo die oxidative Decarboxylierung erfolgt. Hierbei wird das Pyruvat unter Abspaltung von CO_2 dehydriert. Die Elektronen werden wiederum auf $NAD^{\oplus}$ übertragen, das unter Anlagerung von Protonen in $NADH + H^{\oplus}$ übergeht. Der übrigbleibende Ace-tylrest wird an das Coenzym A (CoA) gebunden, wodurch Acetyl-CoA entsteht. Alle diese Vorgänge spielen sich am Multienzymkomplex der Pyruvat-Dehydro-genase ab.

---

[1]   An dieser Stelle sei noch einmal daran erinnert, daß die Säuren in Lösung dissoziiert vorliegen (S. 12). Wegen der besseren Übersichtlichkeit wurde jedoch auch in den Reak-tionsschemata meist die undissoziierte Form gewählt. Die Namen der Salze sind, auch auf den folgenden Seiten, in Klammern angegeben.

11.2.3   Citronensäurezyklus

Das Acetyl-CoA überträgt nun den Acetylrest auf die aus 4 C-Atomen bestehende Oxalessigsäure (Oxalacetat), so daß ein C_6-Körper, die Citronensäure (Citrat) entsteht. Dabei wird das CoA zurückgebildet und kann nun einen weiteren Acetylrest übernehmen.

Der in das Citronensäuremolekül eingegangene Acetylrest wird in einem Zyklus, der als Citronensäurezyklus oder nach seinen Entdeckern auch als Krebs-Martius-Zyklus bezeichnet wird, unter wiederholter Abspaltung von Wasserstoff und Kohlendioxid total abgebaut, wodurch am Ende die Oxalessigsäure regeneriert wird. Die einzelnen Zwischenstufen dieses Zyklus können dem Schema S. 329 entnommen werden. Insgesamt entstehen aus jedem Acetylrest, der Anzahl seiner C-Atome entsprechend, zwei Moleküle CO_2. Allerdings stammen diese, wie das Schema zeigt, eigentlich aus der Oxalessigsäure.

> ⚠ Bilanzmäßig ergibt dies, zusammen mit dem bei der oxidativen Decarboxylierung der Brenztraubensäure gebildeten CO_2, drei Moleküle CO_2 pro Molekül Triosephosphat bzw. 6 CO_2 pro Molekül Glucose. Die Oxidation erfolgt also nicht durch elementaren Sauerstoff, sondern sie folgt dem Wielandschen Dehydrierungsschema, d. h. es wird Wasser angelagert und anschließend Wasserstoff abgespalten. Die 4×2 H-Atome werden von den Coenzymen $NAD^{\oplus}$ und FAD übernommen, was insgesamt 4 reduzierte Coenzyme ergibt. Zusammen mit den beiden bei der Oxidation des Glycerinaldehyds und der oxidativen Decarboxylierung der Brenztraubensäure gebildeten resultieren also 6 reduzierte Coenzyme pro Molekül Triose bzw. 12 reduzierte Coenzyme pro Molekül Glucose.

Die Menge der durch den Citronensäurezyklus gewonnenen Energie ist relativ gering. Pro Acetylrest wird nur ein Molekül energiereiches Phosphat, und zwar entweder GTP oder, bei Pflanzen wohl überwiegend, ATP gebildet. Dies beweist, daß die Hauptmenge der Energie bei der Atmung nicht durch die „Verbrennung" des Kohlenstoffs zu CO_2 entsteht. Vielmehr liegt die Hauptaufgabe des Citronensäurezyklus, in den auch der Abbau der Fette und Proteine einmündet, darin, daß alle zum Zwecke der Energiegewinnung abgebauten Stoffe, ungeachtet ihres chemischen Charakters, in eine einheitliche Energieform, die reduzierten Coenzyme, umgewandelt werden.

In diesem Zusammenhang sei darauf hingewiesen, daß einige der im Citronensäurezyklus entstehenden Zwischenprodukte als Ausgangsstoffe für die Synthese anderer wichtiger Verbindungen dienen. Als Beispiel sei die Synthese einiger Aminosäuren genannt (S. 348 f.). Aus 2-Oxoglutarsäure entsteht durch reduktive Aminierung Glutaminsäure, aus Oxalessigsäure bzw. Brenztraubensäure durch Transaminierung Asparaginsäure bzw. Alanin. Es ist einsichtig, daß beim Abzweigen von Zwischenprodukten der Citronensäurezyklus bald zum Erliegen kommen würde, wenn der Acetylakzeptor Oxalessigsäure nicht nachgebildet würde. Ein Weg ist die Carboxylierung von Brenztraubensäure zur Oxalessigsäure. Eine andere Möglichkeit bietet der Glyoxylsäurezyklus.

Citronensäurezyklus

11.2.4   Endoxidation

❗ In diesem letzten Abschnitt der biologischen Oxidation erfolgt die Vereinigung des Wasserstoffs mit dem elementaren Sauerstoff. Der Wasserstoff wird aus dem Citronensäurezyklus in Form von NADH + H$^\oplus$ und, in geringerem Umfange, als FADH$_2$ angeliefert. Das in der Glykolyse gebildete NADH + H$^\oplus$ kann die Mitochondrienmembran nicht passieren. Daher müssen die Elektronen über Transportmetaboliten in die Mitochondrien eingeschleust werden. Dabei wird für zwei Elektronen ein ATP verbraucht.

11.2.4.1   Atmungskette

❗ Da die Potentialdifferenz zwischen Wasserstoff und Sauerstoff 1,235 V beträgt, wird bei deren Vereinigung ein Energiebetrag von 240 kJ/mol (= 57 kcal/mol) frei. Im vorliegenden Falle ist die Energieausbeute allerdings etwas geringer, da nicht molekularer Wasserstoff, sondern NADH + H$^\oplus$ oxidiert wird, dessen E_0' −0,32 V beträgt, was einer Potentialdifferenz gegen Sauerstoff ($E_0' = +0,82$ V) von 1,14 V entspricht. Da bei der Oxidation von NADH + H$^\oplus$ zwei Elektronen auf den Sauerstoff übertragen werden, ergibt sich eine freie Energie $\Delta G^{0'}$ von $-2 \cdot 1,14 \cdot 96 = -218,88$, abgerundet also −220 kJ/mol (= −52,5 kcal/mol).

Dieser relativ große Energiebetrag wird jedoch nicht auf einmal freigesetzt, sondern, einer Kaskade vergleichbar, in mehreren aufeinanderfolgenden Reaktionsschritten. Dabei werden Wasserstoffatome bzw. Elektronen über die Atmungskette, deren aufeinanderfolgende Glieder jeweils ein stärker positives Redoxpotential haben, zum Sauerstoff transportiert. Bei jedem Elektronenübergang wird also nur ein Teilbetrag der Energie frei. Bei den bereits sehr eingehend untersuchten tierischen Mitochondrien besteht die Atmungskette aus 4 Proteinkomplexen, die als Oxidoreduktasen wirken und mit den Ziffern I–IV bezeichnet werden (Abb. 11.**2**).

Das NADH + H$^\oplus$ wird durch die **NADH-Ubichinon-Reduktase (Komplex I)** oxidiert, die als prosthetische Gruppe Flavinmononucleotid (FMN) und mindestens 8 Eisen-Schwefel-Proteine enthält. Das FMN geht dabei in FMNH$_2$ über. Dieses reduziert das **Ubichinon** (UQ) zum Ubihydrochinon (UQH$_2$). Außerdem kann das UQ auch durch die **Succinat-Ubichinon-Reduktase (Komplex II)** reduziert werden, ein aus 4 Polypeptiden bestehendes Flavoprotein, das FAD, 8 Fe und 8 S enthält. Eine seiner kleineren Untereinheiten ist das Cytochrom (Häm) b$_{560}$. Es überträgt den im Citronensäurezyklus bei der Oxidation der Bernsteinsäure anfallenden Wasserstoff als FADH$_2$ direkt auf das UQ, das hierdurch in UQH$_2$ übergeht. Die Oxidation des UQH$_2$ erfolgt durch die **Ubihydrochinon-Cytochrom c-Reduktase (Komplex III)**. Da zu ihren Bestandteilen sowohl Cytochrom (Häm) b als auch Cytochrom c$_1$ zählen, wird sie auch als Cytochrom b, c$_1$-Komplex bezeichnet. Außerdem enthält sie Eisen-Schwefel-Proteine. Bei der Oxidation des UQH$_2$ werden die beiden Elektronen auf das **Cytochrom c** übertragen, während die Protonen freigesetzt werden. UQ ist also gleichermaßen ein Redoxsystem und ein Carrier für Pro-

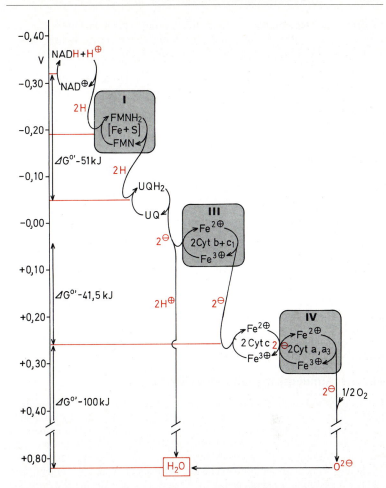

Abb. 11.**2** Anordnung der Glieder der Atmungskette entsprechend ihrem mittleren Redoxpotential und $\Delta G^{0\prime}$-Werte

tonen. Cytochrom c ist ein aus nur 104 Aminosäuren bestehendes wasserlösliches Häm-Protein, das an die Außenseite der inneren Mitochondrienmembran, also im intercristalen Raum, locker an die Mitochondrienmembran gebunden ist. Es wird durch die **Cytochromoxidase (Komplex IV)** oxidiert, das Warburgsche Atmungsferment, das aus insgesamt 13 Untereinheiten besteht. Es enthält die Cytochrome (Häme) a und a_3 sowie 2 Atome Kupfer. Eine seiner Untereinheiten überträgt die

Elektronen auf den elementaren Sauerstoff. Das durch die Aufnahme von 2 Elektronen entstandene Sauerstoff-Ion tritt dann mit 2 Protonen zu Wasser zusammen, womit die Protonenbilanz ausgeglichen und die Endstufe der biologischen Oxidation erreicht ist.

Obwohl außer Zweifel steht, daß an der Atmungskette der pflanzlichen Mitochondrien Proteinkomplexe gleicher Funktion, wenn auch nicht gleicher Zusammensetzung beteiligt sind, bestehen hinsichtlich der Anordnung der einzelnen Glieder deutliche Unterschiede, und zwar vor allem im Bereich der Flavoproteine und der verschiedenen Cytochrome b, von denen bei Pflanzen bisher 5 verschiedene Vertreter nachgewiesen wurden. Außerdem existiert ein Nebenweg, der durch die Vergiftung der Cytochromoxidase durch Cyanid kaum beeinträchtigt und deshalb als cyanidresistente Atmung bezeichnet wird. Allerdings wird durch diesen Elektronenfluß keine Energie in Form von ATP gewonnen, sondern lediglich als Wärme freigesetzt. Seine Bedeutung ist noch nicht ganz klar, da eine Wärmeproduktion nur für ganz wenige pflanzliche Gewebe von Bedeutung ist.

❗ Aus den Bilanzen der Glykolyse und des Citronensäurezyklus einerseits und der Endoxidation andererseits ergibt sich für den oxidativen Abbau der Kohlenhydrate die folgende Gesamtbilanz:

$$C_6H_{12}O_6 \ + \ 6\,H_2O \ + \ 12\,\text{Coenzyme} \ \longrightarrow \ 6\,CO_2 \ + \ 12\,\text{Coenzyme-}H_2$$

$$12\,\text{Coenzyme-}H_2 \ + \ 6\,O_2 \ \longrightarrow \ 12\,\text{Coenzyme} \ + \ 12\,H_2O$$

$$C_6H_{12}O_6 \ + \ 6\,O_2 \ \longrightarrow \ 6\,CO_2 \ + \ 6\,H_2O$$

11.2.4.2 Atmungskettenphosphorylierung

Die biologische Aufgabe der Atmungskette besteht darin, die bei der Oxidation eines Substrates durch Sauerstoff verfügbar werdende Energie aufzufangen und in Form der energiereichen Bindung des ATP zu konservieren, in der sie nunmehr für andere physiologische Prozesse zur Verfügung steht. Wie bereits dargelegt wurde, hat in der Atmungskette der jeweils folgende Proteinkomplex ein stärker positives Redoxpotential als der vorhergehende. Bei jedem Elektronenübergang wird somit ein bestimmter Energiebetrag ($\Delta G^{0'}$) verfügbar, der für die Synthese von ATP genutzt werden kann (Abb. 11.**2**).

❗ Diese mit der Atmungskette gekoppelte ATP-Bildung bezeichnet man als Atmungskettenphosphorylierung oder **oxidative Phosphorylierung.** Nach der von Mitchell formulierten chemiosmotischen Theorie wird zunächst, ähnlich wie bei der photosynthetischen Elektronentransportkette (Abb. 10.**4**, S. 299), ein Protonengradient errichtet. Die daraus resultierende proton-motive-force kehrt die Protonenpumpe in ihrer Richtung um, so daß sie nunmehr als ATP-Synthase wirkt und ATP aus ADP + P_i bildet, wodurch der Protonengradient abgebaut wird.

Abb. 11.3 Topologisches Schema der Anordnung von Redoxsystemen der Atmungskette in der Mitochondrienmembran. Als Abszisse sind die Potentialbereiche angezeigt, in denen sich die Redoxpotentiale der Einzelkomponenten jedes Komplexes bewegen. Der Rückstrom der Protonen erfolgt über die ATP-Synthase (nach Karlson)

Um dies zu verstehen, müssen wir uns über die Topologie der Atmungskette in der mitochondrialen Membran klar werden, die in Abb. 11.3 dargestellt ist. Danach sind die Komplexe I, III und IV transmembrane Proteine, die die durch den „bergab" führenden Transport der Elektronen frei werdende Energie zum Ausstrom von Protonen aus dem Innenraum der Mitochondrien (Matrix- oder M-Raum) in den perimitochondrialen Intermembranraum (C-Raum) nutzen. Für den Komplex I wird ein Wert von mindestens $4\,H^{\oplus}/2e^{\ominus}$ angenommen, für Komplex III ist dieser Wert bewiesen, während er für den Komplex IV $2\,H^{\oplus}/2e^{\ominus}$ beträgt, was $10\,H^{\oplus}/\frac{1}{2}\,O_2$ entspräche. Maximal sind $12\,H^{\oplus}/\frac{1}{2}\,O_2$ möglich, doch herrscht bezüglich der genauen Stöchiometrie unter den physiologischen Bedingungen der Zelle noch Unklarheit. Die auch als **Komplex V** bezeichnete **ATP-Synthase,** deren etwa kugelförmiger F_1-Teil auf der Innenseite liegt (vgl. Abb. 3.**1H**, S. 71), benötigt $3\,H^{\oplus}$ für die Bildung von 1 ATP aus ADP und P_1. Außerdem muß für jedes gebildete ATP ein Proton für den Cotransport von $1\,P_i$ aus dem Außenraum in den Matrixraum aufgewandt werden, was $4\,H^{\oplus}$/ATP bzw., bei dem angenommenen Maximalwert von $12\,H^{\oplus}/\frac{1}{2}\,O_2$, einem Quotienten von 3 Molen ATP/1 mol $NADH + H^{\oplus}$ bzw. einem Energiebetrag von etwa $3 \cdot -30{,}5$ kJ (S. 284) $= -91{,}5$ kJ/mol entspricht. Die freie Energie des $NADH + H^{\oplus}$ beträgt -220 kJ/mol. Auf Standardbedingungen bezogen errechnet sich ein Wirkungsgrad von 42%. Da in der lebenden Zelle keine Standardbedingungen vorliegen, dürfte der Wirkungsgrad sogar noch höher sein.

Werden die Elektronen über den Komplex II, also auf der Stufe des UQ eingeschleust, kann nur ein Wert von 2 ATP/FADH$_2$ erreicht werden.

Die Oxidation von NADH + H$^\oplus$ kann nur ablaufen, wenn genügend ADP zur Verfügung steht, also ATP verbraucht wird. Auf diese Weise hat die Zelle die Möglichkeit, den Oxidationsprozeß zu steuern. Solche Regulationssysteme, die verhindern, daß mehr Substrat umgesetzt wird, als nötig ist, finden sich noch an vielen
anderen Punkten des Stoffwechsels. Häufig hemmt das dabei gebildete Reaktionsprodukt Reaktionsschritte, die zu seiner Entstehung führen. Man bezeichnet ein
solches System als **Rückkopplung.**

11.3   Fettabbau und Glyoxylsäurezyklus

Die Speicherfette pflanzlicher Samen werden mit Einsetzen der Keimung enzymatisch durch Lipasen, die wahrscheinlich an der Innenseite der Hülle der Oleosomen lokalisiert sind, in Fettsäuren und Glycerin gespalten. Dieser Abbau führt
von den Triglyceriden schrittweise über Di- und Monoglyceride. Während das
Glycerin entweder zur Synthese von Zuckern benutzt wird oder in die Glykolyse
zum weiteren Abbau einfließt, erfolgt der Abbau der Fettsäuren auf dem Wege der
sogenannten β-Oxidation. Dies kann sowohl in den Mitochondrien als auch in
den Glyoxysomen geschehen.

β-Oxidation der Fettsäuren: In der β-Oxidation werden die Fettsäuremoleküle
in zyklischen Umläufen um jeweils ein C$_2$-Bruchstück verkürzt. Die chemischen
Umsetzungen entsprechen formal denen der Fettsäuresynthese (S. 313 ff.), erfolgen jedoch in der umgekehrten Reihenfolge und werden durch andere Enzyme
katalysiert. Vor Eintritt in die β-Oxidation wird die Fettsäure unter ATP-Verbrauch
und unter Mitwirkung des Enzyms Acyl-CoA-Synthetase auf CoA übertragen, wodurch die reaktionsfähige Form des Acyl-CoA entsteht. Wie Abb. 11.**4** zeigt, wird
zunächst Wasserstoff abgespalten und auf FAD übertragen, wodurch FADH$_2$ und
ein Enoylrest entstehen. Dieser wird durch Wasseranlagerung zu einem 3-Hydro-
xyacylrest hydratisiert, der unter abermaliger Dehydrierung in einen 3-Oxoacyl-
rest übergeht. Der Wasserstoff wird in diesem Fall auf NAD$^\oplus$ übertragen. Aus dem
entstandenen 3-Oxoacyl-CoA kann leicht ein C$_2$-Fragment, das Acetyl-CoA, abgespalten werden, wobei der Acylrest sogleich an ein weiteres CoA gebunden wird.
Er kann nun erneut in den Zyklus eintreten und durch wiederholten Umlauf quantitativ zu Acetyl-CoA abgebaut werden.

Erfolgt die β-Oxidation der Fettsäuren in den Mitochondrien, was bei Pflanzenzellen, wenn überhaupt, nur in geringerem Umfange der Fall ist, so können die Acetylreste über den Citronensäurezyklus und der an die Coenzyme gebundene Wasserstoff direkt in die Atmungskette eingeschleust und für die Energiegewinnung
genutzt werden. Läuft dagegen die β-Oxidation in den Glyoxysomen ab, so kann
zwar der abgespaltene Wasserstoff durch NADH + H$^\oplus$ ebenfalls in die Atmungs-

Abb. 11.**4** Vereinfachtes Reaktionsschema der β-Oxidation der Fettsäuren. 1. Umlauf = schwarze Pfeile, 2. Umlauf = rote Pfeile. Letztes C_2-Bruchstück schwarz, vorletztes rot, die folgenden wieder schwarz. 1. Dehydrierung, 2. Hydratisierung, 3. zweite Dehydrierung, 4. Abspaltung von Acetyl-CoA. R = Rest einer geradzahligen Fettsäure

kette eingeschleust werden ($FADH_2$ wird wahrscheinlich mit Luftsauerstoff zu H_2O_2 oxidiert, das dann durch Katalase gespalten wird), nicht aber das Acetyl-CoA, da dieses die innere Mitochondrienmembran nicht passieren kann.

Die Weiterverarbeitung des Acetylrestes erfolgt hier im Glyoxylsäurezyklus (Abb. 11.**5**). Durch Spaltung der Isocitronensäure (C_6) entstehen der C_4-Körper Bernsteinsäure (Succinat) und der C_2-Körper Glyoxylsäure (Glyoxylat). Letztere bildet durch Kondensation mit einem durch CoA übertragenen Acetylrest Äpfelsäure (Malat), die über Oxalacetat mit einem weiteren durch CoA übertragenen Acetylrest wieder Citronensäure bilden kann. Das Succinat verläßt das Glyoxysom und passiert die Mitochondrienmembran. Im Mitochondrion kann es entweder den Citronensäurezyklus durchlaufen oder aber nach Umformung über Fumarsäure als Malat das Mitochondrion verlassen. Im Cytoplasma wird es über Oxalacetat in Phosphoenolpyruvat (PEP) überführt. Aus diesem wird in einem Prozeß, der formal etwa einer in umgekehrter Richtung verlaufenden Glykolyse ent-

Abb. 11.5 Abbau der Fette und Glyoxylsäurezyklus, schematisch

spricht, zum Teil aber durch andere Enzyme katalysiert wird, Glucose gebildet **(Gluconeogenese).** Auf diese Weise ist es also auch solchen Pflanzen, die ausschließlich Fette als Reservestoffe verwenden, sowie den Essigsäure bzw. Fettsäure verarbeitenden Mikroorganismen möglich, Kohlenhydrate zu bilden.

11.4   Gärungen

Wie bereits erwähnt (S. 323), kann der bei der Oxidation des Atmungssubstrates abgespaltene Wasserstoff auch auf andere Substrate übertragen werden. Dies ist bei Anaerobiose, d. h. bei Abwesenheit von Sauerstoff, unumgänglich. So können z. B. auch organische Substanzen als Wasserstoffakzeptoren dienen. Durch deren Reduktion entstehen verhältnismäßig energiereiche Endprodukte, die entsprechend den benutzten Wasserstoffakzeptoren recht verschieden sein können. Man bezeichnet diese unvollständigen Oxidationen auch als Gärungen und benennt sie nach ihren Endprodukten, z. B. alkoholische Gärung nach dem entstehenden Ethanol, Milchsäuregärung nach der Milchsäure usw. Fakultative Anaerobier sind sowohl zur aeroben als auch zur anaeroben Dissimilation befähigt, während die obligaten Anaerobier ausschließlich die anaerobe Dissimilation betreiben.

Nach der klassischen Definition von Pasteur sind Gärungen anaerobe, d. h. in Abwesenheit von Luftsauerstoff ablaufende Vorgänge. Demnach würden unvollständige Oxidationen, bei denen zwar energiereiche Substanzen als Endprodukte entstehen, zugleich aber auch der Sauerstoff als Wasserstoffakzeptor fungiert, nicht unter diese Definition fallen. Es hat sich jedoch eingebürgert, den Begriff Gärung (Fermentation) im erweiterten Sinne zu benutzen.

11.4.1   Alkoholische Gärung

Die alkoholische Gärung läuft über weite Strecken der bereits behandelten Glykolyse parallel. Wir können sie deshalb leicht aus dieser ableiten.

Historisch betrachtet ist allerdings der umgekehrte Weg beschritten worden, denn die alkoholische Gärung ist der erste biochemische Prozeß gewesen, dessen Ablauf vollständig aufgeklärt werden konnte. Erst sehr viel später hat man erkannt, daß auch die ersten Schritte der biologischen Oxidation in gleicher Weise ablaufen.

Brenztraubensäure   **Acetaldehyd**   **Ethanol**

Alkoholische Gärung

Die alkoholische Gärung wird von Hefen, z. B. der Bierhefe *(Saccharomyces cerevisiae)* durchgeführt. Das Substrat ist wiederum die Glucose, deren Abbau bis zur Brenztraubensäure dem Glykoloseschema folgt. Abweichend vom oxidativen Abbau wird diese nun nicht in den Citronensäurezyklus überführt, sondern durch das Enzym Pyruvat-Decarboxylase zu Acetaldehyd decarboxyliert. Dieser wird durch NADH + H$^\oplus$, das bei der Oxidation des Glycerinaldehyd-3-phosphates entsteht, zu Ethanol reduziert. Dieser Vorgang wird durch die Alkohol-Dehydrogenase, ein zinkhaltiges Enzym, katalysiert. Es ergibt sich die folgende Bruttogleichung:

$$C_6H_{12}O_6 \longrightarrow 2\,CO_2 \;+\; 2\,C_2H_5OH \qquad \Delta G^{0'} = -234\,kJ\,(-56\,kcal)$$

Die Energieausbeute ist, dem anaeroben Verlauf entsprechend, gering. Sie beträgt, wie in der Glykolyse, 2 Mole ATP pro Mol Glucose. Zur Deckung ihres Energiebedarfs müssen die Hefen deshalb beträchtliche Zuckermengen umsetzen, was zu einer raschen Anreicherung des Alkohols führt. Daneben ist die Hefe allerdings auch zum oxidativen Abbau befähigt. So ist z.B. eine starke Zellvermehrung stets mit einem Umschalten auf den oxidativen Abbau verbunden (Pasteur-Effekt). Die Hefe ist also ein fakultativer Anaerobier.

11.4.2 Oxidation des Alkohols

Dem geringen Energiegewinn der alkoholischen Gärung entsprechend ist das Ethanol noch ein recht energiereiches Produkt, das von anderen Organismen unter Energiegewinn oxidativ weiter umgesetzt werden kann. Hier sind die Vertreter der Bakteriengattung *Acetobacter* zu nennen, die den Alkohol zu Essigsäure zu oxidieren vermögen.

Die Reaktion folgt im Prinzip dem Wielandschen Dehydrierungsschema und umfaßt zwei Dehydrierungsschritte. Im ersten wird der Alkohol zu Acetaldehyd dehydriert. Formal betrachtet entsteht nun unter Wasseranlagerung ein nicht beständiges Hydrat, das unter nochmaliger Dehydrierung in Essigsäure übergeht. Der abgespaltene Wasserstoff wird durch das NADH + H$^\oplus$ auf die Atmungskette übertragen, wo die Endoxidation erfolgt. Diese auch als **Essigsäuregärung** bezeichnete Oxidation des Alkohols verläuft also aerob und würde somit, der Pasteurschen Definition gemäß, nicht zu den Gärungen zählen. Ihre Energieausbeute ist mit einem $\Delta G^{0'}$ von $-754\,kJ/mol$ ($=-180\,kcal/mol$) entsprechend hoch. Die Essigsäuregärung wird zur industriellen Herstellung von Essig aus Wein benutzt.

Oxidation des Alkohols zur Essigsäure

11.4.3 Milchsäuregärung

Auch die Milchsäuregärung geht bis zur Brenztraubensäure der Glykolyse parallel. Im Gegensatz zur alkoholischen Gärung wird die Brenztraubensäure jedoch nicht zu Acetaldehyd decarboxyliert. Es findet also keine Gasentwicklung statt. Vielmehr dient die Brenztraubensäure hier selbst als Wasserstoffakzeptor und geht unter Aufnahme des während der Glykolyse abgespaltenen und durch NADH + H$^\oplus$ übertragenen Wasserstoffs in Milchsäure über. Diese Reaktion wird durch das Enzym Lactat-Dehydrogenase katalysiert.

$$\underset{\substack{\| \\ H_3C-C-COOH}}{O} \xrightarrow{\substack{NADH + H^\oplus \\ NAD^\oplus}} \underset{\substack{| \\ H_3C-CH-COOH}}{OH}$$

Insgesamt läßt sich die Milchsäuregärung durch folgende Bruttogleichung wiedergeben:

$$C_6H_{12}O_6 \longrightarrow 2\ H_3C\underset{\substack{| \\ }}{\overset{OH}{-}}CH-COOH \qquad \Delta G^{0'} = -197\ kJ\ (-47\ kcal)$$

Die Energieausbeute dieses Vorganges ist mit einem $\Delta G^{0'}$ von -197 kJ/mol ($=-47$ kcal/mol), dem anaeroben Verlauf entsprechend, gering. Es werden, wie bei der alkoholischen Gärung, 2 Mole ATP pro Mol Glucose gebildet. Zur Durchführung der Milchsäuregärung sind zahlreiche Bakterien befähigt. Hier seien nur die „reinen" Milchsäuregärer genannt, d.h. *Streptococcus lactis* sowie einige Vertreter der Gattung *Lactobacillus,* die bei der Milchverwertung sowie bei der technischen Milchsäureproduktion eine Rolle spielen.

Außerdem gibt es noch zahlreiche weitere Gärungen, z.B. die Propionsäuregärung, die Buttersäuregärung u.a., die von verschiedenen Mikroorganismen, bisweilen auch nebeneinander, durchgeführt werden. Wegen weiterer Einzelheiten sei auf die Lehrbücher der Mikrobiologie verwiesen.

In diesem Zusammenhang bedarf es der Erwähnung, daß der Weg der anaeroben Dissimilation auch von den höheren Pflanzen eingeschlagen werden kann. Unterbindet man nämlich den Zutritt des Luftsauerstoffs, so können die Pflanzen durchaus noch eine Zeitlang „weiteratmen", was sich durch die Bildung von CO_2 nachweisen läßt. Auch die Gärungsprodukte Ethanol und Milchsäure lassen sich nach einiger Zeit im Gewebe anaerob atmender Pflanzen nachweisen. Man hat diesen Vorgang früher als intramolekulare Atmung bezeichnet, um damit auszudrücken, daß es sich hier nur um innermolekulare Umlagerungen handelt. Wir können hierfür jedoch mit vollem Recht auch die Bezeichnung „Gärung" verwenden.

11.4.4   Anaerobe Atmung

❗ Einige Mikroorganismen sind sogar in der Lage, den *oxidativen* Abbau organischer Substanzen *anaerob*, d. h. in Abwesenheit von elementarem Sauerstoff, durchzuführen, indem sie den Wasserstoff auf anorganische Elektronenakzeptoren übertragen, die hierbei reduziert werden.

Manche von ihnen verwenden als Wasserstoff- bzw. Elektronenakzeptoren Nitrate oder Nitrite, die sie zu Stickoxiden (N_2O), zu elementarem Stickstoff (N_2) oder zu Ammonium ($NH_4^{\oplus}$) reduzieren (Nitratatmung). Dieser auch als **Denitrifikation** bezeichnete Prozeß hat in schlecht durchlüfteten Böden einen Abbau der Nitrate zur Folge, die somit in erheblichem Umfange der pflanzlichen Ernährung verlorengehen. Andere Mikroorganismen verwenden Sulfate als Wasserstoff- bzw. Elektronenakzeptoren, die sie zu elementarem Schwefel (S) bzw. Schwefelwasserstoff (H_2S) reduzieren (Sulfatatmung, **Desulfurikation**). Auch $Fe^{3\oplus}$- und $Mn^{4\oplus}$-Ionen können als Elektronenakzeptoren dienen, wodurch $Fe^{2\oplus}$ bzw. $Mn^{2\oplus}$-Ionen entstehen. Schließlich kann sogar CO_2, das selbst Produkt des anaeroben Abbaus ist, als Wasserstoffakzeptor fungieren, wobei als Endprodukt Methan entsteht (methanogene Bakterien, S. 185).

11.5   Oxidativer Pentosephosphatweg

Außer über Glykolyse, Citronensäurezyklus und Endoxidation kann die Glucose auch direkt oxidiert werden, wobei pro Molekül Glucose ebenfalls 6 CO_2 und 12 reduzierte Coenzyme entstehen. Allerdings fallen die letzteren in Form von $NADPH + H^{\oplus}$ an, das den Wasserstoff nicht in die Atmungskette einschleust, sondern für reduktive Synthesen bereitstellt.

Zunächst wird die Glucose zu Glucose-6-phosphat phosphoryliert, das dann durch die Glucose-6-phosphatdehydrogenase zu 6-Phosphogluconolacton dehydriert wird. Dieses geht unter Wasseraufnahme in die 6-Phosphogluconsäure über, die ebenfalls durch eine spezifische Dehydrogenase dehydriert wird. Formal entsteht hierdurch die 6-Phospho-3-oxo-gluconsäure, die jedoch instabil ist und unter Abspaltung von CO_2 in das Ribulose-5-phosphat, also einen C_5-Körper, übergeht. Der abgespaltene Wasserstoff wird von beiden Dehydrogenasen auf $NADP^{\oplus}$ übertragen, wodurch 2 $NADPH + H^{\oplus}$ pro Glucosemolekül entstehen. Multipliziert man diesen Vorgang mit 6, so erhält man aus 6 Molekülen Glucose-6-phosphat, 12 $NADP^{\oplus}$ und 6 H_2O bilanzmäßig 6 CO_2, 12 $NADPH + H^{\oplus}$ und 6 Ribulose-5-phosphat. Aus den letzteren können wieder 5 Moleküle Glucose-6-phosphat gebildet werden. Dies geschieht in dem oxidativen Pentosephosphatzyklus, der in seinen Umsetzungen dem bereits besprochenen reduktiven Pentosephosphatzyklus (Calvin-Zyklus) (S. 302) entspricht, aber in umgekehrter Richtung verläuft (s. Schema). Da hierbei ein anorganisches Phosphat entsteht, wird ein weiteres Molekül Wasser benötigt.

6 **Glucose-6-phosphat**   6 **6-Phosphogluconolaceton**   6 **6-Phosphogluconsäure**

Oxidativer Pentosephosphatweg

⚠ Der oxidative Pentosephosphatzyklus läuft nicht in den Mitochondrien ab, sondern im Cytoplasma und auch in den Chloroplasten, wenn Bedarf an NADPH + H⊕ besteht, das im Licht aus der Photosynthese angeliefert wird. Allerdings wird der oxidative Pentosephosphatzyklus nur dann vollständig durchlaufen, wenn die entstehenden Zwischenprodukte nicht anderen Prozessen zugeführt werden, wie etwa die Pentosephosphate der Nucleotidsynthese (S. 350).

11.6   Kreislauf des Kohlenstoffs

Die vorangegangenen Abschnitte haben gezeigt, daß der Kohlenstoff in der Natur einem Kreislauf unterworfen ist. Durch die Tätigkeit der autotrophen Organismen wird er in den Prozessen der Photosynthese und der Chemosynthese aus der anorganischen Form des Kohlendioxids in Kohlenhydrate und andere organische Substanzen überführt, die in den Dissimilationsvorgängen, sei es über die Glykolyse und den Citronensäurezyklus, sei es über den oxidativen Pentosephosphatweg, wieder zu CO_2 abgebaut werden.

Dies gilt gleichermaßen für autotrophe und heterotrophe Organismen. Von den Kohlenhydraten ausgehend werden die Kohlenstoffskelette für zahlreiche andere organische Substanzen zur Verfügung gestellt, von denen neben den Fetten und Alkoholen vor allem die Aminosäuren als Grundbausteine der Proteine und die

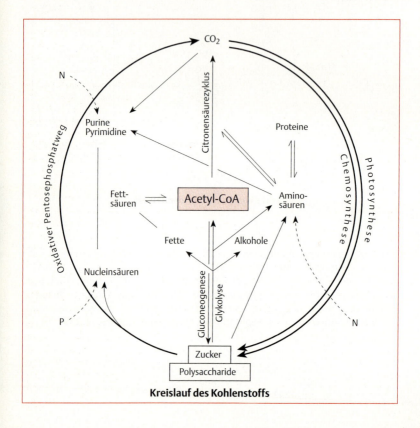

Kreislauf des Kohlenstoffs

Nucleinsäuren genannt seien. Diese Querbeziehungen sind in dem vorstehenden Schema angedeutet. Selbstverständlich ließen sich noch zahlreiche weitere Verbindungsklassen anführen, doch wurde der besseren Übersichtlichkeit wegen darauf verzichtet.

Zusammenfassung

Im Prozeß der biologischen Oxidation, der auch als Atmung oder Dissimilation bezeichnet wird, wird das in der Photosynthese errichtete energetische Potential zwischen Wasserstoff und Sauerstoff genutzt und in Form von ATP für endergonische Prozesse bereitgestellt. Der Wasserstoff wird aus den organischen Kohlenstoffverbindungen abgespalten und in mehreren Schritten auf den elementaren Sauerstoff übertragen. Der nicht mehr benötigte Kohlenstoff wird in Form von CO_2 frei.

Ausgangssubstrat der biologischen Oxidation ist die Glucose. Andere Zucker müssen in diese umgewandelt werden. Liegt die Glucose in Form von Polysacchariden, z.B. Stärke, vor, so müssen diese zunächst auf hydrolytischem Wege zu Glucose oder auf phosphorolytischem Wege zu Glucose-1-phosphat abgebaut werden.

Der oxidative Abbau der Kohlenhydrate verläuft in mehreren Teilabschnitten. In der Glykolyse wird das Glucosemolekül in 2 C_3-Bruchstücke gespalten, die zu Brenztraubensäure oxidiert werden. Bei diesem Prozeß entstehen bilanzmäßig 2 ATP und 2 NADH + $H^\oplus$ pro Molekül Glucose.

In der oxidativen Decarboxylierung wird aus einem Molekül Brenztraubensäure 1 CO_2 abgespalten und der übrigbleibende C_2-Körper, der Acetylrest, auf das Coenzym A übertragen, wodurch Acetyl-CoA entsteht. Der bei diesem Prozeß anfallende Wasserstoff wird wiederum auf $NAD^\oplus$ übertragen, das zu NADH + $H^\oplus$ reduziert wird.

Im Citronensäurezyklus wird der Acetylrest unter stufenweiser Abspaltung von Wasserstoff und 2 Molekülen Kohlendioxid vollständig abgegeben. Pro Umlauf fallen 3 NADH + $H^\oplus$ und 1 $FADH_2$ an sowie ein Molekül GTP oder ATP.

In der Endoxidation erfolgt die Vereinigung des abgespaltenen Wasserstoffs mit dem Sauerstoff über die Atmungskette. Ein Teil der hierbei freiwerdenden Energie wird in der oxidativen Phosphorylierung (Atmungskettenphosphorylierung) in Form von ATP aufgefangen, wobei 3 ATP/H_2O entstehen.

Die Speicherfette werden zunächst in Fettsäuren und Glycerin gespalten. Der Abbau der Fettsäuren erfolgt durch β-Oxidation, wobei die Fettsäurekette jeweils um ein C_2-Bruchstück verkürzt wird, das als Acetyl-CoA anfällt. Der abgespaltene Wasserstoff wird in Form von NADH + $H^\oplus$ auf die Atmungskette übertragen. Die β-Oxidation kann sowohl in den Mitochondrien als auch in den Glyoxysomen ablaufen. Im letzteren Falle erfolgt die Verarbeitung des Acetylrestes im Glyoxylsäurezyklus, der zur Bildung von Succinat führt. Dieses wird entweder in den Citronensäurezyklus eingeschleust oder dient als Ausgangsstoff für die Gluconeogenese.

Als Gärung im engeren Sinne bezeichnet man in Abwesenheit von Luftsauerstoff ablaufende unvollständige Oxidationen, bei denen ebenfalls meist die Glucose als Ausgangssubstrat dient. Pro Molekül Glucose werden in der alkoholischen Gärung 2 Moleküle Ethanol und 2 CO_2 gebildet, in der Milchsäuregärung 2 Moleküle Milchsäure. Neuerdings werden häufig auch in Gegenwart von Sauerstoff ablaufende unvollständige Oxidationen als Gärungen bezeichnet, wie z. B. die Essigsäuregärung, bei der Ethanol zu Essigsäure oxidiert und der abgespaltene Wasserstoff in Form von NADH + H$^\oplus$ auf die Atmungskette übertragen wird. Infolgedessen ist die Energieausbeute dieses Prozesses erheblich höher als bei den vorgenannten Gärungen.

Im oxidativen Pentosephosphatzyklus wird die Glucose nach Phosphorylierung zu Glucose-6-phosphat unter Abspaltung von CO_2 und zweimaliger Abspaltung von Wasserstoff, der auf NADP$^\oplus$ übertragen wird, zu Ribulose-5-phosphat oxidiert. In dem anschließenden Zyklus werden aus 6 Molekülen Ribulose-5-phosphat 5 Moleküle Glucose-6-phosphat zurückgewonnen.

12 Haushalt von Stickstoff, Schwefel und Phosphor

Die beiden vorausgegangenen Kapitel beschränken sich im wesentlichen auf die Behandlung des Stoffwechsels der Kohlenstoffverbindungen, der teils im Dienste der Energieumwandlung steht, teils dem Aufbau körpereigener Substanzen dient. Unter den molekularen Bausteinen des Pflanzenkörpers haben wir jedoch auch zahlreiche organische Verbindungen kennengelernt, die andere Nichtmetalle wie Stickstoff, Schwefel und Phosphor enthalten. So wird der Stickstoff für den Aufbau der Aminosäuren und folglich der Proteine benötigt, für die Synthese der basischen Nucleinsäurebausteine und für die Photosynthesepigmente wie Chlorophylle und Phycobiliproteine, um nur einige Beispiele zu nennen. Der Schwefel ist Bestandteil der Aminosäuren Cystein bzw. Cystin sowie Methionin und somit ebenfalls der Proteine. Darüber hinaus ist er in zahlreichen Coenzymen und in den nach ihm benannten SH-Gruppen-Enzymen enthalten. Der Phosphor schließlich ist ebenfalls Bestandteil der Nucleinsäuren und nimmt in Form organischer Phosphorverbindungen eine Schlüsselposition im Energiehaushalt ein. Wenn auch diese Elemente, verglichen mit dem Kohlenstoff, in geringerer Menge benötigt werden, ist dennoch ihre Verfügbarkeit eine unerläßliche Voraussetzung für den normalen Ablauf der Lebensvorgänge.

12.1   Stickstoffhaushalt

Da der Stickstoff, wie soeben erwähnt, Bestandteil zahlreicher Biomoleküle ist, andererseits aber manche Böden verhältnismäßig stickstoffarm sind, befindet er sich häufig im Minimum und ist damit für das Wachstum der begrenzende Faktor. Ähnlich wie beim Kohlenstoff können wir auch im Falle der Stickstoffernährung autotrophe und heterotrophe Organismen unterscheiden. Erstere vermögen anorganisch gebundenen oder sogar elementaren Stickstoff zu verwerten, während die heterotrophen Lebewesen, zu denen neben zahlreichen Mikroorganismen auch Pilze, Tiere und der Mensch gehören, auf organisch gebundenen Stickstoff angewiesen sind, wobei Proteine bzw. Aminosäuren die wichtigsten Stickstoffquellen sind.

12.1.1   Stickstoffquellen

Schon bei der Besprechung der Ionenaufnahme wurde darauf hingewiesen, daß die grünen Pflanzen nicht nur kohlenstoffautotroph, sondern normalerweise auch stickstoffautotroph sind. Sie nehmen ihn, bevorzugt in Form des $NO_3^{\ominus}$-Ions, aus dem Boden auf, der somit die wichtigste, meist sogar einzige Stickstoffquelle der höheren Pflanze ist. In der Regel ist $NO_3^{\ominus}$ durch $NH_4^{\oplus}$ ersetzbar, doch bereitet die fortgesetzte Aufnahme von $NH_4^{\oplus}$ vielen höheren Pflanzen wegen der dadurch bedingten Ansäuerung des Bodens Schwierigkeiten. Da der Stickstoff in den meisten Böden nur in relativ geringer Menge enthalten ist, müssen landwirtschaftlich intensiv genutzte Flächen regelmäßig gedüngt werden. Demgegenüber sind die dem Boden durch Regen zugeführten, aus elektrischen Entladungen in der Atmosphäre stammenden Mengen von Stickstoffoxiden gering zu veranschlagen.

Zur Bindung des elementaren Stickstoffs, der im Wasser des Bodens gelöst ist, sind einige Bakterien und Cyanobakterien befähigt, die entweder frei im Boden leben oder mit höheren Pflanzen in Symbiose vergesellschaftet sind. Von den frei lebenden Bakterien seien *Azotobacter chroococcum* und *Clostridium pasteurianum,* die Purpurbakterien und die Actinomyceten genannt. Von den symbiotisch lebenden Stickstoffbindern kommt den Wurzelknöllchenbakterien der Fabales (Hülsenfrüchtler) aus den Gattungen *Rhizobium* und *Bradyrhizobium* die größte praktische Bedeutung zu (S. 365). Sie ermöglichen den Pflanzen auch auf stickstoffarmen Böden ein gutes Gedeihen. Die durch sie jährlich gebundenen Stickstoffmengen können bis zu 300 kg/ha betragen, sind also für den Stickstoffhaushalt des Bodens von erheblicher Bedeutung.

12.1.2   Einbau des Stickstoffs

Unabhängig davon, ob als N-Quelle der elementare Stickstoff oder das Nitrat-Ion dient, muß der Stickstoff zunächst bis zur Stufe des Ammoniaks reduziert werden, da der Einbau in Kohlenstoffverbindungen nur in der reduzierten Form erfolgen kann.

12.1.2.1 Fixierung des elementaren Stickstoffs

🔴 Die Reduktion des elementaren Stickstoffs (N_2), auch als Distickstoff bezeichnet, erfolgt durch das Enzym **Nitrogenase**. Es ist ein Molybdoferredoxin mit einer Molekülmasse von 245 000 Da, das aus mehreren Untereinheiten besteht und 32 Fe-, ebensoviele S- und außerdem 2 Mo-Atome enthält.

Die Nitrogenase ist mit einer zweiten, kleineren Komponente von 64 000 Da assoziiert, die 4 Fe- und 4 S-Atome enthält und als Azoferredoxin bzw. **Nitrogenase-Reduktase** bezeichnet wird. Sie überträgt unter Verbrauch von einem ATP ein Elektron auf die Nitrogenase, an deren Metall-Schwefel-Zentren der Distickstoff gebunden ist. Der N_2 wird schrittweise unter Übertragung von 6 Elektronen reduziert und schließlich als NH_3 bzw. $NH_4^{\oplus}$ in das Cytosol der Wirtszelle entlassen und dort in eine organische Bindung überführt. Da keine Zwischenstufen gefunden wurden, ist anzunehmen, daß der Stickstoff die ganze Zeit über an das Enzym gebunden bleibt. Obwohl die Reaktion $3 H_2 + N_2 \rightarrow 2 NH_3$ exergonisch ist ($\Delta G^{0'} = -50 \text{ kJ/mol} = -12 \text{ kcal/mol}$), ist der Energiebedarf, wohl wegen der Reaktionsträgheit des elementaren Stickstoffs, sehr hoch. Es werden 16 ATP/N_2 benötigt.

Falls das bei der hydrolytischen Spaltung entstehende ADP nicht sofort wieder zu ATP phosphoryliert wird, kommt die Reaktion zum Erliegen. Der Organismus läuft also nicht Gefahr, sein verfügbares ATP ausschließlich zur N_2-Fixierung zu verwenden. Als Wasserstoffdonator dient reduziertes Ferredoxin. Bei den nichtphotosynthetischen Stickstoffbindern werden das reduzierte Ferredoxin und das ATP durch Spaltung von Brenztraubensäure gewonnen. Bei den photosynthetischen Formen stammt das ATP hauptsächlich aus der zyklischen Photophosphorylierung. Das Ferredoxin wird dagegen offenbar nicht durch die Photosynthese reduziert, wie man erwarten sollte, sondern wahrscheinlich ebenfalls in einer Dunkelreaktion, wobei wiederum die Brenztraubensäure als Elektronendonator zu fungieren scheint.

Der enzymatische Apparat der bakteriellen Stickstoff-Fixierung und die Knöllchenbildung werden durch die nif-Gene codiert, die auf dem sogenannten Sym-Plasmid lokalisiert sind. Sie werden durch $NH_4^{\oplus}$ und in einigen Fällen auch durch Sauerstoff (s. unten) reprimiert, weshalb die Bakterien außerhalb des Wirtes keinen Stickstoff fixieren.

Die Nitrogenase ist gegen Sauerstoff empfindlich. Für die anaeroben Stickstoffbinder ist dies kein Problem. Bei den aeroben Formen muß jedoch dafür gesorgt werden, daß zum Zeitpunkt der Stickstoffbindung die Sauerstoffspannung in der Zelle gering ist. Besondere Probleme ergeben sich für solche Organismen, die eine oxygene Photosynthese betreiben, bei der molekularer Sauerstoff produziert wird. Bei der Mehrzahl der zur Bindung von elementarem Stickstoff befähigten Cyanobakterien erfolgt die N_2-Fixierung daher in besonderen Zellen, den Heterocysten, die nur das Photosystem I enthalten, durch das im zyklischen Elektronentransport zwar ATP erzeugt wird, nicht aber Sauerstoff.

12.1.2.2 Nitratreduktion

⚠ Für die Reduktion des Nitrat-Ions $NO_3^\ominus$ zum NH_3 bzw. $NH_4^\oplus$ sind acht Elektronen erforderlich. Der erste Schritt der Nitratreduktion, bei dem zwei Elektronen übertragen werden, führt zum Nitrit. Dieser Vorgang wird durch das Enzym **Nitratreduktase** katalysiert, ein Molybdo-Flavoprotein, das ein Flavoprotein als prosthetische Gruppe sowie Molybdän und Häm-Eisen enthält.

Die ermittelten Molekülmassen der Nitratreduktase schwanken zwischen 150 000 und 500 000 Da. Die Bildung des Enzyms wird durch Nitrat induziert. Für die Reduktion eines Nitrat-Ions zu Nitrit werden 2 Elektronen benötigt. Als Wasserstoff bzw. Elektronendonatoren für die Reduktion des Nitrates können $NADH + H^\oplus$, $NADPH + H^\oplus$ oder reduziertes Ferredoxin Verwendung finden. Der Wasserstoff stammt bei den photoautotrophen Vertretern aus der Photosynthese, bei den heterotrophen aus dissimilatorischen Prozessen.

⚠ Die zweite Komponente des Nitrat-reduzierenden Systems ist die **Nitritreduktase** mit einer M_r von 68 000. Sie enthält ein Häm-Eisen-Protein als prosthetische Gruppe und außerdem ein Eisen-Schwefel-Zentrum. Durch Übertragung von 6 Elektronen reduziert sie $NO_2^\ominus$ zu NH_3.

Da keine Zwischenprodukte nachgewiesen werden konnten, ist anzunehmen, daß der Stickstoff während des gesamten Reduktionsvorganges an das Enzym gebunden bleibt, um sich erst als NH_3 abzulösen. Als Wasserstoffdonatoren können wiederum sowohl reduziertes Ferredoxin als auch $NADPH + H^\oplus$ bzw. $NADH + H^\oplus$ fungieren. Während die Nitratreduktase im Cytosol lokalisiert ist, findet sich die Nitritreduktase in den Plastiden, bei grünen Zellen also in den Chloroplasten. Erfolgt die Nitratreduktion, wie bei den meisten Holzpflanzen, bereits in der Wurzel, so muß der reduzierte Stickstoff in Form von Aminosäuren, z.B. Arginin und Citrullin, bzw. in Form vom Amiden (Glutamin, Asparagin) in den Gefäßen zu den oberirdischen Pflanzenteilen transportiert werden. Findet die Nitratreduktion hingegen in den Blättern statt, wird er von dort in einer geeigneten Transportform über das Phloem zu den Stellen des Bedarfs geleitet.

12.1.2.3 Einbau des reduzierten Stickstoffs in organische Kohlenstoffverbindungen

Ammoniak NH_3 löst sich in Wasser zu NH_4OH, das z.T. in $NH_4^\oplus$ und $OH^\ominus$ dissoziiert. Wir können daher davon ausgehen, daß es in der Zelle als Ammonium-Ion in organische Kohlenstoffverbindungen eingebaut wird. Formalchemisch ist es jedoch unwesentlich, ob wir in die Gleichungen $NH_4^\oplus$ oder NH_3 einsetzen.
Der weitaus überwiegende Teil des reduzierten Stickstoffs wird über die Aminosäuren eingeschleust. Je nachdem, um welche Aminosäure es sich handelt, sind die Synthesewege allerdings verschieden und laufen häufig über zahlreiche Zwischenstufen, die zu verfolgen hier nicht unsere Aufgabe ist. Wir wollen uns des-

halb auf die Besprechung einiger einfacher Beispiele beschränken. Im übrigen sei auf die Lehrbücher der Biochemie bzw. der Pflanzenphysiologie verwiesen.

Synthese der Aminosäuren: Im Gegensatz zu den Tieren, die nur einen Teil der benötigten Aminosäuren selbst synthetisieren können und die übrigen, sogenannten essentiellen, mit der Nahrung aufnehmen müssen, sind die Pflanzen normalerweise zur Synthese aller proteinogenen Aminosäuren befähigt. Sie können darüber hinaus sogar noch weitere Aminosäuren herstellen, die nicht als Bestandteile von Proteinen Verwendung finden.

Ein Weg des $NH_4^{\oplus}$-Einbaus ist die **reduktive Aminierung** von 2-Oxosäuren (= α-Ketosäuren). Hierbei wird unter Reduktion durch $NADH + H^{\oplus}$ Ammoniak angelagert, wodurch die entsprechende Aminosäure und Wasser entstehen.

Auf diese Weise wird von den höheren Pflanzen Glutaminsäure aus 2-Oxoglutarsäure (= α-Ketoglutarsäure), die im Citronensäurezyklus gebildet wird, synthetisiert. Das wirksame Enzym ist die Glutamat-Dehydrogenase. Ein alternativer Weg wird durch die Glutamat-Synthase katalysiert. Durch sie wird die Amido-Gruppe des Glutamins auf das 2-Oxoglutarat übertragen, wobei Ferredoxin bzw. $NADPH + H^{\oplus}$ als Wasserstoffdonatoren dienen. Als Reaktionsprodukt entstehen zwei Moleküle Glutaminsäure.

Andere 2-Oxosäuren werden nicht reduktiv aminiert, sondern durch **Transaminierung.** Hierunter versteht man die Übertragung einer NH_2-Gruppe von einer Aminosäure auf eine 2-Oxosäure, wobei in der Regel die Glutaminsäure als Aminogruppendonator dient, wie im folgenden Beispiel für Brenztraubensäure und Alanin dargestellt.

An diesem Vorgang sind als Enzyme die Aminotransferasen (= Transaminasen) beteiligt, die als prosthetische Gruppe das Pyridoxalphosphat (Vitamin B_6) enthalten.

Schließlich kann das Ammonium-Ion auch in Glutaminsäure eingebaut werden, wodurch unter Verbrauch von einem ATP Glutamin entsteht. Das wirksame Enzym ist die Glutamin-Synthetase. Dieser Weg wird vor allem auch von den N_2-fixierenden Mikroorganismen benutzt, die auch aus Asparaginsäure und NH_3 Asparagin bilden können. Von diesen Aminosäureamiden wird bei der Besprechung der NH_3-Entgiftung noch die Rede sein.

Proteine: Wie bereits dargelegt (S. 22), sind in den Proteinen zahlreiche Aminosäuren durch Peptidbindungen miteinander verknüpft. Da die Verknüpfung der einzelnen Aminosäuren bei der Proteinbiosynthese mit dem Problem der Einhaltung einer bestimmten Reihenfolge (Sequenz) verbunden ist, soll sie zu einem späteren Zeitpunkt (S. 437 ff.) besprochen werden.

Die Orte der Aminosäure- und Proteinsynthese sind in der höheren Pflanze vor allem die Blätter. Hierin kommt der enge Zusammenhang zwischen Kohlenhydrat- und Proteinstoffwechsel zum Ausdruck.

Synthese der Nucleinsäuren: Die Synthesen der Nucleotidbasen, d. h. also der Purin- und Pyrimidinkörper, laufen über mehrere Zwischenstufen. Sie können hier nicht im einzelnen verfolgt werden. Es sei jedoch erwähnt, daß sich die Synthese der Purinkörper an dem bereits fertig vorliegenden Ribose- oder Desoxyribosephosphat vollzieht, das als Keim der Nucleotidsynthese fungiert. An diesen wird, wie das nachstehende Schema zeigt, der Purinkörper aus relativ einfachen Molekülen wie Glycin, Ameisensäure, CO_2 und NH_3 Zug um Zug zusammengesetzt, wobei NH_3 allerdings zunächst in der bereits besprochenen Weise als Aminogruppe in 2-Oxoglutarsäure eingebaut und von der entstehenden Glutaminsäure weiter übertragen wird. Die Frage, wie die Verknüpfung der Nucleotide zu RNA bzw. DNA erfolgt, werden wir später noch eingehender behandeln (S. 425).

Bausteine des Purinringes

Andere Stickstoffverbindungen: Darüber hinaus ist der Stickstoff Bestandteil zahlreicher weiterer Verbindungen, die im Stoffwechsel der Pflanzen eine Rolle spielen. So ist er z.B. in den Pyrrolringen der Porphyrinringsysteme von Chlorophyllen, Cytochromen und Phytochrom, in den Alkaloiden, in einigen Phytohormonen und zahlreichen weiteren Verbindungen enthalten. Es würde jedoch zu weit führen, die Synthesewege aller dieser Stoffe hier zu besprechen.

12.1.3 Abbau der Stickstoffverbindungen

Ein Abbau der Proteine und Aminosäuren zum Zwecke der Energiegewinnung kommt bei höheren Pflanzen normalerweise nicht vor. Hier ist die Eiweißveratmung Kriterium eines pathologischen Zustandes, z.B. als Folge unzureichender Ernährung. Heterotrophe Organismen, z.B. die saprophytischen Mikroorganismen, nutzen jedoch durchaus auch die Kohlenstoffskelette der Aminosäuren zur Energiegewinnung.

Aber auch bei höheren Pflanzen kommt regelmäßig ein Abbau der Proteine vor. So ist z.B. überall dort, wo die Eiweiße als Reservestoffe Verwendung finden, die Mobilisierung der Reserven mit einem Eiweißabbau verbunden, wie auch jeglicher Transport im Pflanzenkörper die Überführung der Proteine in Aminosäuren zur Voraussetzung hat. Schließlich steht in jeder Zelle der ständigen Proteinsynthese ein fortwährender Abbau nicht mehr benötigter Proteine gegenüber.

12.1.3.1 Proteinabbau

Betrachten wir die auf S. 23 wiedergegebene Gleichgewichtsreaktion für die Bildung eines Dipeptids, so liegt das Gleichgewicht weit auf der Seite der Aminosäuren. Folglich ist zur Hydrolyse der Peptidbindung keine Energie nötig. Es wird im Gegenteil sogar ein gewisser Energiebetrag frei, der allerdings von den Organismen nicht genutzt zu werden scheint.

Wirkungsschema der Proteasen

Box 12.1   Ubiquitin

Ubiquitin ist ein in allen daraufhin untersuchten eukaryotischen Zellen vorkommendes Polypeptid aus 76 Aminosäuren (M_r ca. 8500), deren Sequenz hochkonservativ ist. So unterscheidet sich das Ubiquitin des Menschen von dem der Hefe nur in drei Aminosäure-Bausteinen. Es wird als Poly-Ubiquitin synthetisiert, in dem bis zu zwölf Moleküle miteinander verknüpft sind und das außerdem ribosomale Proteine enthält. Ubiquitin markiert Proteine für den intrazellulären Abbau, z. B. defekte Proteinmoleküle mit falscher Aminosäuresequenz oder (z. B. durch Hitze) geschädigte Proteine. Darüber hinaus sorgt es für den raschen Abbau regulatorischer Proteine, die nicht mehr benötigt werden, wie etwa das Cyclins nach Beendigung der Mitose.

Ubiquitin wird über seine endständige Carboxy-Gruppe enzymatisch unter Verbrauch von ATP an Lysin-Seitenketten (Isopeptid-Bindungen) und terminale Aminogruppen von Proteinen gekoppelt. Dabei hängt die Empfänglichkeit der Proteine für Ubiquitinierung von der Art ihres Amino-terminalen Aminosäurerestes ab. So ist z. B. die Halbzeitlebensdauer von Proteinen, die am Amino-terminalen Ende die Aminosäuren Methionin, Glycin, Alanin, Serin, Threonin und Valin tragen, größer als 20 Stunden, während andere Aminosäuren die Lebensdauer erheblich verkürzen, z. B. Isoleucin auf etwa 30 Minuten, Tyrosin auf ca. 10 Minuten und Arginin sogar auf 2 Minuten.

Die Proteolyse wird durch die Bindung von Ubiquitin (Box 12.**1**) an die betreffenden Proteine eingeleitet (Ubiquitination). Diese erfolgt in drei Schritten unter Mitwirkung zweier Enzyme und dem Verbrauch von einem ATP. Der Abbau der ubiquitinierten Moleküle erfolgt an einem proteolytischen Komplex von etwa 1500 kDa (26 S), der aus drei Untereinheiten besteht. Eine dieser Untereinheiten ist eine 20S-Protease. Der Wirkungsmechanismus dieser Protease ist noch nicht klar.

Die Proteasen gehören definitionsgemäß zu den Hydrolasen. Sie sind schon verhältnismäßig früh entdeckt worden, und es wurden auch mehrere Präparate dargestellt, z. B. das Papain aus dem Milchsaft des Melonenbaumes (Carica papaya) oder Pepsin, Trypsin u. a. aus Verdauungssekreten. Dabei handelt es sich jedoch zum Teil um Enzymgemische.

Nach der Art ihres Angriffs auf die Proteine und Peptidketten können wir Endo- und Exopeptidasen unterscheiden. Wie das vorstehende Schema zeigt, greifen die Endopeptidasen, die auch als Proteinasen bezeichnet werden, in der Mitte längerer Peptidketten an, die sie in kleinere Peptide zerlegen. Demgegenüber bauen die Exopeptidasen die Peptidketten von den Enden her ab, indem sie einzelne Aminosäuremoleküle abspalten, und zwar die Carboxypeptidasen vom Carboxylende, die Aminopeptidasen vom Aminoende her. Die Wirkung der Proteasen ist nicht so streng spezifisch wie die anderer Enzyme, doch vermögen sie entweder ausschließlich oder doch bevorzugt Peptidbindungen zwischen ganz bestimmten Aminosäuremolekülen zu spalten. Die Endstufen des proteolytischen Abbaus sind stets die Aminosäuren.

12.1.3.2 Um- und Abbau der Aminosäuren

Die durch den Abbau gebildeten Aminosäuren können nun in den Siebröhren zu den Orten des Verbrauchs bzw. zu den Speicherorganen transportiert werden, oder aber sie stehen der Zelle für erneute Synthesen zur Verfügung. Werden nicht die gleichen Aminosäuren benötigt, die durch die Proteolyse entstanden sind, so hat die Zelle die Möglichkeit, die gewünschten Aminosäuren durch die bereits besprochene Transaminierung oder durch andere Reaktionen aus den Proteolyseprodukten zu synthetisieren. Besteht jedoch für die durch Proteolyse entstandenen Aminosäuren kein Bedarf, oder sollen sie zur Energiegewinnung genutzt werden, wie bei den saprophytischen Mikroorganismen, so können verschiedene Abbauwege beschritten werden:

Decarboxylierung der Aminosäuren: Ein Weg, der durch die Aminosäure-Decarboxylasen katalysiert wird, führt zu den entsprechenden biogenen Aminen. So entsteht z. B. durch die Decarboxylierung von Glycin das Methylamin:

$$H_2N-CH_2-COOH \longrightarrow H_2N-CH_3 + CO_2$$

Dieser Weg wird vor allem von den Bakterien und Pilzen beschritten, ohne daß uns die Funktion, die die gebildeten Amine für diese Organismen haben, klar wäre.

Oxidative Desaminierung: Die Desaminierung durch die Aminosäureoxidasen ergibt die entsprechende Oxosäure und Ammoniak, stellt also im Prinzip eine Umkehrung der reduktiven Aminierung dar. Der abgespaltene Wasserstoff wird vom Coenzym des jeweiligen Enzyms übernommen, im Falle der nachstehend formulierten, durch die Glutaminsäure-Dehydrogenase katalysierten Desaminierung der Glutaminsäure z. B. von NAD$^\oplus$.

Die beim Eiweißabbau gebildeten 2-Oxosäuren können weiter zu Aldehyden decarboxyliert werden, aus denen dann durch Oxidation die entsprechenden Fettsäuren entstehen. Sowohl über diese als auch über die 2-Oxosäuren bestehen also Querverbindungen zwischen dem Eiweiß-, Kohlenhydrat- und Fettstoffwechsel, die wir jedoch nicht im einzelnen verfolgen wollen.

12.1.3.3 Ammoniakentgiftung

Das bei der oxidativen Desaminierung gebildete NH_3 ist ein starkes Zellgift, dessen Anhäufung in der Zelle zu schweren Stoffwechselschäden führen würde. Der vom tierischen Organismus eingeschlagene Weg, die Exkretion des Stickstoffs in Form von Harnstoff oder Harnsäure, wird jedoch von der Pflanze nicht beschritten. Der Grund hierfür ist wohl der bereits erwähnte Umstand, daß sich von allen lebensnotwendigen Elementen bei der autotrophen Pflanze gerade der Stickstoff in der Regel im Minimum befindet, weshalb sie sich den Luxus einer Ausscheidung stickstoffhaltiger Exkrete nicht leisten kann. Sie ist daher gezwungen, das gebildete NH_3 zu entgiften, was auf verschiedene Weise geschehen kann. Aus der Vielzahl der Möglichkeiten seien im folgenden wieder einige einfache Beispiele ausgewählt.

Der am einfachsten erscheinende Weg, nämlich die Bildung von Ammoniumsalzen, ist insofern ungünstig, als in der Gleichung $NH_3 + H_2O \rightleftharpoons NH_4OH \rightleftharpoons NH_4^{\oplus} + OH^{\ominus}$ das Gleichgewicht weit auf der linken Seite liegt. Eine NH_3-Entgiftung durch Neutralisation ist deshalb nur bei einem großen Überschuß an organischen Säuren möglich. Ein anderer relativ einfacher Weg ist die Entgiftung in Form der Säureamide Asparagin und Glutamin, gemäß der Gleichung:

Hierzu sind die entsprechenden Synthetasen sowie ATP erforderlich. Andere Möglichkeiten der Entgiftung und Speicherung bestehen in der Bildung von Allantoin, Allantoinsäure u. a. Verbindungen, die in der Pflanze, vor allem in der Wurzel, als Stickstoffreserven gespeichert werden können. Auch Harnstoff wird von einigen Pflanzen gebildet. Aus all diesen Verbindungen kann der Stickstoff bei Bedarf verhältnismäßig leicht wieder mobilisiert werden, um für neue Synthesen Verwendung zu finden.

12.1.4   Kreislauf des Stickstoffs

Ähnlich dem Kohlenstoff, der durch die Photosynthese aus dem CO_2 in eine organisch gebundene Form und durch die Dissimilation wieder in eine anorganische Form überführt wird, durchläuft auch der Stickstoff einen Kreislauf, an dem eine Vielzahl von Prozessen beteiligt ist. Da wir diese im einzelnen bereits behandelt haben, mag das nachstehende Schema zur Erläuterung des Stickstoffkreislaufes genügen.

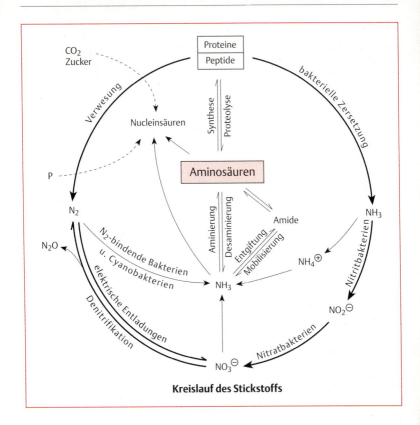

Kreislauf des Stickstoffs

12.2 Schwefelhaushalt

Das Element Schwefel ist Bestandteil zahlreicher organischer Verbindungen, die im Stoffwechsel eine wichtige Rolle spielen, z.B. der Aminosäuren Cystein, Cystin und Methionin und damit auch der Proteine. Weitere schwefelhaltige Verbindungen sind die SH-Gruppen-Enzyme, das Coenzym A, das Biotin und das Thiamin. Wie im Falle des Stickstoffs können autotrophe Pflanzen anorganisch gebundenen Schwefel verwerten, während heterotrophe Organismen auf organisch gebundenen Schwefel angewiesen sind.

Die autotrophen Pflanzen nehmen den Schwefel in der Regel als $SO_4^{2\ominus}$-Ion auf. Dieses muß vor dem Einbau in organische Verbindungen bis zur Stufe des $S^{2\ominus}$ reduziert werden, wozu acht Elektronen erforderlich sind. Diese können offenbar

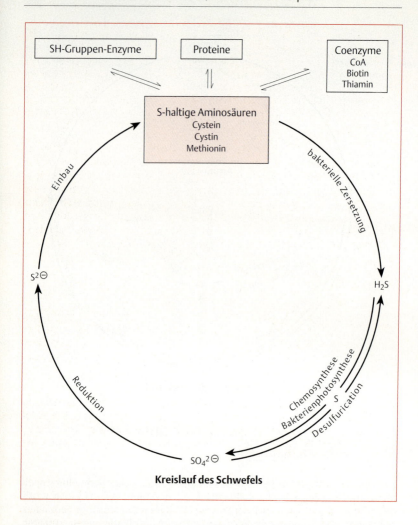

Kreislauf des Schwefels

sowohl durch den Photosyntheseprozeß als auch durch die Dissimilationsvorgänge zur Verfügung gestellt werden. Allerdings erfolgt die Sulfat-Reduktion überwiegend in den Chloroplasten der Laubblätter (bei C_4-Pflanzen der Bündelscheidenzellen) und nur in geringerem Umfange in den Wurzeln.

Der Einbau des $SO_4^{2\ominus}$ erfolgt über das „aktive Sulfat", und zwar entsteht in einem ersten Reaktionsschritt unter Mitwirkung einer Sulfurylase aus ATP und Sulfat unter Abspaltung von Diphosphat das Adenosin-5'-phosphosulfat (APS), das einem

AMP mit angehängtem Sulfatrest entspricht. Aus diesem entsteht durch nochmalige Phosphorylierung und Mitwirkung der Adenylsulfat-Kinase das 3-Phospho-5′-adenosinphosphosulfat (PAPS), das eigentliche aktive Sulfat. Dieses wird durch den Sulfatreduktase-Komplex zur Stufe des $S^{2\ominus}$ reduziert. Da Zwischenprodukte bisher nicht nachgewiesen wurden, wird angenommen, daß der Schwefel, ähnlich wie der Stickstoff, während der Reduktion an das Enzym gebunden bleibt. Das $S^{2\ominus}$ wird dann in einen Kohlenstoffkörper, wahrscheinlich Acetylserin, eingebaut, wodurch Cystein entsteht. Somit käme dem Cystein eine zentrale Rolle bei der Einschleusung des Schwefels zu.

Bei der bakteriellen Zersetzung abgestorbener Pflanzenteile wird der Schwefel meist in Form des Schwefelwasserstoffs freigesetzt. Dieser wiederum kann einerseits als Wasserstoff- bzw. Elektronendonator für die Photosynthese einiger photosynthetisch aktiver Bakterien und andererseits als oxidables Substrat für die Chemosynthese der schwefeloxidierenden Bakterien dienen, wobei als Produkte elementarer Schwefel bzw. $SO_4^{2\ominus}$-Ionen entstehen. Genau der umgekehrte Weg wird dagegen bei der Desulfurikation beschritten. Diese Wechselbeziehungen sind übersichtlich in dem Schema des Schwefelkreislaufs dargestellt.

12.3   Phosphor

Die organischen Phosphorverbindungen nehmen in Form der energiereichen Phosphate eine zentrale Stellung im Energiehaushalt der Pflanze ein. Außerdem ist das Phosphat Bestandteil der Nucleotide bzw. der Nucleinsäuren. Infolgedessen gehört auch der Phosphor zu den für die Pflanze lebensnotwendigen Elementen.

Wie bereits erwähnt (S. 273), wird er in Form des $PO_4^{3\ominus}$-Ions aufgenommen. Abweichend vom Nitrat- und Sulfat-Ion wird das Phosphat-Ion jedoch nicht reduziert, sondern direkt eingebaut, z. B. über das ATP, das bei den Phosphorylierungsprozessen aus ADP und anorganischem Phosphat entsteht. Speicherformen des Phosphates sind die Polyphosphate und das Phytin.

Zusammenfassung

Grüne Pflanzen sind in der Regel auch stickstoffautotroph. Als Stickstoffquellen können sowohl das Nitrat-Ion $NO_3^{\ominus}$ als auch das Ammonium-Ion $NH_4^{\oplus}$ dienen. Zur Bindung des elementaren Stickstoffs sind nur bestimmte Bakterien und Actinomyceten sowie einige photosynthetische Bakterien und Cyanobakterien befähigt.

Die Reduktion des elementaren Stickstoffs erfolgt an einem Enzym-Komplex, der aus den Enzymen Nitrogenase und Nitrogenase-Reduktase besteht. Er ist gegen Sauerstoff empfindlich. N_2 wird an das Enzym gebunden und erst nach beendeter Reduktion als NH_3 bzw. $NH_4^{\oplus}$ freigesetzt. Hierbei werden 6 Elektronen übertragen. Außerdem ist ATP erforderlich.

Für die Reduktion des Nitrat-Ions sind 8 Elektronen erforderlich. Der erste Schritt, der durch die Nitratreduktase katalysiert wird, führt zum Nitrit. Die Reduktion des Nitrits zum NH_3 bzw. $NH_4^{\oplus}$ erfolgt am Enzym Nitritreduktase.

Der reduzierte Stickstoff wird in Kohlenstoffskelette eingebaut, wodurch Aminosäuren entstehen. So wird auf dem Weg der reduktiven Aminierung aus 2-Oxoglutarsäure Glutaminsäure gebildet. Von dieser kann die Aminogruppe durch Transaminasen auf andere 2-Oxosäuren übertragen werden. Ein dritter Weg des Einbaus führt zum Glutamin bzw. Asparagin.

Weitere biologisch wichtige Stickstoffverbindungen sind die Proteine, die Nucleinsäuren, die Porphyrinringsysteme von Chlorophyll und Cytochrom, die Alkaloide, einige Phytohormone u. a.

Der Abbau der Proteine erfolgt durch Proteasen. Man unterscheidet Endo- und Exopeptidasen, je nachdem, ob sie in der Mitte oder an den Enden der Peptidketten angreifen. Die bei der Proteolyse entstehenden Aminosäuren können erneut genutzt oder weiter abgebaut werden. Im letzteren Fall wird durch oxidative Desaminierung NH_3 frei, das nicht ausgeschieden, sondern in entgifteter Form gespeichert wird. Entgiftungsformen sind Asparagin, Glutamin, Allantoin, Allantoinsäure u. a. Verbindungen.

Der Schwefel wird in Form des Sulfat-Ions $SO_4^{2\ominus}$ aufgenommen, das über das „aktive Sulfat" eingebaut und zur Stufe des $S^{2\ominus}$ reduziert wird, wozu 8 Elektronen notwendig sind. Offenbar wird der Schwefel hauptsächlich über die Aminosäure Cystein eingebaut. Bei der bakteriellen Zersetzung abgestorbener Pflanzenteile wird er meist in Form von Schwefelwasserstoff freigesetzt.

Der Phosphor wird in Form des Phosphat-Ions $PO_4^{3\ominus}$ aufgenommen und in den Phosphorylierungsprozessen direkt eingebaut, wobei energiereiche Phosphate entstehen.

13 Heterotrophie

Schon bei der Besprechung der Photosynthese hatten wir eine Scheidung der Organismen in autotrophe und heterotrophe durchgeführt und als heterotroph alle die Lebewesen bezeichnet, die den zum Aufbau ihrer Körpersubstanz benötigten Kohlenstoff aus bereits synthetisierten organischen Verbindungen beziehen, also unmittelbar oder mittelbar von den Syntheseleistungen autotropher Pflanzen abhängig sind. Außerdem sind sie bezüglich ihrer Energiegewinnung und der benutzten Wasserstoffdonatoren chemo-organotroph. Hinsichtlich des Grades der Heterotrophie herrscht im Pflanzenreich eine große Vielfalt. Zahlreiche heterotrophe Organismen benötigen sowohl den Kohlenstoff als auch den Stickstoff in organisch gebundener Form, einige nur den Kohlenstoff, da sie stickstoffautotroph sind. Manche können die verschiedensten Gruppen organischer Verbindungen als Kohlenstoff- und Wasserstoffdonatoren verwerten, andere sind auf ganz bestimmte Verbindungen, die sie nicht selbst zu synthetisieren vermögen, angewiesen.

Die Heterotrophie hat auch zu verschiedenen Formen des Zusammenlebens zwischen artverschiedenen Organismen geführt, die, je nach gegenseitigem Abhängigkeitsgrad, verschieden bezeichnet werden. Man kann folgende Typen unterscheiden:

Commensalismus: Hierunter versteht man eine Form des Zusammenlebens, bei der der Vorteil zwar eindeutig auf seiten des einen Partners liegt, Nachteile für den anderen Partner jedoch nicht erkennbar sind.

Mutualismus: Von einem mutualistischen Zusammenleben sprechen wir, wenn dieses für beide Partner von Nutzen ist, sei es nun ständig oder nur zeitweise.

Antagonismus: Zu dieser Form zählt der Parasitismus, bei dem der Nutzen ausschließlich bei dem einen Partner liegt, während der andere mehr oder weniger stark, nicht selten sogar letal geschädigt wird.

In vielen Fällen sind wir über die Art der Abhängigkeit noch nicht ausreichend informiert. Aus der Fülle der Erscheinungsformen, die die Heterotrophie im Pflanzenreich zeigt, sind im folgenden einige charakteristische Beispiele ausgewählt.

13.1 Saprophyten

Die Saprophyten können als Prototyp der heterotrophen Organismen gelten. Sie sind in der Natur als Fäulniserreger weit verbreitet und rekrutieren sich im wesentlichen aus den Gruppen der Bakterien und Pilze. Durch die Abscheidung von Enzymen überführen sie organisches Material, z. B. Teile toter Tiere und Pflanzen, in kleinere resorbierbare Moleküle, die sie nach Aufnahme in die Zellen weiterverarbeiten.

In vielen Fällen sind die Saprophyten nur auf organische Kohlenstoffverbindungen angewiesen, die sie als Bausteine und Energielieferanten für die Synthese ihrer Körpersubstanz benötigen. Derartige Organismen sind nicht sehr anspruchsvoll und wenig spezialisiert, können also eine ganze Reihe organischer Verbindungen verwerten. Dabei gibt es kaum eine organische Kohlenstoffverbindung, die nicht wenigstens einigen Arten als Energiequelle dienen kann, und seien es selbst Paraffine (Erdöl). Allerdings sind zum Abbau solcher extrem schwer angreifbaren Verbindungen im allgemeinen nur wenige hierauf spezialisierte Formen befähigt.

Andererseits gibt es unter den Saprophyten Vertreter, die nur eine begrenzte Anzahl organischer Verbindungen zu verwerten vermögen. Dies gilt insbesondere für solche Organismen, die auch organische Stickstoffverbindungen benötigen. Bisweilen handelt es sich dabei um ganz bestimmte Verbindungen, die als Wachstumsfaktoren (S. 453 ff.) eine Rolle spielen, von den betreffenden Organismen aber nicht selbst synthetisiert werden können. Solche Organismen, meist sind es Mikroorganismen, lassen sich nur schwer oder gar nicht auf künstlichen Nährböden kultivieren.

Häufig sind in der Natur mehrere Arten saprophytischer Mikroorganismen miteinander vergesellschaftet. Dabei können dann die einen die Stoffwechselprodukte der anderen weiterverwerten. Eine solche Vergesellschaftung bezeichnet man als **Parabiose**.

13.2 Parasiten

Im Gegensatz zu den Saprophyten begnügen sich die Parasiten nicht mit der organischen Substanz abgestorbener Lebewesen, sondern sie schließen sich direkt an den Stoffwechsel lebender Organismen an, indem sie ganz oder teilweise in den Wirtsorganismus eindringen und sich in einem geeigneten Organ festsetzen.

Allerdings kann der Grad der Abhängigkeit vom Wirt auch bei Parasiten ein verschiedenes Ausmaß haben. Während die **fakultativen Parasiten** ebensogut auch außerhalb des Organismus, also saprophytisch leben können, sind die **obligaten Parasiten** auf einen Wirt angewiesen. Unter den Krankheitserregern des Menschen sind fakultative Parasiten z. B. die Erreger des Wundstarrkrampfes *(Clostridium tetani)* und des Typhus *(Salmonella typhosa)*, während zu den obligaten manche Spirochaeten zählen. Allerdings verwischt sich gerade bei den Bakterien die Grenze zwischen fakultativen und obligaten Parasiten immer mehr, da es immer häufiger gelingt, bisher als obligat geltende Formen in Kulturen, also saprophytisch, zu ziehen. Ist aber die Kultur geglückt, können sie, streng genommen, nicht mehr als obligate Parasiten gelten. Offensichtlich besteht der obligate Parasitismus in einem extremen Abhängigkeitsverhältnis von bestimmten Wirkstoffen, die normalerweise nur im lebenden Organismus in ausreichendem Maße zur Verfügung stehen.

❗ Die Schädigung des Wirtes beruht allerdings in der Mehrzahl der Fälle weniger auf einem Entzug von Nährstoffen als vielmehr auf der Bildung bestimmter Stoffwechselprodukte (Toxine), die für den Wirtsorganismus giftig sind.

Dies trifft sowohl für Bakterien als auch für Pilze zu, die Pflanzenkrankheiten verursachen. Beispielhaft sei das Welketoxin **Fusicoccin** genannt, das von dem Pilz *Fusicoccum amygdali* gebildet wird. Es verursacht eine anhaltende Öffnung der Stomata und somit eine Steigerung der stomatären Transpiration, was schließlich zum Welken der Pflanze führt.

Aber auch unter den höheren Pflanzen gibt es (stets obligate) Parasiten, die mit Hilfe von Haustorien zum Zwecke des Nahrungserwerbs in lebendes Wirtsgewebe eindringen. Die Formenmannigfaltigkeit parasitischer Blütenpflanzen ist groß. Bislang war es üblich, die zur Photosynthese befähigten Halb-(Hemi-) und die nicht photosynthetischen Vollparasiten (Holoparasiten) zu unterscheiden. Es hat sich jedoch gezeigt, daß diese nur auf äußerer Anschauung beruhende Unterscheidung nicht aufrechtzuerhalten ist. Nach den Ergebnissen anatomischer Untersuchungen trifft es nämlich nicht immer zu, daß die grünen Halbparasiten nur das Xylem, die Vollparasiten dagegen sowohl das Xylem als auch das Phloem anzapfen. Die moderne Terminologie klassifiziert die Parasiten danach, aus welchem Grundorgan ihre Haustorien hervorgehen: Wurzelparasiten mit wurzelbürtigen Haustorien, Sproßparasiten mit sproßbürtigen Haustorien und Blattparasiten mit blattbürtigen Haustorien. Hinzu kommen Endoparasiten, die mit dem überwiegenden Teil ihres Vegetationskörpers im Gewebe des Wirtes leben und infolgedessen in der Regel keine Haustorien bilden.

Ein Beispiel ist die **Mistel** *(Viscum album)*, die bislang den Hemiparasiten zugerechnet wurde. Sie schmarotzt teils auf Nadelhölzern (Tannen- oder Föhrenmistel), teils auf Laubhölzern (Apfel, Birne, Linde u. ä.). Ihre Früchte sind weiße Beeren, die Vögeln als Nahrung dienen. Die Samen werden mit dem Kot ausgeschieden und gelangen so auf andere Bäume, wo sie auskeimen. Die Mistel dringt zunächst mit Rindenwurzeln (Rindensaugsträngen) in die Rinde des Wirtes ein (Abb. 13.**1**). Diese treiben dann zapfenförmige Haustorien in den Holzkörper und stellen den Anschluß an die Gefäße her. Dem sekundären Dickenwachstum des Wirtes folgt die Mistel mit Hilfe eines intercalaren Meristems. Da ihre immergrünen Blätter Photosynthese betreiben, ist sie nicht eigentlich heterotroph. Die

Abb. 13.**1** Mistel *(Viscum album)* (rot) auf dem Ast eines Wirtes (schwarz), der links im Längsschnitt, rechts in Aufsicht mit teilweise entfernter Rinde dargestellt ist (ca. ½fach). b = Bast, h = Holzkörper, ha = Haustorien, rw = Rindenwurzeln (nach Goebel, Troll)

im Vergleich zu den Wirtspflanzen ungewöhnlich hohen Transpirationsraten der Misteln lassen darauf schließen, daß die erhöhte Wasserzufuhr in erster Linie der Anlieferung von Ionen dient, wie Calcium, Kalium, Phosphat und Nitrat, insbesondere des letzteren, da sich der Stickstoff meist im Minimum befindet und damit für das Wachstum zum begrenzenden Faktor (S. 309) wird. Der verschiedene Ionengehalt des im Xylem transportierten Wassers könnte ein Grund für die Spezialisierung der verschiedenen Mistelrassen auf bestimmte Wirtsarten sein.

Die **Kleeseide** *(Cuscuta europaea)* zählt zu den Sproßparasiten. Aus ihren Samen entsteht ein fadenförmiger Keim, dessen Vorderende sich über dem Boden erhebt und kreisende Suchbewegungen ausführt. Erfaßt es dabei den Sproß eines geeigneten Wirtes, so umschlingt es diesen und wächst als Windenpflanze daran empor (Abb. 13.**2A**). Da die bleiche, kaum noch Chlorophyll enthaltende Sproßachse und die reduzierten schuppenförmigen Blättchen eine autotrophe Ernährung nicht mehr gewährleisten, treibt die Kleeseide zahlreiche Haustorien in das Wirtsgewebe, die sowohl an das Xylem als auch an das Phloem Anschluß gewinnen (Abb. 13.**2B,C**). Der Parasit bezieht also vom Wirt nicht nur Wasser und Salze, sondern auch organische Verbindungen, wodurch dieser nicht selten letal geschädigt wird.

Einige Parasiten, wie die *Orobanche* (Würger) und die Vertreter der bei uns nicht heimischen Gattung *Striga,* können ihre Wirte letal schädigen und vor allem in trocken-heißen Gebieten hohe Ernteverluste verursachen. Die *Orobanche* schmarotzt auf den Wurzeln ihrer Wirtspflanzen und wurde daher bisher als Wurzelparasit bezeichnet. Nach der oben gegebenen neuen Definition ist sie jedoch sowohl ein Sproß- als auch ein Wurzelparasit, da ihre Haustorien in der Regel zwar sproßbürtig sind, aber auch wurzelbürtige Haustorien vorkommen. Auch *Striga* ist ein Sproßparasit. Ihre Samen keimen nur in unmittelbarer Nähe (1–3 mm) des Wirtes. Die Keimung kann durch einige Phytohormone, insbesondere das Ethylen, ausgelöst werden, aber erst in relativ hohen Konzentrationen.

Abb. 13.**2**   Kleeseide *(Cuscuta europaea)*. **A** Sproß, einen Weidenzweig umwindend (ca. ¹/₂ nat. Größe); **B** Sproßstück des Parasiten, mit Haustorien in den Wirt eindringend (schematisch). Im Querschnitt ist der Anschluß der Haustorien an die Leitbündel des Wirtes zu erkennen. **C** Lichtmikroskopische Aufnahme eines Längsschnittes durch ein Haustorium von *Cuscuta grandiflora* im Wirtsgewebe *(Pelargonium zonale)*. bl = reduzierte Blätter, h = Haustorien, lb = Leitbündel des Wirtes (in **B** rot), w = Wirtsgewebe (**A** nach Noll; **C** Vergr. 70fach, Originalaufnahme: I. Dörr u. Ch. Glockmann)

Strigol

Aus der Wurzel der Baumwollpflanze, die selbst gar nicht als Wirt dient, wurde eine Substanz isoliert, das Strigol, ein Nor-Sesquiterpen, das über eine Enolether-brücke mit einer weiteren Isopreneinheit verbunden ist. Es vermag noch in einer Konzentration von 10^{-11} M eine Keimung der Samen von *Striga asiatica* auszulösen. Dann wächst ein Keimschlauch aus, der bei Berührung mit der Wurzel des Wirtes ein knolliges Organ ausbildet, das Primärhaustorium, das ein hypokotyl-, also sproßbürtiges Organ ist. Auch die Bildung der Haustorien wird durch chemische Stimuli ausgelöst, deren stoffliche Natur von Fall zu Fall ganz verschieden sein kann. Bei *Striga* ist z.B. 2,6-Dimethoxi-p-benzochinon wirksam, während es sich bei *Cuscuta* um Cytokinin handelt. Der Anschluß an die Leitelemente des Wirtes erfolgt von Fall zu Fall auf verschiedene Weise. So wird bei *Cuscuta* ein direkter Phloem-Phloem-Kontakt mit Hilfe sogenannter Suchhyphen hergestellt. Auch direkte Xylem-Xylem-Kontakt kommt vor, z.B. *Orobanche,* während in anderen Fällen die Verbindung vom Xylem des Wirtes zu dem des Parasiten über parenchymatische Zellen, also möglicherweise apoplasmatisch erfolgt.

13.3   Symbiose

Unter Symbiose verstehen wir das zeitweilige oder dauernde Zusammenleben artverschiedener Organismen in enger morphologischer Verknüpfung und, insgesamt gesehen, mit wechselseitigem Nutzen. Ersteres unterscheidet sie von einem bloßen Nebeneinander, das wir oben als Commensalismus bezeichnet haben, letzteres vom Parasitismus. Die Symbiose hat somit mutualistischen Charakter.

Allerdings lassen sich die Grenzen zwischen Parasitismus und Symbiose nicht immer scharf ziehen, da uns der Nutzen, den die beiden Partner von der Symbiose haben, durchaus nicht in allen Fällen offenbar ist. Auf jeden Fall führt die Symbiose nicht zu dauernden Schädigungen oder gar zum Tode des einen Partners, was beim Parasitismus die Regel ist. Sehr häufig kommt die Symbiose zwischen einem autotrophen und einem heterotrophen Partner vor.

13.3.1 Wurzelknöllchen

❗ Als Wurzelknöllchensymbiose bezeichnet man die Symbiose zwischen höheren Pflanzen und Bakterien bzw. Actinomyceten. Letztere leben intrazellulär in den Rindenzellen der Wurzeln, wo sie charakteristische Knöllchenbildungen auslösen. Wegen ihrer Fähigkeit, elementaren Stickstoff zu fixieren und in reduzierter Form als $NH_4^{\oplus}$ an die Wirtspflanze abzugeben, hat diese Symbiose eine große praktische Bedeutung. Zu den Knöllchenbakterien zählen die raschwachsenden, bei unseren heimischen Hülsenfrüchtlern (Fabales) verbreiteten Vertreter der Gattung *Rhizobium* und die der langsamer wachsenden Gattung *Bradyrhizobium*, zu der der Symbiont der Sojabohne, *Bradyrhizobium japonicum*, gehört.

Die im Boden auch freilebenden (jedoch dann nicht stickstoffbindenden) Bakterien erkennen ihre Wirte mit Hilfe bestimmter Signalproteine (Lectine), die sich an der Außenwand der Wurzelhaare befinden. Sobald sie mit dem Wurzelhaar in Berührung kommen, werden durch Produkte der auf dem Sym-Plasmid (S. 347) liegenden **nod-Gene,** die durch Wurzelabscheidungen aktiviert werden, be-

Abb. 13.**3** Wurzelknöllchen. **A** Knöllchen an der Wurzel der Erbse *(Pisum sativum)* (ca. nat. Größe). **B** Infektion einer Luzernewurzel durch *Rhizobium*, schematisch. e = Endodermis, i = Infektionsschlauch (rot), r = Rindenzellen, rh = Rhizodermis, wh = Wurzelhaar, xy = Xylem (**A** nach einer photographischen Abbildung von Schaede, **B** nach Thornton)

stimmte Reaktionen des Wirtes ausgelöst. Die Wurzelhaare krümmen sich in charakteristischer Weise ein (Abb. 13.**3B**) und drücken die Bakterien gegen die Zellwand, die durch das pektinlösende Enzym Polygalacturonase lokal aufgelöst wird. Unter Ausbildung eines aus Pektinen und fibrillärem Material bestehenden Infektionsschlauches oder -fadens durchwachsen die Bakterien mehrere Rindenzellen, deren Wände noch cellulosearm sind (Cellulase wird nicht gebildet), wobei sie bis zur Endodermis gelangen können. Die Bakterien werden von tetraploiden Rindenzellen aufgenommen und zu **Bakteroiden** umgewandelt, die sich in der Regel sowohl hinsichtlich ihrer Größe als auch ihrer Gestalt von den freilebenden Bakterien unterscheiden. Sie werden von einer Peribakteroid-Membran umgeben, die vom Golgi-Apparat und/oder vom ER gebildet wird. Zwischen den Bakteroiden und der Peribakteroid-Membran befindet sich eine elektronenoptisch kontrastarme Matrix (Abb. 13.**4B**). Die Gesamtheit von Bakteroid, Peribakteroid-Membran und dem dazwischen befindlichen Raum bezeichnet man als **Symbiosom.** Parallel zur Größenzunahme der Bakteroiden nimmt auch ihr DNA-Gehalt auf das Vier- bis Achtfache zu, da die Größenzunahme nicht von einer Zellteilung begleitet wird.

Nun bildet die Pflanze, offenbar unter Einfluß der bakteriellen Genprodukte (Noduline), an den infizierten Stellen Meristeme aus, deren Zellen polyploid (bis zu $n = 32$) sind. Durch Teilung dieser Zellen entstehen Wurzelknöllchen (Abb. 13.**3A**), die je nach Gattung bzw. Art eine verschiedene Gestalt haben können (sphärisch, zylindrisch, fingerförmig, korallenförmig u.a.). Die Zellen der Wurzelknöllchen zeichnen sich durch einen hohen Gehalt an Auxinen, Cytokininen und Gibberellinen aus, doch ist nicht sicher, ob diese Phytohormone von den Bakterien oder den Zellen der Wurzelknöllchen gebildet werden. Die mit Symbiosomen vollgestopften Zellen (Abb. 13.**4A**) sind nicht selten rot gefärbt, da sie **Leghämoglobin,** eine besondere Form des Hämoglobins, enthalten.

Die Knöllchen werden von der Wirtspflanze mit Saccharose versorgt, die in den Amyloplasten der Zellen zu Stärke umgebaut wird. Diese stellt wohl die Kohlenstoff- und Energiereserve für die N_2-Fixierung dar. Der Transport in die Symbiosomen erfolgt offenbar in Form von Malat und/oder Succinat. Der typische Speicherstoff der Bakteroiden ist die Poly-β-hydroxybuttersäure.

War die erste Phase der Infektion rein parasitisch, so ist in der Knöllchenbildung, die den Gallenbildungen entspricht, eine erste Abwehrreaktion der befallenen Pflanze zu sehen, durch die die Infektion auf bestimmte Herde begrenzt wird. In den Symbiosomen erfolgt dann die Reduktion des elementaren Stickstoffs durch die Nitrogenase zu $NH_4^{\oplus}$-Ionen, die an die Knöllchenzellen abgegeben und dort in Glutaminsäure bzw. Asparaginsäure eingebaut werden, wobei Glutamin bzw. Asparagin entstehen. Da die Nitrogenase sehr sauerstoffempfindlich ist, muß der Sauerstoffpartialdruck in den infizierten Knöllchen niedrig gehalten werden. Dies geschieht einerseits durch Abschirmung der Knöllchen vermittels einer äußeren Korkschicht, die als Diffusionsbarriere dient, andererseits durch die Atmung der Bakteroiden und Wirtszellen, die Sauerstoff verbrauchen, sowie durch das bereits erwähnte Leghämoglobin, das offenbar sowohl bei der Regulation der Sauerstoffspannung als auch beim Sauerstofftransport eine wichtige Rolle spielt.

Abb. 13.**4** Wurzelknöllchen von *Glycine max* (Sojabohne). **A** Schnitt durch eine Zelle 20 Tage nach der Infektion mit *Bradyrhizobium japonicum*. Die Zelle ist vollgestopft mit Symbiosomen, die meist ein, zum Teil aber auch mehrere Bakteroide enthalten. Unten nicht-infizierte Zellen (Vergr. ca. 3500fach).

B Einzelnes Symbiosom (Vergr. ca 33000-fach). m = Membran der Infektionsvakuole, pb = Granula aus Poly-β-hydroxybuttersäure (hell), pp = Polyphosphatgranula (schwarz). Fixierung: Glutaraldehyd; Kontrastierung: Uranylacetat/Bleicitrat (aus Werner u. Mörschel: Planta 141 [1978] 173)

Die im Zuge der Alterung einsetzende Lyse der Bakteroiden führt zu deren völligem Abbau. In dieser Phase liegt der Profit also eindeutig auf der Seite der Wirtspflanze. Da jedoch nicht alle Bakteroiden verdaut werden, sondern einige sich in die normalen Bakterienformen rückdifferenzieren können, gelangen nach Absterben der Pflanze und dem Zerfall der Knöllchen mehr Bakterien in den Boden zurück als ursprünglich die Pflanze infiziert haben. Im ganzen gesehen ist somit die Symbiose auch für die Bakterien von Vorteil.

Das Beispiel der Wurzelknöllchensymbiose zeigt, wie sich die Symbiose aus dem Parasitismus entwickelt haben könnte. Die Infektion des Parasiten wird durch Abwehrreaktionen des Wirtes abgefangen, und es bildet sich ein Kampfgleichgewicht aus, von dem letztlich beide Partner profitieren.

13.3.2 Flechten

⚠ In einer geradezu vollkommenen Form tritt uns die Symbiose bei den Flechten entgegen, die als selbständige systematische Einheiten geführt werden, obwohl sie ein Konsortium aus einem Pilz (Mycobiont) und einer Alge bzw. einem Cyanobakterium, also einem photoautotrophen Partner, darstellen.

Letzterer wurde früher als Phycobiont bezeichnet. Da jedoch die Cyanobakterien heute nicht mehr zu den Algen gezählt werden, wurde in neuerer Zeit die Bezeichnung Photobiont vorgeschlagen. Im allgemeinen wird eine Flechte von einem Myco- und einem Photobionten gebildet, doch gibt es auch Flechten, in denen zwei Mycobionten mit einem oder zwei Photobionten vergesellschaftet sind bzw. ein Mycobiont sogar mit drei Photobionten. Insgesamt sind etwa 13 500 Myco-, aber nur etwa 30 Photobionten bekannt. Von den Mycobionten sind 98 % Schlauchpilze (Ascomycetes), so daß die Ständerpilze (Basidiomycetes) weit in den Hintergrund treten. Bei den Photobionten überwiegen die einzelligen Grünalgen (Chlorococcales). Einige Cyanobakterien, z. B. Vertreter der Gattung *Nostoc,* können elementaren Stickstoff binden. Myco- und Photobiont lassen sich zwar auch getrennt voneinander auf künstlichen Nährböden kultivieren, doch geht der Flechtencharakter dabei natürlich verloren. Im allgemeinen gedeihen die Pilze in Symbiose besser.

⚠ Die morphologische Verknüpfung beider Partner in der Symbiose ist so eng, daß gewissermaßen ein neuer „Organismus" von charakteristischer Gestalt und weitgehend konstanten, systematisch verwertbaren Merkmalen entsteht (Abb. 13.**5A**). In der Regel werden Form und Struktur des Thallus maßgeblich durch den Mycobionten bestimmt, doch sind Formen bekannt, bei denen der Photobiont die Thallusform entscheidend beeinflußt. In jedem Falle gilt jedoch, daß die Thallusorganisation das Resultat der Symbiose zwischen beiden Partnern ist.

Die jeweils miteinander gepaarten Myco- und Photobionten sind für die betreffenden Flechten-„Arten" spezifisch. Durch Kombination verschiedener Pilz- und Photobiontenstämme konnte jedoch in Kulturen gezeigt werden, daß eine strenge Spezifität nicht vorliegt. Vielmehr sind auch Kombinationen mit anderen Partnern grundsätzlich, wenn auch nicht beliebig, möglich. Allerdings waren die natürlichen Partner den Neukombinationen im Wachstum deutlich überlegen. Die Flechten vermehren sich im allgemeinen vegetativ durch Thallusfragmente oder durch Soredien, das sind von Pilzmycel umsponnene Algenzellen, die vom Wind verbreitet werden und auf einem geeigneten Substrat wieder zu Thalli auswachsen. Die in Abb. 13.5A zu beobachtenden Apothecien sind also Fruktifikationsorgane des Flechtenpilzes. Die Algen haben die Fähigkeit zur geschlechtlichen Fortpflanzung völlig verloren.

Bei den **homöomeren Flechten** sind die Photobionten etwa gleichmäßig im Thallus verteilt, während sie bei den **heteromeren Flechten** auf bestimmte Schichten begrenzt bleiben (Abb. 13.5B). Wie aus der gleichen Abbildung ersicht-

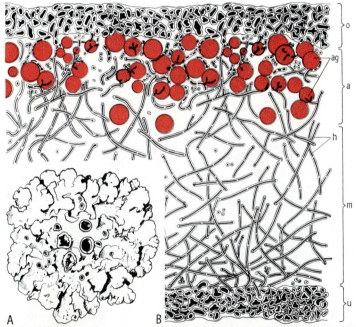

Abb. 13.**5** Flechtensymbiose. **A** *Parmelia acetabulum,* Habitusbild (ca. nat. Größe); in der Mitte einige Fruchtkörper (Apothecien). **B** Querschnitt durch den Thallus derselben Art (ca. 250fach). a = Algenschicht, ag = Algenzellen (rot), h = Pilzhyphen, m = Markschicht, o = obere, u = untere Rindenschicht (nach Reinke, Nienburg)

Abb. 13.**6** Thallus- und Haustorienbildung bei Flechten. **A** Rasterelektronenmikroskopische Aufnahme der Anfangsstadien einer Thallusbildung bei *Crocynia membranacea*. Die Pilzhyphen umspinnen die kugeligen Algen. Vergr. 1800fach. **B** Längsschnitt durch ein intrazelluläres Haustorium eines Thallus von *Lecanora conizaeoides*. Während die Zellwand des Mycobionten (m) erhalten ist, ist bei der Alge (a) an der Stelle, wo das Haustorium eingedrungen ist, keine Cellulosewand mehr vorhanden. Fixierung: Glutaraldehyd; Kontrastierung: Osmiumtetroxid; Cellulase-Gold-Markierung. Vergr. 27 250fach (Originalaufnahmen: E. Peveling u. K. Tenberge)

lich, umspinnen die Pilzhyphen die Algen, was sich besonders gut in den Anfangsstadien der Thallusbildung beobachten läßt (Abb. 13.**6A**). Die Kontaktstellen zwischen beiden Organismen können zur Erleichterung des Stoffaustausches in verschiedenem Maße verändert werden. So können Einbuchtungen des Plasmalemmas des Mycobionten zu einer Vergrößerung der Oberfläche, vergleichbar den
Transferzellen (S. 151), führen, oder es werden vom Mycobionten intrazelluläre
Haustorien in die Algenzelle hineingetrieben, wobei deren Zellwand an dieser
Stelle aufgelöst wird, während das Plasmalemma erhalten bleibt (Abb. 13.**6B**).

Der Nutzen, den der Pilz von dieser Symbiose hat, besteht zweifellos in der Anlieferung von Photosyntheseprodukten aus dem Photobionten. Messungen haben
ergeben, daß bis zu 90% dieser Produkte in den Mycobionten gelangen können. Im
Falle der Grünalgen handelt es sich dabei vor allem um Zuckeralkohole wie Ribit,
Erythrit oder Sorbit, im Falle der Cyanobakterien um Glucose. Die N_2-fixierenden
Cyanobakterien versorgen den Mycobionten auch mit reduziertem Stickstoff, der
überwiegend in Form von Ammonium-Ionen angeliefert wird. Der Vorteil, den
der Photobiont von dieser Symbiose hat, ist dagegen noch weitgehend unklar. Die
Annahme, daß er als Symbiont Areale zu besiedeln vermag, auf denen er freile-
bend nicht existieren könnte, trifft für die Cyanobakterien und einige Grünalgen
mit Sicherheit nicht zu. Auch haben genaue Messungen ergeben, daß der Flech-
tenthallus den freilebenden Algen hinsichtlich der Wasserdampfaufnahme keineswegs überlegen ist. Andere Autoren vermuten, daß der Mycobiont infolge des
Besitzes von Flechtenpigmenten in der Lage ist, dem Photobionten bei direkter
Sonnenexposition Lichtschutz zu geben. Experimente haben jedoch gezeigt, daß
der Photosyntheseapparat durch diese Pigmentierung ungleich weniger geschützt wird als erwartet. So scheint denn der Vorteil mehr auf der Seite des Mycobionten zu liegen, was dem Mutuatismus der Flechtensymbiose bis zu einem
gewissen Grade einen antagonistischen Charakter verleiht.

13.3.3 Mykorrhiza

❗ Unter Mykorrhiza (Pilzwurzel) verstehen wir die Symbiose zwischen einem
Pilz und einer höheren Pflanze. Sie ist im typischen Falle mutualistischer Natur,
doch gibt es auch hier Fälle, in denen der Nutzen überwiegend bei dem einen
Partner zu liegen scheint, was ihren Charakter in die Nähe des Antagonismus
rückt. Wir kennen insgesamt sieben Formen der Mykorrhiza, die jedoch drei
Hauptgruppen zugeordnet werden können, nämlich Ektomykorrhiza, Ekt-
Endo-Mykorrhiza und Endomykorrhiza.

❗ **Ektomykorrhiza:** Diese Form der Mykorrhiza kommt vor allem bei den Nadel-
und Laubbäumen gemäßigter und kühlerer Breiten vor. Die Hyphen dringen
ausschließlich interzellulär (daher der Name) in das Rindengewebe ein, wobei
die Endodermis die Grenze darstellt. Sie umhüllen die Rindenzellen, deren
Zellwände nicht sekundär verdickt werden, mit einem dichten Hyphengeflecht
(Hartigsches Netz).

Abb. 13.7 Ektomykorrhiza. **A** Infolge My- zel, Pilzmantel zum Teil abgelöst (ca. 30fach)
korrhizabefalls angeschwollene Wurzelen- (**B** nach Pfeffer)
den der Buche (ca. 25fach), **B** Einzelne Wur-

Wurzeln mit Ektomykorrhiza sind leicht an dem dichten Pilzmycel zu erkennen,
das mantelartig die keulig angeschwollenen Wurzelenden umgibt (Abb. 13.**7A,B**).
Dieser Pilzmantel verhindert die Bildung sowohl einer Wurzelhaube als auch der
Wurzelhaare. Die Funktion der letzteren, d.h. insbesondere die Wasser- und Ionenversorgung, übernehmen die Hyphen des sich im Boden ausbreitenden Mycels. Der Vorteil für die Pflanze besteht offenbar nicht nur in der Vergrößerung der
resorbierenden Oberfläche, sondern auch in der Fähigkeit der Mykorrhizapilze,
Mineralstoffe durch Abgabe von Protonen in Lösung zu bringen und die Ionen für
die Pflanze verfügbar zu machen. Außerdem scheinen auch hormonale Wechselwirkungen zwischen Pilz und Wirtspflanze zu bestehen. Als Gegenleistung erhält
der Pilz von der Pflanze organische Verbindungen, und zwar vor allem Kohlenhydrate, aber zweifellos auch noch andere Substanzen, die für seine Entwicklung
notwenig sind. Letzteres äußert sich u.a. darin, daß bisweilen nur ganz bestimmte
Arten miteinander vergesellschaftet sind, z.B. der Birkenpilz *(Leccinum scabrum)*
mit der Birke *(Betula alba)*. Allerdings ist eine so enge Spezialisierung nicht die
Regel. Vielmehr können sowohl die Pilze, in der Mehrzahl der Fälle Basidiomyceten, als auch die Bäume mehrere Partner haben, die Waldkiefer *(Pinus silvestris)*
bis zu 25 Pilzarten. Eine Anzucht der Bäume in pilzfreien Böden führt zu Kümmer-
wuchs.

Box 13.1 Mykorrhiza der Ericales

In dieser Ordnung finden wir alle Mykorrhiza-Typen von der Ekto- über die Ekt-Endo- zur reinen Endomykorrhiza nebst Übergängen. Grundsätzlich können die Ericaceen auch ohne Mykorrhiza wachsen, wenn ausreichende Mengen Stickstoff und Phosphor im Boden vorhanden sind. Für die Besiedelung N-P-armer Böden benötigen sie jedoch Mykorrhiza-Pilze. Diese zum Teil hochspezialisierten Formen der Mykotrophie bei den Ericaceen sind also eine unerläßliche Voraussetzung für die Besiedelung der Heidegebiete, Hochmoore und Nadelwälder. Für die bessere Aufnahme von Stickstoff und Phosphor ist zweifellos die, verglichen mit den Wurzeln, bessere Durchdringung des Bodens durch die Pilzhyphen verantwortlich. Im Falle des Stickstoffs wurde außerdem eine bessere Aufnahme von $NH_4^{\oplus}$-Ionen festgestellt, die auf eine höhere Affinität des Ammoniumaufnahmesystems der Pilze im Vergleich zu dem der Pflanzen zurückzuführen ist.

Eine Extremform der Mykorrhiza findet sich beim Fichtenspargel (*Monotropa hypopitys*). Dieser chlorophyllfreie Parasit steht über Hyphen seiner obligaten Ekt-Endo-Mykorrhiza mit den Wurzeln von Waldbäumen in Verbindung. Durch diese Hyphen erfolgt ein Transport von organischen Kohlenstoffverbindungen von den Bäumen über den Pilz in den Fichtenspargel und umgekehrt von Phosphat vom Fichtenspargel über die Pilze in die Bäume.

Endomykorrhiza: Im Gegensatz zur Ektomykorrhiza wachsen hier die Pilze intrazellulär. Die Wurzel ist nur von einem lockeren Hyphennetz umgeben, und da der Pilzmantel fehlt, ist auch die Wurzelhaarbildung nicht unterdrückt. Es haben sich verschiedene Formen der Endomykorrhiza entwickelt, die sich in wesentlichen Punkten unterscheiden.

Mykorrhiza der Orchideen: Als Prototyp der Endomykorrhiza kann die Orchideen-Mykorrhiza gelten. Die äußerst kleinen Samen vieler Orchideen keimen überhaupt nur in Anwesenheit des entsprechenden Mykorrhizapartners und sind bei der Keimung auf die Kohlenstoff- und Energieversorgung durch die Pilzhyphen angewiesen. In dieser Phase parasitiert also die höhere Pflanze gewissermaßen auf dem Pilz. Aber auch in fortgeschrittenen Entwicklungsstadien behalten die Orchideen ihre Endomykorrhiza, die jedoch bei den photosynthetisch aktiven Orchideen nicht mehr der Versorgung mit organischen Kohlenstoffverbindungen dient. Bei dem Pilzpartner handelt es sich grundsätzlich um Basidiomyceten.

Vesiculär-arbusculäre Mykorrhiza: Sie ist die am weitesten verbreitete Form der Endomykorrhiza und wird nach ihren charakteristischen intrazellulären Hyphenbildungen benannt, die in den Wurzelrinden zu beobachten sind, den elliptischen, blasenförmigen Vesikeln (Abb. 13.**8A**) und den bäumchenartig verzweigten Arbuskeln (Abb. 13.**8B**), die feinverzweigte Hyphen mit Haustorienfunktion darstellen.

Abb. 13.**8**   Vesiculär-arbusculäre (VA) Mykorrhiza des VAM-Pilzes *Glomus aggregatum*. **A** Vesikel in der Wurzelrinde von *Sonchus arvensis* (Asteraceae). Maßstab 500 µm. **B** Arbuskel in der Rinde von *Ceropegia woodii* (Asclepiadaceae). Maßstab 20 µm. (**A** Originalaufnahme: K. Demuth u. H. C. Weber. **B** aus C. Tiemann, K. Demuth, H. C. Weber: Flora 1994)

Alle VAM-Pilze gehören zur Ordnung der Endogoniales. Die gedeihen nur in Symbiose, sind also obligat symbiotisch. Ihre Wirtsspezifität ist im allgemeinen gering. Die VA-Mykorrhiza wurde in fast allen Familien der Angiospermen beobachtet, bei Gymnospermen hingegen nur in wenigen Fällen. Sie ist auch die charakteristische Mykorrhiza-Form der in den feuchten Tropen heimischen Bäume.

Wie bei der Ektomykorrhiza liefert der Pilz der Pflanze Wasser und darin gelöste Ionen, und zwar sowohl Kationen (Spurenelemente) als auch vor allem Phosphat. Umgekehrt erhält der Pilz von der Pflanze organisches Material, hauptsächlich in Form von Hexose-Zuckern. Da diese in erheblichem Maße in Lipide umgewandelt und somit die Kohlenhydrate ständig aus dem Gleichgewicht entfernt werden, wird der Konzentrationsgradient vom Wirt zum Symbionten ständig aufrechterhalten.

Ekt-Endo-Mykorrhiza: Wie der Name erkennen läßt, handelt es sich hier um Übergänge zwischen Ekto- und Endomykorrhiza. Sie findet sich z.B. bei einigen Kiefern und Fichten. Bei diesen ist der Pilzmantel weniger stark entwickelt als bei der Ektomykorrhiza, und die Hyphen dringen in die Rindenzellen ein, wo sie resorbiert werden können.

13.4 Carnivoren

Als Carnivoren (= Insectivoren) bezeichnet man tierfangende Pflanzen, die sich normalerweise autotroph ernähren. Die Nahrungsstoffe, die sie durch den Fang von Insekten und anderen Kleintieren erhalten, stellen also nur eine Ergänzung der Ernährung dar, nicht aber eine unerläßliche Bedingung. Insofern ist die Behandlung der Carnivoren in diesem Kapitel eigentlich nicht ganz korrekt.

Es läßt sich überhaupt nur schwer sagen, worin die Bedeutung der Carnivorie eigentlich liegt. Da die Proteine der gefangenen Tiere durch proteolytische Enzyme abgebaut und die gebildeten Aminosäuren durch die Pflanzen resorbiert werden, dürfte den Carnivoren vor allem an dem Stickstoff gelegen sein. Darüber hinaus scheinen sie jedoch auch ihren Mineralsalzbedarf weitgehend aus dem Tierfang zu decken. Dafür spricht, daß sie meist auf salzarmen Böden vorkommen und oft nur ein schwach entwickeltes Wurzelwerk besitzen. Dem Mechanismus der Fangapparate nach können wir drei Typen unterscheiden: Klebfallen, Gleit- bzw. Reusenfallen und Klappfallen.

Klebfallentypus: Dieser Typus hat seinen Namen daher, daß er klebrige Sekrete absondert, an denen durch Duftstoffe angelockte Kleintiere kleben bleiben. Ein charakteristischer heimischer Vertreter ist der Sonnentau (*Drosera rotundifolia*). Seine Blätter tragen zahlreiche Tentakel (Abb. 13.**9A**), die an ihren Enden Drüsenköpfchen (Abb. 4.**14B**, S. 154, Abb. 13.**9B**) besitzen und das klebrige Sekret absondern. Ist ein Kleintier daran haftengeblieben, krümmen sich auch die benachbar-

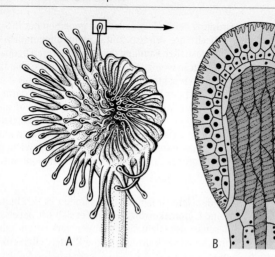

Abb. 13.**9**   Sonnentau *(Drosera rotundifolia)*. **A** Blatt in Aufsicht (ca. 4fach). Die Tentakel der rechten Blatthälfte haben sich zum eingefangenen Insekt hin gekrümmt. **B** Drüsenköpfchen eines Tentakels. An der Oberfläche liegen großkernige Drüsenzellen, die das Sekret nach außen absondern, in der Mitte zahlreiche Tracheiden (ca. 250fach) (nach Kny)

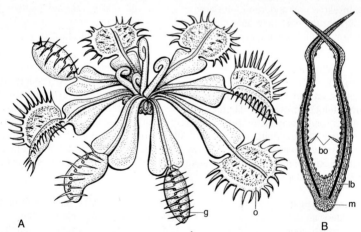

Abb. 13.**10**   Venusfliegenfalle *(Dionaea muscipula)*. **A** Habitusbild (ca. ½ nat. Größe). **B** Querschnitt durch eine geschlossene Falle (ca. 15fach). bo = Tastborsten, g = Falle geschlossen, lb = Leitbündel, m = Mittelrippe, o = Falle geöffnet (nach Kny)

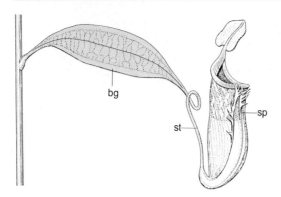

Abb. 13.**11** *Nepenthes fusca.* Kannenblatt, etwa ⅓ nat. Größe; bg = Blattgrund, sp = Blattspreite, st = Blattstiel

ten Tentakel teils chemonastisch, teils chemotropisch nach der Blattmitte hin (Abb. 13.**9A**), so daß das ganze Tier schließlich von Sekret umhüllt ist und mit Ausnahme des Chitinpanzers aufgelöst wird.

Klappfallentypus: Als Vertreter des Klappfallentypus sei die bei uns nicht heimische Venusfliegenfalle *(Dionaea muscipula)* genannt. Die beiden Hälften der Blattspreite sind hier zu einer Klappfalle umgebildet, und der Blattstiel ist flächig verbreitert (Abb. 13.**10A**). Die Blatthälften klappen bei Berührung der Tastborsten und auch auf chemische Reize hin nach oben zusammen, eine Bewegung, die relativ rasch abläuft und durch Turgoränderungen in den quer zur Mittelrippe stehenden Mesophyllzellen zustande kommt. Die Zähne am Blattrand schließen gitterartig (Abb. 13.**10B**) und machen ein Entkommen unmöglich. Die zahlreichen Drüsen auf der Blattoberseite sondern dann ein Sekret ab, das die gefangenen Tiere auflöst. Nur das Chitin wird nicht angegriffen.

Gleitfallentypus: Die tropische Kannenpflanze *(Nepenthes)* bedient sich zum Tierfang des Gleitfallenprinzips. Ihre kannenförmig gestalteten Blätter (Abb. 13.**11**) haben einen glatten Rand und glatte Wände. Gelangt ein Insekt, angelockt durch Drüsensekrete, auf den Rand, fällt es in die im Unterteil der Kanne befindliche, von Drüsen sezernierte Flüssigkeit, durch deren pepsinähnliche Enzyme es verdaut wird. Die Funktion der Blattspreite wird von dem flächig entwickelten Blattgrund übernommen.

Zusammenfassung

Hinsichtlich des Grades der Heterotrophie herrscht bei den Pflanzen eine große Vielfalt. Als Prototyp der heterotrophen Organismen können die Saprophyten gelten. Sie scheiden Enzyme ab und überführen organisches Material abgestorbener Tiere und Pflanzen in kleinere resorbierbare Moleküle, die sie nach Aufnahme in die Zelle weiterverarbeiten. Diese benutzen sie teils zur Energiegewinnung, teils als Bausteine für körpereigene Substanzen.

Parasiten schließen sich direkt an den Stoffwechsel eines Wirtsorganismus an, indem sie in diesen eindringen und sich an bzw. in einem geeigneten Organ festsetzen. Fakultative Parasiten können außerhalb des Organismus saprophytisch leben, während obligate Parasiten auf einen Wirt angewiesen sind. Durch Abscheidung von Toxinen können sie bei Tier und Pflanze Krankheitserscheinungen hervorrufen.

Zahlreiche Parasiten finden sich unter den Bakterien und Pilzen. Es gibt aber auch höhere Pflanzen mit parasitischer Lebensweise. Diese können Sproß-, Wurzel- oder Blattparasiten sein, je nachdem ob ihre Haustorien, mit denen sie Anschluß an die Leitungsbahnen ihrer Wirte suchen, sproß-, wurzel- oder blattbürtig sind. Dabei ist der Grad ihrer Abhängigkeit vom Wirt unterschiedlich. Während die Mistel, deren Blätter grün sind, selbst zur Photosynthese befähigt ist, beziehen andere Parasiten, wie z. B. die Kleeseide und der Würger, alle Nährstoffe vom Wirt.

Als Symbiose bezeichnet man das zeitweilige oder dauernde Zusammenleben artverschiedener Organismen in enger morphologischer Verknüpfung und mit wechselseitigem Nutzen (Mutualismus). Ersteres unterscheidet sie von einem bloßen Nebeneinander, dem Commensalismus, letzteres vom antagonistischen Parasitismus.

Von großer wirtschaftlicher Bedeutung ist die Wurzelknöllchensymbiose der N_2-fixierenden Bakterien mit höheren Pflanzen, denen dadurch die Besiedlung verhältnismäßig stickstoffarmer Böden ermöglicht wird. Die in die Rindenzellen eindringenden Bakterien verändern ihre Größe und Gestalt und werden zu sogenannten Bakteroiden, die in eine elektronenoptisch kontrastarme Matrix eingebettet und von einer Peribakteroid-Membran umgeben sind. Diese Gebilde bezeichnet man als Symbiosomen. Die Bakterioiden erhalten von den Wirtspflanzen organische Kohlenstoffverbindungen und geben ihrerseits den reduzierten Stickstoff in Form von $NH_4^{\oplus}$ an die Knöllchenzellen ab.

Flechten sind keine Individuen, sondern Consortien aus einem Pilz (Mycobiont) und einer Grünalge bzw. einem Cyanobakterium (Photobiont). Die morphologische Verknüpfung der beiden Partner ist jedoch so eng, daß hierdurch gewissermaßen ein neuer Organismus von charakteristischer Gestalt und weitgehend konstanten, systematisch verwertbaren Merkmalen entsteht. Während der Nutzen, den der Pilz von dieser Symbiose hat, zweifellos in der Anlieferung von Photosyntheseprodukten aus dem Photobionten besteht, ist der Vorteil, den der Photobiont von dieser Symbiose hat, noch weitgehend unklar.

Als Mykorrhiza bezeichnet man die Symbiose zwischen einem Pilz und einer höheren Pflanze. Bei der Ektomykorrhiza umspinnt ein dichtes Pilzmycel, dessen Hyphen interzellulär in das Rindengewebe der Wurzel eindringen, die Wurzelenden. Sie versorgen die Pflanze mit Wasser und Ionen und erhalten im Gegenzug organisches Material. Bei der Endomykorrhiza wachsen die Pilze intrazellulär. Die am weitesten verbreitete Form der Endomykorrhiza ist die vesiculär-arbusculäre

Mykorrhiza. Sie wird nach ihren charakteristischen intrazellulären Hyphenbildungen benannt, die teils die Gestalt elliptischer, blasenförmiger Vesikel haben, teils bäumchenartig verzweigte Arbuskeln darstellen, die offenbar Haustorienfunktion haben. Eine Übergangsform zwischen diesen beiden Typen ist die Ekt-Endo-Mykorrhiza, die sich bei einigen Kiefern und Fichten findet.

Die Carnivoren sind autotrophe Pflanzen. Bei ihnen stellt der Tierfang nur eine Ergänzung der Ernährung dar, nicht aber eine unerläßliche Bedingung. Dennoch ist die zusätzliche Versorgung mit Stickstoff- und Phosphorverbindungen aus dem Tierfang von großem Nutzen für sie, da sie ihnen das Gedeihen auf Ionen-armen Böden ermöglicht.

14   Fortpflanzung

Bisher haben wir uns ausschließlich mit dem Bau und den Leistungen der Organe befaßt, die im Dienste der Energiekonservierung und -umwandlung sowie des Stoffaufbaus und -umbaus stehen. Diesen vegetativen Organen stehen die reproduktiven gegenüber, die der Fortpflanzung und Vermehrung dienen.

Die Begriffe Fortpflanzung und Vermehrung werden häufig synonym gebraucht, sind jedoch ihrem Inhalt nach keineswegs identisch. Die Bedingung der Fortpflanzung ist, prinzipiell betrachtet, erfüllt, wenn ein Organismus vor seinem Tode einen Tochterorganismus erzeugt und so die Erhaltung der Art garantiert. Demgegenüber ist der Begriff der Vermehrung gleichbedeutend mit einer Vervielfachung der Anzahl. Allerdings ist in der Natur in der Mehrzahl der Fälle die Fortpflanzung zugleich auch eine Vermehrung. Dies ist notwendig, weil viele Tochterorganismen zugrunde gehen, bevor sie sich selbst wieder fortpflanzen konnten, so daß durch die Erzeugung nur eines Tochterorganismus die Erhaltung der Art nicht garantiert ist.

Während bei den Einzellern prinzipiell jede Zelle auch die Funktion der Fortpflanzung übernehmen kann, kommt es mit steigender Organisationshöhe und zunehmender arbeitsteiliger Differenzierung der Zellen zur Ausbildung besonderer Fortpflanzungszellen oder -organe, in denen die Fortpflanzungseinheiten erzeugt werden. Dabei müssen wir zwischen ungeschlechtlicher (vegetativer, asexueller) und geschlechtlicher (sexueller) Fortpflanzung unterscheiden.

14.1   Vegetative Fortpflanzung

Ungeschlechtlich entstandene Fortpflanzungseinheiten sind ausschließlich das Ergebnis mitotischer Teilung. Im einfachsten Fall besteht die ungeschlechtliche Fortpflanzung in einer Teilung des Vegetationskörpers, dessen Teilstücke getrennt weiterwachsen. Diese Art der Vermehrung findet sich sowohl bei niederen als auch bei höheren Pflanzen. Viele Pflanzen bilden jedoch speziell der Vermehrung und Verbreitung dienende vegetative Fortpflanzungseinheiten aus, z.B. Sporen oder besondere Brutorgane.

Einzeller vermehren sich im typischen Fall durch einfache Zellteilungen. Bei vielen niederen Pflanzen können mehrzellige Teilstücke von Thalli, die spontan oder durch Fremdeinwirkung entstanden sind, zu selbständigen Individuen heranwachsen. Auch bei manchen höheren Pflanzen haben abgelöste Organe oder Organteile die Fähigkeit, die fehlenden Organe zu regenerieren. Hiervon macht man bei der Stecklingsvermehrung praktischen Gebrauch.

Unter Einwirkung der zellwandlösenden Enzyme Pektinase und Cellulase dissoziieren Gewebe höherer Pflanzen, z.B. Blätter von Tabak oder Kartoffeln, in Einzelzellen. Diese haben keine Zellwände mehr, sind also nackte Protoplasten. Kultiviert man sie unter geeigneten Bedingungen, so bilden sie eine neue Zellwand aus und beginnen, sich zu teilen. Hierdurch entstehen Kalli (S. 482) aus zunächst noch undifferenzierten Zellen, die sich unter geeigneten Kulturbedingungen wieder zu einer ganzen Pflanze entwickeln können. Diese Versuche beweisen, daß die ausdifferenzierten Zellen die gesamte genetische Information besitzen und daß sogar einzelne Zellen fähig sein können, auf vegetativem Wege, d.h. ausschließlich durch mitotische Teilungen, eine neue Pflanze zu bilden. Auf diese Weise kann man von bestimmten Pflanzen **Klone** erzeugen, d.h. eine Vielzahl aus dem gleichen Individuum entstandener erbgleicher Nachkommen.

Besondere vegetative Fortpflanzungseinheiten haben wir bereits in Gestalt der Tochterkugeln von *Volvox* (Abb. 5.**9A**, S. 193) kennengelernt, die durch Einstülpung der Mutterkugel entstehen und nach deren Absterben frei werden. Auch die Brutkörper der Lebermoose, z.B. *Marchantia* (Abb. 5.**15A**, S. 198), sind hier zu nennen. Weitere Beispiele sind die verschiedenen Brutorgane der höheren Pflanzen und die Mitosporen.

14.1.1   Brutorgane

Sie entstehen häufig an Seitentrieben oder anstelle von Achselsprossen. Beispiele dieser Art haben wir bereits kennengelernt, z.B. bei der Erdbeere, an deren Ausläufern sich in bestimmten Abständen Knospen bilden, die dann zu bewurzelten Pflanzen auswachsen (Abb. 6.**16E**, S. 200). Beim Brutblatt *(Bryophyllum)* finden sich in den Blattkerben Reste meristematischer Gewebe, die noch an der Pflanze zu Tochterpflänzchen austreiben (Abb. 14.**1**). Diese fallen schließlich zu Boden und

Abb. 14.**1**   Brutknospen-
bildung an einem Blatt von
Bryophyllum daigremontianum

wachsen zu selbständigen Pflanzen heran. Auch die bereits besprochenen Zwiebeln (Abb. 7.**13**, S. 245), Sproß- (Abb. 6.**15 G**, S. 228) und Wurzelknollen (Abb. 8.**6A**,
S. 256) dienen der vegetativen Fortpflanzung und, da sie meist zu mehreren an einer Pflanze entstehen, der Vermehrung.

14.1.2   Mitosporen

❗ Als Mitosporen bezeichnet man durch Mitose gebildete, meist einzellige Fortpflanzungseinheiten der Algen und Pilze. Da sie sowohl von Haplonten als auch
von Diplonten gebildet werden können (Abb. 14.**5**), müssen wir Haplo- und Di-
plomitosporen unterscheiden.

Nicht selten dienen die Mitosporen zugleich als Dauerstadien zur Überbrückung
ungünstiger Vegetationsbedingungen. In diesen Fällen sind sie von einer derben,
widerstandsfähigen Wand umhüllt. Bei einigen Formen stellen die Mitosporen sogar die einzige Form der Fortpflanzung dar, wie z.B. bei manchen Pilzen (Fungi
imperfecti), von denen Geschlechtsformen bisher nicht bekannt geworden sind.
Nach Gestalt und Bildungsweise unterscheidet man verschiedene Sporentypen.
Die wichtigsten werden im folgenden kurz besprochen.

Zoosporen (Planosporen, Schwärmsporen): Hierunter versteht man begeißelte
Fortpflanzungseinheiten zahlreicher Algen und einiger niederer Pilze, die in ihrem Habitus den Flagellaten ähneln (Abb. 5.**6**, S. 189). Die Zoosporen sessiler Formen setzen sich nach einiger Zeit fest und wachsen zu neuen Thalli aus. Die Behälter, in denen die Zoosporen gebildet werden, bezeichnet man als Zoosporangien.
Bei den Einzellern dient die ganze Zelle als Zoosporangium. Ihr Inhalt wird bei der
Zoosporenbildung aufgeteilt. Auch bei vielen Fadenalgen werden einfache vegetative Zellen zu Zoosporangien. In anderen Fällen weichen die Sporangien in der Gestalt von den vegetativen Zellen ab.

Aplanosporen: Bei manchen Algen, z.B. *Chlorella,* sind die Sporen geißellos und
somit unbeweglich. Man bezeichnet sie daher als Aplanosporen.

A   B   C   D

Abb. 14.2 Sporenbildung bei Pilzen. **A** Sporangium des Köpfchenschimmels *(Mucor mucedo)*, **B** Konidienträger des Pinselschimmels *(Pénicillium notatum)*. **C** Konidienträger des Gießkannenschimmels *(Aspergillus niger)*. **D** Phialide mit Sporen. c = Columella, ks = Konidiosporen, sp = Sporangiosporen, sw = Sporangienwand (**A** nach Brefeld)

❗ Den vorgenannten Sporen, die bei wasserlebenden oder an sehr feuchte Standorte angepaßte Formen vorkommen, stehen die Luftsporen der an das Landleben bzw. relativ trockene Standorte angepaßten Organismen gegenüber. Nach ihrer Entstehungsweise unterscheidet man bei den Pilzen verschiedene Arten von Luftsporen.

Sporangiosporen: Luftsporen, die in besonderen Behältern, den Sporangien, gebildet werden, nennt man Sporangiosporen. Die Sporangien stehen meist auf Trägerhyphen, den Sporangiophoren. Die Sporen werden durch Aufreißen der Sporangienwand frei. Ein Beispiel hierfür ist der Köpfchenschimmel *Mucor* (Abb. 14.2**A**). Hier ragt in das Sporangium noch der Endabschnitt der Trägerhyphe, die Columella, hinein.

Konidiosporen: Die Konidiosporen, kurz auch Konidien genannt, entstehen seitlich oder an der Spitze einfacher Hyphen bzw. besonderer, charakteristisch gestalteter Konidienträger. Sie können endogen oder exogen, durch Abschnürung, Sprossung oder durch Umwandlung von Zellen zu Dauersporen entstehen. Als Beispiele seien bekannte Schimmelpilze genannt: der Pinselschimmel *(Penicillium,* Abb. 14.2**B**) und der Gießkannenschimmel *(Aspergillus,* Abb. 14.2**C**). Bei diesen entstehen die Sporen in flaschenförmigen Konidienmutterzellen, die als Phialiden bezeichnet werden (Abb. 14.2**D**). In anderen Fällen sind die Konidien sogar einem ganzen Sporangium homolog, z. B. bei *Peronospora*.

14.2   Sexuelle Fortpflanzung

Die sexuelle Fortpflanzung ist charakterisiert durch die Verschmelzung (Kopulation, Befruchtung) zweier geschlechtsverschiedener Zellen (Gameten), deren Bildung zu irgendeinem Zeitpunkt im Entwicklungszyklus eine Reifungsteilung (Meiosis) vorangegangen ist, zu einer Zygote. Exakter formuliert müssen wir sagen, die Verschmelzung zweier geschlechtsverschiedener Kerne. Obwohl nämlich in der Mehrzahl der Fälle die Verschmelzung der Kerne (Karyogamie) der Verschmelzung des Plasmas (Plasmogamie) unmittelbar folgt, gibt es doch auch Organismen, bei denen Plasmo- und Karyogamie räumlich und zeitlich durch eine Phase mit zweikernigen Zellen (Dikaryophase) getrennt sind.

14.2.1   Meiosis

Bei der Befruchtung entsteht durch die Verschmelzung zweier haploider Gameten (1n) eine diploide Zygote (2n), die einen väterlichen und einen mütterlichen Chromosomensatz enthält. Da sich dieser Vorgang bei jeder folgenden Generation wiederholt, würde dies zu einer fortgesetzten Verdoppelung der Chromosomensätze führen, wenn nicht vorher, spätestens aber bei der Gametenbildung, die Anzahl der Chromosomen auf die Hälfte, d.h. auf einen Satz (1n), reduziert würde. Dies geschieht in der Meiosis.

! Im Gegensatz zur Mitosis, wo jeder Kernteilung eine Reduplikation der Chromosomen vorausgeht, folgen bei der Meiosis auf eine Reduplikation der Chromosomen zwei Kernteilungen, die als I. und II. Reifungsteilung bezeichnet werden. Abweichend von der Mitose werden in der ersten Reifungsteilung nicht Chromatiden, sondern ganze, aus zwei Chromatiden bestehende Chromosomen auf die Tochterzellen verteilt, während die zweite Reifungsteilung wie eine Mitose abläuft, d.h. es werden die Chromatiden voneinander getrennt und auf die entstehenden Tochterzellen verteilt. Auf diese Weise entstehen aus einer diploiden Zelle (2n) in zwei Teilungsschritten vier haploide Gonen (1n).

Die Reduktion der Chromosomenzahl ist allerdings nur eine Aufgabe der Meiosis. Ihre zweite, nicht minder wichtige Funktion liegt in der Durchmischung und Neukombination des in den Chromosomen lokalisierten genetischen Materials.

Dies hat zur Folge, daß sich die Meiosis in ihrem Ablauf erheblich von einer Mitosis unterscheidet. Ihre Gesamtdauer kann sich über Tage oder sogar Wochen erstrecken. Während der Prophase der ersten Reifungsteilung, die wesentlich komplizierter verläuft und auch viel länger dauert als bei der Mitosis, findet die für die Meiosis typische Parallelkonjugation der Chromosomen statt, die mit einer allmählichen Kondensation der Chromosomen verbunden ist. Dies führt zu charakteristischen Bildern (Abb. 14.**3**), die man mit besonderen Namen belegt hat. Wie bei der Mitosis handelt es sich jedoch auch hier gewissermaßen nur um Momentaufnahmen aus einem kontinuierlich ablaufenden Vorgang und nicht um scharf zu begrenzende Zeitabschnitte.

Abb. 14.**3**

Abb. 14.**3**   Stadien der ersten Reifungsteilung aus den Antheren von *Hyacinthus romanus.* **A** Leptotän, **B** Zygotän, **C** Pachsytän, **D** frühes, **E** spätes Diplotän, **F** Diakinese, **G** späte Anaphase, **H** Interkinese (aus F. Oehlkers: Das Leben der Gewächse, Bd. I. Springer, Berlin 1956)

I. Reifungsteilung: Mit Eintritt in die **Prophase** der ersten Reifungsteilung vergrößert sich der Zellkern erheblich. Im **Leptotän** (**A**) lockert sich die Chromatinstruktur auf, und die Chromosomen, die allerdings noch als scheinbar wirres Knäul vorliegen, treten als fädige Elemente deutlicher hervor. Zwar ist noch nicht zu erkennen, daß sie aus zwei Chromatiden bestehen, doch wird das Chromomerenmuster (S. 109) bereits deutlich. Im **Zygotän** (**B**) sind die Chromosomen durch Kondensation bereits verkürzt, und das Chromomerenmuster wird noch deutlicher. In diesem Stadium beginnt die Parallelkonjugation der Chromosomen (Synapsis). Diese erfolgt so präzise, daß sich die einander entsprechenden Genorte der homologen Chromosomen, erkennbar an dem identischen Chromomerenmuster, genau gegenüberliegen. Die Enden der Chromosomen sind an der Kernhülle verankert. Der Abstand zwischen den gepaarten Chromosomen ist konstant.

🟥 Die Parallelkonjugation erfolgt mit Hilfe des synaptonemalen Komplexes (auch als synaptischer Komplex bezeichnet), der aus Ribonucleoproteinen besteht und im Elektronenmikroskop dreisträngig erscheint. Offensichtlich lagern sich die Ribonucleoproteine an bestimmte Erkennungsregionen der chromosomalen DNA an und ermöglichen so die korrekte Paarung, die sich in der Art eines Reißverschlußmechanismus fortsetzt. Ob dieser Komplex, wie einige Autoren annehmen, auch beim crossing over (s. unten) eine Rolle spielt, ist noch unsicher.

Im **Pachytän** (**C**) ist die Parallelkonjugation beendet. Die vier Chromatiden der gepaarten Chromosomen bilden, wie der Querschnitt erkennen läßt (Abb. 14.**4**), eine Tetrade, die man auch als Bivalente oder Gemini bezeichnet. Zwei dieser Chroma-

Abb. 14.**4** Schema der Meiosis. Die homologen Chromosomen sind durch verschiedene Farben markiert. **A** und **B**: erste, **C** und **D**: zweite Reifungsteilung. **D** zeigt die Verteilung der Chromosomen auf die Gonen. Die nicht besonders gekennzeichneten Chromosomenabschnitte sind, wie die Kinetochore, präreduziert, die mit a bezeichneten infolge Segmentaustausches postreduziert, der mit b bezeichnete infolge Rücktausches präreduziert

tiden sind väterlicher, zwei mütterlicher Herkunft. Offenbar wird in dieser Phase bereits das crossing over eingeleitet, indem die DNA-Stränge benachbarter Chromatiden vorübergehend aufgebrochen und die Bruchstücke wechselseitig an die benachbarte Chromatide angeheftet werden. Da der synaptonemale Komplex bewirkt, daß ein Segmentaustausch nur zwischen Nicht-Schwester-Chromatiden erfolgt (Abb. 14.**4**), führt das crossing over zwangsläufig zu einer Neukombination väterlichen und mütterlichen Erbgutes (Abb. 15.**10**, S. 424).

Im **Diplotän** (Abb. 14.**3** D,E) beginnt unter Auflösung des synaptonemalen Komplexes die Trennung der konjugierten Chromosomen. Sie erfolgt jedoch nicht gleich vollständig, sondern die Chromatiden bleiben an einzelnen Stellen, an denen sie sich überkreuzen, den Chiasmen, noch eine Zeitlang aneinander haften. Die Chiasmen sind der sichtbare Ausdruck des crossing over. Die gegen Ende des Diplotäns beginnende Kondensation der Chromosomen setzt sich in der **Diakinese** (Abb. 14.**3F**) weiter fort. Die Gemini wandern in die Nähe der Kernhülle. Damit ist die Prophase der ersten Reifungsteilung abgeschlossen.

In der **Metaphase** löst sich die Kernhülle auf, und unter Ausbildung der Kernspindel ordnen sich die Bivalenten, wie die Chromosomen in einer Mitose, in einer Äquatorialplatte an. In der **Anaphase** trennen sich die gepaarten Chromosomen vollständig voneinander und wandern mit polwärts gerichtetem Kinetochor zu den Spindelpolen (Abb. 14.**3G**). Dabei bleibt es offenbar dem Zufall überlassen, welches der beiden homologen Chromosomen zu welchem Pol wandert, so daß sich in der Regel an jedem Pol sowohl Chromosomen des väterlichen als auch des mütterlichen Genoms finden. Es erfolgt also eine Umordnung der Genome. Dabei ist jedoch zu beachten, daß wegen des erfolgten crossing over die Chromatiden der homologen Chromosomen in der Regel Segmente sowohl mütterlicher als auch väterlicher Herkunft enthalten. Die in der **Telophase** gebildeten Kerne (Abb. 14.**3H**) unterscheiden sich nicht unerheblich von den Interphasekernen der Mitosen. Die aus den beiden Chromatiden bestehenden Chromosomen zeigen eine relativ geringe Dekondensation und werden auch nur eine kurze Zeitlang von einer Kernhülle umgeben. Es folgt eine kurze Zwischenphase, die **Interkinese,** die sich von der Interphase (S. 112) durch das Fehlen der S-Phase unterscheidet. Es findet also keine DNA-Replikation statt.

II. Reifungsteilung: Die zweite Reifungsteilung läuft im Prinzip wie eine Mitose ab. In der **Prophase II** erfolgt wiederum die Kondensation der Chromosomen, die nach Auflösung der Kernhülle und Ausbildung der Kernspindel in der **Metaphase II** in der Äquatorialplatte angeordnet werden. In der **Anaphase II** werden die Kinetochore und damit die Chromatiden voneinander getrennt, so daß nach Abschluß der **Telophase II** als Ergebnis der beiden Reifungsteilungen vier haploide Kerne vorliegen (Abb. 14.**4C,D**). Sie ergeben nach Ausbildung der Zellwände vier Zellen, die Gonen, die bei den Pflanzen häufig zu Sporen werden. Da diese aus einer Meiosis hervorgehen, werden sie im Unterschied zu den Mitosporen (S. 383) als Meiosporen bezeichnet.

Prinzipiell liegt also ein Verteilungsmodus vor, der nach der herkömmlichen Terminologie als Präreduktion zu bezeichnen wäre, d. h. es werden in der I. Reifungsteilung die beiden homologen Chromosomen voneinander getrennt und nicht etwa deren Chromatiden. Da jedoch infolge des Segmentaustausches die Chromatiden teils aus Abschnitten väterlicher, teils aus Abschnitten mütterlicher Herkunft bestehen, folgen solche Abschnitte, die von vornherein oder durch Rücktausch bei ihrem ursprünglichen Kinetochor geblieben sind (Abb. 14.**4**), dem Präreduktionsmodus, die ausgetauschten Abschnitte hingegen dem Postreduktionsmodus, vorausgesetzt, daß der entsprechende Abschnitt der Schwesterchromatide in der ursprünglichen Position geblieben ist.

14.2.2 Bildung der Gameten und Befruchtung

Die Meiosis ist die unerläßliche Voraussetzung für die Zygotenbildung und somit für die Bildung der Gameten. Damit ist jedoch nicht gesagt, daß sie stets während der Gametenbildung stattfindet. Vielmehr kann sie schon wesentlich eher, und zwar bereits bei der Keimung der Zygote, d.h. bei den ersten Teilungen des Zygotenkernes, erfolgen.

! Der Unterschied zwischen beiden Typen ist evident. Im ersten Falle ist der eigentliche Organismus diploid, also ein **Diplont,** und die haploide Phase ist ausschließlich auf die Gameten beschränkt (Abb. 14.5A), im zweiten Falle ist der Organismus ein **Haplont** und die diploide Phase auf die Zygote beschränkt (Abb. 14.5B). Bei den **Diplo-Haplonten** stehen haploide Gametophyten, die sich durch Gameten fortpflanzen, in gesetzmäßigem Wechsel mit diploiden Sporophyten, die aus der Zygote hervorgehen und Meiosporen bilden. Bei deren Keimung entstehen wieder haploide Gametophyten.

Alle Typen kommen bei niederen Pflanzen vor. Von den uns bereits bekannten Algen sind z.B. Chlorophyceen *Ulothrix* und *Spirogyra* Haplonten, die Kieselalgen (Diatomeen) Diplonten.

Die Gameten werden in Gametangien gebildet. Bei den Einzellern und den einfacher organisierten Formen dienen als Gametangien Zellen, deren Inhalt bei der Gametenbildung aufgeteilt wird, während bei den höher organisierten Formen die Gametangien besonders gestaltete Behälter sind. Doch nicht nur in der Gestalt der Gametangien, sondern auch in der Ausbildung der Gameten tritt mit zunehmender Entwicklungshöhe eine Differenzierung ein, die eine mit dem Verlust der Beweglichkeit verbundene Größenzunahme des weiblichen Gameten zur Folge hat. Bei den Pilzen führt die Entwicklung zur Unterdrückung der Gameten- bzw.

Abb. 14.**5** Schema des Entwicklungsganges eines Diplonten (**A**), eines Haplonten (**B**) und eines Diplo-Haplonten (**C**). In allen Fällen wurden getrenntgeschlechtliche Formen angenommen. Die Haplophase ist schwarz, die Diplophase rot gezeichnet. g = Gametophyt, k = Kopulation, me = Meiosis, mi = Mitosis, sp = Sporophyt

sogar der Gametangienbildung. Im einzelnen können wir die folgenden Formen der sexuellen Fortpflanzung unterscheiden:

Isogamie (Abb. 14.**6A**): Die Gameten mit verschiedener Sexualpotenz sind äußerlich gleich gestaltet, lassen sich also nicht als männlich (♂) und weiblich (♀), sondern nur ihrem Paarungsverhalten nach als + und – unterscheiden (physiologische Anisogamie).

Anisogamie (Abb. 14.**6B**): Die Gameten verschiedener Sexualpotenz sind von ähnlicher Gestalt, doch sind die Makrogameten größer als die Mikrogameten. Die ersteren werden deshalb auch weiblich, die letzteren männlich genannt.

Oogamie (Abb. 14.**6C**): Die weiblichen Gameten, die man hier als Eier bezeichnet, sind geißellos und unbeweglich und bleiben häufig im Gametangium eingeschlossen. Sie sind in der Regel erheblich größer als die männlichen Gameten, die Spermatozoiden. Auch die Gametangien unterscheiden sich in der Gestalt, weshalb man ihnen besondere Namen gegeben hat. Die weiblichen bezeichnen wir als Oogonien, die männlichen als Spermangien. Wegen der Unbeweglichkeit des Eies sind die Spermatozoiden gezwungen, dieses aufzusuchen und gegebenenfalls sogar in das Oogon einzudringen. Während das Oogonium aus einer Zelle besteht, in der eine oder mehrere Eizellen entstehen, haben die flaschenförmigen Eibehälter der höher entwickelten Moose und Farne (s. unten) eine besondere, zellulär gegliederte Wand, sind also vielzellig. Sie werden deshalb als Archegonien von den Oogonien unterschieden. Entsprechendes gilt für die ebenfalls vielzelligen männlichen Gametangien, die zum Unterschied von den Spermangien als Antheridien bezeichnet werden.

Gametangiogamie (Abb. 14.**6D**): Unter Gametangiogamie verstehen wir einen Sonderfall der geschlechtlichen Fortpflanzung, bei dem es gar nicht mehr zur Ausbildung von Gameten kommt, sondern gleich die vielkernigen Gametangien miteinander verschmelzen oder doch zum mindesten miteinander fusionieren. Auch hier kann man eine isogame Gametangiogamie, bei der die Gametangien äußerlich gleich gestaltet sind *(Mucor,* Abb. 14.**6D**), von einer anisogamen mit verschieden gestalteten Gametangien unterscheiden. Dieser Fall liegt bei den Ascomyceten vor (Abb. 14.**9**).

Somatogamie (Abb. 14.**6E**): Der extremste Fall der Reduktion tritt uns in Gestalt der Somatogamie entgegen, die für die Basidiomyceten charakteristisch ist. Hier werden nicht einmal mehr Gametangien ausgebildet, sondern es verschmelzen Körperzellen miteinander, die äußerlich gleich gestaltet sind, sich in ihrem Paarungsverhalten aber unterscheiden. Plasmogamie und Karyogamie sind zeitlich und räumlich durch die Dikaryophase getrennt.

Auch hinsichtlich des Paarungsverhaltens und der Verteilung der Geschlechtsorgane sind mehrere Typen zu unterscheiden. Bei den getrenntgeschlechtlichen (= dioecischen) Arten sind die morphologisch wohl zu unterscheidenden männli-

Abb. 14.**6** Verschiedene Formen der geschlechtlichen Fortpflanzung, schematisch dargestellt. **A** Isogamie, **B** Anisogamie (Zygoten rot), **C** Oogamie, **D** isogame Gametangiogamie, **E** Somatogamie. Weitere Erklärungen im Text

chen und weiblichen Sexualorgane auf zwei verschiedene Individuengruppen, eben die beiden Geschlechter, verteilt. Eine Selbstbefruchtung ist somit ausgeschlossen. Liegt Isogamie, isogame Gametangiogamie oder gar Somatogamie vor, so kann man mangels morphologischer Unterscheidungsmerkmale natürlich nicht mehr von Geschlechtern sprechen, sondern nur noch von Kreuzungstypen, etwa + und –Typen, die sich allein durch ihr Paarungsverhalten unterscheiden. In diesen Fällen wird eine Befruchtung innerhalb des jeweiligen Kreuzungstypus durch sexuelle Unverträglichkeit (= **Inkompatibilität**) verhindert. Diese ist genetisch bedingt und liegt dann vor, wenn die Kerne zweier Individuen der gleichen

Art die gleichen Unverträglichkeitsgene besitzen (= homogenische Inkompatibilität).

Bei gemischtgeschlechtlichen (= monoecischen) Arten, bei denen von ein und demselben Individuum sowohl weibliche als auch männliche Geschlechtszellen bzw. -organe gebildet werden, ist die Selbstbefruchtung prinzipiell möglich. Bei vielen Arten ist sie jedoch ebenfalls durch Inkompatibilität verhindert, weshalb diese Organismen trotz vorliegender Monoecie zur sexuellen Fortpflanzung einen Kreuzungspartner mit verschiedenem Unverträglichkeitsgen benötigen. Durch diese Sexualsperre wird also letztlich das gleiche erreicht wie durch die Getrenntgeschlechtlichkeit, nämlich die Verhinderung der Inzucht zugunsten einer ständigen Neukombination des genetischen Materials.

In manchen Fällen vermögen sich die Geschlechtszellen auch ohne Befruchtung, d. h. ohne Zygotenbildung, zu einem neuen Organismus zu entwickeln. Man bezeichnet ein solches Verhalten als Parthenogenesis.

14.3 Generationswechsel

Als **Ontogenie** bezeichnet man im Unterschied zur Phylogenie den vollständigen Entwicklungsgang eines Lebewesens, als **Generation** einen Teilabschnitt der Ontogenie, der mit einer Keimzelle beginnt und, nach Zwischenschaltung mitotischer Teilungen, mit der Bildung eines anderen Typus von Keimzellen abschließt. In den bisher besprochenen Fällen der sexuellen Fortpflanzung finden nur in einem Abschnitt der Ontogenie Mitosen statt, und zwar im Falle der Diplonten zwischen der Zygote und der Bildung der Meiogameten (Abb. 14.5 A), im Falle der Haplonten zwischen Meiosporen und der Gametenbildung (Abb. 14.5 B). In beiden Fällen folgt also auf jede Generation eine weitere gleiche Generation, die wieder mit den gleichen Keimzellen beginnt und mit den gleichen Keimzellen abschließt wie die vorausgegangene. Dies wollen wir als eine einfache **Generationenfolge** bezeichnen. Im Gegensatz hierzu verstehen wir unter einem Generationswechsel den im typischen Falle regelmäßigen Wechsel zweier oder mehrerer Generationen innerhalb einer Ontogenie, die sich auf verschiedene Weise fortpflanzen. In der Mehrzahl der Fälle handelt es sich nur um zwei Generationen, von denen die eine, der **Gametophyt,** mit der keimenden Spore beginnt und mit der Bildung von Mitogameten abschließt, während die andere, der **Sporophyt,** mit der Zygote beginnt und mit der Bildung von Meiosporen abschließt (Abb. 14.5 C). Meist entstehen, der Zahl der Gonen entsprechend, vier Meiosporen aus einer Meiosporenmutterzelle. Bei manchen Organismen folgen jedoch auf die Meiosis noch mitotische Teilungen, so daß eine größere Anzahl von Meiosporen entsteht, im Falle der Ascomyceten z. B. acht (S. 398).

Formal läßt sich ein solcher Generationswechsel aus dem Haplontenschema (Abb. 14.5 A) ableiten, indem die Zygote durch mitotische Teilungen zu einem selbständigen Individuum heranwächst, das sich durch Meiosporen fortpflanzt, also zu einem Sporophyten wird. Die Zygote allein, und das gilt für alle Keimzellen, kann dagegen nicht als Generation bezeichnet werden, da der Generationsbegriff fordert, daß die Keimzelle zunächst eine Individualentwicklung, gekennzeichnet durch mitotische Teilungen, durchmacht, ehe die Bildung weiterer Keimzellen erfolgt.

Im Falle des Diplo-Haplonten ist der Generationswechsel mit einem Wechsel der Kernphasen verbunden. Es liegt also ein heterophasischer (= antithetischer) Generationswechsel vor. Die beiden Generationen können entweder völlig selbständige Individuen oder morphologisch eng miteinander verbunden sein. Obwohl der heterophasische Generationswechsel als der typische Fall angesehen werden kann, sind der Generations- und der Kernphasenwechsel zwei voneinander grundsätzlich unabhängige Vorgänge, die nicht notwendig miteinander gekoppelt sein müssen. Dies wird besonders deutlich, wenn der Generationswechsel, wie im Falle einiger Rotalgen (Rhodophyceen), über drei Generationen läuft, von denen zwangsläufig mindestens zwei die gleiche Kernphase haben, also homophasisch sind.

Schließlich kann der Generationswechsel auch mit einem Wechsel der Gestalt verbunden sein. In diesem Falle bezeichnen wir ihn als heteromorph. Die Verschiedenheit der Gestalt ist in manchen Fällen so stark, daß die beiden Generationen früher für selbständige Pflanzenarten gehalten und mit besonderen Namen belegt wurden (s. unten). Gleich dem Kernphasenwechsel ist jedoch auch der Gestaltwechsel keine unerläßliche Bedingung des Generationswechsels. Vielmehr kennen wir eine ganze Reihe von Fällen, in denen die beiden Generationen gleich gestaltet sind (isomorpher Generationswechsel). Für beide Typen sei je ein Beispiel aus der Gruppe der Grünalgen angeführt.

14.3.1   Isomorpher Generationswechsel

Die Chlorophycee *Cladophora,* deren Habitus bereits früher besprochen wurde (S. 194 ff.), besitzt äußerlich gleichgestaltete, + und – differenzierte Gametophyten (Abb. 14.7). Die + und – Isogameten entstehen in beliebigen Fadenzellen, die sich unter Aufteilung ihres Inhalts in Gametangien umwandeln und eine größere Anzahl von zweigeißeligen Gameten entlassen. Diese kopulieren zur Zygote, bei deren Keimung ein diploider Sporophyt entsteht, der sich äußerlich nicht von den Gametophyten unterscheidet. Er bildet in den Sporangien, die ebenfalls einfache, nicht weiter modifizierte Fadenzellen sind, unter Meiosis Zoosporen (Meiosporen). Diese sind zu 50 % +, zu 50 % – differenziert und wachsen zu haploiden + bzw. – Gametophyten aus.

❗ Bei *Cladophora* liegt also ein isomorpher, heterophasischer Generationswechsel mit Isogamie vor.

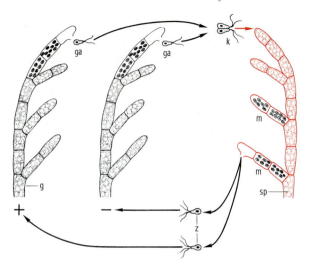

Abb. 14.**7** Isomorpher, heterophasischer Generationswechsel von *Cladophora*, schematisch. Haploide Phase schwarz, diploide Phase rot.
g = Gametophyt, ga = zweigeißelige Gameten, k = Kopulation, m = Meiosis, sp = Sporophyt, z = viergeißelige Zoosporen

14.3.2   Heteromorpher Generationswechsel

Die beiden Generationen dieser Grünalge sind in ihrer Gestalt so grundverschieden (Abb. 14.**8**), daß sie früher für verschiedene Pflanzen gehalten und daher mit eigenen Namen belegt wurden: *Halicystis ovalis* und *Derbesia marina*. *Halicystis* ist der Gametophyt, der einen blasenförmigen Thallus hat und getrenntgeschlechtlich ist. Der männliche Gametophyt bildet kleine, zweigeißelige Mikrogameten, der weibliche große, ebenfalls zweigeißelige Makrogameten. Die Gameten fusionieren unter Plasmogamie. Die Kerne verschmelzen jedoch nicht miteinander. Die keimende Zygote wächst zu einem fädigen und verzweigten Thallus heran, dem Sporophyten *Derbesia marina,* wobei sich die nicht verschmolzenen Kerne mitotisch weiter teilen. Die Karyogamie findet dann erst im Zoosporangium statt, in dem bald darauf unter Meiosis die Bildung der haploiden Zoosporen (Meiosporen) erfolgt, die einen Geißelkranz tragen. Sie sind sexuell differenziert und keimen zu je 50% zu männlichen bzw. weiblichen Gametophyten aus, womit der Kreislauf geschlossen ist. Es liegt somit ein heteromorpher Generationswechsel mit Anisogamie vor, in dem jedoch die Karyogamie von der Plasmogamie durch eine Phase mit nicht verschmolzenen Kernen unterschiedlichen Kreuzungstypus getrennt ist. Sie entspricht im Prinzip einer Dikaryophase, wird aber wegen des coenoblastischen Charakters und der dadurch bedingten Vielkernigkeit als Heterokaryophase bezeichnet.

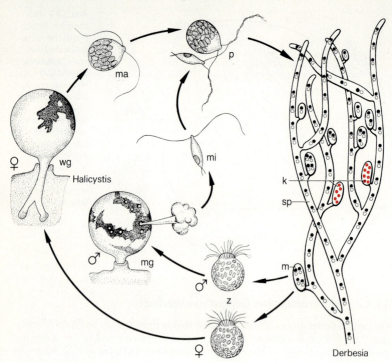

Abb. 14.**8** Heteromorpher Generationswechsel von *Derbesia marina* und *Halicystis
ovalis,* schematisch. Haploide Phase
schwarz, diploide Phase rot, heterokaryoti-
sche Phase mit schwarzen und weißen Dop-
pelkernen. k = Karyogamie, m = Meiosis,
ma = Makrogamet, mg = männlicher Gametophyt von *Halicystis,* mi = Mikrogamet, p =
Plasmogamie, sp = heterokaryotischer Sporophyt *(Derbesia),* wg = weiblicher Gametophyt von *Halicystis,* z = Zoosporen (nach
Kornmann, Neumann sowie nach Eckhardt,
Schnetter und Seibold)

❗ Bei *Derbesia/Halicystis* liegt also ein heteromorpher Generationswechsel vor.
Dieser ist zwar ebenfalls mit einem Kernphasenwechsel verbunden, doch ist
der Sporophyt *Derbesia* nicht diploid, sondern ein **Heterokaryon,** während die
diploide Phase auf die Zygotenkerne beschränkt ist.

14.4   Fortpflanzung der Pilze

In der sexuellen Fortpflanzung der Pilze herrscht eine große Mannigfaltigkeit. Bei einigen Klassen der niederen Pilze kommen noch Iso- und Anisogamie sowie Generationswechsel vor. Bei den Oomycetes erfolgt die Fortpflanzung durch Oogamie. Bei den Zygomycetes und den Ascomycetes werden keine Gameten mehr gebildet, sondern es verschmelzen ganze Gametangien. Es liegt also Gametangiogamie vor. Sind die Gametangien äußerlich gleich gestaltet und nur durch ihr Paarungsverhalten (+ und –) zu unterscheiden, spricht man von isogamer, sind sie verschieden gestaltet, von anisogamer Gametangiogamie. Bei den Basidiomycetes schließlich werden überhaupt keine Gametangien mehr ausgebildet, sondern es verschmelzen Körperzellen miteinander. Hier liegt also Somatogamie vor.

14.4.1   Zygomycetes

Die meisten Vertreter dieser Gruppe zeichnen sich durch isogame Gametangiogamie aus. Treffen die Mycelien zweier Kreuzungstypen (+ und –) zusammen, so wachsen die Hyphenäste aufeinander zu und schwellen zu keuligen Gametangien mit zahlreichen Kernen an. Die Gametangien der beiden Kreuzungspartner sind gleichgestaltet und verschmelzen miteinander, ohne daß Gameten ausgebildet werden (Abb. 14.**6D**). Da definitionsgemäß die Zygote das Kopulationsprodukt zweier einkerniger Gameten ist (S. 385), grenzt man das Verschmelzungsprodukt zweier Gametangien sprachlich hiervon ab und bezeichnet es als **Coenozygote.**

Die Kerne paaren sich, verschmelzen jedoch erst etwas später. Plasmo- und Krayogamie sind hier also bereits zeitlich, aber noch nicht räumlich getrennt. Die Coenozygote umgibt sich mit einer derben Wand und wird zur Zygospore. Die Meiosis findet sogleich beim Auskeimen der Zygosporen statt. Die Zygomycetales sind also Haplonten.

14.4.2   Ascomycetes

Die Ascomyceten (Schlauchpilze) sind im typischen Falle monoecisch, d.h. die Kerne des gleichen Mycels haben beide Geschlechtspotenzen. Infolgedessen entstehen beide Sorten von Geschlechtsorganen, die männlichen Andrangien und die weiblichen Ascogone, am gleichen Mycel. Dennoch ist Selbstbefruchtung häufig durch homogenische Inkompatibilität (S. 393) ausgeschlossen, so daß jedes Mycel einen Kreuzungspartner benötigt (Abb. 14.**9**). Hinsichtlich der Befruchtung liegt anisogame Gametangiogamie vor. Am Scheitel des Ascogons entsteht ein papillenförmiger Fortsatz, die Trichogyne, die zum Andrangium hinwächst und mit diesem fusioniert (Plasmogamie). Durch die Trichogyne wandern die Kerne aus dem Andrangium in das Ascogon ein, wo sie sich mit dessen Kernen paaren. Hierauf wachsen vom Ascogon die ascogenen Hyphen aus, in denen sich die beiden Kerne jeweils gleichzeitig, d.h. konjugiert teilen, so daß jede Zelle zwei Kerne enthält (Dikaryophase). Schließlich kommt es zur Ausbildung der Hakenzelle, in der sich beide Kerne noch einmal teilen. Von den entstandenen vier Kernen bleiben

s

ac

pe
pa

ae
ah

ag
t
ad

ks

Abb. 14.**9**   Entwicklungszyklus eines Ascomyceten, schematisch. Die Kerne der beiden Kreuzungspartner sind schwarz bzw. weiß markiert, die auf die Zygote beschränkte Diplophase rot. ac = reifer Ascus, ad = Andrangium, ae = Ascusentwicklung, ag = Ascogon, ah = ascogene Hyphen, ks = gekeimte Spore, pa = Paraphysen, pe = Perithecium, s = Ascosporen, t = Trichogyne

zwei geschlechtsverschiedene Kerne in der Hakenzelle, während der dritte in die Stielzelle und der vierte in den unteren Teil des Hakens einwandern. Nach Abgrenzung des oberen Teiles der Hakenzelle durch Zellwände findet die Verschmelzung der beiden Kerne zum Zygotenkern statt (Karyogamie). Das abgebogene Hakenende fusioniert dann mit der Stielzelle, und der Kern wandert in diese zurück, worauf es erneut zur Hakenbildung kommen kann. Die Hakenzelle wächst zum **Ascus** aus, und unter Meiose sowie einer weiteren mitotischen Teilung entstehen acht Meiosporen, die Ascosporen, die ausgeschleudert werden und zu einem haploiden Mycel auskeimen. Die diploide Phase ist also auf die Zygote beschränkt. Von dem hier beschriebenen Grundtypus gibt es zahlreiche Varianten.

Die Asci bilden zusammen mit sterilen Hyphen, den Paraphysen, das Hymenium, das an einem Fruchtkörper entsteht, und zwar entweder im Inneren desselben (Perithecium) oder auf dessen Oberfläche (Apothecium).

14.4.3 Basidiomycetes

Da die Basidiomyceten (Ständerpilze) keine Geschlechtsorgane ausbilden, kann man nur von Kreuzungstypen (+ und –) sprechen. Das Zustandekommen eines Sexualaktes zwischen zwei Mycelien wird ausschließlich durch homogenische Inkompatibilität bestimmt. Die durch Keimung der Basidiosporen entstehenden haploiden Mycelien können längere Zeit vegetativ wachsen. Treffen die Hyphen zweier Kreuzungspartner aufeinander (Abb. 14.**10**), so verschmelzen ihre Zellen (Plasmogamie), ohne daß Gametangien ausgebildet werden (Somatogamie). Hieraus entwickelt sich ein dikaryotisches Mycel, das charakteristische Schnallen besitzt (Schnallenmycel). Bei jeder Zellteilung teilen sich die beiden Kerne konjugiert. An der Spitzenzelle bildet sich ein Haken, der sich nach rückwärts krümmt. In diesen wandert ein Kern ein, während ein weiterer, vom ersten verschiedener Kern im Basalteil der Zelle bleibt. Die beiden anderen Kerne wandern in die Spit-

Abb. 14.**10** Entwicklungszyklus eines Basidiomyceten, schematisch. Die im Kreis befindlichen Fruktifikationsorgane sowie die Hyphen sind stärker vergrößert als der Fruchtkörper. Die Kerne der beiden Kreuzungspartner sind schwarz bzw. weiß markiert, die diploide Zygote ist rot. b = Basidienentwicklung, f = Fruchtkörper, hm = haploides Mycel, hy = Hymenium, k = Karyogamie, ks = keimende Basidiosporen, m = Meiosis, p = Plasmogamie, sm = dikaryotisches Schnallenmycel, sp = Basidiosporen

zenregion, und die Zelle grenzt sich vom Basalteil durch eine Querwand ab. Nun fusioniert der Haken mit der unteren Zelle und entläßt seinen Kern in diese, die hierdurch ebenfalls zweikernig wird. Auch die Schnalle grenzt sich von der Spitzenzelle durch eine Wand ab.

Das Schnallenmycel wächst zu einem von Fall zu Fall verschieden gestalteten Fruchtkörper heran, an dem sich ein Hymenium bildet. In diesem schwellen die Enden des Schnallenmycels zu einer **Basidie** an, in der die Kernverschmelzung erfolgt (Karyogamie). Unter Meiosis entstehen vier Kerne. An der Spitze der Basidie stülpen sich kurze Auswüchse, die Sterigmen, aus, in deren anschwellende Enden je ein Kern einwandert. Sie schnüren sich dann als Basidiosporen ab und werden verbreitet. Von den beim Auskeimen der vier Basidiosporen entstehenden Mycelien besitzen je zwei den gleichen Faktor für sexuelle Unverträglichkeit. Sie sind also nicht miteinander, wohl aber mit einem der beiden anderen Mycelien kreuzbar.

14.5   Generationswechsel der Archegoniaten

Unter dem Begriff Archegoniaten faßt man die Moose und Farne zusammen, die, ungeachtet der Verschiedenheit ihrer äußeren Organisation, in der Ausbildung ihrer weiblichen Geschlechtsorgane, der Archegonien, eine weitgehende Übereinstimmung zeigen. Sie sind das klassische Beispiel für einen heteromorphen, heterophasischen Generationswechsel.

14.5.1   Bryophyten

Der Einfachheit halber beschränken wir uns in Abb. 14.**11** auf die Darstellung des Generationswechsel eines monoecischen Laubmooses. Gelangen die haploiden Meiosporen eines Mooses in ein günstiges Milieu, so keimen sie zu einem aus einer einfachen Zellreihe bestehenden, mehrfach verzweigten Faden, dem **Protonema,** aus. An diesem entstehen als seitliche Auswüchse vielzellige Knospen, die dann zu den bereits besprochenen (S. 200), in Stämmchen und Blättchen gegliederten Moospflanzen auswachsen. Der Gametophyt erfährt somit einen Gestaltwechsel, ist also dimorph, ohne daß damit ein Wechsel der Generation oder der Kernphase verbunden wäre. Dies zeigt wiederum die Unabhängigkeit von Generations-, Gestalt- und Kernphasenwechsel. Auf der Moospflanze entstehen die Archegonien und Antheridien, bei dioecischen Formen auf verschiedenen Pflanzen. Sind sie herangereift, erfolgt die Befruchtung, indem die chemotaktisch angelockten Spermatozoiden in den Hals des Archegoniums eindringen. Eines verschmilzt mit der Eizelle zu einer Zygote. Diese keimt, ohne das Archegonium zu verlassen, zum diploiden Sporophyten, dem Sporogon, aus, das mit seinem Fuß in der Moospflanze verankert bleibt. Obwohl der Sporophyt hier nicht zu einem selbständigen Individuum wird, ist er doch zur Photosynthese befähigt, wird also nicht vom Gametophyten ernährt. In der Sporenkapsel bildet sich, von sterilem Kapselgewebe umgeben, das Archespor, aus dessen Zellen durch Meiosis die Meiosporen ent-

Abb. 14.**11** Heteromorpher, heterophasischer Generationswechsel eines monoecischen Laubmooses, schematisch. Die im Kreis befindlichen Geschlechtsorgane sind stärker vergrößert. Haploide Phase schwarz, diploide Phase rot. an = Antheridium, ar = Archegonium, be = befruchtete Eizelle (Zygote), bl = Blättchen, d = Deckel, ga = Gametophyt, k = Kopulation, ka = Sporenkapsel, kn = Knospe am Protonema, ks = keimende Meiospore, m = Meiosis, pr = Protonema, rh = Rhizoid, s = Meiospore, sg = Sporogon, sp = Sporophyt, sz = Spermatozoid

stehen. Die nach Abwerfen des Deckels freiwerdende Öffnung ist bei den Laubmoosen durch einen Zahnkranz, das Peristom, verschlossen, dessen Zähne radial nach innen gerichtet sind. Die Zähne sind zu hygroskopischen Bewegungen befähigt. Je nach Luftfeuchtigkeit krümmen sie sich aus- oder einwärts, indem sie die Öffnung freigeben oder verschließen. Auf diese Weise wird erreicht, daß die Sporen allmählich und nur bei günstiger Witterung ausgestreut werden.

! Bei den Laubmoosen liegt also ein heterophasischer, heteromorpher Generationswechsel vor, bei dem der Gametophyt die ausdauernde Pflanze ist, während der Sporophyt als unselbständiges Individuum auf dem Gametophyten verbleibt.

14.5.2   Pteridophyten

Im Prinzip ist der Generationswechsel der Farne wie auch der anderen Pteridophyten dem der Moose recht ähnlich. Ein wesentlicher Unterschied liegt jedoch darin, daß die ausdauernde Pflanze hier der Sporophyt ist, während der Gameto-

Abb. 14.**12** Heteromorpher, heterophasischer Generationswechsel eines isosporen Farnes *(Dryopteris filix-mas,* Wurmfarn), zum Teil schematisiert. Haploide Phase schwarz, diploide Phase rot. **A** Keimende Meiospore, **B** Prothallium, **C** Antheridium, **D** Archegonium, **E** Prothallium mit jungem Sporophyten, **F** mit Sori besetztes Blatt des Sporophyten, **G** Querschnitt durch einen Sorus, **H** Sporangium, durch den tangentialen Zug der Anuluszellen geöffnet, **I** Sporangienhälften nach Abreißen der Außenwand vom Wasser in die Ausgangslage unter Ausschleudern der Meiosporen zurückgeschnellt. al = Anulus, an = Antheridium, ar = Archegonium, ei = Eizelle, i = Indusium, js = junger Sporophyt, sg = Sporangium, sp = Meiosporen, st = Stomium, sz = Spermatozoiden (z. T. nach Sinnot-Wilson, Kny, Stocker)

phyt, das Prothallium (Abb. 14.**12B**), ein kleines, thallöses Gebilde von begrenzter Lebensdauer ist, das direkt aus der keimenden Meiospore hervorgeht. Bei den isosporen Farnen, die monoecisch sind, entstehen auf demselben **Prothallium** Antheridien und Archegonien (**C,D**). Nach erfolgter Befruchtung, die ähnlich wie bei den Moosen vor sich geht, entwickelt sich aus der Zygote der diploide Sporophyt, der schließlich zu einer selbständigen Farnpflanze heranwächst. Die Sporangien entstehen an Blättern, den Sporophyllen. In vielen Fällen, wie auch bei *Dryopteris,* unterscheiden sich die Sporophylle in der Gestalt nicht von den sterilen Laubblättern. Die Sporangien stehen in Gruppen (Sori) zusammengefaßt auf der Blattunterseite und sind von einem Schleier, dem Indusium, bedeckt (**F,G**). Bei manchen Gattungen haben die Sporophylle jedoch eine von den Laubblättern abweichende Gestalt. Aus dem zentralen Gewebe der Sporangien, dem Archespor, entstehen durch zahlreiche Zellteilungen die Sporenmutterzellen, aus denen unter Meiosis die Meiosporen hervorgehen. Sie werden nach Aufreißen des Sporangiums, das durch einen besonderen Kohäsionsmechanismus des Anulus bewerkstelligt wird, ausgestreut und durch den Wind verbreitet (**H,I**).

Auch bei den Pteridophyten liegt also ein heterophasischer, heteromorpher Generationswechsel vor. Zwar sind hier sowohl die Gametophyten als auch die Sporophyten selbständige Individuen, doch haben sich die Größenverhältnisse sehr zugunsten des Sporophyten verschoben. Dieser ist die ausdauernde Farnpflanze und besitzt die Organisationsform eines Kormus. Die hier bereits beginnende Reduktion des Gametophyten geht bei den heterosporen Pteridophyten noch weiter.

Bei diesen sind die Meiosporen in Mikro- und Makrosporen differenziert, die an Mikro- bzw. Makrosporophyllen gebildet werden (vgl. S.559). Die bei der Sporenkeimung entstehenden Mikro- und Makroprothallien bestehen nur noch aus wenigen Zellen und verlassen die Meiosporen bei der Keimung nicht mehr, sondern gehen gleich zur Bildung der Antheridien und Archegonien über. Wie bereits Hofmeister erkannte, führt also von den Moosen über die isosporen zu den heterosporen Pteridophyten eine Entwicklungslinie, die im Generationswechsel in der zunehmenden Reduktion des Gametophyten einerseits und der Höherentwicklung des Sporophyten andererseits zum Ausdruck kommt. Diese Entwicklung findet ihren Abschluß bei den Spermatophyten.

14.6 Generationswechsel der Spermatophyten

Auch bei den Spermatophyten liegt ein heterophasischer, heteromorpher Generationswechsel vor. Sowohl der weibliche als auch der männliche Gametophyt sind hier auf so wenige Zellen reduziert, daß sich das Vorhandensein eines Generationswechsels erst bei genauer Untersuchung der Fortpflanzungsverhältnisse erkennen läßt. Im Gegensatz zu den Gametophyten ist der Sporophyt mächtig entwickelt und stellt der Organisationsform nach einen Kormus dar.

Bei den Spermatophyten sind die Mikro- und Makrosporophylle, die hier als Staubblätter (Stamina) bzw. Fruchtblätter (Carpelle) bezeichnet werden, in Sporophyllständen zusammengefaßt, die an den Enden der Sproßachsen stehen und als Blüten bezeichnet werden. Da derartige Sporophyllstände schon bei einigen heterosporen Pteridophyten *(Selaginella)* vorkommen, sind sie also nicht für diese Pflanzengruppe allein charakteristisch. Deshalb ist die Bezeichnung Spermatophyta (Samenpflanzen) dem Namen Anthophyta (Blütenpflanzen) vorzuziehen.

In vielen Fällen sind die Sporophylle der Spermatophyten noch von einer Hülle anders gestalteter und häufig auffällig gefärbter steriler Blätter, dem **Perianth,** umgeben, das meist in Kelch (Kalyx) und Krone (Corolla) gegliedert ist. Sind die Glieder beider Blattkreise gleich, so sprechen wir von einem Perigon. Es kommen jedoch auch nackte Blüten vor, denen ein Perianth überhaupt fehlt.

Außer den vollständigen Blüten, bei denen Staub- und Fruchtblätter in einer Blüte vereint sind, kennen wir auch solche, die entweder nur Staubblätter oder nur Fruchtblätter tragen. Erstere bezeichnen wir als staminate, letztere als carpellate Blüten. Staminate und carpellate Blüten können, wie z. B. bei Kiefer und Hasel, auf dem gleichen Individuum vorkommen oder aber, wie z. B. bei Eibe und Weide, auf verschiedene Individuen verteilt sein. Bei der Esche kommen auf dem gleichen Individuum neben staminaten und carpellaten auch vollständige Blüten vor.

Der Entwicklungsgang einer angiospermen dikotylen Samenpflanze ist in Abb. 14.**13** dargestellt. Die Gesamtheit der Staubblätter bezeichnet man als **Androeceum.** Ein Staubblatt (**A**) gliedert sich in das Filament und die Anthere. Letztere besteht aus vier Pollensäcken, von denen je zwei zu einer Theka zusammengefaßt sind. Die beiden Theken sind durch das Konnektiv verbunden. Jeder Pollensack ist einem Mikrosporangium der heterosporen Farne homolog. Die aus dem Archespor hervorgehenden Pollenmutterzellen (= Mikrosporenmutterzellen) teilen sich unter Meiosis, wodurch vier Pollenkörner gebildet werden, die den Mikrosporen entsprechen (**H–L**). Ihr Kern teilt sich dann nochmals, so daß die reifen Pollen eine vegetative und eine generative Zelle enthalten (**M**).

Die Fruchtblätter, deren Gesamtheit man **Gynoeceum** nennt, tragen die Samenanlagen, die bei den Gymnospermen (Nacktsamern) frei auf der Oberfläche liegen, während sie bei den Angiospermen (Bedecktsamern) stets in ein von den Fruchtblättern gebildetes Gehäuse, den Fruchtknoten, eingeschlossen sind, aus dem sie erst als reife Samen entlassen werden. Der Fruchtknoten (**A**) läuft oben in einen dünnen Griffel aus, dessen Oberteil, wie im vorliegenden Falle, in Narbenäste aufgespalten sein kann. Die Gesamtheit von Fruchtknoten, Griffel und Narbe bezeichnet man als Stempel (Pistillum).

Die **Samenanlagen** werden von einem besonderen Bildungsgewebe der Fruchtblätter, der Placenta, hervorgebracht, mit der sie durch den Funiculus in Verbindung bleiben. Am Grunde der Samenanlage, der Chalaza, entspringen ein oder (meist) zwei Integumente, die den inneren Gewebekomplex, den Nucellus, einhüllen und an dem der Chalaza gegenüberliegenden Ende eine Öffnung, die Mikropyle, freilassen (**G**). Die Fruchtblätter sind den Makrosporophyllen, der Nucellus dem Makrosporangium der heterosporen Farne homolog. Im Nucellus führt eine Zelle, die Embryosackmutterzelle, eine Meiosis durch (**B–D**). Von den vier

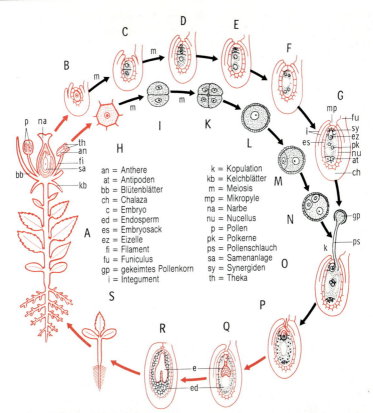

Abb. 14.**13** Entwicklungsgang einer angiospermen, dikotylen Samenpflanze. Diploide
Phase rot. **A** Blühende Pflanze, Sporophyt,
B Makrosporenmutterzelle, umgeben vom
Nucellus und von den Integumenten der Samenanlage, **C,D** Bildung der Makrosporen,
von denen eine zum Embryosack wird, **E – G**
Entwicklung des weiblichen Gametophyten
zum befruchtungsfähigen Embryosack, **H**

Mikrosporenmutterzelle aus einer Anthere,
I,K Bildung der Mikrosporen (Pollenkörner),
L – N Entwicklung des männlichen Gametophyten, **O** doppelte Befruchtung, **P – R** Entwicklung des diploiden Embryos und des triploiden Endosperms in der zum Samen werdenden Samenanlage, **S** Keimpflanze (nach
Strasburger, Sharp, Melchior)

entstehenden Zellen gehen drei zugrunde während sich aus der vierten, der Em-
bryosackzelle, die der Makrospore entspricht, der Gametophyt entwickelt. Dies
geschieht auf folgende Weise (**E – G**): Unter Vergrößerung des Embryosackes teilt
sich der Embryosackkern zunächst in zwei Kerne, die nach den entgegengesetzten
Enden des Embryosackes wandern, wo sich jeder noch zweimal teilt, so daß insge-

samt acht Kerne entstehen. An dem der Mikropyle zugekehrten Pol grenzen sich die Eizelle und zwei weitere Zellen, die Synergiden, als sogenannter Eiapparat vom Embryosack ab, am entgegengesetzten Pol die drei Antipoden. Die beiden übrigbleibenden Polkerne wandern dann aufeinander zu und verschmelzen zum diploiden sekundären Embryosackkern. Damit ist die Samenanlage befruchtungsreif.

> Der befruchtungsfähige Embryosack entspricht einer gekeimten Makrospore, d. h. also einem Makroprothallium. Dies zeigt ein Vergleich mit den Gymnospermen, bei denen die Eizellen noch in nahezu vollständige Archegonien eingeschlossen sind, die im Embryosack liegen. Bei den Angiospermen sind auch diese noch reduziert. Es liegt nahe, die Synergiden als Reste der Archegonien zu deuten.

Noch weiter geht die Reduktion des männlichen Gametophyten. Gelangen die **Pollenkörner** auf die Narbe, so keimen sie unter Bildung des Pollenschlauches aus. Dieser durchwächst das Narben- und Griffelgewebe und dringt bis zur Mikropyle vor. Die generative Zelle teilt sich nochmals, und die beiden daraus hervorgehenden Kerne wandern durch den Pollenschlauch zur Eizelle (**N,O**). Da sie von einem schmalen plasmatischen Saum umgeben sind, werden sie besser als Spermazellen bezeichnet. Das gekeimte Pollenkorn entspricht somit dem Mikroprothallium. Auch dieser Fall extremer Reduktion ist mit den heterosporen Farnen über die Gymnospermen verbunden, bei denen noch Reste des Antheridiums nachweisbar sind. Sowohl der männliche als auch der weibliche Gametophyt sind also bei den Angiospermen auf wenige Zellen reduziert.

❗ Sobald der Pollenschlauch den Embryosack erreicht hat, entleert er die beiden Spermazellen in den Embryosack, meist in eine der beiden Synergiden. Man bezeichnet dieses Verhalten als **Siphonogamie.** Während die eine Spermazelle mit der Eizelle zur Zygote verschmilzt, wandert die zweite zum sekundären Embryosackkern und verschmilzt mit diesem zu einem triploiden Endospermkern (**doppelte Befruchtung,** Abb. 14.13 O). Aus diesem und dem Plasma des Embryosacks entwickelt sich dann das (ebenfalls triploide) **Endosperm** (Nährgewebe).

Aus der befruchteten Eizelle, die sich mit einer Cellulosewand umgibt, entsteht durch Teilung eine Reihe von Zellen, der Proembryo. Nur aus den vorderen Zellen des Proembryos entsteht unter mehrfacher Teilung der Embryo, während die übrigen Zellen zum Embryoträger, dem Suspensor, werden, der den **Embryo** tiefer in das Nährgewebe hineinschiebt und ihm wohl auch Nahrung zuführt. Der Embryo ist zunächst ein etwa kugeliges Gebilde, aus dem durch Differenzierung an dem der Mikropyle zugekehrten Pol die Keimwurzel (Radicula), an dem entgegengesetzten Pol das Sproßscheitelmeristem und die Kotyledonen angelegt werden (**P–R**). Bei den Dikotylen liegt der Sproßscheitel zwischen den beiden seitlich stehenden Kotyledonen, bei den Monokotylen befindet er sich seitlich an dem einzigen Kotyledo.

Same: Während der Embryonalentwicklung und der Ausbildung des Endosperms bilden sich die Integumente zur Samenschale aus. Dieses Gebilde, das aus der Samenschale, dem Endosperm und dem ruhenden Embryo besteht, ist der Same. Er ist die charakteristische Verbreitungseinheit der Spermatophyten. Erst bei der Samenkeimung setzt der Embryo, zunächst auf Kosten des Nährgewebes, seine Entwicklung fort und wächst zu einem neuen Sporophyten heran. In manchen Fällen wird allerdings kein besonderes Nährgewebe ausgebildet, sondern die Speicherung der Reservestoffe von den Kotyledonen (Speicherkotyledonen) übernommen. Bei einigen Pflanzenfamilien übernimmt das direkt aus dem Nucellus entstehende **Perisperm** die Speicherfunktion.

Frucht: Der Ausbildung der Samen geht die Umwandlung der Fruchtblätter zur Frucht parallel. Sind Samen und Früchte gereift, erfolgt die Verbreitung der Samen auf verschiedene, der Eigenart der Früchte entsprechende Weise. Die Streufrüchte (z. B. Kapsel, Schote, Hülse) öffnen sich und streuen die Samen aus. Bei den Schließfrüchten (Nuß, Steinfrucht, Beere) bleibt der Same von der Frucht umschlossen und wird mit dieser verbreitet. Gelangt der Same dabei in ein ihm zusagendes Milieu, tritt die Keimwurzel aus der Mikropyle hervor und verankert den Samen im Erdreich. Die Kotyledonen bleiben entweder unter der Oberfläche (hypogäische Keimung, Abb. 7.3A, S. 235) oder kommen, nachdem sie die Samenschale gesprengt haben, unter Streckung des Hypokotyls ebenfalls nach oben (epigäische Keimung, Abb. 7.3B), wo sie unter Umständen auch ergrünen. Die Sproßachse trägt an der Spitze eine Knospe, die Plumula, deren erste Blätter, die Primärblätter, sich rasch entfalten.

Zusammenfassung

Unter Fortpflanzung versteht man die Erzeugung von Tochterorganismen zur Erhaltung der Art, unter Vermehrung eine Vervielfachung der Anzahl. Allerdings ist in der Natur in der Mehrzahl der Fälle die Fortpflanzung auch mit einer Vermehrung verbunden.

Von einer ungeschlechtlichen Fortpflanzung spricht man, wenn die Fortpflanzungseinheiten ausschließlich das Ergebnis mitotischer Teilung sind. Im einfachsten Falle besteht sie in einer Teilung des Vegetationskörpers, dessen Teilstücke getrennt weiterwachsen. Vegetative Fortpflanzungseinheiten sind Brutknospen, Brutkörper, Knollen, Zwiebeln und Mitosporen.

Eine sexuelle Fortpflanzung liegt vor, wenn durch Verschmelzung zweier geschlechtsverschiedener Zellen bzw. Kerne, deren Bildung eine Meiosis vorangegangen ist, eine Zygote gebildet wird. Die Meiosis besteht aus zwei miteinander gekoppelten Teilungsschritten, der ersten und zweiten Reifungsteilung, in denen die Chromosomenzahl von 2n auf 1n reduziert wird. Außerdem findet in der Meiosis eine Neukombination des Erbgutes statt.

Je nachdem, ob die Meiosis erst bei der Gametenbildung stattfindet oder bereits bei der Keimung der Zygote, unterscheidet man Diplonten und Haplonten. Erstere bestehen aus diploiden Zellen mit doppeltem Chromosomensatz (2n), letztere aus haploiden Zellen mit einem einfachen Chromosomensatz (1n).

Die Fortpflanzungszellen heißen Gameten. Man unterscheidet Isogamie, Anisogamie und Oogamie. Im ersten Falle sind Gameten äußerlich gleich gestaltet, im zweiten Fall verschieden groß, aber beweglich, während im dritten Fall der weibliche Gamet als Eizelle unbeweglich ist. Gametangiogamie liegt vor, wenn die Bildung von Gameten unterdrückt wird und ganze Gametangien verschmelzen. Bei der Somatogamie kommt es nicht mehr zur Ausbildung von Gametangien, sondern es verschmelzen Körperzellen.

Unter einem Generationswechsel versteht man den regelmäßigen Wechsel zweier oder mehrerer Generationen, die sich in verschiedener Weise fortpflanzen. Er ist in der Regel heterophasisch, d.h. mit einem Kernphasenwechsel verbunden. Liegen nur zwei Generationen vor, so ist der Gametophyt, der sich durch Gameten fortpflanzt, haploid und der Sporophyt, der Meiosporen bildet, diploid oder heterokaryotisch. Sind die beiden Generationen äußerlich gleich gestaltet, nennt man den Generationswechsel isomorph, sind sie verschieden, nennt man ihn heteromorph.

Bei den meisten Pilzen werden keine Gameten ausgebildet. Hier findet sich entweder Gametangiogamie, die isogam oder anisogam sein kann, oder Somatogamie. Die Verschmelzung der Zellen, die Plasmogamie, ist von der Verschmelzung der Kerne, der Karyogamie, in der Regel zeitlich und meist sogar auch räumlich durch die Paarkernphase, die Dikaryophase, getrennt. Die Fortpflanzung erfolgt durch Sporen.

Die Moose, Farne und Samenpflanzen zeichnen sich durch einen heteromorphen, heterophasischen Generationswechsel aus. Bei den Moosen ist die eigentliche Pflanze der Gametophyt, auf dem der Sporophyt mit seinem Fuß verankert bleibt. Er ist also kein selbständiges Individuum. Bei den Farnen ist die ausdauernde Pflanze der Sporophyt, während der Gametophyt, das Prothallium, ein kleines, thallöses Gebilde von begrenzter Lebensdauer ist. Die männlichen Sexualorgane heißen Antheridien, die weiblichen Archegonien, weshalb Moose und Farne auch unter dem Begriff Archegoniaten zusammengefaßt werden. Bei den Samenpflanzen sind die Gametophyten so stark reduziert, daß sie äußerlich nicht mehr in Erscheinung treten. Von den Moosen über die Farne zu den Spermatophyten ist somit eine zunehmende Reduktion des Gametophyten zu beobachten.

15 Vererbung

Die durch die Fortpflanzung erzeugte Nachkommenschaft gleicht in ihrem äußeren Erscheinungsbild weitgehend den Elternorganismen. Auch sind die Angehörigen einer Species oder einer anderen taxonomischen Einheit einander mehr oder weniger ähnlich. Die Frage nach den Ursachen dieser Ähnlichkeit bzw. Übereinstimmung ist das Grundproblem der Vererbungslehre (Genetik).

Die ersten Vererbungsexperimente wurden im vorigen Jahrhundert von Gregor Mendel durchgeführt. Die daraus abgeleiteten Gesetzmäßigkeiten, die wir heute als Mendelsche Regeln bezeichnen, wurden 1865 veröffentlicht, blieben jedoch unbeachtet, bis sie im Jahre 1900 durch Correns, Tschermak und de Vries wiederentdeckt wurden. Seither hat die Genetik eine stürmische Entwicklung erfahren. Waren die Versuchsobjekte der „klassischen" Genetik vor allem Tiere und höhere Pflanzen, so begann mit den Experimenten an Bakterien und Viren die Ära der molekularen Genetik. Heute verfügen wir über ein recht gut begründetes Bild vom Wesen der Vererbung, und wenn auch manche Vorstellungen noch hypothetischen Charakter haben, so besteht doch kein Zweifel, daß die molekulare Genetik zu den imposantesten Leistungen menschlichen Geistes zählt.

Im Hinblick auf den einführenden Charakter dieser Darstellung bedarf es kaum der Betonung, daß aus der Fülle der Ergebnisse und Probleme eine Auswahl getroffen werden mußte, die naturgemäß subjektiv ist. Im übrigen muß auf die einschlägigen Lehrbücher der Genetik verwiesen werden.

15.1 Genbegriff der klassischen Genetik

Das äußere Erscheinungsbild eines Organismus, sein **Phänotypus,** setzt sich aus einer großen Anzahl von Merkmalen (Phänen) zusammen, die teils morphologischer Natur sind, teils physiologische Leistungen betreffen. Dabei darf natürlich nicht übersehen werden, daß auch morphologische Merkmale das Ergebnis physiologischer Prozesse sind. Die Realisierung der einzelnen Phäne wird durch Gene (Erbfaktoren) gesteuert, die Kontinuität besitzen, d.h. von Generation zu Generation weitergegeben werden. Ihre Gesamtheit bezeichnen wir als **Genotypus.** Allerdings bestimmt ein Gen nicht direkt ein Merkmal, sondern einen Reaktionsschritt, der zur Merkmalsausbildung führt (s. unten). Meist steht daher die Ausbildung eines Merkmals unter der Kontrolle vieler Gene (Polygenie). Andererseits kann ein Gen auch die Ausbildung mehrerer Merkmale beeinflussen (Pleiotropie). Das Gen ist also eine Funktionseinheit.

Die Entwicklung eines Organismus von der Keimzelle bis zum fertigen Individuum ist das Resultat einer großen Anzahl gengesteuerter Einzelreaktionen. Da diese durch innere und äußere Faktoren in verschiedener Weise gelenkt werden können, liegt es auf der Hand, daß sich auch Organismen mit gleichem Genotypus in ihrer endgültigen Ausgestaltung voneinander unterscheiden können. Derartige umweltbedingte, nichterbliche Unterschiede im äußeren Erscheinungsbild bezeichnet man als **Modifikationen.**

Die weitaus überwiegende Anzahl der Gene ist im Zellkern auf den Chromosomen lokalisiert. Wir bezeichnen die Gesamtheit der Gene eines Chromosomensatzes als **Genom** und stellen sie den extrachromosomalen Genen gegenüber, von denen später (S. 441 ff.) noch die Rede sein wird. An der Realisierung des Phänotypus sind somit bei den Haplonten ein, bei den Diplonten zwei und bei den polyploiden Organismen, dem Ploidiegrad entsprechend, mehrere Genome beteiligt.

Ein Gen kann in verschiedenen Zuständen (Konfigurationen) vorliegen, die man als **Allele** bezeichnet. Sind es, wie in der Mehrzahl der Fälle, zwei, spricht man von Diallelie, sind es mehrere, von multipler Allelie. Bei homozygoten (reinerbigen) Organismen liegen die homologen Gene in der gleichen Konfiguration vor, werden also durch das gleiche Allel repräsentiert. Bei heterozygoten (mischerbigen) Organismen sind die Allele verschieden. Die Allele werden durch von Fall zu Fall verschiedene Symbole gekennzeichnet, z.B. durch Verwendung großer und kleiner Buchstaben, also A und a, B und b usw. Bei diploiden Organismen ergeben sich somit die Kombinationsmöglichkeiten AA, aa und Aa. In den ersten beiden Fällen liegt Homozygotie, im letzteren Heterozygotie vor.

! Die Gene sind also auch die Einheiten der Rekombination, d.h. sie lassen sich in verschiedener Weise rekombinieren. Dies wird durch die folgenden Kreuzungsexperimente, die zugleich die Mendelschen Regeln belegen, demonstriert.

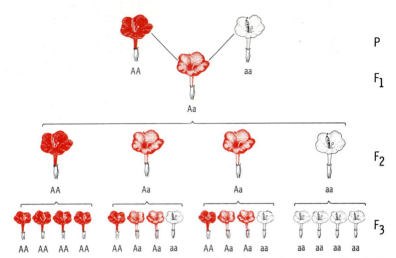

Abb. 15.**1** Kreuzung einer roten und einer weißen Rasse der japanischen Wunderblume *(Mirabilis jalapa)* mit intermediärem Erbgang. AA Allele für die rote, aa für die weiße Blütenfarbe. P = Parentalgeneration, F_1, F_2, F_3 = erste, zweite und dritte Filialgeneration. Weitere Erklärungen im Text (nach Correns)

Uniformitätsregel: Im einfachsten Falle verwendet man als Eltern (Parental- oder P-Generation) Vertreter zweier Rassen, die sich in einem Gen unterscheiden, ansonsten aber homozygot sind (Einfaktoren-Kreuzung). Bezeichnet man die entsprechenden Allele des einen Kreuzungspartners mit AA, die des anderen mit aa, so enthalten die Gameten des ersteren ausschließlich das Allel A, die des letzteren das Allel a. Die aus der Kreuzung hervorgehenden Tochterorganismen (1. Filial- oder F_1-Generation) enthalten alle die Allele Aa, sind also heterozygot. Man nennt sie **Hybride** (Bastarde), beziehungsweise, da sie sich nur in einem Gen unterscheiden, genauer Monohybride. Sie sind untereinander genotypisch gleich (uniform). Beim intermediären Erbgang liegen die Hybriden in der Merkmalsausbildung zwischen den Eltern, im Falle der Blütenfarbe der japanischen Wunderblume *(Mirabilis jalapa)* also zwischen weiß und rot, d.h. rosa (Abb. 15.**1**).

Beim dominanten Erbgang gleichen die Hybriden dagegen alle dem Elternteil mit dem dominanten Allelpaar, während das rezessive Allel bei der Merkmalsausbildung nicht in Erscheinung tritt. So haben die Hybriden von *Urtica pilulifera* und *Urtica dodartii* alle gezähnte Blätter (Abb. 15.**2**), da sich das Allel für das Merkmal „ganzrandig" rezessiv verhält. Dabei ist es in der Regel gleichgültig, ob der väterliche bzw. der mütterliche Organismus der einen oder der anderen Rasse angehören, d.h. reziproke Hybride sind gleich (Reziprozitätsregel; Ausnahmen S. 442).

Abb. 15.**2**   Kreuzung zwischen *Urtica pilulifera* (Allele AA, gezähnte Blätter) und *Urtica dodartii* (Allele aa, ganzrandige Blätter) mit dominantem Erbgang. Das Allel „gezähnt" ist dominant über „ganzrandig" (nach Correns)

Das exakt intermediäre und das eindeutig dominante Verhalten von Allelen bei der Merkmalsausbildung sind allerdings Grenzfälle, zwischen denen es zahllose Übergänge gibt.

Spaltungsregel: Kreuzt man die Monohybriden der F_1-Generation untereinander, so findet in der F_2-Generation eine Aufspaltung der Genotypen im Verhältnis AA : Aa : aa wie 1 : 2 : 1 statt. Dieses Zahlenverhältnis ergibt sich statistisch aus dem Umstand, daß die Gameten, wie bereits erwähnt, jeweils nur eines der beiden Allele enthalten, also entweder A oder a. Infolgedessen entstehen bei der Zygotenbildung die Kombinationen AA, Aa, aA und aa, von denen Aa und aA gleich sind. Die Gameten können alo keinen hybriden Charakter haben, weshalb man die Spaltungsregel auch als Regel von der Reinheit der Gameten bezeichnet.

Das phänotypische Ergebnis der Kreuzung ist allerdings verschieden, je nachdem, ob ein intermediärer oder ein dominanter Erbgang vorliegt. Beim intermediären Erbgang treten neben Individuen mit Bastardcharakter auch solche mit den Merkmalen der beiden Eltern auf, d. h. im Falle der *Mirabilis jalapa* neben Pflanzen mit rosa Blüten auch solche mit roten bzw. weißen Blüten, und zwar im Verhältnis rot zu rosa zu weiß wie 1 : 2 : 1 (Abb. 15.**1**). Beim dominanten Erbgang ergibt sich phänotypisch das Zahlenverhältnis 3 : 1, da in diesem Falle die Hybriden Aa in der Merkmalsausbildung dem dominanten Elternteil gleichen (Abb. 15.**2**).

Die Frage, ob es sich bei den äußerlich gleich gestalteten Individuen der F_2-Generation um reinrassige oder hybride Formen handelt, läßt sich durch **Rückkreuzung** (Testkreuzung) mit dem rezessiven Elternteil entscheiden (Abb. 15.**3**). Bei reinrassigen Individuen mit dem Genpaar AA ist die F_1-Generation der Rückkreuzung uniform Aa, gleicht phänotypisch also dem dominanten Elter. Liegt hingegen ein Monohybride Aa vor, so ergibt die Kreuzung nur 50 % Individuen mit dem Phänotyp des dominanten Elters, die ebenfalls Monohybride sind, während 50 % dem rezessiven Elter gleichen, also homozygot sind.

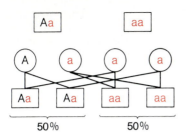

Abb. 15.**3** Schema einer Rückkreuzung einer monohybriden mit der rezessiven Elternrasse. A dominantes, a rezessives Allel

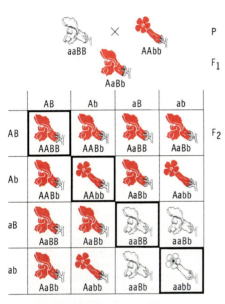

Abb. 15.**4** Kreuzung zweier Rassen des Löwenmäulchens *(Antirrhinum majus)* mit folgenden Allelen: Blüten weiß (aa, rezessiv), dorsiventral (BB, dominant) und Blüten rot (AA, dominant), radiär (bb, rezessiv). Die F_1-Generation ist uniform rot-dorsiventral, die F_2-Generation spaltet in der im Rekombinationsquadrat angegebenen Weise im Verhältnis $9:3:3:1$ (nach E. Baur)

Regel von der Neukombination der Gene: Kreuzt man Rassen, die sich in zwei oder mehreren Genen voneinander unterscheiden (Di- bzw. Polyhybride), so werden die einzelnen Gene unabhängig voneinander vererbt, sofern keine Kopplung (s. unten) vorliegt. Hierbei folgt jedes Allelpaar für sich dem in der zweiten Mendelschen Regel angegebenen Spaltungsmodus, d. h. die verschiedenen Allele sind frei miteinander kombinierbar. Als Beispiel seien zwei Rassen des Löwenmäulchens *(Antirrhinum majus)* gewählt, die sich in zwei Genen unterscheiden. Die eine mit den Allelen aaBB hat weiße, dorsiventrale Blüten, die andere mit den Allelen AAbb hingegen rote, radiäre Blüten, wobei die Allele für weiß und radiär rezessiv (kleine Buchstaben), die für rot und dorsiventral dominant (große Buchstaben) sind. Die Gameten enthalten entsprechend die Allele aB bzw. Ab. Die F_1-

Generation ist, der ersten Mendelschen Regel zufolge, uniform AaBb und besitzt, der Dominanzregel entsprechend, rote, dorsiventrale Blüten (Abb. 15.**4**). Wegen der Unabhängigkeit der Gene können die Dihybriden der F_1-Generation die folgenden Gameten bilden: AB, Ab, aB, ab. Bei der Verschmelzung der Gameten sind insgesamt 16 Rekombinationen möglich, die teils wieder Hybride, teils aber auch homozygote Individuen ergeben. Letztere liegen im Rekombinationsquadrat der Abb. 15.**4** auf der stark umränderten Diagonale. Die 16 Rekombinanten gehören 4 verschiedenen Phänotypen an, von denen 2, nämlich weiß-dorsiventral und rot-radiär, den Eltern gleichen, während die beiden anderen, also weiß-radiär und rot-dorsiventral, Neukombinationen sind. Die 4 Phänotypen stehen in einem Zahlenverhältnis von 9 : 3 : 3 : 1. Die freie Kombinierbarkeit der Gene ermöglicht also die Züchtung neuer Rassen.

15.2   Chemische Natur der Gene

Wie bereits dargelegt (Kapitel 3.5), ist die Trägerin der genetischen Information, die Erbsubstanz, im typischen Falle die DNA. Sie besitzt aufgrund ihrer molekularen Struktur die Eigenschaften, die eine unerläßliche Bedingung für die Übertragung der genetischen Information sind:
1. eine hohe Spezifität und
2. die Fähigkeit zur Selbstverdoppelung (Autoreplikation).
Grundsätzlich werden diese Voraussetzungen allerdings auch von der RNA erfüllt, wie die RNA-haltigen Viren und Bakteriophagen zeigen.

Der Beweis für die Rolle der DNA als Erbsubstanz wurde schon 1944 durch Avery erbracht, dem es gelang, bei Pneumococcen die DNA virulenter, Schleimkapseln bildender S-Formen auf avirulente, nicht zur Kapselbildung befähigte R-Formen zu übertragen und diese hierdurch in S-Formen umzuwandeln (Abb. 15.**5**). Dieser Vorgang wird als **Transformation** bezeichnet. Die transformierten Bakterien behalten die neuen Eigenschaften, also Virulenz und Kapselbildung, bei und übertragen sie auf ihre Nachkommen. Da die Transformation zwar durch eine Desoxyribonuclease, nicht aber durch Proteasen verhindert wird, war der Beweis erbracht, daß es sich bei dem transformierenden Prinzip tatsächlich um DNA und nicht etwa um ein Protein handelt.

Abb. 15.**5** Transformation bei Pneumococcen, schematisch, r = Rauh-, s = Glattformen

Box 15.1 DNA-Klonierung

Will man die Nucleotidsequenz einer DNA, zu welchem Zweck auch immer, bestimmen, steht man vor einem scheinbar unlösbaren Problem, denn die meisten DNA-Abschnitte, insbesondere die Gene, kommen in der Zelle in äußerst geringer Menge vor. Dieses Problem wurde durch die Methode der DNA-Klonierung gelöst, d.h. durch die Herstellung zahlreicher identischer Kopien, die man in Anlehnung an organismische Klone (S. 382) ebenfalls als Klone bezeichnet. Hierzu wird der zu klonierende DNA-Abschnitt durch Enzyme, sogenannte Restriktions-Endonucleasen, aus der isolierten DNA herausgeschnitten und in ein Plasmid, etwa von *Escherichia coli*, eingebaut. Nehmen die Bakterien das Plasmid auf, wird es nebst dem eingebauten DNA-Abschnitt zusammen mit der Bakterien-DNA repliziert. Verwendet man ein R-Plasmid, das die Resistenz gegen ein bestimmtes Antibiotikum bedingt, und kultiviert die Bakterien in Gegenwart dieses Antibiotikums, so vermehren sich nur die plasmidhaltigen Zellen. Schließlich werden die Plasmide aus den Bakterien isoliert und die klonierten, nunmehr in großer Zahl vorliegenden DNA-Abschnitte herausgeschnitten.

Eine Transformation von Bakterien kann man auch durch die Übertragung fremder DNA in die Bakterienzellen mit Hilfe von Plasmiden erreichen. Dieses Verfahren verwendet man zur DNA-Klonierung (Box 15.**1**).

15.2.1 Primärstruktur der DNA und genetischer Code

Die Spezifität der DNA ist in ihrer Primärstruktur, d.h. in der Sequenz ihrer Nucleotide, begründet. Dabei weisen die informationstragenden Abschnitte der DNA, von den redundanten Genen abgesehen, keinerlei Wiederholungen oder Perioden auf, d.h. jede für ein bestimmtes Protein codierende Basensequenz ist einmalig. Bei der Proteinbiosynthese muß diese Nucleotidsequenz in eine Aminosäuresequenz übersetzt werden.

Dies führt zu der Frage, wie viele und welche Nucleotide eine Aminosäure bestimmen, d.h. zu der Frage nach dem genetischen Code. Während das Morsealphabet die 26 Buchstaben unseres Alphabetes unter Anwendung dreier Symbole, nämlich Strich, Punkt und Intervall (Pause) wiedergibt, stehen für die etwa 20 proteinogenen Aminosäuren vier verschiedene Basen bzw. Nucleotide zur Verfügung. Wie schon rein rechnerische Überlegungen zeigen, sind für die eindeutige Determinierung einer Aminosäure mindestens drei Nucleotide erforderlich, da sich bei zwei Nucleotiden nur $4^2 = 16$, bei drei hingegen $4^3 = 64$ Kombinationsmöglichkeiten ergeben. Hieraus wurde schon sehr früh der Schluß gezogen, daß jeweils drei Nucleotide (Triplets) eine Codierungseinheit bilden, die eine Aminosäure determiniert.

⚠ Eine Codierungseinheit der mRNA wird als **Codon,** die hierzu komplementäre der entsprechenden tRNA als **Anticodon** bezeichnet. Den ein Codon determinierenden, also ebenfalls hierzu komplementären Triplet-Abschnitt der DNA nennt man **Codogen.**

Der genetische Code ist universell, d. h. bei allen Viren, Phagen, Pro- und Eukaryoten finden die gleichen Codons für die gleichen Aminosäuren Verwendung. Lediglich bei Mycoplasmen, Mitochondrien und einigen Ciliaten wurden bisher einzelne Codons gefunden, die von dem universalen Code abweichen. Die meisten Aminosäuren werden durch mehr als ein Codon determiniert, d. h. durch 2, 3, 4 oder, im Falle von Arginin und Leucin, sogar durch 6. Mit Ausnahme dieser beiden sind die ersten beiden Basen bei den verschiedenen, jeweils die gleiche Aminosäure determinierenden Codons identisch. Insgesamt sind daher von den 64 möglichen Kombinationen weit mehr als 20, nämlich 61 „sinnvoll". Man bezeichnet dies als Degeneration des Codes. Nur drei Triplets, die sogenannten „Nonsens"-Codons UAG, UGA und UAA, determinieren keine Aminosäure, sondern haben andere Funktionen (S. 439).

Der Code wird, von dem einen Ende beginnend, kontinuierlich und lückenlos abgelesen. Eine gegenseitige Überlappung der Codewörter ist nicht möglich. Infolgedessen verändert die Einfügung oder der Fortfall schon eines einzigen Nucleotids die gesamte Information des nachfolgenden DNA-Abschnitts, da jetzt ganz andere Triplets erscheinen. Wird z.B. auf der DNA in die Nucleotidsequenz TCT ATG GTG[1], die über die Codons AGA UAC CAC der mRNA die Aminosäuresequenz Arginin-Tyrosin-Histidin bestimmt, in der dritten Position ein Guanin eingeschoben, so wird die gesamte Information in der folgenden Weise verändert: TCG TAT GGT G.., was der mRNA-Sequenz AGC AUA CAA C.. entspricht. Die sich hieraus ergebende Aminosäuresequenz lautet: Serin-Isoleucin-Prolin.

Die Ermittlung der Nucleotidsequenz einer DNA bereitet heute keine großen Schwierigkeiten mehr. Grundsätzlich stehen zwei verschiedene Verfahren zur Verfügung, die als chemische und enzymatische Methode bezeichnet werden. Heute gibt man meist der letzteren den Vorzug. Wegen weiterer Einzelheiten sei auf die Box 15.**2** verwiesen.

15.2.2   Genom der Prokaryoten

Unser Wissen vom Genom der Prokaryoten basiert überwiegend auf Untersuchungen an Bakterien, insbesondere *Escherichia coli.* Wie bereits erwähnt (S. 175), besteht das Genom von *Escherichia coli* aus einem zirkulären DNA-Doppelstrang (Abb. 15.**6A**), der in der Zelle durch Ausbildung superhelikaler Schleifen aufgeknäult vorliegt (Abb. 5.**3D**, S. 180). Seine Länge beträgt 1360 μm, was einer Molekülmasse von $2{,}4 \cdot 10^9$ Da und somit etwa 3,6 Millionen Nucleotidpaaren entspricht. Diese können nach grober Schätzung etwa 3000 verschiedene Proteine codieren. Die Lokalisation von etwa 1000 dieser Gene wurde inzwischen ermittelt. Einige davon sind in Abb. 15.**6B** eingetragen.

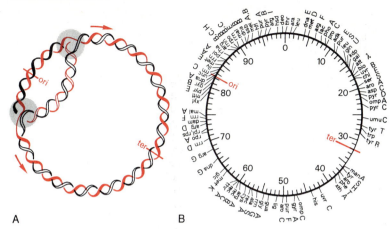

Abb. 15.**6** Genom von *Escherichia coli*. **A** Schematische Darstellung des in Replikation befindlichen DNA-Doppelstranges. Die Replikation schreitet vom Ursprung (ori) bidirektional in Richtung der roten Pfeile bis zum Terminationspunkt (ter) fort. Replikationsbereiche gerastert. **B** Lokalisation der Gene mit Replikationsursprung (ori) und Replikationsende (ter). Die anderen Symbole, auf die hier nicht näher eingegangen werden kann, markieren Gene für bestimmte Enzyme sowie ribosomale und andere Proteine (**B** nach Bachmann, Low)

Rekombinationen bei Bakterien: Obwohl eine sexuelle Fortpflanzung im Sinne der auf S. 385 gegebenen Definition bei Bakterien nicht vorkommt, sind doch genetische Rekombinationen möglich, bei denen die DNA-Elemente durch Plasmide von einer Bakterienzelle auf die andere übertragen werden.

Bakterienstämme, die die Fähigkeit zur Synthese bestimmter Substanzen, im vorliegenden Falle der Aminosäuren Leucin (L^-) bzw. Methionin (M^-), verloren haben, bezeichnet man als auxotroph, den Wildstamm, der beide Aminosäuren synthetisiert (L^+, M^+), als protroph. Bringt man die beiden auxotrophen Stämme auf einem Minimalmedium[2], das weder Leucin noch Methionin enthält, zur Aussaat, so tritt keine Entwicklung ein (Abb. 15.**7A**). Mischt man nun beide Stämme vor der Aussaat, so entwickeln sich auf dem Minimalnährboden einige Kolonien von Bakterien, die beide Aminosäuren zu synthetisieren vermögen, also dem Wildstamm entsprechen. Dieser Versuch lehrt, daß Rekombinationen zwischen den beiden Bakterienstäm-

---

[1]   A = Adenosin, C = Cytidin, G = Guanosin, T = Thymidin, U = Uridin
[2]   Die Anzucht der Bakterien erfolgt entweder in Flüssigkeitskulturen oder auf festen Nährböden, die durch Agar, ein aus Rotalgen gewonnenes Polysaccharid (S. 36), versteift sind. Dieses wird den Nährlösungen in geringer Menge (1–2%) zugesetzt und durch Kochen gelöst. Bei der Abkühlung erstarrt es dann zu einem Gel, auf dem einzelne Keime isoliert voneinander zur Entwicklung gebracht werden können.

Abb. 15.**7** Rekombination bei Bakterien. **A** Rekombination zwischen zwei Verlustmutanten. Der L⁻-Stamm kann kein Leucin, aber Methionin, der M⁻-Stamm kein Methionin, aber Leucin synthetisieren. Bei der Mischung beider Stämme treten Rekombinationen auf, die auf Minimalmedium wachsen, also beide Aminosäuren zu synthetisieren vermögen. **B** DNA-Transfer vom Spender Hfr auf den Empfänger F⁻ bei *Escherichia coli*, Stamm K 12, schematisch. Die mit Buchstaben bzw. Zahlen bezeichneten Punkte geben die Lage einiger Gene an. Das Plasmid (umrandeter Abschnitt), das den Gentransfer eingeleitet hat, wurde zuerst übertragen

men stattgefunden haben. Im Gegensatz zur Transformation ist für die Rekombination allerdings der direkte Kontakt der Zellen beider Stämme notwendig.

❗ Wie Untersuchungen an dem Stamm K 12 von *Escherichia coli* gezeigt haben, erfolgt der DNA-Transfer nur in einer Richtung, und zwar von dem „männlichen" Spender F⁺, der das **F-Plasmid** besitzt (F = Fertilität), auf den „weiblichen" Empfänger F⁻. Der für die Übertragung erforderliche Zellkontakt wird durch F-Pili hergestellt, das sind röhrenförmige Proteine von 0,5 – 10 µm Länge, die sich verkürzen, bis die Zellen einander berühren. Nunmehr ist der Transfer genetischen Materials möglich.

Das F-Plasmid besteht aus etwa 94 500 Nucleotidpaaren. Die Anordnung zahlreicher Gene auf dem DNA-Doppelstrang ist bekannt. Die tra-Gene sind für den DNA-Transfer verantwortlich, andere für die Bildung der F-Pili sowie für die Replikation des Plasmids. Außerdem besitzt das Plasmid Insertionssequenzen, mit deren Hilfe es sich an bestimmten Stellen in das Genom von *Escherichia coli* integrieren kann. Hierdurch entstehen sogenannte Hfr-Stämme, die sich durch eine große Häufigkeit von Rekombinanten (High Frequency of Recombinants) auszeichnen. Liegt das F-Plasmid frei in der Zelle, so wird es, im Gegensatz zur bidirektional erfolgenden Replikation der DNA des Genoms, unidirektional repliziert und auf die Empfängerzelle übertragen. Ist es jedoch, wie bei den Hfr-Zellen, in das Genom integriert, so kann es bei gleichzeitig ablaufender DNA-Replikation auch das Bakte-

Box 15.2   DNA-Sequenzierung

Die Verfahren zur DNA-Sequenzierung setzen das Vorhandensein genügenden Materials voraus, das durch Klonierung gewonnen wird.

Chemische Methode: Sie beruht auf der basenspezifischen Spaltung der durch Denaturierung gewonnenen Einzelstrang-DNA. Die Spaltung erfolgt durch Chemikalien, die an eine oder zwei Basen spezifisch binden, z. B. Dimethylsulfat an Guanin (G), Ameisensäure an Guanin und Adenin, Hydrazin an Cytosin und Thymin sowie Hydrazin mit 5M Kochsalz an Cytosin. Der zu sequenzierende, am Ende mit ^{32}P-Phosphat markierte DNA-Abschnitt wird in verschiedenen Ansätzen mit den genannten Chemikalien behandelt und durch Zusatz von Piperidin in Fragmente zerlegt, deren Länge von der Position der jeweiligen Base abhängt, die mit dem chemischen Agens reagiert hat. Die Trennung der Fragmente erfolgt durch Polyacrylamid-Gel-Elektrophorese, wobei die Teilstücke, ihrer Größe entsprechend, verschieden schnell wandern. Die Proben werden nebeneinander aufgetragen. Durch den Vergleich der mit den verschiedenen Reagenzien erhaltenen Bahnen wird nach Sichtbarmachung die Position der einzelnen Nucleotidbasen ermittelt und ihre Sequenz bestimmt. Zur Sichtbarmachung werden heute anstelle radioaktiver Verfahren meist Fluorochrome benutzt.

Enzymatische Methode: Der zu sequenzierende DNA-Abschnitt wird in die DNA des Phagen M13 eingebaut, da dessen codogener Einzelstrang verhältnismäßig leicht zu isolieren ist. Diesen hybridisiert man mit einem kurzen, synthetischen DNA-Fragment, das an das 3'-Ende der eingebauten DNA bindet. Derartige Hybriden überträgt man in eine Lösung, die außer den Desoxynucleosid-Triphosphaten, dATP, dGTP, dTTP und dCTP auch DNA-Polymerase enthält, die den fehlenden zweiten Strang synthetisiert. Setzt man nun vier getrennten Proben geringe Mengen jeweils eines der vier Didesoxynucleosid-Triphosphate zu, bei denen in der Position 3 die OH-Gruppe durch ein H-Atom ersetzt ist (ddATP, ddGTP, ddTTP, ddCTP), so werden diese hier und da anstelle der entsprechenden Desoxynucleotide eingebaut. Dies führt zwangsläufig zum Abbruch der Synthese des zweiten Stranges, weil keine Verbindung von der Position 3 zum nächsten Nucleotid möglich ist. Da der Einbau der Didesoxynucleotide dem Zufall unterliegt und somit an verschiedenen Stellen erfolgt, entstehen Ketten verschiedener Länge, die, wie oben beschrieben, durch Gel-Elektrophorese leicht getrennt werden können. Durch Vergleich der nebeneinander aufgetragenen Bahnen der mit den vier Didesoxynucleotiden behandelten Ansätze kann man nach Sichtbarmachung (s. oben) die Positionen der Desoxynucleotide direkt ablesen.

rienchromosom teilweise oder ganz auf die Empfängerzelle übertragen (Abb. 15.**7B**). Wird der Transfer vorzeitig zu verschiedenen Zeiten nach Konjugationsbeginn unterbrochen, so kann man durch Feststellung der bereits auf den Empfänger übertragenen Gene deren Anordnung im Bakteriengenom ermitteln (Abb. 15.**6B**). Die Übertragung anderer Plasmide erfolgt prinzipiell in der gleichen Weise. Sie werden in der Regel nicht in das Bakteriengenom integriert.

15.2.3   Viren und Bakteriophagen

❗ Als Viren bezeichnet man Nucleinsäuren, die zu ihrer Reduplikation eine Wirtszelle benötigen, in der sie im typischen Falle Krankheitssymptome auslösen. Viren können Menschen, Tiere, Pflanzen und Bakterien befallen, deren Zellen sie durch Übertragung von Nucleinsäuren zu einer Änderung der Nucleinsäure- und Proteinsynthese veranlassen, die zu einer Vervielfachung der Viruspartikel führt. Bakterienpathogene Viren werden als Bakteriophagen, oder einfach als Phagen, bezeichnet. Unter den Viren und Bakteriophagen gibt es Vertreter, die beweisen, daß neben der DNA auch RNA als Informationsüberträger fungiert. Insbesondere unter den pflanzenpathogenen Viren, die im Elektronenmikroskop entweder isodiametrisch oder stäbchenförmig erscheinen, kommt neben ein- und doppelsträngiger DNA auch ein- oder doppelsträngige RNA vor.

Im typischen Falle sind die Virusnucleinsäuren von einer als Capsid bezeichneten Proteinhülle umgeben. Eine Ausnahme machen die **Viroide,** das sind extrem kurze, einsträngige, ringförmige RNA-Moleküle, die aus wenigen (z.B. im Falle der Spindelknollensucht der Kartoffel aus 359) Nucleotiden bestehen. Diese sind teils gepaart, teils bilden sie ungepaarte Schleifen. Die Länge dieser Viroide beträgt im nativen Zustand etw 50 nm.

Tabakmosaikvirus: Als Beispiel sei das Tabakmosaikvirus (TMV) gewählt. Das Viruspartikel (Virion) hat die Gestalt eines Stäbchens von etwa 300 nm Länge und 18 nm Durchmesser (Abb. 15.**8A**). Als Informationsträger dient hier die RNA. Sie ist von einer Proteinhülle umgeben, deren etwa 2130 gleichartige Proteinuntereinheiten (Capsomere) schraubig angeordnet sind (Abb. 15.**8B**). Jedes Capsomer besteht aus 158 Aminosäuren, deren Sequenz bekannt ist. Die Proteinhülle macht mengenmäßig etwa 95% des Viruspartikels aus. Die RNA-Schraube, deren Durchmesser 8 nm beträgt, besteht aus einem einfachen, etwa 6400 Nucleotide umfassenden Strang.

Gelangt das TMV in die Zelle einer Tabakpflanze, so regt es diese zur Bildung von Virus-RNA und -protein an. Zur Replikation der RNA muß die Wirtszelle zunächst den komplementären Strang bilden, an dem die Virus-RNA synthetisiert wird. Die Virusvermehrung durch die Wirtszelle führt schließlich zur Ausbildung der charakteristischen Mosaiksymptome. Baut man die Proteinhülle durch Behandlung mit Phenol ab, so daß nur die RNA zurückbleibt, geht die Infektiosität nicht verloren. Damit ist erwiesen, daß die genetische Information allein durch die RNA übertragen wird. Die Proteinhülle hat wohl vor allem die Aufgabe, den äußerst empfindlichen Nucleinsäurefaden zu schützen und zu stabilisieren.

Bakteriophagen: Bei den Bakteriophagen liegen die Nucleinsäuren, je nach Phagentyp, als ein- oder doppelsträngige DNA, in einzelnen Fällen auch als einsträngige RNA vor. Sie sind von einem kugeligen oder polyedrischen Capsid aus Proteinen umgeben. Einige Phagen weisen einen komplizierteren Bau auf. So trägt

8 nm

RNA

pr

2,3 nm

B   18 nm

Abb. 15.**8** Tabakmosaikvirus. **A** Isoliertes Viruspartikel. Präparation: 2% Phosphorwolframsäure, Negativkontrast; Vergr. 203 000-fach (Originalaufnahme: E. Mörschel). **B** Modell des TMV. RNA-Strang rot, pr = Proteinuntereinheiten (Capsomere)

bei manchen T-Phagen von *Escherichia coli* (Abb. 15.**9**) der 100 nm messende Kopf einen etwa gleichlangen Schwanz. Dieser ist ein Hohlzylinder aus Proteinen, der von einer aus kontraktilen Proteinen bestehenden Scheide umgeben ist. Er schließt am unteren Ende mit einer Basalplatte ab, die sechs „spikes" trägt (**A**). Mit Hilfe der Schwanzfasern, die ebenfalls an der Basalplatte befestigt sind, heftet sich der Phage an die Bakterienzellwand an (**B,C**), wobei die Spikes den Kontakt herstellen. Die Schwanzfasern sind für bestimmte Rezeptorstellen der Bakterienzellwand spezifisch, was die Spezifität der Phagen für bestimmte Bakterien erklärt. Im Schwanz der Phagen ist das Enzym Lysozym enthalten, das die glykosidischen Bindungen der Peptidoglycanmoleküle der Bakterienzellwand löst. Nun wird die DNA unter Kontraktion der Scheide in das Bakterium injiziert (**D,E**).

Die DNA der Phagen T2 und T4 ist doppelsträngig und umfaßt ca. 166 000 Nucleotidpaare. Sie ist durch ihren Gehalt an 5-Hydroxymethyl-cytosin charakterisiert und folglich leicht zu identifizieren. Auf ihr wurden bisher über 100 Gene nachgewiesen. Andere Phagen sind wesentlich einfacher gebaut. So enthält z. B. die 5386 Nucleotide umfassende einsträngige und zirkuläre DNA des in Abb. 3.**14** (S. 97) dargestellten Phagen Φ X 174 nur neun Gene, die neun Proteine (A – I) codieren. Dabei handelt es sich zum Teil um „überlappende Gene". So ist z. B. die Information für das Protein E in der Sequenz für D enthalten und die für B in der Sequenz von A.

Bakterien, die durch virulente Phagen infiziert sind, stellen sofort die Synthese ihrer DNA und wenig später auch die ihrer Proteine ein. Durch die sogenannten „frühen Gene" der Phagen-DNA, die das Bakterium von der eigenen DNA nicht unter-

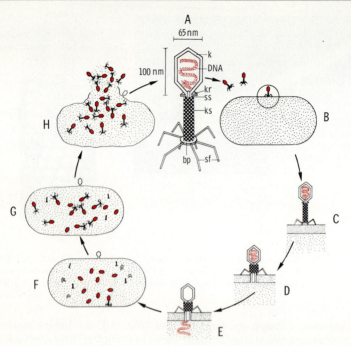

Abb. 15.**9** Vermehrungszyklus des Colipha-
gen T2, schematisch. **A** Phage, stärker vergrößert, **B – C** Adsorption des Phagen an die
Bakterienzellwand. **D** Perforation der Zellwand, **E** Injektion der DNA, **F – G** Phagensynthese, **H** Lysis. bp = Basalplatte mit Spikes, k = Kopf, kr = Kragen, ks = kontraktiler
Schaft, sf = Schwanzfasern, ss = hohler
Schwanzstift. DNA bzw. DNA-haltiger Kopf
rot

scheiden kann, wird die Bildung der „frühen Proteine" eingeleitet, durch die der
Syntheseapparat des Bakteriums auf ausschließliche Phagenproduktion umge-
steuert wird. Die Bakterien-DNA wird abgebaut, und ihre Bausteine werden zur
Synthese von Phagen-DNA benutzt. Diese löst schließlich die Bildung der „späten"
Phagen-Proteine aus, die den Kopf, den Schwanz und die Schwanzfasern aufbauen
(Abb. 15.**9F, G**). In der Reifungsphase werden zunächst die Capside fertiggestellt,
mit DNA gefüllt und verschlossen. Anschließend werden die Schwanzelemente
angefügt. Insgesamt können 100 – 200 Phagen pro Bakterienzelle entstehen. Nach
etwa einer halben Stunde ist die Bildung der Phagen abgeschlossen. Unter Aufbre-
chen des Bakteriums, dessen Zellwand durch Lysozym aufgelöst wird (Lysis), werden sie frei und können nunmehr weitere Bakterien infizieren. Da die Vermehrung der Phagen sehr schnell erfolgt und die Lysis der Bakterien infolgedessen
rasch um sich greift, entstehen in dem sonst gleichmäßig wachsenden Bakterien-
rasen Löcher („plaques").

Bei den temperenten (gemäßigten) Phagen folgt auf die Infektion des Bakteriums nicht sogleich eine Phagenvermehrung mit anschließender Lysis. Vielmehr werden die Phagen zunächst als Prophagen in die Bakterien-DNA eingebaut, wo sie bei den folgenden Teilungen synchron vermehrt werden. Man bezeichnet solche Bakterien als lysogen. Zu den temperenten Phagen gehört der Lambda-Phage. Auf äußere Einflüsse hin (Temperaturschock, Chemikalieneinwirkung u. a.) oder, seltener, spontan kann der Phage plötzlich wieder virulent werden und das Bakterium zur Phagenproduktion mit anschließender Lysis veranlassen. Der Phage verhält sich also wie eine Gruppe von Genen, die das Merkmal „Phagensynthese" bestimmen und solange von Generation zu Generation vererbt werden, bis sie schließlich realisiert werden.

Die DNA temperenter Phagen verhält sich also ähnlich wie das F-Plasmid. Die Parallele geht sogar noch weiter, da bisweilen Bruchstücke der Bakterien-DNA gegen Phagen-DNA ausgetauscht bzw. anstelle der Phagen-DNA in die Phagen eingebaut und auf ein anderes Bakterium übertragen werden können. Diesen Vorgang bezeichnet man als **Transduction.**

15.2.4   Genom der Eukaryoten

Wie bereits ausführlich dargelegt (S. 100 ff.), besteht das Genom der Eukaryoten aus einer bestimmten, für jede Art charakteristischen Anzahl von Chromosomen, von denen in jeder diploiden Zelle zwei Homologe vorkommen. Die freie Kombinierbarkeit der Gene erklärt sich aus der Lokalisation der betreffenden Gene in verschiedenen Chromosomen. Die Neukombination erfolgt dann jeweils in der Meiosis, in der die homologen Chromosomen ja nicht ihrer ursprünglichen Zugehörigkeit zum väterlichen oder mütterlichen Genom entsprechend, sondern offenbar ganz zufällig auf die Gonen verteilt werden. Da jedoch ein Chromosom Träger mehrerer Gene ist, sind der freien Kombination der Gene Grenzen gesetzt. Infolgedessen werden bestimmte Gene gekoppelt vererbt, wobei die Anzahl der nachweisbaren Kopplungsgruppen der Anzahl der Chromosomen eines Genoms entspricht.

Allerdings wird auch das Prinzip der Genkopplung hin und wieder durchbrochen, indem ein Gen, das bisher mit einer ganz bestimmten Gruppe von Genen gekoppelt war, plötzlich in einer anderen Kombination auftritt. Dies erklärt sich aus dem als „crossing over" bezeichneten Segmentaustausch zwischen homologen Chromosomen in der Meiosis, der bei heterozygoten Organismen zwangsläufig eine Umkombination bzw. Umkopplung von Genen zur Folge hat. Da bei linearer Anordnung der Gene auf dem Chromosom die Wahrscheinlichkeit eines Austausches zweier Gene um so größer ist, je weiter sie voneinander entfernt sind (Abb. 15.10), läßt sich mit Hilfe der Austauschhäufigkeit die Lokalisierung der Gene auf den Chromosomen bestimmen. Auf diese Weise konnten für einige Eukaryoten, z. B. Zea mays, zahlreiche Genorte (Loci) auf den Chromosomen ermittelt und Genkarten angefertigt werden. Die Anzahl der Gene eines Chromosoms hängt naturgemäß von seiner Größe ab. Als Durchschnittswert kann die Größenordnung von einigen hundert pro Chromosom angesehen werden.

Abb. 15.**10**   Schema zur Erklärung der Austauschhäufigkeit einer Genkette (nach Kühn)

❗ Lange Zeit wurde angenommen, daß die lineare Anordnung der Gene stabil und, von Mutationen abgesehen, unveränderlich ist. Heute wissen wir, daß es hiervon Ausnahmen gibt, nämlich die **Transposons.** Hierunter versteht man kurze DNA-Sequenzen, die aus einem Chromosom herausgeschnitten und entweder in das gleiche oder in ein anderes Chromosom wieder eingebaut werden können. Sie werden deshalb auch als „springende Gene" bezeichnet. Ihre Übertragung kann Mutationen oder Änderungen in der chromosomalen Struktur hervorrufen und auf diese Weise auch die Expression anderer Gene beeinflussen.

Die Transposons wurden erstmals bei *Zea mays* entdeckt, sind aber inzwischen bei allen Organismen von den Bakterien bis zu den Tieren und Pflanzen nachgewiesen worden. Bei den Bakterien können die Transposons von einem Plasmid auf ein Bakterienchromosom, auf ein anderes Plasmid oder auf einen temperenten Phagen springen. Auf diese Weise wird z. B. die Resistenz gegen gewisse Antibiotika übertragen.

Berechnungen haben ergeben, daß die Strukturgene, die für die Codierung der Zellproteine erforderlich sind, nur 1 – 5 % der DNA eines Eukaryotengenoms ausmachen. Dies ist zum Teil auf den hohen Gehalt des Zellkerns an repetitiven Sequenzen zurückzuführen, die bei Prokaryoten kaum vorkommen.

❗ Darüber hinaus gibt es aber auch innerhalb der eukaryotischen Gene kürzere oder längere Sequenzen, die keine Information für die Proteinsynthese enthalten. Sie werden als **Introns,** und die durch sie getrennten Abschnitte des Gens als **Exons** bezeichnet. Nach der Transcription wird das überflüssige, am Intron gebildete RNA-Stück herausgeschnitten, und die übrigbleibenden, am Gen gebildeten RNA-Teilstücke werden zusammengesetzt.

Solche Mosaikgene (split genes) sind bei fast allen eukaryotischen Organismen, aber auch bei Viren und Archaebakterien, gefunden worden. Bei den übrigen Prokaryoten kommen sie offenbar nicht vor.

15.3 **Replikation der DNA**

Die Replikation der DNA erfolgt durch die DNA-Polymerasen nach dem semikon-servativen Modus, indem die beiden Stränge der parentalen DNA-Schraube ent-wunden werden, worauf an jedem der komplementäre Strang ergänzt wird. Dabei werden die jeweils als spezifische Paarungspartner fungierenden Nucleotide an den Einzelsträngen aufgereiht und unter Abspaltung von Diphosphat zum jeweils komplementären Strang verbunden. Eventuelle Fehler bei der Polymerisation, die allerdings höchstens mit einer Wahrscheinlichkeit von $1:10^4$ eintreten, können durch ein Enzym korrigiert werden, die Exonuclease, die nicht gepaarte Nucleo-tide am 3′-Ende eines DNA-Stranges entfernt. Da die DNA-Polymerase Nucleotid-stränge in der Richtung 5′→3′ synthetisiert, der antiparallele DNA-Strang aber von der Replikationsgabel weg wachsn muß, verläuft die Replikation dieses Stranges ungleich komplizierter.

15.3.1 **DNA-Replikation bei Prokaryoten**

Nach dem gegenwärtigen Stand unseres Wissens, der überwiegend auf Untersu-chungen an *Escherichia coli* basiert, beginnt die DNA-Replikation mit der Anlage-rung eines Initiationsproteins an die origin-Region des ringförmigen DNA-Dop-pelstranges (Abb. 15.**6**). Unter Anlagerung weiterer Proteine entsteht eine Repli-kationseinheit, die man als **Replikon** bezeichnet. Die für die Replikation unerläß-liche Entwindung der DNA-Schraube an der Replikationsgabel erfolgt durch ein als **Helikase** bezeichnetes Protein (Abb. 15.**11**). Die zahlreichen superhelicalen Schleifen würden allerdings dem Fortschreiten der Replikationsgabel bald ein Ende bereiten, was jedoch durch ein vorangehendes, als **Gyrase** bezeichnetes Pro-

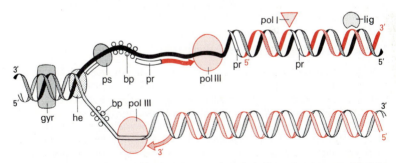

Abb. 15.**11** Vereinfachtes Schema der DNA-Replikation. An dem unteren 5′→3′-Strang wird der komplementäre Strang kontinuierlich gebildet. Am oberen 3′→5′-Strang erfolgt die Synthese diskontinuierlich in der entgegengesetzten Richtung. Paren-tale DNA-Stränge schwarz, neu synthetisier-te Stränge rot. bp = Bindungsproteine, gyr = Gyrase, he = Helikase, lig = Ligase, pol I = Po-lymerase I, pol III = Polymerase III, pr = Pri-mer, ps = Primosom. Weitere Erklärungen im Text

tein verhindert wird. Dieses schneidet die DNA-Stränge auf und verknüpft sie nach Drehung um ihre Achse wieder miteinander. Auf diese Weise ermöglicht sie das bidirektionale Fortschreiten der Replikation, bis die beiden Replikationsgabeln am Terminationspunkt aufeinandertreffen. Der Replikationszyklus nimmt bei *Escherichia coli* 40 min in Anspruch. Durch die Helikase werden etwa 1000 Nucleotidpaare/s entwunden. Für die Öffnung eines jeden Nucleotidpaares sind 2 Moleküle ATP erforderlich. Durch die Anlagerung von DNA-Bindungsproteinen werden die entstehenden Einzelstränge in einer gestreckten Konfiguration gehalten, die eine Voraussetzung für die einwandfreie Funktion des DNA-Polymerase-III-Holoenzyms ist. Dieses ist von den drei bei Bakterien nachgewiesenen DNA-Polymerasen (I, II, III) für die DNA-Replikation verantwortlich. Sie kann mehr als 10000 Nucleotide/min aneinanderreihen. Der in $5' \rightarrow 3'$ Richtung, d.h. zur Replikationsgabel hin wachsende Strang wird lange Zeit in ununterbrochener Folge unter fortschreitender Öffnung der Replikationsgabel synthetisiert.

Die Synthese des antiparallelen Strangs erfolgt diskontinuierlich, d.h. es werden jeweils etwa 1000 Nucleotide umfassende Teilstücke, die nach ihrem Entdecker benannten **Okazaki-Fragmente,** synthetisiert, die anschließend miteinander verknüpft werden. Auch hier erfolgt zunächst die Stabilisierung des Einzelstranges durch DNA-Bindungsproteine.

Die Synthese eines Teilstückes beginnt mit der Bildung eines RNA-Startermoleküls (Primer) unter Mitwirkung eines als **Primase** bezeichneten Enzyms. An das $3'$-OH-Ende des Primers werden nun durch das DNA-Polymerase-III-Holoenzym unter Ablesung des genetischen Codes die komplementären Desoxyribonucleotide angeknüpft, was zur Bildung eines Okazaki-Fragmentes führt. Ist es fertiggestellt, wird der RNA-Primer durch die mit der **DNA-Polymerase I** assoziierte Exonuclease entfernt und die hierdurch entstehende Lücke von der DNA-Polymerase I unter Polymerisation von Desoxyribonucleotiden geschlossen. Schließlich werden die einzelnen Fragmente durch die **Ligasen** miteinander verknüpft. Das Endprodukt der Replikation sind dann zwei doppelsträngige DNA-Moleküle, von denen jedes einen parentalen und einen neu synthetisierten DNA-Strang enthält.

15.3.2 DNA-Replikation bei Eukaryoten

Obwohl sich die DNA-Replikation der Eukaryoten nicht grundsätzlich von der der Prokaryoten unterscheidet, läuft sie doch ungleich komplizierter ab. Ein Grund hierfür ist die Bindung der DNA an Histone und die zeitliche Kopplung von DNA- und Histon-Synthese, die beide während der S-Phase erfolgen.

Die Replikation einer DNA-Doppelhelix erfolgt gleichzeitig an zahlreichen Replikonen. Nimmt man für die Replikone eine durchschnittliche Länge von 30 μm an, so errechnet sich eine Anzahl von 1000 und mehr pro DNA-Doppelhelix. Jedes Replikon hat seinen eigenen Startpunkt (Initiationspunkt), von dem aus die DNA-Synthese mit zwei Replikationsgabeln in entgegengesetzter Richtung, also bidirektional, fortschreitet (Abb. 15.**12**), und zwar erheblich langsamer als bei den Bakterien. Die Länge der Okazaki-Fragmente beträgt nur 100–200 Nucleotide. Die replizierten Teilstücke werden dann miteinander vereinigt, so daß schließlich die

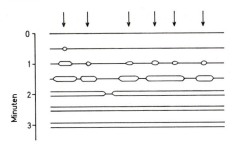

Abb. 15.**12** Replikation der aus zahlreichen Replikonen bestehenden DNA der Eukaryoten, schematisch. Die Pfeile zeigen auf die Initiationspunkte (Startpunkte) der einzelnen Replikons. Die Zahlen der vertikalen Scala geben die Zeiten nach Beginn der Replikation in Minuten an

gesamte DNA eines Chromosoms in Form von zwei DNA-Doppelsträngen repliziert vorliegt. Nach erfolgter Replikation muß die DNA mit den Histonen zum Chromatin zusammentreten.

15.4 Mutationen

Wie bereits erwähnt (S. 410), besitzen die Gene Kontinuität, d. h. sie werden im typischen Falle unverändert von Generation zu Generation weitergegeben. Wäre diese Unveränderlichkeit eine absolute, so wäre die Entstehung neuer Rassen wie überhaupt eine jede Evolution unmöglich. Tatsächlich können die Gene jedoch durchaus Änderungen (Mutationen) erfahren. Solche Mutationen können entweder spontan entstehen oder durch Einwirkung mutagener Chemikalien bzw. mutagener Strahlen (alle ionisierenden Strahlen sowie von den nicht-ionisierenden Strahlen das Ultraviolett) künstlich erzeugt werden. Außer den Genmutationen kennt man auch Chromosomen- und Genommutationen.

15.4.1 Genommutationen

❗ Änderungen in der Anzahl der Chromosomen bzw. der Chromosomensätze bezeichnet man als Genommutationen. Die Chromosomen selbst bleiben hierbei in ihrem Gengehalt unverändert. Das eindrucksvollste Beispiel einer Genommutation ist die **Polyploidie,** bei der eine Vervielfachung der Chromosomensätze eintritt.

Polyploide Organismen entstehen, wenn in der Meiosis die Reduktion der Chromosomenzahl unterbleibt. Aus diploiden Eltern entstehen dann diploide Gameten, die zu einer tetraploiden Zygote verschmelzen. Auf diese Weise können Individuen mit 4, 8 und mehr Chromosomensätzen entstehen. Ist jedoch einer der beiden Gameten haploid, so entsteht ein triploider Organismus.

Polyploide Pflanzen kommen in der Natur nicht selten vor, können aber auch künstlich erzeugt werden, z. B. durch Anwendung von Metaphase- oder Spindelgiften, wie das Colchicin der Herbstzeitlosen *(Colchicum autumnale)* und das Antibiotikum Griseofulvin. Diese verhindern die Bildung der Mikrotubuli und folglich der Kernspindel, so daß die Verteilung der Chromosomen auf die Pole unterbleibt. Da die Chromosomen in der Äquatorialebene liegenbleiben, können Restitutionskerne mit doppeltem Chromosomensatz entstehen.

Von unseren Kulturpflanzen sind z.B. Weizen, Hafer, Kartoffel u.a. polyploid. Oft sind die polyploiden Formen größer, widerstandsfähiger, anpassungsfähiger und ertragreicher, weshalb sie für die Pflanzenzüchtung von großem Wert sind. Bei Pflanzen mit ungerader Anzahl von Chromosomensätzen (triploide, pentaploide usw.) kommt es in der Meiose zu einer unregelmäßigen Verteilung der Chromosomen auf die Tochterzellen (Aneuploidie), die sich dann in der Regel nicht mehr normal weiterentwickeln können. Es kann jedoch auch vorkommen, daß die Zellen eines diploiden Organismus ein Chromosom zuwenig (2n – 1) oder zuviel enthalten (2n + 1). Im ersten Falle ist also ein Chromosom nur einmal vertreten (Monosomie), im zweiten Falle dreifach (Trisomie). Ähnliche Effekte können auch durch mutagene Strahlung oder Chemikalien (s. unten) hervorgerufen werden.

15.4.2   Chromosomenmutationen

❗ Im Gegensatz zu den Genommutationen führen Chromosomenmutationen zu einer Änderung der Chromosomenarchitektur, d.h. zu einer Änderung der Anordnung der Gene in den Chromosomen. Sie lassen sich häufig, aber keineswegs immer mikroskopisch durch einen Vergleich mit dem unveränderten homologen Chromosom erkennen.

Voraussetzungen für das Zustandekommen von Chromosomenmutationen sind Chromosomenbrüche (Fragmentationen), die spontan nur selten auftreten, aber durch mutagene Chemikalien, wie Senfgas, Ethylmethansulfonat, Ethylenimin u.a., sowie durch mutagene Strahlen herbeigeführt werden können. Wie Abb. 15.**13** zeigt, können Bruchstücke verlorengehen (Deletion) oder an andere

A   B   C   D   E

Abb. 15.**13**   Chromosomenmutationen, schematisch. Die homologen Chromosomen des einen Paares sind hell- bzw. dunkelrot, die des anderen Paares weiß bzw. grau markiert. **A** Bruchstückverlust (Deletion),
B wechselseitige, **C** einseitige Bruchstückverlagerung (Translocation), **D** Verdopplung eines Chromosomenabschnittes (Duplication), **E** Umkehrung eines Chromosomenabschnittes (Inversion) (nach Kühn)

Chromosomen angeheftet werden (Translocation). Erfolgt die Anheftung in dem entsprechenden Abschnitt des homologen Chromosoms, so spricht man von Duplication. Wird dagegen das Bruchstück am gleichen Chromosom umgekehrt wieder eingesetzt, so bezeichnen wir dies als Inversion. Da es auch in den zuletzt genannten Fällen zu Änderungen der Merkmalsausbildung kommen kann, obwohl der gesamte Genbestand der Zelle unverändert ist, müssen wir schließen, daß nicht nur das Vorhandensein der Gene, sondern auch ihre Lage auf den Chromosomen die Ausbildung der Merkmale beeinflußt (Positionseffekt).

15.4.3   Genmutationen

🛑 Als Genmutationen bezeichnet man Änderungen in der molekularen Architektur der DNA eines einzelnen Gens (Box 15.**3**). Da sie die Chromosomenarchitektur nicht verändern, sind sie mikroskopisch nicht nachweisbar. Werden ganze DNA-Abschnitte verändert, spricht man von Segment-Mutationen. Sie sind meist letal. Ihnen stellt man die Punkt-Mutationen gegenüber, die nur eng umschriebene Bereiche der DNA eines Gens betreffen. Schon die Änderung einer einzigen Base hat die Änderung des genetischen Informationsgehaltes zur Folge.

Da ein Gen aus einer längeren Sequenz von Nucleotiden besteht, kann die Mutation durch Veränderungen an verschiedenen Stellen zustande kommen. Es ist daher möglich, mehrere Mutanten ein und desselben Gens zu erzeugen und diese miteinander zu rekombinieren. Somit kann die Definition des Gens als Mutations- und Rekombinationseinheit nicht mehr aufrechterhalten werden. Es bleibt also von der klassischen Definition lediglich die Funktionseinheit.

Allerdings ist auch die Definition des Gens als Funktionseinheit nicht problemlos. Feinstrukturanalysen an rasch lysierenden (rapid lysis) rII-Mutanten des T4-Phagen von *Escherichia coli* haben ergeben, daß eine große Anzahl verschiedener rII-Mutanten existiert, die sich zwei verschiedenen Gruppen zuordnen lassen. Jede dieser Gruppen verhält sich im Komplementationstest wie eine funktionelle Einheit.

Der Komplementationstest wird folgendermaßen durchgeführt: Zellen von *Escherichia coli* K 12 werden mit zwei unabhängig voneinander isolierten Mutanten des T4-Phagen infiziert. Liegen die Mutationen in derselben funktionellen Region, können sich die Phagen nicht vermehren. Liegen sie jedoch in verschiedenen Funktionsbereichen, so kann die erste Mutation das Produkt der ersten und die zweite das Produkt der zweiten Region bilden, so daß komplette Phagen entstehen, die sich vermehren können.

Folglich muß man annehmen, daß für diese Mutation zwei verschiedene DNA-Abschnitte verantwortlich sind, die man als Cistrons bezeichnet. Ein **Cistron** ist also ein Abschnitt eines Gens, der sich im Komplementationstest als funktionelle Einheit verhält. Weitere Untersuchungen haben ergeben, daß es eine ganze Anzahl von Gensystemen gibt, die polycistronisch sind, d.h. aus mehreren hintereinan-

Box 15.3   Molekulare Ursachen der Genmutationen

Genmutationen können auf ganz verschiedene Art und Weise zustande kommen. Wird ein Pyrimidinnucleotid gegen ein anderes ausgetauscht, z. B. T gegen C, oder ein Purinnucleotid gegen ein anderes, z. B. A gegen G, bezeichnet man dies als Transition. Wird dagegen ein Pyrimidin- gegen ein Purinnucleotid ausgetauscht oder umgekehrt, also z. B. C gegen G oder A gegen C, spricht man von Transversion. Werden ein oder zwei Nucleotidpaare eingefügt (Insertion) bzw. eliminiert (Deletion), so ändert sich die gesamte Codonfolge und damit der Leseraster, was zur Bildung eines andersartigen Proteins führt, das die Funktion des ursprünglich codierten Proteins nicht ausüben kann. Umfassen jedoch Insertion oder Deletion drei Nucleotidpaare oder ein Vielfaches davon, kommt es zur Ausbildung eines ähnlichen Proteins, das eine oder mehrere Aminosäuren zuviel oder zuwenig hat. Von den üblicherweise in der Ketoform vorliegenden Nucleotidbasen gibt es tautomere Imino- bzw. Enol-Formen, die zwar sehr selten auftreten, aber hin und wieder in die DNA-Doppelhelix eingebaut werden können. Dies führt zu „falschen" Nucleotidpaarungen. Z. B. paart sich die Imino-Form des Cytosins nicht mit dem Guanin, sondern mit dem Adenin, die Enol-Form des Thymins nicht mit dem Adenin, sondern mit dem Guanin usw. Durch Abspaltung der Purinbasen (Depurinierung) bzw. der Pyrimidinbasen (Depyrimidierung) entstehen apurinische bzw. apyrimidinische (AP-)Lücken. Gegenüber einer solchen Lücke können beliebige Desoxyribonucleotide eingebaut werden, am häufigsten dATP. Schließlich kann durch Desaminierung aus Adenin Hypoxanthin, aus Guanin Xanthin und aus Cytosin Uracil entstehen. Da Hypoxanthin hinsichtlich seiner Wasserstoffbrücken dem Guanin ähnlicher ist als dem Adenin, tritt bei der nächsten Basenpaarung das Cytosin an die Stelle des Thymins. Uracil verhält sich dagegen wie Thymin und paart sich mit Adenin anstelle von Guanin. Lediglich die Überführung des Guanins in Xanthin scheint nicht zu lebensfähigen Mutanten zu führen.

dergeschalteten Cistrons bestehen. Im Hinblick auf diese Befunde ist also eigentlich nicht mehr das Gen, sondern das Cistron die Funktionseinheit, sofern man nicht den Begriff des Gens als Funktionseinheit dem des Cistrons gleichsetzt. In diesem Falle ist jedoch zu beachten, daß das Resultat der Genfunktion nur in Erscheinung tritt, wenn beide Gene intakt sind.

❗ Grundsätzlich betrachtet ist die spontane Genmutation ein seltenes Ereignis. Berechnungen haben ergeben, daß ein Nucleotidaustausch pro 10^9 bis 10^{10} Nucleotidpaare einer Generation stattfindet. Nimmt man für ein haploides Genom einer Eukaryotenzelle 10^9 Nucleotidpaare an, so würde dies im Durchschnitt einen Nucleotidaustausch pro Zellgeneration ergeben.

Die tatsächlichen Mutationsraten können hiervon aber stark abweichen. So kann einerseits wegen der Degeneration des genetischen Codes das durch einen Nucleotidaustausch entstandene Triplett sogar die gleiche Aminosäure codieren, oder es entsteht eine Aminosäure, die die andere funktionell zu ersetzen vermag, z. B. Asparaginsäure anstelle von Glutaminsäure. Schließlich kann der Nucleotidaustausch auch in einem Bereich erfolgen, der für die Funktion des Proteins nicht von vorrangiger Bedeutung ist.

Auch Genmutationen können durch Strahlung oder Chemikalien hervorgerufen werden. **Mutagene Strahlen** wirken direkt und unspezifisch auf die getroffenen Moleküle, indem sie aus der Schale eines Atoms ein Elektron herausschlagen und hierdurch das Atom in ein reaktionsfähiges Ion überführen. Auf diese Weise entstehen freie Radikale, Peroxide u. a. reaktionsfähige Verbindungen, die ihrerseits auf ihre Umgebung einwirken und so charakteristische Veränderungen hervorrufen können. Das getroffene Atom muß also nicht unbedingt auf dem DNA-Strang selbst liegen, sondern die Strahlenschäden an der DNA können gleichermaßen direkt und indirekt hervorgerufen werden. Bestrahlung mit UV führt häufig zu einer Dimerisierung der Pyrimidinbasen (Thymin-Dimere, s. unten) zu Cyclobutanderivaten oder zur Addition von Wasser an die 4,5-Doppelbindung der Pyrimidinbasen. Durch die Dimerisierung wird die Autoreplikation der DNA behindert, während die Wasseraddition an das Cytosin zu einer Veränderung der Basenpaarung bei der Autoreplikation der DNA führt.

Unter den **mutagenen Agenzien** sind vor allem die Analogen der natürlichen Nucleinsäurebasen zu nennen, z. B. das 5-Bromuracil und das 2-Aminopurin. Bromuracil wird anstelle des Thymins in die DNA eingebaut, paart sich also mit dem Adenin. Gelegentlich kommen jedoch auch Paarungen mit Guanin vor. Ist dies geschehen, so wird bei der folgenden Replikation des einen Stranges gegenüber dem Guanin anstelle des ursprünglich vorhandenen Thymins das Cytosin eingebaut, d. h. es ist eine Veränderung der Basensequenz eingetreten, die auch bei jeder weiteren Replikation der DNA weitergegeben wird. Ähnlich wirkt das 2-Aminopurin, das sich normalerweise mit Thymin paart, gelegentlich aber auch mit Cytosin. Behandlung mit Nitrit führt zur Desaminierung von Adenin, Guanin und Cytosin, deren Konsequenzen oben bereits besprochen wurden. Weitere Mutagene sind alkylierende Verbindungen, wie Alkyl-Sulfat und N-Nitroso-Verbindungen, sowie polyzyklische Kohlenwasserstoffe.

Das genetische Informationssystem ist zur Selbstkontrolle befähigt. Sowohl die Prokaryoten als auch die Eukaryoten haben Mechanismen entwickelt, mit deren Hilfe Schäden an der doppelsträngigen DNA erkannt und repariert werden können. So wird z. B. bei der **Photoreaktivierung** UV-geschädigter Bakterien durch sichtbares Licht ein Enzym, die Photolyase, aktiviert. Sie ist in der Lage, die durch UV-Bestrahlung erzeugten Thymin-Dimere (s. oben) zu spalten und damit den ursprünglichen Zustand wiederherzustellen. Nach dem derzeitigen Erkenntnisstand lösen DNA-Schäden, die durch mutagene Strahlen bzw. Agenzien verursacht wurden, sogenannte SOS-Reaktionen aus. Durch diese werden Gene bzw. Gengruppen aktiviert, deren Produkte bestimmte Reparaturmechanismen in Gang setzen, die Zellteilung verhindern oder die Aktivität DNA-abbauender Enzyme vermindern.

15.4.4   Verwendung von Mutanten

Künstlich erzeugte Mutanten haben sich als ein ausgezeichnetes Mittel zur Aufklärung von Biosynthesewegen, Signaltransduktionsketten u. a. Prozessen erwiesen. Dies sei am Beispiel der Arginin-Synthese von *Neurospora crassa* gezeigt. Die natürlich vorkommende Wildform von *Neurospora* ist zur Synthese des Arginins befähigt. Durch Behandlung der Konidiosporen mit mutagener Strahlung stellt man Verlustmutanten her, die man mit der Wildform kreuzt (Abb. 15.**14**). Die auf diese Weise erhaltenen Ascosporen bringt man getrennt auf einem Vollmedium zur Entwicklung, das auch die Stoffe, deren Synthese blockiert ist, im vorliegenden Falle also Arginin, enthält. Überträgt man nun von jeder Einsporenkultur etwas Mycel auf ein Minimalmedium, das kein Arginin enthält, so wachsen von den acht aus einem Ascus stammenden Einsporenkulturen vier nicht an, da sie das mutierte Allel enthalten und folglich nicht zur Argininsynthese befähigt sind. Die vier anderen enthalten das unveränderte Allel des Wildtypus und zeigen normales Wachstum (Abb. 15.**14 H, I**). Setzt man nun den Nährböden einzelne Aminosäu-

Abb. 15.**14**   Erzeugung und Feststellung biochemischer Verlustmutanten bei *Neurospora crassa*. **A** Ausgangsstämme, **B** Mycel mit Konidienträgern, **C** Bestrahlung der Konidien mit mutagener Strahlung, **D – E** Kreuzung mit dem Wildstamm, **F** Perithecium, **G** Ascus, **H – I** Ermittlung der Verlustmutanten, **K** Bestimmung des fehlenden Wachstumsfaktors. c = Konidien, ct = Konidienträger, m = mutagene Strahlung (nach Beadle, Kühn)

ren zu, die als Vorstufen des Arginins in Frage kommen (Ornithin, Citrullin), so kann man ermitteln, an welcher Stelle jeweils der Syntheseweg unterbrochen ist (vgl. nachstehendes Schema). Bei vier der insgesamt sieben erhaltenen Mutantentypen liegt der genetische Block vor dem Ornithin, d.h. sie wachsen sowohl bei Zugabe von Ornithin als auch von Citrullin. Für den Übergang von Ornithin zum Citrullin sind zwei Gene verantwortlich, da zwei der Mutantentypen zwar auf Citrullin, nicht aber auf Ornithin wachsen. Eine Mutante wächst auch bei Zugabe von Citrullin nicht mehr, da sie das für den Übergang vom Citrullin zum Arginin erforderliche Enzym nicht bilden kann.

Die nachstehend dargestellte Reaktionskette ist auch ein Teilabschnitt der Harnstoffsynthese, da aus dem Arginin durch Arginase Harnstoff abgespalten werden kann, wodurch Ornithin zurückgebildet wird.

Biosynthese von Arginin und Harnstoff bei *Neurospora crassa*

15.5 Transgene Pflanzen

Für die Pflanzenzüchtung stehen heute nicht nur die klassischen Verfahren der Rekombination und Mutation zur Verfügung, sondern die Gentechnologie hat uns Mittel in die Hand gegeben, das Erbgut von Pflanzen direkt und gezielt zu verändern. Hierbei werden Gene aus Mikroorganismen oder anderen Pflanzen mit Hilfe gentechnischer Methoden in bestimmte Pflanzen übertragen, die hierdurch neue, vom Menschen gewünschte Eigenschaften erhalten, wie Steigerung von Qualität und Quantität der Erträge, Resistenz gegen Frost, Chemikalien und pathogene Organismen. Man bezeichnet solche Pflanzen als transgen.

Zur Herstellung transgener Pflanzen verwendet man meist Kallus- oder Protoplastenkulturen (S. 382), die sich von einigen dikotylen Pflanzen wie Kartoffeln,

Tabak, Tomaten und Petunien besonders leicht erhalten lassen, weshalb diese oft als Versuchsobjekte Verwendung finden. Als Überträger (Vektoren) für die einzubauende Fremd-DNA verwendet man häufig Ti-Plasmide, denen man durch Deletion der onkogenen Bereiche der T-DNA die Fähigkeit zur Tumorinduktion genommen hat. Diese Plasmide können zwar die modifizierten T-DNA-Moleküle in Pflanzenzellen übertragen, lösen jedoch keine Tumorbildung aus. Auch verwendet man nicht die relativ großen Wildtyp Ti-Plasmide, sondern man hat aus der T-Region kleinere sogenannte Zwischenvektoren (IV, Intermediate Vector) entwickkelt. In diese kann man nahezu jede beliebige DNA einklonieren und durch Konjugation in *Agrobacterium tumefaciens* übertragen. Eine weitere Methode ist die Mikroprojektil-Methode. Hierbei werden mit einer für diesen Zweck konstruierten Pistole kugelförmige Wolfram-Partikel mit einem Durchmesser von etwa 4 µm, die mit der betreffenden DNA beschichtet sind, in Kalluszellen oder Protoplasten eingeschossen. Mit Hilfe von Auxinen und Cytokininen werden aus den Zellen bzw. den Protoplasten transgene Pflanzen regeneriert, die eine neue Eigenschaft besitzen. Ist die Modifikation stabil, wird sie auch weitervererbt. Da es bei den Monokotylen, insbesondere den Getreidepflanzen, offenbar nicht möglich ist, aus Kulturzellen ganze Pflanzen zu regenerieren, hat man mit Erfolg Plasmid-DNA, die auch für ein fremdes Gen kodierte, in die sich entwickelnden Blütensprosse injiziert. Tatsächlich war es möglich, mit Hilfe dieser Methode transgene Roggenpflanzen zu erzeugen. Auch DNA-haltige Pflanzenviren können als Vektoren geeignet sein.

Die mit Hilfe der Gentechnik vorgenommene Transformation höherer Pflanzen hat bereits zu erstaunlichen Erfolgen geführt. Ein wichtiges Beispiel ist die Herbizid-Resistenz, die am Beispiel des Phosphinothricins (PPT) erläutert sei. Dieses hemmt die Glutamin-Synthetase irreversibel. Durch Acetylierung werden die PPT-Moleküle inaktiviert. Bringt man das für die Acetylase kodierende Enzym durch eine *Agrobacterium*-gesteuerte Transformation in Zellen der Kartoffel, der Tomate oder des Tabaks ein, entstehen PPT-resistente Pflanzen. Aprikosen konnten gegen das Pflaumen-Pocken-Virus durch Einschleusung eines Gens, das das Virus-Hüllprotein in den Zellen der Aprikose kodiert, resistent gemacht werden. Auch die Erzeugung einer Resistenz gegen Insekten ist auf gentechnischem Wege möglich. Darüber hinaus können auch andere Eigenschaften der Nutzpflanzen gentechnisch verbessert werden. Durch Unterdrückung eines Gens, das an der Ethylen-Synthese beteiligt ist, wird die Lagerfähigkeit von Tomaten auf mehr als das Doppelte verlängert. Auch die Qualität der von Pflanzen produzierten Öle läßt sich durch Einschleusen von Genen, die die beteiligten Enzyme verändern, steigern. Auf die Nennung weiterer Beispiele kann verzichtet werden, da sich die Anzahl der erfolgreich transformierten Nutzpflanzen wegen ihr enormen Bedeutung für die Weltwirtschaft in den nächsten Jahren sicherlich sprunghaft vermehren wird.

15.6   Realisierung der genetischen Information

Jedes Strukturgen enthält die Information für die Primärstruktur eines Moleküls. Dabei handelt es sich in der Mehrzahl der Fälle um Proteine, doch gehören natürlich auch die Ribonucleinsäuren wie die rRNAs und die tRNAs zu den Genprodukten. Die Frage, wie die Nucleotidsequenz der DNA in die Nucleotidsequenz einer RNA bzw. die Aminosäuresequenz eines Proteins übersetzt wird, kann heute als weitgehend geklärt gelten. Zwar wurden die grundlegenden Experimente überwiegend an Mikroorganismen durchgeführt, doch hat sich inzwischen gezeigt, daß die Realisierung der genetischen Information im Prinzip bei allen Lebewesen in der gleichen Weise erfolgt.

Unterschiede zwischen Prokaryoten und Eukaryoten ergeben sich zwangsläufig aus der Tatsache, daß die eukaryotische DNA im Zellkern liegt, wo sie von einer Kernhülle umschlossen ist, die DNA der Prokaryoten hingegen frei im Cytoplasma. Außerdem ist die eukaryotische DNA mit Histonen assoziiert, die prokaryotische nicht. Auf einige der sich hieraus ergebenden Konsquenzen wird unten noch näher eingegangen.

15.6.1   Transcription

Die Übersetzung einer Nucleotidsequenz der DNA in die Aminosäuresequenz eines Proteins erfolgt mit Hilfe der mRNA. Sie wird an dem codogenen Strang der DNA durch eine DNA-abhängige RNA-Polymerase aus Nucleotidbausteinen synthetisiert und erhält dabei die komplementäre Nucleotidsequenz als Information aufgeprägt. Als Paarungspartner des Adenins fungiert hierbei allerdings nicht das Thymin, sondern das Uracil. Da bei diesem Prozeß die genetische Information aus der Schrift der DNA in die Schrift der RNA umgeschrieben wird, bezeichnet man ihn als Transcription. Die M_r der RNA-Polymerasen, die aus mehreren Untereinheiten bestehen, liegt in der Größenordnung von 500 000.

Transcription bei Prokaryoten: Bei den Prokaryoten beginnt der als **Initiation** bezeichnete erste Abschnitt der Transcription mit der Bindung der RNA-Polymerase an einen als Promotor (S. 471) bezeichneten Abschnitt der DNA, der häufig mit der Basenfolge TATAAT beginnt. Durch die Polymerase wird der Doppelstrang geöffnet und entwunden. In Gegenwart von $Mg^{2\oplus}$-Ionen werden die ersten beiden Nucleosid-triphosphate an die komplementären Nucleotide des codogenen Stranges der DNA angelagert und zum Dinucleotid verbunden, wobei die Synthese stets mit ATP oder GTP beginnt. Hierbei wird das Diphosphat des ersten Nucleotids freigesetzt, während das 5′-Ende der mRNA seine Triphosphat-Gruppe behält. Der während des Transcriptionsvorganges von der Polymerase aufgespaltene DNA-Abschnitt umfaßt etwa 15–18 Nucleotidpaare. Unter successiver Öffnung des DNA-Doppelstranges schreitet die Polymerisation der mRNA fort, indem an den codogenen 3′-5′-DNA-Strang (Abb. 1.**10**, S. 29) die komplementären Nucleosid-triphosphate unter Abspaltung von Diphosphat angelagert werden (**Elongation**). Die mRNA wird vom 5′-Ende zum 3′-Ende hin synthetisiert. Hierzu muß sich die RNA-Polymerase am DNA-Strang entlang bewegen. *In vivo* wurden Synthesegeschwindigkeiten von 28 Nucleotiden/s gemessen. Der Abschluß der Transcription, die **Termination,** wird durch ein Stopp-Signal eingeleitet, das aus einem 10–20 Nucleotide umfassenden DNA-Abschnitt mit hohem GC-Anteil besteht. Unter Mitwirkung bestimmter, als Terminations-Faktoren bezeichneter Proteine erfolgt die Dissoziation des Transcriptions-Komplexes in die Polymerase und die mRNA. Die Polymerase kann sich nun erneut an die DNA anlagern, während die mRNA als Matrize für die Proteinsynthese zur Verfügung steht.

Transcription bei Eukaryoten: Grundsätzlich erfolgt die Transcription auch bei den Eukaryoten auf die gleiche Weise, doch ist der Ablauf der einzelnen Schritte, der Komplexheit des Eukaryoten-Genoms entsprechend, ungleich komplizierter. Dies hat im wesentlichen die folgenden Gründe:
1. Da die DNA der Eukaryoten mit Histonen assoziiert ist, hat die Initiation eine Ablösung der Histone zur Voraussetzung.
2. Abweichend von den Prokaryoten, die nur eine RNA-Polymerase besitzen, kommen bei Eukaryoten drei Typen dieses Enzyms vor. Typ I ist im Nucleolus lokalisiert und transcribiert die ribosomale RNA mit Ausnahme der 5 S rRNA. Die Polymerasen II und III liegen beide im Karyoplasma, unterscheiden sich aber in ihrer Funktion: erstere synthetisiert die mRNA, letztere die tRNA und die 5 S rRNA.
3. Als Transcriptionsprodukte fallen jeweils nicht direkt die entsprechenden RNA-Formen an, sondern höhermolekulare Vorstufen, die in einem als **„processing"** bezeichneten Prozeß aufgearbeitet und zugeschnitten werden müssen. So ist das primäre Transcript der Polymerase I, wie bereits erwähnt (S. 103), die 45 S Vorstufe der ribosomalen RNA, aus der durch spezifische Nucleasen unter schrittweiser Spaltung die 5,8 S, die 18 S und die 28 S RNA erst herausgeschnitten werden müssen. Auch die durch die Polymerase II transcribierten Strukturgene liefern zunächst eine Prä-mRNA. Hierbei handelt es sich um hochmolekulare mRNA-Vorstufen, deren Molekülmasse in der Größenordnung von 10^7 Da liegt. Sie enthalten neben den durch die Exons codierten informativen RNA-Abschnitten auch nicht-informative, häufig repetitive Sequenzen, die an Introns gebildet wurden. Die Prä-mRNA muß vor Ausübung ihrer Funktion ebenfalls einem „processing" unterworfen werden, wobei die nichtinformativen Sequenzen herausgeschnitten und die informativen miteinander verspleißt werden. Außerdem werden die beiden Enden vieler mRNA-Moleküle zusätzlich modifiziert, und zwar das 5'-Ende durch Anhängen eines 7-Methylguanosins über die Triphosphatbrücke („capping") sowie durch Methylierung der endständigen Nucleotide, das 3'-OH-Ende durch Polyadenylierung, d.h. durch Anheften eines aus zahlreichen (bis zu 200) Adenosinmononucleotiden bestehenden Abschnittes. Diese Erkenntnisse wurden im wesentlichen an tierischen Objekten gewonnen. Ob und in welchem Umfang sie auch für pflanzliche Organismen zutreffen, ist noch unklar. Insbesondere gilt dies für die eukaryotischen Einzeller.

15.6.2   Translation

❗ Die Übersetzung der Nucleinsäuresequenz der mRNA in die entsprechende Aminosäuresequenz, d.h. die Biosynthese der Proteine, bezeichnet man als Translation (Abb. 15.**15**). Auch sie läßt sich in drei als Initiation, Elongation und Termination bezeichnete Unterabschnitte gliedern. Vor Beginn der Proteinsynthese müssen die Aminosäuren aktiviert werden, indem sie unter Energiezufuhr in Form von ATP durch eine für die jeweilige Aminosäure spezifische Aminoacyl-tRNA-Synthetase an das Ribosemolekül des 3′-endständigen Adenosins der entsprechenden tRNA angehängt werden. Die aktivierten Aminosäuren haben ein hohes Gruppenübertragungspotential, weshalb bei der Knüpfung der Peptidbindung keine weitere Energiezufuhr nötig ist.

Da die DNA der Prokaryoten frei im Cytoplasma liegt, kann die Anlagerung der Ribosomen und damit die Translation bereits beginnen, ehe die mRNA fertiggestellt ist. Im Gegensatz hierzu sind bei den Eukaryoten Transcription und Translation räumlich voneinander getrennt, so daß die mRNA nach erfolgtem Processing aus dem Kern in das Cytoplasma transportiert werden muß, ehe die Translation beginnen kann.

Initiation (Kettenstart): Bei den Prokaryoten sowie bei den Plastiden und Mitochondrien der Eukaryoten dient als Startsignal eine besondere Methionin-tRNA, deren Methionyl-Rest durch Formylierung in N-Formylmethionin überführt werden kann. Diese Eigenschaft unterscheidet sie von der anderen Methionin-tRNA, die bei der Translation das Methionin überträgt. Für die Bindung der N-Formylmethionin-tRNA an die mRNA sind die Triplets AUG und GUG verantwortlich, wenn sie am Beginn eines Cistrons liegen. Im Cytoplasma der Eukaryoten hingegen dient als Startsignal die Methionin-tRNA, die an das AUG-Triplet bindet, wenn dieses am Anfang, nicht aber, wenn es innerhalb des Cistrons liegt. Offensichtlich gibt es auch hier zwei Formen der Methionin-tRNA, die sich in ihrer Struktur unterscheiden, und von denen die eine die Initiation einleitet. Das terminale Methionin bzw. Formylmethionin wird meist schon vor Fertigstellung der Polypeptidkette wieder entfernt.

Für die Einleitung der Translation ist die $Mg^{2\oplus}$-Ionen-Konzentration von ausschlaggebender Bedeutung. Außerdem werden für die Initiation bei den Prokaryoten GTP sowie mindestens drei verschiedene als Initiationsfaktoren bezeichnete Proteine benötigt. Beim Kettenstart treten die N-Formylmethionin-tRNA, der Startbereich der mRNA und die 30 S Untereinheit eines Ribosoms in Gegenwart von GTP zum Initiationskomplex zusammen. An diesen wird die 50 S Untereinheit angefügt, und die Initiationsfaktoren lösen sich ab. Dieser Modus der Initiation trifft auch für die Mitochondrien und die Chloroplasten zu. Der Kettenstart bei den cytoplasmatischen Ribosomen der Eukaryoten unterscheidet sich nicht grundsätzlich von den Verhältnissen bei den Prokaryoten, verläuft aber ungleich komplizierter. Die Anzahl der benötigten Initiationsfaktoren ist größer (wahrscheinlich 9), und außerdem scheint die beim „capping" gebildete Region (s. oben) für die Bindung der mRNA an die 40 S Untereinheit eine wichtige Rolle zu

Abb. 15.**15** Informationsübertragung und Proteinsynthese, schematisch. Die auf der DNA liegende Information TAC AAG AAC wird der messenger-RNA als folgender Code aufgeprägt: AUG UUC UUG. Am Ribosom rei-hen sich an ihr die transfer-RNA-Moleküle mit folgenden Anticodons auf: UAC, AAG und AAC, was der Aminosäuresequenz Methionin-Phenylalanin-Leucin entspricht. Der codogene Strang der DNA ist rot gezeichnet

spielen. Außer GTP ist für die Initiation auch noch ATP nötig. Durch Anlagerung der 60 S Untereinheit entsteht das komplette Ribosom.

Elongation (Kettenverlängerung): Die aktivierten Aminosäuren werden zu den Ribosomen transportiert, wo ihre tRNA mit Hilfe des Anticodons, einer dem Codon komplementären Basensequenz, ihren Platz an der mRNA findet. In Gegenwart von GTP und zwei Elongationsfaktoren wird zwischen der Aminogruppe der hinzukommenden und der Carboxylgruppe der davor aufgereihten Aminosäure unter Mitwirkung einer Peptidyltransferase, die Bestandteil der 60 S Untereinheit ist, eine Peptidbindung ausgebildet, wobei sich die letztere von ihrer tRNA löst. Die freigesetzte tRNA kann nunmehr ein weiteres Aminosäurenmolekül übertragen. Die Verlängerung der Polypeptidkette, die jeweils nur über eine tRNA mit der mRNA verbunden ist, erfolgt also Zug um Zug. Bei *Escherichia coli* werden in einer Sekunde etwa 20 Aminosäuren aneinandergereiht, was am mRNA-Strang einer Strecke von etwa 20 nm/s entspricht. Bei den Eukaryoten erfolgt die Elongation in der Regel etwas langsamer. Für die Bildung eines Proteins durchschnittlicher Länge werden also 20 – 60 s benötigt.

Ist ein Teil der mRNA abgelesen, so kann sich am Startpunkt der mRNA der Vorgang der Initiation mit einem weiteren Ribosom wiederholen usw., was zur Bildung von Polysomen führt. Es werden also jeweils mehrere Proteinmoleküle gleichzeitig an einem mRNA-Strang synthetisiert. Der Abstand zwischen zwei Ribosomen beträgt etwa 80 Nucleotide.

Termination (Kettenabschluß): Nachdem der mRNA-Strang quantitativ abgelesen ist, wird die Translation durch ein Nonsens-Codon gestoppt. Zur Freisetzung der Peptidkette muß dann die Esterbindung zwischen der letzten Aminosäure und ihrer tRNA gelöst werden, wozu noch besondere Terminationsfaktoren nötig sind. Damit ist die Proteinsynthese beendet.

Die Ribosomen müssen vor Bildung eines neuen Startkomplexes in ihre Untereinheiten dissoziieren. Mit abnehmender Proteinsyntheserate können sie jedoch auch zu inaktiven 70 S oder 80 S Ribosomen zusammentreten, die nicht mehr an der Proteinsynthese teilnehmen, sondern eine Art Speicher für vorübergehend nicht benötigte Untereinheiten darstellen. Sie können jederzeit wieder mobilisiert werden. Diesen Kreislauf, d. h. Aktivität bei der Proteinsynthese, Dissoziation in Untereinheiten und Reassoziation zu inaktiven Ribosomen, bezeichnet man als Ribosomenzyklus.

Durch die mRNA wird direkt nur die Primärstruktur der Proteine festgelegt. Diese scheint jedoch, zumindest in manchen Fällen, auch eine bestimmte Sekundär- bzw. Tertiärstruktur zu bedingen, deren Ausbildung dann spontan erfolgt.

Bei den Bakterien sind die mRNA-Moleküle jeweils nur kurze Zeit aktiv, bei *Bacillus subtilis* z. B. nur etwa 2 Minuten. In dieser Zeit können an einem Strang etwa 10 – 20 Proteinmoleküle synthetisiert werden. Dadurch wird verhindert, daß eine einmal an das Plasma gegebene genetische Information *in infinitum* zur Produk-

tion ein und desselben Proteins führt, d.h. daß die Produktion nur so lange stattfindet, wie das betreffende Gen aktiv ist und mRNA bildet. Im Gegensatz hierzu
behält die Virus-RNA ihre Aktivität wesentlich länger bei. Aber auch bei den Eukaryoten ist die mRNA längere Zeit aktiv. Es hat den Anschein, daß die Lebensdauer
der eukaryotischen mRNA durch die Länge des oben erwähnten Poly(A)-Stranges
bestimmt wird, dessen Länge mit zunehmendem Alter abnimmt. Die verhältnismäßig kurze Lebensdauer der Histon-mRNA wäre dann eine logische Folge des
Fehlens eines solchen Poly(A)-Stranges.

15.7   Geschlechtsbestimmung

Auch die Ausbildung des Geschlechts wird durch Gene gesteuert. Offensichtlich
besitzen alle Organismen grundsätzlich eine bisexuelle Potenz, d.h. die genetisch
bedingte Reaktionsnorm, beide Geschlechter auszubilden. Ist diese für beide Geschlechter gleich stark ausgeprägt, so entwickeln sich monoecische Individuen
mit beiden Sexualpotenzen, überwiegt dagegen die eine oder die andere, so entstehen dioecische Individuen mit überwiegend oder ausschließlich einer Sexualpotenz.

Für die Geschlechtsausprägung ist ein Realisatorsystem verantwortlich. In der Regel handelt es sich um ein Gen, d.h. das Geschlecht wird monofaktoriell bestimmt.
Im Prinzip folgt dann die Geschlechtsbestimmung dem Schema der Rückkreuzung zwischen einem monohybriden und dem rezessiven Elter (vgl. Abb. 15.**3**).
   Häufig haben die homologen Chromosomen, auf denen die geschlechtsbestimmenden Faktoren lokalisiert sind, eine verschiedene Gestalt (Geschlechts- oder
Heterochromosomen). Sie werden dann als X- und Y-Chromosomen unterschieden. Nicht selten fehlt sogar das eine Chromosom überhaupt, so daß bei der Paarung der Homologen in der Meiosis das Geschlechtschromosom ohne Partner
bleibt.
   Bei den Haplonten erfolgt die Geschlechtsbestimmung bereits während der
mit einer Meiosis verbundenen Keimung der Zygote (Abb. 14.**5**, S. 390). Zwei der
gebildeten vier Gonen enthalten die eine, zwei die andere Geschlechtspotenz, so
daß zwei der daraus hervorgehenden Individuen dem einen, zwei dem anderen
Geschlecht angehören (**haplogenotypische Geschlechtsbestimmung**).
   Bei den Diplonten ist das eine Geschlecht, meist das männliche, in bezug auf
die geschlechtsbestimmenden Faktoren heterozygot, besitzt also zwei verschiedene Geschlechtschromosomen (X, Y) bzw. nur eines, während das andere, in der
Regel das weibliche Geschlecht, zwei gleiche Chromosomen (XX) hat. Die bei der
Meiosis gebildeten Gameten (Abb. 14.**5**, S. 390) der männlichen Individuen sind
dann Heterogameten, d.h. sie enthalten zu 50% X- und zu 50% Y- (bzw. keine) Geschlechtschromosomen, während die weiblichen Individuen nur Gameten mit X-
Chromosomen hervorbringen, also homogametisch sind. Die Geschlechtsbestimmung erfolgt im Moment der Kopulation. Kopulieren X- und Y-Gameten, entsteht

ein männliches, kopulieren X- und X-Gameten, ein weibliches Individuum (**diplogenotypische Geschlechtsbestimmung**).

Bei Pflanzen mit Generationswechsel und dioecischen Gametophyten, z. B. den dioecischen Moosen, findet die Geschlechtsbestimmung bei der Bildung der Meiosporen statt, aus denen zur Hälfte männliche, zur Hälfte weibliche Gametophyten entstehen. Ungleich komplizierter liegen die Verhältnisse bei zweihäusigen Blütenpflanzen, bei denen die staminaten und carpellaten Blüten auf verschiedenen Individuen verteilt sind. Hier kann sowohl Diallelie als auch multiple Allelie vorliegen. Neben dem Realisator können noch Modifikationsgene vorkommen, die das dominante Realisatorallel in seiner Wirkung abschwächen. Bei polyploiden Pflanzen, die unter den höheren Pflanzen nicht selten sind, wird die Geschlechtsausprägung durch eine additive Allelwirkung bzw. eine unvollständige Dominanz beeinflußt. Die Geschlechtsbestimmung erfolgt bei der Verschmelzung der Eizelle mit der Spermazelle. Überwiegt die weibliche Sexualpotenz, so entsteht ein Makrosporophyt mit carpellaten Blüten, überwiegt die männliche, entsteht ein Mikrosporophyt mit staminaten Blüten. In diesem Falle unterscheiden sich also schon die Sporophyten in bezug auf die geschlechtsbestimmenden Faktoren insofern, als der eine nur Makrosporophylle, der andere nur Mikrosporophylle hervorbringen kann.

Bei manchen Pflanzen mit bisexueller Potenz kann die Ausprägung des Geschlechts in der einen oder in der anderen Richtung durch andere, nicht in den geschlechtsbestimmenden Genen selbst liegende Faktoren beeinflußt werden. In diesem Fall spricht man von phänotypischer Geschlechtsbestimmung. An der Geschlechtsausprägung monoecischer Pflanzen sind Phytohormone entscheidend beteiligt. So fördern bei der Gurke Auxine die Bildung carpellater, Gibberelline die Bildung staminater Blüten.

15.8 Extrachromosomale Vererbung

Nach der Reziprozitätsregel sind reziproke Hybriden gleich. Hiervon gibt es jedoch Ausnahmen, bei denen das Kreuzungsergebnis davon abhängt, welchem Geschlecht die jeweiligen Kreuzungspartner angehören. Da die Genome reziproker Hybride gleich sind, können die Merkmalsunterschiede nicht durch chromosomale Gene bedingt sein. Es wurde daher schon sehr früh erkannt, daß es auch extrachromosomale Gene geben muß, die nicht im Zellkern lokalisiert sind. Sitz dieser Gene sind die Mitochondrien und die Plastiden, die DNA und Ribosomen enthalten und somit zu einer eigenständigen, wenn auch begrenzten Proteinsynthese befähigt sind. Die in den Mitochondrien lokalisierten Gene werden auch als Chondriom, die in den Plastiden liegenden als Plastom bezeichnet.

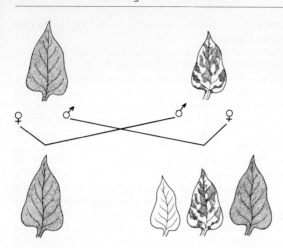

Abb. 15.**16**   Plastidenvererbung bei *Mirabilis
jalapa.* Die Kreuzung
♀ grün × ♂ albomaculat
ergibt reine grüne, die
Kreuzung ♂ grün ×
♀ albomaculat ergibt
teils weiße, teils albo-
maculate und teils grüne
Nachkommen (nach
Correns)

15.8.1   Plastidengenom

Ein Beispiel für die Plastidenvererbung ist die Weiß-grün-Scheckung der Blätter
von *Mirabilis jalapa,* deren Blütenfarbe nach den Mendelschen Regeln vererbt
wird. Kreuzt man eine rein grüne Mutter mit einem gescheckten (= albomacula-
ten) Vater, so ist die Nachkommenschaft durchweg rein grün (Abb. 15.**16**). Daraus
folgt, daß nur die Eizelle Plastiden enthält, die in diesem Falle normal grün sind.
Kreuzt man dagegen umgekehrt eine albomaculate Mutter mit einem rein grünen
Vater, so erhält man teils grüne, teils albomaculate, teils aber auch ganz weiße
Nachkommen, je nachdem, ob durch die Eizelle nur normal ergrünende, normal
und nicht ergrünende oder nur nicht ergrünende Plastiden übertragen worden
sind. Da die weißen Pflanzen nicht photoautotroph sind, gehen sie normalerweise
zugrunde.

Die cytologische Analyse hat ergeben, daß bei vielen Pflanzen die generativen
Zellen der Pollen tatsächlich frei von Plastiden sind, während die vegetativen Zellen durchaus Plastiden enthalten (Abb. 15.**17A**). In vielen Fällen, wie z.B. bei *Gasteria verrucosa,* werden die Plastiden bereits bei der ersten Mitose der Pollen
durch ein Netzwerk von Actinfibrillen im Bereich der vegetativen Zelle fixiert, so
daß die generative Zelle von vornherein keine Plastiden enthält. In anderen Fällen
erhält auch die generative Zelle Plastiden, die aber entweder später degenerieren
oder bei der Siphonogamie abgestreift und somit nicht in die Eizelle übertragen
werden. Es gibt allerdings auch Pflanzen, wie z.B. *Pelargonium zonale,* bei denen
auch die Spermazellen Plastiden enthalten (Abb. 15.**17B**). In diesem Falle werden
also die Plastom-Informationen biparental, d.h. durch beide Eltern vererbt. Die
Überstruktur der Chloroplasten-DNA zeigt Abb. 3.**14** (S. 97) für die Alge *Derbesia
marina.* Welche Proteinkomplexe der Thylakoidmembran höherer Pflanzen plastomcodiert sind, ist der Abb. 3.**13** (S. 94/95) zu entnehmen.

Abb. 15.**17** Pollenkörner. **A** *Gasteria verrucosa.* Die große vegetative Zelle enthält Plastiden mit stark kontrastierten Stärkekörnern, während die oben liegende, wandständige generative Zelle plastidenfrei ist. **B** *Pelargonium zonale.* Sowohl die im Zentrum befindliche generative Zelle als auch die sie umgebende vegetative Zelle enthalten Plastiden. Die der letzteren umschließen große, stark kontrastierte Stärkekörner. Fixierung: Glutaraldehyd/OsO_4; Kontrastierung: Uranylacetat/Bleicitrat; Vergr. **A** ca. 4000fach, **B** ca. 6000fach (Originalaufnahmen: R. Hagemann, H. Stein und M.-B. Schröder)

Abb. 15.**18** zeigt die Genkarte der Chloroplasten-DNA des Tabaks *(Nicotiana tabacum)*. Sie umfaßt 155844 Basenpaare, deren gesamte Sequenz aufgeklärt ist. Die überwiegende Mehrzahl der Gene ist, wie bei den Bakterien, zu Operons zusammengefaßt. Diese werden gemeinsam in einen polycistronischen mRNA-Strang transcribiert, der dann im „processing" in die mRNAs zerlegt wird. Auch bei anderen Pflanzen, z.B. dem Lebermoos *Marchantia polymorpha,* ist die molekulargenetische Analyse weit fortgeschritten.

Abb. 15.**18** Genkarte des Plastoms von *Nicotiana tabacum.* Die für den Photosyntheseapparat codierenden Gene (vgl. Abb. 3.**13**, S. 94/95) sind rot gezeichnet. 23 S, 16 S, 5 S und 4,5 S sind die rRNA-Gene, *trn* die tRNA-Gene, *rpo* die RNA-Polymerase-Gene und *rpl, rps* Gene, die für ribosomale Proteine codieren. Auf die übrigen Genbezeichnungen kann hier nicht eingegangen werden. Die Sterne markieren Gene, die Introns enthalten (nach Shinozaki et al.)

15.8.2   Mitochondriengenom

Obwohl die DNA der pflanzlichen Mitochondrien ungleich mehr Basenpaare um-faßt als die der Tiere und Pilze, enthält sie doch keineswegs sehr viel mehr Gene, die für Proteine codieren. Sie liegt in Form mehrerer ringförmiger Doppelstränge verschiedener Länge vor, wobei in allen Fällen ein zirkulärer „Hauptstrang" vor-handen ist, der die gesamte Sequenz der Gene des Genoms enthält. Die Bedeutung dieser ungewöhnlichen Organisation ist nicht bekannt. Auch scheint sie nicht für alle pflanzlichen Mitochondriengenome zuzutreffen. Sie enthält die Gene für die 26 S, 18 S und 5 S ribosomale RNA, für einige tRNAs, für einige Komponenten der Atmungskette sowie für Komponenten der mitochondrialen ATP-Synthese. Auch Genkarten liegen bereits für einige Pflanzen vor, worauf hier jedoch nicht näher eingegangen werden kann.

15.9   Genetische Grundlagen der Evolution

Wie in den ersten Kapiteln dieses Buches dargelegt wurde, ist die Evolution vom Proto- bzw. Eobionten zum hochentwickelten Vielzeller eine zahlenmäßig kaum abschätzbare Folge von schrittweisen Veränderungen in den Eigenschaften und Leistungen der Organismen. Diese müssen einerseits zu irgendeinem Zeitpunkt als Novum aufgetreten, dann aber an die nachfolgenden Generationen weiterver-erbt worden sein. Eines der Grundprobleme der Evolution ist also die Frage, wie diese im Laufe der phylogenetischen Entwicklung neu auftretenden Merkmale entstanden sind, und welches die Bedingungen hierfür waren, d.h. also die Frage nach den genetischen Grundlagen der Evolution.

15.9.1   Mutation

Eine unerläßliche Voraussetzung der Evolution sind die Mutationen. Dabei ist die relativ geringe Häufigkeit von Mutationen (Mutationsrate) kein gewichtiges Ar-gument, ihre Bedeutung für die Evolution in Zweifel zu ziehen, und zwar aus fol-genden Gründen:

1. Hinsichtlich der Mutationsrate bestehen zwischen den verschiedenen Genen ein und desselben Organismus erhebliche Unterschiede, d.h. es gibt Gene, die häufig mutieren, und andere, bei denen Mutationen sehr selten sind. Außer-dem kann die Mutationsrate mancher Gene durch besondere Mutatorgene er-höht werden.
2. Sowohl die Anzahl der Gene eines Organismus als auch die Zahl der Individuen einer Population ist in der Regel sehr hoch. Deshalb kann die Häufigkeit von Mutationen, absolut betrachtet, wesentlich höher sein, als der relative Wert der Mutationsrate vermuten läßt.
3. Durch Außeneinflüsse, z.B. Strahlung und chemische Agenzien, kann die Muta-tionsrate erheblich heraufgesetzt werden. Da im Laufe der erdgeschichtlichen Entwicklung sowohl die physikalischen Bedingungen als auch das chemische

Milieu häufigen Änderungen unterworfen waren, müssen wir davon ausgehen, daß diese auch bei der Entwicklung der Organismen einen erheblichen Einfluß hatten.

Die tatsächliche Häufigkeit von Mutationsereignissen ist insofern schwer abzuschätzen, als Schäden an der doppelsträngigen DNA mit Hilfe der bereits beschriebenen Kontrollmechanismen (S. 431) wieder repariert werden können. Nicht selten werden Mutationen durch Rückmutationen wieder beseitigt. Schließlich ist zu berücksichtigen, daß viele Punktmutationen, die nur eine Base und somit im Protein höchstens eine Aminosäure betreffen, überhaupt keine physiologischen und strukturellen Auswirkungen haben, da sie die Funktionsfähigkeit des betreffenden Proteins nicht beeinträchtigen. Derartige Mutationen können folglich überhaupt nicht erkannt werden. Ein eindrucksvolles Beispiel hierfür ist das Cytochrom c, dessen Primärstruktur im Verlaufe der phylogenetischen Entwicklung in weiten, funktionell wesentlichen Bereichen unverändert geblieben ist, während Aminosäuren in anderen Positionen ohne Funktionsbeeinträchtigung durch andere Aminosäuren ausgetauscht wurden, und zwar im Verlaufe der Evolution sogar wiederholt.

Die Hauptschwierigkeit, die stammesgeschichtliche Entwicklung durch eine zahlenmäßig kaum ausdrückbare Folge von Mutationen zu erklären, ist zweifellos die Tatsache, daß Mutationen nicht gerichtet verlaufen. Infolgedessen haben sie auf den Phänotypus meist negative Auswirkungen, vermindern die Überlebenschancen des betreffenden Organismus also eher, als daß sie sie erhöhen. Mit anderen Worten: Mutationen haben häufig einen negativen Selektionswert.

Dessen ungeachtet gibt es aber auch zahlreiche Beispiele für Mutationen, die für den betreffenden Organismus einen positiven Selektionswert haben. Von großer praktischer Bedeutung ist z.B. das häufig zu beobachtende Auftreten von Resistenz gegen Antibiotika und Sulfonamide bei bisher gegen diese Mittel empfindlichen Bakterienstämmen.

15.9.2   Rekombination

Liegen bei einer Art infolge von Mutationen mehrere Gene oder Gengruppen verschiedener Allele vor, so können diese in der Meiosis vermischt und neu miteinander kombiniert werden, was zur Bildung neuer Rassen und Arten führt (Abb. 15.**4**, S. 413). Die Neukombination des Erbgutes in der Meiosis ist somit ein weiterer wichtiger Faktor für die Evolution der Organismen.

15.9.3   Selektion

Wie bereits erwähnt, können Mutationen entweder einen negativen oder einen positiven Selektionswert haben oder aber für den Organismus bedeutungslos sein. Negative Mutationen, selbst wenn sie nicht letal sind, vermindern entweder die Überlebenschancen, etwa infolge von Stoffwechseldefekten, oder beeinträchtigen die Fortpflanzung. Infolgedessen sind Mutanten dieser Art unter natürlichen Bedingungen im Konkurrenzkampf den Wildformen unterlegen und werden wieder ausgemerzt. Aber auch der positive Selektionswert einer Mutation ist relativ, d.h. auf die Umweltbedingungen bezogen. So ist die Frosthärte mancher Bäume eine unerläßliche Voraussetzung für die Besiedlung nördlicher Breiten, während sie für die Tropen und Subtropen bedeutungslos ist. Wie bereits ausführlich dargelegt, sind C_4-Pflanzen den C_3-Pflanzen im CO_2-Einbau deutlich überlegen, erkaufen diese Überlegenheit aber durch einen höheren Energieverbrauch. Ob der C_4-Dicarbonsäureweg einen positiven oder negativen Selektionswert hat, hängt daher entscheidend von den Umweltbedingungen ab.

Schließlich treten die oben erwähnten antibiotika- und sulfonamidresistenten Stämme nur bei Anwendung dieser Mittel hervor, da nur unter diesen Bedingungen die resistenten Formen größere Überlebenschancen haben und bei der durch die Hemmstoffe bedingten Selektion übrigbleiben. Bei Abwesenheit der genannten Hemmstoffe ist die Resistenz gegen diese bedeutungslos und führt nicht zu einer Selektion. Die Anwendung der Antibiotika und Sulfonamide führt also nicht zur Entstehung, sondern lediglich zur Selektion resistenter Formen.

🛑 Die Selektion kann stabilisierend auf eine Population wirken, indem ständig die extremen Formen eliminiert werden, die Population also ziemlich einheitlich gehalten wird. Ihre Variationsbreite, d.h. Abweichungen in Größe, Farbe und Gestalt von der durchschnittlich am häufigsten vertretenen „Normalform", ist relativ gering. Die Selektion kann aber auch gerichtet sein, indem sie, etwa bei Änderung der klimatischen Bedingungen, besser angepaßte Mutanten und Rekombinanten begünstigt, was eine Verschiebung der Variationsbreite zur Folge hat.

In sehr kleinen Populationen oder bei plötzlicher starker Verminderung der Populationsgröße (z.B. durch Krankheiten, Dürreperioden u.ä.) können bestimmte Allele rein zufällig erhalten bleiben bzw. eliminiert werden, d.h. also unabhängig von ihrem Selektionswert. Man bezeichnet dies als **genetische Drift.**

15.9.4 Isolation

Die Auswirkungen von Mutationen, Rekombinationen, Selektion und genetischer Drift werden besonders dann deutlich, wenn eine Art sich über einen ganzen Kontinent oder gar von Kontinent zu Kontinent bzw. auf Inseln oder Inselgruppen verbreitet. Eine solche geographische Isolation führt bereits nach verhältnismäßig kurzer Zeit zur Ausbildung von Rassen, die sich mehr oder weniger stark von der Ursprungsart unterscheiden und sich mit dieser um so schwerer kreuzen lassen, je weiter die Rassenbildung fortgeschritten ist. Oft sind die Unterschiede so groß, daß man bereits von Unterarten spricht, die sich schließlich zu besonderen Arten entwickeln, wobei die Entscheidung, ob eine Rasse, Unterart oder neue Art vorliegt, natürlich nur von Fall zu Fall gefällt werden kann.

Auch die ökologische Isolierung als Folge der Besiedlung besonderer, vom übrigen Verbreitungsgebiet abweichender Biotope kann zur Bildung von Rassen, Unterarten und neuen Arten führen. Schließlich ist noch die sexuelle Isolation zu erwähnen. Sie ist eine Folge eingeschränkter Kreuzungsmöglichkeiten, z. B. Sterilität oder verminderte Fertilität von Hybriden. Hierdurch wird der Genaustausch zwischen Rassen und Unterarten eingeschränkt oder blockiert.

Die vorstehenden Abschnitte zeigen, wie es durch Zusammenwirken der Evolutionsfaktoren zur Ausbildung neuer Arten kommen kann. Sehr wesentlich ist dabei ein gewisser Selektionsdruck, durch den einige Phänotypen begünstigt und andere benachteiligt werden, was zur allmählichen Auslese der ersteren führt. Es herrscht jedoch noch keineswegs Einigkeit darüber, ob diese Faktoren zur Erklärung aller Evolutionsvorgänge ausreichen. So ist die Entstehung der in Kapitel 13.4 vorgestellten komplizierten Tierfangapparate kaum durch einen Selektionsdruck zu erklären, da der Tierfang für diese Pflanzen keineswegs eine unerläßliche Bedingung ist, sondern nur einen zusätzlichen Nahrungserwerb darstellt. Die phylogenetische Entwicklung und Beibehaltung von Zellen, Geweben und Organen, die den betreffenden Organismen offensichtlich keinen Selektionsvorteil verschaffen, ist zweifellos ein ungelöstes Problem der Evolutionsforschung.

Zusammenfassung

Gene sind Erbfaktoren, die Kontinuität besitzen, d. h. von Generation zu Generation im typischen Falle unverändert weitergegeben werden. Ihre Gesamtheit bezeichnet man als Genotypus. Die Realisierung des Genotypus führt zu dem äußeren Erscheinungsbild eines Organismus, dem Phänotypus.

Die Gesamtheit der Gene eines Chromosomensatzes heißt Genom. Außerdem sind an der Ausbildung des Phänotypus auch extrachromosomale Gene beteiligt, die auf der DNA der Plastiden (Plastom) bzw. der Mitochondrien (Chondriom) lokalisiert sind.

Ein Gen bestimmt nicht direkt ein Merkmal, sondern einen Reaktionsschritt, der zur Merkmalsausbildung führt. Es ist somit eine Funktionseinheit. Nach den Regeln der klassischen Genetik (Mendelsche Regeln) ist es außerdem die Einheit der Rekombination und der Mutation.

Ein Gen kann in verschiedenen Zuständen vorliegen, die Unterschiede bei der Ausbildung eines Merkmals zur Folge haben. Man bezeichnet sie als Allele. Bei homozygoten Organismen sind die Allele des betreffenden Gens gleich, bei heterozygoten Organismen verschieden.

Träger der genetischen Information ist die DNA, die eine hohe Spezifität und auch die Fähigkeit zur Selbstverdopplung (Autoreplikation) besitzt. Die genetische Information liegt in der Sequenz der Nucleotide der DNA. Jede Aminosäure wird durch drei aufeinanderfolgende Nucleotide (Tripletts) determiniert (genetischer Code).

Das Genom von *Escherichia coli* besteht aus einem zirkulären DNA-Doppelstrang, der im nativen Zustand durch Ausbildung superhelikaler Schleifen aufgeknäult ist. Er umfaßt 3,6 Millionen Nucleotidpaare, die die Information für etwa 3000 Gene enthalten. Die Lokalisation von etwa 1000 dieser Gene ist bekannt. Zusätzlich kommen kleinere DNA-Elemente vor, die als Plasmide bezeichnet werden. Sie können von einer Bakterienzelle auf eine andere übertragen werden, wobei sie häufig auch

Teile des Bakteriengenoms mit übertragen, was zu Rekombinationen führt.

Bei einigen Viren und Bakteriophagen kann auch die RNA als Informationsüberträger dienen. Die Nucleinsäuren sind hier von einer als Capsid bezeichneten Proteinhülle umgeben, mit Ausnahme der nackten Viroide. Die Viren und Bakteriophagen veranlassen die infizierten Zellen zu einer Änderung der Nucleinsäure- und Proteinsynthese.

Das Genom der Eukaryoten ist auf die Chromosomen verteilt, die in der diploiden Zelle in zwei homologen Sätzen vorliegen. Befinden sich Gene auf verschiedenen Chromosomen, sind sie frei kombinierbar. Liegen sie auf dem gleichen Chromosom, werden sie gekoppelt vererbt. Die Genkopplung kann allerdings durch Segmentaustausch durchbrochen werden.

Bei vielen Organismen kommen bewegliche DNA-Sequenzen vor, die als Transposons oder springende Gene bezeichnet werden.

Bei der Replikation wird der Doppelstrang der DNA durch Helikasen entwunden. Die entstehenden Einzelstränge werden durch Anlagerung von DNA-Bindungsproteinen stabilisiert. Der $5' \rightarrow 3'$-Strang, der zur Replikationsgabel hin wächst, wird lange Zeit ununterbrochen durch die Polymerase III synthetisiert. Die Synthese des antiparallelen Stranges erfolgt durch das gleiche Enzym, aber diskontinuierlich, wodurch Okazaki-Fragmente gebildet werden. Diese werden später durch Ligasen miteinander verknüpft.

Mutationen können durch Änderung einzelner Gene, durch Änderungen des Chromosomenbaus und durch Änderung der Chromosomenzahl entstehen. Entsprechend unterscheidet man Gen-, Chromosomen- und Genommutationen. Mutationen können sowohl spontan entstehen als auch durch mutagene Agenzien bzw. Strahlung ausgelöst werden. Die Funktions- und Mutationseinheit im engeren Sinne ist das Cistron. Ein Gen kann aus mehreren Cistrons bestehen.

Bei der auch als Genexpression bezeichneten Realisierung der genetischen Information wird zunächst die Nucleotidsequenz der DNA in die Nucleotidsequenz einer RNA übertragen. Im Falle der Proteinsynthese wird zunächst mRNA gebildet. Diese Umschreibung des Codes aus der DNA in die RNA bezeichnet man als Transcription. Die mRNA wird bei der Proteinsynthese an den Ribosomen in eine Aminosäuresequenz übersetzt (Translation). Während bei den Prokaryoten beide Prozesse im Cytoplasma stattfinden, erfolgt bei den Eukaryoten die Transcription im Zellkern, die Translation an den Ribosomen im Cytoplasma. Außerdem sind sowohl die Plastiden als auch die Mitochondrien zu einer begrenzten Proteinsynthese befähigt.

Auch die Geschlechtsausbildung wird häufig durch Gene gesteuert (genotypische Geschlechtsbestimmung). In der Regel handelt es sich um ein Gen, d.h. das Geschlecht wird monofaktoriell bestimmt. Bei den Haplonten erfolgt die Geschlechtsbestimmung bereits bei der Meiosis (haplogenotypische Geschlechtsbestimmung), bei den Diplonten im Moment der Kopulation (diplogenotypische Geschlechtsbestimmung). Wird die Ausprägung des Geschlechtes durch andere, nicht in den geschlechtsbestimmenden Genen liegende Faktoren beeinflußt, spricht man von phänotypischer Geschlechtsbestimmung.

Mutation und Rekombination der Gene im Verein mit natürlicher Selektion und räumlicher Isolation sind die wesentlichen evolutionsbestimmenden Faktoren.

16 Wachstum und Entwicklung

▬▬▬▬ Als Wachstum und Entwicklung bezeichnen wir die Gesamtheit der Prozesse, die von der Keimzelle, sei sie nun auf sexuellem oder vegetativem Wege entstanden, zur endgültigen Ausgestaltung der Pflanze führen.

Allerdings sind beide Begriffe ihrem Inhalt nach nicht miteinander identisch. Als Wachstum bezeichnet man eine, im Gegensatz etwa zur Quellung, irreversible Volumen- und Substanzzunahme, die an die lebende Zelle gebunden ist. Dagegen versteht man unter Entwicklung im engeren Sinne alle die Prozesse, die zu formativen Veränderungen, d. h. Änderungen der inneren und äußeren Gestalt führen, also vor allem die Differenzierungsprozesse umfassen. Andererseits lassen sich jedoch die beiden Begriffe nicht scharf voneinander trennen, da Wachstumsprozesse in der Regel auch eine Änderung der Gestalt zur Folge haben und darüber hinaus die Voraussetzung bzw. ein integrierender Bestandteil vieler Entwicklungsprozesse sind.

Die Entwicklung des pflanzlichen, insbesondere des vielzelligen Organismus umfaßt also sowohl die Prozesse der Zellvermehrung und -vergrößerung als auch die der Differenzierung, die zur Arbeitsteilung der Zellen und somit zur Gewebe- und Organbildung führen. Da der Entwicklungsgang einerseits durch innere Faktoren gesteuert wird, die durch die von den Elternorganismen erhaltene genetische Information bedingt sind, andererseits aber innerhalb gewisser Grenzen auch durch Außenfaktoren modifiziert werden kann, stellt er ein kompliziertes Gefüge sich gegenseitig bedingender und in verschiedener Weise zu beeinflussender Vorgänge dar, das wir auch heute noch nicht annähernd übersehen.

16.1 Wachstum von Einzellern

Da auf der protophytischen Organisationsstufe die einzelnen Individuen meist direkt durch einfache oder multiple Teilungen aus dem Mutterorganismus bzw. den Keimzellen hervorgehen, treten formative Effekte bei ihnen in den Hintergrund. Für das Studium der Wachstumsvorgänge sind sie jedoch wegen ihrer raschen Vermehrung und der dadurch bedingten Möglichkeit, innerhalb einer verhältnismäßig kurzen Zeit eine große Population zu erhalten, recht gut geeignet. Aus diesem Grunde sind viele unserer Kenntnisse, die das Wachstum und insbesondere die Plasmavermehrung betreffen, an Mikroorganismen gewonnen worden.

Überträgt man Mikroorganismen oder deren Keimzellen in ein geeignetes, alle notwendigen Nährstoffe enthaltendes Medium, mißt in regelmäßigen Abständen die Zellzahl und trägt deren Logarithmus gegen die Zeit auf, so erhält man die in Abb. 16.1 wiedergegebene sigmoide Wachstumskurve. Nach einer kurzen Anlaufsphase (I), in der keine Vermehrung, sondern lediglich eine Größenzunahme der Zellen erfolgt, beginnt das Zellteilungswachstum. In der Beschleunigungsphase (II) nimmt die Häufigkeit der Teilungen zu, bis eine konstante Teilungsgeschwindigkeit erreicht ist. Jetzt zeigt das Wachstum einen exponentiellen Verlauf, d.h. daß aus $1 = 2 = 4 = 8$ usw., allgemein also a · 2^n Zellen entstehen. Man bezeichnet diesen Abschnitt der Wachstumskurve daher als logarithmische Phase (log-Phase) des Wachstums (III). Mit zunehmendem Alter der Kultur setzt dann, wohl infolge der Erschöpfung der Nährstoffe und der Anhäufung toxisch wirkender Stoffwechselprodukte, eine Verlangsamung der Wachstumsgeschwindigkeit, die Verzögerungsphase (IV), ein, in der die Wachstumskurve allmählich in die Horizontale abbiegt und in die stationäre Phase überleitet (V). Von diesem Zeitpunkt an bleibt die Zellenzahl konstant, sofern sich nicht noch eine Abnahmephase (VI) anschließt, in der ein Teil der Zellen durch Autolyse abstirbt, was zum Absinken der Keimzahl führt.

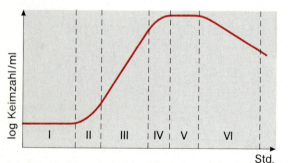

Abb. 16.1 Wachstumsphasen einer Bakterienkultur, schematisch. I. Anlaufs-, II. Beschleunigungs-, III. logarithmische, IV. Verzögerungs-, V. stationäre, VI. Abnahmephase

Die überwiegende Anzahl der Untersuchungen an Mikroorganismen wird während der logarithmischen Phase durchgeführt. Es wurden daher kontinuierliche Verdünnungsverfahren ausgearbeitet, die es gestatten, durch kontrollierte Zufuhr neuer Nährlösung die Zahl der Organismen konstant und die Kultur auf diese Weise ständig in der log-Phase zu halten. Man kann jedoch eine Kultur auch so steuern, daß sich ihre Zellen jeweils etwa zur gleichen Zeit teilen und somit das gleiche Alter haben (Synchronisation). Dadurch ist es möglich, die Eigenschaften von Mikroorganismen, z. B. ihre stoffliche Zusammensetzung oder ihre biochemischen Leistungen, in verschiedenen Altersstadien nach der Zellteilung zu erfassen. Das ist bei einer normalen Kultur, die stets Zellen aller Altersstadien enthält, nicht möglich.

16.1.1   Wachstumsfaktoren

Wie bereits erwähnt (S. 360), benötigen manche heterotrophen Organismen außer den als Nahrungs- und Energiequellen dienenden organischen Verbindungen noch ganz bestimmte Moleküle, die sie nicht selbst synthetisieren können. Man bezeichnet sie als Wachstumsfaktoren oder **Vitamine.** Von den Nährstoffen unterscheiden sie sich neben ihrer hohen Spezifität vor allem dadurch, daß sie nur in äußerst geringen Mengen benötigt werden, da sie eben nicht als Substrate der Energiegewinnung dienen, sondern ganz bestimmte Funktionen haben.

Historisch gesehen wurde die Rolle der Vitamine allerdings zuerst beim Studium der menschlichen und tierischen Mangelkrankheiten (Avitaminosen) erkannt, z. B. die Verhinderung der Beriberi durch Vitamin B_1, des Skorbutes durch Vitamin C (Ascorbinsäure) usw. Man definierte deshalb die Vitamine als Wirkstoffe, die für das normale Gedeihen des menschlichen bzw. tierischen Organismus unerläßlich sind, von diesem jedoch nicht selbst synthetisiert werden können.

Die meisten Vitamine sind Wirkungsgruppen von Enzymen. Dies gilt natürlich gleichermaßen für Mensch, Tier und Pflanze wie auch für die oben erwähnten Mikroorganismen. Der Unterschied liegt eben nur darin, daß die autotrophen Pflanzen diese Bausteine in der Regel selbst zu synthetisieren vermögen, zahlreiche heterotrophe Organismen dagegen nicht.

Das Vitamin B_1, das auch als **Thiamin** oder Aneurin bezeichnet wird, verhindert beim Menschen die Beriberi. In seiner aktiven Form als Diphosphat ist es Bestandteil verschiedener Enzyme, und zwar sowohl der Decarboxylasen als auch der C_2-Fragmente (z. B. aktiver Glykolaldehyd) übertragenden Transketolasen.

Es gibt eine verhältnismäßig große Anzahl von Mikroorganismen, die dieses Vitamin oder doch wenigstens Teile davon benötigen. So vermag der Pilz *Phycomyces blakesleeanus* auch dann noch zu wachsen, wenn ihm die beiden Komponenten Pyrimidin und Thiazol getrennt geboten werden. *Neurospora crassa* benötigt sogar nur das Thiazol, vermag das Pyrimidin also selbst zu synthetisieren. In diesem Zusammenhang sei auch die **Parabiose** der Hefe *Rhodotorula rubra* mit dem Zygomyceten *Mucor ramannianus* erwähnt. Erstere ist thiazolautotroph, benötigt also nur Pyrimidin, letzterer synthetisiert Pyrimidin, braucht aber Thiazol.

Pyrimidin   **Thiazol**

Thiamin

Riboflavin

Bringt man beide Organismen gemeinsam auf einem thiaminfreien Nährboden, auf dem sie allein nicht wachsen, zur Aussaat, gedeihen sie normal.

Riboflavin, Nicotinsäure, Folsäure und Pantothensäure sind die Komponenten des Vitamin-B_2-Komplexes. Das **Riboflavin,** das wir als Bestandteil der Flavinenzyme bereits kennengelernt haben (S. 286f.), wird z.B. von *Lactobacillus casei* als Wachstumsfaktor benötigt. **Nicotinsäure** bzw. **Nicotinsäureamid,** Bestandteile der schon mehrfach erwähnten Nicotinamid-adenin-dinucleotide (S. 286f.), ist ein Wachstumsfaktor der Milchsäurebakterien. Die **Folsäure,** die Wirkungsgruppe des Coenzyms F, das C_1-Körper überträgt (Transformylierung), wird noch ausführlicher besprochen (s. unten). Die **Pantothensäure,** ein Bestandteil des Coenzyms A, ist ein Wachstumsfaktor für viele Hefen sowie einige *Lactobacillus*-Arten.

Das **Pyridoxin** (Vitamin B_6, Adermin) und seine Verwandten (Pyridoxal, Pyridoxamin) sind Vorstufen des Pyridoxalphosphates, des Coenzyms der Aminosäuredecarboxylasen und der Transaminasen. Manche *Lactobacillus*-Arten benötigen das Pyridoxalphosphat selbst, andere kommen mit Vorstufen aus. Das **Cobalamin** (Vitamin B_{12}), ein Abkömmling des Porphyrins mit Co als Zentralatom, wird nicht nur von Bakterien als Wachstumsfaktor benötigt, sondern fördert auch das Wachstum zahlreicher Algen. **Biotin** (Vitamin H), das nicht mit dem Vitamin H' (s. unten) verwechselt werden darf, vermag als Coenzym die Kohlensäure zu aktivieren (Carboxybiotin) und als Carboxylgruppe in ein Molekül einzuführen (Carboxylierung).

Nicotinsäure   **Pyridoxalphosphat**   **Biotin**

Andere für den Menschen so überaus wichtige Vitamine, wie z. B. die Vitamine A und D, scheinen bei Pflanzen keine wesentliche Rolle zu spielen.

16.1.2   Antimetabolite

❗ Die Abhängigkeit der Mikroorganismen von bestimmten Wachstumsfaktoren eröffnet die Möglichkeit, ihre Entwicklung in spezifischer Weise durch die Verabreichung von Substanzen zu hemmen, die dem betreffenden Wachstumsfaktor bis zu einem gewissen Grade ähnlich sind und an seiner Stelle von den Mikroorganismen eingebaut werden, ihn jedoch funktionell nicht vertreten können. Das hat bestimmte Ausfallserscheinungen zur Folge und führt zur Verlangsamung bzw. Einstellung des Wachstums. Derartige Substanzen bezeichnet man als Antimetabolite.

p-Aminobenzoesäure   **Sulfanilamid**

Aus der Vielzahl von Verbindungen dieser Art seien hier die **Sulfonamide** ausgewählt. Ein charakteristischer Vertreter ist das Sulfanilsäureamid (Sulfanilamid), das als Antagonist der *p*-Aminobenzoesäure (PAB, Vitamin H′) fungiert, die ein Baustein der Folsäure ist (s. unten). Aufgrund ihrer ähnlichen molekularen Struktur werden die Sulfonamide, wenn man sie den Mikroorganismen in großer Menge anbietet, anstelle der PAB in die Folsäure eingebaut, die hierdurch inaktiviert wird. Infolgedessen wird die Transformylierung und damit z. B. die Purinsynthese (S. 350) gehemmt. Dies führt zur Wachstumseinstellung, jedoch nicht zur Abtötung der Mikroorganismen. Gibt man nämlich anschließend wieder PAB im Überschuß, so verdrängt diese die Sulfonamide, und das Wachstum wird fortgesetzt. Die Sulfonamide wirken also nicht bakterizid, sondern bakteriostatisch.

Pteridin   **p-Aminobenzoe-**   **Glutaminsäure**
                    säure

Folsäure

Pantothensäure   **Pantothensäurehydrazid**

Durch systematische Prüfung einer großen Anzahl der verschiedensten Verbindungen hat sich in den letzten Jahren die Zahl der bekannten Antimetabolite stark vermehrt. So fungiert z.B. als Antagonist der Pantothensäure das Pantothensäurehydrazid, als Antagonist des Pyridoxins (s. oben) das zur Tuberkulosebekämpfung verwandte Isoniazid usw. Manche dieser Antimetabolite haben, wie ja auch die Sulfonamide selbst, als Therapeutika Eingang in die Medizin gefunden. Darüber hinaus sind sie jedoch auch für den Biochemiker und Biologen von unschätzbarem Wert, da sie ihm die Möglichkeit in die Hand geben, bestimmte physiologische Vorgänge spezifisch zu blockieren, was deren Studium außerordentlich erleichtert bzw. überhaupt erst ermöglicht hat.

16.1.3   Antibiotika

Im Gegensatz zu den vorher erwähnten synthetischen Antimetaboliten bezeichnet man als Antibiotika im ursprünglichen Sinne Wachstumshemmstoffe, die von Mikroorganismen erzeugt und an ihre Umgebung abgegeben werden. Sie hemmen andere Mikroorganismen in der Entwicklung, während sie für den erzeugenden Organismus selbst innerhalb weiter Grenzen unschädlich sind. Allerdings wurden Stoffe ähnlicher Wirkung inzwischen auch bei anderen Organismen, unter anderem bei höheren Pflanzen, gefunden, weshalb die ursprüngliche Definition nicht mehr aufrechterhalten werden kann. Letztlich handelt es sich auch hier um Antimetabolite, deren chemische Natur recht verschieden sein kann.

Ob die Antibiotika auch im Konkurrenzkampf unter natürlichen Bedingungen eine Rolle spielen, ist noch strittig, da sie im Boden, wenn überhaupt, meist gebunden vorliegen. Möglicherweise werden sie nur unter Kulturbedingungen gebildet. Dessen ungeachtet haben sie in die Medizin und Biologie als spezifische Hemmstoffe, z.B. bestimmter Schritte der Genexpression wie auch zahlreicher anderer biochemischer Reaktionen, eine große Bedeutung erlangt.

Abb. 16.2 Vergleich der Wirkung der Antibiotika Penicillin (Pen), Streptomycin (Str), Terramycin (Ter) und Chloramphenicol (Chl) gegen *Micrococcus pyogenes* var. *aureus* im Lochtest

Zur Prüfung auf antibiotische Wirksamkeit sind verschiedene Testverfahren entwikkelt worden, die letzten Endes alle auf dem gleichen Prinzip beruhen. Man zieht den zu untersuchenden Organismus in künstlicher Kultur an und prüft nach einiger Zeit das Kulturfiltrat auf seine antibiotische Wirksamkeit. Hierzu kann man sich z. B. des Lochtests (Abb. 16.**2**) bedienen, bei dem man in eine mit dem Testbakterium beimpfte Nähragarplatte Löcher stanzt, in diese die zu prüfende Lösung einfüllt und nach einiger Zeit feststellt, ob in der Umgebung des Loches eine Wachstumshemmung eingetreten ist.

Penicillin: Die Entdeckung des Penicillins hat eine neue Ära in der Medizin eingeleitet. Es ist ein Produkt des Schimmelpilzes *Penicillium notatum.* Technisch wird es allerdings meist aus *Penicillium chrysogenum* gewonnen. Es gibt eine ganze Reihe von Penicillinen, die sich in ihrer Struktur nur geringfügig unterscheiden und mit großen Buchstaben (B, F, G usw.) bezeichnet werden. Die Penicilline hemmen vor allem grampositive Bakterien, z. B. Staphylococcen *(Micrococcus pyogenes* var. *aureus),* aber auch einige gramnegative Formen. Ihre Wirkung beruht darauf, daß sie die Bildung der Bakterienzellwand hemmen, indem sie die Quervernetzung der Peptidoglycanmoleküle über die Peptidseitenketten verhindern. Da die Synthese von Zellwandmaterial während des Wachstums der Bakterien erfolgt, wirken die Penicilline nur auf wachsende Bakterien. Penicillin ist wohl auch heute

Penicillin G-Na   **Streptomycin**

noch das in der Medizin am häufigsten angewandte Antibiotikum. Allerdings hat man in letzter Zeit immer häufiger das Auftreten von Penicillinresistenz festgestellt, der jedoch durch chemische Veränderungen am Molekül, z. B. veränderte Seitenketten, bis zu einem gewissen Grade begegnet werden kann. In einigen Fällen hat diese Resistenz ihre Ursache in der Bildung des Enzyms Penicillinase, das das Penicillin zerstört.

Streptomycin: Dieses Produkt des Actinomyceten *Streptomyces griseus* hemmt eine größere Anzahl von Bakterienarten als das Penicillin, z. B. auch den Erreger der Tuberkulose. Es wird an die kleineren Untereinheiten der Ribosomen gebunden, was deren Verformung zur Folge hat. Hierdurch werden Ablesefehler bei der Translation verursacht, so daß funktionell unwirksame Proteine entstehen.

Chloramphenicol: Dieses auch als Cloromycetin bezeichnete Produkt des Actinomyceten *Streptomyces venezuelae* wird heute synthetisch hergestellt. Sein Molekül ist insofern interessant, als es eine Nitrogruppe enthält, was bei Naturstoffen selten der Fall ist. Es ist gegen zahlreiche grampositive und gramnegative Bakterien sowie auch gegen manche Protozoen und große Viren wirksam. Chloramphenicol blockiert die Proteinsynthese an den 70 S Ribosomen, indem es an deren 50 S Untereinheiten bindet und die Anlagerung der mRNA an diese verhindert. Es hemmt somit die Translation nur bei Prokaryoten, Mitochondrien und Plastiden.

Tetracyclin: Das Tetracyclin und seine Derivate **Aureomycin** und **Terramycin** sind ebenfalls Produkte von Streptomyceten. Ihre Moleküle bestehen aus vier linear anellierten sechsgliedrigen Ringen, die verschiedene Substituenten tragen können. In ihrer Wirkungsbreite werden sie nur vom Chloramphenicol übertroffen. Sie reagieren mit den 30 S Untereinheiten der Ribosomen und blockieren dadurch bei der Translation die Bindung der Aminoacyl-tRNA an die spezifische Akzeptorstelle. Auch die Proteinsynthese von Eukaryoten wird durch Tetracycline gehemmt, aber erst bei höheren Konzentrationen.

Aminoacylende der tRNA

Abschließend seien noch einige Antibiotika genannt, die für den Biologen von besonderem Interesse sind. Die **Actinomycine,** deren bekanntester Vertreter das Actinomycin D ist, haben als Inhibitoren der Proteinsynthese Bedeutung erlangt. Sie hemmen die Transcription, indem sie die DNA besetzen und als Matrize unbrauchbar machen. **Puromycin** hemmt die Translation. Infolge seiner strukturellen Ähnlichkeit mit dem Aminoacyladenosin-Ende der tRNA (CCA-Ende, S. 33) geht es bei der Proteinsynthese mit der zuletzt am Ribosom eingebauten Aminoacyl-tRNA (Abb. 15.**15**, S. 438) eine Peptidbindung ein. Da es jedoch mit der nächstfolgenden Aminosäure keine weitere Peptidbindung bilden kann, löst sich der gebildete Polypeptidstrang zusammen mit dem Puromycin vorzeitig vom Ribosom ab. **Cytochalasine** sind Stoffwechselprodukte von *Helminthosporium dematioideum.* Es wurden mehr als 20 Vertreter beschrieben, die vielfältige biologische Wirkungen entfalten. Durch Blockierung der Actin-Polymerisation hemmen sie die durch Mikrofilamente verursachten Bewegungsvorgänge.

16.2   Wachstum der höheren Pflanze

Die mit zunehmender Organisationshöhe zu beobachtende funktionelle Spezialisierung der Zellen und Gewebe eines vielzelligen Organismus macht es nötig, daß die von den Meristemen erzeugten Zellen zunächst noch eine morphologische und physiologische Umgestaltung erfahren, ehe sie ihre Funktion ausüben können. Wie bereits in Kapitel 4 ausführlich dargelegt, umfaßt diese Umgestaltung eine Vielzahl von Prozessen, die schließlich zur endgültigen Ausgestaltung der Zelle führen. Im einzelnen gehören hierzu die Größenzunahme der Zellen durch Streckungs- und/oder Weitenwachstum, das Dickenwachstum der Zellwand, gegebenenfalls begleitet bzw. gefolgt von Inkrustierung und Akkrustierung, die Ausbildung bestimmter plasmatischer Strukturen sowie die Bildung besonderer Zellinhaltsstoffe.

Es werden drei Phasen des Zellwachstums unterschieden: Zellteilung, Zellvergrößerung und Differenzierung. Entsprechend werden die Spitzenregionen pflanzlicher Organe in eine Zellteilungs-, Streckungs- und Differenzierungszone unterteilt. Da die Zellstreckung naturgemäß am stärksten ins Auge fällt, ist eine solche Zonierung an einem wachsenden Organ leicht nachzuweisen (Abb. 16.**3**). Tatsächlich lassen sich jedoch die drei Phasen des Zellwachstums nicht scharf voneinander abgrenzen. Folglich sind auch die Wachstumszonen nicht deutlich getrennt, sondern überlappen sich. Für die Wurzel zeigt dies besonders Abb. 8.**1C** (S. 249).

16.2.1   Phytohormone

▌ Die Regulation des Wachstums der höheren Pflanzen erfolgt durch die Phytohormone. Ähnlich den Hormonen des menschlichen und tierischen Organismus werden sie auch bei Pflanzen in bestimmten Geweben gebildet und von dort zu ihren Wirkungsorten transportiert. In einzelnen Fällen können allerdings Bildungsort und Wirkungsort auch identisch sein. Der Ferntransport kann sowohl in den Leitungsbahnen des Xylems als auch des Phloems erfolgen, doch findet auch ein Transport von Zelle zu Zelle statt. Die meisten Phytohormone können bereits in sehr geringen Konzentrationen (μmol) ihre regulatorische Funktion entfalten, wobei sie die verschiedenen Wachstums- und Entwicklungsvorgänge teils antagonistisch, teils synergistisch beeinflussen.

Ob ein bestimmter Prozeß ausgelöst, gefördert oder gehemmt wird, hängt allerdings nicht allein von der absoluten Hormonkonzentration in dem betreffenden Gewebe oder Organ ab, sondern auch von dem Mengenverhältnis der verschiedenen Hormone zueinander. Hinzu kommen offenbar Änderungen in der Hormonempfindlichkeit der betreffenden Zellen und Gewebe, die möglicherweise auf Änderungen der Anzahl und/oder der Bindungsaffinität spezifischer Hormonrezeptoren zurückzuführen sind. Allerdings wissen wir über diese Hormonrezeptoren

Abb. 16.**3** Zuwachsverteilung an der Wurzelspitze der Ackerbohne *(Vicia faba)*. **A** Wurzelspitze durch Tuschemarken in 10 gleichgroße Abschnitte eingeteilt. **B** Dieselbe Wurzel 22 Stunden später. Die Marken sind durch das ungleiche Streckungswachstum der einzelnen Zonen verschieden weit auseinandergerückt. Die drei Wachstumszonen liegen etwa zwischen folgenden Marken: 0 – 2: Zone der Zellteilungen, 2 – 7: Streckungszone, oberhalb 7: Differenzierungszone. Die Nadel n markiert die ursprüngliche Stellung der Nullmarke (nach Sachs)

noch sehr wenig, weshalb hier nicht näher darauf eingegangen wird. Die wichtigsten Klassen sind: Auxine, Gibberelline, Cytokinine, Abscisine, das Ethylen und die Jasmonate.

16.2.1.1 Auxine

Neben der Indol-3-yl-essigsäure (IES, engl. indole acetic acid, IAA), die auch als Auxin im engeren Sinne bezeichnet wird, gehören zu dieser Gruppe zahlreiche Verbindungen, die sich teils ebenfalls vom Indol, zum Teil aber auch von anderen Grundkörpern ableiten, z.B. die Naphthylessigsäure. Darüber hinaus sind weitere Substanzen mit Auxincharakter gefunden worden, deren chemische Struktur noch nicht aufgeklärt ist. Schließlich sind den Auxinen auch gewisse synthetische Wuchsstoffe zuzurechnen, die, wie etwa die 2,4-Dichlorphenoxyessigsäure, in höheren Konzentrationen das Wachstum hemmen, weshalb sie zur Unterdrückung unerwünschten Pflanzenwachstums, z.B. als Unkrautbekämpfungsmittel (Herbicide), eingesetzt werden.

Die IES wird aus Tryptophan synthetisiert, und zwar hauptsächlich in Laubblättern, Embryonen und Meristemen, von wo sie zu ihren Wirkungsorten transportiert wird. Bei diesem Transport ist die IES offenbar an niedermolekulare Trägermoleküle gebunden. Beispiele hierfür sind der IES-Inositol-ester und das Indolyl-3-acetylaspartat, doch wurden auch andere IES-Konjugate in Pflanzen nachgewiesen. Sie werden über ein Intermediat, wahrscheinlich Indol-3-aceytl-CoA, gebildet und dienen wohl

CH$_2$—COOH   Cl

                                    Cl—⬡—O—CH$_2$—COOH

            N
            H

3-Indolessigsäure   **2,4-Dichlorphenoxyessigsäure**

auch als IES-Speicher, aus denen das Auxin bei Bedarf freigesetzt und somit der aktive Hormonspiegel kontrolliert werden kann.

Der Transport der freien IES kann sowohl im Phloem in verschiedenen Richtungen als auch von Zelle zu Zelle erfolgen, z.B. in den Kambien, aber auch in parenchymatischen Geweben. Der Transport von Zelle zu Zelle verläuft in den Sproßachsen, Blättern und Koleoptilen in basaler Richtung mit einer Geschwindigkeit von 2–15 mm/h. An ihm sollen spezifische, im basalen Bereich der Zellen lokalisierte Carrier beteiligt sein, die das Auxinanion (IES$^\ominus$) durch das Plasmalemma in den Apoplasten befördern. Die hierfür nötige Energie könnte durch einen elektrogenen 2H$^\oplus$-Cotransport aufgebracht werden, der möglicherweise mit einem Ca$^{2\oplus}$-Antiport gekoppelt ist. Dies würde Beobachtungen erklären, wonach ein enger Zusammenhang zwischen Auxin- und Calciumtransport auf der einen Seite und ihren Wirkungen auf der anderen Seite besteht. Ob die Aufnahme des Auxins durch die benachbarten Zellen ebenfalls aktiv erfolgt, ist noch unklar. In den Wurzeln wird die IES überwiegend aufwärts transportiert, und zwar im Zentralzylinder mit einer Geschwindigkeit von 4–10 mm/h.

Zunächst wurden die Auxine als reine Streckungswuchsstoffe angesehen, da sie in sehr geringen Konzentrationen das Streckungswachstum der Pflanzen fördern. Dieser Effekt läßt sich eindrucksvoll durch den *Avena*-Krümmungstest demonstrieren.

Beim *Avena*-Krümmungstest werden die Koleoptilen, das sind die das Primärblatt der Keimpflanze des Hafers *(Avena)* in der ersten Phase der Entwicklung allseitig umhüllenden Keimscheiden, dekapitiert (Abb. 16.**4**). Die Spitzen werden verworfen und die Primärblätter an der Basis abgerissen, so daß sie den Nachweis nicht stören können. Der die Testsubstanz enthaltende Agarblock wird dem Koleoptilenstumpf einseitig aufgesetzt. Hat die Testsubstanz Auxincharakter, so kommt es infolge der einseitigen Wachstumsförderung zu einer Krümmung der Koleoptilen. Die Stärke der Krümmung wird als Maß für die Wirksamkeit benutzt. Auf die zahlreichen weiteren Verfahren zur Prüfung auf Auxinwirksamkeit kann hier nicht eingegangen werden.

Darüber hinaus verursacht die IES jedoch noch andere Effekte. Sie reguliert im Verein mit anderen Phytohormonen die Zellteilungsaktivität, z.B. im Kambium und in Gewebekulturen, fördert die Wurzelbildung, wovon man bei der Stecklingsbewurzelung praktischen Gebrauch macht, beeinflußt den Blatt- und Fruchtfall und ist die stoffliche Ursache der Apikaldominanz (S. 480).

Abb. 16.**4** *Avena*-Krümmungstest, schematisch. **A** Dekapitierung der Koleoptile, **B** Aufsetzen des Agarblockes, der IES (rot) enthält. **C** Krümmung der Koleoptile infolge des IES-Einstroms und der dadurch verursachten einseitigen Wachstumsförderung

Im Hinblick auf die Vielfalt der durch die IES beeinflußten Prozesse ist von vornherein zu erwarten, daß sich ihre Effekte nicht auf einen einzigen Mechanismus zurückführen lassen. Nach der Dauer der Latenzzeit, das ist die Zeit zwischen der Applikation und dem ersten Erkennbarwerden der Wirkung, muß man mindestens zwei Gruppen von Auxinwirkungen unterscheiden: die schnellen, die schon nach kurzer Zeit, unter Umständen nach einer Minute oder weniger, zu beobachten sind, und die langfristigen, die in der Regel erst nach mehreren Stunden, häufig sogar erst nach einer vorübergehenden Hemmung des Wachstums eintreten.

Zu den Kurzzeitwirkungen zählt die Stimulation der im Plasmalemma lokalisierten Protonenpumpe, die bereits sehr bald (< 1 min) nach externer Auxin-Zugabe zu beobachten ist. Nach der Säure-Wachstumstheorie führt die Protonenabgabe nach außen zu einer Ansäuerung des Zellwandmilieus. Diese könnte z. B. die Stärke der Wasserstoffbrückenbindungen zwischen den Polysacchariden herabsetzen oder Enzyme aktivieren, die Bindungen lösen und dadurch die plastische Dehnbarkeit der Zellwand erhöhen.

Nach einer anderen Auffassung soll sich, zum mindesten bei den *Avena*-Koleoptilen, die durch die IES hervorgerufene Zellwandlockerung auf die Zellen der Epidermis beschränken, die unter der Gewebespannung des turgeszenten inneren Gewebes steht und hierauf mit Wachstum und Synthese neuen Wandenmaterials reagiert. Danach würde also die Epidermis das Wachstum der Koleoptile kontrollieren. Aus neuerer Zeit liegen allerdings Befunde vor, die dieser Auffassung widersprechen.

Genaktivierung und Steigerung der Proteinsynthese zählen eher zu den Langzeiteffekten, obwohl sich in Mais-Koleoptilen und den Sproßachsen der Erbse Auxininduzierte mRNAs und entsprechende Proteine verhältnismäßig bald nach der IES-Applikation nachweisen lassen, einige schon nach 10 Minuten. Von besonderem Interesse scheinen in diesem Zusammenhang bestimmte Arabinogalaktanproteine zu sein, die unter Einfluß von Auxin gebildet und als „zellwandlockernde" Proteine angesehen werden.

16.2.1.2 Gibberelline

⚠ Die Gibberelline, von denen die Gibberellinsäure (GA₃, engl. gibberellic acid) nachstehend formelmäßig wiedergegeben ist, sind nach dem heute als *Fusarium heterosporum* bzw. *moniliforme* bezeichneten Pilz *Gibberella fujikuroi* benannt, aus dem sie erstmals isoliert wurden. Er befällt Reispflanzen und ruft bei diesen ein abnormes Streckungswachstum hervor. Später hat sich jedoch gezeigt, daß die Gibberelline auch bei höheren Pflanzen weit verbreitet sind und zur normalen Wuchsstoffausrüstung der Pflanze gehören. Seither sind zahlreiche Vertreter dieser Gruppe isoliert worden, die einander in Struktur und Wirkung meist recht ähnlich sind. Oft kommen in einer Pflanze bzw. in einem Organ mehrere verschiedene Gibberelline vor, in Reiskörnern z. B. 14.

Gibberellinsäure

Die Gibberelline werden in Meristemen, in den Plastiden junger Blätter sowie in unreifen Samen und Früchten gebildet. Ihre Synthese erfolgt über das Diterpen Geranyl-geranyl-diphosphat. Sie werden von Zelle zu Zelle, im Phloem und aufwärts auch im Xylem transportiert. Der Transport durch das Plasmalemma erfolgt mit Hilfe von Carriern und ist mit einem Cotransport von Protonen gekoppelt. Die Transportgeschwindigkeiten liegen zwischen 5 und 30 mm/h. Nicht selten liegen die Gibberelline gebunden vor, z. B. als Glucoside.

Die Gibberelline beeinflussen jedoch nicht nur die Zellstreckung. Im subapikalen Bereich der Sproßachse und im Kambium können sie Zellteilungen auslösen bzw. die Zellteilungsaktivität erhöhen. Im Kambium steuern sie, im Zusammenspiel mit der IES, auch die Differenzierungsvorgänge. Eine Verschiebung des Verhältnisses beider Phytohormone zugunsten der Gibberelline fördert die Bildung von Bast, die Verschiebung zugunsten der IES hingegen die Bildung von Holz. Auch bei der Geschlechtsausprägung monoecischer Pflanzen spielen die beiden Hormone eine Rolle. Mögen insoweit gewisse Ähnlichkeiten zwischen den beiden Phytohormongruppen vorliegen, so trifft dies für andere Gibberellinwirkungen nicht zu, z. B. für die Induktion der Blütenbildung sowie die Herbeiführung bzw. Aufhebung von Ruhezuständen in Samen und Knospen sowie die Normalisierung des Wachstums einiger genetischer Zwergmutanten, bei denen die Biosynthese der Gibberelline durch Genmutationen blockiert ist.

Die nach Gibberellin A$_3$-Anwendung zu beobachtende Steigerung der α-Amylaseaktivität in Gerstenkörnern ist offensichtlich das Resultat einer Neusynthese dieses Enzyms. Sie wird auf eine Stimulierung der DNA-abhängigen RNA-Synthese zurückgeführt und als Beweis für die Effektor-Rolle der Gibberelline gewertet. Auch die Erhöhung des RNA-Gehaltes von Erbseninternodien nach Gibberellinbehandlung wird in diesem Sinne interpretiert. Elektronenmikroskopische Untersuchungen haben gezeigt, daß der gesteigerten α-Amylasesynthese eine verstärkte Bildung von endoplasmatischem Reticulum vorausgeht. Gleichzeitig nimmt die Anzahl der ER-gebundenen Polysomen zu. Obwohl beides Voraussetzungen für eine gesteigerte Proteinsynthese sind, ist noch nicht zu entscheiden, ob die Gibberelline auf der Transcriptions- oder der Translationsebene angreifen.

16.2.1.3 Cytokinine

❗ Die Cytokinine haben ihren Namen daher, daß sie die Zellteilung (Cytokinese) fördern. Ihr klassischer Vertreter ist das Kinetin, ein 6-Furfurylaminopurin, das erstmals aus DNA-Hydrolysaten tierischen Materials (Heringssperma) isoliert wurde. Es löst bei gleichzeitiger Anwendung mit Auxin in pflanzlichen Geweben, z.B. in isoliertem Markgewebe aus Tabaksprossen, Zellteilungen aus. Inzwischen sind zahlreiche Substanzen ähnlicher Wirkung, eben die Cytokinine, in pflanzlichen Geweben nachgewiesen bzw. aus diesen isoliert worden, z.B. das Zeatin aus unreifen Maiskörnern.

Bei Zeatin wie auch bei den meisten anderen in ihrer Struktur aufgeklärten Cytokininen, z.B. 6-Isopentenyl-adenin, handelt es sich um Derivate des 6-Aminopurins (= Adenin), die in der Pflanze häufig in Verbindung mit Ribose oder Ribosephosphat, d.h. also als Nucleoside oder Nucleotide, aber auch als Glucoside vorliegen. Auch zahlreiche synthetische Cytokinine sind bekannt. Ein Beispiel ist 6-Benzylaminopurin.

Über die Auslösung von Zellteilungen hinausgehend entfalten auch die Cytokinine, gleich anderen Phytohormonen, zahlreiche weitere Wirkungen. Sie fördern den Stoffwechsel, indem sie die DNA-, RNA- und Proteinsynthese steigern und die

Synthese von Enzymen (z.B. Nitratreduktase, S. 348) induzieren. Sie hemmen das Wurzelwachstum und brechen die Ruhezustände von Samen und Knospen, auch von Seitenknospen, heben also die Apikaldominanz auf. Außerdem verzögern sie die Alterungsprozesse (Seneszenz) und beeinflussen die Differenzierungsprozesse. So lösen hohe Cytokinin-Konzentrationen in Kalluskulturen, die aus isolierten pflanzlichen Geweben angezogen wurden, die Bildung von Sprossen aus, hohe IES-Konzentrationen dagegen die Bildung von Wurzeln. Auch eine fördernde Wirkung der Cytokinine auf die Anlage und die Entwicklung von Blüten und Blütenständen ist nachgewiesen worden. Ähnlich den Gibberellinen und Auxinen rufen also auch die Cytokinine recht verschiedenartige Effekte hervor, und zeigen Wechselwirkungen mit anderen Phytohormonen. So wurde z.B. bei Salat nachgewiesen, daß die Cytokinine und GA_3 den Chlorophyllabbau verlangsamen, während Ethylen und Abscisinsäure antagonistisch wirken, also diesen Effekt aufheben.

Hauptbildungsorte der Cytokinine sind Wurzeln und keimende Samen. Ihr Transport in den Sproß erfolgt vor allem in den Wasserleitungsbahnen, darüber hinaus aber auch ungerichtet im Phloem sowie, vermutlich ebenfalls apolar, von Zelle zu Zelle.

Über den molekularen Wirkungsmechanismus der Cytokinine wissen wir noch wenig. Zwar wurde an einigen Objekten nachgewiesen, daß Cytokinine die Genexpression modulieren, doch schließen diese Befunde andere Wirkungsmechanismen nicht aus. So kann z.B. die Auslösung von Zellteilungen mit Sicherheit nicht einfach als das Ergebnis einer allgemeinen Steigerung der Proteinsynthese angesehen werden.

Daß die Wirkung der Cytokinine nicht ausschließlich im Zusammenhang mit der Proteinbiosynthese gesehen werden darf, zeigen auch Experimente, wonach Kinetin und andere Cytokinine die Anlieferung von Stoffen verstärken (Attraktion) bzw. den Abtransport aus bestimmten Gewebebezirken verhindern können (Retention). Als Ursache dieser Cytokininwirkung wird eine Beeinflussung des aktiven Transportes angenommen. Danach wären als Wirkungsorte die Biomembranen, im vorliegenden Falle vor allem Plasmalemma und Tonoplast, anzusehen. Hierfür spricht u.a. die Wirkung der Cytokinine auf den Transport von $K^{\oplus}$- und $CA^{2\oplus}$-Ionen. Auch cytokininbindende Proteine sind isoliert worden, doch ist völlig offen, ob diese mit dem molekularen Wirkungsmechanismus der Cytokinine etwas zu tun haben.

16.2.1.4 Abscisine

Sie verdanken ihren Namen der Eigenschaft, schon in geringen Konzentrationen bei höheren Pflanzen das Abwerfen der Blätter und Früchte (Abscission) auszulösen. Ihr typischer Vertreter ist die Abscisinsäure (ABS, engl. abscissic acid, ABA), ein Sesquiterpen (C_{15}).

Das Abscisin wurde früher auch als Dormin bezeichnet, da es die Keimung hemmt und Ruheperioden (Dormanz) zu induzieren vermag. Außerdem fördert es die Blütenbildung bei Kurztagpflanzen und hemmt sie bei Langtagpflanzen.

Abscisinsäure   **Jasmonsäure**

R^1 = OH
R^2 = OCH$_3$

❗ Die ABS ist bei höheren Pflanzen weit verbreitet, kommt aber auch bei Moosen, Pilzen, Algen und sogar bei Cyanobakerien vor, nicht aber bei allen übrigen Bakterien. Ob sie bei Algen und Cyanobakterien überhaupt eine spezifische Funktion hat, ist unbekannt. Bei Moosen induziert sie möglicherweise die Austrocknungsresistenz, und bei Pilzen könnte sie für die Wechselwirkung mit höheren Pflanzen von Bedeutung sein. Im Gegensatz hierzu ist ihre Rolle bei höheren Pflanzen klar. Die durch sie hervorgerufene Abscission beruht teils auf einer Erhöhung der Cellulaseaktivität, teils auf einer verstärkten Bildung von Ethylen, das ebenfalls den Blattfall fördert (s. unten). Hauptbildungsorte der ABS sind die Blätter und reife Samen. Bei Wasserstreß wird die in den Wurzeln gebildete ABS als Signal in den Sproß transportiert. Die ABS wird von Zelle zu Zelle, in den Siebröhren und aufwärts auch in den Gefäßen transportiert. Sie kommt auch in gebundener Form, z.B. als Glucosid, vor.

Offenbar bestehen zahlreiche Wechselwirkungen zwischen der ABS und den anderen Phytohormonen, als deren Antagonist sie häufig wirkt. So wird die Synthese der α-Amylase der Gerste durch Gibberelline gefördert, durch ABS gehemmt. Das durch die IES induzierte Wachstum der *Avena*-Koleoptilen wird durch die ABS gehemmt, obwohl sie selbst das Wachstum der Koleoptilen nicht direkt beeinflußt. Kinetin und ABS wirken antagonistisch auf die Nucleinsäure- und Proteinsynthese, doch sind Angriffsort und Wirkungsweise der ABS noch nicht klar. Darüber hinaus hemmt die ABS auch die Aufnahme von Ionen, insbesondere von Kalium- und, wenn auch in geringerem Umfang, von Chlorid-Ionen, eine Eigenschaft, die für ihre regulatorische Funktion bei der Spaltöffnungsbewegung von Bedeutung ist. Die Hemmung der Samenkeimung scheint in erster Linie auf einer Verminderung der Wasseraufnahme zu beruhen.

16.2.1.5 Jasmonsäure

❗ Die Jasmonsäure (JA, jasmonic acid) und ihre Derivate, z.B. ihr Methylester (s. vorstehende Formel) repräsentieren eine neue Gruppe von Phytohormonen. Sie sind bei höheren und niederen Pflanzen weit verbreitet, einschließlich der Algen und Pilze. Chemisch handelt es sich um Cyclopentanon-Verbindungen. Ihre Biosynthese geht von der Linolensäure aus. Der Name leitet sich vom Jasmin *(Jasminum grandiflorum)* ab, dessen Öl als Hauptkomponente Methyljasmonat enthält.

Gleich anderen Phytohormonen kann die JA recht verschiedenartige Effekte bei höheren Pflanzen hervorrufen. Sie hemmt das Längenwachstum von Keimlingen und Wurzeln, die Samen- und Pollenkeimung und die Anlage der Blütenknospen. Im Gegensatz hierzu fördert sie die Bildung von Ethylen, beschleunigt Blattseneszenz und Blattabwurf, induziert die Knollenbildung bei Kartoffeln und führt das Schließen der Spaltöffnungen herbei. Insgesamt ähnelt sie also in ihren Wirkungen der ABS, und die beiden Substanzen scheinen auch um den gleichen Carrier zu konkurrieren. Nach Applikation von JA wurde die Bildung besonderer Jasmonat-induzierter art- und organellenspezifischer Proteine sowie entsprechender mRNA nachgewiesen, was eine Wirkung auf die Genexpression erkennen läßt.

16.2.1.6 Ethylen

Das gasförmige Ethylen $H_2C = CH_2$ hat ebenfalls Hormoncharakter. Sein Transportweg ist das Interzellularensystem. Die ständige Bildung geringer Ethylenmengen scheint für die normale Entwicklung der höheren Pflanzen notwendig zu sein. Es zeigt eine ähnliche Wirkungsvielfalt wie die anderen Phytohormone. So beeinflußt es die Samenkeimung, das Austreiben von Knospen, Blütenbildung, Fruchtreife, Wurzelbildung und Wachstumsvorgänge. Gleich der ABS fördert Ethylen die Abscission, und gleich der IES steuert es die Apikaldominanz, wobei enge Wechselwirkungen mit den anderen Phytohormonen bestehen. Es wird unter Beteiligung mehrerer Enzyme aus S-Adenosylmethionin gebildet. Kinetin und IES haben einen synergistischen Effekt auf die Ethylenbildung.

> Der Wirkungsmechanismus des Ethylens auf der molekularen Ebene ist noch unklar. Einer Hypothese zufolge soll es das Enzym Cytochrom c-Oxidase hemmen, indem es an das Kupfer bindet. Die Hemmung dieses Enzyms soll sich dann auf die Genexpression auswirken. Ethylen ist ein Signal für die Pflanzen, ihre Abwehrmechanismen gegen phytopathogene Mikroorganismen zu aktivieren. Dies kommt in der Bildung neuer Enzyme zum Ausdruck, die an der Abwehr beteiligt sind. Auch dies läßt darauf schließen, daß Ethylen die Genexpression reguliert.

Außer den vorgenannten Vertretern sind zahlreiche weitere Substanzen mit Hormoncharakter beschrieben worden, von denen hier noch die **Brassinosteroide** genannt seien. In vielen Fällen stehen genauere Untersuchungen, insbesondere die Isolierung und die Aufklärung der chemischen Struktur, noch aus. In einer Reihe von Fällen hat die Nachprüfung ergeben, daß es sich um Vertreter der bereits genannten Gruppen handelt. Dennoch hat die Vergangenheit gelehrt, daß das Gebiet der Phytohormone ungleich vielfältiger und komplexer ist, als früher angenommen wurde, so daß auch in Zukunft mit der Entdeckung und Charakterisierung weiterer Phytohormone gerechnet werden muß.

16.2.2   Zellteilungswachstum

Obwohl die höheren Pflanzen regelrechte Zellteilungsgewebe, die Meristeme, besitzen, wie etwa die Scheitelmeristeme von Sproß und Wurzel, die Kambien u.a., können Zellteilungen auch in anderen Bereichen stattfinden. So wurde schon früher darauf verwiesen (S. 224), daß auch unterhalb des Sproßscheitels, bei der Streckung der Internodien, noch in größerem Umfang Zellteilungen ablaufen können. Bei den Gräsern haben wir sogar besondere, über eine längere Zeit hin tätige intercalare Wachstumszonen kennengelernt (Abb. 6.**13**, S. 225).

Jeder Teilung des Zellkerns geht eine identische Reproduktion der DNA und jeder Teilung der Zelle eine Plasmavermehrung voraus, die mit einer gewissen, wenn auch begrenzten Vergrößerung der Zelle verbunden ist. Das Plasmawachstum besteht in erster Linie in einer Synthese artspezifischer Proteine, deren Steuerung durch die DNA des Zellkernes bereits besprochen wurde. Aber auch die Synthese anderer für das Plasmawachstum erforderlicher Stoffe wird vom Zellkern durch die Bildung entsprechender Enzyme ausgelöst. Insoweit besitzen wir recht gut begründete Vorstellungen.

! Wie bereits ausführlich dargestellt (S. 112), wird der Zellteilungszyklus durch Proteine, die cdc$_2$-Kinase und die Cycline, gesteuert. Zu den Signalsubstanzen gehören vor allem die Phytohormone, insbesondere die Auxine, Cytokinine und Gibberelline, die in bestimmten Bereichen und unter bestimmten Bedingungen Zellteilungen auslösen können. Wahrscheinlich sind jedoch an der Regulation der Zellteilungsaktivität noch weitere Faktoren beteiligt.

16.2.3   Streckungswachstum

! Die Zellstreckung ist der äußerlich am meisten ins Auge fallende Abschnitt des Pflanzenwachstums. Die Lage der Streckungszonen bei Sproß und Wurzel ist den Abb. 5.**18**, S. 203, 8.**1**, S. 249, und 16.**3**, S. 461, zu entnehmen. Obwohl wir bezüglich des Mechanismus der Zellstreckung nur lückenhafte Vorstellungen haben, ist doch sicher, daß für die irreversible Vergrößerung der Pflanzenzellen zwei voneinander unabhängige physikalische Prozesse verantwortlich sind: die Wasseraufnahme und die Zellwanddehnbarkeit.

Die Wasseraufnahme führt zu einer Volumenvergrößerung der Zelle, die mit einer Vakuolenbildung verbunden ist (Abb. 4.**1**, S. 137). Dabei wird durch Ionenaufnahme oder durch Hydrolyse von Polysacchariden das osmotische Potential konstant gehalten. Dagegen nimmt das Druckpotential mit Zunahme der plastischen Dehnbarkeit der Zellwand ab und ermöglicht so die Zellstreckung durch osmotische Wasseraufnahme. Die plasmatische Substanz wird während der Zellstreckung nur in einem begrenzten, gemessen an der Volumenzunahme geringen Umfang vermehrt.

Bei der Regulation der Zellstreckung spielt Auxin eine entscheidende Rolle, und zwar offenbar sowohl bei der Lockerung der Bindungen zwischen den Polysaccharidmolekülen, die zur Zellwanderweichung führen, als auch bei der Stimulation der Synthese neuen Zellwandmaterials. Wegen der Einzelheiten sei auf S. 463 verwiesen. Auch Gibberelline fördern die Zellstreckung, doch ist ihr Wirkungsmechanismus noch unklar. Mit Sicherheit ist er von dem der Auxine verschieden, da Gibberelline das Wachstum auch dann noch fördern können, wenn Auxin in optimaler Konzentration vorliegt. Im Gegensatz hierzu hemmt Jasmonsäure das Längenwachstum von Keimlingen und Wurzeln, und die ABS hebt die Förderung des Wachstums von Koleoptilen durch Auxin auf, ohne das Wachstum selbst zu beeinflussen. Die Wirkung der Phytohormone auf das Wachstum ist also sehr komplex.

Die molekularen Ursachen des Plastischwerdens der Zellwand, etwa durch Brechen von Querverbindungen zwischen den Makromolekülen, sind unklar. Möglicherweise spielen die hydroxyprolinreichen Glykoproteine eine Rolle, die dem Dehnungswachstum der Zellwand Einhalt gebieten. Da nachgewiesen wurde, daß Auxin den Einbau von Glucosamin in die Zellwände der Reis-Koleoptilen hemmt, nimmt man an, daß die durch Auxin bewirkte Förderung des Wachstums zum mindesten teilweise auf einer Blockierung des Transportes asparagingebundener Glykoproteine aus dem Cytoplasma in die Zellwand beruht.

Eine weitere Primärwirkung des Auxins ist die vorübergehende Erhöhung der cytosolischen $Ca^{2\oplus}$-Konzentration. Es wird vermutet, daß hierdurch die Proteinkinase stimuliert wird, die ein cytoplasmatisches Protein durch Phosphorylierung in einen aktiven Zustand überführt, in dem es fähig ist, Auxin zu binden. Dieser Protein-Auxin-Komplex soll dann seinerseits die Synthese der mRNA an der DNA stimulieren, was die Synthese von Zellwand-Bausteinen zur Folge hat, deren Inkorporation in die Zellwand zu deren Plastischwerden führt. Danach wäre der Protonenaustritt aus der Zelle eine Folge der Erhöhung der cytosolischen $Ca^{2\oplus}$-Konzentration, also nicht ein das Wachstum direkt fördernder Prozeß.

16.2.4   Differenzierungswachstum

Die Differenzierungsvorgänge beginnen schon in der Phase des Streckungswachstums, in der über die künftige Gestalt der Zelle entschieden wird. Sie laufen jedoch auch nach Erreichen der endgültigen Zellgröße weiter und kommen erst zum Abschluß, wenn die Zelle ihrer künftigen Funktion entsprechend ausgerüstet ist.

Eine angiosperme Pflanze besteht aus etwa 70 verschiedenen Zelltypen. Die gesamte für ihre Ausbildung notwendige genetische Information muß also in der Zelle vorhanden sein. Folglich wird bei der Differenzierung jeweils nur ein begrenzter, je nach Zelltyp qualitativ und quantitativ verschiedener Anteil der genetischen Potenzen einer Zelle realisiert.

Dabei werden die in den DNA-Molekülen der Chromosomen als Nucleotidsequenzen vorliegenden genetischen Informationen durch die mRNA aus dem Zellkern in das Plasma übertragen und dort in der bereits beschriebenen Weise (S. 435) in die

Aminosäuresequenzen der zu synthetisierenden Enzymproteine übersetzt. Der Vielfalt der Differenzierungsmerkmale entsprechend sind an dem Differenzierungsprozeß einer jeden Zelle zahlreiche biochemische Reaktionen und Reaktionsketten beteiligt. Da in der Regel jeder einzelne Reaktionsschritt durch ein bestimmtes Enzym gesteuert wird, muß die Synthese einer insgesamt sehr großen Zahl von Enzymen durch die Bildung einer entsprechenden Anzahl von mRNA-Molekülen in Gang gesetzt werden. Dabei kommt es jedoch nicht nur darauf an, daß die Enzyme überhaupt gebildet werden, sondern ein ungestörter Ablauf des Differenzierungsgeschehens ist nur dann gewährleistet, wenn die betreffenden Enzyme rechtzeitig und in der richtigen Reihenfolge zur Verfügung stehen, was wiederum eine strenge Koordinierung der mRNA-Produktion zur Voraussetzung hat. Das Hauptproblem der Differenzierung ist die Regulation der Genaktivität, d. h. die Frage, wie die Zelle darüber entscheidet, welche mRNA-Moleküle zu welchem Zeitpunkt gebildet werden.

16.2.4.1 Genregulation bei Prokaryoten

Untersuchungen über die Enzyminduktion (= enzymatische Adaptation) bei Bakterien haben zu der Erkenntnis geführt, daß bei den Prokaryoten mehrere Strukturgene, die die Information für verschiedene, funktionell miteinander kooperierende Enzyme enthalten, zu einem **Operon** zusammengefaßt sind.

Bei dem Lactose(lac)-Operon von *Escherichia coli* handelt es sich um die drei Enzyme β-Galaktosidase, Permease und Transacetylase. Die β-Galaktosidase hydrolysiert die Lactose zu Glucose und Galaktose, und die Galaktosid-Permease bewerkstelligt den Transport der Lactose durch die Cytoplasmamembran der Bakterien. Dagegen ist die physiologische Bedeutung der Thiogalaktosid-Transacetylase noch nicht bekannt. Für den Lactosestoffwechsel ist sie jedenfalls nicht essentiell.
    Die drei Enzyme werden in einen gemeinsamen mRNA-Strang transcribiert. Das Operon steht unter der Kontrolle eines **Operators,** beim lac-Operon eine Sequenz von 24 Basenpaaren, die den DNA-Abschnitten der Strukturgene vorgeschaltet ist. Vor dem Operator und sich mit diesem zum Teil überlappend liegt der **Promotor,** ein DNA-Abschnitt, der als Erkennungsregion und Bindungsstelle der DNA-abhängigen RNA-Polymerase dient. Die Genaktivität wird durch **Regulatorgene** gesteuert, die die Information für die sogenannten **Repressoren** enthalten. Das sind Proteine, die an den Operator binden, wodurch die Bindung der RNA-Polymerase an den Promotor und damit die RNA-Synthese verhindert wird. Im Falle des lac-Operons sind zwei Regulatorgene beteiligt, von denen das eine für den Lac-Repressor codiert. Die Repressor-Proteine besitzen eine weitere Bindungsstelle, so daß sie mit einem kleineren Molekül, dem **Induktor,** im Falle des lac-Operons also dem Lactosemolekül, in Wechselwirkung treten können, was zu einer Konformationsänderung und dadurch zu einer Ablösung des Repressors vom Operator führt (Abb. 16.**5**). Nun ist die Bindung der RNA-Polymerase an den Promotor und somit die Transcription der Strukturgene grundsätzlich möglich.

A

B

Abb. 16.**5** Regulation der Aktivität des Lac-tose-Operons von *Escherichia coli*, schema-tisch. **A** Reprimierter Zustand. Das Regula-torgen RG bildet über eine mRNA das Re-pressor-Protein R (rot), das den Operator (O) blockiert und hierdurch die Bindung der RNA-Polymerase (Pol) an den Promotor (P) verhindert. Infolgedessen können die Struk-turgene z, y und a nicht exprimiert werden. **B** Induzierter Zustand. Die als Induktor (I) wirksame Lactose bindet an den Repressor (R), wodurch ein Repressor-Substrat-Kom-plex (RS) entsteht, der infolge der dadurch bedingten Konformationsänderung keine reprimierende Wirkung mehr hat. Nunmehr kann die RNA-Polymerase (Pol) an den Pro-motor binden und die Strukturgene z, y und a transcribieren. Durch Bindung des CAP-Proteins an die cap-Region bei gleichzeitiger Anlagerung von cAMP wird die Transcrip-tionsaktivität erheblich verstärkt. Schließlich wird die polycistronische mRNA in die drei Enzyme β-Galaktosidase (Gal), Permease (Per) und Transacetylase (Ac) übersetzt

Die volle Aktivität des lac-Operons wird allerdings nur erreicht, wenn ein zwei-tes Regulator-Protein, das **CAP-Protein** (= **C**atabolite **A**ctivator **P**rotein) an die vor dem Promotor liegende cap-Region der DNA bindet. Zu seiner Aktivierung wird cAMP benötigt, weshalb eine entsprechend hohe cAMP-Konzentration in der Zelle notwendig ist. Da die Aktivität der Adenylatcyclase in der Bakterienmembran durch Glucose erniedrigt wird, sinkt mit zunehmender Glucosekonzentration die cAMP-Konzentration in der Bakterienzelle. Infolgedessen unterbleibt die Aktivie-rung des CAP-Proteins und damit dessen Bindung an die cap-Region, was eine Repression des lac-Operons zur Folge hat. Die Glucose, das Endprodukt des Lactose-abbaus, reprimiert also das lac-Operon (**Endprodukt-Hemmung**).

Die Histidin-Synthese bei dem Bakterium *Salmonella typhimurium* wird durch ein anderes Regulationssystem gesteuert, das als **Attenuator**-Mechanismus bezeichnet wird. Wahrscheinlich ist es bei der Biosynthese aller proteinogenen Aminosäuren wirksam, die der Repression durch das Endprodukt unterliegen. Nach diesem Modell entscheidet die Sekundärstruktur des ersten Abschnittes der gerade transcribierten mRNA, der als Leader-Bereich bezeichnet wird, darüber, ob die folgenden Struktur-gene des Operons transcribiert werden oder nicht. Dieser Mechanismus kann zu-sätzlich zu dem oben beschriebenen wirksam sein, wie das Beispiel der Tryptophan-Synthese zeigt.

16.2.4.2 Genregulation bei Eukaryoten

❗ Die bei Prokaryoten nachgewiesenen Mechanismen zur Regulation der Genak-tivität lassen sich nicht ohne erhebliche Modifikationen auf Eukaryoten über-tragen. Zwar sind auch bei höheren Pflanzen einige Fälle von Substratinduktion bekannt geworden, z.B. die Induktion der Synthese des Enzyms Nitratreduk-tase durch Nitrat, doch bedeutet diese äußere Ähnlichkeit nicht, daß der In-duktion der gleiche Mechanismus wie bei den Prokaryoten zugrunde liegt. We-sentliche Unterschiede sind ja schon insofern gegeben, als die DNA der Euka-ryoten in den Zellkern eingeschlossen ist. Außerdem ist sie mit Histonen asso-ziiert und infolgedessen weitgehend inaktiv.

Vor Beginn der mRNA-Synthese müssen daher zunächst die Bindungen zwischen der DNA und den Histonen gelöst oder zumindest so weit gelockert werden, daß die DNA für die RNA-Polymerase zugänglich wird. Prinzipiell sind also zwei Grundzustände der eukaryotischen DNA zu unterscheiden: der blockierte, inakti-ve und der exponierte, in dem die Bildung von mRNA grundsätzlich möglich ist, dessen Gene also potentiell aktiv sind. Damit ist für jeden Zelltyp ein spezifisches, sich mit fortschreitender Differenzierung änderndes Muster der Genaktivität bis zu einem gewissen Grade vorgegeben. Allerdings ist das Differenzierungsmuster mit Sicherheit nicht einfach das Resultat der durch Histonablösung verursachten Dekondensation des Chromatins. Vielmehr erfordert die im Laufe des Differenzie-rungsprozesses notwendig werdende Modulation der Genaktivität eine fein abge-stufte Modifikation im Muster der aktiven und potentiell aktiven Gene.

Diese erfolgt durch **Regulatorgene,** die auch bei den Eukaryoten vorhanden sind. Allerdings sind die Strukturgene hier nicht zu Operons zusammengefaßt, und die mRNA ist monocistronisch, d.h. sie enthält nur die Information eines Gens. Auch ist die mRNA wesentlich längerlebig als bei den Prokaryoten.

Die Transcription beginnt mit der Bindung der RNA-Polymerase an den **Promo-tor** der codierenden DNA, der etwa 100 vor dem Transcriptions-Startpunkt liegen-de Basenpaare umfaßt. Obwohl die für mRNA codierenden Promotoren sich in der Sequenz ihrer Basenpaare unterscheiden, findet man bei den meisten von ihnen in einer etwa 20–30 Basenpaare betragenden Entfernung vom Transcriptionsursprung eine **Konsensus-Sequenz** (TATAAAT), die als **TATA-Box** bezeichnet wird. Sie ist im Verlaufe der Evolution unverändert geblieben. An sie bindet, unter Vermittlung der sogenannten TATA-Bindungsfaktoren, die RNA-Polymerase II. Eine zweite Konsensus-Sequenz, die **CCAAT-Box,** liegt etwa 65 – 80 Basenpaare von der Initiationsstelle entfernt. Beide sind durch regulatorisch nicht wirksame Regionen getrennt.

Zusätzlich zu den Promotoren sind an der Bindung der RNA-Polymerase noch weitere Elemente beteiligt, die für die Expression und Regulation der Gene notwendig sind. Man bezeichnet sie als **cis-Sequenzen,** da sie nur die Aktivität ihres eigenen DNA-Moleküls beeinflussen. In vielen Fällen verstärken sie die Promotoraktivität, weshalb sie als **Enhancer** bezeichnet werden. Ihre Position in bezug auf den Promotor muß nicht fixiert sein, und sie können in jeder Richtung wirken. Ein Enhancer kann jeden Promotor, der in seiner Nachbarschaft liegt, stimulieren. Ein zweiter Typ der cis-wirksamen Sequenzen hat die entgegengesetzte Wirkung. Man bezeichnet diese Sequenzen als **Silencer.**

Trans-wirksame Sequenzen liegen auf verschiedenen DNA-Molekülen (Chromosomen) und codieren für sequenzspezifische DNA-Bindungsproteine, die mit den Enhancer- oder Silencer-Sequenzen in Wechselwirkung stehen. Man nimmt an, daß eine Vielfalt von weitentfernt gebundenen Trans-Aktivatoren die Aktivität der im Entstehen begriffenen transcriptionellen Komplexe durch Herstellung von Kontakten zu Enhancern und Promotoren moduliert. Deshab ist anzunehmen, daß die DNA-bindenden Proteine sowohl die Promotoren als auch eine Enhancer-Region erkennen. Zusammenfassend läßt sich sagen, daß die Kontrolle der Genexpression regulatorische Gene erfordert und solche, die reguliert werden. Der letztgenannte Typ enthält das cis-wirksame Modul, das auf das trans-wirksame Proteinsignal, das vom Regulatorgen ausgeht, antwortet.

Daneben gibt es offenbar einen völlig anderen Typ der Transcriptions-Kontrolle, der in einer Änderung der Gesamtstruktur eines Gens durch **DNA-Methylierung** besteht. Die Methylierung des Cytosins zu 5-Methylcytosin beeinflußt die Protein-DNA-Wechselwirkungen, die für die Transcription erforderlich sind, und macht so die Gene unzugänglich, was eine Hemmung der Transcription zur Folge hat. Dieser Typ ist vor allem bei gewebespezifischen Genkontrollen beobachtet worden, d.h. daß bei der Differenzierung bestimmter Gewebe Demethylierungsprozesse nachgewiesen wurden.

Daß in den aufeinanderfolgenden Phasen eines Entwicklungsvorganges jeweils verschiedene Gene aktiv sind, läßt sich bei günstigen Objekten, z.B. den Riesenchromosomen, schon durch mikroskopische Untersuchungen nachweisen. Die Genaktivität äußert sich hier in der Ausbildung sogenannter Puffs (puffing = Aufblähen), das sind durch Auflockerung und seitliche Ausstülpung der Chromosomen verursachte Ringwülste in den aktiven Chromosomenabschnitten (Abb. 3.**21**, S. 111). Daß die Puffs tatsächlich Bildungsstätten der RNA und somit Funktionszustände der Chromosomen sind, konnte durch den Einbau isotopenmarkierten Uridins gezeigt werden. Im Verlaufe der Entwicklung treten die Puffs an verschiedenen Stellen der Chromosomen auf und verschwinden nach einiger Zeit wieder. Sie sind also meist nur eine begrenzte Zeit über aktiv.

Mit den heute zur Verfügung stehenden Methoden läßt sich jedoch die differentielle Genaktivität auch direkt nachweisen. Isoliert man z. B. die Protoplasten verschiedener Zelltypen aus ein und derselben Pflanze oder aber Zellen in verschiedenen Entwicklungsstadien aus demselben Gewebetyp, kann man unterschiedliche RNA- bzw. Protein-Muster nachweisen. Bei geeigneten Objekten läßt sich dieser Nachweis sogar im Gewebe direkt führen, ohne daß eine Isolierung notwendig ist. Allerdings gibt es auch Gene, die während des Differenzierungsprozesses keiner Aktivitätsänderung unterliegen, wie z. B. solche, die Enzymproteine zur Aufrechterhaltung des Stoffwechsels codieren.

Über den oben beschriebenen Mechanismus hinausgehend kann die Regulation der Genaktivität auf dem Niveau der DNA auch auf ganz andere Weise erfolgen, und zwar durch den Gebrauch generell oder differentiell vervielfachter Schablonen. Beispiele hierfür sind die Endopolyploidie, die Unterreplikation und die DNA-Amplifikation. In diesen Fällen wird die Menge der Genprodukte durch die Vervielfachung der Zahlen der DNA-Matrizen des betreffenden Produktes vergrößert. Auch die repetitiven DNA-Sequenzen spielen eine Rolle bei der quantitativen Kontrolle der Genaktivität. Außerdem ist eine Regulation der Entwicklungsvorgänge auf der Ebene der Translation und schließlich auch auf der Ebene der Enzyme möglich.

Somit erweist sich die Differenzierung der Pflanzenzelle als ein komplizierter, auf verschiedenen Ebenen gesteuerter Prozeß, dessen Verständnis noch dadurch erschwert wird, daß, wie die folgenden Abschnitte zeigen werden, sowohl Außenfaktoren als auch Wechselwirkungen zwischen den verschiedenen Organen ein und desselben Organismus die Entwicklung regulierend zu beeinflussen vermögen.

16.3   Die Steuerung der Organentwicklung

Da ein pflanzliches Organ aus verschiedenen Geweben aufgebaut ist, liegt es auf der Hand, daß an der Organentwicklung, verglichen mit der Einzelzelle, ein Vielfaches an Differenzierungsprozessen beteiligt ist, deren Ablauf koordiniert werden muß, um den Bauplan des betreffenden Organs einzuhalten. Sind schon unsere Kenntnisse von den Differenzierungsprozessen der Zelle recht begrenzt, so trifft dies in noch weit größerem Maße für unser Wissen von der Organentwicklung zu, wo wir oft noch nicht einmal die Grundphänomene befriedigend interpretieren können. Solche Grundphänomene der Organentwicklung sind u.a. die Polarität, die Determination und die Korrelationen.

16.3.1   Polarität

❗ Unter Polarität versteht man die physiologische Verschiedenheit einander entgegengesetzter Bereiche einzelner Zellen bzw. ganzer Organe, die häufig auch in einer morphologischen Verschiedenheit der beiden Pole zum Ausdruck kommt.

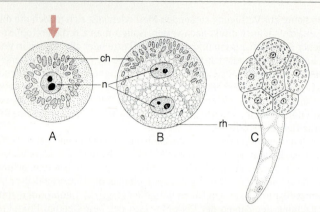

Abb. 16.**6** Polaritätsinduktion bei einer Spore des Schachtelhalms *(Equisetum)* durch Licht (Lichtrichtung durch Pfeil angedeutet). **A** Bestrahlung der noch nicht polarisierten Spore, **B** Abgrenzung der linsenförmigen Rhizoidzelle am lichtabgewandten Pol, **C** Älteres Stadium mit Rhizoid und mehrzelligem Prothallium. ch = Chloroplasten, n = Zellkern, rh = Rhizoidzelle (nach Sadebeck)

Polarität kommt schon bei Prokaryoten vor, z.B. bei unipolar begeißelten Bakterien. Bei den *Volvox*-Kugeln lassen sich ein vegetativer und ein generativer Pol unterscheiden, und bei vielen fädigen Thalli finden wir eine Polarität zwischen einer apikalen, teilungsfähigen Scheitelzelle und einer basalen Rhizoidzelle (Abb. 5.**11**, S. 195). Das markanteste Beispiel ist jedoch die Ausbildung von Sproß- und Wurzelpol bei der höheren Pflanze, die ja schon in der ersten Phase der Embryonalentwicklung angelegt werden.

Meist läßt sich die Polarität auch an den einzelnen Zellen eines Organs nachweisen. Sie äußert sich u.a. in dem einseitig gerichteten, also polaren Transport bestimmter Stoffe sowie in der Unmöglichkeit, aus einem Gewebeverband herausgelöste Zellen in umgekehrter Anordnung in das betreffende Organ wieder einwachsen zu lassen. Das ist meist ohne weiteres möglich, wenn die Zellen dem Gewebe in ihrer ursprünglichen Anordnung wieder eingefügt werden. Deshalb gelingen Pfropfungen bei Bäumen und Sträuchern in der Regel nur, wenn der apikale Pol der Unterlage mit dem basalen Pol des Pfropfreises verbunden wird. Die molekularen und strukturellen Ursachen der Polarität sind uns noch weitgehend unbekannt. Es hat jedoch den Anschein, daß die peripheren Schichten des Protoplasten, möglicherweise die ihn begrenzenden Biomembranen, die strukturellen Träger der Polarität sind. Dies kann man u.a. daraus schließen, daß auch in Zellen mit starker Plasmaströmung die Polarität erhalten bleibt.

Die Induktion der Polarität erfolgt bei zunächst noch nicht bzw. nicht stabil polarisierten Zellen, z.B. den Meiosporen der Moose und Farne sowie den Zygoten mancher Algen *(Fucus),* in der ersten Phase der Entwicklung, geht also der ersten Zellteilung voraus. Die Polarität läßt sich in den genannten Fällen durch äußere

Abb. 16.**7** Polarität austreibender Weidenzweige *(Salix)*. **A** In normaler, **B** in inverser Lage, **C** in normaler Lage, geringelt. a = apikaler, b = basaler Pol, r = Ringelungsstelle, s = Seitentriebe, w = Wurzeln (nach Sachs, Pfeffer)

Faktoren, z. B. Licht, elektrische Felder oder Ionengradienten, induzieren. Bei den Meiosporen von *Equisetum* entsteht unter einseitiger Lichteinwirkung bei der ersten, inäqual verlaufenden Teilung die kleinere, linsenförmige Rhizoidzelle an der am wenigsten belichteten Stelle der Spore, normalerweise also auf der lichtabgewandten Seite (Abb. 16.**6**). Sie wächst zum Rhizoid aus, während aus dem verbleibenden Zellanteil unter mehrfacher Teilung das Prothallium entsteht.

Die beginnende Polarisierung findet ihren Ausdruck u. a. in einem gesteigerten $Ca^{2\oplus}$-Ionen-Einstrom an dem auswachsenden, im Falle von *Equisetum* also dem Rhizoidpol, während auf der gegenüberliegenden Seite Ionen aktiv nach außen gepumpt werden. Daraus könnte man schließen, daß am Rhizoidpol bevorzugte Calciumkanäle, auf der gegenüberliegenden Seite hingegen Calciumpumpen gebildet werden.

Diese Polarität ist zunächst noch instabil und läßt sich z. B. bei *Equisetum* durch eine Belichtung aus einer anderen Richtung ändern, was natürlich auch eine Änderung des $Ca^{2\oplus}$-Einstroms bzw. -Ausstroms zur Folge hat. Allmählich wird die Polarität jedoch manifest und läßt sich durch erneute Lichteinwirkung nicht mehr ändern. Diese Befunde sind ein weiterer Hinweis darauf, daß das Plasmalemma Strukturträger der Polarität ist.

Grundsätzlich weisen alle Zellen, die aus einer bereits polarisierten Zelle durch Teilung hervorgehen, die gleiche Polarität auf wie diese. Ist die Polarität einmal manifest, bleibt sie in der Regel dauernd erhalten, und zwar sowohl in der einzelnen Zelle als auch im ganzen Organ. Außer den bereits erwähnten Pfropfungsexperimenten zeigt dies in eindrucksvoller Weise der klassische Weidenzweigversuch (Abb. 16.**7**).

Schneidet man aus einem Weidenzweig Teilstücke heraus und hängt sie in einem feuchten Raum so auf, daß das eine seine ursprüngliche Orientierung beibehält (**A**), das andere dagegen mit seinem Oberteil nach unten zeigt (**B**), so treiben, unabhängig von der augenblicklichen Lage, an dem ehemaligen oberen Ende die Seitentriebe und am unteren Ende die Seitenwurzeln aus. Dieses Verhalten ist u. a. durch den infolge des Polaritätsgefälles einseitig basalwärts erfolgenden Transport von Phytohormonen bedingt, der ausschließlich im Bast erfolgt. Unterbricht man nämlich diesen Transport durch Ringelung des Zweiges (**C**), so erhält man in physiologischer Hinsicht zwei Teilstücke, die jeweils am oberen Ende Seitensprosse, am unteren Ende Adventivwurzeln bilden.

16.3.2   Determination und Differenzierung

❗ Bei der Determination wird darüber entschieden, welche der genetischen Potenzen der Zelle bei der anschließenden Differenzierung realisiert werden. Hierbei werden die Zellen auf einen bestimmten Differenzierungsprozeß festgelegt, ein Vorgang, der nicht ohne weiteres rückgängig gemacht werden kann. Da jede meristematische Zelle ein und desselben Organismus die gleiche genetische Information und damit die gleiche Entwicklungspotenz erhält, können wir die determinierenden Prinzipien wohl kaum in ihr selbst suchen.

Einen wesentlichen Faktor haben wir bereits in der Polarität kennengelernt. Zwangsläufig muß jede Zellteilung, die senkrecht zum Polaritätsgefälle erfolgt, zwei physiologisch ungleichwertige Tochterzellen erzeugen. Häufig werden Differenzierungsprozesse durch inäquale Teilungen eingeleitet, bei denen eine kleinere, plasmareiche und eine größere, plasmaarme Zelle entstehen. Ein Beispiel hierfür ist die Entstehung der Spaltöffnungsinitialen von *Iris* (Abb. 7.**8**, S. 240), wo die Spaltöffnungsmutterzelle immer am apikalen Ende der Epidermiszellen angelegt wird. Weitere Faktoren dürften im Gewebe auftretende stoffliche Gradienten sein. So scheint beispielsweise die Differenzierung der äußeren Tunicaschicht zur Epidermis weitgehend durch ihren direkten Kontakt mit der umgebenden Atmosphäre bestimmt zu werden, wobei es offen bleiben mag, ob das vom Inneren des Organs nach außen abnehmende Wasserpotential der Zellen oder die Konzentrationsgradienten von Sauerstoff bzw. CO_2 die entscheidende Rolle spielen. Wahrscheinlich wirken sie alle in komplizierter Weise zusammen. Diese radial verlaufenden Gradienten können natürlich auch für die tieferen Zellagen von Bedeutung sein. Die einzelnen Differenzierungsprozesse wären hiernach als Kipp-

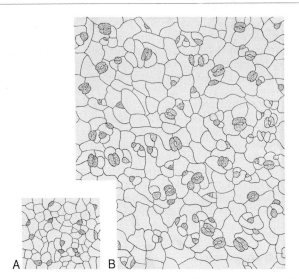

Abb. 16.8 Epidermis von *Alliaria officinalis* (Knoblauchsrauke). **A** Sehr junges Blatt, auf dem nach Erlöschen der Teilungstätigkeit in bestimmten Abständen Spaltöffnungsinitialen angelegt werden. **B** Älteres Blatt. Hier sind die zuerst angelegten Spaltöffnungen durch Flächenwachstum so weit auseinandergerückt, daß sich die Hemmungsbereiche nicht mehr überall berühren. In den entstandenen Lücken werden neue Initialen angelegt (nach Bünning und Sagromsky)

vorgänge aufzufassen, die innerhalb eines bestimmten Konzentrationsbereiches des modifizierenden Agens in einer bestimmten Richtung ablaufen, nach Über- bzw. Unterschreiten eines bestimmten Schwellenwertes desselben jedoch eine andere Richtung einschlagen.

Andere Differenzierungsprozesse wiederum werden entscheidend durch das Mengenverhältnis bestimmter Phytohormone gesteuert, z.B. die Differenzierung der Kambiumzellen durch das Verhältnis von IES zu Gibberellin. Auch Salze bzw. deren Ionen können von Bedeutung sein. So hängt z.B. die Entwicklung des Mesophylls der Laubblätter ihrem Umfang nach weitgehend von dem Verhältnis von $K^{\oplus}$- und $Ca^{2\oplus}$-Ionen ab. Schließlich können aber auch stoffliche oder energetische Gradienten entscheidend sein, die ihre Ursache in einer verschiedenen Stoffwechselaktivität bestimmter Zellen und Gewebe haben.

Der letztgenannte Fall leitet zur Ausbildung von Differenzierungsmustern über, die das Ergebnis eines Sperreffektes sind. Ein **Sperreffekt** liegt dann vor, wenn eine in bestimmter Weise differenzierte Zelle den Ablauf gleichartiger Differenzierungsprozesse in ihrer näheren Umgebung verhindert. So unterdrücken in dem in Abb. 16.**8** wiedergegebenen Beispiel die bei der Differenzierung der Epidermis angelegten Spaltöffnungsinitialen die Anlage weiterer Spaltöffnungen so lange, bis sie durch das Flächenwachstum der Epidermis so weit auseinandergerückt sind, daß der Sperreffekt nicht mehr wirksam ist. In den dadurch entstehenden Lücken zwischen den Hemmungszonen werden dann neue Initialen angelegt. Auch bei der Differenzierung von Idioblasten, Trichomen sowie bei der Anlage sekundärer Holz- und Baststrahlen dürften Sperreffekte eine wesentliche Rolle spielen.

Darüber hinaus lassen sich sowohl zwischen benachbarten als auch räumlich weiter voneinander entfernten Organen Wechselbeziehungen (Korrelationen) nachweisen. Ein instruktives Beispiel hierfür ist die bei vielen Pflanzen zu beobachtende **Apikaldominanz.** Hierunter verstehen wir die Unterdrückung des Austreibens der Seitenknospen einer Sproßachse durch das Apikalmeristem. Wird dieses durch Dekapitation entfernt, so treibt die nächstniedere Achselknospe aus. Bestreicht man jedoch die Spitze des dekapitierten Sprosses mit einer IES-haltigen Paste, so wird das Austreiben der Seitenknospen auch weiterhin unterdrückt. Offenbar fließt in der unverletzten Pflanze vom Apikalmeristem ein ständiger Auxinstrom basalwärts, der das Austreiben der Seitenknospen hemmt.

16.3.3   Morphogenese

❗ Als Morphogenese bezeichnet man die Gesamtheit der Prozesse die zur Ausbildung einer bestimmten Gestalt, sei es nun einer Zelle, eines Organs oder der ganzen Pflanze, führen. Letztlich geht es hierbei um die Frage, wie die im Zellkern lokalisierte genetische Information, die ja primär die Synthese bestimmter Proteine und anderer Substanzen steuert, zur Ausprägung einer bestimmten Gestalt führt.

Ursprünglich glaubte man an die Existenz besonderer morphogenetischer Substanzen, die spezifisch die Bildung eines ganz bestimmten Organs auslösen und seine Entwicklung und Formbildung steuern. Als Beispiel für das Vorkommen morphogenetischer Substanzen wurden die **Gallen** angesehen. Hierunter verstehen wir durch Insekten (z. B. Eichengallen), Pilze (z. B. Hexenbesen) oder Bakterien (z. B. Wurzelknöllchen) hervorgerufene Wucherungen oder Gestaltveränderungen der Pflanze. Je nach Art des Erregers zeigen die Gallen einen ganz bestimmten morphologischen und anatomischen Aufbau. Bei den **organoiden Gallen** bleibt trotz der eingetretenen Veränderungen der charakteristische Aufbau des betreffenden Grundorgans erhalten, wie z. B. bei den Hexenbesen, die aus zahlreichen, dicht gedrängten Seitenästen bestehen. Dagegen zeigen die **histoiden Gallen,** wie z. B. die Eichengallen, einen Aufbau, der nicht mehr die geringste Ähnlichkeit zu dem Grundorgan zeigt, an dem sie entstanden sind. Dies hat notwendigerweise bestimmte Differenzierungsprozesse zur Voraussetzung, die in der normalen Pflanze nicht ablaufen. Es müssen somit von den Gallenerregern Stoffe an das pflanzliche Gewebe abgegeben werden, die es zur Gallenbildung veranlassen. Bei den von gallenerzeugenden Insekten abgegebenen Stoffen handelt es sich vor allem um Phytohormone sowie gewisse Aminosäuren, also um verhältnismäßig unspezifische Substanzen. Die IES regt das Wachstum an, während die Aminosäuren

Abb. 16.**9** Transplantation bei *Acetabularia*. Ein kernloses Stielstück von *Acetabularia mediterranea* (**A** rot) wird einem kernhaltigen Rhizoidstück von *Acetabularia wettsteinii* (**C** grau) aufgepfropft. Der durch Regeneration am Stiel gebildete neue Hut entspricht dem von *A. wettsteinii* (**B**). n = Zellkern (nach Hämmerling)

die morphologisch-histologische Ausgestaltung der Gallen beeinflussen. Welche Rolle die ebenfalls an die Pflanze abgegebenen Nucleinsäuren spielen, ist noch unklar. Besondere morphogenetische Substanzen konnten jedoch nicht nachgewiesen werden.

Auch die schirmförmige Kalkalge *Acetabularia* wurde lange Zeit als Beispiel für das Vorkommen spezifisch die Hutbildung beeinflussender morphogenetischer Substanzen angesehen. Sie ist in ihrem ersten Entwicklungsabschnitt einzellig und einkernig (Abb. 16.**9**). Schneidet man nun den kernhaltigen Rhizoidteil einer Art, im vorliegenden Falle *Acetabularia wettsteinii*, ab und pfropft diesem ein kern- und hutloses Stielstück einer anderen Art, *Acetabularia mediterranea*, auf, so entwickelt sich aus dessen oberem Ende zunächst ein Hut, der in seiner Gestalt zwischen beiden Formen liegt. Entfernt man auch diesen, wird ein neuer Hut gebildet, der dem von *Acetabularia wettsteinii* entspricht. Die Hutbildung wird also durch Stoffe gesteuert, die vom Zellkern an das Cytoplasma abgegeben werden.

Dieser Versuch, der uns einen tieferen Einblick in die Beziehungen zwischen Kern und Plasma gegeben hat und die Rolle der mRNA, um die es sich hier handelt, deutlich vor Augen führt, gibt jedoch keinen Anhaltspunkt für die Existenz spezifisch morphogenetischer Substanzen. Hierunter wären solche Stoffe zu verstehen, die bestimmte Entwicklungsprozesse in Gang setzen, d.h. die Bildung der dazu erforderlichen mRNA erst auslösen, Stoffe also, die als Induktoren fungieren.

In neuerer Zeit mehren sich Befunde, wonach den Biomembranen eine wesentliche Rolle bei der Morphogenese zukommt. Ein günstiges Objekt für derartige Untersuchungen ist die Grünalge *Micrasterias,* die eine zierliche, ornamentale Gestalt besitzt (Zieralge). Ihre Sekundärwand zeigt ein charakteristisches Muster aus teils parallel laufenden, teils sich überkreuzenden Mikrofibrillen. Elektronenmikroskopische Untersuchungen lassen darauf schließen, daß an dieser Musterbildung die Membranen der Golgi-Vesikel einen wesentlichen Anteil haben. Sie werden an den Dictyosomen gebildet, zur Peripherie transportiert und dort in das Plasmalemma eingebaut. Offenbar erhält die Plasmamembran auf diese Weise Strukturinformationen in Form von Membranen bestimmter molekularer Architektur. Nach den Vorstellungen über den Membranfluß erscheint es denkbar, daß diese informationstragenden Membranen unter genetischer Kontrolle des Zellkerns am rauhen ER gebildet, von diesem an die Regenerationsseite des Dictyosoms abgegeben (Abb. 3.**5A**, S. 78) und nach Beladung mit Zellwandmaterial von der Sekretionsseite, möglicherweise unter Mitwirkung von Mikrotubuli, zum Plasmalemma transportiert und in dieses inkorporiert werden. Diese Vorstellung zeigt, wie genetische Information morphogenetisch wirksam werden kann. Allerdings bleiben noch viele Fragen offen: Wie kommt der gerichtete Transport der Vesikel zustande? Wie erkennen die Vesikel den Ort am Plasmalemma, mit dem sie fusionieren? Wie wird das Membranmuster in ein Mikrofibrillenmuster umgewandelt?

16.3.4   Restitutionen

Werden pflanzliche Organe verletzt, sei es nun mechanisch oder durch pathogene Organismen, setzen bereits nach kurzer Zeit Restitutionsvorgänge ein. Diese führen zum Wundverschluß durch Auslösung von Zellteilungen in bereits differenzierten Zellen, die dedifferenziert und wieder meristematisch werden. Gleichzeitig erfolgt die Bildung von Zellwandbausteinen. Hierdurch entsteht ein **Kallus** aus zunächst undifferenzierten Zellen, der die Wunde verschließt.

Nach seiner Fertigstellung setzen wieder Differenzierungsprozesse ein, durch die verlorengegangene oder funktionsunfähig gewordene Gewebeelemente oder sogar ganze Organe regeneriert werden. So wird die Regeneration von Phloem-Elementen durch die Cytokinine Kinetin und Zeatin gefördert, wobei im ersten Falle die Wirkung durch relativ hohe (1%), im zweiten Fall durch deutlich niedrigere (0,1%) IES-Konzentrationen verstärkt wird. Allerdings ist die Fähigkeit zur Restitution nicht bei allen Pflanzen gleich stark entwickelt. In einigen Fällen ist es sogar möglich, einzelne Zellen zur Regeneration eines ganzen Individuums zu veranlassen. So kann man aus einem einzigen Blattzellen-Protoplasten wieder eine Kartoffelpflanze ziehen.

Außerdem werden Reaktionen zur Abwehr eindringender pathogener Organismen eingeleitet, wie die Bildung von antimikrobiell wirkenden **Phytoalexinen** und Proteinase-Inhibitoren, die vor allem die Proteinasen von Insekten und Mikroorganismen hemmen, z. B. die Serin-Endopeptidasen Trypsin und Chymotrypsin, die in Pflanzen nur selten gefunden werden.

Die Induktion der Proteinase-Inhibitor-Gene scheint durch Oligosaccharide zu erfolgen, die von den Zellwänden gebildet werden und wahrscheinlich als Verwundungs-Signal fungieren. Offensichtlich spielt sich die Regulation der Reaktionen auf Verwundung hauptsächlich auf dem Niveau der Genexpression ab.

16.3.5   Pflanzenkrebs

⚠ Der Pflanzenkrebs wird in der Mehrzahl der Fälle durch ein Bakterium, *Agrobacterium tumefaciens,* hervorgerufen. Obwohl er sich in diesem wie auch in einigen anderen Punkten vom Humankrebs, über dessen Ursachen die Ansichten noch immer auseinandergehen, unterscheidet, bestehen zweifellos gewisse Parallelen zwischen pflanzlichem und tierischem Krebsgewebe. Hier sind zu nennen: das im Gegensatz zum Wundkallus potentiell unbegrenzte Wachstum der Geschwülste und die dadurch bedingte Bösartigkeit, die Irreversibilität, das durch Entdifferenzierung und Polaritätsverlust bedingte Fehlen der normalen histologischen Struktur und physiologischen Fähigkeiten sowie die Transplantierbarkeit, d. h. die Möglichkeit, Tumorgewebe auf gesunde Organe zu übertragen und dort zum Einwachsen zu bringen.

Ist die Tumorbildung induziert, so sind die Bakterien für das weitere Wachstum des Tumorgewebes nicht mehr erforderlich. Bei *Vinca rosea,* einer höhere Temperaturen ertragenden Pflanze, ist es gelungen, durch Behandlung mit Temperaturen von 46–47 °C bakterienfreie Tumoren zu erhalten, die sich ungehindert weiterentwickeln und auf gesunde Pflanzen transplantieren lassen. Auch durch Behandlung mit dem Antibiotikum Carbenicillin können Tumorgewebe bakterienfrei gemacht werden.

Die Tumorisierung einer Pflanzenzelle scheint mehrere Phasen zu durchlaufen. Durch die Verletzung des Gewebes, die die unerläßliche Voraussetzung der Tumorisierung ist, werden die der Wunde benachbarten Zellen, wie auch bei der Bildung eines normalen Wundkallus, zur erneuten Produktion von Phytohormonen, insbesondere Auxin und Cytokininen, und dadurch zu erneuten Zellteilungen angeregt. Während jedoch die Wundkalluszellen nach einiger Zeit die Hormonproduktion und damit auch die Zellteilung wieder einstellen, hält beides bei den Tumorzellen unvermindert an. Sie haben die Fähigkeit zur Regulation der Wachstumsvorgänge verloren und entziehen sich damit auch der korrelativen Steuerung.

Die Agrobakterien enthalten ein großes DNA-Plasmid, das als Ti-Plasmid (tumor inducing) bezeichnet wird (Box 16.**1**). Ein bestimmtes Segment dieses Plasmids wird in die Pflanzenzelle übertragen. Für diesen Transfer sind mehrere Gene der sogenannten Vir-Region (Virulenz-Region) auf dem Ti-Plasmid verantwort-

Box 16.1 Ti-Plasmide

Genauere Untersuchungen haben ergeben, daß es verschiedene Ti-Plasmide gibt, die ihrer genetischen Opin-Information entsprechend als Octopin- und Nopalin-Gruppe unterschieden werden. Weitere Opine sind Agropin und Agrocinopin. Die virulenten, d. h. tumorbildenden Stämme von *Agrobacterium tumefaciens* enthalten Plasmide von etwa 140 – 235 kb (Kilobasen). Die Virulenz kann auf nicht-virulente Bakterien durch Konjugation übertragen werden. Wie die Genkarten von Ti-Plasmiden zeigen, bestehen zwischen der Octopin- und der Nopalin-Gruppe nur geringe Homologien. Zu den homologen Regionen zählen die Virulenz-Gene und die T-DNA (s. unten).

Von der vollständigen DNA eines Ti-Plasmids wird nur ein kleiner Abschnitt, der etwa 23 kb umfaßt, in die pflanzliche Zellkern-DNA integriert. Dieser wird als T-DNA (transferred DNA) bezeichnet. Überraschenderweise kann die T-DNA an ganz verschiedenen, offenbar unspezifischen Stellen in die pflanzliche Kern-DNA integriert werden. Die Nopalin-T-DNA wird in einem Stück eingebaut, die Octopin-T-DNA meist in zwei Teilstücken.

Der Mechanismus des Ti-Plasmid-Einbaus in die pflanzliche Zellkern-DNA ist noch nicht ganz klar. Er ähnelt bis zu einem gewissen Grade der Konjugation bei Bakterien. Die den DNA-Transfer steuernden Gene liegen nicht auf der T-DNA, sondern in der virulenten Region. Die Transcription wird durch Signalmoleküle ausgelöst, beim Tabak z. B. Acetosyringon, die vom verwundeten Gewebe gebildet werden. Durch dieses Aktivierungssignal wird die Bildung einer Endonuclease, die ebenfalls vom Virulenzgen codiert wird, ausgelöst. Sie führt an den Enden der T-DNA jeweils einen Einzelstrangbruch herbei, worauf die einzelsträngige T-DNA übertragen wird. Im Laufe des Transfer-Vorganges wird die einzelsträngige T-DNA durch Bildung des komplementären Stranges in doppelsträngige DNA überführt, was mit Hilfe der pflanzeneigenen Enzyme geschieht. Schließlich wird die DNA in das Pflanzengenom eingebaut.

Zwei Gene der T-DNA codieren für Enzyme, die an der Biosynthese von Auxinen beteiligt sind, ein Gen für ein Enzym, das für die Cytokinin-Biosynthese, insbesondere für Zeatin, wichtig ist. Dies erklärt die Unabhängigkeit der Tumorzellen von der Phytohormon-Zufuhr, die Voraussetzung für die Virulenz ist.

lich. Die Pflanzenzelle realisiert nun, ähnlich wie die transformierten Bakterien, die im Plasmid enthaltene, das Tumorwachstum bestimmende genetische Information. Durch die Transformation wird die Pflanzenzelle veranlaßt, ungewöhnliche Derivate von Aminosäuren, die Opine Octopin und Nopalin, zu produzieren, die nur von den Agrobakterien als Kohlenstoff- und Stickstoffquellen benutzt werden können. Offensichtlich liegt hier eine spezielle Form des Parasitismus vor, bei der sich der Parasit nicht einfach an die im Wirt vorhandenen Bedingungen anpaßt, sondern dessen genetische Eigenschaften so spezifisch verändert, daß sie dem Parasiten adäquat sind. Diese Art von Wechselwirkung ist als „genetische Kolonisation" bezeichnet worden.

16.4   Einfluß äußerer Faktoren auf die Entwicklung

Daß neben inneren Faktoren auch Umweltfaktoren die pflanzliche Entwicklung zu beeinflussen vermögen, erscheint insofern selbstverständlich, als eine ausreichende Versorgung mit Wasser, bestimmten Ionen, CO_2 und Licht die unerläßliche Voraussetzung der pflanzlichen Ernährung und damit auch des Wachstums und der Entwicklung ist. Über diese mehr unspezifischen Einflüsse hinausgehend vermögen gewisse äußere Faktoren die pflanzliche Entwicklung jedoch auch in ganz spezifischer Weise zu beeinflussen, was zur Folge hat, daß Pflanzen mit gleichem Erbgut, die unter verschiedenen Umweltbedingungen aufgewachsen sind, sich trotz Einhaltung des Grundbauplanes in ihrem Äußeren erheblich unterscheiden können.

Teilt man z.B. den Wurzelstock eines Löwenzahns und pflanzt die eine Hälfte im Hochgebirge, die andere im Flachland aus, so erhält man Pflanzen von recht verschiedenem Aussehen (Abb. 16.**10**). Da die Hochgebirgsform im Flachland die Gestalt der Flachlandform annimmt und umgekehrt, handelt es sich nicht um Mutationen. Solche nichterblichen umweltbedingten Änderungen der Gestalt bezeichnet man als **Modifikationen.**

Die Wahrnehmung (Perception) bzw. Messung eines Außenfaktors, insbesondere seiner quantitativen und qualitativen Änderungen, erfolgt mit Hilfe von Rezeptoren, die ein Signal erzeugen, das zum Wirkungsort übertragen wird (vgl. Kapitel 17.3).

16.4.1   Strahlung

Von allen Außenfaktoren, die die pflanzliche Entwicklung zu beeinflussen vermögen, sind die Wirkungen der Strahlung, insbesondere der sichtbaren, am besten untersucht. Wie früher bereits gezeigt wurde, ist die Strahlung bei photoautotrophen Organismen vor allem über die Photosynthese wirksam. Darüber hinaus vermag sie jedoch auch die Gestaltbildung der Pflanze in spezifischer Weise zu beeinflussen, und zwar auch bei nicht-photoautotrophen Organis-

Abb. 16.**10** Zwei Pflanzen vom Löwenzahn *(Taraxacum officinale),* die aus einer geteilten Wurzel hervorgegangen sind, **A** im Flachland, **B** im Hochgebirge

men, z. B. Pilzen. Diese Erscheinung bezeichnen wir als **Photomorphogenese,** die durch die Strahlung jeweils hervorgerufenen Effekte als **Photomorphosen.**

Da die grüne Pflanze unter natürlichen Bedingungen stets auch Licht erhält, lassen sich die morphogenetischen Effekte der Strahlung nicht ohne weiteres erkennen. Sie treten jedoch sehr deutlich hervor, wenn wir im Licht gewachsene Pflanzen mit solchen vergleichen, die im Dunkeln angezogen wurden. Das ist über längere Zeit natürlich nur bei Pflanzen möglich, die über genügend Stoffreserven verfügen und bis zu einem gewissen Grad von der Photosynthese unabhängig sind.

Das bekannteste Beispiel hierfür ist die Keimung von Kartoffelknollen. Im Licht entwickeln sich aus den Knollen normal grüne, beblätterte Sprosse (Abb. 16.**11 A**), während im Dunkeln farblose Achsen mit langgestreckten Internodien und kleinen, fast schuppenförmigen Blättchen entstehen (Abb. 16.**11 B**). Aus diesem Verhalten bei Lichtabschluß, das wir als **Etiolement** oder Vergeilung bezeichnen, können wir erkennen, daß das Licht für die Differenzierung der Proplastiden zu Chloroplasten, für die Chlorophyllsynthese sowie für die normale Entwicklung

Abb. 16.**11** Kartoffelpflanzen. **A** Im Licht gewachsene, normal grüne, beblätterte Pflanze. **B** In Dunkelheit angezogene, etiolierte Pflanze mit bleichem Sproß und reduzierten Blättern. Zur Verdeutlichung der Internodienstreckung bei der etiolierten Pflanze sind die einander entsprechenden Knoten durchlaufend numeriert (nach Pfeffer)

der Blattspreite eine unerläßliche Bedingung ist, während es die Streckung der Internodien bis zu einem gewissen Grad hemmt. Da die Kartoffelknolle genügend Reservestoffe gespeichert hat und außerdem das Etiolement schon durch relativ geringe Lichtmengen, die für die Photosynthese belanglos sind, unterdrückt werden kann, handelt es sich hier also um spezifisch photomorphogenetische Effekte.

> Von weiteren Effekten, die die Strahlung auf den Entwicklungsablauf haben kann, seien genannt: die bereits besprochene Induktion der Polarität, Förderung oder Hemmung der Keimung bei Samen (Licht- und Dunkelkeimer), Anthocyanbildung, Beeinflussung der Zellteilungsaktivität, Förderung der Ausbildung von Sporangien bzw. Fruchtkörpern bei Pilzen u. a.

Da nur solche Strahlung wirksam werden kann, die absorbiert wird, ergibt sich die Frage nach den die Strahlungsabsorption vermittelnden Pigmentsystemen, den Photorezeptoren. Die früher vertretene Ansicht, daß nur der kurzwellige, also blaue Spektralbereich der sichtbaren Strahlung wirksam ist, trifft nur für Pilze zu. Bei der Ermittlung der Aktionsspektren verschiedener photomorphogenetischer Prozesse hat sich gezeigt, daß bei höheren Pflanzen verschiedene Photorezeptoren an der Photomorphogenese beteiligt sein können.

Das Phytochromsystem absorbiert vor allem die rote und infrarote Strahlung, den blauen Bereich hingegen nur in geringem Umfang. Ein seiner chemischen Natur nach unbekannter und deshalb als Cryptochrom bezeichneter Blaulichtrezeptor absorbiert UV-A mit einem Maximum bei 370 nm und Blaulicht zwischen 400 und 500 nm Schließlich wurde auch ein UV-B-Rezeptor nachgewiesen, der unterhalb 350 nm absorbiert und ein Absorptionsmaximum bei 290 nm hat.

❗ **Phytochrom:** Von den vorgenannten Photorezeptoren ist das Phytochrom am besten untersucht. Es ist ein photochromes Pigment, das in zwei verschiedenen, durch Belichtung mit verschiedenen Wellenlängen reversibel ineinander überführbaren Formen vorliegen kann. Die eine hat ihr Absorptionsmaximum bei ewa 666 nm und wird deshalb als P_r (r = rot, engl.: red) bezeichnet. Unter Hellrotbestrahlung wandelt es sich in das P_{fr} (fr = dunkelrot, engl.: far red) um, dessen Absorptionsmaximum bei etwa 730 nm liegt. Durch Dunkelrotbestrahlung wird P_{fr} wieder in P_r überführt.

Eingehende Untersuchungen, insbesondere mit Hilfe immunologischer Techniken, haben gezeigt, daß die Photomorphogenese der Pflanzen durch mindestens zwei Typen von Phytochromen reguliert wird. Die „klassische", zuerst entdeckte Form kommt vor allem in etiolierten Geweben vor, in denen sie im Dunkeln akkumuliert wird. Im Licht wird sie abgebaut, so daß sie nur noch in sehr geringen Mengen vorhanden ist. Diese Form wird als Typ I bezeichnet. Demgegenüber ist der Typ II eine unabhängig von den Lichtbedingungen ziemlich stabile Form des Phytochroms, die zuerst in grünen Geweben gefunden wurde, wo sie allerdings in niedrigen Konzentrationen vorliegt. Die eingehende genetische Analyse an Wildtypen und Mutanten von *Arabidopsis thaliana,* aber auch an anderen dikotylen Pflanzen hat gezeigt, daß es fünf verschiedene Phytochrom-Gene gibt, die als

Abb. 16.12 Modellvorstellung der Phytochrom-Synthese und -Wirkung in *Arabidopsis*. Die Phytochrom-Proteine A – E werden von den Genen *phy*A – *phy*E als P_r synthetisiert. *phy*A wird im Dunkeln stark exprimiert, *phy*B – *phy*E dagegen konstitutiv in geringen Konzentrationen. Nach Photokonversion zu P_{fr} wird die *phy*A-Transcription schnell unterdrückt, und das Phytochrom A-Protein wird unter Mitwirkung von Ubiquitin (UBQ) proteolytisch zu Aminosäuren abgebaut, während die Phytochrome B – E stabil bleiben. P_{fr} aktiviert Proteinkinasen (PK), die für jede Phytochrom-Isoform spezifisch sind, was eine Änderung der Transcription (entweder positiv oder negativ) einer Vielzahl von Genen, die für die Photomorphogenese erforderlich sind, zur Folge hat. Eine der Hauptwirkungen der Proteinkinasen-Kaskade würde die Inaktivierung der DET und COP-Repressoren sein. Hierdurch wird eine normale Entwicklung der Pflanze ermöglicht (nach Vierstra)

*phy*A, *phy*B, *phy*C, *phy*D und *phy*E bezeichnet werden. *Phy*A codiert für den Phytochromtyp I, die anderen für den Typ II. Genauer untersucht wurden vor allem *phy*A und *phy*B (Abb. 16.**12**).

Das Typ-I-Phytochrom A kommt in verdunkelten Geweben in einer etwa hundertfach höheren Konzentration vor als Typ II. Daher ist es biochemisch und biophysikalisch sehr genau untersucht worden. Nach Abbau im Licht liegt es dann in den Zellen etwa in der Konzentration vor wie Typ II. Da die Abwesenheit von Phytochrom A die pflanzliche Entwicklung nicht sichtbar beeinflußt, wird von einigen Autoren angenommen, daß es für die normale Photomorphogenese nicht notwendig ist. Möglicherweise wirkt es ganz spezifisch auf bestimmte Phasen der Entwicklung. Mit Sicherheit spielt es bei der sogenannten P_{fr} kontrollierten Hochenergiereaktion etiolierter Keimlinge eine Rolle.

Abb. 16.**13** Absorptionsspektren (schwarz) und photomorphogenetische Wirkungsspektren (rot) des Phytochroms. P_r gestrichelte, P_{fr} durchgezogene Linien. Abszisse: Wellenlänge in nm, Ordinate: relative Quantenwirksamkeit bzw. Extinktion (nach Withrow, Mumford u. Jenner)

Hinsichtlich des Typ II liegen die meisten Erkenntnisse für das Phytochrom B vor, während die Rolle der Phytochrome C–E noch wenig untersucht ist. Offensichtlich ist Phytochrom B für die meisten lichtabhängigen Schritte in der Entwicklung wie Internodienverkürzung, die Erhöhung der Chloroplastenanzahl usw. notwendig.

Obwohl die Konzentration des Phytochroms in pflanzlichen Zellen und Geweben gering ist, konnte es aus einigen Pflanzen, z.B. Mais- und Haferkeimlingen, extrahiert und gereinigt werden. Die Lösung des P_r zeigt eine blaue Färbung. Bestrahlt man sie mit Hellrot, erhält man die grünlich gefärbte Form des P_{fr}. Durch Dunkelrotbestrahlung wird diese wieder in das blaue P_r überführt. Die Reversibilität des Phytochroms bleibt also auch *in vitro* erhalten. Die Absorptionsspektren der beiden Formen (Abb. 16.**13**) überlappen sich, so daß sich zwischen ihnen bei Belichtung ein photostationäres Gleichgewicht einstellt, dessen Lage von der Wellenlänge abhängig ist.

Die Quantenausbeute der zum P_{fr} führenden Reaktion ist größer als die der umgekehrt verlaufenden. Deshalb liegt unter den natürlichen Strahlungsverhältnissen des „weißen Lichtes", das etwa gleiche Mengen an Hellrot und Dunkelrot enthält, überwiegend die aktive Form des P_{fr} vor. Die photomorphogenetischen Prozesse laufen daher auch im Weißlicht ungehindert ab.

Seiner chemischen Natur nach ist das Phytochrom ein Biliprotein. Es liegt als Dimer vor, das aus zwei Monomeren besteht, deren Molekülmasse beim Hafer *(Avena sativa)* 123000 Da beträgt. Sein Chromophor, dessen Anteil an der Molekülmasse nur etwa 5% ausmacht, ist ein offenkettiger Tetrapyrrolkörper, der dem Chromophor des Phycocyanins sehr ähnlich ist. Bei anderen Pflanzen wurden Molekülmassen zwischen 118 und 129 kDa gefunden.

Alle Phytochrome werden in der P_r-Form synthetisiert. *phy*A wird im Dunkeln stark exprimiert, während die anderen Phytochrome unabhängig von den Lichtbedingungen konstitutiv, d.h. unter normalen Bedingungen ständig synthetisiert werden, wenn auch in geringer Menge. Die Synthese des Phytochroms hat zwei verschiedene Biosynthese-Wege zur Voraussetzung, und zwar einen für den Chromophor und den anderen für das Protein. Die Anlagerung der beiden Komponenten erfolgt offenbar autokatalytisch. An der Faltung des Phytochrom-Moleküls in seine photoaktive Form ist ein Chaperon beteiligt. Versuche haben gezeigt, daß dieses in der Lage ist, in Gegenwart von ATP und $Mg^{2\oplus}$-Ionen *in vitro* denaturiertes Phytochrom wieder in die photoaktive Form zu überführen. Wie Abb. 16.**14** zeigt, unterscheidet sich die P_r von der P_{fr} Konfiguration dadurch, daß erstere am C_{15} in der cis-, letztere in der trans-Form vorliegt. Die dadurch veränderte räumliche Anordnung des P_{fr} legt offensichtlich Bindungsstellen frei, an denen die zur Photomorphogenese führenden Reaktionen ablaufen können. P_{fr} ist somit die physiologisch aktive Form des Phytochroms. Neuere Befunde lassen darauf schließen, daß bei der Photokonversion des P_r zum P_{fr} auch Änderungen am Protein erfolgen.

Die Synthese des P_r erfolgt im Cytoplasma. In etiolierten Zellen ist es diffus im Cytosol verteilt. Nach Photokonversion zu P_{fr} läßt sich das Phytochrom mit Hilfe immuncytochemischer Methoden nur noch in bestimmten Bereichen des Cytosols nachweisen. Es liegt dann in Form elektronenoptisch dichter, unregelmäßig gestalteter Körper mit einer anfänglichen Größe zwischen 200 und 400 nm vor. Diese scheinen aus amorphem granulären Material zu bestehen, was auf Proteinaggregate hindeutet. Ihre Bildung erfolgt innerhalb von 1–2 s nach Beginn der Rotlichtbestrahlung. Sie enthalten Ubiquitin (Abb. 16.**12**) und sind offensichtlich

Abb. 16.**14** Phytochrom-Chromophore in der P_r- und P_{fr}-Konfiguration. Die gerasterten Bereiche symbolisieren einen Teil des Proteins (nach Rüdiger)

Orte der Phytochrom-Destruktion, nicht aber der Phytochrom-Wirkung. Die früher angenommene direkte Interaktion des P_{fr} mit intrazellulären Membranen, die ein wichtiger Schritt für die Signal-Transduction wäre, hat sich bisher nicht nachweisen lassen. Es ist jedoch nicht auszuschließen, daß dies methodische Gründe hat.

Die durch die Photokonversion ausgelöste Signal-Transduktion ist noch weitgehend Gegenstand der Hypothese. Phytochrom wirkt offensichtlich nicht nur als Photorezeptor, sondern auch als Phototransducer. Die Signal-Transduction umfaßt alle Prozesse, die P_{fr} mit den letzten Schritten der Signalkette verbinden, d.h. mit der Genexpression und/oder Änderungen der Membraneigenschaften. Der erste Schritt besteht offensichtlich in der Bindung des P_{fr} an einen spezifischen, bisher jedoch nicht identifizierten Rezeptor. In dieser Form ist es in der Lage, eine intrazelluläre Transduktion auszulösen, die das Signal zum Wirkungsort leitet.

Experimentelle Befunde lassen darauf schließen, daß P_{fr} mit zellulären Proteinkinasen in Wechselwirkung tritt, wodurch zusammen mit der entsprechenden Proteinphosphatase, die dephosphoryliert, eine Kaskade von Signalproteinen mit wechselndem Phosphorylierungszustand ausgelöst wird, die zugleich der Signalverstärkung dienen kann. Diese cytosolischen Proteinkinasen, die den Phosphatrest auf Serin-Threonin-Reste übertragen, kooperieren mit sogenannten „second messengern" wie $Ca^{2\oplus}$ und Calmodulin, Diacylglycerol, cyclisches GMP (cGMP) und cyclisches AMP (cAMP). Eine der Hauptwirkungen der Proteinkinasen-Kaskade wäre nach diesem Modell die Inaktivierung der DET- (= deetioliert) und COP- (konstitutive Photomorphogenese-)Repressoren (Abb. 16.**12**), so daß eine normale Entwicklung vom Keimling bis zur photosynthetisch wirksamen Pflanze möglich wird. Außerdem scheinen G-Proteine an der Signal-Transduction beteiligt zu sein, das sind GTP-bindende und -hydrolysierende Proteine. Allerdings sind Ort und Art ihrer Einbindung in die Signalkette noch unklar.

Im Gegensatz zur Signaltransduction wurden bezüglich der Phytochrom-regulierten Genexpression deutliche Fortschritte erzielt. Hier sind vor allem die Synthesen des Chlorophylls, des LHC II-Apoproteins und der kleinen Untereinheit der RubisCO zu nennen. Das Studium der Phytochrom-kontrollierten Expression einiger Gene, die für Plastidenproteine codieren, hat gezeigt, daß Phytochrom zwar die Transcription moduliert, daß der Transcriptionsprozeß selbst jedoch lichtunabhängig ist und durch einen endogenen Faktor ausgelöst wird. Phytochrom kann also nicht etwa das genetisch bedingte Differenzierungsmuster ändern, sondern lediglich dessen Realisierung steuern.

Auf Wechselbeziehungen zwischen Phytochrom und Biomembranen deuten die sogenannten „schnellen" Phytochromreaktionen hin, für die zwei Beispiele angeführt sein mögen. Suspendierte Wurzelspitzen von Gerstenkeimlingen heften sich wenige Sekunden nach Bestrahlung mit Hellrot am Boden eines beschichteten Glasgefäßes an und lösen sich durch eine anschließende Dunkelrotbestrahlung wieder ab. Die Ursache hierfür sind wahrscheinlich phytochrominduzierte Permeabilitätsänderungen und damit verbundene Potentialänderungen des Plasmalemmas, die infolge veränderter Ladungsverhältnisse zu einer elektrostatischen Anheftung der Wurzelspitzen führen. Bei *Mimosa pudica* wird das Einsetzen der bei Verdunkelung ablaufenden

Blattbewegungen (Abb. 17.**4**, S. 513) durch eine kurze Dunkelrotbestrahlung vor Beginn der Verdunkelung um mehrere Stunden verzögert. Auch dieser Effekt, der durch eine anschließende Hellrotbestrahlung rückgängig gemacht werden kann, tritt bereits nach kurzer Zeit ein. Auf die Rolle des Phytochroms bei der Chloroplastenbewegung wird später noch eingegangen werden.

⚠ **Cryptochrom:** Zu den durch Blaulicht zwischen 400 und 500 nm und nahes UV (UV-A) regulierten Entwicklungsvorgängen gehören die Expression verschiedener im Zellkern bzw. in den Chloroplasten lokalisierter Gene, die für Blatt-Proteine codieren, die Unterdrückung der Verlängerung der Sproßachse sowie insbesondere auch die Steuerung einiger Bewegungsvorgänge.

Aufgrund gewisser, allerdings bisweilen geringfügiger Abweichungen in den Aktionsspektren ist zu schließen, daß es mehrere Blaulichtrezeptoren gibt. Als mögliche Chromophore werden Flavine, Pterine und das Carotinoid Zeaxanthin in Erwägung gezogen. Insbesondere wird das 5′-Malonylriboflavin als Chromophor für höhere Pflanzen diskutiert, das wahrscheinlich als ein Flavoprotein-Cytochrom-Komplex vorliegt. Allerdings ist nicht auszuschließen, daß sich die verschiedenen Cryptochrome gar nicht in ihren Chromophoren, sondern in ihren Proteinanteilen unterscheiden. Ungeachtet der Unkenntnis ihrer chemischen Natur wird angenommen, daß es sich bei den Cryptochromen um Plasmalemma-gebundene Chromoproteine handelt. Auch wird für sie eine ähnliche Transductionskette diskutiert wie für Phytochrom.

16.4.2   Temperatur

⚠ Da an den Wachstums- und Entwicklungsprozessen der Pflanzen zahlreiche biochemische Umsetzungen beteiligt sind, die Q_{10}-Werte von 2 oder mehr haben, ist eine Temperaturabhängigkeit von Wachstum und Entwicklung von vornherein zu erwarten. Sie wird durch die sogenannten Kardinalpunkte, Minima, Optima und Maxima, charakterisiert. Außer auf diese mehr unspezifische Weise kann die Temperatur die Entwicklungsvorgänge jedoch auch ganz spezifisch beeinflussen, z.B. die Ausbildung der Gestalt (Thermomorphosen). Auch läuft die Entwicklung bei gleichbleibender Temperatur meist ganz anders ab als bei einem regelmäßigen Tag-Nacht-Temperaturwechsel (Thermoperiodismus).

Kardinalpunkte des Wachstums: Wie die in Abb. 16.**15** wiedergegebene Optimumskurve zeigt, muß zur Auslösung eines Wachstumsvorganges eine bestimmte Minimaltemperatur überschritten werden, oberhalb derer bei weiterer Temperatursteigerung eine Beschleunigung der Wachstumsgeschwindigkeit zu beobachten ist. Nach Überschreiten des Optimums machen sich dann hemmende Einflüsse bemerkbar, die schließlich zur Einstellung des Wachstums führen.

Es ist leicht einzusehen, daß die Kardinalpunkte des Wachstums bei an verschiedene Standorte angepaßten Organismen unterschiedlich sind. Bei den höheren Pflanzen liegen die Temperaturoptima meist bei 25–30°C, die Minima zwi-

Abb. 16.**15**   Optimumskurve der Temperatur mit Kardinal- und Tötungspunkten

schen 5 und 15 °C und die Maxima zwischen 45 und 55 °C. Die höheren Pflanzen
sind also **mesophil.** Eine größere Anzahl von Mikroorganismen ist an extreme
Temperaturen angepaßt. So leben die **psychrophilen** Bakterien in einem Temperaturbereich von etwa – 10 bis + 20 °C, und einige von ihnen können sogar bei
0 °C noch wachsen. Im Gegensatz hierzu bevorzugen **thermophile** Mikroorganismen, je nach Art, Temperaturen zwischen 50 und 98 °C. Einige wenige, meist zu
den Archaebakterien gehörende Arten, die z. B. in heißen Quellen oder in submari-
nen Vulkanregionen leben, wachsen optimal bei 100 – 105 °C mit einem Maximum
von 110 °C. Sie werden als hyperthermophil bezeichnet.

Da Proteine meist schon bei Temperaturen oberhalb 50 °C denaturiert und somit die
Enzyme inaktiviert werden, setzt das Leben bei so hohen Temperaturen das Vorhandensein einer speziellen Proteinausstattung voraus. Wie diese aussehen könnte,
zeigt ein als **Thermosom** bezeichneter, aus dem Cytoplasma des thermophilen Ar-
chaebacteriums *Pyrodictium occultum* isolierter Proteinkomplex, bei dem es sich offenbar um eine auch bei extrem hohen Temperaturen stabile ATPase handelt, die
auch Chaperonin-Funktion hat. Sie besteht aus 16 Untereinheiten, von denen die
Hälfte eine Mr von 56000 und die andere Hälfte von 59000 hat. Sie sind in Form von
zwei aneinandergrenzenden Ringen aus je 8 Untereinheiten angeordnet, die einen
zentralen Hohlraum von 7 nm umschließen. Dieser dient wahrscheinlich der Aufnahme von Peptidketten, die hier durch Faltung in ihre endgültige Konformation
überführt werden, wobei der Mechanismus allerdings noch unklar ist.

Wohl zu unterscheiden von den Kardinalpunkten des Wachstums sind die der
Temperaturresistenz (Abb. 16.**15**). Während die Minimaltemperaturen des Wachstums in der Regel 0 °C nicht unterschreiten, vermögen zahlreiche Pflanzen eine länger dauernde Wirkung tieferer Temperaturen ohne weiteres zu überstehen. So ertra-
gen z. B. manche Bäume der nördlichen Breiten Temperaturen bis zu – 60 °C, ohne
daß der Kältetod eintritt. Im Zustand des latenten Lebens kann das Plasma von Bak-
terien- u. a. Sporen sogar Temperaturen von –273 °C überleben. Entsprechendes gilt
für die Hitzeresistenz. So werden Bakteriensporen durch Erhitzen auf 100 °C nicht
abgetötet, während das Plasma im aktiven Zustand schon bei 65 °C irreversibel denaturiert wird. Daher reicht diese Temperatur auch zum Abtöten vegetativer Bakte-
rienkeime aus (Pasteurisieren).

Box 16.2   Hitzeschock-Streß-System

Die durch einen Hitzeschock ausgelösten Reaktionen sind in den letzten Jahrzehnten eingehend untersucht worden. Als erste Reaktionen werden oft ein Anstieg der Protonen- und Calciumionen-Konzentrationen in der Zelle, eine Zunahme falsch gefalteter bzw. eingebauter Proteine, Proteinphosphorylierungen, die Bindung von Ubiquitin an Proteine und deren Abbau sowie weitere biochemische Veränderungen beobachtet. Vor allem die Änderung der Proteinstruktur scheint ein wichtiges Signal zu sein, das einen Hitzeschockfaktor aktiviert, der an den Promotor der Hitzeschockgene bindet und deren Transkription stimuliert.

Je nach Molekülmasse (kDa) werden verschiedene HSP-Familien unterschieden, z. B. die großmolekularen HSP 90-, HSP 70- und HSP 60-Familien, die HSP 40-Familie mittlerer Größe und die kleinen Hitzeschockproteine wie HSP 20 und HSP 8,5 (Ubiquitin). Die Zahl der großen Streßprotein-Typen innerhalb eines Organismus kann zwischen 2 und 12 variieren. Besonders vielfältig ist die HSP 70-Familie.

Viele HS-Proteine zählen zu den Chaperonen (Box 1.**1**, S. 24), kommen also auch bei Abwesenheit von Streß regelmäßig in den Zellen vor, wo sie vor allem regulatorische Funktionen ausüben, z. B. im Zellzyklus und bei Differenzierungsvorgängen. Dieser Umstand läßt den Schluß zu, daß der Bedarf der Zellen an HS-Proteinen in bestimmten Phasen der Entwicklung und Differenzierung verschieden ist und daß die Überproduktion nach Hitzeschock dazu beiträgt, die Stabilität der Zellen zu erhöhen und somit trotz Streßeinwirkung einen einigermaßen „normalen" Ablauf grundlegender biochemischer Prozesse zu gewährleisten. Unter Hitzeschockbedingungen treten sie vermehrt auf und schützen die neusynthetisierten Proteine vor der Ausbildung einer falschen Konformation, was bei hohen Temperaturen leicht geschehen kann, bzw. ermöglichen ihren Transport durch Membranen. Manche HSP werden im Kern akkumuliert. Ob sie eine Rolle bei der Replikation und der Genkontrolle spielen, ist noch nicht klar. Sicher ist, daß sie die Temperaturtoleranz der Zellen erhöhen und somit den Organismen gestatten, höhere, unter Umständen schon letale Temperaturen zu überleben.

Hitzeschockproteine: Setzt man Pflanzen einem Hitzeschock (HS) aus, d.h. einem plötzlichen Temperaturanstieg, der je nach Art zwischen 5 und 15 °C liegen kann, so wird eine Kette von Reaktionen in Gang gesetzt, die bei allen Organismen, von den Archaebakterien über die höheren Pflanzen bis zu den Tieren, sehr ähnlich ist. Das Muster der Transcription der Gene ändert sich sofort, d.h. die jeweils aktiven Gene werden reprimiert, während die sogenannten HS-Gene angeschaltet werden. Vorhandene Polysomen dissoziieren, bilden aber sogleich neue Polysomen zum Zweck der Translation der HSmRNA. Infolgedessen akkumulieren die HS-Proteine sehr rasch. Zellteilungen und das processing der rRNA werden blockiert. Wirken die hohen Temperaturen längere Zeit ein, nimmt die Synthese der HS-Proteine ab, und die Pflanze beginnt, wieder die normalen Proteine zu synthetisieren (Box 16.**2**).

Thermomorphosen: Über diese eigentlich eher unspezifischen Einflüsse hinaus-gehend kann die Temperatur jedoch auch formative Effekte auslösen, die als Ther-momorphosen bezeichnet werden. Zum Beispiel können niedrige Temperaturen, ähnlich wie das Licht, die Streckung der Internodien hemmen. Kartoffeln bilden bei hohen Nachttemperaturen keine Knollen aus. Karotten werden bei niedrigen Temperaturen konisch-länglich, bei höheren Temperaturen kurz und gedrungen. Auch die Farbmuster mancher Blüten können durch die Temperaturen, die wäh-rend einer bestimmten Phase der Knospenentwicklung eingewirkt haben, modifi-ziert werden. Die Verhältnisse werden noch dadurch kompliziert, daß die Tempe-raturansprüche ein und desselben Organismus während der aufeinanderfolgen-den Phasen seiner Entwicklung nicht gleich sind und daß die Temperaturoptima für die Entwicklung verschiedener Organe verschieden sein können. Außerdem wirkt sich ein regelmäßiger, dem Tag-Nacht-Wechsel folgender Temperaturwech-sel auf viele Entwicklungsvorgänge günstiger aus als gleichbleibend hohe Tempe-raturen. Dabei liegt in der Regel die optimale Nachttemperatur unter der optima-len Tagestemperatur **(Thermoperiodismus).**

Vernalisation: Ein praktisch wichtiges Beispiel für die verschiedene Temperatur-abhängigkeit der einzelnen Entwicklungsphasen sind unsere Wintergetreide. Sie durchlaufen im ersten Abschnitt ihrer Entwicklung eine Phase, in der sie niedrige Temperaturen benötigen. Wirken diese nicht ein, was z.B. bei Aussaat im Frühjahr der Fall wäre, so bleiben sie in ihrer weiteren Entwicklung rein vegetativ und kommen nicht zur Blüte. Unterwirft man sie jedoch in dieser Phase einer mehr-wöchigen künstlichen Kältebehandlung von etwa $+5\,°C$, so entwickeln sie sich auch bei Aussaat im Frühjahr normal. Diese Umstimmung bezeichnet man als Vernalisation. Interessanterweise kann man bei einigen Pflanzen die Kälteeinwir-kung durch Behandlung mit Gibberellinen ersetzen, doch ist der Mechanismus der Gibberellinwirkung noch nicht klar.

16.4.3 Schwerkraft

Da die Schwerkraft an allen Punkten der Erdoberfläche wirksam ist, erkennt man ihren Einfluß erst, wenn man den betreffenden Organismus der einseitigen Schwerkrafteinwirkung entzieht. Abgesehen von der recht aufwendigen Möglich-keit, Experimente in Satelliten außerhalb des Schwerefeldes der Erde durchzu-führen, kann man dies auch dadurch erreichen, daß man den zu untersuchenden Organismus an einer horizontal gestellten Klinostatenachse[1] rotieren läßt und da-durch gleichmäßig von allen Seiten reizt. Formative Effekte der Schwerkraft wer-den als **Gravimorphosen** bezeichnet. Zu ihnen gehört die Induktion der Dorsi-ventralität. So kann man z.B. manche Pflanzen, die normalerweise dorsiventrale

---

[1] Klinostaten sind mit einem Uhrwerk oder einem elektrischen Antrieb ausgerüstete Apparaturen, deren mit konstanter Geschwindigkeit rotierende Achsen in jedem belie-bigen Winkel zur Richtung der Erdschwerkraftwirkung eingestellt werden können.

Blüten bilden, durch Rotation auf dem Klinostaten zur Bildung radiärsymmetrischer Blüten veranlassen.

16.4.4 Chemische Einflüsse

❗ Wie bereits erwähnt (S. 273), sind chemische Faktoren wie Wasser und Ionen für die Ernährung der Pflanze und somit für das Wachstum unerläßlich. Wassermangel ruft Trockenstreß hervor, ein Überangebot an Ionen Salzstreß. Darüber hinausgehend können chemische Faktoren aber auch formative Effekte (Chemomorphosen) auslösen.

Salzstreß: Eine abrupte Erhöhung der Salzkonzentration führt einerseits, dem Konzentrationsgefälle folgend, zu einem erhöhten Ioneneinstrom in die Zelle, andererseits zu einem osmotischen Wasserentzug. Salz- und Trockenstreß ähneln sich daher bis zu einem gewissen Grade. Die Streßantwort besteht in einer Verstärkung des aktiven Transportes, durch den die Ionen wieder nach außen gepumpt werden. Gleichzeitig werden die Ionen durch niedermolekulare organische Stoffe ersetzt, die für die Zelle unschädlich sind, aber das osmotische Potential aufrechterhalten. Es sind etwa 20–30 solcher Stoffe bekannt, z. B. Zucker (Saccharose), Zuckeralkohole (z. B. Mannit), Aminosäuren (z. B. Prolin) u. a. Für die Induktion der Biosynthese dieser Stoffe ist keine Genaktivierung erforderlich.

Außerdem wurde sowohl bei Einzellern als auch bei höheren Pflanzen die Synthese von Salzschockproteinen nachgewiesen, bei denen, im Gegensatz zu den Hitzeschockproteinen, die kleinermolekularen Proteine (10–40 kDa) dominieren. Hierzu zählt das vor allem bei höheren Pflanzen gefundene **Osmotin**, ein 26 kDa-Protein. Neben solchen offenbar spezifischen Salzstreßproteinen wurde auch die verstärkte Synthese einiger bekannter Hitzeschockproteine nachgewiesen, was den Schluß zuläßt, daß es möglicherweise allgemeine Streßproteine gibt, die stets, d. h. unabhängig von der Natur des Stresses, Bestandteil der Streßantwort sind. Nach Aufhebung des Salzstresses normalisiert sich der Stoffwechsel schnell.

Metallothioneine: Erreichen Schwermetallionen schädliche oder sogar toxische Konzentrationen, antworten eukaryotische Zellen mit der Bildung von Metallothioneinen. Hierunter versteht man relativ kleine (ca. 7000 Da), cysteinreiche Proteine, die auch in Abwesenheit von Streß in den Zellen vorkommen, deren Bildung jedoch durch den Schwermetallstreß (Zink, Cadmium, Kupfer, Quecksilber, Silber) erheblich verstärkt wird. Offensichtlich werden die Schwermetallionen an die Sulfhydryl-Gruppen gebunden und dadurch bis zu einem gewissen Grade entgiftet.

Chemomorphosen: Hierzu zählen z. B. die **Hydro-** und **Hygromorphosen,** die durch den Kontakt mit Wasser bzw. in feuchter Atmosphäre ausgebildet werden. Ein sehr schönes Beispiel hierfür ist der Wasserhahnenfuß (Abb. 7.4, S. 236), dessen submerse Wasserblätter zerschlitzt sind, während die über die Wasserober-

fläche gelangenden und mit feuchter Luft in Berührung kommenden flächig entwickelt sind. Andererseits ruft anhaltende Trockenheit bei zahlreichen Pflanzen
Xeromorphosen hervor. Hierzu zählen z. B. die Verminderung der Wasserdurch-
lässigkeit der Abschlußgewebe, etwa durch Verdickung der Cuticula und Verstärkung der Wachsauflagerungen, die Ausbildung einer dichten Behaarung auf der
Blattoberfläche, die Einsenkung von Spaltöffnungen unter die Epidermisoberfläche, die verstärkte Bildung von Leitungs- und Festigungselementen sowie gewisse Metamorphosen der Sproßachse und des Blattes.

16.5   Entwicklungsrhythmen

Der pflanzliche Organismus durchläuft in seiner Ontogenese eine Reihe von Entwicklungsphasen, die von der Keimzelle über embryonale und Jugendstadien zur
Reife und schließlich zu Alterung und Tod führen. Unabhängig davon, ob die Individuen Wachstums- und reproduktive Phasen wiederholen können oder ob sie
die Phasen eines Zyklus nur einmal durchlaufen, so daß jeder Zyklus mit einer
neuen Keimzelle beginnt, resultiert eine rhythmische Folge von Entwicklungszyklen. Zwischen die einzelnen Entwicklungszyklen können Ruheperioden eingeschaltet sein. In diesem Falle ist der Entwicklungsrhythmus mit einem Aktivitätsrhythmus, d. h. einem regelmäßigen Wechsel zwischen aktiven Lebensphasen
und Stadien der Ruhe, verbunden. Sowohl die Entwicklungs- als auch die Aktivitätsrhythmen sind endogener Natur, können jedoch durch äußere Faktoren gesteuert werden.

Zu den bekanntesten Erscheinungen dieser Art gehören die vor allem in den gemäßigten Zonen verbreiteten jahresperiodischen Phänomene, z. B. der Frühjahrs-
austrieb und herbstliche Laubfall vieler Bäume und Sträucher, die Jahresperiodizi-
tät des Blühens u. a. Auf den ersten Blick mag es den Anschein haben, daß diese
Periodizität allein durch den Wechsel der klimatischen Bedingungen hervorgerufen wird, also ausschließlich durch äußere Faktoren bedingt ist. Daß dies nicht
zutrifft, erkennt man, wenn man Pflanzen, die in unseren Breiten den jahresperiodischen Klimaschwankungen folgen, in tropische Zonen verpflanzt, die keine
ausgesprochene Periodizität der Vegetationsbedingungen zeigen. Sie behalten
hier nämlich ihre Entwicklungs- und Aktivitätsrhythmen bei, nur zeigen diese
keinerlei Beziehungen mehr zum Wechsel der Jahreszeiten, und die Dauer der Perioden weicht meist von der ursprünglichen, 12 Monate betragenden Periodenlänge ab, weshalb man sie als circannuell bezeichnet. Daraus geht hervor, daß an
dem periodischen Wechsel der Phasen eine endogene Komponente beteiligt sein
kann. Unter den Bedingungen des bei uns herrschenden jahreszeitlichen Klima-
wechsels wird der Rhythmus der Pflanze so eingesteuert, daß die Phasen der Aktivität in die Sommer-, die der Ruhe hingegen in die Wintermonate fallen.

Diese Feststellung zieht die Frage nach sich, auf welche Weise die betreffenden
Pflanzen die Jahreszeiten zu erkennen vermögen. Ursprünglich glaubte man, die
jahreszeitlichen Schwankungen bestimmter klimatischer Faktoren, etwa der
Temperatur oder der Wasserversorgung, hierfür verantwortlich machen zu kön-

nen. Das trifft in dieser allgemeinen Formulierung sicherlich nicht zu. Zwar zeigt das Meerwasser einen einigermaßen regelmäßigen Jahresgang der Temperatur, der marinen Organismen zur Bestimmung der Jahreszeit dienen kann, doch ist die Temperatur für Landpflanzen, die bisweilen schon innerhalb weniger Tage oder gar Stunden starken Temperaturschwankungen ausgesetzt sind, kein zuverlässiges Maß der Jahreszeit. Das einzige von klimatischen Schwankungen unabhängige und damit jederzeit zuverlässige Maß der Jahreszeit ist die Tageslänge. Es hat sich nun gezeigt, daß tatsächlich viele Pflanzen in der Lage sind, die Tageslänge exakt, vielfach auf Minuten genau, zu messen und ihren Entwicklungsablauf mit Hilfe dieser „physiologischen Uhr" zeitlich zu steuern. Dieses Phänomen liegt u.a. dem **Photoperiodismus** zugrunde.

Aus der Vielzahl der physiologischen Vorgänge, die einer photoperiodischen Steuerung unterliegen, wie die Frostresistenz, die Ausbildung von Knollen, Zwiebeln, Ausläufern u.a., sei als Beispiel die photoperiodische Kontrolle der Blütenbildung ausgewählt.

Hinsichtlich des Einsetzens der Blütenbildung, d.h. des Überganges aus der vegetativen in die reproduktive Phase, unterscheiden wir **Langtagpflanzen** (LTP), **Kurztagpflanzen** (KTP) und **tagneutrale Pflanzen.** Während die Blütezeit bei den letztgenannten keiner photoperiodischen Steuerung unterliegt, kommen die LTP erst zur Blüte, wenn eine bestimmte Tageslänge, die kritische Tageslänge, überschritten wird, die KTP hingegen nur, wenn die Tagesdauer unter der kritischen Tageslänge bleibt. Ist dies nicht der Fall, bleiben sie rein vegetativ. Die Dauer der kritischen Tageslänge ist von Fall zu Fall verschieden. Meist liegt sie in der Größenordnung von 10–14 Stunden. Die Kurztagpflanzen, zu denen z.B. Reis, Hirse, Kartoffel sowie bestimmte Tabakarten gehören, stammen aus tropischen Zonen und kommen in unseren Breiten erst unter den Kurztagbedingungen des Herbstes zur reproduktiven Entwicklung. Langtagpflanzen sind die bei uns heimischen Getreidearten, Salat, Spinat sowie ebenfalls gewisse Tabakarten.

Da im Verlauf eines Jahres jede Tageslänge, mit Ausnahme des kürzesten und längsten Tages, zweimal auftritt, müssen die Organismen zwischen zu- und abnehmender Tageslänge unterscheiden können. Daher muß die photoperiodische Steuerung mit einem zweiten Kontrollmechanismus gekoppelt sein. So sind die Herbstblüher **Lang-Kurztagpflanzen** (LKTP), d.h. sie kommen erst zur Blüte, wenn sie zunächst langen und dann kurzen Tagen ausgesetzt sind. Bei den biennen Pflanzen, die erst im zweiten Jahr blühen, liegt meist ein Temperaturblock vor. Sie kommen erst zur Blüte, wenn sie für eine längere Zeit tiefen Temperaturen ausgesetzt waren. Bei vielen Arten, z.B. bei unseren Wintergetreiden, kann dieser Block durch Behandlung mit niedrigen Temperaturen von etwa 5 °C beseitigt und der Weg für die photoperiodische Kontrolle freigegeben werden. Wir haben diese Erscheinung bereits als Vernalisation kennengelernt (S. 496).

Die Abhängigkeit der Blütenbildung von der Tageslänge könnte zu der Annahme verleiten, daß die gebotene Lichtmenge und damit die photosynthetische Tagesleistung für die photoperiodische Steuerung verantwortlich sei. Das ist jedoch nicht der Fall. Entscheidend ist lediglich die Dauer der Belichtung, während die Lichtintensität, sofern sie einen bestimmten Schwellenwert überschreitet, innerhalb weiter Grenzen ohne Einfluß ist. Dieser Schwellenwert liegt bei sehr niedrigen Intensitäten von nur wenigen Lux, interessanterweise jedoch meist über der Intensität des vollen Mondlichtes, so daß dieses die Tageslängenmessung nicht zu stören vermag. Obwohl die photoperiodisch wirksame Strahlung (s. unten) durch die Laubblätter aufgenommen wird, ist es nicht etwa ein verstärkter Strom von Assimilaten, der die Blütenbildung auslöst.

Offenbar wird nach Erreichen der geeigneten Tageslänge ein Blühimpuls von den Blättern zum Scheitelmeristem der Sproßachse transportiert, wo er die Blütenbildung auslöst. Die Natur dieses Blühimpulses ist unklar. Man hat vermutet, daß es sich um ein **„Blühhormon"** handelt, doch hat sich dessen chemische Natur nicht nachweisen lassen. Es ist bisher nicht gelungen, eine blüteninduzierende Substanz zu isolieren, und die Übertragung des Blühimpulses von einer Pflanze auf eine andere ist nicht durch Diffusion möglich, sondern nur, wenn beide Pfropfpartner miteinander verwachsen sind. Der Blühimpuls scheint nicht artspezifisch zu sein, da z.B. die Langtagpflanze *Hyoscyamus niger* (Bilsenkraut) auch unter Kurztagbedingungen zur Blütenbildung übergeht, wenn man ihr das Blatt eines Kurztagtabaks, also einer ganz anderen Pflanzenart, aufpfropft. Manche Langtagpflanzen lassen sich unter Kurztagbedingungen auch dann zur Blüte bringen, wenn man sie mit Gibberellinen behandelt. Diese sind jedoch nicht mit dem „Blühhormon" identisch.

In diesem Zusammenhang sei nachdrücklich darauf hingewiesen, daß die bei der Blütenbildung ablaufenden biochemischen Reaktionen nicht mit denen gleichzusetzen sind, die dem Zeitmeßvorgang zugrunde liegen. Vielmehr handelt es sich bei dem letzteren um ein von der Blütenbildung unabhängiges und offenbar weit verbreitetes Reaktionssystem, das nach Erfüllung der erforderlichen Voraussetzung, d. h. nach Erreichen der notwendigen Tageslänge, einen physiologischen Block beseitigt, wodurch der normale Ablauf der zur Blütenbildung führenden Differenzierungsprozesse freigegeben wird.

Über die Natur dieses Zeitmeßvorganges wissen wir wenig. Einen gewissen Aufschluß darüber haben Zusatz- und Störlichtversuche (Abb. 16.**16**) gegeben. Gibt man einer Kurztagpflanze, die im 10-Stunden-Tag zur Blüte kommt (**A**), nur eine zusammenhängende Belichtung von 9 Stunden und ein einstündiges Störlicht während der Dunkelzeit, wird die Blütenbildung unterdrückt (**B**). Andererseits kann man eine Langtagpflanze, die im 7-Stunden-Tag nicht blüht (**C**), zur Blütenbildung veranlassen, wenn man ihr eine Belichtung von 6 Stunden und ein einstündiges Zusatzlicht während der Dunkelzeit gibt (**D**). Obwohl jeweils in den beiden Parallelfällen nicht nur die gebotene Lichtmenge, die ja nach unseren obigen Ausführungen unwesentlich ist, sondern auch die Gesamtbelichtungsdauer gleich war, sind die Effekte der einzelnen Belichtungsprogramme ganz verschieden. Das beweist, daß weder die Lichtmenge noch die Gesamtbelichtungsdauer entscheidend ist. Vielmehr kommt es darauf an, daß in einer bestimmten Phase Licht geboten bzw. nicht geboten wird. Da die Wirkung des Stör- bzw. Zusatzlichtes, das ja nicht unbedingt in der Mitte der Dunkelzeit gegeben werden muß, in einem be-

Abb. 16.**16** Störlichtversuche mit Lang- und Kurztagpflanzen. Belichtungszeit hell, Dunkelzeit schwarz, + Induktion der Blütenbildung, – keine Blütenbildung. **A** Kurztagpflanze kommt im 10-Stunden-Tag zur Blüte. **B** Im 9-Stunden-Tag mit einem 1stündigen Störlicht in der Mitte der Dunkelzeit wird die Blütenbildung unterdrückt. **C** Langtagpflanze blüht im 7-Stunden-Tag nicht. **D** Langtagpflanze im 6-Stunden-Tag mit einem 1stündigen Zusatzlicht in der Mitte der Dunkelzeit kommt zur Blüte (nach Bünning)

stimmten Zeitabstand nach Einsetzen der Dunkelzeit bzw. auch der vorhergehenden Belichtung am größten ist, also ein Maximum durchläuft, dürfen wir den Schluß ziehen, daß die Zeitmessung in der Pflanze mittels eines Schwingungssystems (Oszillators) erfolgt, das durch einen tagesperiodischen Wechsel verschieden lichtempfindlicher Phasen charakterisiert ist. Je nachdem, ob das Störlicht im Maximum der empfindlichen Phase liegt oder weiter davon entfernt, wird seine Wirkung größer oder geringer sein. Obwohl die empfindliche Phase jeweils eine bestimmte Zeit nach dem Licht- bzw. Dunkelbeginn einsetzt, die Phasenlage also durch den Licht-Dunkel-Wechsel bestimmt wird, ist das Schwingungssystem von Außenfaktoren nahezu unabhängig, trägt also endogenen Charakter. Dafür sprechen auch die Befunde, daß im Dauerlicht bzw. Dauerdunkel der regelmäßige Wechsel verschieden empfindlicher Phasen, wenn auch mit etwas veränderter Periodenlänge, noch längere Zeit anhält. Sehr schön läßt sich dies an den tagesperiodischen Blattbewegungen demonstrieren (S. 520), die ein sichtbarer Ausdruck dieser endogenen Rhythmik sind. Die chemische Natur des Oszillators ist noch unbekannt. Da die Absorption der photoperiodisch wirksamen Strahlung, je nach Pflanzenart, über verschiedene Photorezeptoren (Phytochrom, Blaulicht-Rezeptor, Chlorophylle) erfolgt, ist der Oszillator sicherlich nicht mit dem jeweiligen Photorezeptor identisch. Dies ist auch insofern unwahrscheinlich, als man bei Mensch und Tier, denen diese Pigmente fehlen, tagesperiodische Schwankungen zahlreicher physiologischer Leistungen nachweisen kann, denen Zeitmeßvorgänge zugrunde liegen. Da sie alle eine Periodenlänge von ungefähr 24 Stunden haben, spricht man von einer **circadianen Rhythmik,** die durch die physiologische Uhr gesteuert wird.

Bei der Suche nach dem Oszillator wurden zwei verschiedene Wege eingeschlagen. Durch die Untersuchung von Mutanten, die ein verändertes oder gar kein circadian-rhythmisches Verhalten mehr zeigten, hat man versucht, Aufschluß über die für die physiologische Uhr verantwortlichen Genloci zu erhalten. Dabei gelang es zunächst bei *Drosophila* (Taufliege), den sogenannten *per*-locus zu identifizieren. Vergleichende Untersuchungen haben dann ergeben, daß die *per*-DNA-Sequenz eine weitgehende Homologie zu DNA-Fragmenten von Genomen anderer Organismen zeigt. Hier sind z.B. die Grünalge *Acetabularia* sowie unter den höheren Pflanzen der Raps *(Brassica napus)* und der Spinat *(Spinacea olera-cea)* zu nennen. Während diese homologe Sequenz bei den höheren Pflanzen im Genom lokalisiert ist, wurde sie bei *Acetabularia* im Plastom gefunden. Die Funktion des Expressionsproduktes dieser DNA-Sequenz ist allerdings unbekannt.

Auch die Synthese zahlreicher Proteine unterliegt einem circadianen Rhythmus, und Hemmstoffe der Proteinsynthese wie Cycloheximid und Puromycin beeinflussen die physiologische Uhr, indem sie z.B. eine Phasenverschiebung verursachen. Da in näher untersuchten Fällen quantitative Veränderungen der entsprechenden mRNA nicht nachzuweisen waren, lag es nahe, nicht nur auf der Transcriptions-, sondern auch auf der Translationsebene nach dem Oszillator zu suchen. Tatsächlich scheint die Regulation auf der Translationsebene zu erfolgen.

Eine interessante Modellvorstellung, die auf Beobachtungen an *Acetabularia* beruht, erklärt die Oszillationen durch einen 2-Schritte-Mechanismus. Im ersten Schritt soll ein spezifisches Polypeptid an den 80 S Ribosomen synthetisiert werden, das in einem zweiten Schritt in eine Membran integriert wird. Hierdurch verändern sich deren Eigenschaften, so daß die Synthese dieses Polypeptids unterbunden wird. Sinkt die Menge des betreffenden Proteins infolge seines Abbaus unter einen bestimmten Schwellenwert, wird seine Synthese wieder gestartet, und ein neuer Zyklus beginnt. Die Synthese eines solchen Proteins würde also auch unter konstanten Bedingungen Oszillationen zeigen. Ein ähnliches Verhalten wird für ein 64-kDa-Polypeptid beschrieben, das aus dem Flagellaten *Chlamydomonas* isoliert wurde. Bei diesem beträgt die Periodenlänge der Oszillation etwa 29 Stunden. Ob sich dieses Modell, das vielen experimentellen Befunden gerecht wird, durch weitere Untersuchungen bestätigen läßt, bleibt abzuwarten. Darüber hinaus ist die Frage, auf welche Weise eine derart beschaffene Uhr zahlreiche ganz verschiedene Prozesse in einer Zelle bzw. einem Organismus steuern kann, noch völlig offen, ebenso wie die Frage, um welche Art von Membranen es sich dabei handeln könnte. Außerdem setzt das Modell voraus, daß im Cytosol immer ein Pool von mRNA vorhanden ist, der nicht mit Ribosomen assoziiert ist, und daß das Cytoplasma die Fähigkeit hat, die reversible Bindung dieser mRNA an die Ribosomen zu regulieren.

Zusammenfassung

Unter Wachstum versteht man eine irreversible Volumen- und Substanzzunahme, die an die lebende Zelle gebunden ist, unter Entwicklung dagegen alle die Prozesse, die zu einer Änderung der inneren und äußeren Gestalt führen.

Das Zellwachstum durchläuft verschiedene Phasen: die Anlaufs-, Beschleunigungs-, logarithmische, Verzögerungs-, stationäre und gegebenenfalls Abnahme-phase. Bei graphischer Darstellung der Zellzahl einer wachsenden Kultur gegen die Zeit erhält man eine sigmoide Kurve.

Außer Proteinen und Nucleinsäuren werden für das Wachstum auch Wachstumsfaktoren benötigt, z.B. als Wirkungsgruppen von Enzymen. Diese Substanzen, die viele heterotrophe Organismen nicht selbst synthetisieren können, bezeichnet man als Vitamine.

Antimetabolite sind Substanzen, die das Wachstum von Mikroorganismen in spezifischer Weise hemmen, indem sie bestimmte Stoffwechselprozesse, insbesondere die Proteinsynthese, blockieren. Hierzu zählen die Sulfonamide und die Antibiotika.

Die drei Phasen des Zellwachstums sind: Zellteilung, Zellvergrößerung und Differenzierung. Dies kommt in einer Zonierung wachsender Organe zum Ausdruck. Allerdings lassen sich die Wachstumszonen nicht scharf voneinander trennen, sondern gehen ineinander über.

Das Wachstum der höheren Pflanzen wird durch Phytohormone gesteuert, die in bestimmten Geweben der Pflanze gebildet und von dort zu ihren Wirkungsorten transportiert werden, wo sie regulatorische Funktionen ausüben.

Die Hauptgruppen sind: Auxine, Gibberelline, Cytokinine, Abscisine, Jasmonsäure, Brassinosteroide und das Ethylen. Alle Phytohormone zeigen multiple Wirkungen, d.h. sie können mehrere verschiedenartige Wachstums- und Entwicklungsvorgänge steuern, wobei sie teils synergistisch, teils antagonistisch wirken. Offenbar verfügen die Pflanzen über ein ausbalanciertes Phytohormonsystem, durch dessen qualitative und quantitative Änderungen Wachstum und Entwicklung gesteuert werden. Häufig liegen die Phytohormone als Konjugate, d.h. an andere Substanzen gebunden vor. Dabei kann es sich sowohl um Transport- als auch um Speicherformen handeln.

Die Zellteilungen erfolgen bei Pflanzen überwiegend in besonderen Teilungsgeweben, den Meristemen. Sie haben eine Replikation der DNA und eine Plasmavermehrung zur Voraussetzung.

Das Streckungs- und Weitenwachstum der Zelle erfolgt unter Wasseraufnahme, die zur Vakuolenbildung führt. Es ist mit der Synthese von Zellwandmaterial gekoppelt und wird hauptsächlich durch Auxine gesteuert.

Im Differenzierungsprozeß erfolgt die endgültige Ausgestaltung der Zelle. Dabei wird jeweils nur ein begrenzter, je nach Funktionstyp qualitativ und quantitativ verschiedener Anteil der im Zellkern vorhandenen genetischen Information realisiert. Der Mechanismus der Genregulation ist noch weitgehend ungeklärt. Bei Mikroorganismen sind mehrere Strukturgene zu einem Operon zusammengefaßt, das unter der Kontrolle eines Operators steht, der sich zum Teil mit dem Promotor überlappt. Die Genaktivität wird durch Regulatorgene gesteuert, die über mRNA die Bildung von Repressorproteinen auslösen, die an den Operator binden und dadurch die Bindung der RNA-Polymerase an den Promotor und folglich die RNA-Synthese verhindern. Die Repressorproteine besitzen eine weitere Bindungsstelle, durch die sie mit einem kleineren Molekül, dem Induktor, in Wechselwirkung treten können, was zu einer Konformationsänderung und zur Ablösung vom Operator führt. Nun ist die Bindung der RNA-Polymerase und somit die Transcription der Strukturgene grundsätzlich möglich. Nach dem Attenuator-Modell entscheidet die Sekundärstruktur der transcribierten mRNA über die Transcription der folgenden Strukturgene des Operons.

Bei Eukaryoten unterscheidet man inaktive, potentiell aktive und aktive Gene. Die differentielle Genaktivierung hat eine Dekondensation des Chromatins unter selektiver Entfernung der Histone zur Voraussetzung. Die Feinregulierung erfolgt auch hier durch Regulatorgene.

Außerdem wird die Genaktivität durch bestimmte DNA-Sequenzen moduliert, die die Promotoraktivität verstärken oder abschwächen können. Ein anderer Weg der Transcriptionskontrolle ist die Änderung der Gesamtstruktur eines Gens durch DNA-Methylierung. Darüber hinaus kann die Regulation auch durch Endopolyploidie, DNA-Unterreplikation und

DNA-Amplifikation sowie auf den Ebenen der Translation und der Enzyme erfolgen.

Die Entwicklung wird durch innere und äußere Faktoren gesteuert. Zu den inneren Faktoren zählen u. a. die Determination, in der über die künftige Funktion der Zelle entschieden wird, die Korrelationen, das sind regulatorische Wechselwirkungen zwischen Zellen, Geweben und Organen, sowie die Polarität. Die Existenz besonderer gestaltbildender (morphogenetischer) Substanzen hat sich nicht nachweisen lassen. Offenbar spielen bei der Morphogenese die Biomembranen eine entscheidende Rolle.

Außenfaktoren, die einen Einfluß auf die Entwicklung haben können, sind Strahlung, Temperatur, Schwerkraft und chemische Einflüsse. Die Perzeption der morphogenetisch wirksamen Strahlung erfolgt in vielen Fällen über das Phytochromsystem. Außerdem sind ein als Cryptochrom bezeichneter Blaulichtrezeptor sowie ein UV-B Photorezeptor nachgewiesen worden. Über den Perzeptionsmechanismus der drei anderen Außenfaktoren ist bisher wenig bekannt.

Die Entwicklungsvorgänge zeigen häufig einen rhythmischen Verlauf (Jahresperiodik, Tagesperiodik), der unter der Kontrolle einer endogenen „physiologischen Uhr" steht. Bezüglich ihrer chemischen und physikalischen Natur gibt es nur Hypothesen.

17   Bewegungserscheinungen

Die weit verbreitete Ansicht, daß Bewegungen geradezu ein Charakteristikum des tierischen Organismus seien, trifft sicherlich nicht zu. Vielmehr zeigen die Pflanzen sowohl hinsichtlich des äußeren Erscheinungsbildes als auch der Mechanik ihrer Bewegungen eine ungleich größere Vielfalt als die Tiere, so daß es schwierig ist, sie in Kürze übersichtlich darzustellen.

Die Verhältnisse werden noch dadurch kompliziert, daß sich bei den Pflanzen Bewegungs- und Entwicklungserscheinungen keineswegs so scharf voneinander trennen lassen, wie dies bei Tieren möglich ist. Vielen pflanzlichen Bewegungen liegen Wachstumsprozesse zugrunde, die wir ja bereits als integrierenden Bestandteil der Entwicklung kennengelernt haben. Die Entscheidung, ob man einen durch Außenfaktoren hervorgerufenen Effekt als Entwicklungs- oder Bewegungsvorgang aufzufassen hat, ist in solchen Fällen nicht leicht zu treffen. Ganz allgemein wird man von einem Bewegungsvorgang immer dann sprechen, wenn er in einem relativ kurzen Zeitraum zu einer sichtbaren Orts- oder Lageveränderung eines Organs oder eines ganzen Organismus führt.

Die Einteilung der pflanzlichen Bewegungserscheinungen kann nach verschiedenen Gesichtspunkten erfolgen. Je nachdem, ob eine Bewegung durch einen äußeren Anlaß, einen Reiz, ausgelöst wird oder nicht, kann man induzierte (aitionome) und endogene (autonome) Bewegungen unterscheiden. Induzierte Bewegungen können durch eine Änderung der Reizintensität ausgelöst werden, also von der Richtung des einwirkenden Reizes unabhängig sein, oder die Richtung der Bewegung wird durch die Richtung des Reizes bestimmt. Bei den Bewegungen ortsgebundener Pflanzen und ihrer Organe unterscheiden wir entsprechend zwischen Nastien und Tropismen, bei den freien Ortsbewegungen zwischen phobischen und topischen Reaktionen. Schließlich kann die Einteilung der Bewegungserscheinungen auch nach der Bewegungsmechanik erfolgen.

17.1   Bewegungsmechanismen

Da bei den tierischen Organismen Bewegungen in der Regel durch das Actomyo-sinsystem hervorgerufen werden, sind wir gewöhnt, eine Bewegung als einen ak-tiven, also energieverbrauchenden Lebensvorgang anzusehen. Dies trifft auch für einen Teil der pflanzlichen Bewegungen zu. Andere Bewegungen, wie die Turgor- und Schleuderbewegungen, beruhen auf osmotischen Vorgängen und Gewebe-spannungen, sind also letztlich das Resultat plasmatischer Aktivitäten. Darüber hinaus gibt es jedoch im Pflanzenreich auch Bewegungsvorgänge, die ihre Ursache in rein physikalischen Prozessen, z.B. Quellungs- und Kohäsions-mechanismen, haben, wobei bestimmte Baueigentümlichkeiten der pflanzlichen Zellwände eine Rolle spielen. In diesen Fällen können Bewegungen auch dann noch zustande kommen, wenn der plasmatische Inhalt der Zellen abgestorben ist.

17.1.1   Quellungsbewegungen

Bei der Besprechung des Aufbaus der Zellwand wurde bereits erwähnt, daß in die intermicellären und interfibrillären Räume Wassermoleküle eingelagert sind. In der lebenden Zelle liegen die Wände also im gequollenen Zustand vor. Nach Ab-sterben des plasmatischen Inhaltes trocknen sie meist aus, können aber jederzeit unter Wasseraufnahme wieder in den gequollenen Zustand übergehen. Da mit der Quellung bzw. Entquellung jeweils eine Volumenveränderung verbunden ist, wobei die Ausdehnung bzw. Verkürzung hauptsächlich senkrecht zur Längsrich-tung der Fibrillen erfolgt, muß es zu Krümmungs- bzw. Torsionsbewegungen kommen, wenn sich in zwei miteinander verbundenen Schichten die Streichrich-tung der fibrillären Elemente überschneidet. Dies läßt sich durch geeignete Mo-delle leicht demonstrieren (Abb. 17.1**A**,**B**). Derartige Quellungsmechanismen ste-hen auch im Dienste der Verbreitung. Beispiele hierfür sind das Peristom der Laubmoose sowie das Öffnen von Früchten, z.B. Hülsen (Abb. 17.1**C**). Bei den Teil-früchten des Reiherschnabels sind die Grannen, dem in Abb. 17.1**B** gezeigten Me-chanismus entsprechend, im trockenen Zustand schraubig eingerollt (**D**). Bei Be-feuchtung strecken sie sich (**E**) und bohren, wenn ihr freies Ende auf ein Wider-lager stößt, die Frucht in den Boden.

17.1.2   Turgorbewegungen

Die Turgor- oder Variationsbewegungen werden durch Turgoränderungen her-vorgerufen, sind also das Ergebnis osmotischer Kräfte. Wie in Abb. 9.**2** (S. 263) dar-gestellt, kann mit der Zu- bzw. Abnahme des Turgors eine Verlängerung bzw. Ver-kürzung der Zellen verbunden sein. Stellen wir uns nun vor, daß es auf den beiden gegenüberliegenden Flanken eines Organs zu entgegengesetzten Turgoränderun-gen kommt, so kann die dadurch bedingte Verlängerung der einen bzw. Verkür-zung der anderen Flanke eine Krümmung bzw. sonstige Lageveränderung des Or-gans, also eine Bewegung, hervorrufen. Grundsätzlich genügt hierzu natürlich auch schon eine Turgorzunahme bzw. -abnahme auf einer Seite.

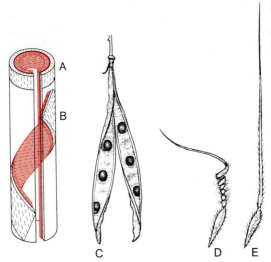

Abb. 17.**1** Hygroskopische Bewegungen. **A** Modellversuch, Krümmung eines zweischichtigen Streifens mit längs und quer verlaufenden Fibrillen nach Befeuchtung. **B** wie **A**, jedoch mit sich kreuzenden, diagonal verlaufenden Fibrillen. Zusätzlich zur Krümmung resultiert eine Torsion. Man kann diesen Streifen als Ausschnitt aus einem Zylinder auffassen, dessen fibrilläre Textur den in **A** dargestellten Verhältnissen entspricht. **C** Hülse von *Cytisus laburnum* (Goldregen) in geöffnetem Zustand. **D,E** Teilfrüchte von *Erodium cicutarium* (Reiherschnabel). **D** in trockenem, **E** in feuchtem Zustand

17.1.2.1 Spaltöffnungsbewegungen

Durch Turgorveränderungen verursachte Bewegungen sind im Pflanzenreich weit verbreitet. Ein Beispiel, die Spaltöffnungsbewegungen, haben wir bereits kennengelernt. Infolge lokaler Verdickungen der Zellwände führt hier die Turgorzunahme zu einer Krümmung der Schließzellen und somit zum Öffnen des Spaltes, die Turgorabnahme zur Entkrümmung der Schließzellen und somit zum Spaltenschluß (Abb. 7.**9 B**, S. 240). Der Öffnungszustand der Spaltöffnungen wird durch verschiedene Außenfaktoren, insbesondere Licht, CO_2-Spannung, Temperatur und die Wasserpotentialdifferenz zwischen Blatt und Umgebung teils gleichsinnig, teils gegensinnig beeinflußt. Da sie nur durch Änderungen der Faktorengröße ausgelöst werden und der Ablauf ihrer Bewegungen in keiner Beziehung zu der Richtung steht, aus der der betreffende Faktor einwirkt, sind sie als Nastien zu bezeichnen, d.h. definitionsgemäß als Photo-, Chemo-, Thermo- und Hydronastie. Schließlich unterliegen die Öffnungs- und Schließbewegungen der Spaltöffnungen auch einer circadianen Rhythmik, so daß sie insgesamt ein sehr komplexes Phänomen darstellen.

■ Bezüglich der grundlegenden Mechanismen der Turgorregulation haben wir heute, insbesondere seit der Entwicklung der Patch-clamp-Methode, recht gut begründete Vorstellungen (Box 17.1). Durch eine im Plasmalemma lokalisierte ATPase vom P-Typ (Abb. 2.8, S. 59) werden Protonen unter Hydrolyse von ATP aus der Zelle in den Apoplasten gepumpt. Für den Transport eines $H^\oplus$ wird ein ATP benötigt. Dies kann sowohl aus der Photophosphorylierung als auch aus der Atmungskettenphosphorylierung angeliefert werden. Hierdurch wird die Innenseite des Plasmalemmas negativ. Durch selektive einwärts gerichtete $K^\oplus$-Kanäle, die spannungsabhängig sind, strömt Kalium ein, wodurch die Ladung wieder ausgeglichen wird.

Messungen haben ergeben, daß ein $K^\oplus$-Kanal bei einer Spannung von 150 mV 1,25 ms lang geöffnet ist. Durch Abscisinsäure wird seine Öffnungszeit verlängert. Außerdem hemmt ABS die Protonenpumpe.

Eine Alkalisierung des Cytoplasmas als Folge des auswärts gerichteten Protonenstromes wird dadurch verhindert, daß Phosphoenolpyruvat (PEP) durch die PEP-Carboxylase in Oxalessigsäure (Oxalacetat) überführt wird, die durch Malat-Dehydrogenase und $NADPH + H^\oplus$ zu Äpfelsäure (Malat) reduziert wird. Durch deren Dissoziation wird die Protonenbilanz wieder ausgeglichen. Sowohl Kalium-Ionen als auch Malat können durch den Tonoplasten in die Vakuole aufgenommen werden, was einen Anstieg des osmotischen Potentials und somit eine Wasseraufnahme in die Vakuole zur Folge hat, wodurch der Turgor steigt. Bei einigen Objekten wurde gleichzeitig mit der $K^\oplus$-Aufnahme eine $Cl^\ominus$-Aufnahme beobachtet. Mit Hilfe der Patch-clamp-Technik ist es gelungen, spannungsabhängige Anionen-Kanäle nachzuweisen, die außer Malat und anderen Anionen auch $Cl^\ominus$-Ionen transportieren. Sie sind jedoch nicht ausschließlich spannungsabhängig, sondern stehen auch unter der Kontrolle von $Ca^{2\oplus}$. Bei der Schließbewegung erfolgt ein Efflux von $K^\oplus$-Ionen durch auswärts gerichtete $K^\oplus$-Kanäle, der eine Turgorabnahme zur Folge hat.

$Ca^{2\oplus}$-Ionen induzieren die Schließbewegungen der Stomata und verhindern das Öffnen. Erhöhte $Ca^{2\oplus}$-Konzentrationen im Cytosol der Schließzellen inaktivieren die $K^\oplus$-Kanäle und damit den Einstrom von $K^\oplus$-Ionen sowie das Öffnen der Stomata. Die einwärtsgerichteten $K^\oplus$-Kanäle werden auch durch ABS gehemmt, möglicherweise durch eine Permeabilitätserhöhung der Schließzellen-Membranen für $Ca^{2\oplus}$-Ionen. Interessanterweise wurden $Ca^{2\oplus}$-spezifische Kanäle bisher nicht nachgewiesen. Möglicherweise tritt das $Ca^{2\oplus}$ durch die einwärts gerichteten $K^\oplus$-Kanäle in die Zelle ein, die bis zu einem gewissen Grad für $Ca^{2\oplus}$ permeabel sind.

Die circadian-rhythmischen Phänomene der Spaltöffnungsbewegungen haben ihre Ursache wahrscheinlich in der sich tagesperiodisch ändernden Fähigkeit der Schließzellen, $K^\oplus$- und $Cl^\ominus$-Ionen zu akkumulieren bzw. zurückzuhalten, was einen verstärkten Transport dieser beiden Ionen in die bzw. aus den Schließzellen zur Folge hat.

Box 17.1 Patch-clamp-Methode

In zunehmendem Maß findet die ursprünglich für tierische Zellen entwickelte Patch-clamp-Methode auch bei aus Pflanzenzellen isolierten Protoplasten Anwendung. Insbesondere bei Protoplasten aus Schließzellen konnten mit ihrer Hilfe wesentliche Erkenntnisse gewonnen werden. Sie ermöglicht die Untersuchung kleiner Membranbereiche, indem mittels eines leichten Unterdruckes ein Stückchen (= patch) aus der Biomembran herausgerissen und an der Spitze der benutzten Elektrode fixiert wird, wobei die ursprüngliche Innenseite nach außen weist. Auf diese Weise werden die in dem Membranstück gelegenen Kanäle der Untersuchung von beiden Seiten zugänglich. Durch Inkubation mit Ionen und anderen Substanzen können die Ionenkanäle hinsichtlich ihrer Selektivität und Aktivierbarkeit charakterisiert werden. Durch ein von außen angelegtes, durch Rückkopplung geregeltes Potential kann die Änderung, die durch den Transport geladener Teilchen durch die Kanäle hervorgerufen wird, kompensiert werden. Dadurch erhält man stabile („festgeklammert" = clamp) Potentialbedingungen. Mit dieser Technik kann man sogar das Öffnen und Schließen einzelner Kanäle sowie deren Ionenselektivität bestimmen.

Die Analyse der Lichtwirkungen hat ergeben, daß die photonastischen Bewegungen der Spaltöffnungen über zwei verschiedene Kausalketten gesteuert werden. Da sowohl Rot- als auch Blaulicht wirksam sind, ist eine indirekte Wirkung über die Photosynthese anzunehmen. Die Konzentration des CO_2 in den Interzellularen wird durch seine Fixierung im Photosyntheseprozeß vermindert, was eine Öffnung der Spalten zur Folge hat. Dieser Mechanismus wäre eigentlich als chemonastisch zu bezeichnen. Darüber hinaus hat Blaulicht jedoch auch eine direkte Wirkung. Es hat sich nämlich gezeigt, daß die Spaltöffnungen von Mutanten, die chlorophyllfreie Schließzellen haben, sich zwar im Blaulicht, nicht aber im Rotlicht öffnen. Auch kann die Öffnungsweite normaler Spaltöffnungen in rotem Dauerlicht durch Blaulichtpulse vergrößert werden. Offenbar aktiviert Blaulicht die elektrogene Protonenpumpe und verstärkt damit den Protonenausstoß aus den Schließzellen. Außerdem induziert Blaulicht den Stärkeabbau und erhöht durch Bildung löslicher Zucker das osmotische Potential. Da diese spezifischen Blaulichteffekte durch Dunkelrotbestrahlung aufgehoben werden können, ist anzunehmen, daß Phytochrom beteiligt ist.

Die Abhängigkeit der Spaltöffnungsbewegung vom Licht zeigt Abb. 17.**2**, in der ein Tagesgang der Transpiration dargestellt ist. Wie ersichtlich, reagieren die Spaltöffnungen junger Blätter der Lärche sehr empfindlich auf Änderungen der Photonenflußrate, was in dem weitgehend parallelen Verlauf der Tagesgänge von Transpiration, Leitfähigkeit der Nadeln für Wasserdampf (die ein Maß für die Öffnungsweite der Stomata ist) und der Photonenflußrate zum Ausdruck kommt.

Wie früher bereits dargelegt, steigert eine Temperaturerhöhung um 10 °C die Geschwindigkeit chemischer Reaktionen auf das Doppelte oder mehr. Da an den Spaltöffnungsbewegungen chemische Reaktionen beteiligt sind, wie etwa im Fal-

Abb. 17.**2** Tagesgang der Transpiration eines jungen Blattes der Lärche *(Larix decidua)* in Abhängigkeit von der Photonenflußdichte der einfallenden Strahlung am Standort. Transpiration in mmol m^{-2}s^{-1} (rote, durchgezogene Linie), Leitfähigkeit der Nadeln für Wasserdampf in mmol m^{-2}s^{-1} (schwarze, durchgezogene Linie), Differenz des Molenbruches von Wasserdampf zwischen Nadel und Umgebungsluft, Δ_w in mbar bar^{-1}, der den Diffusionsgradienten für die Wasserdampfmoleküle zwischen den Interzellularen der Nadel und der Umgebungsluft repräsentiert (schwarze, gestrichelte Linie), Photonenflußdichte in µmol m^{-2}s^{-1} (rote, gestrichelte Linie). Im Gegensatz zu älteren Nadeln (vgl. Abb. 9.**5**, S. 268) reagiert eine junge Nadel außerordentlich empfindlich auf Änderungen der Photonenflußrate, was durch den weitgehend parallelen Verlauf der Kurven sowohl der Transpiration als auch der Leitfähigkeit der Nadeln für Wasserdampf, der insbesondere von der Öffnungsweite der Stomata abhängt, und der Photonenflußrate zum Ausdruck kommt. Dagegen hat die bei der Transpiration wirksam werdende Luftfeuchte einen geringeren Einfluß (nach Benecke, U., I. Schulze, R. Matyssek, W. M. Havranek: Oecologia [Berl.], 50: 54–61, 1981)

le der Photosynthese oder der Energieversorgung der Protonenpumpe, ist leicht einzusehen, daß die Spaltöffnungsbewegungen auch einer thermonastischen Steuerung unterliegen. Allerdings bewirkt eine Temperaturerhöhung auch eine Steigerung der Transpiration, so daß sie über das Wasserpotential gewissermaßen hydronastisch wirksam wird.

Einen ganz entscheidenden Einfluß auf den Öffnungszustand der Stomata hat die CO_2-Konzentration in den Interzellularen. Eine Abnahme der CO_2-Spannung führt zum Öffnen, eine Zunahme zum Schließen (Abb. 17.**3**). Während diese CO_2-Abnahme, wie oben erwähnt, infolge des photosynthetischen Einbaus normalerweise während des Tages eintritt, ist sie bei den CAM-Pflanzen nachts zu beobachten. Infolgedessen sind bei diesen Pflanzen die Stomata nachts geöffnet und am Tage geschlossen.

Der Mechanismus dieser Chemonastie ist noch unklar. Es ist anzunehmen, daß die „Chemorezeptoren", mit deren Hilfe die CO_2-Konzentration gemessen wird, in den Schließzellen selbst lokalisiert sind, und zwar auf der an den suprastomatischen

Abb. 17.**3** Regulation der Spaltöffnungsbewegungen, schematisch. Links sind die durch Abnahme der CO_2-Konzentration ausgelösten Vorgänge, die zum Öffnen der Spalten führen, dargestellt, rechts die durch Absinken des Wasserpotentials ψ_w ausgelösten Prozesse, die den Spaltenschluß verursachen. Die CO_2-Konzentration wird auf der Innenseite der Schließzellen gemessen (schwarzer gestrichelter Pfeil), das Wasserpotential in den Mesophyllzellen

Raum grenzenden Seite. Diese Annahme ist insofern erlaubt, als Änderungen der CO_2-Spannung der Außenluft den Öffnungszustand praktisch nicht beeinflussen. Wie die sich ändernden Konzentrationen gemessen, gegeneinander verrechnet und in Turgoränderungen umgesetzt werden, ist nicht bekannt.

Die hydronastischen Öffnungs- und Schließbewegungen werden über das Wasserpotential ψ_w gesteuert (Abb. 17.**3**). Sie können passiv durch Turgoränderungen in den benachbarten Epidermiszellen oder aktiv durch Turgoränderungen in den Schließzellen selbst zustande kommen. Von besonderer Bedeutung für die Pflanze ist der hydroaktive Spaltenschluß, der bei Wasserstreß einsetzt und alle anderen Regelmechanismen ausschaltet. Die Hydronastie wird durch das Phytohormon Abscisinsäure (ABS) kontrolliert. Sie verursacht schon in sehr geringen Konzentrationen (0,4 – 0,7 fmol/Spaltöffnungskomplex) einen schnellen Spaltenschluß. Die ABS-Konzentration in den Schließzellen ist bei völlig geschlossenen Spaltöffnungen 3 – 18mal höher als bei offenen. Die ABS wird bei Wasserstreß in den Wurzeln gebildet und in die Blätter transportiert, so daß deren ABS-Gehalt mit zunehmendem Wasserdefizit ansteigt.

Die Messung des Wasserpotentials erfolgt, einer häufig vertretenen Hypothese zufolge, durch die Mesophyll-Zellen. Unterschreitet deren ψ_w einen bestimmten kritischen Wert, soll die ABS aus den Mesophyllzellen in die Schließzellen transportiert werden und den Spaltenschluß herbeiführen. Dieser Hypothese widerspricht der Befund, daß der ABS-Transport vom Mesophyll zu den Spaltöffnungen viel zu langsam ist, um deren raschen Schluß herbeizuführen. Nach einer anderen Auffassung haben die Schließzellen im geschlossenen Zustand einen hohen pH-Wert (8,4) und nehmen deshalb viel ABS auf, was die oben erwähnte hohe Konzentration erklärt. Durch mäßigen Trockenstreß sinkt der pH im Cytoplasma auf 7,7, so daß nunmehr die ABS aus den Schließzellen in den Apoplasten austritt und nach Bindung an die Außenseite des Plasmalemmas ihre Wirksamkeit entfaltet. Diese Hypothese wirft zwangsläufig die Frage auf, welche Bedeutung der streßbedingten Zunahme der ABS-Konzentration im Mesophyll dann zukommt.

Darüber hinaus reagieren die Spaltöffnungen auch auf Änderungen des Wasserpotentials der Außenluft, doch ist unklar, wie diese gemessen werden. Trockene Luft bewirkt Spaltenschluß, ein Anstieg der Luftfeuchtigkeit eine zunehmende Öffnung. Beiläufig sei bemerkt, daß der Öffnungszustand der Stomata auch durch Turgoränderungen in den benachbarten Epidermiszellen beeinflußt werden, also einer passiven Änderung unterliegen kann.

17.1.2.2 Blattbewegungen

🛑 Die durch Turgoränderungen ausgelösten Blattbewegungen erfolgen vermittels Blattgelenken (Pulvini), wie Abb. 17.4 am Beispiel von *Mimosa pudica* zeigt. Der Ablauf der Bewegung ist durch den anatomischen Bau festgelegt (Scharnierbewegung) und somit von der Richtung der Reizeinwirkung unabhängig. Es handelt sich also um eine Nastie. Die Blattbewegungen werden durch mechanische Einflüsse, z.B. Erschütterung oder Berührung, sowie durch chemische, thermische oder Verletzungsreize ausgelöst und entsprechend als Seismo-, Thigo-, Chemo-, Thermo- oder Traumatonastie bezeichnet. Unabhängig davon erfolgen sie auch autonom, dem tagesperiodischen Licht-Dunkel-Wechsel folgend. In diesem Falle spricht man von Nyktinastie bzw. Skotonastie.

Bei *Mimosa pudica* legen sich infolge der Reizung bzw. in der Nachtstellung die Fiederblättchen nach oben zusammen, die sekundären Blattstiele nähern sich einander und der Primärblattstiel klappt nach unten (Abb. 17.**4A**). In den Blattgelenken sind die im Blattstiel peripher angeordneten Leitbündel zu einem zentralen Strang zusammengefaßt (Abb. 17.**4B**), so daß sie die Bewegungen nicht behindern. Sie sind von relativ großen, dünnwandigen Parenchymzellen umgeben. Diese werden als motorische Zellen bezeichnet, da durch ihr koordiniertes und gleichzeitiges Anschwellen bzw. Schrumpfen in den beiden gegenüberliegenden Hälften des Pulvinus die Bewegungen hervorgebracht werden. Zellen, die während der Blatthebung anschwellen, werden als Extensor-, solche, die während der Blattsenkung anschwellen, als Flexor-Zellen bezeichnet. Je nachdem, ob die Nachtstellung durch Aufwärts- bzw. Abwärtsbewegung eingenommen wird, sind die Extensor-Zellen in der unteren oder oberen Hälfte des Pulvinus lokalisiert.

Die Mechanismen von Schwellung und Schrumpfung der motorischen Zellen ähneln denen der Schließzellen bei der Spaltöffnungsbewegung. Bei der Schwellung werden Protonen durch eine ATPase vom P-Typus nach außen gepumpt, wodurch ein Protonengradient errichtet und das Membranpotential zu negativen Werten verschoben wird. Durch diese Hyperpolarisation werden einwärts gerichtete $K^{\oplus}$-Kanäle geöffnet und $K^{\oplus}$-Ionen strömen ein. Gleichzeitig erfolgt ein Einstrom von $Cl^{\ominus}$-Ionen, der wahrscheinlich das Ergebnis eines $H^{\oplus}/Cl^{\ominus}$-Cotransportes ist. Obwohl der Transport dieser Ionen durch den Tonoplasten nicht direkt

Abb. 17.**4** *Mimosa pudica*. **A** Sproßteil mit einigen Fiederblättern. Das Blatt b hat bereits seismonastisch reagiert. **B** Bau eines Primärblattgelenkes, schematisch. ba = Bast-scheide, bo = Fühlborste, bw = Bewegungsgewebe aus turgeszenten Zellen, ko = Kollenchym, l = Leitbündel, p = Primärgelenk, s = Sekundärgelenk (**A** nach Pfeffer)

nachgewiesen ist, kann man davon ausgehen, daß die Ionen, die in die Zelle eingedrungen sind, in der Vakuole gespeichert werden. Diese Konzentrationszunahme intrazellulärer Osmotika hat eine Wasseraufnahme und somit ein Anschwellen der Zellen zur Folge.

Die Schrumpfung der motorischen Zellen ist nicht einfach eine Umkehr des Schwellungsprozesses. Die Membran-Depolarisation, die möglicherweise durch eine Aufnahme von $Ca^{2\oplus}$-Ionen und/oder durch einen $Cl^{\ominus}$-Ausstrom verursacht wird, öffnet die auswärts gerichteten $K^{\oplus}$-Kanäle und verursacht somit einen $K^{\oplus}$-Ionenausstrom, der einen Austritt von Wasser und eine Schrumpfung der Zellen zur Folge hat. Die auswärts gerichteten K-Kanäle werden auch als K_H, die einwärts gerichteten als K_D-Kanäle bezeichnet. Die motorischen Zellen geben $H^{\oplus}$ ab, wenn sie schwellen, und nehmen $H^{\oplus}$ auf, wenn sie schrumpfen. Die Aufnahme von $Cl^{\ominus}$-

Ionen zum Ausgleich der durch den Protonenaustritt verursachten Änderung des Membranpotentials kann auch durch die Synthese von Malat ersetzt werden.

Die Zellen der Blattgelenke enthalten etwa viermal soviel ATP wie die anderen, nicht an den Turgorbewegungen beteiligten Parenchymzellen der Pflanze. Außerdem zeichnen sie sich durch eine erheblich höhere ATPase-Aktivität aus.

Weitere Beispiele für Turgorbewegungen sind: die Klapp- bzw. Krümmungsbewegungen der Staubblätter (Abb. 17.**12**) und Narben mancher Blüten sowie die Fangbewegungen der Venusfliegenfalle.

17.1.3   Schleuderbewegungen

Schleuderbewegungen können durch den plötzlichen Ausgleich von Gewebespannungen verursacht werden, wie bei den Früchten des Rührmichnichtan *(Impatiens)*, oder turgorbedingt sein. In diesem Falle führt ein ständiger Anstieg der Turgorspannung innerhalb einzelner Zellen oder auch ganzer Gewebe dazu, daß gewisse Bereiche der Zellwände bzw. der Gewebe dem zunehmenden Druck nicht mehr standhalten. Es kommt zu einem explosionsartigen Druckausgleich. Auf diese Weise werden z. B. die Ascosporen aus dem Ascus geschleudert (vgl. Abb. 14.**9**, S. 398), oder sogar ganze Sporangien abgeschossen, wie im Falle des Zygomyceten *Pilobolus.*

17.1.4   Kohäsionsmechanismen

Waren in den zuletzt betrachteten Fällen die Bewegungen im wesentlichen das Ergebnis positiver Wandspannungen, so kennen wir auch Fälle, in denen sie durch negative Wandspannungen ausgelöst werden können. Ein solcher Mechanismus bewirkt z. B. die Öffnung der Sporangien mancher Farne (vgl. Abb. 14.**12 H, I**, S. 402). Wie wir gesehen haben, besitzen diese einen als Anulus bezeichneten Ring von Zellen, deren Wände, mit Ausnahme der Außenwände, verdickt sind. Sie sind nach Absterben ihres plasmatischen Inhalts ganz mit Wasser gefüllt. Die Wassermenge nimmt mit zunehmender Verdunstung durch die dünnen Außenwände ständig ab. Dabei wird die Außenwand infolge der Kohäsions- bzw. Adhäsionskräfte der Wassermoleküle durch den entstehenden Unterdruck nach innen gezogen. Hierdurch wird ein tangentialer Zug auf den Anulus ausgeübt, der schließlich das Sporangium an einer präformierten Stelle, dem Stomium, aufreißen läßt, wodurch eine Verbreitung der Sporen möglich wird. Mit zunehmender Verdunstung wird der Anulus immer weiter gestreckt, bis die negative Wandspannung Werte erreicht, die die Kohäsions- bzw. Adhäsionskräfte übersteigen. Die Außenwand reißt dann bei den einzelnen Zellen sukzessiv vom Füllwasser ab, wodurch der Anulus sich schrittweise in seine Ausgangslage zurückbewegt. Bei jedem ruckartigen Zurückschnellen können noch vorhandene Sporen fortgeschleudert werden.

Abb. 17.**5** Graphische Darstellung des prozentualen Wachstums der Mediane (rot) sowie der beiden antagonistischen Flanken (Oberseite ausgezogene, Unterseite gestrichelte Linie) einer Ranke von *Sicyos angulatus*. Abszisse: Zeit in Minuten, Ordinate: Wachstum. Die vorübergehende Berührung erfolgte nach 15 Minuten (a). b = Beginn der Krümmung, c = Beginn des Ausgleichs (nach Fitting)

17.1.5 Wachstumsbewegungen

Wie schon erwähnt, können die Bewegungen mancher Organe auch durch Wachstumsvorgänge hervorgerufen werden. Meist kommen sie durch die verschiedene Wachstumsgeschwindigkeit zweier gegenüberliegender Flanken zustande. Abb.17.**5** zeigt dies für den Fall einer sich krümmenden Ranke. Der Wachstumsbeschleunigung auf der Außenseite des sich krümmenden Organs steht hier eine entsprechende Verminderung auf der Innenseite gegenüber.

17.1.6 Geißelbewegungen

Die freien Ortsbewegungen der Flagellaten und flagellatenartigen Schwärmer sowie mancher Bakterien werden durch Geißeln verursacht. Dabei werden Geschwindigkeiten von $50-100\,\mu m/s$, im Maximum sogar mehr als $200\,\mu m/s$ erreicht, und zwar unabhängig von der Mechanik des Geißelschlages, die eine große Vielfalt aufweist.

Bei den peritrich begeißelten Enterobakterien, z.B. *Escherichia coli,* schlagen im typischen Falle alle Geißeln entgegen dem Uhrzeigersinn und bilden hierdurch ein gemeinsames Bündel, dessen Rotation das Bakterium rasch in gerader Richtung vorantreibt, wobei die Bakterienzelle selbst in entgegengesetzter Richtung rotiert (Abb. 17.**6**). Nach $1-2\,s$ erfolgt autonom eine Rotationsumkehr, wobei das Geißelbündel auseinanderfliegt. Hierdurch wird eine $0,1-0,2\,s$ dauernde Taumelbewegung ausgelöst. Nach abermaliger Rotationsumkehr der Geißeln bildet sich wieder ein Bündel, und die Bewegung wird in anderer Richtung fortgesetzt. Dieser autonome Rhythmus kann sich unter Einfluß äußerer Faktoren ändern.

Bei den amphitrich begeißelten Spirillen rotieren die Geißelbündel mit einer Geschwindigkeit von 40 Umdrehungen/s, wodurch der starre, korkenzieherartig gewundene Körper in eine gegenläufige Rotation von etwa 13 Umdrehungen/s versetzt wird (Abb. 17.**7A**). Auf diese Weise schraubt er sich gewissermaßen durch das Wasser. Durch Umkehr der Schlagrichtung wird die Rotationsrichtung des Körpers gegenläufig und eine Bewegungsumkehr ausgelöst (**B,C**). Bei monotrich begeißelten Formen ist häufig das Prinzip des Propellers verwirklicht (**D**). Bei

Abb. 17.**6** Schematische Darstellung der Bewegung von *Escherichia coli.* Schlagen die Geißeln entgegen dem Uhrzeigersinn (roter Pfeil), bilden sie ein Bündel. Der koordinierte Geißelschlag verursacht eine rasche Vorwärtsbewegung (s-Zustand). Durch Umkehr der Rotationsrichtung (schwarzer Pfeil) löst sich das Bündel auf, und die Geißeln fliegen auseinander. Es wird eine Taumelbewegung ausgelöst (t-Zustand). Erneute Umkehr der Rotationsrichtung führt wieder zur Bündelbildung und zur Vorwärtsbewegung

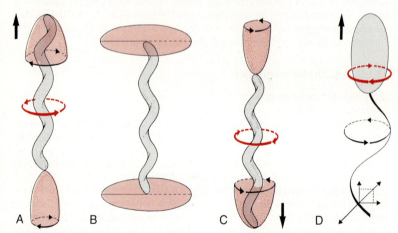

A B C D

Abb. 17.**7** Geißelbewegung. **A – C** Bewegungsmechanik und Schlagumkehr der Geißelschöpfe amphitrich begeißelter Spirillen. In **A** und **C** sind die Geißelschwingräume (rot gerastert) glockenförmig deformiert, in **B** ist das „Umschnappen" der Geißeln dargestellt. **D** Bewegungsmechanik der Schraubengeißel von *Chromatium.* Die Rotationsrichtung der Geißeln ist durch schwarze, die des Zellkörpers durch rote Pfeile gekennzeichnet (nach Metzner, Buder)

Abb. 17.**8** Vorwärtsbewegung des Flagellaten *Chlamydomonas reinhardtii*. **A** Geißelschlag einer Zelle. Ruderschlag (Positionen 1–6) rot, Vorziehen der Geißel (Positionen 7–11) schwarz. Die Ausgangslagen sind jeweils durch eine durchgezogene, die Zwischenlagen durch gestrichelte Linien angedeutet. Während der Bewegung rotiert die Zelle entgegen dem Uhrzeigersinn (roter Pfeil). **B** Rotation und helikale Bahn einer Zelle. Die Zahlen geben jeweils die Positionen an, in denen die Geißeln in der Horizontalen bzw. in der Vertikalen schlagen. **C** Rückwärtsbewegung der Zelle durch undulierenden Geißelschlag nach Umschnappen der Geißel. Durch den undulierenden Geißelschlag wird auch eine laterale Hin- und Herbewegung des Zellkörpers verursacht (nach Nultsch und Rüffer)

schneller Rotation übt jeder Abschnitt der schraubig gewundenen Geißel eine dem Steigungswinkel entsprechende Kraft aus, die sich in eine längs- und eine quergerichtete Komponente zerlegen läßt, von denen die erste den Körper vorwärts treibt, die zweite seine Rotation um die Längsachse bewirkt. Umkehr der Propellerbewegung löst hier meist eine Taumelbewegung aus.

Bei den eukaryotischen Einzellern ist häufig das Prinzip des Ruderschlages verwirklicht, der bei zweigeißeligen Formen den Armbewegungen eines Brustschwimmers vergleichbar ist (Abb. 17.**8**A). Die Schläge sind im Regelfall synchron, aber stets asymmetrisch insofern, als die auf der Stigmaseite liegende cis-Geißel der gegenüberliegenden trans-Geißel immer etwas voraus ist (Abb. 17.**8**A, s. auch Abb. 5.**6**A, S. 189). Auch erfolgen die Schläge nie planar, sondern die Geißeln werden, von der Spitze ausgehend, etwas aus der Geißelebene herausgeführt. Dies hat eine Rotation der Zelle um ihre Längsachse zur Folge (1–2 Umdrehungen/s). Die Bewegungsbahn ist nicht gerade, sondern hat die Gestalt einer Helix (**B**). Spontan oder durch äußere Einflüsse können Rückwärtsbewegungen ausgelöst werden, die die Folge eines undulierenden Geißelschlages sind (Abb. 17.**8**C).

Ungeachtet gewisser Ähnlichkeiten oder gar Übereinstimmungen in der äußeren Mechanik der Geißelbewegungen unterscheiden sich Bakterien und Eukaryoten hinsichtlich der inneren Mechanik des Geißelschlages grundsätzlich voneinanander, was im Hinblick auf den völlig verschiedenen Geißelbau (S. 185, S. 189) verständlich ist. Die rotierende Bewegung der Bakteriengeißel wird durch Rotation des Basalkörpers in der Cytoplasmamembran hervorgerufen, wodurch der Geißelhaken in eine kreisende Bewegung versetzt wird, die das nicht zu aktiven Bewegungen befähigte Filament mitnimmt. Nach gut begründeten Vorstellungen rotiert der mit dem Geißelhaken verbundene M-Ring in der Cytoplasmamembran, während der S-Ring fest verankert ist und als Widerlager fungiert.

❗ Die Antriebskraft wird durch einen einwärts gerichteten Protonenstrom (proton motive force) hervorgerufen (vgl. Abb. 17.**24**, S. 547). Rotationsrichtung und Rotationsumkehr werden durch intrazelluläre Signale gesteuert. Im Gegensatz hierzu dient als Energiequelle für die Bewegung der Eukaryotengeißel das ATP. Seine hydrolytische Spaltung erfolgt in dem durch die äußere Membran abgeschirmten Innenraum der Geißel durch die Dynein-Arme der Mikrotubuli-Dupletts des Axonemas (Abb. 5.**8**, S. 191, Abb. 17.**9**).

Diese weisen im Ruhezustand schräg nach unten. Unter ATP-Spaltung treten sie mit dem gegenüberliegenden B-Tubulus in Kontakt. Durch Bewegung des Dynein-Arms in die Waagerechte werden die Dupletts gegeneinander verschoben. Unter abermaliger ATP-Spaltung löst sich der Dynein-Arm wieder vom B-Tubulus und streckt sich nach unten. Da die beiden axialen Fibrillen als mechanisches Widerlager dienen, wandelt der Scherwiderstand zwischen den Dupletts die Gleitbewe-

Abb. 17.**9** Axonema von *Chlamydomonas reinhardtii*, dargestellt mit Hilfe der schnellen Gefrier-Tief-Ätzmethode. Abschnitte von drei äußeren Mikrotubuli-Dupletts ($m_1 - m_3$) sind zu sehen. Entlang der oberen Ränder von m_2 und m_3 kann man die äußeren Dynein-Arme erkennen, die aus einer P- und einer D-Fuß- sowie einer Kopf-Untereinheit bestehen (Pfeile). Die untere Reihe der Arme von m_3 zeigt die B-Verbindungen (Pfeilköpfe), die jeden Arm mit dem benachbarten B-Tubulus verbinden. Vergr. 140 000fach (Originalaufnahme: G. B. Witman)

gung in eine Biegung um. Diese führt zu einer Krümmung der Geißel nach der einen oder anderen Seite oder, wenn diese Vorgänge die Geißel zyklisch umlaufen, zu schraubigen bzw. Wellenbewegungen. Bei der Erzeugung einer Biegung spielen offenbar die Speichen eine wichtige Rolle, deren Verbindung zu den zentralen Tubuli wahrscheinlich gelöst und wieder geknüpft werden kann. Die Verbindung der benachbarten Mikrotubulidupletts durch die Nexine ist offenbar elastisch und läßt diese Verschiebung zu. Bei der Regulation der Geißelbewegung scheinen $Ca^{2\oplus}$-Ionen eine Rolle zu spielen. Hierfür spricht auch das Vorkommen von Calmodulin in Geißeln.

17.1.7 Amöboide Bewegungen

Sie sind für die Schleimpilze (Myxomyceten) charakteristisch, kommen aber auch sonst hier und da im Pflanzenreich vor. Auch bei diesem so einfach erscheinenden Bewegungsvorgang gibt es verschiedene Typen. Meist erfolgt die amöboide Bewegung durch Vorstrecken von **Pseudopodien** (Scheinfüßen), in die das Plasma der Zelle hineinströmt, während das Hinterende nachgezogen wird. Dabei spielen Viskositätsänderungen infolge Gel-Sol-Umwandlungen des Plasmas sowie lokale Veränderungen der Oberflächenspannung eine wichtige Rolle. Offenbar führt ein Calcium-Einstrom am hinteren Ende der Zelle zu einer Kontraktion des Actomyosinsystems, wodurch das Cytoplasma in den vorderen Teil der Zelle und in die Pseudopodien gedrückt wird.

17.1.8 Gleitbewegungen

Gleich den amöboiden Bewegungen erfolgen die gleitenden Bewegungen auf einer festen Unterlage. Sie kommen sowohl bei Bakterien als auch bei einzelligen und fädigen Algen vor. Nur in einigen Fällen (Desmidiaceen) konnte als Bewegungsursache eine gerichtete Absonderung einer Schleimsubstanz nachgewiesen werden, die verquillt und hierdurch eine Stemmwirkung auf die Zelle ausübt. In der Mehrzahl der Fälle (Cyanobakterien, Diatomeen) ist die Mechanik dieser Bewegungen noch nicht klar, doch sind auch hier auf der Zelloberfläche fibrilläre Elemente nachgewiesen worden, durch deren Kontraktion die Bewegung hervorgerufen werden könnte.

17.1.9 Intrazelluläre Bewegungen

Außer den Plasmaströmungen sind hier die Verlagerungen der Zellkerne und Plastiden innerhalb der Zelle zu nennen. In allen bisher näher untersuchten Fällen hat sich gezeigt, daß die intrazellulären Bewegungen durch das Actomyosinsystem hervorgerufen werden.

17.2   Autonome Bewegungen

Als autonom (= endonom = endogen) bezeichnet man solche Bewegungen, die nicht durch Außenfaktoren ausgelöst bzw. gerichtet werden, sondern einer endogenen Steuerung unterliegen. Sie kommen sowohl bei freien Ortsbewegungen vor, wie z.B. die autonomen Umkehrrhythmen bei Bakterien und Diatomeen, als auch bei ortsgebundenen Pflanzen, wobei es sich um Turgor- wie auch um Wachstumsbewegungen handeln kann. Die Bewegungsmechanik ist also für die Autonomie der Bewegungen nicht entscheidend. In der Mehrzahl der Fälle unterliegen die autonomen Bewegungen einer Rhythmik, die bei den tagesperiodischen Bewegungen durch die physiologische Uhr gesteuert wird, während in anderen Fällen die Periodenlängen einige Stunden bzw. bei den kurzperiodischen Bewegungen einige Minuten betragen.

17.2.1   Circumnutationen

Hierunter versteht man stetig kreisende Bewegungen von Sproßspitzen, Ranken u. a. Organen, die wir bereits in Gestalt der „Suchbewegungen" bei den *Cuscuta*-Keimlingen (S. 362) kennengelernt haben. Sie kommen durch eine die Organachse zyklisch umlaufende einseitige Wachstumsförderung zustande, so daß die Organspitzen Ellipsen oder Kreise beschreiben. Für einen Umlauf werden etwa 1–2 Stunden benötigt. Ob die Circumnutationen tatsächlich rein autonomen Charakter haben oder ob an ihrem Zustandekommen auch eine gravitropische Komponente beteiligt ist, kann zur Zeit nicht entschieden werden.

17.2.2   Tagesperiodische Bewegungen

Circadian-rhythmische (tagesperiodische) Bewegungen finden wir sowohl bei Laub- als auch bei Blütenblättern. Sie werden auch als **nyktinastische** oder **skotonastische Bewegungen** bezeichnet. Dabei kann es sich sowohl um Wachstums- als auch Turgorbewegungen handeln. Ersteres trifft für die Blüten zu, die sich am Tage öffnen und nachts schließen. Turgormechanismen liegen den Bewegungen der Laubblätter zugrunde, die mit besonderen Blattgelenken ausgestattet sind, wie z.B. *Mimosa* (Abb. 17.**4**) und *Phaseolus* (Abb. 17.**10**). Der regelmäßige Wechsel zwischen der Tag- (**A**) und der Nachtstellung (**B**) folgt normalerweise dem tagesperiodischen Gang (**C**). Der Beginn der Hebung bzw. Senkung der Blätter, d.h. die Phasenlage, wird durch den Licht-Dunkel-Wechsel induziert. Daß sie dennoch autonomen Charakter haben, also durch endogen-rhythmische Schwingungen gesteuert werden, erweist sich, wenn man die Pflanzen nach Induktion durch einen bestimmten Licht-Dunkel-Wechsel im Dauerlicht oder Dauerdunkel hält, wo die Bewegungen über längere Zeit hin, wenn auch mit etwas veränderter Periodenlänge, fortgesetzt werden. Wie bereits erwähnt, unterliegen auch die Spaltöffnungsbewegungen einer circadian-rhythmischen Steuerung.

Abb. 17.**10** Blattbewegungen der Feuerbohne *(Phaseolus coccineus).* **A** Tagstellung (Blatthebung), **B** Nachtstellung (Blattsenkung). **C** Verlauf der Bewegungen, schematisiert. Im linken Teil der Kurve normale tagesperiodische Bewegungen im 12:12-Stunden-Licht-Dunkel-Wechsel (Dunkelzeiten gerastert). Anschließend Fortsetzung der Bewegungen im schwachen Dauerlicht unter allmählicher Verringerung des Gesamtausschlages (Amplitude) und Verlängerung der Perioden auf etwa 27 Stunden

17.3   Induzierte Bewegungen

Induzierte Bewegungen werden durch äußere Einflüsse hervorgerufen bzw. gesteuert, die wir ungeachtet dessen, ob sie chemischer oder physikalischer Natur sind, als Reize bezeichnen. Ein Reiz (Stimulus) besteht in der Zufuhr einer gewissen, gemessen am Effekt allerdings meist geringen Energiemenge, hat also im typischen Falle Auslösecharakter. Bei den sogenannten **Alles-oder-Nichts-Reaktionen** besteht überhaupt keine Beziehung zwischen Reizstärke und Reizerfolg. Entweder es wird ein bestimmter Schwellenwert, die Reizschwelle, überschritten, dann tritt die Reaktion ein, oder es erfolgt nichts. Es gibt jedoch auch zahlreiche Bewegungsreaktionen, bei denen quantitative Beziehungen zwischen Reiz- und Reaktionsgröße nachweisbar sind. Dabei hängt die Stärke der Reaktion nicht allein von der Intensität des Reizes ab, sondern auch von seiner Einwirkungsdauer, d.h. also von der Reizmenge = Intensität (I) · Zeit (t) (Reziprozitäts- oder **Reizmengengesetz**). Dieses „Gesetz" ist allerdings nurmehr eine Regel, da es nur innerhalb gewisser Grenzen gültig ist. Unabhängig davon, welcher Fall vorliegt, liefert der Reiz also im Regelfall nicht die Energie, die zum Ablauf der Bewegungsreaktion erforderlich ist. Vielmehr löst er in bestimmten plasmatischen Bereichen einen Zustand erhöhter Aktivität aus, der nunmehr den Ablauf der aus anderen Energiequellen gespeisten Reaktion ermöglicht.

In diesem Zusammenhang sei darauf hingewiesen, daß es sich bei der Auslösung von bestimmten Entwicklungsprozessen durch äußere Faktoren, prinzipiell gesehen, um gleichartige Vorgänge handelt. Auch hier hat ja der Reiz, wie bereits gezeigt wurde (S.485 f.), nur Auslösecharakter, während der Entwicklungsvorgang selbst energetisch von ihm unabhängig ist. Daß die Wirkungen äußerer Faktoren auf Entwicklungs- und Bewegungsvorgänge hier in getrennten Kapiteln besprochen werden, geschieht lediglich im Interesse der Übersichtlichkeit.

Die als **Perzeption** bezeichnete Reizaufnahme setzt die Existenz spezifischer Rezeptoren voraus, das sind Moleküle, die zur Perzeption bestimmter Strahlungsbereiche, gewisser chemischer Agenzien, der Schwerkraft sowie mechanischer Reize befähigt sind und entsprechend als Photo-, Chemo-, Gravi- und Mechanorezeptoren bezeichnet werden. Diese reagieren auf den Reiz in spezifischer Weise, z. B. mit einer Konformationsänderung. In einer anschließenden, als **sensorische Transduction** bezeichneten Reaktionskette wird der Stimulus in eine übertragbare (transmittierbare) Form überführt, wie etwa Ionenströme infolge der Öffnung von Kanälen, Freisetzung oder Dissoziation von Molekülen, elektrische Potentialänderungen, Änderungen der energetischen Zustände u. a., und zum Bewegungsapparat geleitet, wo er die **Bewegungsreaktion** auslöst. Ebenso wie die Stimulusperzeption durch die Rezeptoren auf ganz verschiedene Weise erfolgt, gibt es auch verschiedene Wege der sensorischen Transduction, weshalb diese Vorgänge nur für einen bestimmten Reaktionstyp und einen bestimmten Organismus besprochen werden können.

In einigen Fällen, z. B. bei rasch ablaufenden Turgorbewegungen wie den Blattbewegungen der Mimose, dem Klappfallenmechanismus der Venusfliegenfalle und den nastischen Reaktionen mancher Staubblätter, ist die Beteiligung bioelektrischer Vorgänge an der sensorischen Transduction nachgewiesen. Hiervon wird im folgenden Abschnitt die Rede sein.

17.3.1   Auslösung von Erregungsvorgängen und Bewegungsreaktionen

Die Erregbarkeit (Irritabilität), d. h. die Fähigkeit, auf äußere Einflüsse in bestimmter Weise zu reagieren, ist eine der Grundeigenschaften des Protoplasten. Sie kommt somit allen lebenden Zellen zu und nicht nur solchen, die zu besonderen Bewegungsreaktionen befähigt sind. Bei den letzteren wird lediglich der Reizerfolg durch den Bewegungsvorgang sichtbar, während er in anderen Fällen ohne besondere Hilfsmittel nicht nachweisbar ist. Solche Hilfsmittel sind z. B. Oszillographen oder andere genügend empfindliche Meßinstrumente, mit denen sich nach einer Reizung Veränderungen der elektrischen Potentiale an den plasmatischen Grenzschichten der Zelle nachweisen lassen.

Erregungsvorgang: Wird eine Zelle, an deren Grenzfläche sich ein Ruhepotential eingestellt hat, lokal gereizt, etwa elektrisch, durch mechanische Einflüsse oder auf chemischem Wege, so wird ein Erregungsvorgang ausgelöst, sofern die Intensität des Reizes einen bestimmten Minimalwert, die Reizschwelle, überschreitet. Nach einer sehr kurzen, in der Größenordnung von 0,1 s liegenden **Latenzzeit,** in der noch keine Reaktion erkennbar ist, kommt es zu einer vorübergehenden Veränderung der Permeabilitätseigenschaften der Membran. Die Permeabilität für $Cl^{\ominus}$-Ionen steigt sprunghaft an, was einen starken $Cl^{\ominus}$-Efflux zur Folge hat. Hierdurch wird die Membran depolarisiert. Ihre Innenseite wird weniger negativ oder unter Umständen sogar positiv gegenüber der Außenseite, d. h. die bestehende Potentialdifferenz wird ausgeglichen oder es kommt sogar zu einer kurzfristigen

Abb. 17.**11** Änderungen der Ionenflüsse und des elektrischen Potentials am Plasmalemma einer Pflanzenzelle *(Chara)* als Folge einer Reizung. **A** Aktionspotential. Das Ruhepotential beträgt – 190 mV. Durch Reizung (Pfeil) kommt es zu einer Depolarisierung der Membran, die zu einer vorübergehenden Positivierung der Innenseite führt. Anschließend wird wieder ein Ruhepotential der ursprünglichen Größe aufgebaut. **B** Erklärung der den Potentialverhältnissen entsprechenden Ionenflüsse. Im Zustand des Ruhepotentials werden $Cl^\ominus$- (rot) und $K^\oplus$-Ionen (schwarz) nach innen gepumpt (wellige Pfeile). Gleichzeitig „leckt" jedoch ein Teil der $K^\oplus$-Ionen und, wenn auch in erheblich geringerem Umfang, der $Cl^\ominus$-Ionen aus der Zelle heraus (gerade Pfeile), weshalb die Innenseite negativ gegenüber der Außenseite ist. Die Reizung führt nun zu einem sprunghaften Anstieg des $Cl^\ominus$-Effluxes, der die Depolarisation verursacht, aber bald wieder abklingt. Infolge der Depolarisierung der Membran treten, mit einer gewissen Zeitverzögerung, $K^\oplus$-Ionen aus, wodurch die Membran wieder polarisiert wird, bis das ursprüngliche Ruhepotential erreicht ist, in dem die gleichen Ionenflüsse vorliegen wie zu Beginn. Abszisse: Zeit in Sekunden; Ordinate: Membranpotential in mV. pl = Plasmalemma

Umladung der Membran (Abb. 17.**11**). Man bezeichnet diese Potentialänderung als ein **Aktionspotential.** Der sprunghafte Potentialabfall zieht einen zunehmenden $K^\oplus$-Efflux nach sich. Im Gipfel des Aktionspotentials sind $Cl^\ominus$- und $K^\oplus$-Efflux gleich. Durch fortgesetzten $K^\oplus$-Efflux wird die Membran wieder polarisiert, bis sich ein neues Ruhepotential eingestellt hat. Durch die Tätigkeit der Ionenpumpen wird der ursprüngliche Zustand wiederhergestellt.

Die Größe des Aktionspotentials ist von der Stärke des Reizes unabhängig. Der Erregungsvorgang ist also eine Alles-oder-Nichts-Reaktion. Aktionspotentiale treten nur in Gegenwart von $Ca^{2\oplus}$-Ionen ein. Mit abnehmender $Ca^{2\oplus}$-Konzentration nimmt auch das Ausmaß der Potentialänderung ab, bis die Zelle schließlich unerregbar wird.

Wird unmittelbar nach dem ersten Reiz ein zweiter gegeben, so erfolgt keine Reaktion, da die Membran noch nicht wieder polarisiert ist. Die Zelle verhält sich refraktär. An dieses sogenannte absolute **Refraktärstadium** schließt sich eine Phase verminderter Erregbarkeit, das relative Refraktärstadium, an. Dieses ist durch den Anstieg der Reizschwelle gekennzeichnet, d. h. die Intensität der Reizung muß stärker sein als beim ersten Mal, um die Erregung auszulösen. Erst nach Abklingen des relativen Refraktärstadiums ist die Zelle wieder voll erregbar.

Der Erregungsvorgang der Pflanzenzelle stimmt also im Grundsätzlichen mit dem der tierischen Nerven überein. Allerdings sind die Aktionspotentiale pflanzlicher Zellen ihrem Ausmaß nach meist erheblich größer und dauern entsprechend länger als bei Tieren, wo sie in Bruchteilen von Sekunden ablaufen. Auch die Refraktärstadien sind entsprechend verlängert. Die Perfektion des Erregungsvorganges kommt also nicht in der Größe des Aktionspotentials zum Ausdruck, sondern in der hohen Geschwindigkeit sowohl der Reaktion selbst als auch der Restitutionsprozesse.

Erregungsleitung: Der Erregungsvorgang bleibt nicht auf die gereizte Stelle beschränkt, sondern breitet sich wellenförmig über die ganze Zelle aus. Er kann auf benachbarte Zellen übergreifen und sich über eine gewisse Entfernung hin fortsetzen. Wir bezeichnen dies als Erregungsleitung. Ihre Geschwindigkeit beträgt bei der Mimose 2,5 cm/s und bei der schnell reagierenden Venusfliegenfalle sogar 20 cm/s. Dies sind Werte, die an die unteren Leitungsgeschwindigkeiten mancher tierischen Nerven heranreichen.

Bei manchen Pflanzen, z.B. der Mimose, läßt sich auch eine chemische Erregungsleitung nachweisen, die mit Hilfe besonderer **Erregungssubstanzen** erfolgt. Diese werden vorwiegend in den Leitungsbahnen transportiert und können so die Erregung über eine größere Strecke leiten. In neuerer Zeit wurden aus *Mimosa pudica* und zahlreichen anderen Pflanzen derartige Substanzen isoliert, die wegen ihrer Eigenschaft, den Zellturgor zu beeinflussen, den Sammelnamen **Turgorine** erhalten haben. Sie werden auch als „leaf movements factors" (Blattbewegungsfaktoren) bzw., da sie auch die tagesperiodischen Blattbewegungen steuern, als „periodic leaf movement factors" (PLMF) bezeichnet. Im Gegensatz zu einigen unspezifisch wirksamen Aminosäuren, die zwar deutliche, aber atypische Blattbewegungen auslösen, verursachen sie eine geordnete, sukzessives Schließen der Blattfiederpaare, wie auf S. 512 beschrieben. Die erste in ihrer Struktur aufgeklärte Substanz ist die 4-O-(β-D-Glucopyranosyl-6′-sulfat-)gallussäure (PLMF 1, s. Formel), doch finden sich bei manchen Pflanzen auch Derivate dieser Verbindungen, die ebenfalls wirksam sind. Beim PLMF 1 beträgt die minimale Wirkkonzentration $2 \cdot 10^{-7}$ mol/l.

O=S=O OH O CH₂
HO
HO
OH
OH
HO
COOH

Turgorin (PLMF1)

Bewegungsreaktionen: Erfaßt ein Erregungsvorgang Zellen oder Gewebe, die aufgrund besonderer anatomischer Voraussetzungen zur Ausführung von Bewegungen befähigt sind, z.B. Blattgelenke (Abb. 17.**4B**), kann er Bewegungsreaktionen auslösen. In diesen Fällen finden wir daher sowohl im Ablauf der Reaktion als auch in der Terminologie eine weitgehende Übereinstimmung zu den Erregungsvorgängen, wie am Beispiel der Staubblattbewegungen von *Helianthemum* gezeigt werden soll (Abb. 17.**12**). Zwischen dem Reiz und der Bewegungsreaktion liegt ein Zeitraum, in dem nichts äußerlich Erkennbares geschieht, die Latenzzeit.

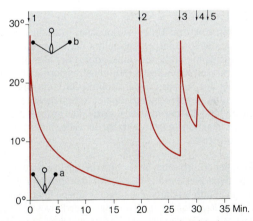

Abb. 17.**12** Bewegungsreaktionen der Staubblätter von *Helianthemum* (Sonnenröschen) auf mehrfache Stoßreizung. Abszisse: Zeit in Minuten, Ordinate: Bewegungswinkel. Für die erste Reaktion sind die Ausgangs- (a) und Endpositionen (b) der Staubfäden eingezeichnet. Die Latenzzeit ist hier so kurz (etwa 1 Sekunde), daß sie nicht in das Diagramm eingezeichnet werden konnte. Der zweite Reiz lag außerhalb, der dritte und vierte lagen innerhalb des relativen Refraktärstadiums. Der fünfte lag bereits innerhalb des absoluten Refraktärstadiums, löste also überhaupt keine Reaktion mehr aus

Sie beträgt größenordnungsmäßig 0,1 – 1 Sekunden. Dann erfolgt die Turgorbewegung, die innerhalb einer kurzen Zeit zur maximalen Bewegungslage führt.

Nun setzen die Erholungsvorgänge ein, die allmählich den ursprünglichen Zustand wiederherstellen, was eine längere, von Fall zu Fall unterschiedliche Zeit erfordert. Findet während dieser Phase eine erneute Reizung statt, so wird diese entweder mit einer schwächeren Reaktion beantwortet, oder die Reaktion bleibt ganz aus. Auch hier können wir also ein relatives und ein absolutes Refraktärstadium unterscheiden.

17.3.2   Strahlungswirkungen

Die Einflüsse der Strahlung auf pflanzliche Bewegungsvorgänge sind vielfältig: Sie kann Bewegungen auslösen, ihre Geschwindigkeit beeinflussen, eine Bewegungsumkehr verursachen oder die Bewegungsrichtung bestimmen. Dies gilt sowohl für ortsgebundene als auch für freibewegliche Organismen. Außerdem können auch intrazelluläre Bewegungen durch Strahlung ausgelöst und/oder gerichtet werden.

Strahlungsperzeption: Gleich anderen strahlungsabhängigen Prozessen werden Bewegungsvorgänge nicht nur durch sichtbare Strahlung, sondern auch durch die benachbarten Strahlungsbereiche, d. h. das UV-A und das Infrarot, ausgelöst. Die Absorption der Strahlung erfolgt durch von Fall zu Fall ganz verschiedene Photorezeptoren. Zu deren Ermittlung bedient man sich wiederum der Aktionsspektren.

Sensorische Transduction: Unter sensorischer Transduction verstehen wir alle Prozesse, die die Stimulusperzeption mit der Bewegungsreaktion verbinden, d. h. im vorliegenden Falle die Umwandlung der absorbierten Strahlungsenergie in ein intrazelluläres Signal (Stimulustransformation), gegebenenfalls eine Verstärkung des Signals (Signalamplifikation), die Übertragung des Signals vom Rezeptor zum Bewegungsapparat, sofern diese räumlich voneinander getrennt sind (Signaltransmission), sowie die Umwandlung des Signals in eine motorische Reaktion. In der Mehrzahl der Fälle sind unsere Vorstellungen noch recht hypothetisch.

Die Umwandlung der absorbierten Strahlungsenergie in ein intrazelluläres Signal kann auf verschiedene Weise erfolgen. Hat das Photorezeptormolekül selbst Enzymeigenschaften, könnte es durch die aufgenommene Energie aktiviert werden und eine bestimmte Reaktion katalysieren, die einen Bewegungsvorgang hervorruft bzw. steuert. Dieser Fall könnte z. B. für Flavinenzyme zutreffen, die gelb gefärbt sind und im sichtbaren blauen sowie im angrenzenden UV-A-Bereich absorbieren. Das Photorezeptormolekül kann aber auch als Sensibilisator dienen, indem es die absorbierte Strahlungsenergie in eine transmittierbare Form überführt, etwa in chemische Energie oder elektrische Potentialänderungen. In vielen Fällen sind Ionenkanäle an der sensorischen Transduction beteiligt, durch deren

Öffnung ein Influx oder Efflux von Ionen, z.B. Calcium, ausgelöst wird. Schließlich besteht noch die Möglichkeit, daß die Strahlungsabsorption über ein Lichtreaktionssystem erfolgt, das primär mit der betreffenden Bewegungsreaktion gar nichts zu tun hat, d.h. daß eine indirekte Wirkung, vorliegt. Ist z.b. ein Bewegungsvorgang mit der Photosynthese gekoppelt, so läßt das Aktionsspektrum eine Beteiligung der Photosynthesepigmente an der Strahlungsperzeption erkennen. Dies schließt nicht aus, daß die Photosynthesepigmente als Photorezeptoren eines Bewegungsvorganges dienen könnten, ohne daß dieser direkt mit der Photosynthese gekoppelt ist.

⚠ Im typischen Fall ist die Strahlungsabsorption der Auslösevorgang, weshalb nur relativ geringe Energiemengen erforderlich sind, um die Bewegungsreaktion einzuleiten. Lediglich in den Fällen, in denen der Bewegungsvorgang selbst durch die Lichtenergie gespeist wird, wie im Falle der Photokinesis, ist der Strahlungsenergiebedarf erheblich höher.

Bewegungsvorgang: Da der Bewegungsablauf sowohl durch die Lichtrichtung bestimmt als auch durch Änderungen der Photonenflußrate ausgelöst werden kann, ergeben sich wiederum die auf S. 505 dargelegten Möglichkeiten. Da außerdem die den Bewegungen zugrundeliegenden Mechanismen trotz Gleichheit oder Ähnlichkeit im Ablauf ganz verschieden sein können, muß die Einteilung nach dem äußeren Erscheinungsbild der Bewegungsvorgänge notwendigerweise unvollkommen sein. Sie ist jedoch als didaktisches Hilfsmittel unentbehrlich, solange unsere Kenntnisse von den molekularen Grundlagen der induzierten Bewegungen noch lückenhaft sind.

17.3.2.1 Richtungsbewegungen

⚠ Einseitig einfallendes Licht wird durch Absorption, Reflexion, Streuung und/oder Linsenwirkung innerhalb einer Zelle bzw. eines Organs in einen Photonengradienten umgesetzt, der für die Perzeption der Lichtrichtung genutzt wird. Dabei kann die Messung der Photonen entweder gleichzeitig an verschiedenen Stellen der Zelle bzw. des Organs unter Verwendung zweier oder mehrerer Photorezeptoren erfolgen (one instant mechanism) oder aber, bei freibeweglichen Organismen, durch Modulation, d.h. durch aufeinanderfolgende Messung mit Hilfe eines Photorezeptors, dessen Lage in bezug auf die Lichtrichtung sich regelmäßig ändert (two instant mechanism).

Phototropismus: Unter Phototropismus verstehen wir eine zur Richtung der Strahlen orientierte Krümmung oder sonstige Lageveränderung der Organe ortsgebundener Pflanzen. In der Regel krümmen sich die Sproßachsen zur Lichtquelle hin, also positiv. Die Wurzeln verhalten sich normalerweise indifferent oder reagieren negativ phototropisch (Abb. 17.**13**). Blätter stellen sich meist senkrecht zur Lichtrichtung ein, was man als Diaphototropismus (Transversalphototropismus) bezeichnet. Phototropische Krümmungen kommen in der Regel durch unglei-

Abb. 17.**13**   Phototropische Reaktion eines Senfkeimlings *(Sinapis alba)*, der, in einer Korkplatte befestigt, auf der Nährlösung schwimmt. Das Hypokotyl hat positiv, die Wurzel negativ reagiert. Die Blätter haben sich transversalphototropisch eingestellt. Die Pfeile geben die Richtung der Lichtstrahlen an. h = Hypokotyl, k = Korkplatte, w = Wurzel (nach Noll)

ches Flankenwachstum zustande, doch sind in einigen Fällen auch Turgorreaktionen beteiligt. Für die Stärke der phototropischen Reaktionen ist in der Mehrzahl der Fälle innerhalb gewisser Zeit- und Intensitätsbereiche das Reizmengengesetz gültig.

> Setzt man pflanzliche Objekte nur für eine begrenzte Zeit seitlicher Belichtung aus, antworten sie mit einer vorübergehenden phototropischen Krümmung, die nach Wiederherstellung der ursprünglichen Lichtverhältnisse durch eine Gegenreaktion korrigiert wird. Die Stärke der Krümmung ist von der Reizmenge abhängig, wobei allerdings sowohl für die Bestrahlungsstärke als auch die Bestrahlungsdauer Schwellenwerte nicht unter- bzw. überschritten werden dürfen. Der Phototropismus ist also ein Induktionsphänomen.

Die an verschiedenen Objekten gemessenen Aktionsspektren stimmen bemerkenswert gut überein. Wie das in Abb. 17.**14** wiedergegebene Aktionsspektrum für *Avena* zeigt, ist ultraviolette, violette und blaue Strahlung wirksam. Dies läßt auf gelbe Pigmente als Photorezeptoren schließen. Carotinoide, Flavine und neuerdings auch Pteridine werden als mögliche Photorezeptoren diskutiert. Erstere zeigen die charakteristische Dreigipfligkeit im Blau, absorbieren aber das stark wirk-

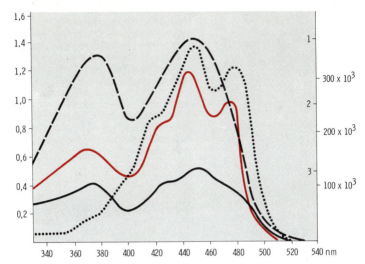

Abb. 17.**14** Aktionsspektrum der phototropischen Empfindlichkeit der *Avena*-Koleoptile (rot). Zum Vergleich sind die Absorptionsspektren des β-Carotins in Hexan (punktierte Linie), des Riboflavins (gestrichelte Linie) und eines gereinigten Flavoproteins (durchgezogene Linie) eingezeichnet. Abszisse: Wellenlänge in nm. Ordinate: Relative phototropische Empfindlichkeit (linke Skala) bzw. Absorption (rechte Skala) (nach Curry u. Thimann, Karrer u. Jucker, Bellin u. Holström, Williams)

same UV um 370 nm kaum. Andererseits zeigen die Flavine eine starke Absorption in diesem UV-Bereich, doch fehlt ihnen die dreigipflige Feinstruktur im sichtbaren Bereich. Allerdings ist dabei zu berücksichtigen, daß sich die spektralen Absorptionseigenschaften der Pigmente bei Bindung der Chromophore an Proteine ändern. So zeigt das Absorptionsspektrum eines Flavoproteins zwischen 400 und 500 nm drei Absorptionsmaxima bzw. Schultern (Abb. 17.**14**). Daher neigt die Mehrzahl der Untersucher zu der Auffassung, daß Flavoproteine die Photorezeptorpigmente des Phototropismus sind, während die Carotinoide als Schirmpigmente (s. oben) fungieren, die bei farblosen Organismen bzw. Organen einen genügend starken Photonengradienten zwischen den beiden Flanken hervorrufen. Allerdings ändern auch die Carotinoide bei Bindung an Proteine ihre Absorptionseigenschaften, weshalb Carotinoproteine als mögliche Photorezeptoren diskutiert werden. Für die Absorption des UV könnten auch die Pteridine verantwortlich sein, von denen einige, z.B. das 6,7-Dimethylpterin, nicht nur das UV zwischen 200 und 300 nm, sondern auch den gesamten Bereich zwischen 300 und 400 nm mit einem Maximum bei 350 nm absorbieren. In einigen Fällen, z.B. bei dunkel adaptierten Keimlingen und bei den Protonemen der Moose, kann auch Rotlicht phototropische Krümmungen hervorrufen. In diesem Falle ist der Photorezeptor offenbar das Phytochrom.

Abb. 17.15 Einfluß einseitiger Bestrahlung auf die Auxinverteilung in der *Avena*-Koleoptile. Die Koleoptile wurde nach Bestrahlung (**A**) dekapitiert und die Spitze einem Agarblock (**B**) aufgesetzt. Dabei diffundiert auf der lichtabgewandten Seite mehr Auxin (rot) in den Agar als auf der lichtzugewandten. Setzt man die beiden Hälften des Agarblockes dekapitierten Koleoptilen einseitig auf, so ergibt sich, dem verschiedenen Auxingehalt entsprechend, ein verschieden starker Auxineinstrom und somit auch eine verschieden starke Krümmung (**C – F**)

Die sensorische Transductionskette des Phototropismus ist noch weitgehend unbekannt. Die einzige bisher mit Sicherheit nachgewiesene Folgereaktion einer einseitigen Bestrahlung von Organen höherer Pflanzen ist eine Auxinasymmetrie, d.h. eine Veränderung des Auxingehaltes von Licht- und Schattenflanke. Sie läßt sich durch den folgenden klassischen Versuch demonstrieren (Abb. 17.**15**): Man dekapitiert eine einseitig belichtete *Avena*-Koleoptile, überträgt die Spitze auf einen Agarwürfel und fängt die aus der ehemaligen Licht- bzw. Schattenflanke in den Agar diffundierenden Auxine getrennt auf. Setzt man nun die beiden Agarwürfel in der bereits beim *Avena*-Krümmungstest beschriebenen Weise dekapitierten Koleoptilen einseitig auf, so verursacht der Block, der die Auxine der Schattenflanke aufgefangen hat, die stärkere Krümmung (**C,D**). Er enthält somit mehr Auxin als der andere (**E,F**). Infolgedessen muß auf der ehemaligen Schattenflanke mehr Auxin abwärts geströmt sein als auf der Lichtseite.

Für die Auxinasymmetrie gibt es verschiedene Erklärungsmöglichkeiten:
1. Querverschiebung des Auxins durch Ablenkung des Wuchsstoffstromes von der Licht- zur Schattenflanke.
2. Auxininaktivierung auf der Lichtflanke bzw. Auxinaktivierung oder Auxinsynthese auf der Schattenflanke.
3. Hemmung des abwärts gerichteten Auxinlängstransportes auf der Lichtflanke, z.B. durch Blockierung der Auxincarrier.

Bei Mais-Koleoptilen ist eine Umorientierung der corticalen Mikrotubuli, die der äußeren Zellwand der äußeren Epidermis anliegen, aus der Querrichtung in die Längsrichtung zu beobachten, und zwar sowohl nach einer phototropischen Reizung auf der belichteten Seite der Koleoptile als auch bei einer Verringerung der Auxin-Konzentration. Der Verminderung der Auxin-Konzentration auf der belichteten Seite geht eine etwa gleichgroße Zunahme der Auxinmenge auf der lichtabgekehrten Seite einher, was für eine Querverschiebung spricht. In den Spitzen der Mais-Koleoptilen, die die höchste phototropische Empfindlichkeit zeigen, ist kurze Zeit nach Beginn der Blaulichtbestrahlung die Phosphorylierung eines mit dem Plasmalemma assoziierten 100-kDa-Proteins zu beobachten. Dies wird von einigen Autoren als das erste Glied der phototropischen Signaltransductionskette angesehen. Allerdings sind die Folgereaktionen noch Gegenstand der Hypothese. Diskutiert werden die Aktivierung oder Deaktivierung bestimmter Gene, die an der Regulation des Auxin-Transportes und des Wachstums beteiligt sind, eine Beeinflussung der Auxin-Carrier im Plasmalemma durch das phosphorylierte Protein sowie eine Beeinflussung der oben erwähnten Umorientierung der Mikrotubuli durch dieses Protein.

Die Koleoptilen von *Avena* und *Zea mays* sind bevorzugte Objekte für phototropische Studien. Deren Ergebnisse lassen sich jedoch nicht verallgemeinern. Zwar ist auch bei Sproßachsen nur Blaulicht und UV wirksam und auch in anderen Punkten bestehen Übereinstimmungen, doch hat sich eine lichtinduzierte Auxin-Asymmetrie bei Sproßachsen nicht nachweisen lassen. Auch bei den phototropischen Reaktionen der Sporangienträger von *Phycomyces* und anderen Pilzen spielt Auxin keine Rolle. Trotz der aus dem Aktionsspektrum zu schließenden Gleichheit der Photorezeptorpigmente muß daher für diese Organismen eine andere Kette von Folgereaktionen angenommen werden.

❗ Phototaxis: Die phototaktischen Richtungsbewegungen freibeweglicher Organismen, auch als Photo-topotaxis bezeichnet, führen je nach Reaktionssinn zu einer Annäherung an die Lichtquelle (positiv) oder zu einer Entfernung von dieser (negativ). Da in der Mehrzahl der Fälle wiederum nur kurzwellige Strahlung bis etwa 550 nm wirksam ist, ergibt sich hinsichtlich der Photorezeptorfrage eine ähnliche Problematik wie im Falle des Phototropismus.

Das Zustandekommen einer phototaktischen Reaktion sei am Beispiel von *Chlamydomonas* erläutert. Der Photorezeptor ist bei diesem Organismus ein Rhodopsin mit einem all-*trans*-Retinal als Chromophor, das bei Belichtung unter Isomerisierung in die 13-*cis*-Form übergeht. Das Retinal ist über die Aminosäure Lysin an das Protein gebunden. Nach gut begründeten Vorstellungen sind die Photorezeptormoleküle in dem das Stigma bedeckenden Bereich des Plasmalemmas lokalisiert, der eine von den übrigen Bereichen dieser Biomembran abweichende Partikelstruktur zeigt (Abb. 17.**16**). Das aus mehreren übereinandergepackten Lagen von Lipidglobuli bestehende Stigma wirkt als Interferenzreflektor und verursacht eine maximale Belichtung der darüberliegenden Photorezeptormoleküle in dem Moment, in dem das Licht im rechten Winkel auf diese fällt. Da durch den Lichtreiz ein Einstrom von $Ca^{2\oplus}$-Ionen und als Folge eine lokale Membran-Depolarisation verursacht wird, ist anzunehmen, daß die Rhodopsinmoleküle direkt mit $Ca^{2\oplus}$-Kanälen gekoppelt sind. Die lokalen Änderungen des Membranpotentials breiten sich über die Zelle aus und verursachen eine Änderung des Geißelschlages, die nach Ansicht einiger Autoren die Folge einer vorübergehenden Öffnung von $Ca^{2\oplus}$-Kanälen und den hierdurch verursachten Einstrom von $Ca^{2\oplus}$-Ionen

Abb. 17.**16** Partikelanordnung in der Plasmamembran und im Stigmabereich von *Chlamydomonas reinhardtii*, dargestellt im Gefrierbruch. **A** Übersicht über eine ganze Zelle, **B** Stigmabereich im Ausschnitt vergrößert. Die geringere Größe der Partikel und die höhere Dichte in ihrer Anordnung im Stigmabereich ist deutlich zu erkennen. Maßstab in **A** 1 μm, in **B** 0,2 μm. gb = Geißelbasis, st = Stigmabereich (Originalaufnahmen: M. Melkonian, H. Robenek)

all-*trans*

h · ν   **Chlamyrhodopsin**

13-*cis*

durch die Geißelmembran ist, während nach einer anderen Meinung die Öffnung von Kanälen in der Geißelmembran lediglich bei einer photophobischen Reaktion erfolgt. Fällt das Licht seitlich auf eine Zelle, so ändert sich das Schlagmuster der beiden Geißeln, indem die vorwärts gerichtete Amplitude des Brustschwimmerschlages (Abb. 17.**8A**, S. 517) bei der einen Geißel verstärkt, bei der anderen vermindert wird, bis die Zelle in die Lichtrichtung eingeschwenkt ist.

Für die negative Reaktion, die meist in höheren Intensitätsbereichen zu beobachten ist, gilt sinngemäß dasselbe, nur wird hier der Geißelschlag offenbar so verändert, daß der Körper in die entgegengesetzte Richtung gedreht wird, also von der Lichtquelle fortschwimmt.

17.3.2.2 Reaktionen auf zeitliche Änderungen der Strahlungsintensität

Bewegungsreaktionen, die durch zeitliche Änderungen der Strahlungsintensität ausgelöst werden, sind von der Richtung der einfallenden Strahlen unabhängig. Sie sind daher auch in diffusem Licht zu beobachten. In einigen Fällen ist es dabei wesentlich, ob die Zu- bzw. Abnahme der Strahlungsintensität plötzlich oder allmählich erfolgt.

Photonastie: Photonastisch reagieren die Blüten zahlreicher Pflanzen, z.B. vieler Asteraceae (Korbblütler), *Gentiana*-(Enzian-)Arten, Seerosen u.a., die sich im Licht öffnen und bei abnehmender Lichtintensität schließen. Allerdings verhalten sich die sogenannten Nachtblüher, wie *Silene nutans* (nickendes Leimkraut), gerade umgekehrt. Diese Bewegungen kommen durch verschieden starkes Wachstum der Ober- und Unterseite der Blütenblätter zustande. Auch Laubblätter können photonastisch reagieren, im ausgewachsenen Zustand allerdings nur dann, wenn sie Blattgelenke besitzen. Trotz der Ähnlichkeit des Erscheinungsbildes dürfen die photonastischen nicht mit den nyktinastischen Bewegungen, die dem Tag-Nacht-Wechsel folgen, verwechselt werden. Im Gegensatz zu diesen kann bei den photonastischen Bewegungen das Öffnen und Schließen am Tage wiederholt ausgelöst werden, z.B. durch vorbeiziehende Wolken. Die ebenfalls zu den Photonastien zählenden Spaltöffnungsbewegungen wurden bereits ausführlich besprochen (S. 507).

⚠ **Photophobische Reaktion:** Bei zahlreichen freibeweglichen Organismen lösen plötzliche Änderungen der Strahlungsintensität eine Taumelbewegung, ein vorübergehendes Rückwärtsschwimmen (Abb. 17.**8C**, S. 517) oder eine Bewegungsumkehr aus. Häufig geschieht dies abrupt, weshalb man von einer „Schreck"-Reaktion oder photophobischen Reaktion (Photo-phobotaxis) spricht. Wird sie durch eine Intensitätserniedrigung (step-down) ausgelöst, nennt man sie positiv, im umgekehrten Falle (step-up) negativ.

Dieses Verhalten führt in einem inhomogenen Lichtfeld, das man z.B. durch Projektion eines hellen Spaltfeldes in ein dunkles Umfeld erhält, zu einer Ansammlung der Organismen im Lichtfeld („Lichtfalle") bei positiver bzw. zu einer Entleerung desselben bei negativer Reaktion, je nachdem, ob die Organismen beim Überschreiten der Grenze von Hell nach Dunkel oder von Dunkel nach Hell umkehren.

Bei einigen photosynthetischen Bakterien, Cyanobakterien und Diatomeen stimmen die Aktionsspektren der photophobischen Reaktionen mit denen der Photosynthese überein, was für eine Kopplung dieser beiden Prozesse spricht. Es wird angenommen, daß durch plötzliche Änderungen des photosynthetischen Elektronentransportes Membranpotentialänderungen ausgelöst und zum Bewegungsapparat geleitet werden, wo sie eine Bewegungsumkehr verursachen. Ein solches Reaktionsverhalten erscheint ökologisch sinnvoll, da es die Organismen in die Lage versetzt, in Bereichen photosynthetisch günstiger Strahlungsbedingungen zu verweilen und andererseits Bereiche hoher, schädigend wirkender Intensitäten zu verlassen. Bei anderen Organismen, z.B. grünen Flagellaten, wird die photophobische Reaktion nur durch Blaulicht hervorgerufen. Hier liegt offensichtlich ein anderer Wirkungsmechanismus vor. Bei *Chlamydomonas* erfolgt die Absorption der wirksamen Strahlung wiederum über das Rhodopsin, und auch die sensorische Transductionskette scheint weitgehend mit der der Phototaxis übereinzustimmen. Die Schlagumkehr der Geißeln soll, wie bereits erwähnt, durch den Einstrom von $Ca^{2\oplus}$-Ionen durch die geöffneten Kanäle der Geißelmembran verursacht werden.

Photokinesis: Bei zahlreichen freibeweglichen Organismen induziert oder beschleunigt Licht die Bewegung (positive Photokinesis). Durch sehr hohe Lichtintensitäten kann die Bewegung jedoch verlangsamt oder zum Erliegen gebracht werden (negative Photokinesis). In den bisher untersuchten Fällen wird die Strahlung über die Photophosphorylierung wirksam, d.h. die positive Photokinesis ist entweder die Folge einer gesteigerten ATP-Produktion oder direkt das Resultat einer erhöhten proton motive force. Abweichend von den bisher besprochenen Fällen liefert hier die Strahlung also die zur Auslösung bzw. zum Ablauf der Bewegung erforderliche Energie.

17.3.2.3 Einflüsse der Strahlung auf intrazelluläre Bewegungen

Auch intrazelluläre Bewegungen, z.B. Plasmaströmungen und Orts- bzw. Lageveränderungen von Zellorganellen, insbesondere der Chloroplasten, können durch Licht hervorgerufen bzw. beeinflußt werden.

Photodinese: In den Zellen mancher Pflanzen werden durch Licht Plasmaströmungen ausgelöst, deren Intensität und Geschwindigkeit bis zu einem gewissen Grade von der Stärke und Dauer der Beleuchtung abhängig ist. Derartige Lichtwirkungen bezeichnet man als Photodinese. Allerdings können Plasmaströmungen auch durch andere Faktoren ausgelöst werden, z.B. durch Verletzung (Traumatodinese).

Chloroplastenbewegung: In den Zellen vieler Pflanzen werden durch Belichtung Verlagerungen der Chloroplasten ausgelöst, die zu charakteristischen Anordnungen dieser Organellen in der Zelle führen. Im typischen Fall unterscheiden wir eine **Schwachlichtstellung,** bei der die Chloroplasten sich in einer zur Lichteinfallsrichtung etwa senkrecht stehenden Ebene anordnen (Abb. 17.17A), also einen optimalen Lichtgenuß anstreben, und eine **Starklichtstellung,** in der sie an den zur Lichtrichtung parallel verlaufenden Zellwänden angeordnet sind

A B

Abb. 17.**17** Lichtinduzierte Chloroplastenbewegung bei dem Laubmoos *Funaria hygrometrica.* Zellen aus dem Blatt, von der Fläche gesehen. **A** Schwachlichtstellung in diffusem Tageslicht. Die Chloroplasten befinden sich an den Außenwänden (Flächenstellung). **B** Starklichtstellung. Die Chloroplasten sind in die Seitenwände gewandert (Profilstellung). Vergr. 350fach

(Abb. 17.**17 B**). Bei der Alge *Mougeotia* kehrt der plattenförmige Chloroplast der einfallenden Strahlung in schwachem Licht die Fläche, in starkem die Kante zu (vgl. Abb. 3.**11 A**, S. 91). Während bei *Mougeotia* die Absorption der wirksamen Strahlung über das Phytochromsystem erfolgt, ist in der Mehrzahl der Fälle nur kurzwellige Strahlung wirksam. Hier deuten die Aktionsspektren auf Flavine als Photorezeptorpigmente hin.

17.3.3   Einflüsse der Schwerkraft

❗ Die Ausrichtung ortsgebundener Pflanzen bzw. ihrer Organe unter dem Einfluß der Erdschwerkraft ($g = 9{,}81$ m · s^{-2}) wurde bisher als Geotropismus bezeichnet. Da jedoch der Perzeption der Erdbeschleunigung eine allgemeine Empfindlichkeit der betreffenden Organe für eine Massenbeschleunigung zugrunde liegt, erscheint der Terminus Gravitropismus treffender. Eine Orientierung freibeweglicher Mikroorganismen in bezug auf die Schwerkraft bezeichnet man als Gravitaxis.

Gravitropismus: Die Orientierung von Organen in Richtung der durch den Erdmittelpunkt führenden Achse bezeichnet man als **Orthogravitropismus.** Hauptwurzeln reagieren meist positiv gravitropisch, d. h. sie richten sich zum Erdmittelpunkt hin, Sproßachsen negativ, also entgegengesetzt. Bildet die Längsachse der Organe einen Winkel mit der Lotlinie, wie z. B. bei Seitentrieben, Seitenwurzeln I. Ordnung und Rhizomen, so spricht man von **Plagiogravitropismus.** Ein Sonderfall des Plagiogravitropismus ist der **Transversal-** oder **Diagravitropismus,** bei dem dieser Winkel 90° beträgt.

Die Schwerkraft ist im Versuch durch Zentrifugalkräfte zu ersetzen. Läßt man z. B. Keimlinge auf einer Scheibe um eine horizontal gestellte Achse mit hinreichender Geschwindigkeit rotieren, so wachsen, der Zentrifugalwirkung entsprechend, die Wurzeln nach außen und die Sprosse nach innen. Wird die Achse dagegen vertikal gestellt, so daß Zentrifugalkraft und Erdschwerkraft gleichzeitig, aber in verschiedener Richtung wirken, so stellen sich die Längsachse von Sproß und Wurzel in Richtung der Resultierenden ein, die sich aus dem Parallelogramm der Kräfte ergibt (**Resultantengesetz**). Sind, wie in Abb. 17.**18**, Zentrifugalkraft und Schwerkraft gleich, beträgt der Winkel zur Lotlinie 45°. Dieser Versuch beweist, daß dem Gravitropismus eine Empfindlichkeit des betreffenden Organs für eine Massenbeschleunigung zugrunde liegt.

Das Resultantengesetz hat innerhalb gewisser Grenzen auch für andere Reizqualitäten Gültigkeit. Belichtet man z. B. ein Organ gleichzeitig mit zwei Lichtquellen so, daß die das Organ treffenden Strahlen einen spitzen Winkel miteinander bilden, krümmt es sich phototropisch in Richtung der Resultierenden, die sich aus der Richtung der Lichtstrahlen und den beiden Beleuchtungsstärken als Vektoren nach dem Parallelogramm der Kräfte konstruieren läßt. Es gibt jedoch auch phototropisch reagierende Organe, die dem Resultantengesetz nicht folgen, z. B. die Sporangienträger des Zygomyceten *Pilobolus.*

Abb. 17.**18** Wachstum der Wurzeln von *Vicia faba* auf einem Zentrifugalapparat nach Knight. In diesem Falle war die Zentrifugalkraft z gleich der Erdschwerkraft g, so daß sich die Wurzeln (w) mit ihrer Längsachse (rot) in einem Winkel von 45° zur Lotlinie eingestellt haben

Wie die phototropischen, kommen auch die gravitropischen Krümmungen durch ein verschieden starkes Flankenwachstum zustande. Sie können schon durch sehr kurzzeitige Reize ausgelöst werden. Bringt man orthogravitropisch wachsende Organe für wenige Minuten in eine horizontale Lage und stellt sie dann wieder vertikal, beobachtet man nach Ablauf einer von Fall zu Fall verschieden langen lag-Phase eine vorübergehende gravitropische Krümmung, die allerdings wegen der nunmehr wieder vertikalen Position bald ausgeglichen wird. Der Gravitropismus ist somit, gleich dem Phototropismus, ein Induktionsphänomen. Für die Stärke der Reaktion gilt innerhalb eines gewissen Bereiches das Reizmengengesetz $I \times t$ = const. (S. 521). Da die Reizintensität in diesem Falle die Erdschwerkraft g, also eine konstante Größe ist, hängt die Stärke der Reaktion allein von der Reizdauer ab. Bei gravitropisch sehr empfindlichen Organen, z. B. den Wurzeln der Gartenkresse *(Lepidium sativum)*, liegt die für die Graviperzeption erforderliche Zeitspanne sogar im Sekundenbereich. Setzt man pflanzliche Organe einer sehr lang dauernden Gravistimulation aus, hält die gravitropische Reaktion so lange an, bis das betreffende Organ wieder seine ursprüngliche Orientierung zum Schwerkraftvektor erreicht hat. Während bei Wurzeln hierzu schon 90 Minuten ausreichen, benötigen Sproßachsen, z. B. die Grasknoten beim Aufrichten der Gräser, mehrere Stunden. Die lag-Phase liegt in der Größenordnung von einigen Minuten.

Selbst in den Satellitenexperimenten läßt sich die Erdschwerkraft nicht vollständig ausschalten, obwohl sie in der Regel 10^{-4} g nicht überschreitet. Deshalb sollte man nicht von Schwerelosigkeit, sondern besser von Mikrogravitation sprechen.

Man sollte erwarten, daß der Einfluß der Schwerkraft auf ein orthogravitropisch wachsendes Organ um so stärker ist, je weiter dieses aus seiner normalen Lage entfernt wird. Dies ist nach dem **Sinusgesetz** $g \times \sin \alpha$ (Abb. 17.**19**) tatsächlich der Fall. Je größer der Winkel α ist, den die Längsachse des Organs mit der Lotlinie bildet, um so größer wird der Sinus, um schließlich bei 90° den Wert 1 zu erreichen.

Abb. 17.**19** Sinusgesetz. Gravitropisch wirksam ist die Komponente g × sin α. In **A** ist α und somit auch sin α = 0. Es erfolgt keine gravitropische Reaktion. In **B** ist α ein spitzer Winkel, sein Sinus also kleiner als 1 und die gravitropisch wirksame Komponente entsprechend ein Bruchteil von g. In **C** beträgt der Winkel α' = 90° (rot) und sein Sinus somit 1,0. Folglich ist die volle Erdbeschleunigung g wirksam (nach Sierp)

Diese Beziehung gilt jedoch nur für den Bereich der Reizschwelle. Mit steigender Einwirkungszeit des Schwerkraftreizes machen sich in zunehmendem Maße tonische, in der Längsrichtung des Organs angreifende Kräfte bemerkbar, die die gravitropische Reaktion in einer aus der Normallage weniger als 90° abweichenden Reizlage hemmen, in einer sich der inversen Lage (180°) nähernden Position über 90° hingegen fördern. Diese Kräfte haben zur Folge, daß die gravitropische Induktion in einer zwischen 125° und 135° liegenden Position am stärksten ist.

❗ Graviperzeption: Die Perzeption einer Massenbeschleunigung setzt die Existenz entsprechend empfindlicher Strukturen, der Gravisensoren, voraus. Die **Statolithentheorie** nimmt an, daß bestimmte Zelleinschlüsse als Statolithen fungieren und unter dem Einfluß der Erd- bzw. Massenbeschleunigung einen Druck auf die hinsichtlich ihrer Natur allerdings noch unbekannten **Gravisensoren** ausüben. Jede Lageveränderung einer Zelle oder eines ganzen Organs würde in einem solchen System zu einer Änderung der Druckwirkungen führen und damit eine Graviperzeption ermöglichen.

Bei den Statolithen der Pflanzen handelt es sich in der Regel um Amyloplasten, die in den zur Graviperzeption befähigten Zellen, den **Statocyten,** zahlreich vorhanden sind. Meist kommen die Statocyten in größerer Anzahl vor und bilden regelrechte Gewebe, die **Statenchyme.** Hierzu zählen die Stärke enthaltenden Bereiche der Wurzelhauben (Abb. 5.**18**, S. 203) und die Stärkescheiden der Sproßachsen (S. 212). Entfernt man die Statenchyme, was im Falle der Wurzelhaube verhältnismäßig einfach ist, oder macht man ihre Zellen durch Behandlung mit Phytohormonen stärkefrei, geht die gravitropische Reaktionsfähigkeit verloren. Mit der Neubildung der Wurzelhaube bzw. der Amyloplasten kehrt sie zurück. Mutanten von *Zea mays* mit kleineren Amyloplasten bzw. Mutanten von *Arabidopsis thaliana,* die die Fähigkeit zur Stärkesynthese eingebüßt haben, zeigen entsprechend schwächere gravitropische Reaktionen. Da jedoch auch amyloplastenfreie Organe gravitropisch zu reagieren vermögen, dienen in diesen Fällen offenbar andere Zelleinschlüsse als Statolithen. In den Rhizoiden von *Chara* haben die sogenannten „Glanzkörper", die im wesentlichen aus Bariumsulfat bestehen, Statolithenfunktion.

Während die Ansichten über die Graviperzeption sowie die Folgereaktionen bei Sproßachsen noch weit auseinandergehen, bestehen im Falle der positiv gravitropisch wachsenden Wurzeln recht gut begründete Vorstellungen. Abb. 17.20 A zeigt die Verteilung der Statocyten in der Wurzelhaube der Gartenkresse *(Lepidium sativum)*. Wie ersichtlich, sind die seitlich liegenden Zellen in einem Winkel

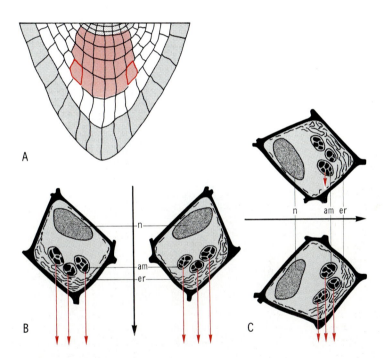

Abb. 17.**20**   Statocyten der Wurzel von *Lepidium sativum*. **A** Schematischer Längsschnitt durch die Wurzelhaube. Die Zellen des Statenchyms sind rot, die der äußeren, verschleimenden Schicht grau gerastert. **B** Zwei einander genau gegenüberliegende Statocyten (in **A** rot umrandet) bei vertikaler Position der Wurzel. **C** wie **B** , jedoch bei horizontaler Position der Wurzel. am = Amyloplasten, er = endoplasmatisches Reticulum, n = Zellkern. Die Länge der roten Pfeile symbolisiert die Stärke des Druckes, den die Amyloplasten auf das ER ausüben. Die schwarzen Pfeile markieren die Längsachse des Organs und zeigen zur Wurzelspitze (nach Sievers und Volkmann)

Abb. 17.**21**   Seitliche Statocyte aus der Wurzelhaube von *Lepidium sativum,* der rechten Zelle in Abb. 17.**20 B** entsprechend. a = Amyloplasten, er = endoplasmatisches Reticulum, n = Zellkern, w = Zellwand. Fixierung: KMnO$_4$, Vergr. ca. 7000fach (aus Sievers u. Volkmann: Planta 102 [1972] 166)

zur Längsachse der Wurzel geneigt. Dies hat eine Polarität der Zellen zur Folge, die in einer Anhäufung von Membranen des rauhen ER im distalen, also unteren Teil der Zelle zum Ausdruck kommt, während sich der Kern im oberen, proximalen Bereich befindet (Abb. 17.**21**).

Überführt man die Wurzeln aus der vertikalen in die horizontale Position, so ändert sich bei längerer Exposition die Anordnung der Amyloplasten (Abb. 17.**20 B, C**). Es wurde daher zunächst angenommen, daß die Verlagerung der Amyloplasten und die dadurch verursachte Ungleichverteilung des Druckes auf die Membranen des ER die Graviperzeption verursachen. Da jedoch bei sehr empfindlichen Organen, z. B. den *Avena*-Koleoptilen und den *Lepidium*-Wurzeln, die minimale Reizdauer 0,5 Sekunden beträgt und in dieser Zeit keine sichtbare Verlagerung der Statolithen erfolgt (nach Berechnungen könnten sie in diesem Zeitraum höchstens um eine Strecke von 8 nm verlagert werden), ist eine Sedimentation auf die Membranen des ER einer Zellflanke für eine Graviperzeption offensichtlich gar nicht erforderlich.

Gravisensorische Transduction: Eine wesentliche Rolle bei der Graviperzeption und -transduction kommt dem Cytoskelett zu, das aus Mikrotubuli, Aktin- und Intermediärfilamenten besteht und als dynamisches Netzwerk das Cytosol durchzieht. Seine Stränge sind am Plasmalemma, den Zisternen des ER und offensichtlich auch an den Membranen der Amyloplasten verankert. Da das Cytoskelett in der Zelle unter Spannung steht, wird bereits durch geringfügige Lageveränderungen der Statolithen dieser ursprüngliche Spannungszustand gestört und die Störung auf die Verankerungspunkte in der Peripherie übertragen (Abb. 17.**22**).

Die Interaktion zwischen Statolithen und dem Cytoskelett läßt sich dadurch beweisen, daß die Geschwindigkeit der Statolithen-Sedimentation durch Applikation von Cytochalasin und Oryzalin, von denen ersteres das Actin, letzteres die Mikrotubuli depolymerisiert, beweisen. Eine Änderung des Membranpotentials der Statocyten ist frühestens nach 2 Sekunden, im Mittel etwa nach 8 Sekunden nachzuweisen. Da sie nach Applikation von Cytochalasin geringer ist, wird angenommen, daß durch Depolymerisierung des F-Actins die Verbindungen zwischen Statolithen und Plasmalemma geschwächt worden sind. Nimmt man an, daß die Elemente des Cytoskeletts an dehnungsempfindlichen Ionen-Kanälen verankert sind, könnte die Störung des Spannungszustandes im Cytoskelett eine asymmetrische Aktivierung dieser Kanäle und dadurch einen gerichteten Transport von Ionen, insbesondere $Ca^{2\oplus}$, auslösen.

Bei gravitropischer Reizung sind Änderungen des die Wurzel umgebenden elektrischen Feldes zu beobachten. In vertikaler Position treten ständig positiv geladene Ionen, und zwar Protonen, in die Wurzelspitze ein und im Bereich der Zellstreckungszone wieder aus. Der apoplastische Strom positiv geladener Ionen von der Wurzelspitze zur Zellstreckungszone erzeugt ein die Wurzel umgebendes elektrisches Feld, dessen Vorhandensein sich mit einer hochempfindlichen Vibrationselektrode nachweisen läßt. Reizt man die Wurzel gravitropisch durch Überführen in die horizontale Lage, treten die Protonen nur noch in die untere Flanke der Wurzelspitze ein und auf der Oberseite aus, was eine entsprechendeÄnde-

Abb. 17.22 Modell einer zentralen Wurzel-Statocyte von *Lepidium*. **A** Natürliche Verti-kalorientierung mit Actinfilamenten (af) in symmetrischer Spannung. **B** Horizontale Orientierung mit Actinfilamenten, die teil-weise stärker (links) bzw. schwächer (rechts) gespannt sind, da der Amyloplast verlagert worden ist. a = Amyloplast, er = endoplasma-tisches Reticulum, k = Zellkern, mt = Mikro-tubulus, pd = Plasmodesmos, pm = Plasma-lemma. Die Pfeile geben die Richtung der Schwerkraft an (nach Sievers u. Mitarb.)

rung des elektrischen Feldes zur Folge hat. Obwohl damit für diesen Fall erwiesen scheint, daß bioelektrische Phänomene an der gravisensorischen Transduction beteiligt sind, läßt dieser Befund keine Verallgemeinerung zu.

Gravitropische Krümmungsreaktion: Ein unterschiedliches Flankenwachstum als Folge einer durch Schwerkraft hervorgerufenen asymmetrischen Verteilung von Auxin wird schon seit langer Zeit als Ursache der gravitropischen Krümmung angesehen. Für Sproßachsen und Koleoptilen ist dies auch bei verschiedenen Pflanzen nachgewiesen worden. Bezüglich des Zustandekommens werden diesel-ben Mechanismen diskutiert wie im Falle des Phototropismus. Andererseits spielt Auxin bei Dikotylenkeimlingen, z.B. von *Helianthus* (Sonnenblume) und *Phaseo-lus* (Bohne), offenbar eine untergeordnete Rolle. Hier scheinen an der Steuerung der Krümmungsbewegung Gibberelline beteiligt zu sein. In gravistimulierten *Avena*-Koleoptilen wurde 10 Minuten nach Reizbeginn eine Akkumulation von $Ca^{2\oplus}$-Ionen in der oberen Hälfte, und zwar vor allem im Apoplasten, nachgewie-sen. Daher könnte die gravitropische Krümmung auch die Folge eines antagonisti-schen Effektes von $Ca^{2\oplus}$-Ionen auf die Auxin-induzierte Zellwanddehnbarkeit und somit auf die Zellstreckung in der oberen Hälfte des Organs sein. Da bei diesem Objekt die Epidermiszellen sowohl für die Graviperzeption als auch für die Krümmungsreaktion ausschlaggebend sind, entfällt die Notwendigkeit einer Signalübertragung vom Perzeptions- zum Reaktionsort.

Im Gegensatz hierzu sind bei der Wurzel der Perzeptionsort, die Wurzelhaube, und der Reaktionsort, die Zone der Zellstreckung, weit voneinander entfernt. Folglich ist eine Signalübertragung über viele Zellen erforderlich. Auch hierbei scheinen Phytohormone, insbesondere die IES, eine wesentliche Rolle zu spielen. Da jedoch bei gravitropischer Reizung in der Wurzelhaube auch ein Quertransport von $Ca^{2\oplus}$-Ionen nach der Unterseite festgestellt wurde und Calcium außerdem auch in der Längsrichtung transportiert werden kann, wird ein gleichzeitiger Transfer von IES und $Ca^{2\oplus}$-Ionen zur Zellstreckungszone diskutiert, wo sie differentielles Flankenwachstum auslösen könnten. Jedenfalls wurde nachgewiesen, daß die Krümmung stets zur höheren Calcium-Konzentration hin erfolgt.

Der **Plagio-** bzw. **Diagravitropismus** läßt sich durch das Gegeneinanderwirken zweier entgegengesetzter Komponenten erklären. Diese können beide gravitropischer Natur sein, also positiver und negativer Gravitropismus, oder es wirkt, wie im Falle mancher Blätter, dem negativen Gravitropismus eine ständig vorhandene stärkere Wachstumstendenz der Organoberseite entgegen, die man als **Epinastie** bezeichnet. Diese ist vom Gravitropismus unabhängig, wirkt also auch nach Aufhebung einer einseitigen Reizung durch Rotation auf dem Klinostaten weiter. Deshalb krümmen sich die Blätter von Pflanzen, die horizontal auf einem Klinostaten rotieren, infolge Fehlens der entgegengesetzt wirkenden, negativ gravitropischen Komponente bezogen auf die Sproßachse abwärts.

17.3.4   Chemische Einflüsse

⚠ Auch chemische Agenzien können Bewegungsreaktionen auslösen. Hierfür sind allerdings in der Regel nicht die absoluten Konzentrationen des betreffenden chemischen Agens ausschlaggebend, sondern räumliche oder zeitliche Konzentrationsdifferenzen. Meist handelt es sich um eine Orientierung in einem Konzentrationsgradienten. Gradientenaufwärts gerichtete Reaktionen nennt man positiv, abwärts gerichtete negativ. Aber auch plötzliche Erhöhungen oder Erniedrigungen der Konzentrationen eines chemischen Agens im Medium können Reaktionen auslösen.

Wie bei anderen Faktoren müssen wir wiederum Einflüsse auf die Bewegungen ortsgebundener und freibeweglicher Organismen sowie auf intrazelluläre Bewegungen unterscheiden.

Chemotropismus und Chemonastie: Unter Chemotropismus versteht man gerichtete Bewegungen ortsgebundener Pflanzen oder ihrer Organe in einem chemischen Gradienten. Chemotropische Krümmungen sind im Pflanzenreich weit verbreitet. Häufig stehen sie im Dienste der Sexualität, wie etwa im Falle des Wachstums der Pollenschläuche zur Mikropyle oder bei der Gametangiogamie und Somatogamie der Pilze. Auch die Krümmung der auf der Blattmitte befindlichen *Drosera*-Tentakeln (Abb. 13.**9**, S. 376) erfolgt in Richtung auf das gefangene

Insekt, also chemotropisch. Die Randtentakeln dagegen krümmen sich auf einen chemischen Reiz hin immer zur Blattmitte. Hier ist die Bewegungsrichtung also von vornherein festgelegt, und nur die Bewegung selbst wird durch den Reiz ausgelöst. Folglich handelt es sich in diesem Falle um eine Chemonastie.

Die chemotropischen Krümmungen sind in der Regel das Resultat einseitig geförderten oder gehemmten Wachstums, bedingt durch die auf beiden Flanken des betreffenden Organs herrschenden Konzentrationsunterschiede des wirkenden Agens. Bis heute ist jedoch weder der Mechanismus der Chemoperzeption noch die Kette der Sekundärreaktionen, die Chemorezeptoren und Wachstumsregulation miteinander verbindet, bekannt.

Chemotaxis: Unter diesem Begriff faßt man den Einfluß chemischer Agenzien auf das Bewegungsverhalten freibeweglicher Organismen zusammen. In einem Gradienten führen positive chemotaktische Reaktionen in Bereiche höherer, negative in Bereiche niedrigerer Konzentrationen. Substanzen, die eine positive Chemotaxis verursachen, werden als Attractant, solche, die eine negative Reaktion hervorrufen, als Repellent bezeichnet.

Prinzipiell kann die Chemotaxis durch eine aktive Steuerbewegung zustande kommen (Abb. 17.**23a,b**), so daß eine topische Reaktion vorliegt. Sie kann aber auch das Ergebnis einer Reihe von chemophobischen Reaktionen sein. In diesem Falle verlaufen die Bewegungen in der „richtigen" Richtung verhältnismäßig lange ungestört, während Bewegungen in der „falschen" Richtung eine phobische Reaktion, etwa eine Bewegungsumkehr oder eine Taumelbewegung, auslösen, wobei im letzteren Falle die neue Bewegungsrichtung zufällig ist (Abb. 17.**23c,d**).

Als Beispiel positiv chemotaktischer Reaktionen wurde bereits die Anlockung der Spermatozoiden der Moose und Farne durch gewisse Proteine und Zucker bzw. Äpfelsäure erwähnt. Hier steht die Chemotaxis im Dienste der Fortpflanzung. Einige Algen und Pilze produzieren spezifische Sexuallockstoffe (**Gamone**), die meist von den weiblichen Gameten abgegeben werden und den männlichen Gameten das Auffinden des Partners ermöglichen bzw. die Freisetzung der männlichen Gameten überhaupt erst auslösen. Als Beispiele seien die aus den weiblichen Gameten der Braunalgen *Ectocarpus* bzw. *Desmarestia* isolierten Cycloheptadien-Derivate Ectocarpen bzw. Desmaresten sowie das aus *Fucus*-Eiern isolierte Fucoserraten genannt, deren Formeln nachstehend wiedergegeben sind. Allerdings ist

Ectocarpen   **Desmaresten**   **Fucoserraten**

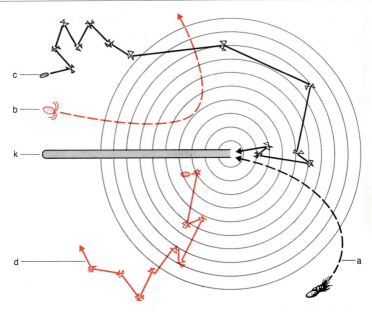

Abb. 17.**23** Schematische Darstellung der Orientierung von Einzellern in chemischen Gradienten. a. Positive Chemotaxis eines Schachtelhalm-Spermatozoids, b. negative Chemotaxis eines farblosen Flagellaten, c. und d. zeigen die Orientierung eines Bakteriums im chemischen Gradienten als Folge sukzessiver chemophobischer Reaktionen, die zu einer gradientenaufwärts (positiv) bzw. gradientenabwärts (negativ) gerichteten Reaktion führen. Das jeweilige Attractant bzw. Repellent befindet sich in der Kapillare k (nach Nultsch)

nach neueren Untersuchungen nicht das Ectocarpen, sondern dessen biosynthetischer Vorläufer cis-Bisalkenylcyclopropan (Prä-Ectocarpen) die wirksame Substanz.

❗ **Chemophobische Reaktionen:** Die Orientierung von Bakterien in chemischen Gradienten, fälschlicherweise meist als Chemotaxis bezeichnet, ist das Resultat einer Kette chemophobischer Reaktionen.

Am eingehendsten wurde *Escherichia coli* untersucht. Wie bereits erwähnt, ist bei diesem Bacterium in isotropen Medien, in denen keine signifikanten Konzentrationsunterschiede bestehen, ein autonomer Wechsel von Schwimm- (S) und Taumelbewegungen (T) zu beobachten (Abb. 17.**6**). In chemischen Gradienten ändert sich dieser Rhythmus. Die zunehmende Konzentration eines Attractants führt zu einer Verlängerung des S-Zustandes, seine Konzentrationsabnahme erhöht die Häufigkeit des T-Zustandes, woraus eine gradientenaufwärts gerichtete Nettobewegung resultiert (Abb. 17.**23c**). Für ein Repellent gilt sinngemäß das Umgekehrte (Abb. 17.**23d**). Die Reaktionszeit zwischen Chemoperzeption und Änderung der Geißelschlagrichtung beträgt etwa 0,2 Sekunden. Die Bakterien können sehr kleine Konzentrationsgradienten wahrnehmen. Sie messen jedoch nicht die Konzentrationsdifferenzen zwischen den beiden Zellenden, sondern zwischen zwei etwa 200mal soweit voneinander entfernten Punkten einer Strecke, die sie schnell durchschwimmen. Gemessen wird also nicht ein intrazellulärer räumlicher Gradient, sondern die Zelle als Ganzes mißt einen zeitlichen Gradienten. Übertragung der Bakterien aus einem Medium „günstiger" in ein Medium „ungünstiger" Konzentration eines Chemotaktikums erhöht ebenfalls die Häufigkeit des T-Zustandes. Innerhalb einiger Sekunden bis Minuten adaptieren sich jedoch die Bakterien an die neue Konzentration und zeigen wieder ihr normales Schwimmverhalten.

❗ Die **Chemorezeptoren** der Bakterien sind Proteinmoleküle, die für ein oder zwei Substanzen spezifisch sind, mit geringerer Affinität aber auch andere Substanzen binden können. Bei *Escherichia coli* wurden bisher etwa 20 Attractant- und 10 Repellent-Rezeptoren nachgewiesen.

Attractants sind gewisse Aminosäuren, Zucker und deren Derivate, einige organische Säuren sowie gewisse Ionen. Phenol ist ein Repellent. Der biologische Sinn der Chemotaxis liegt sicherlich darin, daß die Bakterien vermittels positiver Chemotaxis Bereiche höherer Konzentrationen von Stoffen, die im Stoffwechsel umgesetzt werden können, aufsuchen und sich andererseits durch negative Chemotaxis toxischen Substanzen entziehen. Dennoch wirkt nicht jeder Nahrungsstoff als Attractant und nicht jedes schädigende Agens als Repellent. Für die chemotaktische Wirksamkeit ist es also unwesentlich, ob das betreffende Chemotaktikum eine Wirkung im Stoffwechsel entfaltet oder nicht.

Die Chemorezeptoren für Zucker (Maltose, Ribose, Galaktose) sind induzierbar und werden nur bei Bedarf gebildet. Sie befinden sich in dem zwischen der Cytoplasmamembran und der äußeren Membran liegenden periplasmatischen Raum (Abb. 5.**3F**, S. 181). Ihre Molekülmassen liegen in der Größenordnung von 30 000 Da. Die Zucker können die äußere Membran infolge des Vorhandenseins von Porinen (S. 183) leicht passieren und dort mit den Zuckerrezeptoren reagieren (Abb. 17.**24**).

❗ Die Umsetzung des perzipierten zeitlichen chemischen Gradienten in ein internes Anregungssignal erfolgt mit Hilfe der **Transducer,** von denen vier (Tsr, Tar, Tap, Trg) nachgewiesen wurden.

Die Primärstruktur dieser Proteine, die eine M_r von etwa 60 000 haben, weist zwei hydrophobe Bereiche auf, die die Cytoplasmamembran quer durchsetzen. Tsr und Tar dienen zugleich als Chemorezeptoren für die Aminosäuren Serin bzw. Aspartat, die die stärkste Attractant-Wirkung entfalten. Die Funktion der Transducer ist am Beispiel des Tar-Proteins erläutert (Abb. 17.**24**). Man nimmt an, daß die Besetzung einer Aspartat-Bindungsstelle eine Konformationsänderung im Transmem-

Abb. 17.24 Schematische Darstellung von Chemoperzeption, sensorischer Transduction und Bewegungsapparat von *Escherichia coli*. Maltose (rote Sechsecke) wird durch den Maltoserezeptor (mr) gebunden, der seinerseits mit dem Tar-Transducer (tr) in Wechselwirkung tritt. Aspartat (schwarze Rechtecke) reagiert direkt mit dem Tar-Transducer. Dieser überträgt ein Signal zur Geißelbasis, wodurch eine Rotationsumkehr der Geißeln und damit eine Taumelbewegung ausgelöst wird. äm = äußere Membran, cm = Cytoplasmamembran, h = Geißelhaken, l = Ring in der Lipopolysaccharidmembran, m = Ring in der Cytoplasmamembran, me = Methylierungsstellen am Transducer, mr = Maltoserezeptor, p = Ring in der Peptidoglycanschicht, pg = Peptidoglycanschicht, pk = Protonenkanal, pr = Porine, pt = periplasmatischer Raum, s = Ring im periplasmatischen Raum, sb = Bereich, von dem das Signal ausgeht, tr = Tar-Transducer, N = N-terminales Ende des Transducerproteins

branprotein verursacht. Hierdurch wird im Inneren der Zelle ein Signal erzeugt, das zum Geißelapparat übertragen wird und dort die entsprechende Bewegungsreaktion auslöst. Das Tar-Protein kann auch mit dem Maltose-Rezeptor in Wechselwirkung treten, sofern dieser mit Maltose besetzt ist. Hierdurch wird wahrscheinlich ein ähnliches Signal hervorgerufen wie bei der direkten Bindung des Aspartates.

Erstes Glied der Signalkette ist das phosphorylierte Protein CheA, eine an den Rezeptor gekoppelte Kinase. Dieses wird durch Repellents aktiviert und überträgt eine Phosphatgruppe auf das den Geißelapparat steuernde Protein CheY, das für die Rotation der Geißeln im Uhrzeigersinn verantwortlich ist. Das phosphorylierte CheY bindet an den sogenannten „switch complex", der aus drei Proteinen besteht und an der Basis des Geißelapparates lokalisiert ist. Hierdurch wird die Richtung des Geißelschlages umgekehrt und die Taumelbewegung ausgelöst. Anschließend wird CheY schnell wieder dephosphoryliert, woran wahrscheinlich ein weiteres Protein, das CheZ, beteiligt ist, was eine Umkehr der Schlagrichtung entgegen dem Uhrzeigersinn zur Folge hat. Im Gegensatz hierzu deaktivieren Attractants CheA und vermindern damit den Phosphorylierungsgrad von CheY, so daß die Schlagrichtung entgegen dem Uhrzeigersinn länger beibehalten und somit die Schwimmbewegung nicht unterbrochen wird. Die Informationsübertragung vom Transducer zum Geißelapparat ist somit ein Phosphat-Transfer, der eine vorübergehende Aktivitätsänderung der die Geißelbewegung steuernden Proteine bewirkt. Bezüglich weiterer Einzelheiten sei auf die Lehrbücher der Mikrobiologie verwiesen.

❗ Bei der **Adaptation** spielen Methylierungsprozesse eine Rolle. Adaptation an eine Attractant-Zunahme bzw. Repellent-Abnahme besteht in einer Zunahme der Methylierung, Adaptation an einer Attractant-Abnahme oder Repellent-Zunahme in einer Demethylierung.

Die Änderungen des Methylierungszustandes erfolgen durch die CheB-Methylesterase, die offenbar ebenfalls über einen Phosphattransfer vom CheA aktiviert wird. Als Methylgruppendonator fungieren das S-Adenosylmethionin, als Methylakzeptorstellen, von denen etwa vier bis sechs pro Transducer vorhanden sind, Glutaminsäurereste im Molekül. Die Besetzung von Rezeptorstellen mit einem Chemotaktikum ist also ein Maß für dessen augenblickliche Konzentration, während der Methylierungszustand die Konzentration widerspiegelt, die kurze Zeit vorher geherrscht hat. Durch den Vergleich dieser beiden Parameter am Transducer kann die schwimmende Zelle ermitteln, ob sich ihre chemische Umgebung während der Vorwärtsbewegung verändert hat oder nicht und ob diese Änderung, über alles gemessen, günstig oder ungünstig ist, was zu einer Taumelunterdrückung bzw. einer Taumelauslösung führt.

Chemodinese: Nicht nur das Licht, sondern auch Chemikalien können Plasmaströmungen auslösen bzw. beschleunigen, ein Phänomen, das man als Chemodinese bezeichnet. Ein Beispiel ist die Auslösung von Plasmaströmungen durch L-Histidin, Methylhistidin u.a. Aminosäuren. Der molekulare Wirkungsmechanismus ist unbekannt.

17.3.5 Mechanische Reize

❗ Auch durch mechanische Reize können Bewegungen ausgelöst werden. Ist hierzu eine direkte Berührung erforderlich, wird der Reaktionstyp mit der Vorsilbe Thigmo- (Synonym: Hapto-) bezeichnet. Genügt hingegen schon eine Erschütterung ohne direkte Berührung der Pflanze, verwendet man die Vorsilbe Seismo-.

Die Krümmungsbewegungen der Ranken (Abb. 17.**5**, S. 515) erfolgen ausschließlich auf eine Berührung mit festen Körpern, die eine rauhe Oberfläche besitzen und beim Reiben eine Folge von Druckänderungen auslösen. Perzipiert wird also nicht der Druck an sich, sondern die Druckdifferenz. In der Mehrzahl der Fälle krümmen sich die Ranken zu ihrer morphologischen Unterseite hin, also thigmonastisch. In diesen Fällen führt nur die Berührung mit der Unterseite zu einer Krümmung. Radiär gebaute Ranken können sich hingegen nach allen Seiten krümmen. Bei ihnen erfolgt also die Krümmungsbewegung stets zum Reiz hin, d.h. es liegt ein Thigmotropismus vor. Bei der Mimose (Abb. 17.**4**, S. 513) werden die Blattbewegungen außer durch Berührung auch durch Erschütterung der Pflanze ausgelöst. Es liegt also eine Seismonastie vor. Auch die durch Berührung oder Erschütterung verursachten Bewegungen der reizbaren Staubblätter und Narben (Abb. 17.**12**, S. 525) sind hier zu nennen.

Die Perzeption des mechanischen Reizes erfolgt bei den Ranken im typischen Falle vermittels sogenannter Fühltüpfel, das sind lokale, in die Außenwände der Epidermiszellen vorspringende Plasmafortsätze. Bei manchen Objekten erheben sie sich papillenartig über die Epidermisoberfläche (Abb. 17.**25A**). In Aufsicht erscheinen die Fühltüpfel rund, so daß die Quer- und Längsschnitte im wesentlichen das gleiche Bild ergeben (Abb. 17.**25B,C**). Sie enthalten eine sackförmige Ausstülpung des Cytoplasmas, das reich an rauhem und glattem ER, Dictyosomen, Mitochondrien und Microbodies ist. Es ist stark vesikulär und enthält multivesikuläre Körper. Mikrotubuli sind an der nach außen gerichteten Seite des Fühltüpfels ringförmig angeordnet und stehen mit den etwa senkrecht zur Längsrichtung parallel zur Zelloberfläche laufenden Mikrotubuli der Epidermiszelle in Verbindung. Das corticale Cytoplasma der Fühltüpfel ist reich an Actin, dessen Filamente zu einem zentralen Strang zusammenlaufen, der in die Zelle führt und dort mit den parallel zur Längsachse der Epidermiszelle verlaufenden Actin-Strängen in Verbindung steht. Schließlich sind die Fühltüpfel auch reich an membrangebundenem Calcium.

Unsere Vorstellungen von der mechanosensorischen Perzeption und Transduction sind noch weitgehend hypothetisch, doch bietet das in Abb. 17.**25D** wiedergegebene Modell eine gute Grundlage für das Verständnis. Streicht ein Gegenstand mit rauher Oberfläche seitlich über einen Fühltüpfel, kommt es zu Zellwanddeformationen, die sich zum Fühltüpfel hin fortsetzen. Welche Rolle dabei der Ring aus Kallose spielt, ist noch unklar. Offenbar wird nun das Signal durch das Netzwerk der Cytoskelett-Elemente in die Zelle übertragen. Analog dazu muß durch ein Signal der Zellstoffwechsel aktiviert werden. Der wahrscheinlichste Kandidat hier-

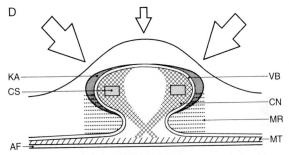

Abb. 17.**25** Fühltüpfel von *Bryonia dioica* (Zaunrübe). **A** Rasterelektronenmikroskopische Aufnahme der Epidermis. Die über die Epidermis herausragenden Fühltüpfel sind deutlich zu erkennen, **B** Querschnitt, **C** Längsschnitt durch einen Fühltüpfel, **D** Modell der mechanosensorischen Perzeption und Transduction. AF = Actinfibrillen, CN = Cytoskelett-Netzwerk, CS = Calcium-Speicher, D = Dictyosom, rER = rauhes endoplasmatisches Reticulum, KA = Kallose-Ablagerungen, M = Mitochondrion, MB = Microbody, MR = Mikrofibrillen-Ring, MT = corticale Mikrotubuli, MVB = multivesikulärer Körper, V = Vakuole, VB = Verbindung zwischen Zellwand und Plasmalemma (aus Engelberth, J., G. Wanner, B. Groth, E. W. Weiler: Planta 196 [1995] 539)

Box 17.2   Magnetotaxis

Sowohl aus Süßwasser als auch aus dem Meer wurden begeißelte Bakterien (Spirillen, Stäbchen, Kokken) isoliert, die ferromagnetisches Eisenoxid (Magnetit, Fe_3O_4) enthalten, das 3 bis 4% des Trockengewichtes ausmachen kann. Es liegt in Form von **Magnetosomen** vor, das sind elektronendichte, häufig würfelförmige Granula, die von einer Biomembran umgeben sind. Diese ähnelt in ihrer Zusammensetzung der Cytoplasmamembran mit Ausnahme von zwei Proteinen, bei denen es sich möglicherweise um Enzyme handelt, die Eisen in den Vesikeln akkumulieren und in Magnetit-Vorstufen umwandeln. Meist sind die Magnetosomen in Mehrzahl vorhanden und in Reihen so angeordnet, daß das magnetische Dipolmoment parallel zur Achse der Bewegung ausgerichtet ist. Es kommt aber auch eine zerstreute Anordnung der Magnetosomen vor. Infolge des Besitzes dieser magnetischen Dipole werden die Zellen, einer Kompaßnadel vergleichbar, in Richtung der magnetischen Feldlinien der Erde orientiert. Auf der Nordhalbkugel schwimmen sie nordwärts, auf der Südhalbkugel südwärts. Da die geomagnetischen Feldlinien nach unten geneigt sind, schwimmen die Bakterien also abwärts in die sauerstoffarmen Sedimente. Hierin sieht man die ökologische Bedeutung, da die überwiegende Mehrzahl der Vertreter anaerob bzw. an niedrige Sauerstoffkonzentrationen angepaßt, also microaerophil ist. Daher führt eine „falsche" Polarität zum Absterben. Die einheitliche Polarität auf der Nord- bzw. Südhalbkugel entsteht also durch Selektion. In Brasilien im Bereich des geomagnetischen Äquators wurden sowohl nordwärts als auch südwärts strebende Bakterien im Verhältnis 1:1 beobachtet, die horizontal schwimmen. In der Wassersäule bilden sich häufig horizontale Platten dieser Bakterien aus, deren Position offenbar von der Verfügbarkeit löslichen Eisens sowie von der Schwefel- und Sauerstoffkonzentration abhängt.

Die Orientierung dieser Bakterien im Magnetfeld wird als Magnetotaxis bezeichnet. Die Wahl dieses Terminus ist nicht ganz glücklich, da es sich nicht, wie bei den anderen Taxien, um eine sensorische Reaktion handelt. Die Zellen werden ja durch das Magnetfeld orientiert und schwimmen, da sie begeißelt sind, in die nunmehr vorgegebene Richtung. Es gibt jedoch keinen „Magnetorezeptor", der den „magnetischen Stimulus" in ein Signal transformiert, und auch keine sensorische Transductionskette, die das Signal zum Bewegungsapparat weiterleitet und diesen zu einer die Bewegungsrichtung ändernden Reaktion veranlaßt. Die Orientierung erfolgt also rein passiv, was unter anderem auch daraus hervorgeht, daß sich die Bakterien nach Abtötung und Einstellung der Geißelbewegung weiterhin im magnetischen Feld orientieren, was bei einer sensorischen Reaktion undenkbar wäre.

für ist das $Ca^{2\oplus}$-Ion, das zunächst membrangebunden vorliegt und wahrscheinlich durch den mechanischen Stimulus freigesetzt wird.

Zusammenfassung

Pflanzliche Bewegungen können entweder ohne äußeren Reizanlaß, also autonom (endogen), erfolgen oder durch Reize, d. h. Einflüsse chemischer oder physikalischer Natur, hervorgerufen werden (induzierte oder aitionome Bewegungen). Letztere werden entweder durch eine Änderung der Reizintensität ausgelöst, oder sie werden durch die Richtung des Reizes bestimmt. Bei ortsgebundenen Pflanzen unterscheidet man entsprechend zwischen Nastien und Tropismen, bei freibeweglichen Organismen zwischen phobischen und topischen Reaktionen.

Hinsichtlich der Mechanismen, die pflanzliche Bewegungen hervorrufen, herrscht eine große Vielfalt. Man unterscheidet: Quellungsbewegungen, Turgorbewegungen, Schleuderbewegungen, Kohäsionsbewegungen, Wachstumsbewegungen und Bewegungen, die auf das Actomyosinsystem zurückzuführen sind, z. B. die amöboiden und intrazellulären Bewegungen. Grundsätzliche Unterschiede bestehen zwischen den Geißelbewegungen der Prokaryoten und der Eukaryoten.

Zu den autonomen Bewegungen zählen die Circumnutationen, bei denen die Periodenlänge ein bis zwei Stunden, und die tagesperiodischen (circadianen) Bewegungen, bei denen sie etwa 24 Stunden beträgt.

Induzierte Bewegungen sind entweder von der Stärke des Reizes, sofern die Reizschwelle überschritten wird, unabhängig (Alles-oder-Nichts-Reaktionen), oder die Reizstärke hängt von der Reizmenge $I \times t$ ab (Reizmengengesetz).

Auch bei Zellen, die nicht zu Bewegungen befähigt bzw. nicht an Bewegungsvorgängen beteiligt sind, kann ein Reiz einen Erregungsvorgang auslösen. Dieser verursacht eine Permeabilitätsänderung der cytoplasmatischen Membranen und somit eine Depolarisation (Aktionspotential). Anschließend wird durch die Ionenpumpen der ursprüngliche Zustand (das Ruhepotential) wiederhergestellt. Bei manchen Pflanzen läßt sich eine Erregungsleitung über kürzere bzw. auch längere Strecken nachweisen.

Bei vorliegenden cytologischen bzw. anatomischen Voraussetzungen können derartige Erregungsvorgänge Bewegungsreaktionen auslösen. In diesem Fall zeigt der Bewegungsablauf eine gewisse Ähnlichkeit zu den Erregungsvorgängen.

Licht bzw. auch dem sichtbaren Bereich benachbarte Strahlung (UV und Infrarot) kann sowohl bei ortsgebundenen als auch bei freibeweglichen Pflanzen entweder gerichtete oder durch Intensitätsänderungen verursachte Bewegungsreaktionen auslösen. Entsprechend unterscheidet man bei den ortsgebundenen Pflanzen Phototropismus und Photonastien, bei den freibeweglichen Organismen phototaktische und photophobische Reaktionen. Der Einfluß des Lichtes auf die Bewegungsgeschwindigkeit freibeweglicher Organismen heißt Photokinesis. Schließlich können auch intrazelluläre Bewegungen durch Licht ausgelöst bzw. gerichtet werden, z. B. Plasmaströmungen und die Verlagerung von Plastiden. In vielen Fällen ist nur kurzwellige Strahlung wirksam, was auf gelbe Pigmente als Photorezeptoren schließen läßt. In anderen Fällen, wie etwa bei den photophobischen Reaktionen der photosynthetischen Bakterien und der Cyanobakterien, besteht ein Zusammenhang mit der Photosynthese. Bei den Moosprotonemen erfolgt die Strahlungsperzeption offensichtlich über das Phytochrom.

Die Ausrichtung von Pflanzen und ihren Organen unter dem Einfluß der Schwerkraft bezeichnet man als Gravitropismus. Er setzt eine Empfindlichkeit für Massenbeschleunigung voraus. Sie ist bei den höheren Pflanzen auf die Statocyten beschränkt, die meist in Statenchymen zusammengefaßt sind (Wurzelhaube, Stärkescheide). Offenbar registriert die Pflanze die Druckverteilung von Statolithen auf als Gravisensoren fungierende Biomembranen, z. B. das rauhe endoplasmatische Reticulum in der Wurzel. Als Folgereaktionen werden Veränderungen der intrazellulären $Ca^{2\oplus}$-Konzentrationen sowie Änderungen des von der Wurzelspitze zur Streckungszone gerichteten Protonenstroms und des dadurch bedingten elektrischen Feldes beobachtet. An der Signaltransmission von der Wurzelspitze zur Zellstreckungszone scheinen das Phytohormon IES und $Ca^{2\oplus}$-Ionen beteiligt zu sein. Bei Sproßachsen ist eine Signaltransmission nicht notwendig, da Strahlungsperzeption und Wachstumsregulation durch die gleichen Zellen erfolgt. Durch die Auxinasymmetrie wird ein verschieden starkes Flankenwachstum verursacht, das eine Krümmung der Organe zur Folge hat.

Orientierungsbewegungen in chemischen Gradienten bezeichnet man bei ortsgebundenen Pflanzen bzw. ihren Organen als Chemotropismus, bei freibeweglichen Organismen als Chemotaxis. Entsprechend bezeichnet man Reaktionen auf Konzentrationsänderungen als Chemonastie bzw. chemophobische Reaktionen. Am weitesten ist die Kausalanalyse bisher im Falle der chemophobischen Reaktionen von Bakterien, insbesondere *Escherichia coli*, gediehen. Die als Attractants bzw. Repellents wirksamen Moleküle werden an Chemorezeptoren gebunden, das sind Proteinmoleküle, die sich im periplasmatischen Raum befinden und nach Bindung des Liganden mit dem Transducer in Wechselwirkung treten. Letzterer kann auch direkt als Chemorezeptor fungieren. Transducer sind Proteine, die die Cytoplasmamembran quer durchsetzen und das Signal zum Geißelapparat übertragen. Dieser reagiert auf Konzentrationszunahme eines Attractants mit einer verlängerten Vorwärtsbewegung, auf die Konzentrationszunahme eines Repellents mit einer Umkehr des Geißelschlages, die zu einer Taumelbewegung führt. Anschließend wird die Bewegung im typischen Fall in einer anderen Richtung fortgesetzt. Die Wiederholung derartiger chemophobischer Reaktionen führt zu einer Orientierung im chemischen Gradienten. Die Informationsübertragung vom Transducer zum Geißelapparat beruht auf einem Phosphattransfer, während bei der Adaptation an die herrschenden Konzentrationen eines chemischen Agens Methylierungsprozesse eine wichtige Rolle spielen.

Auch mechanische Reize können Bewegungsreaktionen auslösen. Erfolgen diese auf eine Berührung mit einem festen Körper, so spricht man von Thigmo-Reaktionen, z. B. Thigmonastie und Thigmotropismus, werden sie hingegen durch eine Erschütterung ohne direkte Berührung ausgelöst, von Seismo-Reaktionen, z. B. Seismonastie. Die Perzeption der Berührung erfolgt vermittels sogenannter Fühltüpfel. Auch thermische und traumatische Reize können Reaktionen auslösen.

Literatur

Es wurde eingangs bereits darauf hingewiesen, daß das vorliegende Buch lediglich als eine erste Einführung in die Allgemeine Botanik gedacht ist. Für Studenten, die sich eingehender mit den hier behandelten Problemen beschäftigen wollen, sind im folgenden einige ausführlichere Lehrbücher aufgeführt. Aus der Fülle des vorliegenden Schrifttums wurden nur deutschsprachige Bücher ausgewählt, die selbst wieder eine größere Anzahl weiterführender Literaturhinweise enthalten. Eine Wertung ist mit dieser Auswahl nicht verbunden.

Lüttge, U., M. Kluge, G. Bauer: Botanik, 2. Aufl. VCH, Weinheim 1994
Sitte, P., H. Ziegler, F. Ehrendorfer, A. Bresinsky: Lehrbuch der Botanik für
    Hochschulen, 33. Aufl. Fischer, Stuttgart 1991
v. Sengbusch, P.: Botanik. McGraw-Hill, Hamburg 1988

Morphologie, Anatomie

Esau, K.: Pflanzenanatomie. Fischer, Stuttgart 1969
Franke, W.: Nutzpflanzenkunde, 5. Aufl. Thieme, Stuttgart 1992
Jurzitza, G.: Anatomie der Samenpflanzen. Thieme, Stuttgart 1987
Kaussmann, B., U. Schiewer: Funktionelle Morphologie und Anatomie der
    Pflanzen. Fischer, Stuttgart 1989
Troll, W.: Allgemeine Botanik, 4. Aufl. Enke, Stuttgart 1973

Pflanzenphysiologie

Dörffling, K.: Das Hormonsystem der Pflanzen. Thieme, Stuttgart 1982
Haupt, W.: Bewegungsphysiologie der Pflanzen. Thieme, Stuttgart 1977
Hess, D.: Pflanzenphysiologie, 9. Aufl. Ulmer, Stuttgart 1991
Lawlor, D. W.: Photosynthese. Thieme, Stuttgart 1990
Libbert, E.: Lehrbuch für Pflanzenphysiologie, 5. Aufl. Fischer, Stuttgart 1993
Mengel, K.: Ernährung und Stoffwechsel der Pflanze, 7. Aufl. Fischer,
    Stuttgart 1991
Mohr, H., P. Schopfer: Lehrbuch der Pflanzenphysiologie, 4. Aufl. Springer,
    Berlin 1992
Richter, G.: Stoffwechselphysiologie der Pflanzen, 5. Aufl. Thieme, Stuttgart 1988
Tevini M., D.-P. Häder: Allgemeine Photobiologie. Thieme, Stuttgart 1985

Systematische Botanik

Engler, A.: Syllabus der Pflanzenfamilien, 12. Aufl. von H. Melchior und
F. Werdemann. Borntraeger, Stuttgart, I. Band 1954, II. Band 1964
Frohne, D., U. Jensen: Systematik des Pflanzenreiches, 4. Aufl. Fischer,
Stuttgart 1992
Henssen, A., H. M. Jahns: Lichenes. Eine Einführung in die Flechtenkunde.
Thieme, Stuttgart 1973
Hoek van den, Chr., H. M. Jahns, D. G. Mann: Algen, Einführung in die Phykologie,
3. Aufl. Thieme, Stuttgart 1993
Kramer, K. U., J. J. Schneller, E. Wollenweber: Farne und Farnverwandte.
Thieme, Stuttgart 1995
Müller, E., W. Loeffler: Mykologie, 5. Aufl. Thieme, Stuttgart 1992
Rohweder, O., P. K. Endress: Samenpflanzen. Thieme, Stuttgart 1983
Weberling, F., H. O. Schwantes: Pflanzensystematik, 6. Aufl. Ulmer, Stuttgart 1992

Ökologie

Gisi, U.: Bodenökologie. Thieme, Stuttgart 1990
Lampert, W., U. Sommer: Limnoökologie. Thieme, Stuttgart 1993
Larcher, W.: Ökophysiologie der Pflanzen, 5. Aufl. Ulmer, Stuttgart 1993
Steubing, L., H. O. Schwantes: Ökologische Botanik, 3. Aufl. Quelle & Meyer,
Heidelberg 1984
Tischler, W.: Einführung in die Ökologie, 4. Aufl. Fischer, Stuttgart 1993
Willert, D. J. v., R. Matyssek, W. Herppich: Experimentelle Pflanzenökologie.
Thieme, Stuttgart 1995
Wilmanns, O.: Ökologische Pflanzensoziologie, 5. Aufl. Quelle & Meyer,
Heidelberg 1993
Winkler, U.: Einführung in die Pflanzenökologie, 2. Aufl. Fischer, Stuttgart 1980

Biochemie

Karlson, P., D. Doenecke, J. Koolman: Kurzes Lehrbuch der Biochemie,
14. Aufl. Thieme, Stuttgart 1994
Kindl, H., G. Wöber: Biochemie der Pflanzen, 4. Aufl. Springer, Berlin 1994
Kinzel, H.: Stoffwechsel der Zelle, 2. Aufl. Ulmer, Stuttgart 1989
Koolman, H., K.-H. Röhm: Taschenatlas der Biochemie. Thieme, Stuttgart 1994
Lehninger, A. L.: Biochemie, 2. Aufl. Verlag Chemie, Weinheim 1977
Stryer, L.: Biochemie, 3. Aufl. Spektrum, Heidelberg 1991

Genetik, Molekularbiologie

Gottschalk, W.: Allgemeine Genetik, 4. Aufl. Thieme, Stuttgart 1994
Hagemann, R.: Allgemeine Genetik, 3. Aufl. Fischer, Stuttgart 1991
Hemleben, V.: Molekularbiologie der Pflanzen. Fischer, Stuttgart 1990
Kaudewitz, F.: Genetik, 2. Aufl. Ulmer, Stuttgart 1992
Knippers, R.: Molekulare Genetik, 5. Aufl. Thieme, Stuttgart 1990
Old, R. W., S. B. Primrose: Gentechnologie. Thieme, Stuttgart 1992
Passarge, E.: Taschenatlas der Genetik. Thieme, Stuttgart 1994

Spezialdisziplinen

Klee, O.: Angewandte Hydrobiologie. 2. Aufl. Thieme, Stuttgart 1991
Kleinig, H., P. Sitte: Zellbiologie, 3. Aufl. Fischer, Stuttgart 1992
Kreeb, K. H.: Vegetationskunde. Ulmer, Stuttgart 1983
Lüning, K.: Meeresbotanik. Thieme, Stuttgart 1985
Plachter, H.: Naturschutz. Fischer, Stuttgart 1991
Rehm, S., G. Espig: Die Kulturpflanzen der Tropen und Subtropen, 2. Aufl. Ulmer, Stuttgart 1984
Schlegel, H. G.: Allgemeine Mikrobiologie, 7. Aufl. Thieme, Stuttgart 1992
Tardent, P.: Meeresbiologie, 2. Aufl. Fischer, Stuttgart 1993
Walter, H.: Allgemeine Geobotanik, 3. Aufl. Ulmer, Stuttgart 1986
Weber, H. Chr.: Parasitismus von Blütenpflanzen. Wissenschaftliche Buchgesellschaft, Darmstadt 1993
Werner, D.: Pflanzliche und mikrobielle Symbiosen. Thieme, Stuttgart 1987

Glossarium

In das Glossarium wurden in alphabetischer Reihenfolge Fachausdrücke aufgenommen, die einen fremdsprachlichen Ursprung haben. Für jeden dieser Fachausdrücke ist in Klammern der sprachliche Ursprung mit Übersetzung angegeben, wobei A = Arabisch, E = Englisch, F = Französisch, G = Griechisch und L = Lateinisch bedeuten. Dabei wurde für Arabisch und Griechisch die phonetische Schreibweise gewählt.

Es muß jedoch mit Nachdruck darauf hingewiesen werden, daß die Übersetzung der Fachausdrücke mit dem Sinn, in dem sie heute benutzt werden, keineswegs immer übereinstimmt. Viele von ihnen haben im Laufe der historischen Entwicklung, häufig aufgrund von Mißverständnissen und infolge sprachlicher Unzulänglichkeiten, einen Bedeutungswandel erfahren. Dies sei an einem Beispiel, das für alle sprechen mag, belegt: Der Begriff *Perigon* umfaßt im ursprünglichen Sinne alle Blütenteile, die die fertilen Teile, d.h. die Staubblätter und die Fruchtblätter, umgeben, also die gesamte Blütenhülle. Dagegen wurde der Begriff *Perianth* ursprünglich nur für den Kelch benutzt, der die Blüte einschließlich der Blütenblätter umgibt. Später wurde, was unlogisch und sprachlich falsch ist, der Begriff *Perianth* auf die gesamte Blütenhülle, also Kelch und Krone, ausgedehnt und der Begriff *Perigon* nur für solche Blüten benutzt, bei denen die Glieder beider Blütenblattkreise gleichgestaltet sind. Allein aus der sprachlichen Ableitung der Begriffe heraus sind diese Bezeichnungen also nicht zu verstehen.

Ein Wort noch zu den Vorsilben mega- und makro-. Es war sicherlich keine sehr gute Idee, in der botanischen Terminologie die Vorsilbe makro- durch mega- zu ersetzen, also Megasporen statt Makrosporen usw. Nach dem Mege-Güthling, Enzyklopädisches Wörterbuch der griechischen und deutschen Sprache, bedeutet megas = groß, geräumig, tief, weit, breit, dick; makros = lang, groß, gewaltig. Der Unterschied der Bedeutung beider Wörter ist also gering, weshalb man sich fragen muß, warum denn diese Änderungen überhaupt vorgenommen wurden, wo sie doch letztlich nur Verwirrung stiften. Nach wie vor verwenden wir die Wörter Makrokosmos, makroskopisch, Makromoleküle u.a., ohne daß jemand daran Anstoß nimmt, obwohl wir dann konsequenterweise auch Megakosmos, megaskopisch, Megamoleküle usw. sagen müßten. Es ist daher kaum zu verstehen, warum gerade die Botaniker auf dieser abweichenden Sprachregelung bestehen.

Außer der sprachlichen Ableitung werden die deutschen Bezeichnungen sowie meist auch Kurzdefinitionen gegeben, die jedoch die ausführlichen Erklärungen und Ableitungen im Text nicht ersetzen sollen und können. Es ist daher zu empfehlen, in jedem Falle über das Sachregister auch die Stelle im Text aufzusuchen, wo der Begriff eingeführt und erklärt wird.

A-, vor Vokalen **An-** (G a-, an- = verneinende Vorsilbe) Im Sinne von „ohne" bzw. der deutschen Vorsilbe „un-" benutzt.

Abscisin (→ Abscission) → Phytohormon, das u.a. den Blattabwurf herbeiführt. Synonym: → Dormin.

Abscission (L abscissio = das Abschneiden, Trennung) Blattabwurf.

Absorption (L absorbere = verschlucken, verschlingen) Aufnahme, z.B. von Ionen, Photonen u.a.

Acidität (L acidus = sauer) Säuregrad.

Adsorption (L ad = zu, an; L sorbere = saugen) Bindung eines gasförmigen oder gelösten Stoffes an die Oberfläche eines Festkörpers.

Adventiv (L advenire = ankommen, erscheinen, ausbrechen) In zusammengesetzten Wörtern, z.B. Adventivsprosse = zusätzliche Sprosse, die meist an ungewöhnlichen Stellen entstehen. Ebenso Adventivwurzeln.

Aer-, Aero- (G aer = Luft) In zusammengesetzten Wörtern mit den Bedeutungen „Abhängigkeit von Luftsauerstoff" oder „Luft-", „Durchlüftungs-" benutzt.

Aerenchym (→ Aer-; G enchyma = das Eingegossene) Gewebe mit großen Interzellularräumen, die eine intensive Durchlüftung ermöglichen.

Aerobiont (→ Aer-; G bios = Leben) Sauerstoffbedürftiger Organismus.

Aerotaxis (→ Aero-; → Taxis) Anlockung oder Vertreibung von Mikroorganismen durch Luft. In der Regel im Sinne einer → Chemotaxis gegen Sauerstoff benutzt.

Agglutination (L agglutinare = ankleben) Verklebung, Verklumpung, z.B. von Zellen.

Aggregatverband (L aggregare = hinzuscharen, beigesellen) Zellverband, der durch nachträgliche (postgenitale) Zusammenlagerung von Zellen entsteht.

Aglykon (→ A-; G glykys = süß) Komponente eines Glykosids, die nach Abspaltung der Zucker zurückbleibt.

Aitionom (G aitia = Ursache, Grund; G nomos = Brauch, Recht, Gesetz, Regel) Durch äußere Ursachen hervorgerufen. Kennzeichnet biologische Vorgänge, die durch einen äußeren Einfluß (Reiz) hervorgerufen werden (Synonym: → induziert).

Akkrustierung (L ad = zu, auf, darauf; L crusta = Rinde, Schale) Auflagerung neuer Schichten, z.B. beim Zellwandwachstum.

Akkumulation (L accumulare = anhäufen) Anhäufung, Anreicherung.

Aktionspotential (L actio = Handlung, Tätigkeit, physikalisch im Sinne von Wirkung benutzt: L potentia = Vermögen, Kraft, Wirksamkeit) Durch Reizung an Plasmamembranen hervorgerufene elektrische Potentialänderung.

Aktionsspektrum (L actio = Handlung, Tätigkeit, Wirkung; → Spektrum) Wirkungsspektrum. Zu seiner Ermittlung bestimmt man für verschiedene Wellenlängen die Zahl der Quanten, die eingestrahlt werden muß, um den gleichen physiologischen Effekt hervorzurufen.

Aktiv (L activus = tätig, eifrig, tatkräftig) Sowohl für besonders reaktionsfähige Formen von chemischen Substanzen ("aktive Glucose", "aktives Sulfat") benutzt, als auch zur Kennzeichnung energieverbrauchender Vorgänge, z.B. „aktiver Transport" im Gegensatz zur rein passiv verlaufenden Diffusion.

Aktivierungsenergie (→ Aktiv; G energeia = Wirkung, Kraft, Macht) Energiebetrag, der einer metastabilen Verbindung zur Ingangsetzung einer chemischen Reaktion zugeführt werden muß.

Aktivitätsrhythmus (→ Aktiv; G rhythmos = Zeitmaß, Takt) Sich in regelmäßigen Zeitabständen ändernde Aktivität der Lebensvorgänge.

Aleuron (G aleuron = Weizenmehl) Typus von Speicherproteinen.

Alkaloide (A al-kalij = Pottasche; G eides = gestaltet, ähnlich) Sammelbezeichnung für organische Stickstoffverbindungen basischen (alkalischen) Charakters.

Allele (G allelon = einander, gegenseitig) Einander entsprechende → Gene → homologer Chromosomen.

Allelopathie (G allelon = einander, gegenseitig; G pathos = Leiden) Ausscheidung organischer Verbindungen (z.B. Phenole, Alkaloide, Glykoside) durch eine Pflanze zur Unterdrückung anderer, artfremder Pflanzen.

Allorhiz (G allos = anders beschaffen, verschieden; G rhiza = Wurzel, Ursprung) Aus Haupt- und Nebenwurzeln bestehendes Wurzelsystem, im Gegensatz zu → homorhiz.

Alternanz (L alternare = abwechseln) Bezeichnung für eine Blattstellung, bei der die Blätter eines jeden aufeinanderfolgenden Wirtels über den Lücken des vorhergehenden stehen.

Amöboide Bewegung (G amoibe = Wechsel, Veränderung; G -eides = gestaltet, ähnlich) Durch Plasmaströmungen verursachte Fließbewegung, die zu einer ständigen Gestaltveränderung führt.

Amphistomatisch (G amphi = auf beiden Seiten, ringsum; G stoma = Mund, Öffnung) Bezeichnung für Blätter, die auf beiden Seiten Spaltöffnungen (Stomata) haben.

Amplifikation (L amplificare = erweitern, vergrößern) Vervielfachung, z. B. von bestimmten DNA-Abschnitten.

Amygdalin (G amygdale = Mandel) In Mandeln enthaltenes Glykosid mit dem charakteristischen Bittermandelgeruch.

Amylose (G amylon = Kraftmehl, Stärke) Stärkeform mit unverzweigten Makromolekülen, bei der die Glucosebausteine ausschließlich in α-1→4-glykosidischer Bindung vorliegen.

Ana-, An- (G ana = auf, hinauf) Als Vorsilbe mit folgenden Bedeutungen benutzt: aufwärts, auseinander, zusammen, wieder, gegen, entsprechend.

Anabolismus (→ Ana-; G bole = Wurf, Schuß) Gesamtheit der aufbauenden Phasen des Stoffwechsels. Adjektiv: anabol.

Anaerobiont (→ A, → Aerobiont) Organismus, speziell Mikroorganismus, der auch in Abwesenheit von Sauerstoff leben kann (fakultativer Anaerobiont) bzw. nur in Abwesenheit von freiem Sauerstoff zu existieren vermag (obligater Anaerobiont).

Analoge Organe (G analogos = entsprechend) Organe ähnlicher Gestalt, die jedoch auf verschiedene Grundorgane zurückzuführen sind.

Anaphase (→ Ana-, → Phase) Phase des Auseinanderweichens der Chromosomen bei der Kernteilung.

Anastomose (G anastomoun = eine Mündung öffnen, erweitern) Herstellung von Verbindungen zwischen Hohlräumen.

Andrangium (G aner, Genitiv andros = Mann; G angeion = Gefäß, Kanne) Männliches Geschlechtsorgan der → Ascomyceten.

Androeceum (G aner, Genitiv andros = Mann; G oikos = Haus) Gesamtheit der Staubblätter einer Blüte. Auch als Androecium (G oikeios = Hausgenosse) bezeichnet.

Aneuploidie (→ A, → Euploidie) Vorliegen unvollständiger Chromosomensätze als Folge einer unregelmäßigen Verteilung der Chromosomen auf die Tochterzellen.

Angiospermen (G angeion = Gefäß, Krug; G sperma = Samen, Keim) Bedecktsamige Pflanzen.

Anisogamie (G anisos = ungleich; G gamein = heiraten) Verschmelzung ungleich großer → Gameten.

Anisophyllie (G anisos = ungleich; G phyllon = Blatt) Ausbildung ungleich großer Blätter im gleichen Sproßabschnitt bzw. am gleichen Knoten.

Anthere (G antheros = blühend) Staubbeutel.

Antheridium (G antheros = blühend; G idios = eigentümlich, besonderer) Männliche Gametangien der Moose und Farne.

Anthocyane (G anthos = Blume, Blüte; G kyanos = Lasurstein, blaue Farbe) Zellsaftlösliche, blau, violett oder rot gefärbte Farbstoffe, die aus Zuckern und einem → Aglykon, den Anthocyanidinen, bestehen.

Anthophyta (G anthos = Blüte, Blume; G phyton = Pflanze, Gewächs) Blütenpflanzen.

Anthoxanthine (G anthos = Blüte, Blume; G xanthos = gelb) Den → Anthocyanen ähnliche, aber gelb gefärbte zellsaftlösliche Farbstoffe.

Anti (G anti = gegen) In zusammengesetzten Wörtern mit den Bedeutungen: gegen, wider, gegenüber.

Antibiotikum (→ Anti-; G bios = Leben) Von Organismus erzeugte organische Verbindung, die das Wachstum von Mikroorganismen hemmt.

Anticodon (→ Anti-, → Codon) Drei Nucleotide umfassender Abschnitt der tRNA zum Auffinden der komplementären Nucleotidsequenz der mRNA, des → Codons.

Antiklin (→ Anti-; G klinein = neigen, biegen) Senkrecht zur Oberfläche verlaufend.

Antimetabolit (→ Anti; G metabole = Umsatz, Veränderungen, Wechsel) Chemisches Agens, das Stoffwechselvorgänge hemmt.

Antipoden (→ Anti-; G pous, Genitiv podos = Fuß) Gegenfüßler. Hier die Zellen des Embryosackes, die der Eizelle gegenüberliegen.

Antiport (→ Anti-; L portare = tragen) Transport eines Ions oder Moleküls durch eine Biomembran im Austausch gegen ein anderes, in entgegengesetzter Richtung transportiertes Substrat.

Apex (L apex = Spitze) Allgemein für Spitzenregionen, besonders für die Spitze der Sproßachse verwendet.

Apikaldominanz (L apex, Genitiv apicis = Spitze; L dominari = herrschen) Unterdrückung des Auswachsens von Achselknospen durch den Sproßscheitel.

Aplanosporen (→ A-; G planos = umherirrend; G sporos = Säen, Aussaat) Nicht aktiv bewegliche → Sporen.

Apo-, Ap- (G apo = von, weg, ab, entfernt von) In zusammengesetzten Wörtern in einer der angegebenen Bedeutungen benutzt.

Apoenzym (→ Apo-, → Enzym) Proteinanteil eines Enzyms, der zusammen mit dem → Coenzym das vollständige → Holoenzym bildet.

Apoplast (→ Apo-; G plastos = gebildet, geformt) Außerhalb des Cytoplasmas liegende Räume eines vielzelligen pflanzlichen Organismus, z.B. die kapillaren Räume der Zellwand und Ausscheidungen des Cytoplasmas.

Apothecium (→ Apo-; G theke = Behältnis) Pilzfruchtkörper, bei dem die Fruchtschicht, das → Hymenium, auf der Oberfläche entsteht.

Apposition (L ad = auf, darauf; L ponere, positus = setzen, stellen, legen) Auflagerung, z.B. von Zellwandschichten.

Äquidistanz (L aequus = gleich; L distantia = Abstand) Gleicher Abstand, z.B. zwischen den Blättern eines Wirtels.

Äquifaziales Blatt (L aequus = gleich; L facies = Aussehen, Antlitz) Blatt, bei dem Ober- und Unterseite gleich gestaltet sind.

Arbuskel (L arbuscula = Bäumchen) Bäumchenartige Verzweigungen, z.B. die büschelig verzweigten Haustorien der VAM-Pilze in der Wirtszelle.

Arche- (G arch[a]e = Anfang) In zusammengesetzten Wörtern im Sinne von Anfang, oft mit der Bedeutung der Vorsilbe „Ur-".

Archegonium (→ Arche-; G gone = Erzeugung, Nachkommenschaft) Weibliche Gametangien der Moose und Farne.

Archespor (→ Arche; → Spore) Gewebe in den Sporangien der Moose und Farne, aus dem die Sporenmutterzellen und später die → Meiosporen hervorgehen.

Ascogon (→ Ascus; G gone = Erzeugung) Weibliches Sexualorgan der Ascomyceten, an dem nach der Bildung der Zygotenkerne die → Asci entstehen.

Ascomycetes (→ Ascus; G mykes = Pilz) Schlauchpilze.

Ascus (G ascos = Schlauch) Schlauchartiger Sporenbehälter der Ascomyceten.

Assimilation (L assimilare = ähnlich machen, angleichen) Im allgemeinen Umwandlung körperfremder in körpereigene Stoffe, im speziellen Fall Synthese organischer Substanzen aus Kohlendioxid und Wasser bei der Photosynthese bzw. → Chemosynthese.

Auto- (G autos = selbst, eigen) In zusammengesetzten Wörtern mit der angegebenen Bedeutung.

Autonom (→ auto-; G nomos = Brauch, Recht, Gesetz, Regel) Selbständig, unabhängig. Kennzeichnet biologische Vorgänge, die ohne erkennbaren äußeren Anlaß (Reiz) erfolgen (Synonyme; → endogen, → endonom).

Autoreplikation (→ Auto-; L replicare = entfalten, erwidern) Allgemein für die Selbstverdoppelung der DNA benutzt. Synonym: Autoreduplikation (→ Replikation, → Reduplikation).

Autotrophie (→ Auto-; G trophos = Ernährer) Selbsternährung, verwendet als Bezeichnung für die Synthese organischer Substanzen aus anorganischen. → Assimilation.

Auxine (G auxanomai = wachsen) Bezeichnung für pflanzliche Hormone, die vor allem das Streckungswachstum fördern.

Bakterien (G bacteria oder bacterion = Stab, Stock) Gruppe von → Prokaryoten.

Bakteriophagen (→ Bakterien; G phagein = essen, fressen) Bezeichnung für Bakterien befallende → Viren.

Basal (G basis = Grundlage) Die Grundlage bildend bzw. sich im unteren Bereich eines Organs befindend.

Basidie (G Verkleinerungsform von basis = Grundlage, Sockel) Trägerzelle der Basidiomyceten, an der distal vier Sporen abgegliedert werden.

Basidiomycetes (→ Basidie; G mykes = Pilz) Ständerpilze.

Bastard (F bastard = uneheliches Kind) Kreuzungsprodukt von Partnern, die sich in einem oder mehreren → Allelen unterscheiden. Synonym: → Hybrid.

Bi-, Bis- (L bi = zwei, doppelt, vor Vokalen bis) In zusammengesetzten Wörtern in der angegebenen Bedeutung.

Bifaziales Blatt (→ Bi-; L facies = Aussehen, Antlitz) Blatt, das eine Ober- und eine Unterseite aufweist. → unifaziales Blatt.

Biogenese (G bios = Leben; G genesis = Erzeugung, Entstehung) Entstehung des Lebens.

Biomembran (G bios = Leben; L membrana = Häutchen, Haut) Aus einer bimolekularen Lipidschicht und Proteinen bestehende plasmatische Grenzschicht.

Bivalente (→ Bi-; L valere, valens = wert sein) Zweiwertig. In der Meiose gepaarte Chromosomen (Synonyme: → Gemini, → Tetraden).

Bryophyta (G breyin = üppig sprossen; G phyton = Gewächs, Pflanze) Moose.

Carnivoren (L carnis = Fleisch; L vorare = fressen, verschlingen) Fleischfressende Pflanzen (→ Insectivoren).

Carotine (L carota = Möhre) In Plastiden enthaltene gelbe Pigmente.

Carotinoide (→ Carotin; G eides = gestaltet, ähnlich) Carotinartige Verbindungen. Oberbegriff für Carotine und → Xanthophylle.

Carpell (G karpein = Frucht tragen) Fruchtblatt.

Carrier (E carry = tragen) Träger.

Cellulose (L cellulosus = zellig, aus Zellen bestehend) Im Pflanzenreich verbreitete Zellwandsubstanz.

Centriole (L Verkleinerungsform von centrum = Mittelpunkt) Zentralkörperchen bei der Kernteilung, überwiegend bei tierischen Zellen vorkommend (Synonym: → Centrosom).

Centromer (L centrum = Mittelpunkt; G meros = Teil) Spindelfaseransatzstelle der Chromosomen. → Kinetochor.

Centrosom (L centrum = Mittelpunkt; G soma = Körper) Zentralkörperchen (Synonym: → Centriole).

Cerebrosid (L cerebrum = Gehirn) Ein Glykosphingolipoid, das ursprünglich aus Hirnsubstanz isoliert wurde, aber auch bei Pflanzen weit verbreitet ist.

Chalaza (G chalaza = Hagel, Schloßen) Bezeichnung für den basalen Bereich der Samenanlage, von dem die → Integumente ausgehen.

Chemo- (durch chemische Substanzen hervorgerufen bzw. auf chemische Substanzen bezogen) In zusammengesetzten Wörtern in diesem Sinne.

Chemoautotrophie (→ Chemo-; → autotroph) Aufbau organischer Substanzen unter Verwendung von Energie, die aus der Oxidation anorganischer Substrate gewonnen wurde.

Chemodinese (→ Chemo-; → Dinese) Auslösung bzw. Beschleunigung von Plasmaströmungen durch Chemikalien.

Chemomorphose (→ Chemo-; → Morphose) Formativer Effekt chemischer Faktoren auf pflanzliche Organe.

Chemonastie (→ Chemo-; → Nastie) Durch chemische Reize ausgelöste, aber nicht gerichtete Bewegung pflanzlicher Organe.

Chemoperzeption (→ Chemo-; → Perzeption) Aufnahme chemischer Reize durch pflanzliche Zellen bzw. Organe.

Chemosynthese (→ Chemo; → Synthese) Aufbau organischer Substanzen unter Verwendung von Energie, die durch die Oxidation anorganischer Substanzen gewonnen wurde.

Chemotaxis (→ Chemo; → Taxis) Orientierung freibeweglicher Mikroorganismen in chemischen Gradienten.

Chemotropismus (→ Chemo; → Tropismus) Orientierung ortsgebundener Pflanzen bzw. ihrer Organe in chemischen Gradienten.

Chiasma (G chiasmos = Überkreuzung in der Art des griechischen Buchstaben χ) Überkreuzungen von Chromosomen.

Chloro- (G chloros = hellgrün, gelb, fahl, bleich) In zusammengesetzten Wörtern sowohl für grün als auch für bleich benutzt.

Chlorophyceae (→ Chloro-; G phykos = Tang, Seegras) Grünalgen.

Chlorophylle (→ Chloro-; G phyllon = Blatt, Laub) Blattgrün, Gruppe grüner, photosynthetisch aktiver Farbstoffe.

Chloroplast (→ Chloro-; G plastos = gebildet, geformt) Zu den → Plastiden gehörende, grün gefärbte, photosynthetisch aktive Zellorganellen.

Chondriom (G chondros = Stückchen, Körnchen) Gesamtheit der in den → Mitochondrien enthaltenen genetischen Information.

Chrom-, Chroma-, Chromo- (G chroma, Genitiv chromatos = Haut, Hautfarbe, Farbe) In zusammengesetzten Wörtern entweder für farbige oder spezifisch zu färbende Substanzen.

Chromatide (→ Chroma-) Chromosomenspalthälften, aus denen bei der Mitose die Tochterchromosomen werden. Sie enthalten → Chromatin.

Chromatin (→ Chroma-) Aus DNA, RNA und Protein bestehender Nucleoproteinkomplex des Zellkerns bzw. der Chromosomen, der sich mit bestimmten basischen Farbstoffen stärker anfärbt als das Karyoplasma.

Chromatophor (→ Chroma-; G phoros = tragend) Farbstoffträger. Bezeichnung für die Gesamtheit der gefärbten → Plastiden.

Chromomer (→ Chromo-; G meros = Teil) Wegen ihres Gehaltes an → Chromatin stark färbbare, mit dem Lichtmikroskop erkennbare, körnchenartige Struktur auf dem → Chromonema.

Chromonema (→ Chromo-; G nema = Faden, Garn) Während der Mitose lichtmikroskopisch gerade noch erkennbares, schraubig aufgerolltes Fadenelement des Chromosoms.

Chromophor (→ Chromo-; G phoros = tragend) Die aufgrund ihrer Elektronenkonfiguration bestimmte Strahlungsbereiche absorbierende und somit den Farbstoffcharakter bedingende Gruppe eines → Pigmentes.

Chromoplast (→ Chromo-; G plastos = gebildet, geformt) Durch Carotinoide gelb, orange oder rot gefärbte, photosynthetisch inaktive → Plastiden, die in Blüten und Früchten vorkommen und für deren Färbung verantwortlich sind.

Chromosaccharid (→ Chromo-; → Saccharide) Gefärbte Zuckerverbindung, z. B. → Anthocyane.

Chromosom (→ Chromo-; G soma = Körper) Wegen ihres Gehaltes an → Chromatin stark färbbare, während der Mitose in charakteristischer Form in Erscheinung tretende Bestandteile des Zellkerns, die in artspezifischer Anzahl und Form vorhanden sind.

Chrysolaminarin (G chrysos = Gold; L lamina = Platte, Blatt, Tafel) Bei gelbbraun gefärbten Algengruppen, z. B. → Chrysophyceae und → Phaeophyceae, vorkommendes Polysaccharid.

Chrysophyceae (G chrysos = Gold; G phykos = Tang, Seegras) Goldalgen, die ihre Färbung dem hohen Gehalt an Fucoxanthin verdanken.

Cilie (L cilium = Augenlid, Wimper) Bei einigen Einzellern und → Spermatozoiden vorkommende, der Fortbewegung dienende Wimpern.

Circadiane Rhythmik (L circa = ungefähr; L dies = Tag; G rhythmos = Zeitmaß, Takt) Regelmäßige Änderungen biologischer Aktivitäten, deren Schwingungen einem etwa 24stündigen Rhythmus folgen.

Circannuelle Rhythmik (L circa = ungefähr; L annus = Jahr; G rhythmos = Zeitmaß) Regelmäßige Änderung biologischer Aktivitäten, die etwa dem Jahresrhythmus folgen.

Circumnutation (L circum = um, herum; L nutare = nicken, schwanken) Stetig kreisende Bewegung von Sproßspitzen, Ranken und anderen Organen, die durch eine die Organachse zyklisch umlaufende, einseitige Wachstumsförderung zustande kommt.

Cluster (E cluster = Schwarm, Haufen) Nach dem Clustermodell der Wasserstruktur durch Vernetzung von Wassermolekülen entstehende Schwärme.

Codon (F code = funktelegraphischer Schlüssel) Drei Nucleotide umfassender Abschnitt der mRNA, der die Information für eine Aminosäure enthält, die in der Nucleotidsequenz begründet ist. → Anticodon.

Coenoblast (G koinos = gemeinsam, gemeinschaftlich; G blastos = Sproß, Keim, Trieb, Wuchs, Ursprung) Vielkernige Plasmamasse einer Alge oder eines Pilzes.

Coenozygote (G koino = gemeinsam, gemeinschaftlich; G zygos = Joch, Steg, Brücke) Durch Verschmelzung von Gametangien und zahlreichen Kernen verschiedener Geschlechtspotenz entstandene → Zygote.

Coenzym (L co-, con- = zusammen, mit; → Enzym) Die Wirkungsgruppe enthaltender Bestandteil eines Enzyms, der zusammen mit dem → Apoenzym das vollständige → Holoenzym bildet.

Congenital (L con = zusammen, mit; L gignere, genitum = zeugen, gebären) Angeboren, von Geburt an vorhanden.

Corolla (L corolla = Kränzchen) Blütenkrone.

Corpus (L corpus = Körper, Leib, Kern) Zentraler Gewebeanteil des Scheitelmeristems einer Sproßachse.

Cortical (L cortex = Rinde) In der Rinde, im weiteren Sinne in der Peripherie liegend.

Crossing over (E) Überkreuzung von Chromosomen, die zu einem Segmentaustausch führt.

Cryptochrom (G Kryptos = verborgen; G chroma = Haut, Hautfarbe, Farbe) UV-A und Blaulicht absorbierendes Pigment (Pigmente?), das Entwicklungs- und Bewegungsvorgänge steuert. Der Name wurde gewählt, weil seine chemische Natur noch unklar ist.

Cuticula (L cuticula = Häutchen, Verkleinerungsform von cutis) Aus → Cutin bestehender wachsartiger Überzug oberirdischer Pflanzenteile.

Cutin (→ Cutis) Dem → Suberin verwandtes Gemisch aus gesättigten und ungesättigten Fettsäuren bzw. Hydroxyfettsäuren, die untereinander zu hochpolymeren Makromolekülen vernetzt sind.

Cutis (L cutis = Haut) Pflanzliche Zellen und Gewebe mit cutinisierter Zellwand, die als Abschlußgewebe fungieren.

Cyanobakterien (G kyanos = Lasurstein, blaue Farbe; G bakterion = Stab, Stock) Auch als Cyanophyceae oder blaugrüne Algen bezeichnete Prokaryoten, die infolge ihres Gehaltes an → Phycobiliproteinen blaugrün bzw. schmutzig violett gefärbt sind und zur oxygenen Photosynthese befähigt sind.

Cyto- (G kytos = Höhlung, Wölbung, Urne) „Zelle" in zusammengesetzten Wörtern.

Cytochrome (→ Cyto-; G chroma = Haut, Hautfarbe, Farbe) Gelblich gefärbte Häminverbindungen der Zellen, die als Redoxsysteme in den Elektronentransport eingeschaltet sind.

Cytokinine (→ Cyto-; G kinein = bewegen) → Phytohormone, die u.a. die Zellteilungen (Cytokinesen) steuern.

Cytoplasma (→ Cyto-; G plasma = Gebilde) Hauptsächlich aus Proteinen bestehende Grundsubstanz der Zellen.

Cytosom (→ Cyto-; G soma = Körper) Sammelbezeichnung für vesikuläre und partikuläre Zelleinschlüsse.

De- (L de = von, weg) In zusammengesetzten Wörtern mit der Bedeutung; weg, von, ab, ent-, herab.

Deletion (L deletio = Vernichtung) Chromosomenmutation, bei der Bruchstücke, mindestens aber ein Basenpaar eines Chromosoms verlorengehen.

Deplasmolyse (→ De-; → Plasmolyse) Rückgängigmachen der Plasmolyse durch Übertragen der Zellen in Wasser bzw. ein hypotonisches Medium.

Determination (L determinatio = Abgrenzung, Schluß) Entscheidung über die Realisierung genetischer Potenzen einer Zelle bei der Entwicklung.

Di- (G dis, di = zweimal, doppelt) In zusammengesetzten Wörtern Vorsilbe mit der Bedeutung zweifach.

Dia- (G dia = auseinander, entzwei, durch, hindurch) In zusammengesetzten Wörtern Vorsilbe mit einer der angegebenen Bedeutungen.

Diageotropismus → Diagravitropismus.

Diagravitropismus (→ Dia-; → Gravitropismus) Orientierung pflanzlicher Organe senkrecht zur Schwerkraft. Auch als Diageotropismus bezeichnet.

Diakinese (→ Dia-; G kinein = bewegen) Abschnitt in der Prophase der → Meiose, in dem die → Gemini in die Nähe der Kernhülle wandern, die sich auflöst.

Diaphototropismus (→ Dia-; → Phototropismus) Orientierung pflanzlicher Organe senkrecht zur Lichtrichtung.

Dichasium (G dichazein = in zwei Teile teilen, trennen) Verzweigungstypus der Sproßachse, bei dem die Hauptachse ihr Wachstum einstellt und zwei Seitensprosse gleichwertig auswachsen.

Dichotom (G dichotomos = zweigeteilt, gegabelt) Gabelige Verzweigung durch Längsteilung der Scheitelzelle bzw. des Scheitelmeristems.

Dictyosom (G diktyon = Netz; G soma = Körper) Aus paketartig übereinander geschichteten, abgeflachten Zisternen bestehendes Zellorganell mit synthetischen Funktionen. An den Rändern sind die Zisternen häufig von einem Netzwerk anastomosierender Tubuli umgeben.

Differenzierung (L differentia = Verschiedenheit) Entwicklung meristematischer Zellen zu Dauerzellen verschiedener Gestalt und Funktion.

Diffusion (L diffundere, diffusus = ausgießen, verbreiten, zerstreuen) Ausbreitung von Gasen bzw. gelösten Molekülen, bis eine gleichmäßige Verteilung in dem zur Verfügung stehenden Raum bzw. Lösungsmittel erreicht ist.

Dikaryophase (→ Di-; G karyon = Nuß, Kern; → Phase) Paarkernphase. Der Abschnitt zwischen → Plasmogamie und → Karyogamie.

Dikotyle, Dikotyledone (→ Di-; → Kotyledonen) Zweikeimblättrige Pflanze.

Dilatation (L dilatare = ausdehnen, erweitern) Erweiterungswachstum in tangentialer Richtung durch Einziehen radial verlaufender Wände.

Dinese (G dinein = sich im Kreise drehen, umherwandern) Auslösung bzw. Beschleunigung von Plasmaströmungen durch Reize.

Dioecie (→ Di-; G oikos = Haus) Zweihäusigkeit. Getrenntgeschlechtigkeit. Wird auch für Kormophyten benutzt, bei denen staminate und pistillate Blüten auf verschiedenen Sporophyten einer Art gebildet werden.

Diplo-, dipl- (G diploos = doppelt) In zusammengesetzten Wörtern Vorsilbe mit der Bedeutung doppelt, zwiefach.

Diploid (→ Diplo-; G -eides = gestaltet, ähnlich) Mit einem doppelten Chromosomensatz ausgestattet.

Diplont (→ Dipl-; G on, ontos = Sein) Diploider Organismus.

Diplotän (→ Diplo-; G tainia = Kopfbinde, Band) Abschnitt der Prophase der 1. Reifungsteilung, in dem die Trennung der konjugierten Chromosomen beginnt.

Dissimilation (L dissimulare, dissimilare = unähnlich machen) Abbau organischer Verbindungen im Stoffwechsel zum Zwecke der Energiegewinnung.

Distal (L distare = getrennt sein, entfernt sein) Weiter von der Körpermitte entfernt liegend als andere Teile. Gegensatz zu → proximal.

Divergenz (L divergens, divergentis, 1. Partizip von divergere = auseinanderstreben, auseinanderlaufen) Auseinanderlaufen, Abweichung.

Dominant (L dominans, dominantis = 1. Partizip von dominari = herrschen, gebieten) Vorherrschend, überdeckend. Beim Erbgang im Gegensatz zu → rezessiv.

Dormin (L dormire = schlafen) Ältere Bezeichnung für das Phytohormon → Abscisin, da dieses bei Samen und Knospen auch Ruheperioden zu induzieren vermag.

Dorsiventral (L dorsum = Rücken; L venter = Bauch) Symmetrie von Organen oder Organismen, bei denen Ober- und Unterseite verschieden gebaut sind, die aber nur eine Symmetrieebene haben.

Duplication (L duplicatio = Verdopplung) Chromosomenmutation, die in der Verdopplung eines Chromosomenabschnittes besteht.

Dynein (G dyn, Kurzform von dynamis = Kraft) ATPase-Aktivität besitzendes Protein der Eukaryotengeißeln.

Effektor (L effector = Schöpfer, Urheber) Substanzen, die bei der Genregulation die Aktivität der → Repressoren steuern.

Elaioplast (G elaion = Öl, Fett; G plastos = gebildet, geformt) Fettspeichernder → Leukoplast.

Elektro- (G elektron = Bernstein) Allgemein für elektrische Phänomene benutzte Vorsilbe, die sich daraus erklärt, daß die Reibungselektrizität erstmals bei Bernstein beobachtet wurde.

Elektronastie (→ Elektro-; → Nastie) Durch elektrische Reize ausgelöste, aber nicht gerichtete Bewegung pflanzlicher Organe.

Elementar (L elementum = Grundstoff, Urstoff) Grundlegend, ursprünglich.

Elementarfibrille (→ Elementar; L fibrilla = Verkleinerungsform von fibra = Faser) Aus 50–100 Cellulosemolekülen bestehende, fädige Elemente von 3,5–5 nm Durchmesser, die die Mikrofibrillen der Zellwand aufbauen.

Elementarmembran (→ Elementar; L membrana = Häutchen, Haut) → Biomembran.

Embryo (G embryon = neugeborenes Lamm, ungeborene Leibesfrucht) Im Anfangsstadium der Entwicklung befindlicher Keim vielzelliger Organismen.

Emergenz (L emergere = auftauchen, zum Vorschein kommen) Auswuchs pflanzlicher Organe, an dem außer der Epidermis auch die darunterliegenden Gewebeschichten beteiligt sind.

Endergonisch (→ Endo-; G ergon = Werk, Wirksamkeit) Bezeichnung für Stoffwechselvorgänge, die nur unter Energiezufuhr ablaufen. Gegensatz → exergonisch.

Endo-, End- (G endon = innen, innerhalb) In zusammengesetzten Wörtern als Vorsilbe mit der angegebenen Bedeutung.

Endocytose (→ Endo-; G kytos = Höhlung, Wölbung, Urne) Aufnahme von festem oder gelöstem extrazellulären Material in die Zelle unter gleichzeitiger Umhüllung mit einer Biomembran.

Endodermis (→ Endo-; G derma = Haut, Fell) Innerste Rindenschicht der Wurzel, die die Rinde vom Zentralzylinder abgrenzt.

Endogen (→ Endo-; G -genes = hervorbringend, verursachend) Durch innere Faktoren verursacht (Synonym; → autonom, → endonom).

Endomitose (→ Endo-; → Mitose) Bei Angiospermen häufig zu beobachtende, wiederholte Verdoppelung der Chromosomen ohne Auflösung der Kernhülle.

Endonom (→ Endo-; G nomos = Brauch, Recht, Gesetz, Regel) Durch innere Faktoren gesteuert (Synonym: → autonom, → endogen).

Endoplasmareticulum (→ Endo-; G plasma = Gebilde; L reticulum = Netz) Ein das → Cytoplasma durchziehendes, von → Biomembranen begrenztes, vielfach kommunizierendes System von Zisternen und Kanälen, das als intrazelluläres Transportsystem fungiert.

Endopolyploidie (→ Endo-; → Polyploidie) Ausbildung von Kernen mit zahlreichen Chromosomensätzen als Resultat von → Endomitosen und → Endoreduplikationen.

Endoreduplikation (→ Endo-; → Reduplikation) Verdoppelung der Chromosomensätze innerhalb des Zellkerns ohne Auftreten mitoseähnlicher Stadien.

Endosperm (→ Endo-; G sperma = Samen, Keim) Nährgewebe der Pflanzensamen.

Endosporen (→ Endo-; → Sporen) Innerhalb von Sporenbehältern (→ Sporangien) gebildete Sporen.

Energide (G energeia = Wirksamkeit, Wirkung, Kraft) Wirkungssphäre eines Zellkerns in einem → Coenoblasten.

Enthalpie (G en = in, darin, hinein; G thalpos = Wärme, Hitze) Energieartige thermodynamische Zustandsgröße H, definiert als Summe aus innerer Energie E und Verdrängungsenergie pV eines Systems vom Volumen V unter dem Außendruck p: $H = E + pV$. Entsprechend wird die „freie Enthalpie" G durch die „freie Energie" F definiert: $G = F + pV$.

Entropie (G en = in, hinein; G trope = Wendung, Umkehr) Zustandsgröße S für den Grad der Nichtumkehrbarkeit thermodynamischer Prozesse und die dabei erfolgende Energieentwertung. Ihre Dimension ist $J \cdot K^{-1}$ (Joule/Grad Kelvin).

Enzym (G en = in, hinein; G zyme = Sauerteig, Hefe) Von der Zelle gebildete, aus → Apoenzym und → Coenzym bestehende Moleküle, die als Katalysatoren von Stoffwechselreaktionen fungieren.

Enzyminduktion (→ Enzym; L inductio = das Einführen) Anregung zur Bildung von Enzymen durch das jeweilige Substrat.

Eobiont (G eos = Morgenröte; G bious, Genitiv biontos, 1. Partizip von bioun = leben) Urzelle, zelluläre Vorstufe der → Procyte.

Epi-, Ep- (G epi = auf, darauf, über, darüber) In zusammengesetzten Wörtern Vorsilbe mit einer der angegebenen Bedeutungen.

Epidermis (→ Epi-; G derma = Haut, Fell) Oberirdische Pflanzenteile überziehendes, im Regelfall einschichtiges Abschlußgewebe.

Epigäisch (→ Epi-; G ge = Erde) Überirdisch.

Epinastie (→ Epi-; → Nastie) Von der Schwerkraft unabhängige, ständig vorhandene stärkere Wachstumstendenz der Organoberseite.

Epiphyt (→ Epi-; G phyton = Pflanze, Gewächs) Auf einer Wirtspflanze nichtparasitisch lebende Pflanze.

Episom (→ Epi-; G soma = Körper) Übertragbares DNA-Element der Bakterien.

Epistomatisch (→ Epi-; G stoma = Mund, Öffnung) Bezeichnung für Blätter, die ausschließlich auf der Oberseite Spaltöffnungen (Stomata) tragen.

Etiolement (F etioler = verkümmern, dahinsiechen) Vergeilung von Pflanzen bei fehlender oder unzureichender Belichtung.

Euchromatin (G eu = gut; → Chromatin) Ein normales Färbeverhalten zeigendes Chromatin, im Gegensatz zum → Heterochromatin.

Eucyte (G eu = gut; G kytos = Höhlung, Wölbung, Urne) Eukaryotische Zelle.

Eukaryot (G eu = gut; G karyon = Nuß, Kern) Organismus, dessen Zellen im Gegensatz zu den → Prokaryoten echte Zellkerne besitzen.

Euploidie (G eu = gut; → -ploid analog zu → haploid) Vorliegen vollständiger Chromosomensätze.

Eustele (G eu = gut; stele = Säule, Pfeiler) Leitbündelanordnung, bei der die Leitbündel auf einem Zylinder angeordnet und untereinander durch Querverbindungen vernetzt sind.

Evolution (L evolvere, evolutus = entwickeln, enthüllen) Entwicklung, und zwar sowohl für chemische Evolution, d. h. Entwicklung von den Atomen zu den Biopolymeren, als auch für die Entwicklung vom Ureinzeller zu den heutigen Organismen (Stammesgeschichte) benutzt.

Ex- (L, G ex = aus, heraus) In zusammengesetzten Wörtern Vorsilbe mit der angegebenen Bedeutung.

Exergonisch (→ Ex-; G ergon = Werk, Wirksamkeit) Bezeichnung für Stoffwechselvorgänge, bei deren Ablauf Energie frei wird. Gegensatz: → endergonisch.

Exine (L eximere = ausscheiden) Äußere Schicht des → Sporoderms.

Exkret (L excernere, excretus = ausscheiden, aussondern) Ausgeschiedenes Stoffwechselprodukt, für das die Pflanze keine Verwendung mehr hat.

Exo- (G exo = außen, außerhalb, nach außen) In zusammengesetzten Wörtern Vorsilbe mit einer der angegebenen Bedeutungen.

Exodermis (→ Exo-; G derma = Haut, Fell) Aus einer oder mehreren subrhizodermalen Rindenschichten entstehendes Abschlußgewebe der Wurzel.

Extra- (L extra = außerhalb, äußerlich, besonders) In zusammengesetzten Wörtern Vorsilbe mit einer der angegebenen Bedeutungen.

Extrachromosomal (→ Extra-; → Chromosom) Außerhalb der Chromosomen liegend.

Extrafasciculär (→ Extra-; L fasciculum = Verkleinerungsform von fascis = Bündel) Außerhalb der Leitbündel liegend bzw. erfolgend.

Fasciculär (L fasciculum = Verkleinerungsform von fascis = Bündel) Innerhalb der Leitbündel liegend bzw. erfolgend.

Ferment (L fermentum = Sauerteig, Gärung) Synonym: → Enzym.

Filament (L filamentum = Fadenwerk) Fadenförmiges Gebilde, fädiger Abschnitt des Staubblattes bzw. einer Bakteriengeißel.

Flagellin (L flagellum = Peitsche, Geißel) Die Bakteriengeißel aufbauendes Protein.

Flagellum (L flagellum = Peitsche, Geißel) Der Fortbewegung von Einzellern (Flagellaten) und → Spermatozoiden dienende Geißel.

Flavin (L flavus = gelb) Sammelbezeichnung für gelbe Farbstoffe, die ein Isoalloxazin-Ringsystem enthalten und in der Zelle u. a. als Wasserstoffüberträger dienen.

Flavon (L flavus = gelb) Synonym für → Anthoxanthin.

Folsäure (L folium = Blatt) Zum Vitamin B-Komplex gehörendes Vitamin, das u. a. auch in grünen Blättern vorkommt und danach benannt wurde.

Fragmentation (L fragmentum = Bruchstück) Chromosomenbruch.

Fructose (L fructus = Frucht) Fruchtzucker.

Funiculus (L funiculus = dünnes Seil) Gewebestrang, der die Samenanlage mit der Placenta verbindet.

Galaktose (G gala, Genitiv galaktos = Milch) Bestandteil des Milchzuckers (→ Lactose).

Gamet (G gamete, gametes = Gattin, Gatte) Sexuell differenzierte Keimzelle.

Gametangiogamie (→ Gametangium; G gamein = heiraten) Verschmelzung der Gametangien zweier Kreuzungspartner.

Gametangium (→ Gamet; G angeion = Gefäß, Kanne) Behälter, in dem die → Gameten gebildet werden.

Gametophyt (→ Gamet; G phyton = Gewächs, Pflanze) Gametenbildende Generation im → Generationswechsel.

Gemini (L geminus = doppelt, Zwilling) Gepaarte → Chromosomen. Synonyme: → Bivalente, → Tetraden.

Gen (G genos = Geschlecht, Gattung, Nachkommenschaft) Erbfaktor.

Generationswechsel (L generatio = Sippe, Generation) Regelmäßiger Wechsel zweier oder mehrerer Generationen, die sich auf verschiedene Weise fortpflanzen.

Genom (G genos = Geschlecht, Gattung, Nachkommenschaft) Gesamtheit der Gene eines haploiden Chromosomensatzes.

Genotypus (→ Gen; G typos = Gepräge, Muster, Modell) Gesamtheit der genetischen Potenz.

Geo- (G ge = Erde, Erdboden) In zusammengesetzten Wörtern für „Erd-". Häufig auch für Erdschwerkraft benutzt, heute in diesem Falle jedoch meist durch → „Gravi-" ersetzt.

Geophyten (→ Geo-; G phytos = Pflanze, Gewächs) Mehrjährige Pflanzen, die ausschließlich mit unterirdischen Organen überwintern.

Gerontoplast (G geron, Genitiv gerontos = Greis; G plastos = gebildet, geformt) Durch Alterung entstandene Plastiden → Chromoplast.

Globoid (L globus = Kugel; G -eides = gestaltet, ähnlich) Aus Phytin bestehende, kugelige Einschlüsse der → Aleuronkörner.

Gluconeogenese (→ Glucose; G neos = neu; G genesis = entstehen, werden) Vom Oxalacetat ausgehende Neubildung von Glucose.

Glucose (G glykys = süß) Traubenzucker.

Glyko- (G glykys = süß) In zusammengesetzten Wörtern Vorsilbe mit der Bedeutung süß, Zucker.

Glykokalyx (→ glyko-; G kalyx = Kelch, Kapsel, Knospe) Aus Oligosacchariden bestehende Hüllschichten auf der Außenseite der Zellen.

Glykogen (→ Glyko-; G -genes = hervorbringend) Aus α-1,4-Glucose bestehendes → Polysaccharid.

Glykolyse (→ Glyko-; G lysis = Auflösung, Lösung) Abbau der Glucose bis zu Brenztraubensäure.

Glykosid (→ glyko-) Verbindung von Zuckern mit anderen Molekülen der verschiedensten Stoffklassen, die allgemein als → Aglykone bezeichnet werden.

Glyoxysomen (G glykys = süß; G oxys = sauer; G soma = Körper), auch Glyoxisomen. Microbodies, die die Enzyme des Glyoxylsäurezyklus enthalten.

Gonen (G gone = Erzeugung, Nachkommenschaft) Die vier durch Meiosis gebildeten haploiden Zellen, die bei den Archegoniaten als → Meiosporen bezeichnet werden.

Granathylakoide (L granum = Korn; → Thylakoide) Geldrollenartig übereinandergestapelte Thylakoide, die lichtmikroskopisch als Grana in den Chloroplasten erkennbar sind.

Gravi- (L gravis = schwer) In zusammengesetzten Wörtern Vorsilbe für Wirkungen der Schwerkraft. Synonym: → Geo-.

Gravimorphose (→ Gravi-; → Morphose) Formativer Effekt der Schwerkraft auf pflanzliche Organe.

Graviperzeption (→ Gravi-; → Perzeption) Fähigkeit zur Wahrnehmung von Massenbeschleunigung, insbesondere der Erdbeschleunigung.

Gravisensor (→ Gravi-; L sensus = Gefühl, Empfindlichkeit) Hypothetische Struktur zur Wahrnehmung der Massen- bzw. Erdbeschleunigung.

Gravitropismus (→ Gravi-; → Tropismus) Orientierung ortsgebundener Pflanzen bzw. ihrer Organe in bezug auf die Massen- bzw. Erdbeschleunigung.

Guttation (L gutta = Tropfen) Abscheidung von Wasser in Tropfenform durch → Hydathoden.

Gymnospermen (G gymnos = bloß, nackt; G sperma = Samen, Keim) Nacktsamige Pflanzen.

Gynoeceum (G gyne = Frau; G oikos = Haus) Gesamtheit der Fruchtblätter. Auch als Gynaeceum (G gynekeion = Frauengemach) bzw. Gynoecium (G gyne = Frau; G oikeios = Hausgenosse) bezeichnet.

Gyrase (L gyrare = sich im Kreise drehen) Enzym, das durch Aufschneiden eines Stranges der DNA deren Rotation um die Längsachse ermöglicht und hierdurch Knäulbildung verhindert.

Halophyten (G hals, Genitiv halos = Salz; G phyton = Pflanze, Gewächs) Salzpflanzen.

Haploid (G haploos = einfach; G -eides = gestaltet, ähnlich) Mit einem einfachen Chromosomensatz ausgestattet.

Haplont (G haploos = einfach; G on, Genitiv ontos = Sein) Organismus, dessen Körperzellen einen → haploiden Chromosomensatz aufweisen.

Haustorium (L haurire, haustus = schöpfen) Auswüchse parasitischer Zellen bzw. Gewebe, die in die Wirtspflanze eindringen und dieser Wasser und darin gelöste Stoffe entziehen.

Hemikryptophyten (G hemi- in zusammengesetzten Wörtern = halb; G kryptos = verborgen, versteckt; G phyton = Pflanze, Gewächs) Pflanzen, die dem Erdboden dicht anliegen und von Schnee bedeckt überwintern.

Hepaticae (G hepar, Genitiv hepatos = Leber) Lebermoose.

Herbizid (L herba = Kraut, Pflanze; L cid- Umlaut von caedere = töten) Unkrautbekämpfungsmittel.

Hetero- (G heteros = der andere von beiden, anders beschaffen, fremd) In zusammengesetzten Wörtern Vorsilbe mit einer der angegebenen Bedeutungen.

Heterochromatin (→ Hetero-; → Chromatin) Sich im Gegensatz zum → Euchromatin mit basischen Farbstoffen sehr viel stärker anfärbendes Chromatin.

Heterochromosomen (→ Hetero-; → Chromosom) Sich in ihrer Gestalt unterscheidende Geschlechtschromosomen.

Heterogen (→ Hetero-; G -genes = hervorbringend) Aus verschiedenartigen Bestandteilen bestehend.

Heteroglycan (→ Hetero-; G glykys = süß) Aus verschiedenen Zuckerbausteinen aufgebautes → Polysaccharid.

Heteromorph (→ Hetero-; G morphe = Gestalt) Verschiedengestaltig.

Heterophasischer Generationswechsel (→ Hetero-; → Phase) Generationswechsel, der mit einem Kernphasenwechsel verbunden ist.

Heterophyllie (→ Hetero-; G phyllon = Blatt, Laub) Ausbildung verschieden gestalteter Blätter in verschiedenen Sproßabschnitten.

Heterosporie (→ Hetero-; → Spore) Ausbildung von verschieden großen → Meiosporen bei den danach benannten Farnen.

Heterotrophie (→ Hetero-; G trophos = Ernährer) Im Gegensatz zur → Autotrophie Ernährung durch Abbau aufgenommener organischer Substanzen.

Heterozygotie (→ Hetero-; G zygos = Joch, Steg, Brücke) Mischerbigkeit, d. h. Vorliegen von Allelpaaren mit ungleichen → Allelen.

Hexose (G hex = sechs) Aus 6 C-Atomen bestehendes Zuckermolekül.

Histologie (G histos = Webebaum, Gewebe; G logos = Wort, Lehre) Gewebelehre.

Holoenzym (G holos = ganz; → Enzym) Vollständiges, aus Apo- und Coenzym bestehendes Enzym.

Homo- (G homos = gemeinsam, gleich) In zusammengesetzten Wörtern mit der Bedeutung: gleichartig, entsprechend.

Homoglycan (→ Homo-; G glykys = süß) Aus gleichartigen Zuckerbausteinen aufgebautes → Polysaccharid.

Homologe Chromosomen (G homologos = übereinstimmend, entsprechend; → Chromosomen) Die einander entsprechenden Chromosomen eines diploiden oder polyploiden Zellkerns.

Homologe Organe (G homologos = übereinstimmend, entsprechend; → Organ) Organe, die sich auf dasselbe Grundorgan zurückführen lassen.

Homorhiz (→ Homo-; G rhiza = Wurzel, Ursprung) Im Gegensatz zum → allorhizen Wurzelsystem aus zahlreichen sproßbürtigen Wurzeln bestehendes Wurzelsystem.

Homozygotie (→ Homo-; G zygos = Joch, Steg, Brücke) Reinerbigkeit. Gegensatz: → Heterozygotie.

Hybrid (L hybrida = Mischling) Aus einer Kreuzung artverschiedener Eltern hervorgegangenes Individuum. Synonym: → Bastard.

Hydathode (G hydor, Genitiv hydatos = Wasser; G hodos = Weg, Straße) Wasserspalte, durch die das Wasser in Tropfenform abgeschieden wird (→ Guttation).

Hydr-, Hydro- (G hydro- = Wasser-) In zusammengesetzten Wörtern mit der Bedeutung „Wasser-", „im Wasser lebend", „durch Wasser verursacht".

Hydratation (→ Hydr-) Anlagerung von Wassermolekülen an Ladungen oder Dipole, die zur Ausbildung von Hydrathüllen führt.

Hydrolyse (→ Hydro-; G lysis = Lösung, Auflösung) Spaltung einer chemischen Verbindung unter Anlagerung von Wasser.

Hydrophil (→ Hydro-; philein = lieben) Wasseranziehend, mit Wasser mischbar.

Hydrophob (→ Hydro-; G phobos = Furcht) Wasserabweisend, nicht mit Wasser mischbar.

Hydrophyten (→ Hydro-; G phyton = Pflanze, Gewächs) Wasserpflanzen.

Hygro- (G hygros = feucht, naß) In zusammengesetzten Wörtern mit dieser Bedeutung.

Hygromorphose (→ Hygro-; G morphe = Gestalt) Formative Effekte der Luftfeuchtigkeit auf pflanzliche Organe.

Hygronastie (→ Hygro-; → Nastie) Durch Feuchtigkeitsänderung ausgelöste, aber nicht gerichtete Bewegungen pflanzlicher Organe.

Hygrophyten (→ Hygro-; G phyton = Pflanze, Gewächs) Feuchtigkeit liebende Pflanzen.

Hygroskopisch (→ Hygro-; G skopein = beobachten, prüfen) Wasseranziehend, wasserbindend.

Hymenium (G hymen = Haut, Häutchen) Fruchtschicht der Ascomyceten- und Basidiomyceten-Fruchtkörper.

Hypertonisch (G hyper = über, über hinaus; G tonos = das Spannen, Anspannung) Einen höheren potentiellen osmotischen Druck aufweisend als eine Bezugslösung, z.B. der Zellsaft. Gegensatz: → hypotonisch.

Hyphe (G hyphe = das Weben, das Gewebte) Fadenförmige Pilzzellen bzw. Zellreihen.

Hypo- (G hypo = unter, unterhalb) In zusammengesetzten Wörtern Vorsilbe mit der Bedeutung „unter" „darunterliegend".

Hypodermis (→ Hypo-; G derma = Haut, Fell) Unter der Epidermis entstehendes Abschlußgewebe.

Hypogäisch (→ Hypo-; G ge = Erde) Unterirdisch, z.B. hypogäische Keimung.

Hypokotyl (→ Hypo-; → Kotyledo) Zwischen Wurzelhals und Kotyledonen liegender Sproßabschnitt.

Hypostomatisch (→ Hypo-; G stoma, Genitiv stomatos = Mund, Öffnung) Bezeichnung für Blätter, die nur auf der Unterseite Spaltöffnungen (Stomata) tragen.

Hypotonisch (→ Hypo-; G tonos = das Spannen, Anspannung) Einen geringeren potentiellen osmotischen Druck aufweisend als eine Bezugslösung, z.B. der Zellsaft. Gegensatz: → hypertonisch.

Idioblast (G idios = eigen, eigentümlich, besonderer; G blastos = Sproß, Keim, Wuchs) In ein Gewebe eingestreute Zellen abweichenden morphologischen und physiologischen Charakters.

Induziert (L inducere = hineinführen, einführen) Durch äußere Faktoren bzw. Reize ausgelöst (Synonym: → aitionom).

Inkompatibilität (L in- mit der Bedeutung ohne, nicht; L compati = mitleiden) Unverträglichkeit.

Inkrustierung (L in- mit der Bedeutung in, hinein; L crusta = Rinde, Schale) Einlagerung von Substanzen, z.B. von Lignin, in die Zellwand.

Insectivoren (L insecare, insectus = einschneiden; L vorare = fressen, verschlingen) Insektenfressende Pflanzen (→ Carnivoren).

Insertion (L inserere, insertus = einfügen) Einfügung eines oder mehrerer Nucleotidpaare in einen DNA-Doppelstrang.

Integument (L integumentum = Bedeckung, Hülle) Den Nucellus umgebende Hülle der Samenanlage.

Inter- (L inter = zwischen, dazwischen, in der Mitte von) In zusammengesetzten Wörtern mit einer der angegebenen Bedeutungen.

Intercalar (L intercalare = einschalten, einschieben) Eingeschaltet, dazwischengeschaltet.

Interfasciculär (→ Inter-; L fasciculum = Verkleinerungsform von fascis = Bündel) Zwischen den Leitbündeln liegend.

Interfibrillär (→ Inter-; L fibrilla = Verkleinerungsform von fibra = Faser) Zwischen den Fibrillen befindlich.

Interkinese (→ Inter-; G kinein = bewegen) Zeitabschnitt zwischen der 1. und 2. Reifungsteilung.

Intermediär (L intermedius = zwischen etwas befindlich) Dazwischenliegend.

Intermicellär (→ Inter-; L Verkleinerungsform von mica = Krümchen, Körnchen, kleiner Bissen) Zwischen den → Micellen liegend.

Internodium (→ Inter-; L nodus = Knoten) Zwischenknotenstück.

Interzellulare (→ Inter-; → Zelle) Zwischen den Zellen liegender lufterfüllter Hohlraum.

Intine (L intimus = innerster) Innere Schicht des → Sporoderms.

Intrazellulär (L intra = innerhalb, im Innern; → Zelle) im Innern der Zellen befindlich.

Intussusception (L intus = innen, nach innen, hinein; L susceptio = Übernahme, Aufnahme) Einbau in etwas Vorhandenes, z.B. Einbau neuer Fibrillen in das bereits vorhandene fibrilläre Netz der Zellwand.

Invagination (L in = in, hinein; L vagina = Scheide) Einscheidung, d.h. Einstülpung einer Oberfläche, z.B. einer Membran, in den von ihr begrenzten Innenraum.

Inversion (L = inversio = Umkehrung) Chromosomenmutation durch Umkehrung eines Chromosomenabschnittes.

Ion (G ienai = gehen) Elektrisch geladenes Teilchen, eigentlich (im elektrischen Feld) wanderndes Teilchen.

Ionenantagonismus (→ Ion; G antagonistes = Nebenbuhler) Gegenseitige Beeinflussung der Wirkung ein- und zweiwertiger Ionen, insbesondere $K^\oplus$ und $Ca^{2\oplus}$.

Iso- (G isos = gleich) In zusammengesetzten Wörtern Vorsilbe mit dieser Bedeutung.

Isogamie (→ Iso-; G gamein = heiraten) Verschmelzung gleich großer Gameten.

Isomorph (→ Iso-; G morphe = Gestalt) Gleichgestaltet, z.B. isomorpher Generationswechsel, bei dem → Gametophyt und → Sporophyt gleich gestaltet sind.

Isosmotisch (→ Iso-; → Osmose) Lösungen mit gleichem potentiellen osmotischen Druck, die unter Osmometerbedingungen den gleichen osmotischen Druck erzeugen.

Isosporie (→ Iso-; → Spore) Im Gegensatz zur → Heterosporie Ausbildung nur einer Sorte gleich großer → Meiosporen bei den danach benannten Farnen.

Isotonisch (→ Iso-; G tonos = das Spannen, Anspannung) Synonym: → isosmotisch.

Kallus (L callum = dicke Haut, Schwiele) Meist durch Verwundung ausgelöste Gewebewucherung, die zu Wundverschluß führt.

Kalyptra (G klayptra = Decke, Schleier, Umhüllung) Wurzelhaube.

Kalyptrogen (→ Kalyptra; G -genes = hervorbringend, verursachend) Die Kalyptra erzeugendes → Meristem.

Kalyx (G kalyx = Kelch, Knospe) Blütenkelch.

Kambium (L cambiare = wechseln, tauschen) Meristematisches Gewebe der Sproßachse, das im sekundären Dickenwachstum nach innen Holz und nach außen Bast bildet.

Karyo- (G karyon = Kern) In zusammengesetzten Wörtern mit der Bedeutung „Zellkern".

Karyogamie (→ Karyo-; G gamein = heiraten) Verschmelzung zweier geschlechtsverschiedener Kerne.

Karyolymphe (→ Karyo-; L lympha = klares Wasser) Kernflüssigkeit.

Karyoplasma (→ Karyo-; G plasma = Gebilde) Kernplasma. Synonym: → Karyolymphe.

Katabol, Katabolismus (G kata = herab, abwärts; G bole = Wurf, Schuß) Gesamtheit der abbauenden Phasen des Stoffwechsels.

Katalysator (G katalysis = Auflösung) Reaktionsbeschleunigender Stoff, der in kleinsten Mengen große Umsätze bewirkt, ohne selbst im Reaktionsprodukt zu erscheinen oder eine dauernde Umwandlung zu erfahren.

Kinetin (G kinein = bewegen) 8-Furfurylaminopurin, eine Substanz mit → Cytokininwirkung.

Kinetochor (G kinein = bewegen; G chora = Ort, Platz, Stelle) Spindelfaseransatzstelle, Bewegungszentrum des Chromosoms. Synonym: → Centromer.

Klinostat (G klinein = neigen; G statos = stehend, eingestellt) Gerät, dessen mit konstanter Geschwindigkeit rotierende Achse senkrecht oder in einem anderen Winkel zur Erdschwerkraft eingestellt werden kann. Durch die Rotation wird die einseitige Schwerkraftwirkung aufgehoben.

Koazervat (L coacervatio = Anhäufung) Vermutlich während der → Biogenese im Urmeer durch tropfenförmige Entmischung entstandene Anhäufungen organischer Substanzen.

Kohäsion (L cohaerere, cohaesi = zusammenhängen, verbunden sein) Wirkung anziehender Kräfte zwischen den Atomen oder Molekülen eines Stoffes.

Koleoptile (G koleos = Schwertscheide; G ptilon = Feder) Keimscheide. Das Primärblatt eines Grases schützende Hülle, die bei der Keimung die Bodenoberfläche durchbricht und später vom Primärblatt durchstoßen wird.

Kollenchym (G kolla = Leim; G enchyma = das Eingegossene) Noch wachstums- und dehnungsfähiges Festigungsgewebe, bei dem die aus Cellulose und Pektinstoffen bestehenden Verdickungen auf die Kanten bzw. auf einzelne Wände der Zellen beschränkt sind.

Kolloid (G kolla = Leim; G -eides = gestaltet, ähnlich) Verteilungszustand von Stoffen mit Teilchengrößen zwischen 1 und 100 nm.

Kompartiment (L comparare = vergleichen, unter sich aufteilen) Von Biomembranen begrenzte Reaktionsräume der Zelle.

Kompensation (L compensatio = Ausgleich) Ausgleich zwischen zwei Kräften, Wirkungen u.a.

Kompetitiv (L competere = gemeinsam erstreben) Um etwas konkurrieren, z.B. um das Reaktionszentrum eines → Enzyms bei der kompetitiven Hemmung.

Komplementär (L complementum = Ergänzungsmittel) Ergänzend, sich gegenseitig ergänzend.

Konidiosporen (G konia = Staub; → Spore) Durch die Luft verbreitete Sporen.

Konjugation (L coniugare = verbinden, vereinigen) Herstellung eines direkten Kontaktes zwischen Zellen.

Konnektiv (L con[n]ectere = verbinden, vereinigen) Die beiden Theken verbindendes Gewebe der → Anthere.

Konvergenz (L convergere = sich hinneigen) In Anpassung an die Umweltbedingungen entwickelte Ähnlichkeit der äußeren Gestalt bei Vertretern systematisch verschiedener Gruppen.

Kopulation (L copulare = verknüpfen, zusammenkoppeln) Verschmelzung zweier geschlechtsverschiedener Keimzellen bei der Befruchtung.

Kormophyta (→ Kormus; G phyton = Pflanze, Gewächs) Gesamtheit aller Pflanzen, die einen Kormus besitzen.

Kormus (G kormos = Baumstumpf, Klotz) In Sproßachse, Blatt und Wurzel gegliederter Vegetationskörper der Kormophyten.

Korrelation (L con, abgewandelt vor r in cor = zusammen, mit; L relatio = Beziehung, Verhältnis) Funktionelle Wechselwirkungen zwischen verschiedenen Organen einer Pflanze.

Kotyledonen (G kotyledon = Vertiefung, Saugnapf, Saugwarze) Keimblätter.

Lactose (L lac, Genitiv lactis = Milch) Milchzucker. Disaccharid, aus je einem Molekül Glucose und Galaktose bestehend.

Lamina (L lamina = Platte, Blatt) Blattspreite.

Latent (L latens, Genitiv latentis = verborgen, heimlich) Zustand bzw. Zeitabschnitt, in dem bereits ablaufende Vorgänge äußerlich nicht erkennbar sind.

Lectin (L legere, lectus = auslesen, auswählen) Vor allem bei Pflanzen verbreitete Glykoproteine, die spezifische Bindungen mit an der Zelloberfläche lokalisierten Oligosacchariden eingehen und die Zellen agglutinieren.

Lenticelle (L lenticula, Verkleinerungsform von lens = Linse) Wegen ihrer Linsenform so bezeichnete Korkwarze.

Leptotän (G leptos = dünn, fein; G tainia = Kopfbinde, Band) Abschnitt der → Prophase der 1. Reifungsteilung, in dem die Chromosomen als dünne Fäden deutlich sichtbar werden.

Leukoplast (G leukos = hell, weiß; G plastos = gebildet, geformt) Ungefärbte → Plastiden.

Ligase (L ligare = verbinden, vereinigen) Enzym, das unter Abspaltung von Diphosphat Bindungen herstellt, z.B. zwischen Nucleotiden.

Lignin (L lignum = Holz) Aus Phenylpropanen bestehender Holzstoff.

Lineom (L linea = Richtschnur, Linie) Korrektere Bezeichnung für das Bakterien-„chromosom".

Lipid (G lipos = Fett) Sammelbezeichnung für Fette und fettähnliche Substanzen. → Lipoid.

Lipoid (G lipos = Fett; G -eides = gestaltet, ähnlich) Uneinheitliche Gruppe fettähnlicher Substanzen, die u.a. an der Bildung der Biomembranen beteiligt sind.

Lutein (L luteus = goldgelb) Zu den → Carotinoiden zählender gelber Blattfarbstoff.

Lysigen (→ Lysis; G genes = hervorbringend, verursachend) Durch Auflösung entstanden.

Lysis (G lysis = Lösung, Auflösung, Trennung) Auflösung, auch für den Zerfall von Zellen benutzt.

Lysosom (→ Lysis; G soma = Körper) Zellorganelle, die auflösende (lytische) Enzyme enthält.

Lysozym (→ Lysis; → Enzym) Ein die glykosidischen Bindungen der Peptidoglycanmoleküle der Bakterienzellwand lösendes Enzym.

Makro- (G makros = groß, lang) In zusammengesetzten Wörtern meist für „Groß-" benutzt.

Makrofibrille (→ Makro-; L fibrilla = Verkleinerungsform von fibra = Faser) Lichtmikroskopisch auflösbare faserige Strukturelemente der Zellwand mit einem Durchmesser von etwa 0,5 μm.

Makrogamet (→ Makro-; → Gamet) Bezeichnung für Gameten mit weiblicher Sexualpotenz bei Vorliegen von → Anisogamie.

Makrosporen (→ Makro-; → Spore) Bei Vorliegen von → Heterosporie Bezeichnung für die großen → Meiosporen, aus denen sich die weiblichen Gametophyten entwickeln. Auch als Megasporen bezeichnet.

Matrix (L matrix = Mutterstamm) U.a. als Bezeichnung für „Grundsubstanz" benutzt.

Mazeration (L macerare = einweichen, mürbe machen) Trennung der Zellen eines Gewebes durch Auflösung des Protopektins der Zellwand mit einem Gemisch von Kaliumchlorat und Salpetersäure.

Meiose (G meiosis = das Verringern, das Verkleinern) Bezeichnung für die 1. und 2. Reifungsteilung wegen der dabei erfolgenden Reduktion der Chromosomenzahl.

Meiospore (→ Meiose; → Sporen) Durch Meiose entstandene Spore.

Meristem (G meristes = Teiler, Erbteiler) Bildungsgewebe.

Meristemoide (→ Meristem; G -eides = gestaltet, ähnlich) In Dauergeweben vereinzelt liegende Zellen mit Meristemcharakter.

Mesophil (G mesos = mitten, mittlerer; G philein = lieben) Organismen, die an mittlere Temperaturen angepaßt sind. Ihre Temperaturoptima liegen meist bei 25 bis 30 °C.

Mesophyll (G mesos = mitten, mittlerer; G phyllon = Blatt) Das zwischen oberer und unterer Epidermis liegende Blattgewebe.

Meta- (G meta = zwischen, nach, hinter) In zusammengesetzten Wörtern Vorsilbe mit einer der angegebenen Bedeutungen, auch im Sinne von „Ver-".

Metabolismus (G metabole = das Umwerfen, Veränderung) Stoffwechsel.

Metabolit (G metabole = das Umwerfen, Veränderung) Im Stoffwechsel umzusetzende chemische Verbindung.

Metachromatisch (→ Meta-; G chroma = Haut, Hautfarbe, Farbe) Eigenschaft einiger Zelleinschlüsse, an gewissen Farbstoffen charakteristische Farbänderungen hervorzurufen.

Metamorphose (G metamorphosis = Umgestaltung, Verwandlung) Gestaltveränderung pflanzlicher Organe in Anpassung an die Lebensweise bzw. die Umweltbedingungen.

Metaphase (→ Meta-; → Phase) Phase der Kernteilung, in der sich die Chromosomen in der Äquatorialplatte anordnen.

Metaphloem (→ Meta-; → Phloem) Das nach dem → Protophloem gebildete Phloem.

Metastabil (→ Meta-; L stabilis = feststehend, dauerhaft) Nicht stabil, aber dennoch nicht ohne Einfluß von außen (z.B. Energiezufuhr) in einen anderen Zustand übergehend.

Metaxylem (→ Meta-; → Xylem) Das nach dem →Protoxylem gebildete Xylem.

Micelle (L Verkleinerungsform von mica = Krümchen, Körnchen, kleiner Bissen) Molekülaggregat, z.B. aus Cellulosemolekülen, das durch Nebenvalenzen zusammengehalten wird.

Microbodies (→ Mikro-; E bodies = die Körper) Sammelbezeichnung für submikroskopische Zelleinschlüsse.

Mikro- (G mikros = klein) In zusammengesetzten Wörtern für „Klein-" benutzt.

Mikrofibrillen (→ Mikro-; → Fibrille) Aus Cellulose bestehende fädige Elemente der Zellwand mit einem Durchmesser von 10–30 nm, die aus etwa 20 → Elementarfibrillen bestehen.

Mikrofilament (→ Mikro-; L filamentum = Fadenwerk) Aus Actin bestehendes fädiges Element des Cytoplasmas mit einem Durchmesser von 4–6 nm.

Mikrogamet (→ Mikro-; → Gamet) Bei → Anisogamie gebildeter, verglichen mit den → Makrogameten kleinerer Gamet mit männlicher Sexualpotenz.

Mikropyle (→ Mikro-; G pyle = Tor, Tür, Pforte) Kleine Öffnung zwischen den → Integumenten der Samenanlage.

Mikrosphäre (→ Mikro-; G sphaira = Kugel) Durch Abkühlung von → Proteinoidlösungen entstehende zellähnliche Strukturen.

Mikrosporen (→ Mikro-; → Sporen) Bei Vorliegen von → Heterosporie Bezeichnung für die kleineren → Meiosporen, aus denen sich die männlichen Gametophyten entwickeln.

Mikrotubulus (→ Mikro-; L tubulus = kleine Röhre) Aus Tubulin bestehende röhrenförmige Ultrastrukturen des Cytoplasmas mit einem Durchmesser von etwa 25 nm.

Mitochondrion (G mitos = Faden; G chondros = Stückchen, Körnchen) Kugelige bis fädige Zellorganelle, die u.a. Träger der Atmungsenzyme sind.

Mitose (G mitos = Faden, Schlinge) Zell- und Kernteilung, bei der im Gegensatz zur → Meiose jede Tochterzelle die gleiche Anzahl von Chromosomen erhält wie die sich teilende Mutterzelle.

Mitospore (→ Mitose; → Spore) Durch Mitose entstandene Spore.

Modifikation (L modificatio = richtige Abmessung) Nicht erbliche, umweltbedingte Änderung der Gestalt.

Mono- (G monos = allein, einzig) In zusammengesetzten Wörtern Vorsilbe mit dieser Bedeutung.

Monochasium (→ Mono-; G chazein = weichen, sich zurückziehen) Verzweigungstypus der Sproßachse, bei dem die Hauptachse ihr Wachstum einstellt und nur eine Seitenknospe das Wachstum fortsetzt.

Monoecie (→ Mono-; G oikos = Haus) Einhäusigkeit, Gemischtgeschlechtigkeit. Wird auch für Kormophyten benutzt, bei denen staminate und pistillate Blüten auf dem gleichen Sporophyten gebildet werden.

Monokotyle, Monokotyledone (→ Mono-; → Kotyledonen) Einkeimblättrige Pflanze.

Monomer (→ Mono-; G meros = Teil) Monomolekulare Einheit eines Proteins.

Monopodium (→ Mono-; G pous, Genitiv podos = Fuß) Verzweigungstypus der Sproßachse, bei dem die Seitenzweige in ihrem Wachstum der Hauptachse untergeordnet bleiben.

Monosaccharid (→ Mono-; → Saccharid) Nur aus einem Zuckerbaustein bestehendes Saccharid, z. B. Pentose, Hexose.

Monosomie (→ Mono-; G soma = Körper) Vorkommen eines unpaaren Chromosoms in einem → diploiden Chromosomensatz.

Morphogenese (G morphe = Gestalt; G genesis = Erzeugung, Hervorbringen) Gestaltbildung.

Morphose (G morphosis = das Gestalten) Formativer Effekt eines Außenfaktors auf pflanzliche Organe.

Motilität (L movere, motus = bewegen, sich in Bewegung setzen) Beweglichkeit, Bewegungsaktivität.

Multiple Allelie (L multiplex = vielfältig, zahlreich; → Allele) Vorliegen mehrerer Konfiguration eines Gens.

Mutagen (L mutare = ändern, verwandeln, umschlagen; G -genes = hervorbringend, verursachend) Erbänderungen verursachend.

Mutation (L mutatio = Veränderung, Wechsel) Erbänderung.

Mycel (G mykes = Pilz; G helos = Nagel) aus → Hyphen bestehendes Pilzgeflecht.

Mykorrhiza (G mykes = Pilz; G rhiza = Wurzel) → Symbiose von Pflanzenwurzeln mit Pilzen.

Nastie (G nastos = festgedrückt) Durch Reize ausgelöste Bewegung eines Organs einer ortsgebundenen Pflanze, deren Richtung unabhängig von der Richtung des auslösenden Reizes ist.

Nodus (L nodus = Knoten, Mehrzahl Nodi) Ansatzstellen der Blätter an den Sproßachsen.

Nonsens Codon (L nonsens = Unsinn; → Codon) Codon, das keine Aminosäure bestimmt, sondern die Ablösung des gebildeten Proteinmoleküls vom Ribosom verursacht.

Nucellus (L nucella = kleine Nuß) Dem Makrosporangium der heterosporen Farnpflanzen homologer Gewebekern der Samenanlage höherer Pflanzen.

Nucleolus (L Verkleinerungsform von nucleus = Kern) Kernkörperchen.

Nucleosom (→ Nucleus; G soma = Körper) Untereinheit des → Chromatins.

Nucleus (L nucleus = Kern) Zellkern.

Nyktinastie (G nyx, Gen. nyktos = Nacht; → Nastie) Circadian-rhythmisch gesteuerte, durch den Tag-Nacht-Wechsel synchronisierte Blüten- und Laubblattbewegungen, wobei sich die Tag- und die Nachtstellung charakteristisch unterscheiden.

Oktett (L octo = acht) Anordnung zu acht, im speziellen Fall Anordnung der vier Elektronenpaare in einer Schale.

Oligosaccharid (G oligos = wenig; L sacchara = Zucker) Aus 2 bis etwa 10 Monosacchariden bestehendes Zuckermolekül.

Ontogenie, Ontogenese (G on, Genitiv ontos = Wesen, Sein; G genesis = Erzeugung, Entstehung) Entwicklungsgang eines Lebewesens.

Oogamie (G oon = Ei; G gamein = heiraten) Befruchtung des Eies durch eine männliche Keimzelle.

Oogonium (G oon = Ei; G gone = Erzeugung, Geburt) → Gametangium, in dem die Eizelle gebildet wird.

Operator (L operator = Arbeiter) Unter der Kontrolle eines → Regulatorgens stehendes, die Funktion der Strukturgene eines → Operons steuernder DNA-Abschnitt.

Optimum (L optimum = das Beste) Für Lebensvorgänge günstigster Bereich.

Organ (G organon = Werkzeug) Teil eines mehrzelligen Lebewesens mit bestimmter Funktion.

Organelle (G Verkleinerungsform von organon = Werkzeug) Die Organelle, auch das Organell. Sammelbezeichnung für durch Biomembranen begrenzte Reaktionsbereiche der Zelle, die Kontinuität besitzen.

Orthogravitropismus (G orthos = gerade, aufrecht; → Gravitropismus) Ausrichtung ortsgebundener Pflanzen bzw. ihrer Organe in Richtung der Erdschwerkraft, d. h. entweder zum Erdmittelpunkt hin (positiv) oder vom Erdmittelpunkt weg (negativ).

Orthostiche (G orthos = gerade, aufrecht; G stichos = Reihe, Zeile) Geradzeile.

Osmometer (→ Osmose; G metron = Maß) Instrument zur Messung des osmotischen Druckes.

Osmose (G ältere Form: Diosmose von G diosmos = das Hindurchstoßen, das Durchbrechen) Eindringen des Lösungsmittels durch eine → semipermeable Membran in eine Lösung höherer Konzentration.

Pachytän (G pachys = dick, plump; G tainia = Kopfbinde, Band) Abschnitt der Prophase der 1. Reifungsteilung, in dem die Chromosomen infolge schraubiger Aufrollung der → Chromonemen stark verkürzt sind und relativ dick erscheinen.

Para-, Par- (G para = daneben, neben, bei, zur Seite) In zusammengesetzten Wörtern mit einer der angegebenen Bedeutungen.

Parabiose (→ Para-; G bios = Leben) Vergesellschaftung von Mikroorganismen mit gegenseitiger Stoffwechselabhängigkeit, jedoch im Gegensatz zur → Symbiose ohne enge morphologische Verknüpfung.

Parallelkonjugation (→ Par-; G allelon = einander, gegenseitig; → Konjugation) Paarung → homologer Chromosomen während der 1. Reifungsteilung.

Paramylon (→ Par-; G amylon = Stärke, Kraftmehl) Stärkeähnliches → Polysaccharid, in dem die Glucosemoleküle jedoch in β-1→3-Bindungen vorliegen.

Paraphysen (G paraphyomai = an der Seite herauswachsen) Im → Hymenium der Pilzfruchtkörper neben den Asci und Basidien wachsende sterile → Hyphen.

Parasit (G parasitos = mit jemandem essend) Schmarotzer.

Parenchym (→ Par-; G enchyma = das Eingegossene) Grundgewebe, in das die anderen Gewebe eingebettet sind.

Parthenogenese (G parthenos = Jungfrau; G genesis = Entstehung) Jungfernzeugung. Fortpflanzung durch unbefruchtete Keimzellen.

Pektine (G pektos = festgeworden, geronnen) Gelierende → Polysaccharide aus Pflanzenteilen, vor allem Früchten.

Pentose (G pente = fünf) Aus 5 C-Atomen bestehendes Zuckermolekül.

Pepsin (G pepsis = das Verdauen) → Proteine spaltendes Enzym des Magensaftes.

Peptid (G peptos = verdaut, verdaulich) Aus zwei oder mehreren Aminosäuren bestehende Verbindung.

Peri- (G peri = um, herum) In zusammengesetzten Wörtern Vorsilbe mit dieser Bedeutung.

Perianth (→ Peri-; G anthos = Blüte) Blütenhülle.

Periderm (→ Peri-; G derma = Haut) Sekundäres Abschlußgewebe der Sproßachse.

Perigon (→ Peri-; G gone = Erzeugung, Entstehung) Blütenhülle, in der alle Blätter gleichgestaltet sind.

Perikambium (→ Peri-; → Kambium) Äußere, an die → Endodermis grenzende Zellschicht des Zentralzylinders. Synonym: → Perizykel.

Periklin (→ Peri-; G klinein = neigen, biegen) Parallel zur Oberfläche verlaufend.

Peristom (→ Peri-; G stoma = Öffnung) Die Öffnung der Sporenkapseln der Moose umgebender Zahnkranz, der durch hygroskopische Bewegungen das Ausstreuen der Sporen kontrolliert.

Perithecium (→ Peri-; G theke = Behältnis) Pilzfruchtkörper, bei dem die Fruchtschicht, das Hymenium, im Innern des Fruchtkörpers entsteht.

Perizykel (→ Peri-; G kyklos = Kreis, Kreislauf) Äußere, an die → Endodermis grenzende Zellschicht des Zentralzylinders. Synonym: → Perikambium.

Permeabilität (L permeare = durchgehen) Durchlässigkeit, z.B. einer Biomembran, für das Lösungsmittel und den gelösten Stoff.

Peroxisom (L per = durch, völlig; G oxys = scharf, sauer; G soma = Körper) Oxidasen enthaltende Microbodies, die Wasserstoff aus spezifischen Substraten abspalten und auf elementaren Sauerstoff übertragen. Das entstehende Wasserstoffperoxid wird durch das Enzym Katalase in Sauerstoff und Wasser zerlegt.

Perzeption (L perceptio = Aufnahme, Wahrnehmung) Reizaufnahme.

Petiolus (L petiolus = Füßchen) Blattstiel.

Phaeophyceae (G phaios = braun; G phykos = Tang, Seegras) Braunalgen.

Phaeoplast (G phaios = braun; G plastos = gebildet, geformt) Durch → Carotinoide braun gefärbte, photosynthetisch aktive → Plastide, z.B. der Phaeophyceen.

Phän (G phainesthai = erscheinen) Merkmal.

Phänotypus (→ Phän; G typos = Gepräge, Muster, Modell) Erscheinungsbild eines Individuums.

Phase (G phasis = Anzeige, Erscheinung) Abschnitt eines Vorganges, z.B. der → Mitose. Auch für Aggregatzustand eines chemischen Stoffes benutzt.

Phellem (G phellos = Kork) Korkgewebe, das vom → Phellogen nach außen erzeugt wird.

Phelloderm (G phellos = Kork; G derma = Haut) Vom → Phellogen nach innen erzeugtes Gewebe.

Phellogen (G phellos = Kork; G -genes = hervorbringend, verursachend) Korkkambium, das nach außen → Phellem und nach innen → Phelloderm erzeugt.

Phloem (G phloios = Bast, Rinde) Dem Stofftransport dienende Elemente eines Leitbündels.

Phobische Reaktion (G phobos = Flucht, Furcht, Schrecken) Durch Änderung der Reizstärke hervorgerufene Bewegungsreaktion freibeweglicher Organismen, die von der Richtung des auslösenden Reizes unabhängig ist. Sie kann so abrupt erfolgen, daß der Eindruck einer „Schreckreaktion" entsteht.

Photo- (G phos, Genitiv photos = Licht) In zusammengesetzten Wörtern im Sinne von „Licht-" bzw. „durch Licht verursacht".

Photodinese (→ Photo; → Dinese) Auslösung bzw. Beschleunigung von Plasmaströmungen durch Licht.

Photokinese (→ Photo-; G kinein = bewegen) Auslösung bzw. Beschleunigung von Bewegungen freibeweglicher Organismen durch Licht.

Photomorphogenese (→ Photo-; → Morphogenese) Einfluß von Licht auf die Gestaltbildung der Pflanze.

Photomorphose (→ Photo-; → Morphose) Formativer Effekt des Lichtes auf pflanzliche Organe.

Photonastie (→ Photo-; → Nastie) Durch Licht ausgelöste, aber nicht gerichtete Bewegung pflanzlicher Organe.

Photoperiodismus (→ Photo-; G periodos = Umgang, Kreislauf) Einfluß der Tageslänge auf die Entwicklung der Pflanze.

Photophobische Reaktion (→ Photo-; G phobos = Flucht, Furcht, Schrecken) Durch Änderung der Beleuchtungsstärke bei freibeweglichen Organismen hervorgerufene Bewegungsumkehr, die bisweilen so abrupt erfolgt, daß der Ausdruck „Schreckreaktion" zutrifft.

Photorespiration (→ Photo-; → Respiration) Lichtatmung. Nach Einsetzen der Photosynthese unter bestimmten Bedingungen zu beobachtende starke CO_2-Abgabe.

Photorezeptor (→ Photo-; L receptio = Aufnahme) Licht bzw. im weiteren Sinne Strahlung absorbierende Pigmentmoleküle.

Photosynthese (→ Photo-; → Synthese) Aufbau organischer Substanzen aus Kohlendioxid und Wasser unter Verwendung von Strahlungsenergie.

Phototaxis (→ Photo-; → Taxis) Durch Licht orientierte Bewegung freibeweglicher Organismen.

Phototropismus (→ Photo-; → Tropismus) Orientierung ortsgebundener Pflanzen bzw. ihrer Organe zur Lichtrichtung.

Phragmoplast (G phragmos = Verschluß, Scheidewand; G plastos = gebildet, geformt) Aus fibrillären Elementen bestehender, zylinder- bis tonnenförmiger Körper, der in der → Mitose zwischen den auseinanderweichenden Chromosomen entsteht.

Phyco- (G phykos = Tang, Seegras) In zusammengesetzten Wörtern für „Algen-".

Phycobiliproteine (→ Phyco-; L bilis = Galle; → Protein) Photosynthetisch aktive Pigmente der → Cyanobakterien und → Rhodophyceen, deren → chromophore Gruppen eine Verwandtschaft zu den Gallenfarbstoffen zeigen.

Phycobilisomen (→ Phyco-; L bilis = Galle; soma = Körper) Zwischen den → Thylakoiden der Cyanobakterien und Rhodophyceen liegende, aus → Biliproteinen bestehende Granula.

Phycocyanin (→ Phyco-; G kyanos = Lasur-stein, blaue Farbe) Bei Cyanobakterien und Rhodophyceen vorkommendes, blaues Photosynthesepigment.

Phycoerythrin (→ Phyco-; G erythros = rot) Bei Cyanobakterien und Rhodophyceen vorkommendes, rötlich-violettes Photo-synthesepigment.

Phyllodium (G phyllon = Blatt) Blattartig verbreiterter Blattstiel.

Phyllokladium (G phyllon = Blatt; G klados = Zweig, Sproß) Blattartig verbreiterter Kurztrieb.

Phylogenie, Phylogenese (G phylon = Stamm, Geschlecht; G genesis = Entste-hung) Stammesgeschichte der Lebewe-sen.

Phytochrom (G phyton = Pflanze, Gewächs; G chroma = Haut, Hautfarbe, Farbe) Pho-toreversibles, im Hellrot bzw. Dunkelrot absorbierendes Pigmentsystem, das Ent-wicklungs- und Bewegungsvorgänge steuert.

Phytoalexine (G phyton = Pflanze, Ge-wächs; alexein = abwehren, sich vertei-digen) Antimikrobiell wirkende Substan-zen, die von Pflanzen nach Infektion durch Mikroorganismen gebildet werden.

Phytohormon (G phyton = Pflanze, Ge-wächs; G horman = antreiben, erregen) Körpereigener Wirkstoff der Pflanze, der spezifisch auf bestimmte Organe wirkt und deren biochemische und physiologi-sche Funktion reguliert.

Pigment (L pigmentum = Farbe, Farbstoff) Infolge Absorption bestimmter Strah-lungsbereiche dem Auge farbig erschei-nende Substanz.

Pistillum (L pistillum = Mörserkeule) Stem-pel der Blüte.

Placenta (L placenta = Kuchen) Bildungs-gewebe der Fruchtblätter, das die Samen-anlagen erzeugt.

Plagiogravitropismus (G plagios = schief, quer, schräg; → Gravitropismus) Orientie-rung pflanzlicher Organe in einem Win-kel zur Schwerkraft. Synonym: Plagiogeo-tropismus.

Plasma (G plasma = Gebilde) Häufig für Cy-toplasma bzw. Protoplasma benutzte Kurzform.

Plasmalemma (G plasma = Gebilde; G lem-ma = Rinde, Schale, Hülle) Die das Cyto-plasma einer Zelle nach außen begren-zende Biomembran.

Plasmodesmos (→ Plasma; G desmos = Band, Fessel) Feine plasmatische Verbin-dung zwischen benachbarten Zellen.

Plasmodium (→ Plasma; G -eides = gestal-tet, ähnlich) Vielkernige Plasmamasse der Schleimpilze.

Plasmogamie (→ Plasma; G gamein = heira-ten) Plasmaverschmelzung bei der → Ko-pulation.

Plasmolyse (→ Plasma; → Lysis) Abhebung des Protoplasten von der Zellwand nach Übertragen der Zelle in ein → hypertoni-sches Medium.

Plastiden (G plattein, plasso = bilden, ich bilde; G -eides = gestaltet, ähnlich) Den Pflanzen eigene Zellorganellen, die Konti-nuität besitzen, d.h. von Zelle zu Zelle weitervererbt werden. Sie können gefärbt oder ungefärbt sein.

Plastocyanin (G plastos = gebildet, geformt; G kyanos = Lasurstein, blaue Farbe) Blau-gefärbtes Redoxsystem der photosynthe-tischen Elektronentransportkette.

Plastom (G plastos = gebildet, geformt) Ge-samtheit der in den → Plastiden lokali-sierten Erbfaktoren.

Platykladium (G platys = platt, flach, breit; G klados = Zweig, Sproß) Blattartig ver-breiterter Langtrieb.

Pleiochasium (G pleion = mehr; G chazein = weichen, sich zurückziehen) Verzwei-gungstypus der Sproßachse, bei dem die Hauptachse ihr Wachstum einstellt und mehr als zwei Seitenknospen das Wachs-tum fortsetzen.

Pleiotropie (G pleion = mehr; G trope = Wendung) Beeinflussung der Ausbildung mehrerer Merkmale durch ein → Gen.

Plektenchym (G plektos = geflochten; G enchyma = das Eingegossene) Flechtge-webe.

Plumula (L Verkleinerungsform von pluma = Flaumfeder) Apikalknospe der Sproß-achse eines Keimlings.

Polarität (G polos = Drehpunkt, Achse) Phy-siologische Ungleichwertigkeit einander entgegengesetzter Bereiche von Zellen, Organen und Organismen.

Pollen (L pollen = Staubmehl) Mikrosporen der Samenpflanzen.

Poly- (G polys = viel) In zusammengesetzten Wörtern Vorsilbe mit der angegebenen Bedeutung.

Polyenergid (→ Poly-; → Energide) Zahlreiche Energiden enthaltend.

Polygenie (→ Poly-; → Gen) Ausbildung eines Merkmals unter der Kontrolle vieler Gene.

Polykondensation (→ Poly-; L condensus = sehr dicht) Zusammenlagerung zahlreicher Moleküle zu Makromolekülen unter Abspaltung von Wasser.

Polymerisation (→ Poly-; G meros = Teil) Zusammenlagerung zahlreicher Moleküle zu einem Makromolekül ohne Abspaltung von Wasser.

Polypeptid (→ Poly-; → Peptid) aus zahlreichen Aminosäuren aufgebaute Verbindung.

Polyploid (→ Poly-; G ploid Ableitung von → haploid) Vorliegen von mehr als zwei Chromosomensätzen in einem Zellkern.

Polysaccharid (→ Poly-; → Saccharid) Aus zahlreichen Zuckerbausteinen aufgebautes Makromolekül.

Polysom (→ Poly-; soma = Körper) Aufreihung mehrerer Ribosomen an einem mRNA Faden (Polyribosom).

Polytänie (→ Poly-; G tainia = Kopfbinde, Band) Vielsträngigkeit von Chromosomen.

Pore (G poros = Durchgang, Ausgang, Öffnung) Vorübergehende oder dauernde Öffnung, z. B. in Biomembranen.

Postgenital (L post = hinten, nach, hinterher; L gignere, genitum = zeugen, gebären) Nach der Erzeugung entstanden, nicht angeboren.

Potometer (L potus = das Trinken, Trunk; G metron = Maß) Gerät zur Messung der Wasseraufnahme von Pflanzen.

Pro- (L pro = vor, für, bzw. G pro = vor, für, anstelle von) In zusammengesetzten Wörtern Vorsilbe mit den Bedeutungen: vor (zeitlich und räumlich) bzw. für, zugunsten.

Procyte (→ Pro-; G kytos = Höhlung, Wölbung, Urne) Zelle eines → Prokaryoten.

Proembryo (→ Pro-; → Embryo) In der befruchteten Samenanlage entstehende Vorstufe des Embryos.

Prokaryoten (→ Pro-; G karyon = Kern) Organismus, denen ein echter Zellkern fehlt (Bakterien, Cyanobakterien).

Promitochondrion (→ Pro-; → Mitochondrion) Mitochondrienvorstufe.

Promotor (L promotio = Förderung) Am Anfang eines → Operons liegender DNA-Abschnitt, der als Erkennungsregion und Ansatzstelle der DNA-abhängigen RNA-Polymerase dient.

Prophagen (→ Pro-; G phagein = essen, fressen) Temperente → Bakteriophagen, die in das Bakterienchromosom eingebaut werden, ohne das Bakterium sogleich zur Lysis zu bringen.

Prophase (→ Pro-; → Phase) Einleitender Abschnitt der Kernteilung.

Proplastide (→ Pro-; → Plastide) Plastidenvorstufe.

Prosenchym (G proso = vorwärts, weiter; G enchyma = das Eingegossene) Gewebe aus in einer Richtung langgestreckten Zellen, im Gegensatz zum isodiametrischen Zellen des → Parenchyms.

Prosthetische Gruppe (G prosthesis = das Zusammensetzen, Hinzusetzen) Funktionelle Gruppe eines → Enzyms.

Protein (G protos = erster, wichtigster) Aus einer größeren Anzahl von Aminosäuren aufgebauter Eiweißkörper.

Proteinoid (→ Protein; G -eides = gestaltet, ähnlich) Durch Erhitzen von Aminosäuregemischen hergestellte proteinähnliche Polymere.

Prothallium (→ Pro-; → Thallus) → Gametophyt der Farne.

Proto- (G protos = erster, wichtigster) In zusammengesetzten Wörtern mit beiden Bedeutungen.

Protobiont (→ Proto-; G bious, Genitiv biontos, 1. Partizip von bioun = leben) Vorstufe des → Eobionten, der jedoch noch keine Zellstruktur im eigentlichen Sinne besitzt.

Protonema (→ Proto-; G nema = Faden) Vorkeim der Moose.

Protopektin (→ Proto-; → Pektin) Durch Vernetzung von Pektinsäuremolekülen mit Calcium- und Magnesium-Ionen gebildete Grundsubstanz der Mittellamelle.

Protophloem ($\rightarrow$ Proto-; $\rightarrow$ Phloem) Bei der Differenzierung der Sproßachse zuerst gebildete stoffleitende Elemente des Leitbündels.

Protophyta ($\rightarrow$ Proto-; G phyton = Pflanze, Gewächs) Einzeller.

Protoplasma ($\rightarrow$ Proto-; $\rightarrow$ Plasma) Grundplasma, $\rightarrow$ Cytoplasma.

Protoxylem ($\rightarrow$ Proto-; $\rightarrow$ Xylem) Die bei der Differenzierung zuerst gebildeten wasserleitenden Elemente des Leitbündels.

Proximal (L proximus = der nächste) Der Körpermitte näher liegend als andere Teile. Gegensatz: $\rightarrow$ distal.

Pseudoparenchym (G pseudes = unwahr, falsch; $\rightarrow$ Parenchym) Im Querschnitt wie Parenchym aussehendes $\rightarrow$ Plektenchym.

Psychrophil (G psychros = kalt; G philein = lieben) Organismen, die an Biotope mit niedrigen Temperaturen (von etwa – 10 bis + 20 °C angepaßt sind.

Pteridophyta (G pteron = Feder, Flügel; G phyton = Pflanze, Gewächs) Farnpflanzen.

Pulvinus (L pulvinus = Kissen) Der auch als Blattgelenk bezeichnete, meist etwas verdickte basale Abschnitt von Blattstielen, bei *Mimosa* z.B. Primär- und Sekundär-Blattstielen und Blattfiedern. Pulvini finden sich bei Pflanzen, die zu Turgorbewegungen befähigt sind. Sie bestehen aus relativ großen, dünnwandigen Zellen, die sich ausdehnen oder kontrahieren können.

Pyrenoid (G pyren = Kern; G -eides = gestaltet, ähnlich) Ausschließlich bei Algen vorkommende, nicht durch eine Membran abgegrenzte Bereiche der Chromatophoren, an deren Grenze häufig Stärke bzw. stärkeähnliche Substanzen abgelagert werden. Wegen ihres Gehaltes an Ribulose – 1,5 – bisphosphatcarboxylase werden sie auch als Bereiche der CO_2-Fixierung und des Stärkestoffwechsels angesehen.

Radicula (L radicula = Würzelchen) Keimwurzel.

Raphide (G raphis = Nadel) Nadelförmiger Calciumoxalatkristall.

Re- (L re = zurück, wieder, wiederholt, entgegen) In zusammengesetzten Wörtern in einer der angegebenen Bedeutungen.

Redundante Gene (L redundantia = Überfülle) In großer Zahl vorhandene Gene.

Reduplikation ($\rightarrow$ Re-; L duplicatio = Verdopplung) Verdopplung der DNA, $\rightarrow$ Replikation.

Refraktärstadium (L refrangere, refractus = hemmen) Auf einen Erregungsvorgang bzw. eine Bewegungsreaktion folgender Zeitabschnitt, in dem die Zelle bzw. das Organ nicht erregbar ist.

Regeneration (L regenerare = wiedererzeugen) Ersatz zugrundegegangener Zellen und Gewebe.

Regulatorgen (L regulare = schulen; $\rightarrow$ Gen) Die Genaktivität mit Hilfe eines $\rightarrow$ Repressors steuerndes Gen.

Repetitive Sequenzen (L repetitio = Wiederholung; L sequentia = Aufeinanderfolge) Sich ständig wiederholende, gleichartige Nucleotidfolgen auf der DNA.

Replikation (L replicare = entfalten, erwidern) Bildung einer Nucleotidsequenz an einem als Matrize dienenden Nucleotidstrang, $\rightarrow$ Reduplikation.

Repressor (L repressor = Unterdrücker) Vom $\rightarrow$ Regulatorgen gebildetes Protein, das die Aktivität des $\rightarrow$ Operators steuert.

Reprimiert (L reprimere = zurückhalten, hemmen) Gehemmt, unterdrückt.

Respiration (L respiratio = Atmung, das Atmen) Atmung.

Restitution (L restituere = wiederherstellen, erneuern) Wiederherstellung des erregbaren Zustandes.

Rezeption (L recipere = einnehmen, aufnehmen) Reizaufnahme $\rightarrow$ Perzeption.

Rezessiv (L recedere, recessus = zurücktreten, zurückweichen) Nicht in Erscheinung tretend, verdeckt. Beim Erbgang im Gegensatz zu $\rightarrow$ dominant.

Reziprozitätsregel (L reciprocus = auf demselben Wege zurückkehrend, gegenseitig) Nach der Reziprozitätsregel sind reziproke Bastarde gleich.

Rhexigen (G rhexis = das Zerreißen, Riß; G genes = hervorbringend, verursachend) Durch Zerreißen entstanden.

Rhizodermis (G rhiza = Wurzel; G derma = Haut) Äußere Zellschicht der Wurzel.

Rhizoid (G rhiza = Wurzel; G -eides = gestaltet, ähnlich) Ein- oder mehrzellige, der Befestigung der Thalli und z.T. der

Wasseraufnahme dienender Zellfaden bei Algen und Moosen.

Rhizom (G rhiza = Wurzel) Erdsproß.

Rhodophyceae (G rhodon = Rose; phykos = Tang, Seegras) Rotalgen.

Rhodoplast (G rhodon = Rose; G plastos = gebildet, geformt) Durch → Biliproteine rot-violett gefärbte, photosynthetisch aktive → Plastide der Rhodophyceen.

Rotation (L rotare = im Kreis herumdrehen, sich drehen) In einer Richtung um die Zelle herumlaufende Protoplasmaströmung.

Saccharid (L sacchara = Zucker; G -eides = gestaltet, ähnlich) Aus Zuckermolekülen bestehende Verbindung.

Saccharose (L sacchara = Zucker) Rohrzucker.

Saprophyten (G sapros = faul, verfault; G phyton = Pflanze, Gewächs) Fäulnisbewohner.

Schizogen (G schizein = spalten; G genes = hervorbringend, verursachend) Durch Spaltung entstanden.

Seismonastie (G seismos = Erdbeben; → Nastie) Durch Erschütterung ausgelöste pflanzliche Bewegungsreaktion.

Sekret (L secretus = abgesondert) Ausscheidungsprodukt einer Pflanze, das für ihr Zusammenleben mit der Umwelt noch eine Bedeutung hat.

Selektion (L seligere, selectum = auslesen, auswählen) Auswahl, z.B. natürliche Auswahl bei der Evolution. Adj.: Selektiv = auswählend, z.B. selektive Permeabilität.

Semipermeabilität (L semi = halb; → Permeabilität) Halbdurchlässigkeit von Membranen, d.h. Durchlässigkeit für das Lösungsmittel, aber Undurchlässigkeit für den gelösten Stoff.

Seneszenz (L senescere = alt werden) Alterung.

Sessil (L sessilis = zum Sitzen geeignet) Festsitzend, nicht zur Fortbewegung befähigt.

Siphonogamie (G siphon = Röhre; G gamein = Heiraten) Mit Hilfe des Pollenschlauches erfolgende Befruchtung der höheren Pflanzen.

Sklereide (G skleros = trocken, hart, starr; G -eides = gestaltet, ähnlich) Steinzelle.

Sklerenchym (G skleros = trocken, hart, starr; G enchyma = das Eingegossene) Festigungsgewebe, dessen Zellen allseitig gleichmäßig verdickte und oft auch verholzte Zellwände haben.

Somatogamie (G soma, Genitiv somatos = Körper; G gamein = heiraten) Verschmelzung von Körperzellen zweier Kreuzungspartner.

Sorus (G soros = Urne, Sarg) Von einer Hülle bedeckte Gruppe von Sporangien der Farne.

Spektrum (L spectrum = Schemen, Erscheinung) Im engeren Sinne Farbskala, die durch Brechung weißen Lichtes nach Passieren eines Prismas entsteht. Wird auch im erweiterten Sinne benutzt für die Angabe von Häufigkeits- oder Intensitätsverteilungen der Bestandteile von Gemischen usw.

Sperma (G sperma, Genitiv spermatos = Same) Same.

Spermangium (→ Sperma; G angeion = Gefäß, Kanne) Männliches Sexualorgan, in dem die → Spermatozoiden gebildet werden.

Spermatophyten (→ Sperma; G phyton = Pflanze, Gewächs) Samenpflanzen.

Spermatozoid (→ Sperma; G zoon = Tier; G -eides = gestaltet, ähnlich) Begeißelte männliche Fortpflanzungszelle bei Vorliegen von → Oogamie.

Sphäroprotein (G sphaira = Kugel; → Protein) Protein von zusammengeknäulter, kugeliger Gestalt.

Sporangiophor (→ Sporangium; G phora = das Tragen) Sporangienträger.

Sporangiosporen (→ Sporangium; → Spore) In Sporangien gebildete Sporen.

Sporangium (→ Spore; G angeion = Gefäß, Kanne) Sporenbehälter.

Spore (G sporos = Same, Saat) Durch → Mitose oder → Meiose entstandene Verbreitungseinheit.

Sporoderm (→ Spore; G derma = Haut) Die → Pollen außen überziehende Wandschicht.

Sporogon (→ Spore; G gone = Erzeugung) Die Sporenkapsel tragender → Sporophyt der Moospflanzen.

Sporophyll (→ Spore; G phyllon = Blatt) Mit Sporangien besetztes Blatt der Farnpflanzen.

Sporophyt (→ Spore; G phyton = Pflanze) Sporenbildende Generation im → Generationswechsel.

Statenchym (→ Stato-; G enchyma = das Eingegossene) Aus → Statocyten bestehendes, zur → Graviperzeption befähigtes Gewebe.

Stato- (G statos = stehend, eingestellt) In zusammengesetzten Wörtern Vorsilbe mit der Bedeutung „die Perzeption der Schwerkraft betreffend".

Statocyte (→ Stato-; G kytos = Höhlung, Urne, Zelle) Zur → Graviperzeption befähigte Pflanzenzelle.

Statolithen (→ Stato-; G lithos = Stein) Zelleinschlüsse, die sich unter dem Einfluß der Schwerkraft verlagern und auf diese Weise die → Graviperzeption ermöglichen.

Stele (G stele = Säule, Pfeiler) Allgemeine Bezeichnung für die Leitbündelsysteme in den Sproßachsen.

Stigma (G stigma = Punkt) Augenfleck.

Stipel (L stipula = Halm, Stroh) Nebenblatt.

Stolon (L stolo = Wildling) Ausläufer.

Stoma (G stoma, Genitiv stomatos = Mund, Öffnung) Spaltöffnung. Mehrzahl: Stomata.

Stromathylakoide (G stroma = Lager, Unterlage, Grundlage; → Thylakoide) Die Chloroplasten in ihrer ganzen Länge durchziehende Thylakoide.

Suberin (L suber, Genitiv suberis = Korkeiche, Kork) Korkstoff. → Cutin.

Substituent (L substituere = an die Stelle setzen) Atom oder Atomgruppe, durch die ein anderes Atom bzw. eine andere Atomgruppe ersetzt wird.

Sukkulenz (L succulentus = saftvoll, kräftig) Ausbildung fleischig-saftiger Wasserspeichergewebe.

Superhelix (L super = über, darüber; G helix = Windung, Spirale) Zu einer Helix höherer Ordnung aufgewundene Helix.

Suspensor (L suspendere, suspensus = aufhängen, schweben lassen) Embryoträger.

Symbiose (→ Syn-; G bios = Leben) Zusammenleben zweier artverschiedener Organismen in enger morphologischer Verknüpfung.

Symplast (→ Syn-; G plastos = gebildet, geformt) Gesamtheit der Protoplasten eines vielzelligen pflanzlichen Organismus, die durch → Plasmodesmen untereinander verbunden sind.

Sympodium (→ Syn-; G pous, Genitiv podos = Fuß) Verzweigungstypus der Sproßachse, bei dem im Gegensatz zum → Monopodium die Hauptachse ihr Wachstum einstellt und das weitere Wachstum von Seitenzweigen I. Ordnung übernommen wird.

Symport (→ Syn-; L portare = tragen) Gleichgerichteter, gekoppelter Transport eines Ions oder Moleküls durch eine Biomembran. → Antiport.

Syn- (G syn = zugleich, zusammen mit; vor b, n und p angeglichen zu sym-) In zusammengesetzten Wörtern mit der Bedeutung: mit, zusammen, gemeinsam, gleichzeitig, gleichartig.

Synaptonematischer Komplex (G synapsis = Verbindung; G nema, Genitiv nematos = Faden) Bei der in der → Meiose erfolgenden Chromosomenpaarung zwischen den Nicht-Schwesterchromatiden ausgebildete Struktur. Wird auch als synaptischer oder synaptonemaler Komplex bezeichnet.

Synchronisation (→ Syn-; G chronos = Zeit) Steuerung einer Kultur von Mikroorganismen durch geeignete Kulturbedingungen, so daß alle Zellen sich etwa zur gleichen Zeit teilen und somit das gleiche Alter haben.

Synergiden (G synergos = Mitarbeiter, Gehilfe; G -eides = gestaltet, ähnlich) Im Embryosack neben der Eizelle liegende Zellen.

Synthese (G synthesis = das Zusammenlegen, die Zusammensetzung) Aufbau einer chemischen Verbindung aus einfacheren Stoffen.

Taxis (G taxis = Ordnung, Aufstellung) Orientierung freibeweglicher Organismen zur Richtung des einwirkenden Reizes.

Telophase (G telos = Ende; → Phase) Letzter Abschnitt der Kernteilung.

Temperenter Phage (L temperare = zügeln, mäßigen) Über längere Zeit nicht → virulenter → Bakteriophage.

Tentakel (L tentare = betasten, berühren, angreifen, zu erreichen suchen) Schlanker, beweglicher Auswuchs eines Organs, oft zum Beutefang eingerichtet, z. B. bei den → Insectivoren.

Tetraden (G tetra, Genitiv tetrados = vier) Aus vier Einheiten bestehend, z. B. Chromosomentetraden in der Meiose. Synonyme → Gemini, → Bivalente.

Tetraeder (G tetraedron = Vierflächner) Von vier (meist gleichseitigen) Dreiecken begrenzter Körper.

Tetrakaidekaeder (G tetrakaideka = vierzehn; G edra = Sitz, Fläche) Vierzehnflächner.

Textur (L textura = Weben, Gewebe) Anordnung der Cellulosefibrillen in der Zellwand.

Thallophyten (→ Thallus; G phyton = Pflanze, Gewächs) Lagerpflanzen.

Thallus (G thallos = Zweig, Laub, Lager) Bezeichnung für den Vegetationskörper der → Thallophyten, der wegen Fehlens von Festigungselementen nach Herausnahme aus dem wäßrigen Milieu meist zusammenfällt und ein Lager bildet.

Theka (L theca = Kapsel, Büchse, Behälter) Je zwei Pollensäcke enthaltende, durch das Konnektiv verbundene Hälften der → Anthere.

Thermo- (G thermos = warm, heiß) In zusammengesetzten Wörtern Vorsilbe mit der Bedeutung „Wärme-", allgemeiner im Sinne von „abhängig von der Temperatur" bzw. „durch Temperatureinflüsse verursacht".

Thermomorphosen (→ Thermo-; → Morphosen) Formative Effekte der Temperatur auf pflanzliche Organe.

Thermonastie (→ Thermo-; → Nastie) Durch Temperatureinflüsse ausgelöste, aber nicht gerichtete Bewegung pflanzlicher Organe.

Thermophil (→ Thermo-; G philein = lieben) Organismen, die an Temperaturen zwischen 50 und 98 °C, in Extremfällen sogar über 100 °C angepaßt sind.

Thigmotropismus (G thigma = Berührung; → Tropismus) Durch Berührungsreize ausgelöste Bewegung pflanzlicher Organe mit vom Ort der Berührung abhängiger Richtung.

Thylakoid (G thylakos = Sack, Beutel; G -eides = gestaltet, ähnlich) Die Photosynthesepigmente tragende Biomembran der photosynthetisch aktiven → Plastiden.

Thylle (G thyllis = Sack, Beutel, Vorratsbehälter. Die von G tylos bzw. tyle = Wulst abgeleitete Schreibweise Tyle hat sich nicht durchgesetzt) Die Gefäße verschließende, unter blasenartiger Auftreibung der Tüpfelschließhäute einwachsende Holzparenchymzelle.

Tonoplast (G tonos = das Spannen, die Anspannung; G plastos = gebildet, geformt) Innere, den Protoplasten gegen die Zellsaftvakuole abgrenzende Biomembran.

Topische Reaktion (G topos = Ort, Stelle, Raum) Durch einen Reiz ausgelöste Bewegungsreaktion eines freibeweglichen Organismus, die in Beziehung zur Richtung des einwirkenden Reizes steht, z. B. zur Reizquelle hin (positiv) oder von der Reizquelle weg (negativ) gerichtet ist.

Totipotenz (L totus = ganz, völlig; L potentia = Vermögen, Kraft, Macht) Fähigkeit einer Zelle, das gesamte genetische Potential zu realisieren bzw. alle artspezifischen Funktionen auszuüben.

Toxin (G toxikon = zum Bogen gehörig, Pfeilgift) Allgemeine Bezeichnung für Gifte, die von Mikroorganismen, Pflanzen oder Tieren ausgeschieden werden bzw. bei deren Zerfall entstehen.

Trachee (G trachys = rauh, uneben) Gefäß.

Tracheiden (→ Trachee; G -eides = gestaltet, ähnlich) Langgestreckte Zellen, die gleich den Tracheen der Wasserleitung dienen.

Transcription (L transcribere = umschreiben) Umschreiben der Nucleotidsequenz der DNA in die Nucleotidsequenzen der mRNA.

Transduction (L transducere = hinüberführen) Genübertragung durch → Bakteriophagen. Auch die Signalübertragung vom Rezeptor zum Effektor wird als (sensorische) Transduction bezeichnet.

Transferasen (L transferre = übertragen) Gruppenübertragende Enzyme.

Transferzellen (L transferre = übertragen) Zellen, die sich bevorzugt an den Übergangsstellen vom Grund- zum Leitgewebe finden und die durch Vergrößerung der Innenfläche der Zellwand und die damit einhergehende Vergrößerung der Fläche des Plasmalemmas für Transportfunktionen besonders geeignet sind.

Transformation (L transformare = umgestalten, verwandeln) Umwandlung von R-Formen der Bakterien in S-Formen durch DNA-Übertragung.

Transfusionsgewebe (L transfundere = sich ergießen, übertragen) Die Verbindung zum umgebenden Armpalisadenparenchym herstellendes, die Leitbündel der Coniferennadel umgebendes Gewebe.

Transition (L transire = hinübergehen) Austausch eines Pyrimidinnucleotids gegen ein anderes, z. B. T gegen C, bzw. eines Purinnucleotids gegen ein anderes, z. B. A gegen G.

Translation (L transferre, translatus = übertragen, übersetzen) Übersetzung der Nucleotidsequenz der mRNA in die Aminosäuresequenz eines Proteins.

Translocation (L trans = über, jenseits; L locare = stellen, legen) Chromosomenmutation durch einseitige Bruchstückverlagerung.

Transpiration (L trans = jenseits, über, über – hin; L spirare = blasen, hauchen, ausatmen) Wasserabgabe der Pflanzen in Form von Wasserdampf.

Transposon (L transponere, -positus = hinüberbringen) Bewegliche DNA-Sequenz.

Transversal- (L transversus = quer, schief) In zusammengesetzten Wörtern in der angegebenen Bedeutung, z. B. Transversalphototropismus, Transversalgravitropismus.

Traumatonastie (G trauma, Genitiv traumatos = Wunde, Verletzung; → Nastie) Durch Verletzung hervorgerufene, nicht gerichtete Bewegung pflanzlicher Organe.

Trichoblast (→ Trichom; G blastos = Sproß, Trieb) Wurzelhaarbildende Zelle.

Trichogyne (→ Trichom; G gyne = Frau) Der Befruchtung dienender papillenförmiger Fortsatz des → Ascogons.

Trichom (G thrix, Genitiv trichos = Haar) Bezeichnung für pflanzliche Haare.

Trisomie (G treis, tria = drei; G soma = Körper) Dreifaches Vorkommen eines Chromosoms in einem diploiden Satz.

Tropismus (G tropos = Wendung, Richtung) Durch einen Reiz ausgelöste Bewegung

einer ortsgebundenen Pflanze bzw. eines ihrer Organe, deren Richtung in Beziehung zur Richtung des einwirkenden Reizes steht.

Tropophyten (G tropos = Wendung, Richtung; G phyton = Pflanze, Gewächs) An den jahresperiodischen Klimarhythmus angepaßte wandlungsfähige Pflanzen.

Tubulin (L tubulus = kleine Röhre) Die → Mikrotubuli aufbauendes Protein.

Tunica (L tunica = Hemd, Hülle) Die sich nur antiklin teilenden peripheren Zellschichten des Scheitelmeristems der Sproßachse der Angiospermen.

Turgor (L turgere = strotzen, aufgeschwollen sein) Flüssigkeitsinnendruck einer Zelle.

Uni- (L unus = einer) In zusammengesetzten Wörtern Vorsilbe mit der Bedeutung: einzig, nur einmal vorhanden, einheitlich.

Unifaziales Blatt (→ Uni-; L facies = Aussehen, Antlitz) Blatt, bei dem infolge der Reduktion der Oberseite die Blattoberfläche von der morphologischen Unterseite gebildet wird. → Bifaziales Blatt.

Uniformitätsregel (L uniformis = einförmig) Erste Mendelsche Regel, nach der alle Individuen der durch Einfaktorenkreuzung entstandenen ersten Filialgeneration gleich sind.

Valenz (L valere = wert sein) Wertigkeit.

Vakuole (L vacuus = leer) Mit Zellsaft erfüllter, von Protoplasma umgebener Innenraum der Pflanzenzelle.

Vakuom (L vacuus = leer) Gesamtheit der Vakuolen einer Zelle.

Variationsbewegung (L varius = mannigfach, verschiedenartig, wechselnd) Auf Turgoränderungen beruhende Bewegung pflanzlicher Organe.

Vegetation (L vegetabilia = Pflanzenreich) Pflanzenbewuchs.

Vegetativ (L vegetare = lebhaft erregen, beleben) Ungeschlechtlich, nicht mit der geschlechtlichen Fortpflanzung im Zusammenhang stehend.

Vektor (L vector = Fahrer) Überträger. Z. B. Plasmide oder Phagen zur Übertragung von DNA-Abschnitten.

Vernalisation (L vernare = Frühling machen, sich verjüngen) Ersatz der Winterperiode durch eine künstliche Kältebehandlung.

Vesikel (L vesicula = Bläschen) Bläschenförmige, meist von einer Membran umschlossene Kompartimente oder Strukturen bzw. bei den VAM-Pilzen Anschwellungen der Hyphen.

Virulenz (L virulentia = Gestank, Giftigkeit) Schädliche Aktivität von Krankheitserregern.

Virus (L virus = Schleim, Gift) Aus Nucleinsäuren und Proteinen bestehende, submikroskopische, infektiöse Partikel.

Vitamin (L vita = Leben) Sammelbezeichnung für verschiedenartige organische Verbindungen, die zur Aufrechterhaltung der Lebensvorgänge unerläßlich sind, von den betreffenden Organismen jedoch nicht selbst synthetisiert werden können.

Volutin (L volutare = wälzen, drehen) Nach *Spirillum volutans* benannte Substanz, die aus Polyphosphaten besteht.

Xanthophylle (G xanthos = gelb; G phyllon = Blatt) Sauerstoffhaltige → Carotinoide.

Xenobiotikum (G xenos = fremd; G bios = Leben) Körperfremder Stoff, der von einem Organismus nicht selbst gebildet, sondern aus der Umgebung aufgenommen wird. Viele dieser Stoffe blockieren bestimmte physiologische Vorgänge und wirken daher giftig.

Xero- (G xeros = trocken) In zusammengesetzten Wörtern Vorsilbe mit der Bedeutung: „trocken" bzw. „durch Trockenheit verursacht".

Xeromorphosen (→ Xero-; → Morphose) Durch Trockenheit verursachte Gestaltveränderungen pflanzlicher Organe.

Xerophyten (→ Xero-; G phyton = Pflanze, Gewächs) Trockenpflanzen.

Xylem (G xylos = Holz) Der Wasserleitung dienende Elemente eines Leitbündels.

Zirkulation (L circulus = Kreisbahn, Kreislauf) Plasmaströmung, die im Gegensatz zur Rotation in verschiedenen Bereichen des plasmatischen Wandbelages verschieden gerichtet ist und ihre Richtung häufig ändert.

Zisterne (L cisterna = Wasservorratsbehälter) Sowohl für den durch engen Zusammenschluß der Blattbasen gebildeten Wasservorratsbehälter der Zisternenepiphyten als auch allgemein für erweiterte, von Biomembranen umschlossene → Kompartimente der Zelle benutzt.

Zoosporangium (→ Zoospore; G angeion = Gefäß, Kanne) Behälter, in dem die Zoosporen gebildet werden.

Zoosporen (G zoon = Tier, Lebewesen; → Spore) Mit Hilfe von Geißeln bewegliche Sporen.

Zygotän (G zygos = Joch, Steg, Brücke; G tainia = Kopfbinde, Band) Stadium in der Prophase der Meiose, in dem die Parallelkonjugation der homologen Chromosomen beginnt.

Zygote (G zygos = Joch, Steg, Brücke) Verschmelzungsprodukt zweier geschlechtsverschiedener Gameten.

Sachverzeichnis

Halbfette Ziffern verweisen auf wichtige Erklärungen und Erläuterungen.
Rote Ziffern verweisen auf das Glossar.